# LA GESTION DES OPÉRATIONS ET DE LA PRODUCTION

## Une approche systémique

2e édition

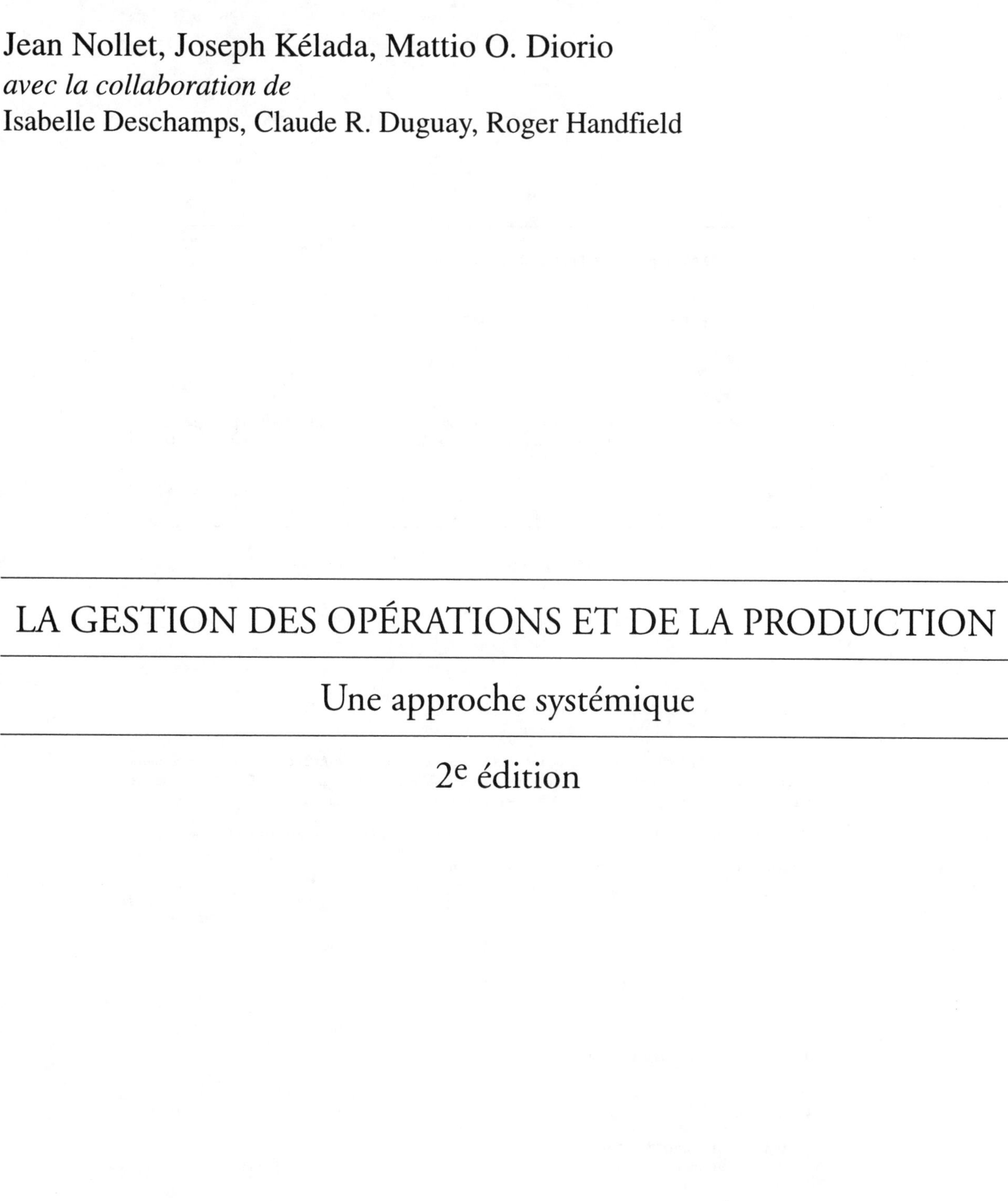

Jean Nollet, Joseph Kélada, Mattio O. Diorio
*avec la collaboration de*
Isabelle Deschamps, Claude R. Duguay, Roger Handfield

# LA GESTION DES OPÉRATIONS ET DE LA PRODUCTION

## Une approche systémique

2e édition

**gaëtan morin**
**éditeur**

**Données de catalogage avant publication (Canada)**

Nollet, Jean, 1952-

La gestion des opérations et de la production : une approche systémique

2e éd. –

Comprend des réf. bibliogr. et des index.

ISBN 2-89105-520-9

1. Production – Gestion. 2. Production – Gestion – Problèmes et exercices. 3. Recherche opérationnelle. 4. Recherche opérationnelle – Problèmes et exercices. I. Kélada, Joseph, 1934- . II. Diorio, Mattio O., 1934- . III. Titre.

HD33.N65 2003 658.5 C94-097434-4

Tableau de la couverture: ***Fraîcheur de printemps***
Œuvre de **Yvon Breton**

Yvon Breton est né à Johnville au Québec en 1942 et a étudié à l'École des Beaux-Arts de Montréal. Des expositions de groupe et solos de plus en plus nombreuses ont rendu son nom familier aux amateurs d'art. En 1988, il devient le premier Québécois à remporter le prix René D'Anjou, un prestigieux honneur français.

Il utilise principalement l'huile (spatule), l'aquarelle, l'encre de Chine, le fusain, le crayon gras et le pastel.

On peut voir ses œuvres, entre autres, à la Galerie Michel-Ange, à Montréal.

Révision linguistique : Gaétane Trempe



Gaëtan Morin Éditeur ltée
171, boul. de Mortagne, Boucherville (Québec), Canada J4B 6G4
Tél. : (450) 449-2369

Nous reconnaissons l'aide financière du gouvernement du Canada par l'entremise du Programme d'aide au développement de l'industrie de l'édition (PADIÉ) pour nos activités d'édition.



Imprimé au Canada 7 8 9 0 1 2 3 4 5 6 12 11 10 09 08 07 06 05 04 03

Dépôt légal 3e trimestre 1994 – Bibliothèque nationale du Québec – Bibliothèque nationale du Canada

## REMERCIEMENTS

Cet ouvrage n'aurait pu être révisé et amélioré sans le concours, le soutien, la coopération et la collaboration d'un grand nombre d'individus et d'organismes qui ont encouragé les auteurs par leurs conseils, leurs commentaires, leur recension et leur appui financier.

Aux étudiants, aux professeurs et aux gestionnaires qui ont lu la première édition et qui ont fourni des commentaires toujours constructifs, merci ! Des collègues d'autres universités y ont apporté une contribution directe : merci à François Bergeron de l'UQTR, à Jean Harvey de l'UQAM et à Guy Maltais de l'Université de Sherbrooke.

Il faut reconnaître aussi l'appui moral et financier des collègues-dirigeants de l'École des Hautes Études Commerciales, Jean Guertin, directeur, Adrien Lacombe, directeur du Service de l'administration et des finances, et Suzanne Rivard, directrice de la Recherche. L'apport de Monique Desmarais et de Monique Daniel est aussi reconnu pour des tâches souvent difficiles de traitement et d'organisation de textes.

L'équipe entière de Gaëtan Morin Éditeur a été une source constante de soutien et d'encouragement. Nous exprimons notre admiration et notre reconnaissance à : Gaëtan Morin, Josée Charbonneau, Céline Laprise, Daniel Marleau et Gaétane Trempe.

Enfin, la patience de nos amis et de nos familles a compté pour beaucoup dans la réalisation de cette nouvelle édition de *La gestion des opérations et de la production : une approche systémique*.

Les auteurs

# AVANT-PROPOS

L'édition précédente de *La gestion des opérations et de la production : une approche systémique* a suscité d'heureuses surprises : couronnée du prix François-Albert Angers parce que jugée comme le meilleur manuel pédagogique rédigé par des professeurs des HEC en 1987 ; traduction intégrale en version anglaise, une rareté dans la publication québécoise de niveau universitaire ; réimpressions multiples de l'ouvrage dépassant toute expectative, ce qui fait croire que le produit répond à des besoins manifestes.

Encouragés par ces résultats et conscients de l'évolution constante à laquelle est soumise l'entreprise tant dans son environnement interne qu'externe, que dans son contexte conceptuel et pratique, les auteurs ont entrepris une longue démarche de renouvellement et de mise à jour qui a donné naissance à la présente édition.

Cette révision est fondée sur les objectifs et les prémisses de trois ordres qui concernent le lecteur, la philosophie de base de l'ouvrage et la nouveauté.

Les lecteurs visés sont les étudiantes et les étudiants de premier et de deuxième cycle universitaire en administration, en ingénierie et en technologie, qui doivent réussir un cours d'introduction en gestion des opérations et de la production. De même, les auteurs endossent pleinement l'opinion émise par des cadres supérieurs d'organisations de classe mondiale, selon laquelle les gestionnaires actuels et futurs doivent comprendre les nouveaux paradigmes de la GOP, étudier la façon dont ils sont appliqués dans les entreprises les plus performantes et saisir l'influence des décisions prises en GOP sur les autres fonctions de l'entreprise, de même que l'effet des décisions des autres fonctions sur la GOP.

La philosophie de base de cet ouvrage repose sur la prémisse qu'une organisation est constituée d'un système interrelié et de fonctions interdépendantes : Opérations-Production, Marketing, Ressources humaines, Finances, Informatique, qui évoluent dans un environnement dynamique. C'est pourquoi l'approche systémique, avec son inévitable aspect stratégique, a été maintenue dans cette nouvelle édition. Cette approche systémique et « intégrative » permet : de présenter la GOP non pas comme une collection hétérogène et disparate de techniques et d'outils, mais bien comme une entité de gestion qui s'appuie sur un ensemble homogène et intégré de concepts et de techniques apposés à la GOP ; d'exposer les liens très étroits et essentiels entre la fonction Opérations-Production et les autres fonctions majeures de l'entreprise et de l'environnement pour faire ressortir l'importance de ces interrelations ; d'incorporer la GOP, en tant qu'élément indispensable, dans la formulation et la mise en place d'une stratégie globale de l'entreprise, tout en considérant son apport dans l'évaluation et le choix des critères concurrentiels que sont les coûts, la qualité, la certitude et la flexibilité.

Cette deuxième édition comporte de nombreuses nouveautés, issues à la fois des idées et des connaissances qui proviennent tant de la recherche que de la pratique. La réussite d'un tel ouvrage repose aussi sur l'acceptation et la satisfaction des usagers ; c'est pourquoi bon nombre de suggestions et de commentaires reçus des étudiants, des professeurs et des gestionnaires ont été incorporés à cette nouvelle édition.

- Un changement marquant est la venue de trois nouveaux associés, les professeurs Isabelle Deschamps, Claude R. Duguay et Roger Handfield, qui ont collaboré à cet ouvrage en l'enrichissant par leur compétence distinctive dans des domaines où ils ont acquis une renommée enviable.

- Le volume renferme deux nouveaux chapitres : le premier porte sur les entreprises de services, le second traite de la gestion de projets.

- L'ouvrage contient, aux chapitres appropriés, des sections qui soulignent l'apport de l'informatique en GOP. De plus, il contient une disquette utilisant *Lotus*, qui permet à l'étudiant de résoudre des problèmes choisis.

- Dans la partie I qui constitue l'introduction, la notion de **gestion par intraversion et par extraversion** est présentée au chapitre 1 ; la **prise de décisions**, la **mobilisation et** la **participation des travailleurs** ainsi que les **aspects humains** sont des thèmes ajoutés au chapitre 2 ; le nouveau chapitre 3 présente les concepts essentiels et les particularités des **entreprises de services**. Plusieurs de ces nouvelles notions sont appliquées ou élaborées dans d'autres chapitres, soit par des exemples, soit par leur application dans des situations particulières.

- Six chapitres forment la partie II, qui englobe les décisions ayant une portée à long terme. Le chapitre 4, qui traite de la **conception du produit et du processus**, est complètement réécrit et enrichi par l'incorporation de nouvelles technologies et des développements récents en recherche et développement, en plus de comporter des exemples propres aux secteurs secondaire et tertiaire. Il en est de même pour le chapitre 5, la **gestion de la technologie**, dont l'importance dans l'entreprise d'aujourd'hui et de demain est accentuée par son effet sur la productivité, la compétitivité et la qualité de vie. La **gestion de l'équipement et des installations** (chapitre 6) reçoit une réforme en profondeur et met un accent particulier sur l'aspect gestion. Le chapitre 7, allégé et mis à jour, traite de la **capacité de production** en plus du problème de **surcapacité** dont souffrent plusieurs entreprises. Le chapitre 8, portant sur la **localisation et** l'**aménagement**, a aussi été allégé, tout en recevant l'ajout de notions qui intéressent davantage le gestionnaire. Enfin, le chapitre 9, l'**organisation et** les **méthodes**, prend une dimension plus globale et introduit de nouveaux concepts, soit le déploiement de politiques et la schématisation et l'analyse du processus d'affaires.

- Les activités de pilotage, réparties en neuf chapitres dans la partie III, exposent les décisions à court et à moyen terme. Le chapitre 10, la **gestion des stocks dans un contexte de demande indépendante**, a été remanié et comporte des ajouts importants, entre autres le système de planification échelonnée dans le temps et l'informatisation en gestion des stocks. Le chapitre 11, la **prévision** et la **gestion de la demande**, met un accent particulier sur le rôle et l'importance de ces notions en GOP. Les chapitres 12, 13 et 14 forment le noyau de la **planification et** du **contrôle de la production** ; ils ont été transformés et améliorés pour intégrer les concepts, la terminologie et les techniques de pointe actuellement appliqués dans l'entreprise à succès, ainsi que les aspects interdépendants des activités interfonctionnelles. Nouveau, le chapitre 15 traite de la **gestion de projets**, c'est-à-dire du système opérationnel mis en place pour réaliser un bien ou un service unique ou en nombre restreint ; il peut s'agir d'un nouveau produit ou processus, d'un système d'information ou d'une nouvelle approche de gestion. Les chapitres 16, 17 et 18 portent sur la gestion des **approvisionnements** et de la **qualité** et sur la notion de **juste-à-temps**, qui jouent un rôle de premier plan dans la fabrication de classe mondiale ; de nouveaux éléments d'approche et d'implantation y ont été ajoutés.

- La partie IV comprend deux chapitres. Le chapitre 19, sur la **gestion stratégique des opérations**, a été révisé en profondeur ; il traite de l'importance de la stratégie des opérations au sein d'une stratégie globale et il montre comment faire converger les notions des chapitres antérieurs vers ces stratégies. Le chapitre 20, dernier de cet ouvrage, porte sur la **productivité et** les **perspectives en GOP**. Il s'agit d'une notion élargie de la productivité dite concurrentielle. Ce chapitre indique la position relativement avantageuse du Canada par rapport à d'autres pays industrialisés, tout en faisant constater la décélération de son taux d'amélioration et en indiquant des perspectives de redressement.

Cette deuxième édition renferme donc un très grand nombre d'éléments nouveaux et transmet les développements et les progrès quasi effrénés, mais combien captivants, dont profite le domaine sans cesse changeant de la gestion des opérations et de la production.

Cette édition, comme la précédente, contient plusieurs types d'aide pédagogique, qui ont pour but de faciliter l'apprentissage, la compréhension et l'application des concepts et des techniques présentés : d'abord, des questions de révision permettent aux lecteurs de tester leur compréhension et leur rétention des points clés ; ensuite, des questions de discussion contribuent à approfondir des thèmes, à établir des liens entre divers concepts et à susciter une réflexion sur des sujets complexes. De plus, des problèmes et des mises en situation permettent l'application et l'adaptation des concepts et des techniques dans un contexte analogue à la réalité (certaines techniques se prêtent à l'utilisation de l'informatique) ; enfin, des références bibliographiques abondantes sont fournies à la fin de chaque chapitre, non seulement pour confirmer la certitude des idées avancées, mais aussi pour permettre au lecteur curieux d'approfondir ces notions et ainsi faciliter sa recherche personnelle. Le *Recueil de problèmes résolus en gestion des opérations et de la production* a aussi été mis à jour et il constitue un supplément essentiel à cet ouvrage de base.

Les auteurs ont voulu rendre cet ouvrage le plus complet, le plus à jour possible, et très souple dans son utilisation, conscients toutefois qu'il s'agit d'une introduction générale en GOP. Par contre, l'étendue des sujets traités permet précisément aux professeurs d'exercer des choix selon les objectifs spécifiques de leurs cours, et la numérotation des sections de chacun des chapitres facilite la réalisation d'un plan de cours sur mesure.

La production d'un ouvrage de cette envergure n'aurait pu se réaliser ni aboutir sans un immense effort de coordination. L'auteur dont le nom apparaît en premier s'en est chargé avec rigueur et dévouement, permettant ainsi la réalisation de cette nouvelle édition de *La gestion des opérations et de la production : une approche systémique*.

Montréal, juin 1994

Jean Nollet, Joseph Kélada et Mattio O. Diorio,
Isabelle Deschamps, Claude R. Duguay et Roger Handfield,

Service de l'enseignement de la gestion des opérations et de la production
École des Hautes Études Commerciales de Montréal.

# TABLE DES MATIÈRES



## PARTIE I

## LA GESTION DES OPÉRATIONS ET DE LA PRODUCTION DANS L'ENTREPRISE

### Chapitre 1 La gestion des opérations et de la production : sa place dans l'entreprise

*Joseph Kélada, auteur principal*



### Chapitre 2 Le responsable de la gestion des opérations et de la production et les aspects humains

*Mattio O. Diorio, auteur principal*

## Chapitre 3 Les entreprises de services

*Jean Nollet, auteur principal*



# PARTIE II

## LA MISE EN PLACE DU SYSTÈME OPÉRATIONS-PRODUCTIONS

## Chapitre 4 La conception du produit et du processus

*Isabelle Deschamps, auteure principale*
*Mattio O. Diorio, collaborateur*

## Chapitre 5 La gestion de la technologie

*Isabelle Deschamps, auteure principale*
*Jean Nollet, collaborateur*



## Chapitre 6 La gestion de l'équipement et des installations

*Isabelle Deschamps, auteure principale*
*Jean Nollet, collaborateur*

## Chapitre 7 La détermination de la capacité de production

*Mattio O. Diorio, auteur principal*



## Chapitre 8 La localisation et l'aménagement

*Joseph Kélada, auteur principal*

## Chapitre 9 L'organisation et les méthodes

*Joseph Kélada, auteur principal*



# PARTIE III

## LE SYSTÈME DE PILOTAGE

## Chapitre 10 La gestion des stocks dans un contexte de demande indépendante

*Claude R. Duguay, auteur principal*
*Jean Nollet, collaborateur*

## Chapitre 14 L'ordonnancement

*Claude R. Duguay et Jean Nollet, auteurs*

## Chapitre 15 La gestion de projets

*Roger Handfield, auteur principal*
*Mattio O. Diorio, collaborateur*



## Chapitre 16 La gestion des approvisionnements

*Joseph Kélada, auteur principal*
*Jean Nollet, collaborateur*

## Chapitre 17 La gestion de la qualité

*Joseph Kélada, auteur principal*



## Chapitre 18 Le juste-à-temps

*Mattio O. Diorio, auteur principal*
*Jean Nollet, collaborateur*

# PARTIE IV

## LES STRATÉGIES DE GESTION DES OPÉRATIONS ET DE LA PRODUCTION ET LA PRODUCTIVITÉ

## Chapitre 19 La gestion stratégique des opérations

*Jean Nollet, auteur principal*



## Chapitre 20 La productivité et les perspectives en gestion des opérations

*Mattio O. Diorio, auteur principal*

## Annexe A La théorie des files d'attente



## Annexe B La simulation



## Annexe C Les tables



**Avertissement**

Dans cet ouvrage, le masculin est utilisé comme représentant des deux sexes, sans discrimination à l'égard des hommes et des femmes et dans le seul but d'alléger le texte.

PARTIE I

# La gestion des opérations et de la production dans l'entreprise

CHAPITRE 1

CHAPITRE 2

CHAPITRE 3

Notre société évolue rapidement tant sur les plans économique et social que sur les plans technique et technologique. Cette évolution – que plusieurs qualifient plutôt de révolution – confère à la fonction Opérations-Production un rôle de toute première importance dans l'entreprise. De plus, la régionalisation fait place à une économie et à un commerce internationaux où la concurrence est basée principalement sur des produits de haute qualité offerts à des prix compétitifs.

Dans cette première partie, nous définissons le domaine de la gestion des opérations et de la production, la GOP. Nous indiquons aussi la place de la fonction Opérations-Production dans l'entreprise par rapport à la direction générale et les interrelations de cette fonction avec les autres fonctions principales de l'entreprise et de son environnement. Ces interrelations s'avèrent si importantes que nous avons choisi de traiter de la GOP en utilisant une approche systémique. Nous rappelons brièvement les concepts de cette approche et nous proposons un modèle d'application qui permet de l'opérationnaliser.

Le premier chapitre débute par un survol des notions et des concepts généraux de l'approche systémique et de la GOP. Il se poursuit par un bref historique de l'évolution de la production et de sa gestion. Suit la description des principaux objectifs et des activités propres à la conception, à la mise en place et au pilotage du système Opérations.

Le deuxième chapitre est consacré aux aspects humains de la gestion de la fonction Opérations-Production et au rôle des gestionnaires de cette fonction. La tâche de ces derniers ne se limite pas à réduire les coûts d'exploitation ni à respecter les délais de fabrication exigés ; ils doivent aussi participer de plus en plus aux décisions stratégiques de l'entreprise et les respecter (par exemple le choix des produits et de leur technologie, les processus à mettre en place et d'autres décisions relatives aux capacités de production). Pour jouer pleinement leur rôle, tant sur les plans stratégique qu'opérationnel, les gestionnaires de la fonction Opérations-Production doivent d'abord considérer l'aspect humain de leur milieu. De plus, ils ne peuvent ignorer les aspects techniques et technologiques de cette fonction, car il est essentiel qu'ils puissent en évaluer l'influence sur la GOP.

Le troisième chapitre traite des particularités du secteur des services privés et publics. Les concepts de base de la GOP, traditionnellement appliqués dans l'industrie, conviennent aussi au secteur des services, qui, sur le plan économique, dépasse en importance le secteur industriel. Mais pour appliquer ces concepts et certaines techniques qui s'y rapportent, il faut savoir et pouvoir les adapter aux entreprises de services, d'où l'importance de connaître les différences et les similitudes entre ces deux secteurs.

CHAPITRE 1

# La gestion des opérations et de la production: sa place dans l'entreprise

JOSEPH KÉLADA *auteur principal*

# INTRODUCTION

## 1.1 La gestion des opérations et de la production à l'heure du changement

Nous vivons actuellement une étrange situation : dans un monde divisé par des langues, des cultures, des idéologies, des religions, des traditions et des ethnies, les frontières tombent, les murs sont détruits, les barrières disparaissent, les peuples se rapprochent et le monde se restreint de plus en plus. Que d'événements sont survenus depuis la première édition de ce livre ! Il n'y a pas si longtemps, si un romancier avait osé décrire ce qui se passe aujourd'hui, on l'aurait accusé d'avoir une imagination trop fertile, d'avoir poussé la fiction au-delà des limites acceptables. Plus de mur de Berlin, plus de rideau de fer, plus d'Union soviétique, plus de guerre froide...

Sur le plan économique, les pays de la Communauté économique européenne (CEE) font disparaître entre eux tout obstacle à la libre circulation des biens, des capitaux et des individus. D'autres pays européens ont signé des accords économiques avec la CEE, qui, en principe, font de l'Europe occidentale un immense marché uni et intégré. Aux 12 États de la Communauté économique européenne se sont joints les 7 membres de l'Association européenne de libre-échange (AELE) pour créer ce qu'on appelle l'espace économique européen (EEE), qui assure 45 % des échanges mondiaux et qui représente le plus grand marché unique du monde, fort d'environ 380 millions d'habitants. À l'Ouest, des accords de libre-échange unissent déjà les pays de l'Amérique du Nord, et peut-être bientôt de l'Amérique du Sud. À l'Est, les pays du Sud-Est asiatique se regroupent en de puissantes alliances économiques.

Face à ces changements, les dirigeants d'entreprise doivent modifier leur façon traditionnelle de gérer. Par exemple, la direction et les responsables de la fonction Finances pensent profits, dividendes, rendement sur investissements, tandis que les responsables de la fonction Marketing pensent marchés et concurrence. La majorité des gestionnaires pratiquent, presque en vase clos, une **gestion par introversion**, mesurant leurs performances propres par des résultats internes directement reliés à leur fonction qui consiste à préparer des états financiers, à embaucher ou à mettre à pied des employés et des cadres, à les former et à les rémunérer, à informatiser des activités administratives, à acheter des biens et des services nécessaires à la production et au fonctionnement des divers services de l'entreprise, à optimiser des niveaux de stocks de matières premières ou de produits finis, à rationaliser des espaces et des ressources internes, à réduire des coûts d'exploitation ou des investissements relatifs aux diverses installations, à l'équipement...

Pour être compétitives, les entreprises repensent leur façon de gérer. On parle de *business re-engineering*[4], de reconcevoir l'entreprise ou, carrément, comme dit Naisbitt, de la réinventer. Chaque cadre, chaque gestionnaire, chaque employé, quelle que soit sa position dans l'entreprise, doit penser que le succès de l'entreprise est basé sur une recherche simultanée et constante de la satisfaction de la triade actionnaire–client–employé[5]. La gestion doit donc se jouer à trois, en comptant aussi sur la collaboration constante de partenaires externes, en amont et en aval, tels les fournisseurs de biens, de ressources humaines et de services financiers, les distributeurs, les transporteurs...

D'une gestion par introversion on passe à une **gestion par extraversion**, où l'on mesure les performances de l'entreprise par rapport à la satisfaction des actionnaires et à celle des clients, généralement fortement interreliées, plutôt que d'évaluer le rendement de chaque service ou secteur de l'entreprise par des résultats internes. De l'approche *product-out* traditionnelle, on parle maintenant de *market-in* ; plutôt que de penser produit, on pense client et actionnaire, et ce non seulement dans les services de marketing et de finances, mais partout et en tout temps, à tous les niveaux hiérarchiques, dans tous les services au sein de l'entreprise et chez ses partenaires externes.

Les entreprises adoptent donc des approches de gestion globalisantes, telle l'**approche qualité totale**, qui consistent, pour les responsables de toutes les fonctions de l'entreprise, à collaborer étroitement à la réalisation des objectifs de l'organisation. Cependant, la fonction Opérations y joue un rôle majeur, surtout si on inclut dans cette fonction, comme nous le faisons, tous les aspects relatifs à la gestion des approvisionnements. Pour devenir et demeurer compétitives, les entreprises industrielles doivent servir leurs clients mieux et plus vite, tout en maintenant leurs prix au plus bas niveau possible[1]. Ces entreprises réalisent qu'elles doivent gérer adéquatement la fonction Opérations-Production. À cet effet, elles ont recours à une nouvelle technologie de gestion qui vise une production de classe mondiale, une élimination du gaspillage[1], et qui fait appel à un certain nombre de concepts, utilise certaines stratégies, applique de nouvelles démarches et techniques[8] telles que : *WCM* (*World Class Manufacturing*), *MRP* (*Materials Requirements Planning* ou Planification des besoins-matières – PBM), *MRP-II* (*Manufacturing Resources Planning* ou Planification des ressources de production – PRP), *FMS* (*Flexible Manufacturing Systems*), DFQ (Déploiement de la fonction qualité), *CIM* (*Computer Integrated Manufacturing*), *TPM* (*Total Productive Maintenance*)[7], *TQM* (*Total Quality Management*), *Business Re-engineering*, Ingénierie simultanée (*Concurrent Engineering*), Juste-à-temps, *SMED* (*Single Minute Exchange Die*), en plus de diverses techniques plus traditionnelles de planification et de contrôle de la production. Dans le secteur des services, certaines de ces techniques sont aussi utilisées telles quelles ou adaptées à ce secteur.

Dans un autre ordre d'idées, et devant la mondialisation des marchés, de l'économie et de la concurrence, l'Organisation internationale de normalisation (ISO) réunit actuellement des représentants d'une centaine de pays pour élaborer des normes internationales en matière de qualité des produits (biens et services) dans le but de faciliter et d'encourager le commerce international. On essaie ainsi de « débabelliser » le monde des affaires. Au-delà des normes sur les produits, les normes les plus connues aujourd'hui sont celles de la série ISO 9000 ; elles traitent des systèmes de gestion qui assurent un suivi de la production en donnant aux clients–acheteurs–utilisateurs éventuels (avant même que les produits soient conçus, réalisés et livrés) une **assurance** que ce seront des produits de qualité. La normalisation internationale des systèmes de gestion et d'assurance de la qualité est un préalable aux échanges entre entreprises voulant faire affaire sur un marché qui se mondialise.

En plus d'une révolution politique, économique et sociale, nous vivons indéniablement une révolution technologique sans précédent dans l'histoire de l'humanité. La guerre du Golfe, de triste mémoire, a démontré qu'on ne se bat plus comme on le faisait il y a quelques décennies. De même, dans le monde des affaires, la « haute » technologie envahit nos industries et nos services tant dans le secteur privé que public : le télécopieur, le téléphone cellulaire de poche, les guichets automatiques, les répondeurs, les systèmes de communication téléphonique automatisés font que la réalité actuelle ressemble étrangement à ce qui, hier encore, était considéré comme de la science-fiction. La révolution technologique a modifié notre vie en général, soit notre travail, nos loisirs, nos habitudes alimentaires. Avec l'évolution de la micro-informatique, un grand nombre de produits « programmables » sont apparus : des appareils photos, des fours à micro-ondes, des téléphones, des téléviseurs, des magnétoscopes, des automobiles...

En plus des effets sur la création de nouveaux produits et la modification de produits existants, la révolution technologique a aussi influencé grandement la façon de concevoir, de développer et de réaliser ces produits. La conception et la fabrication assistées par ordinateur (CAO-FAO) révolutionnent les méthodes de travail dans tous les secteurs de l'entreprise. La robotique permet aujourd'hui de remplacer l'humain dans les tâches répétitives, monotones ou qui menacent la santé et la sécurité de ceux qui les exécutent, ou encore de le soustraire à des conditions presque insupportables (bruit, chaleur ou froid excessifs). Dans le secteur des services, un grand nombre de transactions bancaires se font par guichet automatique, et on peut acheter un billet d'avion et souscrire une assurance-vie à l'aide de machines électroniques installées dans les aéroports. De plus en plus, l'argent liquide disparaît au profit de l'« argent en plastique », soit des cartes auxquelles un micro-processeur est parfois incorporé. Chez Digital, l'un des plus grands producteurs d'ordinateurs au monde, les produits changent tous les six mois ; chez Seiko, le célèbre fabricant de montres japonais, on crée un nouveau modèle à chaque quart de travail[1] !

Les changements technologiques ne se limitent pas aux produits que nous consommons ou aux services que nous utilisons ; d'importantes modifications aux activités et aux modes de gestion dans toutes les organisations résultent de ces changements. S'il est vrai que ces modifications touchent tous les secteurs de l'entreprise, leur influence est encore plus grande sur la fonction Opérations-Production. Face à tous ces changements, la gestion des opérations et de la production, la GOP, reprend donc une place privilégiée au sein de l'organisation à cause de son rôle déterminant sur la rentabilité de l'entreprise et la satisfaction des besoins de la clientèle, qui est la base de cette rentabilité et de la compétitivité de l'entreprise à moyen et à long terme. Le succès d'un grand nombre d'entreprises japonaises, comme Toyota et Sony, de sociétés américaines, comme Xerox et Motorola, et de sociétés canadiennes, comme Northern Telecom et Bell Canada, en témoignent.

Des publications s'adressant au milieu des affaires, telles *Harvard Business Review*, *Fortune* et *Business Week*, consacrent actuellement plusieurs articles aux divers aspects stratégiques et opérationnels de la GOP ; traditionnellement, elles traitaient presque exclusivement des aspects financiers ou de commercialisation dans la gestion des organisations. Ces revues publient des dossiers portant sur des sujets tels que la production de classe mondiale, la gestion des opérations dans le domaine des services, l'application de techniques de GOP empruntées à l'industrie japonaise et à certaines entreprises américaines, la gestion intégrale de la qualité...

L'importance accordée actuellement à la GOP se justifie pleinement par le retard de plusieurs industries nord-américaines par rapport à la concurrence internationale, asiatique ou européenne. Ces concurrents ont su jouer la carte de la GOP, combinée à une attention particulière et astucieuse apportée à la clientèle.

## 1.2 Les objectifs de l'enseignement de la gestion des opérations et de la production

L'enseignement de la gestion des opérations et de la production (GOP) se fait actuellement aux niveaux collégial et universitaire. Cet enseignement fait partie des programmes des écoles de gestion et des écoles d'ingénieurs. Certains auteurs et divers établissements d'enseignement font référence à ce sujet à la gestion des opérations, à la gestion de la production ou à la gestion des opérations et de la production. Nous utiliserons ces trois expressions de façon interchangeable, en expliquant plus loin les nuances qui les distinguent.

L'enseignement de la GOP vise les objectifs suivants :

1. Initier l'étudiant aux principaux concepts de la GOP. Soulignons que pour atteindre cet objectif, nous utiliserons ici une approche systémique en vue de montrer les interrelations qui existent entre ces concepts.
2. Permettre à l'étudiant d'établir et de comprendre les principales relations qui existent entre la fonction Opérations-Production, les autres fonctions, la direction générale et l'environnement externe de l'entreprise.
3. Familiariser l'étudiant avec certaines approches, techniques et méthodes utilisées ou applicables à la GOP, lui permettre de comprendre leur application par des exemples et des exercices appropriés, tout en lui indiquant les contextes particuliers où elles peuvent être mises en pratique.
4. Démontrer que la GOP s'applique également au secteur des services.
5. Initier l'étudiant à la définition des problèmes dans le domaine des opérations et de la production, à la prise de décisions dans ce même domaine et surtout à l'influence de ces décisions sur l'ensemble du système de la GOP, sur les autres systèmes au sein de l'entreprise ainsi que sur cette dernière en tant que système global.

Bien que cet ouvrage s'adresse principalement aux étudiants, plusieurs aspects ont été développés, qui intéresseront le praticien de la GOP et ceux qui œuvrent (ou sont appelés à le faire) dans des domaines connexes dans l'entreprise.

## 1.3 Les objectifs de la fonction Opérations-Production

Toute entreprise, toute organisation privée ou publique, à but lucratif ou non, doit offrir à une clientèle, à un « public » donné des produits (biens ou services) afin d'atteindre ses buts ou objectifs stratégiques, de nature économique ou sociale. Réaliser ces produits et les mettre à la disposition des éventuels utilisateurs sont donc les principales activités de l'entreprise*.

---

* Nous utiliserons le terme **entreprise** pour désigner toute organisation, à but lucratif ou non, publique ou privée, du secteur industriel ou de services.

L'importance économique relative du secteur tertiaire par rapport à celle du secteur secondaire a subi un changement radical comparativement au début du siècle. Des concepts et des techniques utilisés en gestion de la production dans les milieux industriels sont de plus en plus adaptés et employés avec succès dans les entreprises de services. Le terme **production** étant souvent associé au milieu industriel, on a tendance, dans les entreprises de services, à le remplacer par le terme **opérations**, lequel s'applique à toutes les activités de réalisation d'un produit, qu'il soit un bien ou un service.

Soulignons qu'il y a une différence entre fabrication, opérations ou production, et GOP. Ainsi, la **fabrication** se limite à la transformation des matières, des pièces et des ensembles en produits finis ; les **opérations** ou la **production** concernent l'exécution d'activités d'acquisition et de stockage de matières ou d'intrants, de transformation d'intrants en extrants (fabrication) et d'entretien des installations et de l'équipement de production. Quant à la **GOP**, on la définit comme étant un ensemble d'activités de planification, d'organisation, de direction et de contrôle auxquelles on ajoute des activités d'assurance, concernant les opérations de production. Les activités d'assurance consistent en une vérification générale visant à s'assurer que les quatre autres activités de gestion ont été correctement entreprises. Ces dernières contribuent à la réalisation des buts, ou objectifs stratégiques, de l'entreprise par l'utilisation optimale des ressources tangibles et intangibles qui sont à sa disposition. Ce faisant, les responsables de ces activités prennent en considération les diverses contraintes internes et externes à respecter.

Afin de réaliser leurs objectifs stratégiques, économiques (profits) ou sociaux, les entreprises, et la fonction Opérations au sein de celles-ci, doivent atteindre des **objectifs opérationnels** en fournissant des produits de la qualité exigée (Q) et en quantités désirées (ou volumes V), en respectant les délais de fabrication et de livraison demandés, donc à temps (T), en les livrant au lieu convenu (L), de la façon la plus économique (É) pour le client qui en fait l'acquisition (figure 1.1). De plus, l'entreprise et ses représentants doivent entretenir avec les clients actuels et potentiels des interrelations (I) efficaces et courtoises et mettre sur pied des systèmes et des méthodes administratives (A) légers et exempts d'erreurs, que le client doit utiliser quand il désire acquérir ces produits (systèmes de prise de commande, de facturation, d'évaluation du crédit, de plainte, de demande de renseignements...). On parle alors des objectifs QVALITÉ.

## 1.4 L'importance de la fonction Opérations-Production

Face à l'intensification de la concurrence, les entreprises industrielles réalisent que le succès de leurs plus sérieux concurrents relève d'une structure et d'un appareil de production permettant de réaliser des combinaisons d'objectifs souvent complexes. Dans certaines entreprises, les cadres dirigeants délèguent les décisions de production courantes à des échelons inférieurs de l'entreprise, inconscients que ces décisions créent souvent un réseau de contraintes qui nuisent au succès des stratégies de l'entreprise et limitent ses choix stratégiques futurs, parfois pour plusieurs années.

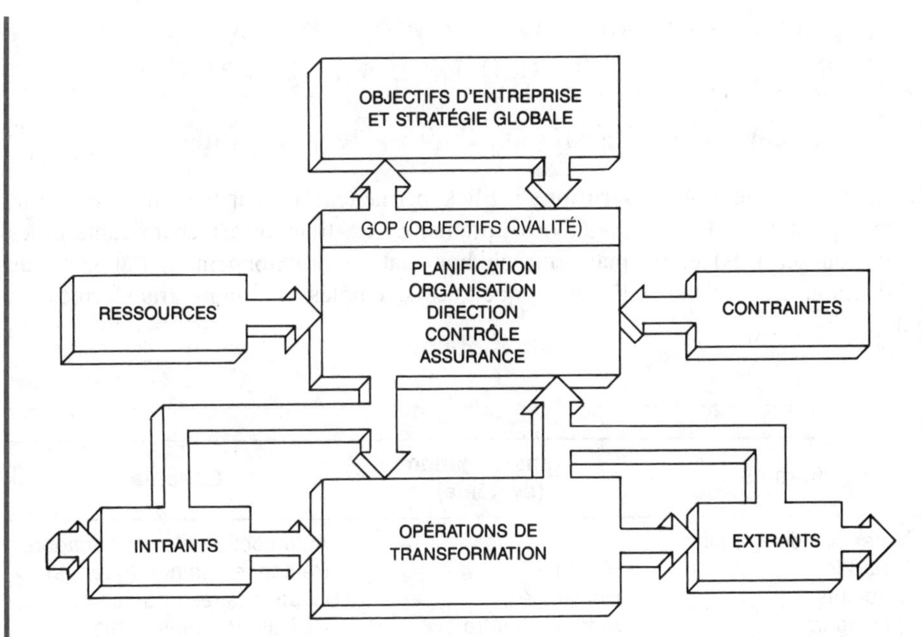


**FIGURE 1.1**
**La gestion des opérations et de la production**

On a observé que l'une des raisons possibles du succès foudroyant que connaît actuellement l'Allemagne, dont le modèle de gestion n'a pas été étudié autant que le modèle japonais, est le fait que les hauts dirigeants des entreprises ont souvent commencé leur carrière dans l'atelier et ont bien compris et maîtrisé le système de production. De plus, l'État appuie de façon durable la diffusion de l'innovation et de la technologie dans l'industrie. Le résultat de l'approche allemande est probant : sur les 35 produits considérés par l'OCDE comme les plus déterminants dans le commerce international, l'Allemagne occupe 15 fois la place de premier exportateur mondial, les États-Unis 6 fois et le Japon 5 fois[1].

Les décisions stratégiques concernant l'appareil de production, sa mise sur pied et son exploitation de même que les décisions qui y sont reliées constituent la base du fonctionnement de l'entreprise et de sa pérennité. En effet, la majorité des ressources humaines et des actifs de l'entreprise relève des opérations.

Cette constatation ne signifie nullement que l'entreprise doive abandonner ses activités de commercialisation, relâcher ses activités financières ou négliger la gestion de ses ressources humaines : l'objectif est d'atteindre un équilibre adéquat entre l'importance accordée à la gestion de ces fonctions et celle réservée à la gestion de la fonction Opérations. La fonction Opérations a été souvent négligée, et, du fait qu'elle subit actuellement des changements technologiques majeurs, les dirigeants d'entreprise ont du rattrapage à faire dans ce domaine ; ils mettent donc l'accent sur cette fonction, ce qui permettra de revenir à une situation plus équilibrée en ce qui concerne la participation de toutes les fonctions à la gestion globale de l'entreprise.

# LA GESTION DES OPÉRATIONS ET L'APPROCHE SYSTÉMIQUE

## 1.5 Les opérations, la gestion et l'approche systémique

En quoi consistent les **opérations**? Elles permettent principalement d'acquérir, d'emmagasiner et de transporter des intrants, de les transformer en extrants utiles (biens ou services) et de maintenir en bon état de fonctionnement l'appareil de production. Le tableau 1.1 donne quelques exemples d'intrants transformés en extrants.

**Tableau 1.1**

**Quelques exemples de transformation d'intrants en extrants**

| Intrants | Transformation (système) | Extrants |
|---|---|---|
| Matériaux divers, pièces | Usine | Automobiles, électroménagers |
| Malades | Hôpital | Personnes saines (guéries) |
| Étudiants | Université | Gestionnaires, ingénieurs |
| Passagers | Autobus, métro | Utilisateurs transportés à destination |
| Individus, organismes | Compagnie d'assurances | Régimes d'assurance |
| Spectateurs | Théâtre | Spectateurs divertis |

Rappelons que la **gestion** des opérations contribue à l'atteinte des objectifs de l'entreprise et qu'elle est parfois considérée comme un ensemble d'activités indépendantes et autonomes. Le danger de cette approche est qu'un certain nombre de décisions sont prises sans qu'on tienne compte des relations qui existent entre elles ou avec les autres fonctions de l'entreprise. D'autre part, plusieurs théoriciens et praticiens sont convaincus de l'importance d'une gestion globale et intégrée de cette fonction. C'est pourquoi nous proposons d'aborder l'étude de la GOP par une approche système, ou systémique.

L'**approche systémique** permet une vision globale indispensable à une gestion saine, efficace et complète. En effet, la GOP ne peut se faire efficacement sans prendre en considération les relations entre la fonction Opérations, la direction générale et les autres fonctions de l'entreprise et, au sein même de cette fonction, entre ses différentes composantes.

## 1.6 L'approche systémique: notions et applications

Dans le monde des affaires, la tendance actuelle est d'adopter des approches de gestion globalisantes, synthétiques ou systémiques pour remplacer l'approche analytique traditionnelle. Cette dernière consiste à subdiviser un problème complexe en un certain nombre de petits problèmes. Chacun de ceux-ci est alors facilement résolu, et la solution globale du problème est considérée, à tort, comme étant la somme des solutions des petits problèmes. La division du travail est une manifestation de la pensée analytique. Dans le cas de situations simples, quand les parties concernées sont indépendantes, l'approche analytique est très pertinente. Cependant, elle se révèle inefficace si les parties ont des relations complexes entre elles ou avec d'autres éléments. La solution d'une partie peut, dans le cas de l'approche analytique, mener à une **sous-optimisation**, c'est-à-dire à l'optimisation d'une partie aux dépens du tout.

Pour illustrer cette situation, prenons l'exemple d'une entreprise qui a des problèmes de qualité, mis en évidence par le nombre de retours de marchandises et de plaintes des clients. La direction demande au responsable des opérations de résoudre ce problème le plus rapidement possible. Celui-ci prend un certain nombre de moyens pour y parvenir : augmentation du nombre de contrôles et d'inspecteurs, entretien plus fréquent du matériel de production et ralentissement de la cadence de production pour surveiller de plus près la qualité des produits en cours de fabrication. Le problème de qualité est finalement résolu. Cependant, on s'aperçoit que les coûts ont sensiblement augmenté et que les délais de livraison ne sont plus respectés. Le nombre de clients insatisfaits est encore plus grand qu'il ne l'était avant l'application de ces mesures !

On ne peut parler d'approche systémique sans définir le concept de système. Un **système** est un ensemble d'éléments interdépendants organisés en vue d'atteindre un but. Plus précisément, un système comprend des éléments interdépendants et interreliés, des objectifs à réaliser, des intrants sur lesquels agissent les éléments dans un processus de transformation pour en faire des extrants ; il comporte une rétroaction (*feed-back*) qui indique si les objectifs ont été atteints ou non. S'ils n'ont pas été atteints, des mesures correctives sont alors entreprises. De plus, un système est en interaction avec d'autres systèmes au sein de l'entreprise (environnement interne) et à l'extérieur de celle-ci (environnement externe) (figure 1.2). L'environnement interne du système ou de la fonction Opérations-Production comprend principalement les systèmes (ou fonctions) Marketing, Finances et Ressources humaines. L'environnement externe comprend des aspects politiques, économiques, sociaux, technologiques et écologiques.

Notons que les éléments du système sont les ressources qui transforment ou aident à transformer les intrants en extrants. Ici, par conséquent, on ne considère pas la main-d'œuvre comme un intrant au système, comme on le fait dans certains modèles économiques. La main-d'œuvre est plutôt un élément du système qui transforme la matière première (intrant) en produit fini (extrant). De plus, on ne

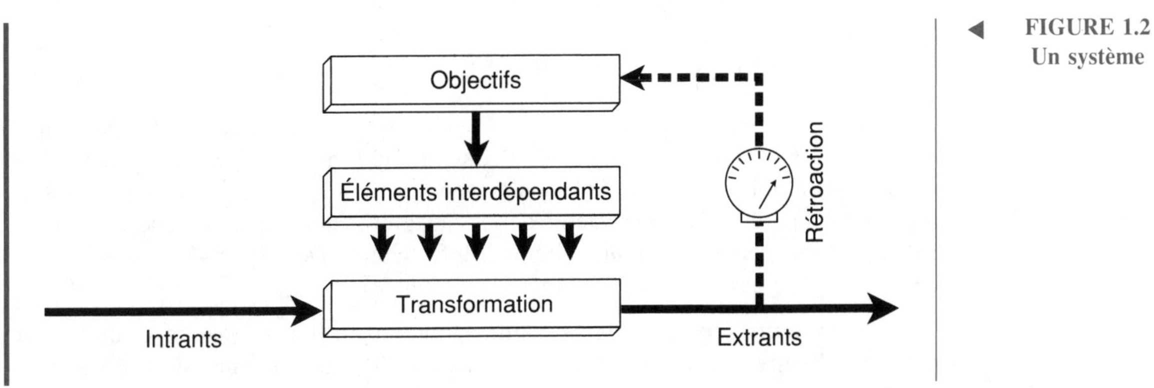


**FIGURE 1.2**
**Un système**

doit pas oublier les éléments intangibles tels que le savoir-faire, les brevets, l'expérience, l'information, etc., qui contribuent à la transformation, en facilitent le processus ou le différencient des processus utilisés par les concurrents.

À la base, l'approche systémique consiste à considérer un système comme un tout dont les parties sont interdépendantes et interreliées. Lors de l'analyse d'une situation complexe qui peut aboutir à des décisions cruciales, on doit, pour mettre en application cette approche, avoir une vision globale du système où cette situation se produit (c'est le concept de globalisme) et des interrelations entre ce système et les autres systèmes avec lesquels il interréagit. Une comparaison entre l'approche analytique et l'approche systémique est présentée au tableau 1.2.

**Tableau 1.2**

**Les caractéristiques de l'approche analytique et de l'approche systémique**

| Approche analytique | Approche systémique |
|---|---|
| – Division d'un tout en parties pour faciliter l'analyse | – Division et intégration, analyse et synthèse |
| – Étude des parties | – Étude des parties et de leurs interrelations |
| – Tendance microscopique, l'attention est mise sur les détails | – Tendance macroscopique, l'aspect global précède l'examen des détails |
| – Application si les parties sont relativement indépendantes | – Application si les parties sont interdépendantes |
| – Risque de sous-optimisation | – Possibilités d'optimisation de l'ensemble |

Soulignons que l'application de l'approche systémique n'est pas toujours possible, et parfois peu souhaitable. En effet, il arrive que la collecte de toutes les informations requises pour avoir une vision complète d'un système global et complexe, telle une entreprise, soit impossible, ou encore très longue ou trop coûteuse. Dans un tel cas, on suggère d'agir avec l'information existante même si elle est incomplète. D'autre part, dans certains cas, on doit analyser une situation ou un problème relativement limité dans un secteur sans interrelations significatives avec d'autres secteurs au sein d'une organisation ; l'application de l'approche systémique n'est alors ni nécessaire ni justifiée.

## 1.7 L'anatomie d'un système de gestion

Pour qu'un gestionnaire puisse prendre des décisions éclairées, cerner des problèmes et trouver des solutions valables, il doit connaître le fonctionnement du système dont il a la responsabilité. D'après le modèle proposé[6], tout système de gestion comporte un système opérationnel, un système de pilotage, un système hiérarchique de décision (SHD) et, pour relier le tout, un système d'information. Des aspects humains influencent chacun de ces systèmes (figure 1.3).

Le **système opérationnel** a comme fonction la transformation d'intrants en extrants. À titre d'exemple, certaines quantités de tôle d'acier, de pièces et de

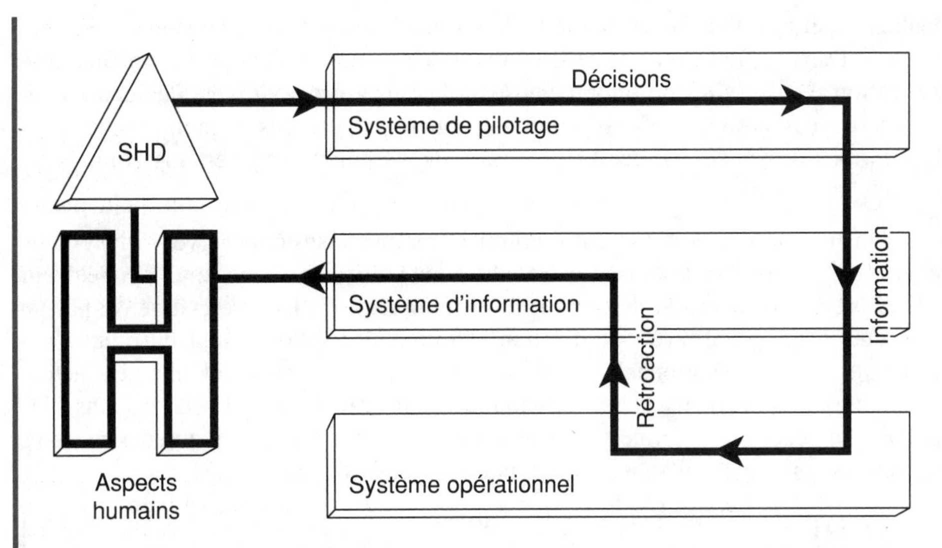


**FIGURE 1.3**
**Un système de gestion**

composants sont transformées (usinées, assemblées, peintes) par des ouvriers en un produit fini tel qu'une automobile. Le système opérationnel comprend des éléments (ici les ouvriers, l'équipement, les outils, l'énergie électrique nécessaire aux diverses machines) et un ensemble d'opérations de transformation requises pour réaliser, à partir des intrants, le produit fini. Pour que le système opérationnel puisse fonctionner efficacement, il doit être piloté.

Le **système de pilotage** comprend un ensemble d'activités de planification (détermination des objectifs, des moyens pour les réaliser et des correctifs s'ils ne sont pas atteints), de coordination, de surveillance, de suivi, de relance, de contrôle et d'assurance. Dans notre exemple, les activités de planification consistent à établir des objectifs quantitatifs et qualitatifs tels que le niveau de qualité à satisfaire, le nombre de voitures à fabriquer par année, les délais de livraison à respecter et les coûts de chacune des opérations ou de l'opération globale de fabrication.

À la suite du lancement des opérations, le pilotage consiste à surveiller leur déroulement en comparant les résultats obtenus aux objectifs fixés ; ce sont des activités de contrôle. À titre d'exemple, on vérifie si le délai de livraison est respecté et si les coûts engagés dépassent les coûts estimés lors de la planification. Au besoin, des mesures correctives sont ensuite entreprises (replanification). Elles peuvent consister, entre autres, à revoir les objectifs pour vérifier s'ils sont réalistes, ou à analyser les moyens utilisés dans le système opérationnel pour s'assurer qu'ils sont adéquats. On peut alors corriger les causes des écarts entre les objectifs et les résultats.

La responsabilité de chacune des activités de pilotage est confiée à des individus, à des unités administratives ou à des groupes de travail tels que les comités. Ce partage des responsabilités est formalisé dans le **système hiérarchique de décision** (SHD). Les individus et les responsables d'unités administratives ou de groupes de travail prennent des décisions de pilotage ou participent directement ou indirectement à celles-ci. Ces décisions sont de nature stratégique au sommet (cadres supérieurs) et opérationnelle à la base (cadres intermédiaires et de premier niveau). Dans le SHD sont établis les réseaux de communication nécessaires à la réalisation des activités de pilotage et les relations entre les divers décideurs concernés par ces activités. Ce système est concrétisé par des organigrammes, des descriptions de fonctions, des titres, des mandats concernant certains comités ou groupes de travail.

On considère le **système d'information** comme le système nerveux du système de gestion, la cheville de liaison entre toutes les parties de ce système. Un décideur (SHD) prend une décision de planification (pilotage). Celle-ci se concrétise par un plan, une directive ou un mode d'action (information). Elle est transmise aux opérateurs (système opérationnel) pour exécution. Ceux-ci renvoient une rétroaction (information) concernant la progression de leur travail aux divers responsables (SHD). Au besoin, ces derniers prennent alors des décisions telles que des mesures correctives (pilotage) ou font d'autres plans, et ainsi de suite.

Le système d'information relie entre elles les parties d'un système ainsi que ce système à d'autres systèmes. Il comprend toutes les informations qui circulent dans le système de gestion, qu'elles soient écrites ou verbales, sur papier ou sur disquette, sur bande magnétique ou magnétoscopique, sur microfilm ou sur microfiche. Le système informatique comprend la partie du système d'information qui est informatisée ainsi que le matériel (ordinateur et périphériques), les logiciels et les progiciels utilisés. C'est grâce au système d'information qu'on peut mettre en pratique l'approche systémique dans la gestion d'une entreprise ou d'une fonction au sein de celle-ci. Il permet donc au gestionnaire de disposer de toute l'information nécessaire à une vision globale lors de l'analyse d'une situation donnée ou lors de la prise d'une décision susceptible d'influer sur d'autres systèmes.

Un dernier point à considérer est l'**aspect humain**, rationnel et émotif. D'une importance capitale, il se retrouve dans toutes les parties du système de gestion. Sur le plan opérationnel, les exécutants doivent être formés et motivés ; sur le plan du pilotage, les décideurs doivent communiquer efficacement entre eux, apprendre à régler certains conflits et à vivre avec ceux qu'ils ne peuvent éliminer ou réduire. Sur le plan du système hiérarchique de décision, la structure administrative devra être pensée de façon à éviter les occasions de conflits entre les groupes par des définitions claires et rationnelles des responsabilités et des fonctions.

## 1.8 L'entreprise : un système

En tant que système, l'entreprise se compose de cinq **sous-systèmes** principaux. Ces sous-systèmes et les tâches qui y sont rattachées sont :

- le sous-système **Marketing**, qui définit ce qui doit être produit, en quelles quantités, pour quelles périodes et pour quels marchés, et qui a ensuite la responsabilité de distribuer et de vendre ces produits à des prix qui assurent la rentabilité de l'entreprise ;
- le sous-système **Technique** (recherche et développement, ingénierie), qui s'occupe de concevoir et de mettre au point des produits et des processus pour les réaliser ;

- le sous-système **Opérations-Production**, qui acquiert des intrants et les transforme en produits finis ;
- le sous-système **Finances**, qui est responsable de l'acquisition des capitaux nécessaires à la production et à la vente des produits ;
- le sous-système **Ressources humaines**, qui est responsable du recrutement, de l'embauchage, de la formation et de la rémunération des ressources humaines requises pour produire et vendre les produits, et pour réaliser toutes les activités connexes (figure 1.4).

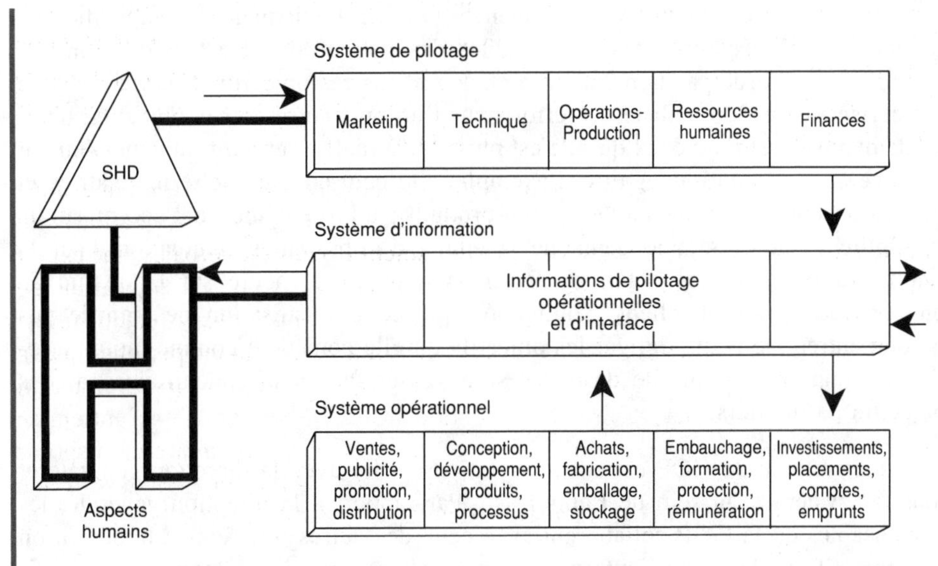


**FIGURE 1.4**
**Le système de gestion de l'entreprise**

Contrairement à ce que cette différenciation semble indiquer, aucun responsable d'un sous-système n'aura vraiment la responsabilité exclusive des activités qui lui sont ainsi attribuées. Pour respecter la pensée systémique, les responsables des sous-systèmes seront concernés à différents degrés par ces activités. À titre d'exemple, et comme on le verra au chapitre 4, le choix d'un produit à réaliser est une décision à laquelle doivent participer des intervenants de chacun de ces sous-systèmes. De plus, les tâches rattachées à chacun des sous-systèmes peuvent parfois varier d'une entreprise à l'autre.

# LE SYSTÈME DE GESTION DES OPÉRATIONS ET DE LA PRODUCTION

## 1.9 Les objectifs de la fonction Opérations-Production et les problèmes s'y rattachant

Les responsables de la GOP participent avec les responsables des autres fonctions à l'élaboration des objectifs globaux de l'entreprise. Ils doivent aussi établir des objectifs propres au système Opérations. Au besoin, ils pourront par la suite étudier les facteurs qui empêchent leur réalisation.

Les objectifs du système Opérations-Production doivent contribuer à la réalisation des objectifs globaux de l'entreprise. Parmi les objectifs globaux mentionnons entre autres les objectifs économiques, commerciaux, sociaux, techniques ou technologiques, environnementaux et politiques. Pour réaliser ces objectifs, toute organisation (privée ou publique, industrielle ou de services) doit offrir à ses clients ou à ses utilisateurs un ensemble de produits pouvant satisfaire leurs besoins ou respecter leurs exigences. Pour ce faire, une stratégie globale est élaborée, de laquelle découle une stratégie des opérations, ou stratégie industrielle, comme le montre la figure 1.5. Nous reviendrons sur ce point au chapitre 19.

D'une façon particulière, les exigences QVTLÉ deviennent des objectifs opérationnels à réaliser pour les responsables des opérations. Il est évident qu'une entreprise n'accorde pas la même importance à tous ces objectifs. En effet, chaque entreprise essaie de focaliser ses efforts sur l'un ou l'autre de ces objectifs, habituellement sur celui ou ceux qu'elle est plus apte à réaliser et qui font généralement sa force et sa réputation. À titre d'exemple, elle peut choisir d'être innovatrice et de se concentrer sur la qualité de ses produits ; elle peut mettre l'accent sur la flexibilité à satisfaire une demande sujette à d'importantes fluctuations, sur la fiabilité à respecter les délais de livraison requis, ou encore sur la qualité au moindre coût pour le client. Soulignons que cette focalisation ne signifie pas qu'une entreprise peut négliger les objectifs qu'elle considère comme moins prioritaires, mais plutôt qu'elle désire se singulariser face à la concurrence par des objectifs particuliers.

Le système de GOP est en interrelation étroite avec la direction générale et tous les systèmes au sein de l'entreprise. Par rapport à la direction générale, les responsables de la GOP collaborent avec ceux des autres fonctions à la définition des objectifs globaux de l'entreprise et à l'élaboration des stratégies et des politiques générales de celle-ci. De ces stratégies découlent la stratégie des opérations, qui oriente toutes les actions entreprises dans ce secteur.

Les relations entre les opérations et le marketing sont de toute première importance. Cependant, les responsables du marketing ont tendance à rechercher une grande diversité dans les produits à offrir sur le marché, ce qui leur permet d'atteindre une plus vaste clientèle. Pour leur part, les responsables des opérations de production souhaitent avoir une gamme très réduite de produits à fabriquer, idéalement un seul. De plus, les spécialistes du marketing veulent pouvoir compter sur une grande flexibilité face aux changements dans la demande, tant en ce qui concerne les quantités requises que les types de produits demandés. Quant aux responsables des opérations, ils recherchent une stabilité qui leur permet de planifier adéquatement les achats de matières et leur transformation.

En ce qui concerne la fonction Technique, ses responsables et son personnel doivent travailler en étroite collaboration avec ceux de la fonction Opérations-Production. En effet, ce sont eux qui conçoivent et développent les produits que doit réaliser le personnel de la Production et les processus permettant leur fabrication. Quant aux fonctions Finances et Ressources humaines, le responsable de la GOP en est généralement le plus important client. En effet, la majorité des ressources humaines et financières de l'entreprise se retrouve dans le secteur des opérations.

▼ **FIGURE 1.5**
**La place de la stratégie de production dans la stratégie globale**

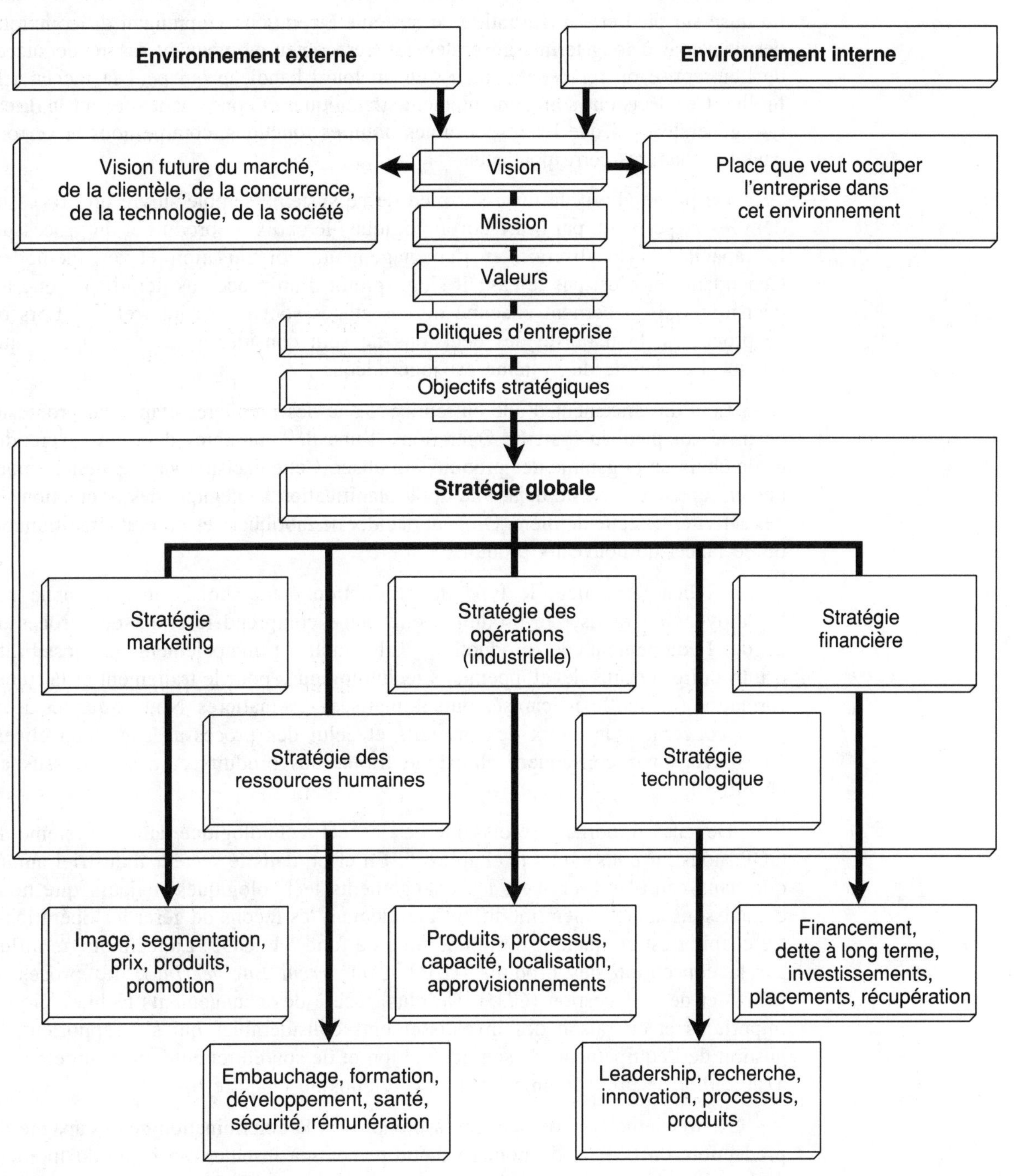

## 1.10 La mise sur pied et l'amélioration du système Opérations-Production

La mise sur pied et l'amélioration du système Opérations proprement dit comprend des décisions à long terme, généralement très coûteuses, pouvant assurer le succès de l'entreprise ou représenter pour elle un lourd handicap qui peut la mener à la faillite. Ces décisions sont généralement stratégiques et concernent souvent la direction générale ainsi que les responsables d'autres fonctions, comme nous le verrons dans les chapitres correspondants.

De prime abord, la mise sur pied de ce système semble suivre un processus dont les étapes sont, par ordre chronologique : le choix du produit et du processus, la capacité, la localisation et l'aménagement, l'organisation et les méthodes. Cependant, tel n'est pas le cas ; il s'agit plutôt d'un processus itératif puisque les décisions qui concernent chacune de ces étapes sont toutes interreliées. Lors de ce processus, la majorité des décisions ne sont considérées comme finales que lorsque l'ensemble du système est jugé adéquat.

Lors du lancement d'une entreprise, l'une des premières étapes du processus de mise sur pied du système Opérations, l'une des premières décisions à prendre est le choix de la gamme des produits à réaliser. Cette décision vaut également pour une entreprise qui existe déjà, lors de la planification stratégique des orientations et des activités de cette dernière. On peut décider de fabriquer des produits traditionnels ou de lancer de nouveaux produits.

En deuxième lieu, le type de production étant choisi, on se penche sur les moyens de réaliser le produit. Cette étape comprend le choix des processus et de l'équipement de production. Elle inclut principalement la possibilité d'introduire certains développements technologiques pour le traitement et la transformation (manuelle, mécanisée ou automatisée) des matières. Notons que les décisions concernant le choix des produits et celui des processus sont interreliées. Nous avons par conséquent choisi de traiter des produits et des processus au chapitre 4.

Devant l'importance croissante de l'aspect technologique dans le système de GOP, nous lui consacrons le chapitre 5. En effet, dans le secteur industriel autant que dans celui des services, les changements technologiques majeurs que nous connaissons actuellement modifient grandement les façons de gérer les opérations. Ce chapitre est en quelque sorte une toile de fond à la GOP. La technologie influe sur la conception des produits (CAO, *Concurrent Engineering*), des processus (*FMS*) et de leur gestion (*CIM*). De plus, face à des changements technologiques importants et en raison des investissements considérables qui s'y rapportent, la gestion de l'équipement, de son acquisition et de son entretien devient un élément à surveiller de près, comme nous l'expliquons au chapitre 6.

Le troisième type de décision à prendre est la détermination de la capacité de production, du type et du nombre d'équipements à installer ainsi que du moment de leur installation. Cette décision est généralement basée sur une estimation de la demande à satisfaire à long terme et sur les moyens financiers de l'entreprise. Elle comprend, entre autres, l'agrandissement des usines existantes, la création de nouvelles usines ou le recours à la sous-traitance systématique, planifiée et structurelle, et non occasionnelle ou conjoncturelle. Ces notions sont élaborées au chapitre 7.

La localisation géographique de l'entreprise et de ses diverses unités, telles les unités de production et d'entreposage, revêt aussi une importance stratégique. Elle peut permettre à l'entreprise de réduire ses coûts d'exploitation en choisissant certains emplacements, d'accroître ses ventes en se rapprochant de ses clients et en leur offrant un meilleur service, d'améliorer ses performances et sa gestion en se rapprochant de ses principaux fournisseurs. Le chapitre 8 traite de la localisation et de l'aménagement des diverses unités.

En vue d'assurer le fonctionnement du système, des décisions sont prises quant à son organisation administrative et technique. Ces décisions d'organisation et de méthodes concernent les structures administratives (par conséquent, le système hiérarchique de décision), les systèmes d'information, les méthodes et l'organisation du travail, l'étude des temps et des mouvements, l'aménagement physique des espaces, l'automatisation et l'informatisation des processus, l'évaluation des postes et les divers systèmes de rémunération. Ces aspects sont développés au chapitre 9, à l'exception du système d'information, que nous n'aborderons pas dans cet ouvrage.

## 1.11 Le système de pilotage

L'atteinte des objectifs du système Opérations nécessite un certain nombre d'activités de pilotage, à court et à moyen terme (figure 1.6). Chacune de ces activités fait l'objet d'un chapitre. Voici une brève description du contenu de chacun d'eux.

La prévision de la demande est à la base des diverses activités de planification. De sa précision dépend souvent le rendement du système Opérations. Le chapitre 11 lui a donc été réservé. Nous y présentons un certain nombre de techniques utilisées dans ce domaine ainsi que leur application. Les chapitres 10, 12, 13, 14 et 15 traitent des activités de planification et de contrôle de la production et des stocks (PCPS). Cette activité représente l'une des principales tâches du

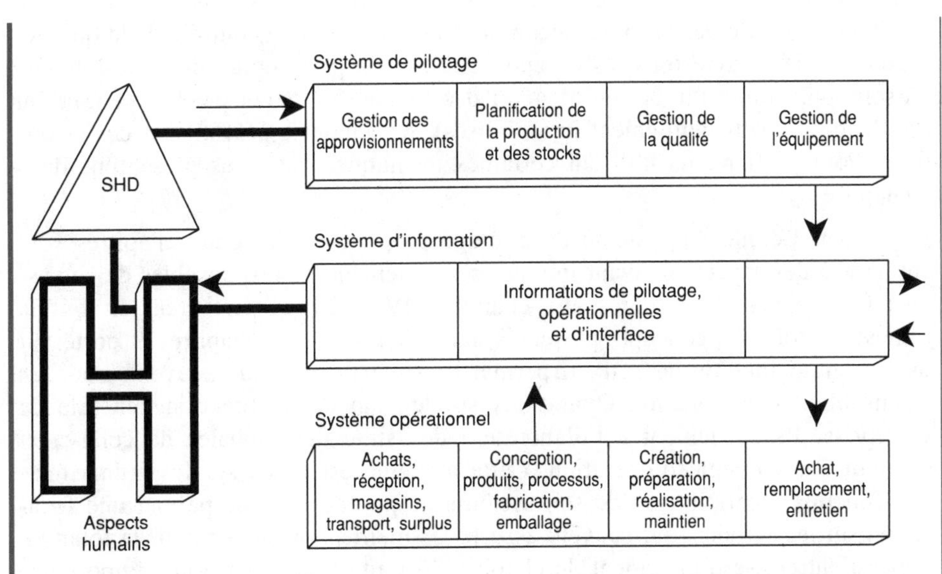


**FIGURE 1.6**
**Le système de gestion des opérations et de la production**

responsable des opérations. Elle comprend la planification à moyen terme des opérations et la préparation du plan intégré. Diverses approches y sont présentées, qui permettent l'élaboration d'un tel plan à partir de la prévision estimée de la demande. Au chapitre 13, nous abordons l'établissement d'un plan directeur de production (PDP) et la planification des besoins-matières (PBM). Du PDP découle un plan détaillé de production, précisant les quantités à produire pour chacune des semaines à venir. Ce plan permet la planification des besoins en matières, soit la gestion des stocks dans un contexte de demande dépendante.

Le chapitre 10 est consacré à la gestion des stocks dans un contexte de demande indépendante. Ce sujet revêt une importance particulière vu que les stocks représentent un fort pourcentage des actifs de l'entreprise industrielle. Des techniques de gestion des stocks y sont présentées pour permettre aux responsables d'établir un niveau optimal des articles en stock. Le chapitre 14 est consacré à la planification à très court terme, soit l'ordonnancement qui vise à distribuer le travail et dont le double objectif consiste à utiliser au mieux l'équipement de production tout en offrant au client un bon service, c'est-à-dire en lui livrant les produits commandés dans les délais requis. Au chapitre 15, nous présentons les aspects particuliers de la planification et du contrôle des opérations dans le cadre de la gestion des projets.

La gestion des approvisionnements concerne l'acquisition de matières, de pièces, d'équipement et de services, en respectant des exigences de qualité, de volume, de temps, de lieu et de coût. Ces acquisitions représentent en moyenne au-delà de 50 % des revenus de l'entreprise industrielle. De plus, elles influent directement sur les performances de l'appareil de production tant du point de vue qualité et quantité à produire que du point de vue délais à respecter et coûts à minimiser. Nous lui consacrons le chapitre 16.

La qualité joue aujourd'hui un rôle stratégique tant dans les entreprises industrielles que dans les entreprises de services. Plusieurs entreprises occidentales basent leur stratégie globale sur la qualité de leurs produits ; somme toute, le succès de plusieurs sociétés japonaises leur en a donné l'exemple. Le chapitre 17 présente l'essentiel de la gestion de la qualité ; il explique les principaux concepts de ce type de gestion et certaines techniques utilisées dans le contrôle de la qualité. Le chapitre 18 couvre tous les aspects relatifs à la philosophie du juste-à-temps et à son application. Plutôt que de gérer des stocks (qu'ils considèrent comme du gaspillage de fonds inutilement immobilisés), les Japonais préconisent de les éliminer. Pour ce faire, ils utilisent certaines techniques que nous présentons dans ce chapitre.

À part l'étude du système de pilotage proprement dit, deux chapitres sont consacrés à des aspects pouvant intéresser grandement les responsables de ce système. Ces aspects sont traités aux chapitres 19 et 20, qui intègrent et font la synthèse de tous les concepts présentés dans l'ouvrage. Le chapitre 19 porte sur l'aspect stratégique de la GOP. Il permet de situer le rôle que peuvent jouer les responsables de la fonction Opérations sur le plan de la direction générale de l'entreprise. Ils participent à l'élaboration des stratégies globales de celle-ci et préparent une stratégie d'opération. Cette stratégie est basée sur les points forts de la fonction Opérations et de son système de pilotage, et elle permet une focalisation sur les activités qui peuvent assurer les meilleurs résultats pour la fonction et pour l'entreprise. Finalement, le chapitre 20 traite d'un sujet d'une importance capitale pour tous les gestionnaires, mais particulièrement pour les responsables de la GOP : la productivité. Cet aspect est présenté d'une façon globale et ne se limite pas au concept traditionnel de la productivité de la main-d'œuvre : il a ici un sens élargi, qui inclut les performances générales de l'entreprise. Nous introduisons aussi dans ce chapitre quelques perspectives d'avenir dans le vaste domaine de la GOP.

## CONCLUSION

Les crises économiques que nous avons traversées au cours des deux dernières décennies et la forte concurrence que se livrent les entreprises industrielles et de services suscitent chez plusieurs dirigeants un intérêt accru pour le domaine des opérations. De plus, la révolution technologique et informatique, la création de nouvelles approches et de nouvelles technologies de gestion, de production et de commercialisation, surtout aux États-Unis et au Japon, et la mondialisation de la concurrence requièrent une mise à jour des connaissances dans le domaine de la GOP.

Les deux principaux aspects reliés à la GOP sont la mise sur pied du système Opérations et le pilotage de ce système. Chacune des décisions prises dans l'un ou l'autre de ces domaines peut se baser sur des approches et des techniques qui en minimisent les risques et en améliorent les résultats. De plus, une attention toute particulière doit être portée aux interrelations entre ces décisions et leurs effets sur les performances globales de l'entreprise.

À cause de l'importance toujours grandissante du secteur des services dans notre économie, un intérêt particulier doit lui être porté. En effet, la majorité des efforts d'amélioration de la productivité s'est concentrée, par le passé, sur le secteur industriel. Si l'on veut améliorer les performances du secteur des services et tirer de meilleurs résultats des immenses ressources qui y sont investies, on doit tenter d'y introduire des approches et des techniques de gestion des opérations qui ont fait leurs preuves dans le secteur secondaire. Bien que ces approches et ces techniques ne soient pas toutes applicables au secteur des services, plusieurs le sont et d'autres peuvent être adaptées aux exigences qu'on y trouve.

## QUESTIONS DE RÉVISION

1. Quels facteurs indiquent que la fonction Opérations prend de plus en plus une importance stratégique dans l'entreprise industrielle ?
2. Lors de l'étude d'une situation, quels sont les avantages d'utiliser l'approche systémique ?
3. Quels sont les objectifs de la fonction Opérations ?
4. Quelle est la fonction du système d'information dans un système de GOP ?
5. Quelles sont les principales activités de pilotage dans la GOP ? Nommez-les et expliquez-les.

## QUESTIONS DE DISCUSSION

1. Le contenu hautement technique des activités d'opérations justifie le fait de confier à des spécialistes techniciens la gestion de ces opérations. Commentez en illustrant par des exemples.
2. Si on reconnaît qu'une approche globale à l'étude d'une situation complexe est plus efficace, pourquoi l'approche systémique n'est-elle pas toujours appliquée ?
3. Quelles sont les interrelations possibles entre les responsables de la fonction Opérations et les responsables des autres fonctions dans l'entreprise ? Donnez des exemples pour étoffer votre réponse.
4. Quelles sont les interrelations entre la GOP et la gestion de l'entreprise ?
5. À quoi peut-on attribuer l'intérêt soudain que portent les théoriciens et les praticiens de la gestion des entreprises à la GOP ? Peut-on considérer cet intérêt comme une vague passagère due à la dernière crise économique ?

## RÉFÉRENCES


1. BUCAILLE, A. et C. DE BEAUREGARD BÉROLD, *Ariane contre la machine-outil*, Harvard-L'Expansion, p. 6-24, été 1990.
2. CAILLIBOT, P.F. et D. PRONOVOST, « La normalisation internationale », *Qualité Totale*, p. 9-15, été 1992.
3. GRIECO Jr., P. et M.W. GOZZO, *Made in America, the Total Business Concept*, PT Publications, 1989.
4. GULDEN, G.K. et R.H. RECK, *Combining Quality and Re-engineering for Operational Superiority*, septembre-octobre 1991, vol. 8, n° 1 (CSC Index Inc.).
5. KÉLADA, J., *Comprendre et réaliser la qualité totale*, 2e éd., Éditions Quafec, 1992.
6. KÉLADA, J., « Anatomie d'un système de gestion », *Gestion*, novembre 1977.
7. PRIMOR, Y., *TPM, La maintenance productive*, Masson, 1990.
8. SUZAKI, K., *The New Manufacturing Challenge*, Free Press, 1987.
9. TRUMBULL, M., « Manufacturing, the Competitive Edge », *Quality Digest*, p. 34-49, novembre 1991.

CHAPITRE 2

# Le responsable de la gestion des opérations et de la production et les aspects humains

MATTIO O. DIORIO *auteur principal*

# LE CONTEXTE DÉCISIONNEL

## 2.1 Introduction

Le responsable de la GOP, comme tout autre gestionnaire, a pour tâche d'aider l'entreprise à atteindre ses objectifs, par une saine utilisation des ressources humaines, financières et matérielles. Il ne travaille pas en solitaire ; au contraire, il fait partie d'une organisation dans laquelle le partage de l'autorité et des responsabilités est conçu de sorte que chaque personne, chaque individu, contribue à la réussite de l'entreprise. Dans ce chapitre, deux thèmes majeurs sont examinés : le contexte de décision en GOP et le rôle du gestionnaire. Le premier thème porte sur l'indispensable partage des responsabilités, l'environnement interne et externe de l'entreprise, les facteurs concurrentiels, la prise de décisions et l'analyse d'arbitrage que comporte cette dernière. Après avoir considéré quelques aspects de l'organisation de la GOP, la deuxième partie traite des activités, des postes et de la carrière du gestionnaire, étudie le rôle de l'ingénieur, puis constate l'importance grandissante du travail d'équipe et de la mobilisation des travailleurs ; elle se termine avec une réflexion sur quelques aspects humains en GOP.

## 2.2 Le partage des responsabilités

Une organisation consiste en un groupement de personnes interdépendantes qui travaillent ensemble et qui se partagent des tâches, des responsabilités, des ressources et d'autres moyens pour atteindre des objectifs communs. Dans ce cadre, le gestionnaire est celui à qui incombe la responsabilité du rendement d'une ou de plusieurs de ces personnes. Le gestionnaire des opérations et de la production voit donc à l'allocation et à l'utilisation des ressources humaines, matérielles, technologiques et informationnelles, mais il se distingue du gestionnaire des autres fonctions par des particularités inhérentes à sa mission stratégique : en effet, sont affectés aux opérations la majorité des ressources humaines, la majeure partie des revenus pour payer ces ressources et acheter les matières et les composants, ainsi que le gros des investissements pour combler les besoins en stocks, en équipement, en édifices et en installations[13].

Ainsi, le gestionnaire des opérations et de la production assume des responsabilités de première importance, qui consistent entre autres en l'atteinte des objectifs concurrentiels tenant compte de l'utilisation des ressources allouées. Qu'il soit vice-président, directeur ou contremaître des opérations, ce gestionnaire détient aussi des responsabilités complémentaires en ce qui a trait à la survie, à la pérennité, à la progression et à l'évolution de l'entreprise. Cependant, selon le niveau hiérarchique occupé, des responsabilités individualisées peuvent lui être confiées en fonction de la certitude et de la prévisibilité des activités à accomplir dans le temps, comme l'indique la figure 2.1.

Cette figure montre que le chef d'atelier s'occupe d'activités relativement stables telles que l'affectation d'une personne à une machine, qui est du ressort de la gestion quotidienne. Le directeur de la production travaille à un niveau intermédiaire ; par exemple, il prévoit et planifie les effets d'une fluctuation de la demande, ou encore il structure un programme de formation des travailleurs en

▼ **FIGURE 2.1**
**La division des tâches en GOP en fonction du temps**

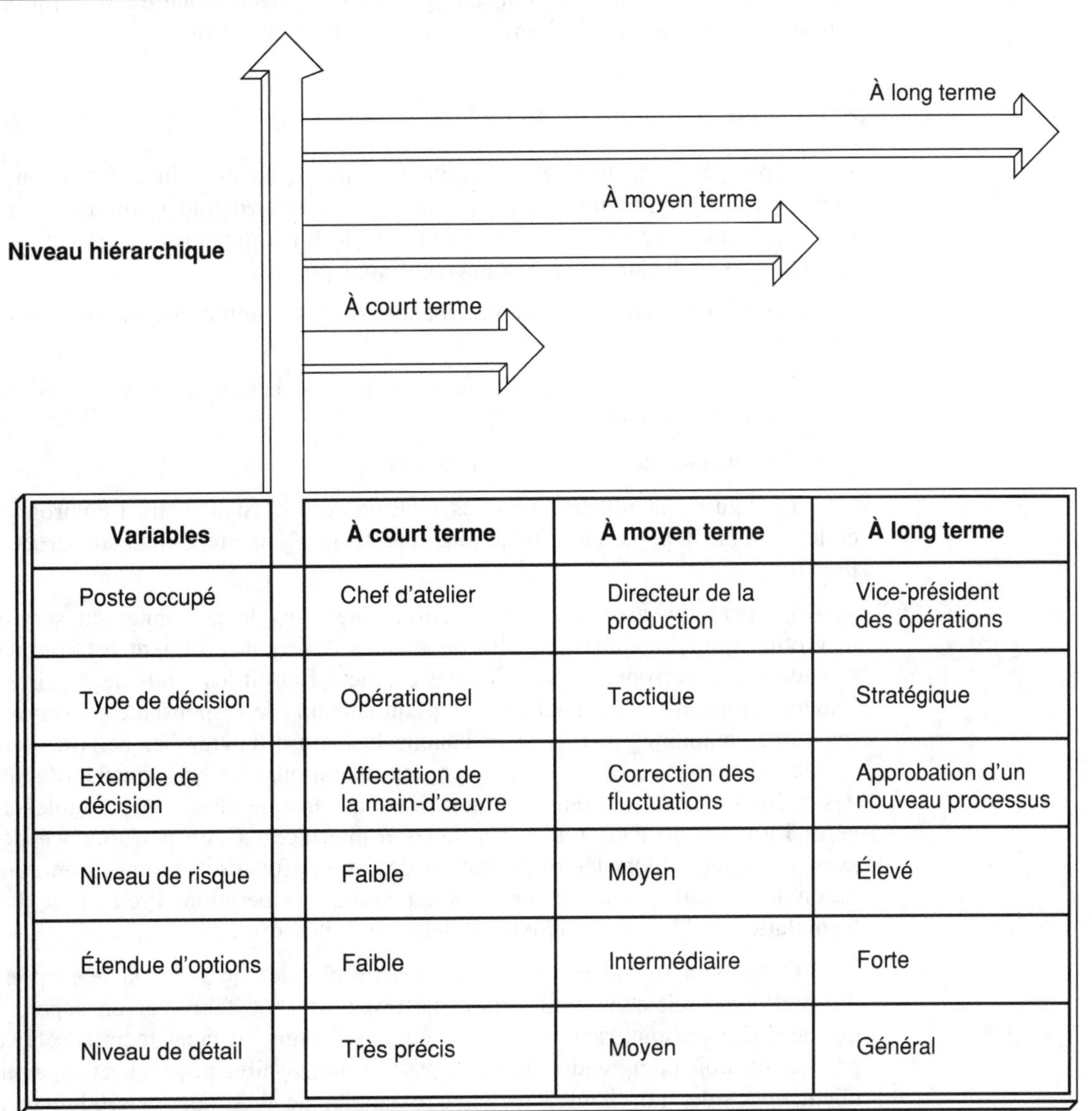


| Variables | À court terme | À moyen terme | À long terme |
|---|---|---|---|
| Poste occupé | Chef d'atelier | Directeur de la production | Vice-président des opérations |
| Type de décision | Opérationnel | Tactique | Stratégique |
| Exemple de décision | Affectation de la main-d'œuvre | Correction des fluctuations | Approbation d'un nouveau processus |
| Niveau de risque | Faible | Moyen | Élevé |
| Étendue d'options | Faible | Intermédiaire | Forte |
| Niveau de détail | Très précis | Moyen | Général |

vue de l'introduction éventuelle d'une nouvelle technologie. Au niveau supérieur, le vice-président s'intéresse à des activités à long terme, telles les stratégies d'expansion ou le choix d'un nouveau processus de production. Les responsabilités relatives au court terme se traduisent par des activités dont l'issue est assez certaine, tandis qu'au niveau supérieur les responsabilités comportent un risque plus élevé.

Ce type de partage des responsabilités, assez courant dans l'entreprise traditionnelle, tend à se modifier de nos jours, car bon nombre d'entreprises admettent de plus en plus une participation et une mobilisation des travailleurs. En effet, en plus des changements dans la reconnaissance des qualifications des ressources humaines, le gestionnaire doit aussi conjuguer avec d'autres transformations qu'imposent les forces de l'environnement sur l'organisation.

## 2.3 L'environnement de la GOP

Les responsables de la GOP ne travaillent pas dans un milieu fermé ou isolé. Leurs activités se déroulent dans un environnement dynamique interne et externe, qui a une influence immédiate ou future sur le fonctionnement du système. Trois aspects principaux de cet environnement sont proposés[6] :

- les relations entre le système Opérations-Production et les autres systèmes de l'entreprise ;
- les buts, la structure du pouvoir et les autres aspects de la culture organisationnelle ;
- les phénomènes extérieurs à l'entreprise.

La figure 2.2 illustre certaines relations qui existent entre l'environnement et le système Opérations-Production, que le gestionnaire doit analyser et comprendre.

Le **premier aspect** de cet environnement est le personnel du service du marketing qui, par l'intermédiaire du service des ventes, obtient les commandes à produire ; le personnel du service des finances fournit les fonds nécessaires pour l'approvisionnement en matières et en équipement ; le responsable du service des ressources humaines recrute et embauche la main-d'œuvre. Ces activités sont en étroite relation avec celles du service des opérations. La performance du service des opérations est fonction, entre autres, de la capacité de ses responsables à bien gérer l'interaction dans toutes les zones d'interfaces. Cette performance dépend aussi de la façon dont les responsables des autres fonctions prennent en considération les besoins et les contraintes du système Opérations-Production dans la formulation et la mise en œuvre de leurs activités respectives.

Cette interdépendance n'est pas à sens unique. En effet, si le responsable du marketing doit comprendre qu'il est impossible de fabriquer un superproduit qui ne coûte presque rien et qui doit être livré dans un délai record, celui de la production doit comprendre qu'il est parfois nécessaire, pour attirer un nouveau client ou garder un client actuel, par exemple, de modifier un produit et de le livrer de façon précoce même si cela désorganise son calendrier de production. En somme, si chaque service a un rôle particulier à accomplir, ses responsables doivent comprendre qu'ils sont liés par la stratégie de l'entreprise. Or, en plus de maîtriser les habiletés propres à sa fonction, le gestionnaire des opérations doit également développer et maîtriser les habiletés nécessaires pour gérer les zones d'interfaces.

Le **deuxième aspect** de l'environnement regroupe les éléments tels que la structure du pouvoir, les buts et les objectifs de l'entreprise, la culture et l'histoire organisationnelles. Chaque entreprise a une culture organisationnelle particulière, un système de valeurs et de croyances qui prédominent. Par exemple, certains gestionnaires croient qu'ils ont une responsabilité sociale tandis que d'autres pensent que leur responsabilité se limite à protéger et à faire fructifier les actifs des

▼ **FIGURE 2.2**
**L'environnement interne et externe du système Opérations-Production**

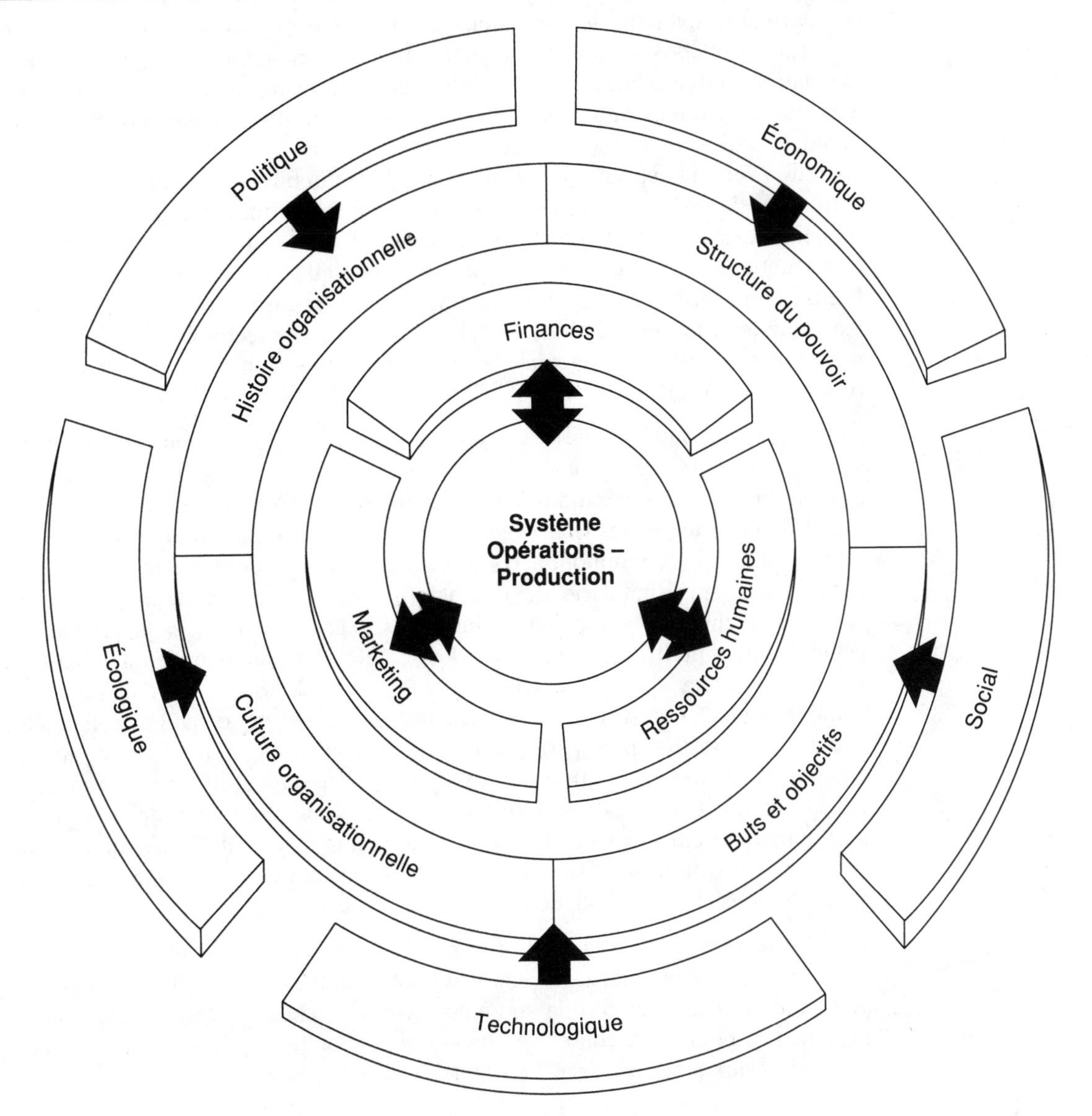


actionnaires ; certains croient que la direction a toujours raison tandis que d'autres favorisent une approche participative. Ce deuxième aspect de l'environnement correspond à ce qu'on appelle « les règles du jeu ». Ces règles dépendent de la stratégie de l'entreprise et influent sur le comportement des responsables de la production. En effet, si une entreprise privilégie la responsabilité sociale comme valeur, le responsable de la GOP verra, lors de l'achat d'une machine par exemple, à choisir un équipement qui minimisera la pollution.

Le **troisième aspect** de l'environnement est composé de cinq éléments externes à l'entreprise, qui correspondent à l'acronyme PESTE : Politique, Économique, Social, Technologique et Écologique. Cet environnement PESTE crée des défis à relever ou des occasions à saisir et il est pris en considération dans la formulation de la stratégie globale. L'environnement politique rassemble la législation gouvernementale, l'accroissement de la politisation de la société, les activités de groupes de pression ou d'intérêt. L'environnement économique comprend ce qui peut influer sur la demande des produits et l'acquisition des ressources, soit la variation du marché, la structure de coûts par industrie, l'inflation, la concurrence, l'offre et la demande des matières premières. L'environnement social regroupe le domaine des valeurs et des attitudes, le niveau d'instruction, les changements dans la pyramide d'âge de la main-d'œuvre. L'environnement technologique inclut les technologies disponibles et futures ainsi que le potentiel relatif au développement de ces technologies. Enfin, l'environnement écologique concerne la lutte contre la pollution et la sauvegarde des ressources naturelles.

Les cinq composantes de l'environnement PESTE changent relativement souvent et, par leurs impulsions sur l'entreprise, entraînent des changements dans la gestion du système Opérations. Le gestionnaire doit donc faire un décodage significatif de ces impulsions. Par exemple, la crise énergétique (politique), la concurrence japonaise (économique), les lois antipollution (écologique) ont eu un effet considérable sur l'industrie de l'automobile lors des deux dernières décennies. Non seulement le développement fut axé sur la conception et la production de véhicules plus petits, mais aussi sur des moteurs consommant moins d'essence et sur des systèmes d'échappement plus efficaces. De plus, ces changements ont entraîné dans l'industrie de l'automobile une stabilité dans la croissance des salaires, une gestion plus participative, de nouvelles technologies et de nouveaux types de systèmes de gestion. Hormis les systèmes naturels, tous les autres systèmes, incluant ceux dans l'entreprise, sont des créations de l'homme, du gestionnaire : celui-ci peut et doit, face aux impulsions de l'environnement, les corriger et les modifier par des adaptations nécessaires, par la réconciliation des contradictions, afin de leur donner une nouvelle existence.

Le responsable de la GOP doit choisir parmi les impulsions que lui dictent son environnement interne et son environnement externe, s'il désire assurer la pérennité et la progression de son entreprise. Ces choix se font en évaluant et en débattant le pour et le contre de chaque impulsion, en fonction des facteurs concurrentiels auxquels fait face l'entreprise.

## 2.4 Les facteurs concurrentiels

Pour réussir dans son environnement, l'entreprise précise, pour chaque classe de produits, les facteurs concurrentiels auxquels elle prévoit faire face dans son marché. À partir de la stratégie globale, ces facteurs sont traduits en objectifs, que la fonction Production devra particulièrement bien maîtriser. Ces facteurs peuvent se résumer à quatre éléments[11] :

- Le **coût** qui, éventuellement, se convertit en prix et en efficience. Ce facteur impose au gestionnaire de la production de prendre un soin particulier, comparativement à ses concurrents, à réduire ses coûts, à améliorer l'efficience de sa main-d'œuvre, de son capital et de ses autres ressources, en somme à produire le plus économiquement possible avec des processus et des systèmes légers.

- La **qualité**, ou la continuité de respecter les spécifications des produits, de répondre aux besoins des clients ou encore de fournir un produit ayant des caractéristiques désirables que ne contiennent pas les produits de la compétition. Pour saisir ces besoins, l'entreprise crée et entretient des interrelations efficaces et courtoises avec ses clients.
- La **certitude**, une forme de fiabilité, ou l'assurance que le produit sera régulièrement livré à temps, selon les délais convenus, le volume commandé et le lieu désigné, et qu'advenant un problème, il sera corrigé incessamment.
- La **flexibilité**, ou la capacité que développent certaines entreprises de réagir rapidement à des demandes de modifications dans la conception du produit, dans la quantité requise ou dans les délais de livraison. Cette réactivité peut même inclure l'innovation en matière de produits ou de services.

L'importance relative à accorder à chacun de ces quatre facteurs de concurrence est précisée lors de l'élaboration de la stratégie des opérations (*voir le chapitre 19*), qui découle de la stratégie de l'entreprise. Cependant, il est assez rare (certains diraient même dangereux[23]) de tenter d'atteindre une performance supérieure pour chacun de ces quatre facteurs, car développer la force de l'un ne peut s'obtenir qu'au détriment des autres, à moins que le système soit en déséquilibre ou en relâchement. D'autres prétendent qu'une entreprise qui tente d'exceller dans les quatre facteurs serait « coincée au milieu » sans obtenir une force première dans les coûts ni dans la qualité[21]. Or, une forme d'arbitrage s'avère nécessaire afin de décider de la priorité à donner à chacun des objectifs découlant de ces facteurs.

Cette notion d'arbitrage entre facteurs de concurrence est toutefois contestée. D'une part, comment Toyota a-t-elle réussi à fabriquer des automobiles de si haute qualité à un coût si raisonnable, sans être « coincée au milieu »[20] ? Selon Mintzberg, cela est possible si la structure de l'organisation permet, entre autres, la réconciliation des oppositions entre les individus, entre les fonctions, et au sein même des individus si l'idéologie de l'entreprise est assez forte pour que chacun en soit imprégné. D'autre part, une étude récente[8] soutient qu'il est possible d'améliorer les facteurs de concurrence de façon simultanée et dans l'ordre suivant : d'abord la qualité, puis, tout en continuant cet effort, la certitude, ensuite la flexibilité et finalement les coûts. Dans les conditions décrites, ces améliorations seraient plus durables.

Cette théorie d'amélioration simultanée des facteurs de concurrence, quoique non prouvée, repose sur des indices intéressants et mérite une recherche plus approfondie. D'ailleurs, il est souvent constaté dans la pratique qu'à des efforts d'amélioration de la qualité correspondent généralement des réductions de coûts, et que l'amélioration de la flexibilité engendre plus de certitude. Cependant, la recherche dans ce domaine devra aussi tester l'hypothèse selon laquelle il y aurait un rehaussement général du seuil minimal de chaque facteur.

Même si la prépondérance de l'un des facteurs ou la simultanéité des quatre facteurs concurrentiels n'est pas entièrement résolue pour chacun des objectifs en découlant, une série de critères ou de mesures de la performance seront définis. À titre d'exemple, le coût peut se mesurer par des critères tels que des heures-personne par unité de produit, ou des coûts de matières ou d'énergie par unité; la qualité peut être jugée par référence aux normes internes et externes, au taux de réusinage ou au pourcentage de retours; la certitude peut être appréciée par la fréquence des commandes livrées selon les délais promis; la flexibilité peut être estimée selon le temps requis pour fabriquer un nouveau produit ou un produit modifié, ou encore par le temps requis pour passer d'un taux de fabrication à un autre. Ces facteurs et ces critères permettent au gestionnaire d'orienter sa prise de décisions face aux différents problèmes qu'il affronte.

## 2.5 La prise de décisions

La décision[1] est un processus par lequel un gestionnaire aboutit à un choix éclairé, informé et motivé en vue d'atteindre un but dans des conditions données. Le gestionnaire des opérations est constamment mis en présence de situations où des décisions d'ordre stratégique, tactique ou opérationnel doivent être prises. Pour être valable, une décision répond à trois conditions[15,18] : elle est issue d'une démarche objective et impersonnelle, appelée processus rationnel; elle doit être adoptée par ceux qui ont à l'exécuter, d'où le besoin d'habiletés interpersonnelles; enfin, elle doit être appliquée de façon satisfaisante, d'où le processus d'implantation. Une défaillance à l'une de ces trois conditions amoindrit la portée de la décision et peut même la rendre nulle.

Le **processus rationnel** de prise de décisions consiste en plusieurs étapes précises[1] : 1. la prise de conscience d'un problème ou d'un écart entre ce qui existe et ce qui est désiré; 2. la détermination du problème, de ses causes et de ses symptômes; 3. le rappel, sinon l'élaboration, des objectifs à atteindre pour corriger ou améliorer la situation; 4. la détermination des critères tant quantitatifs que qualitatifs qui permettent la comparaison des options ou des choix de solutions; 5. l'établissement et l'inventaire des ressources disponibles et nécessaires à la réalisation des objectifs; 6. la définition des contraintes contournables et incontournables liées au problème; 7. la recherche des options et des possibilités de solutions; 8. la comparaison et l'évaluation des solutions retenues; 9. le choix des solutions ou des possibilités qui amoindrissent ou limitent l'écart et qui se rapprochent le plus des objectifs retenus. Trop souvent dans le passé, le gestionnaire des opérations s'est limité à ce seul processus rationnel.

Les **habiletés interpersonnelles** facilitent l'adoption ou l'acceptation des personnes qui sont directement ou indirectement concernées par la décision. Plus une décision exige le concours des autres intervenants pour être exécutée, plus elle requiert leur adhésion, car la motivation des partenaires en dépend. Or, les habiletés interpersonnelles permettent de travailler avec les autres de manière coopérative et participative. Elles incluent des aptitudes telles que : savoir écouter, comprendre la résistance des autres, construire à partir de l'idée d'un autre, différer d'avis de façon constructive, désamorcer les tensions, réconcilier les oppositions entre intervenants, permettre à chacun de s'exprimer, résumer des situations complexes, clarifier les ambiguïtés et favoriser les interactions sociales qui soutiennent le travail d'équipe en vue d'appliquer la décision, c'est-à-dire voir à son implantation.

L'**implantation** est le processus par lequel les changements planifiés sont mis en place et les situations imprévues sont contrecarrées par la création d'un climat favorable à la transformation. Le changement peut avoir un effet local (par exemple installer un écran protecteur autour d'une machine) ou une portée générale (par exemple introduire le concept de qualité totale en tant que stratégie d'entreprise). Le changement peut être innovateur, c'est-à-dire nouveau pour l'entreprise, ou radicalement innovateur, c'est-à-dire nouveau pour l'entreprise et l'industrie. Le processus d'implantation sera donc adapté au type de changement désiré et prendra en considération les ressources disponibles ainsi que le climat d'accueil. Dans cet esprit, les éléments suivants, selon leur convenance, seront intégrés ou adaptés au processus d'implantation choisi : s'assurer que le changement s'intègre à la stratégie de l'entreprise, fournir la formation nécessaire à toutes les ressources humaines, et ce à chaque niveau hiérarchique, obtenir la participation et le soutien de chacune des fonctions à tous les niveaux, utiliser la gestion de projets (*voir le chapitre 15*) pour formaliser les étapes du travail, établir préalablement les critères et les mesures de performance selon les objectifs visés, partager les retombées du projet selon le degré de participation des individus, neutraliser les effets négatifs qu'apporterait le changement.

De façon plus précise, des chercheurs[17] proposent que l'équipe chargée de l'implantation soit composée : d'un parrain, un cadre supérieur qui connaît à fond la stratégie et qui peut obtenir les ressources nécessaires ; d'un « champion », qui soutient et développe activement le projet et qui est capable de résoudre les difficultés ; d'un directeur de projet qui surveille les détails pratiques ; d'un responsable de l'intégration de l'innovation qui assure la gestion des priorités et des caractéristiques dégagées par le groupe grâce à ses talents de communicateur.

En plus d'appliquer les processus rationnel et d'implantation et de posséder les habiletés interpersonnelles requises, le gestionnaire doit aussi effectuer des choix parmi les moyens mis à sa disposition.

## 2.6 L'analyse d'arbitrage

Dans sa prise de décisions, le gestionnaire des opérations est constamment en situation d'exercer des choix entre diverses options ou possibilités. Il choisit et décide en tenant compte du contexte environnemental de même qu'en analysant les avantages et les inconvénients de l'option à l'étude. Puisqu'il y a généralement plusieurs façons d'atteindre un objectif, le gestionnaire doit nécessairement déterminer les situations où il y a arbitrage, en comprendre l'essence, choisir les bons critères pour les régler et les analyser tant quantitativement que qualitativement, car le choix d'une option comporte des aspects aussi bien tangibles qu'intangibles. Le tableau 2.1 présente quelques situations d'arbitrage qui seront développées dans les prochains chapitres.

Un exemple simple illustrera une analyse d'arbitrage. Une entreprise envisage une période de demande accrue pour ses produits. Deux options sont à l'étude : accroître l'effectif ouvrier, ce qui engendrerait des coûts d'embauche de 1 000 $ par employé et, éventuellement, de mise à pied ; ou faire effectuer des heures supplémentaires, ce qui coûterait en primes (le temps normal de travail étant le même dans les deux cas) 500 $ par mois par employé. La comparaison de ces deux coûts montre que, pour une période de deux mois, il est plus écono-

**Tableau 2.1**

**La détermination des décisions d'arbitrage**

| Zone de décision | Décision | Options |
|---|---|---|
| Conception du système opérationnel | Risque technologique | Adoption d'un processus radicalement nouveau ou déjà éprouvé |
| | Capacité | Ajout de capacité par la multiplication d'équipes ou d'usines |
| | Choix d'équipement | Utilisation générale ou spécialisée |
| | Organisation | Focalisation par produits, par processus ou autres |
| | Méthodes | Utilisation de standards formels, informels ou ni l'un ni l'autre |
| | Aménagement | De type atelier, de type masse ou de type process |
| | Localisation | Près des marchés ou des matières |
| Système de pilotage | Planification de la production | Par nivellement ou par synchronisation de la demande |
| | Ordonnancement | Par jalonnement en amont ou jalonnement en aval |
| | Stocks | Stocks faibles ou élevés |
| | Approvisionnement | Un ou plusieurs fournisseurs |
| | Qualité | Forte fiabilité et qualité ou faibles coûts directs |
| | Entretien | De type préventif ou correctif |

mique de recourir aux heures supplémentaires ; par contre, si la demande accrue persiste au-delà de deux mois, il sera plus avantageux d'embaucher puis de procéder à une mise à pied. En effet :

$$\frac{\text{Coût d'embauche + Coût de mise à pied}}{\text{Coût de la prime d'heures supplémentaires}} = \frac{1\,000\ \$}{500\ \$/\text{mois}} = 2 \text{ mois}$$

Ce calcul strictement économique n'est cependant pas exhaustif, car il ne tient pas compte de l'effet social du travail en heures supplémentaires pendant deux mois, ni de l'effet de la fatigue sur le travailleur, ni de son contre-effet sur la qualité de la production. Il faut donc considérer d'autres aspects moins tangibles lors d'une analyse d'arbitrage, comme le suggère cette démarche[19] :

1. Reconnaître qu'il existe un potentiel d'analyse d'arbitrage ; c'est là la marque d'un excellent gestionnaire.
2. Déterminer les options possibles à la solution du problème ; le gestionnaire doit ici faire preuve de créativité. Dans l'exemple donné, il aurait pu, entre autres, créer un stock prévisionnel pour satisfaire la demande accrue, ou encore faire appel à un sous-traitant.
3. Déterminer l'ensemble des coûts de chaque option envisagée.
4. Déterminer les avantages et les inconvénients des choix.

5. Traduire, si possible, les coûts, les avantages et les inconvénients en un dénominateur commun.
6. Après l'analyse des aspects tangibles et intangibles et en se référant aux facteurs concurrentiels, concrétiser l'option la plus favorable.

Le tableau 2.1 résume des zones d'arbitrage propres à la gestion des opérations. S'il est conçu pour être analysé horizontalement, le gestionnaire vigilant en fera aussi une étude verticale. Par exemple, le choix d'une machine peut aussi influer sur la taille des stocks et le niveau de qualité : en effet, une machine conçue pour de courtes séries donne des stocks plus faibles ; de même, un équipement spécialisé peut produire une meilleure qualité de produits.

Le même type d'arbitrage s'applique aux situations décisionnelles dans le secteur des services. Par exemple, une entreprise devra choisir entre un service de réception des appels téléphoniques par un système automatique et informatisé, ou par une réceptionniste qui acheminera les appels, ou encore par des numéros privés à contact direct. Une analyse d'arbitrage s'impose, qui considérera, entre autres, le niveau et le type de service à offrir à la clientèle. Ce type de décision est rarement pris par une seule personne, car la décision finale influera considérablement sur les activités de chaque fonction de l'entreprise selon son organisation.

# LE RÔLE DU GESTIONNAIRE DES OPÉRATIONS

## 2.7 L'organisation de la fonction Opérations-Production

Dans une entreprise industrielle ou de services, une multitude de tâches et de rôles sont effectués par des personnes ayant différentes attitudes, connaissances, formations et habiletés qui orientent leur travail vers des objectifs communs. Pour se donner un mode de fonctionnement, l'entreprise se dote d'une **organisation**, c'est-à-dire d'un ensemble interrelié et interdépendant de personnes, de statuts, de moyens réunis en vue de réaliser les objectifs prédéterminés[1]. Cette organisation, résultante de la stratégie globale de l'entreprise, est décrite par un organigramme, des descriptions de tâches et diverses règles et méthodes ; elle prend une importance capitale pour les opérations, car là se trouve la majorité des ressources humaines.

L'organigramme indique le lien hiérarchique entre les postes et informe de l'activité majeure du détenteur du poste. Le **cadre hiérarchique** de la production, qualifié de *line*, est relié sous forme d'interdépendance avec le président jusqu'à l'exécutant ultime et il détient la responsabilité directe de la réalisation des objectifs opérationnels. Le **spécialiste fonctionnel**, qualifié de *staff*, conseille les cadres hiérarchiques et collabore indirectement à la réalisation des objectifs puisque sa principale responsabilité est de conseiller et d'assister les cadres.

Ces cadres et ces spécialistes s'insèrent dans une configuration organisationnelle unique ; leur nombre, leur niveau et leur rôle varient selon que la fonction Production est organisée suivant une focalisation marché–produit, une focalisation technologie–processus ou un arrangement intermédiaire[12]. La structure de l'organisation de la production sera traditionnelle ou nouvelle selon les choix entre la division ou l'intégration des tâches, la spécialisation ou la polyvalence des individus, la centralisation ou la décentralisation de l'autorité et des niveaux hiérarchiques multiples ou restreints, l'utilisation ou non d'équipes ou de groupes de travail autonomes ou semi-autonomes.

À la tête de cet organigramme se trouve un cadre supérieur ou un vice-président des opérations, dont le statut est généralement égal à celui des autres fonctions. Il est responsable de son unité et verra à créer une organisation et un climat auxquels des individus regroupés en sous-fonctions pourront s'identifier et grâce auxquels ils pourront réaliser leurs objectifs. Cette tâche n'est pas facile, car si la structure montre les liens formels, elle n'indique rien sur la personnalité des gens, sur l'interaction entre membres d'un même niveau ou de niveaux différents, sur les relations informelles qui ont parfois un effet plus important que celui issu de liens formels. De plus, la description de tâches du vice-président des opérations contiendra, entre autres, les dimensions suivantes : il est responsable de l'élaboration des plans et des stratégies des unités sous sa direction ; il dirige les activités de ses unités, soit la participation à la conception des produits, la conception du processus opérationnel, la gestion des matières, l'estimation des coûts ; il est le premier responsable des relations avec les autres fonctions ; il crée une organisation efficace et efficiente par la sélection, la formation et la motivation de ses subordonnés ; il ratifie l'organigramme de son groupe ; il analyse et évalue les demandes d'investissement soumises par ses subalternes ; il approuve celles qui relèvent de sa compétence et défend les autres auprès des instances supérieures ; il vérifie les divers rapports concernant les opérations et prend les mesures appropriées pour corriger les écarts ; il participe à la recommandation de nouvelles politiques et il soumet les prévisions de ses besoins, de ses activités et de ses performances futures ; il s'assure que les diverses lois et règles s'appliquant à son unité sont respectées, y compris celles qui concernent la santé et la sécurité au travail et la protection de l'environnement ; il s'assure que le code d'éthique de l'entreprise est intégralement observé.

## 2.8 Les activités, les postes et les carrières en GOP

Les fondements de l'organisation et la description de tâches vus précédemment donnent une idée des activités majeures qui occupent le vice-président des opérations ou les gestionnaires à qui il les délègue. Ces activités peuvent aussi être regroupées selon leur taux de fréquence[2]. Trois d'entre elles sont qualifiées de **périodiques** :

- la **sélection** des produits, des processus et des ressources humaines ;
- la **conception** des produits, des processus, des tâches, des méthodes et du système de planification et de contrôle ;
- la **mise à jour** et la révision du système complet d'opérations-production face aux changements issus de la demande, de la technologie, de l'environnement et des modes de concurrence.

Les deux autres activités sont dites **continues** :

- la **planification**, qui permet d'établir les prévisions, de déterminer le niveau de production, d'effectuer l'ordonnancement, d'acquérir et d'affecter les ressources ;
- le **contrôle**, qui consiste à établir, à vérifier et à évaluer l'adéquation ou l'écart entre ce qui a été planifié et ce qui a été réalisé afin d'y apporter des améliorations.

Ces activités sont détaillées dans les prochains chapitres ; toutefois, aux activités périodiques correspondent celles liées à la conception du système opérationnel, alors qu'aux activités continues correspondent celles du pilotage.

Les activités du gestionnaire des opérations sont variées, comportent différents niveaux d'exigences et sont présentées à la suite, par ordre décroissant de difficulté[1].

Premièrement, elles sont fortement visibles, surtout en ce qui a trait à la portée d'une erreur commise et aux conséquences d'une piètre performance de l'unité. Ce n'est ni la taille du budget ni le nombre de subordonnés qui importe, mais bien la promptitude et la qualité des décisions de même que la rapidité de rétroaction s'il survient un écart défavorable. Les pressions sont fortes en vue de réaliser une performance planifiée.

Deuxièmement, en plus de traiter avec les éléments internes, le gestionnaire des opérations négocie avec bon nombre de personnes à l'extérieur de l'entreprise. C'est là une autre activité difficile et exigeante de sa tâche, car rares sont les gestionnaires qui ont reçu une formation en relations publiques ; pourtant, ils doivent constamment transiger avec des personnes très différentes les unes des autres, qu'il s'agisse d'un représentant technique, d'un inspecteur de la santé et de la sécurité, d'un agent syndical, d'un consultant, etc.

Troisièmement, il y a les difficultés d'importance moyenne : les demandes résultant de la direction des subalternes ; la dépendance du gestionnaire envers son supérieur dans l'effort de changements et dans la demande de ressources ; les demandes conflictuelles ; les pressions liées à des relations de courte durée et les exigences de la tâche sur la vie privée.

La variété des activités du gestionnaire des opérations donne aussi comme résultat des postes riches et stimulants ; leur degré de difficulté permet de relever des défis et procure gratification et satisfaction. L'évolution rapide et récente dans l'environnement PESTE ajoute à ces défis.

La structure organisationnelle de l'entreprise, qu'elle soit petite, moyenne ou grande, permet de diviser les activités en services et en postes, d'assigner les rôles et d'en déléguer l'autorité et la responsabilité ; pour chaque sous-fonction, un gestionnaire est désigné. Le tableau 2.2 présente une énumération limitée de ces postes, selon un rôle hiérarchique ou un rôle conseil.

Ce tableau contient des postes qu'on trouve à la fois dans le secteur industriel et dans le secteur des services. Pour l'étudiant en administration des affaires, plusieurs postes permettent d'accéder à une carrière. Les postes reliés à la planification et au contrôle de la production et des stocks ont accaparé bon nombre de finissants, particulièrement à cause des nouvelles approches dans la planification des besoins-matières et dans l'introduction du juste-à-temps. L'importance de l'approche qualité totale a aussi eu pour effet de créer des ouvertures intéressantes dans de nombreuses firmes. Le domaine des achats et des approvisionnements continue à soutenir une demande de diplômés. Le poste d'analyste en organisation et méthodes, d'analyste de systèmes et d'analyste en qualité et en approvisionnement sont offerts tant dans le secteur secondaire que tertiaire. Le poste de contremaître ou de superviseur est aussi un excellent tremplin pour accéder à une carrière en gestion des opérations et de la production.

**Tableau 2.2**

**Les types de postes en GOP**

| Type de postes | Entreprise industrielle | Entreprise de services |
|---|---|---|
| Postes hiérarchiques | V.-p. des opérations | V.-p. des opérations (banque) |
| | Gestionnaire régional des opérations | Administrateur en chef (hôpital) |
| | Directeur d'usine | Chef de service (magasin à rayons) |
| | Directeur de production | Superviseur de service (compagnie d'assurances) |
| | Directeur de service | Directeur adjoint (hôtel) |
| | Contremaître | Chef d'équipe (restauration rapide) |
| Postes conseils | Contrôleur de production | Analyste des systèmes et procédures |
| | Directeur des matières | Préposé aux achats |
| | Directeur de l'assurance de la qualité | Inspecteur |
| | Directeur des achats | Diététicienne |
| | Analyste des temps et mouvements | Analyste des méthodes |
| | Ingénieur de processus | Ingénieur industriel |

**Source :** Adaptation d'un tableau de Chase et Aquilano[2].

## 2.9 Le rôle de l'ingénieur en GOP

Certains croient que la GOP est un domaine exclusif à l'ingénieur. Ce n'est pourtant pas le cas : environ 80 % des fabricants canadiens ne comptent aucun ingénieur dans leur personnel[24]. Cette situation est déplorable, car cela signifie que pour instaurer de nouvelles technologies dans leur entreprise, ces industriels ne peuvent compter que sur leurs propres ressources et doivent faire appel à des consultants externes.

Certains autres croient que l'ingénieur industriel supplante le gestionnaire des opérations ; pourtant, ils exercent des rôles complémentaires. En effet, le rôle de l'ingénieur industriel[10] n'est pas de gérer ou de faire fonctionner le système de production, mais plutôt d'agir essentiellement en spécialiste fonctionnel dans un rôle de conseil et de soutien. L'ingénierie de la production est souvent confondue avec la gestion des opérations[13]. Pourtant, la première concerne surtout la technologie du produit et du processus, les aspects techniques de la conception et de la fabrication, l'élaboration des processus, le choix des outils et de l'équipement, l'aménagement, la définition des nomenclatures et l'étude des temps ; ces activités sont généralement regroupées dans un service d'organisation et de méthodes. Quant à la gestion des opérations, elle consiste, comme on l'a vu, à gérer le système intrants–transformation–extrants, à allouer et à utiliser les ressources de production ; elle ne concerne donc pas que leur strict aspect technique. Une tâche importante qui relève du gestionnaire des opérations consiste à mettre en application des résultats d'études d'autres disciplines et fonctions (telles la recherche et le développement, l'ingénierie) afin de rassembler toutes les parties en un tout cohérent, conforme aux objectifs de l'entreprise. Or, le gestionnaire doit aussi s'assurer d'une bonne compréhension de la gestion des ressources humaines, des relations humaines, du contrôle de gestion, des variables du marketing et des finances ainsi que des perspectives d'affaires à long terme.

L'importance grandissante de la technologie, qu'elle concerne le produit ou le processus, en tant qu'outil de relance pour les entreprises, et la nécessité d'occuper une place respectable dans l'arène concurrentielle exigent de faire de plus en plus appel à l'ingénieur à titre de spécialiste des sciences appliquées et de gestionnaire de la production, tel l'ingénieur M.B.A. L'apport de l'ingénierie est aussi valorisé dans cette tendance, où le travail d'équipe améliore la qualité et la « fabricabilité » d'un produit en plus de réduire le temps entre une idée et sa commercialisation[4].

## 2.10 La mobilisation et la participation des travailleurs

L'absence de liens coopératifs entre les individus, entre les fonctions et entre les autres organismes se trouve souvent au banc d'accusation lorsqu'une faiblesse se présente dans les facteurs concurrentiels ou dans les relations de travail d'une entreprise. La division des tâches, la parcellisation des rôles, le cloisonnement des fonctions, la spécialisation, l'attachement confus à une profession, les barrières organisationnelles font en sorte que les décisions se prennent et les tâches s'accomplissent, mais hélas d'une façon isolée, désorganisée et dépourvue d'intégration et de satisfaction. Dans chaque segment d'opérations, dans chaque sous-système, le travail effectué est adéquat ; toutefois, une évaluation globale démontre un gaspillage, une incohérence, une perte de temps, une absence de coordination, une inadéquation tant dans l'atteinte des objectifs que dans les besoins du personnel.

La **mobilisation**, qui vise la valorisation des individus, est devenue essentielle pour instaurer de nouvelles pratiques industrielles telles que les technologies avancées de production (*voir le chapitre 5*), la gestion intégrale de la qualité (*voir le chapitre 17*) et le juste-à-temps (*voir le chapitre 18*). Ces trois pratiques ou concepts sont à la fois complémentaires et intégratifs[3] et visent à éliminer les barrières organisationnelles entre les différentes phases d'un processus de gestion ou d'opérations de trois façons :

- par l'**intégration des étapes** d'un processus de production : le juste-à-temps entraîne l'élimination des stocks tampons entre les postes de travail, forçant ainsi l'intégration du travail ;
- par l'**intégration des fonctions** : au lieu d'une conception séquentielle du produit, puis du processus, il y a regroupement pour une conception simultanée du produit–processus ;
- par l'**intégration des objectifs** : au lieu de penser arbitrage entre les facteurs concurrentiels, l'accent est mis sur la concomitance des objectifs.

Cette logique d'intégration peut même s'étendre du fournisseur jusqu'aux clients.

Les pratiques de gestion mobilisatrice (PGM) comportent quatre caractéristiques[16] :

- l'**information** sur la performance de l'entreprise ;
- les **récompenses** et les incitations monétaires basées sur la performance de l'organisation ;

- la **connaissance** qui permet aux employés de comprendre la performance organisationnelle et d'y contribuer ;
- le **pouvoir** de prendre des décisions qui influent sur la direction et la performance de l'organisation.

Les PGM sont nombreuses et différentes l'une de l'autre, selon le degré auquel l'information, la récompense, la connaissance et le pouvoir sont déplacés ou ramenés vers la base de la hiérarchie. Plus ces quatre éléments sont rapportés à la base, plus l'entreprise va d'un style de gestion par le contrôle vers une gestion par la participation.

Dans le tableau 2.3, les PGM sont regroupées en trois catégories, selon la nature du levier mobilisateur mis en jeu[22]. Cinq de ces pratiques seront brièvement définies[5].

Le **cercle de qualité** consiste en un groupe de travailleurs volontaires issus d'un même service, qui tentent de redresser des situations de travail en vue d'améliorer la qualité et la productivité. Le cercle peut obtenir de l'information et de l'aide d'un facilitateur, et les travailleurs reçoivent des sessions de formation pour accroître leur connaissance. Le cercle ne reçoit pas de récompense directe, et son pouvoir se limite à suggérer des modifications et à influencer la décision.

Le **groupe semi-autonome de travail**, appelé aussi groupe autonome ou équipe de travail, fonctionne parfois sans superviseur. Il a la responsabilité d'un produit ou d'un service complet. Il obtient l'information nécessaire, il a accès aux connaissances requises pour accomplir sa mission et il possède un pouvoir décisionnel étendu tant sur les méthodes de travail que sur les décisions de fonctionnement du groupe. Il peut influencer les décisions stratégiques. Souvent, il est responsable des activités d'achat, d'embauche, de rémunération, d'entretien et de qualité. Il est récompensé par la participation aux bénéfices, le partage des profits et l'actionnariat.

Le **programme de réaménagement du travail** s'apparente à l'enrichissement des tâches, qui a pour effet de motiver le travailleur à donner un rendement supérieur. La satisfaction du travailleur s'acquiert par le regroupement des tâches, par l'accroissement de la polyvalence des habiletés et par une meilleure rétroaction sur le rendement. Le travailleur maîtrise un plus grand nombre de tâches. Le réaménagement peut porter tant sur le travail d'un individu que sur celui d'un groupe. L'information et la connaissance sont pertinentes au travail à accomplir ; le pouvoir consiste à maîtriser son propre travail et, comme récompense, la rémunération est augmentée selon les nouvelles qualifications.

Les **programmes de gestion participative** consistent généralement en différentes formes de groupements, où il y a participation des travailleurs et dont les quatre caractéristiques d'information, de connaissance, de récompense et de pouvoir s'apparentent à celles du cercle de qualité ou du groupe semi-autonome.

Le **sondage du climat de travail** consiste en un sondage d'attitude, et non seulement d'opinion, où les résultats sont utilisés pour encourager, structurer et mesurer l'efficacité de la participation des travailleurs.

**Tableau 2.3**

**Les types de pratiques de gestion mobilisatrice (PGM)**

| Types de pratiques | Nombre de pratiques | Pourcentage de pratiques |
|---|---|---|
| 1. Pratiques de réorganisation du travail | **33** | **25** |
| – Cercle de qualité | 25 | |
| – Groupe semi-autonome de travail | 3 | |
| – Programme de réaménagement du travail | 5 | |
| 2. Pratiques de stimulation globale de la participation des employés | **62** | **46** |
| – Modification de la culture organisationnelle | 5 | |
| – Programme de gestion participative | 28 | |
| – Sondage du climat de travail | 15 | |
| – Programme de mobilisation des employés | 14 | |
| 3. Pratiques incitatives à caractère monétaire | **39** | **29** |
| – Programme de participation aux bénéfices | 17 | |
| – Programme de partage des gains de productivité | 4 | |
| – Programme d'actionnariat des employés | 18 | |
| **Total** | **134** | **100** |

**Source :** Adaptation d'un tableau de Rondeau et Lemelin[22].
**Note :** Ce tableau a été conçu à partir des informations fournies par 61 entreprises qui ont implanté 134 pratiques à caractère mobilisateur. De ces 61 entreprises, 36 % ont introduit 2 pratiques distinctes et 29 % ont adopté 3 pratiques ou plus.

Au tableau 2.3, 46 % des pratiques visent une forme de participation et de modification du comportement et des attitudes. Selon les auteurs, ces pratiques offrent des effets positifs : pour les facteurs reliés à la mobilisation, 90 % des répondants mentionnent une meilleure participation du personnel, 85 % ont observé une motivation accrue et 80 % ont noté une identification plus forte à l'entreprise ; quant aux aspects reliés au bien-être du personnel, 90 % mentionnent un accroissement de la satisfaction des travailleurs, et 80 % un climat de travail plus agréable.

La mobilisation des travailleurs et la dynamisation des équipes prennent du temps à venir ; ces pratiques ne sont pas des programmes, mais bien des processus qu'il faut alimenter avec constance[14]. De plus, trop peu de gestionnaires sont adéquatement préparés à ces pratiques, car celles-ci modifient leurs rôles et, souvent, s'ajoutent à leurs activités déjà accaparantes. Les entraves majeures à l'implantation de ces pratiques[5] sont les pressions pour une performance à court terme, l'absence d'un « champion », l'absence d'une stratégie à long terme, le manque de formation et l'imprécision des objectifs. Par ailleurs, les facteurs favorisant la réussite de l'implantation des PGM sont : l'appui des cadres supérieurs, des cadres intermédiaires et des superviseurs de première ligne, une bonne compréhension de la pratique, le partage d'informations, la formation adéquate et la décentralisation de la prise de décisions.

Ces PGM, surtout celles où l'information, la récompense, la connaissance et le pouvoir sont passés à la base de la hiérarchie, permettent de créer des entreprises en apprentissage capables de remodeler leur avenir. Il est plus important de créer un environnement qui forme les ressources humaines plutôt que de les contrôler.

## 2.11 Les aspects humains

Le responsable de la GOP de demain sera celui qui saura tirer parti des ressources les plus polyvalentes, les plus innovatrices, les plus créatives et les plus enrichissantes qui soient : les employés.

En effet, les employés, le personnel, la main-d'œuvre (hissés aujourd'hui au rang de ressources humaines), sont devenus de véritables partenaires de l'organisation. La rapidité des changements technologiques, qu'ils s'appliquent aux produits, aux processus, à la gestion ou à l'information, l'intensité de la concurrence étrangère ainsi que les changements dans les environnements politique, économique, social et écologique exigent des ressources humaines plus compétentes, plus flexibles, plus performantes et plus motivées. En même temps, cette ressource humaine est plus scolarisée, plus professionnelle. Elle a acquis plus de confiance et veut utiliser non seulement ses capacités physiques, mais aussi ses habiletés intellectuelles et créatrices. Cela est aussi vrai pour les travailleurs que pour les cadres. En effet, le gestionnaire travaille toujours avec quelqu'un et il doit entretenir des relations harmonieuses non seulement avec ses subordonnés, mais aussi avec ses pairs et ses supérieurs, qui, comme lui, sont faillibles et interdépendants.

Gérer ses relations, avec son patron par exemple, c'est établir un mode de travail qui convient aux deux, qui respecte les attentes particulières de chacun. D'une part, il ne s'agit pas de changer de personnalité, mais, en situant le patron dans son contexte[9] et en considérant ses objectifs, il faut s'efforcer de comprendre les pressions qu'il subit, de composer avec ses forces et ses faiblesses et de s'adapter à sa méthode de travail. D'autre part, il faut évaluer nos propres besoins, nos forces, nos faiblesses, tenir compte de notre style personnel et de notre capacité à supporter l'autorité du patron. Ainsi, il sera possible d'établir des relations harmonieuses fondées sur la confiance et l'information, et respectueuses de l'utilisation judicieuse du temps du patron.

Dans le contexte d'une ouverture sur la mobilisation et la participation des travailleurs de même que sur l'aplatissement de la hiérarchie, le cadre est de moins en moins « patron », « employeur », « directeur », « maître » ou « donneur d'ordres » et de plus en plus analyste, aviseur, initiateur, intégrateur, motivateur et facilitateur. Cela ne veut pas dire que le patron abdique son autorité ou n'exerce plus son pouvoir ; au contraire, il l'exerce de façon plus légitime et plus responsable, en acceptant le fait qu'il n'est pas le seul apte à réfléchir, à diriger et à décider. Au lieu d'imposer un pouvoir structurel issu de la hiérarchie ou de l'actionnariat, le patron exerce un pouvoir qui relève de sa compétence, de son savoir-faire ou de son prestige. Il est intéressant de constater que le pouvoir de compétence et le pouvoir de prestige, dans le nouveau contexte organisationnel, prennent de plus en plus d'importance.

## CONCLUSION

Ce chapitre a présenté deux thèmes principaux : la prise de décisions dans la GOP et le rôle du responsable de la GOP. Si le travail d'équipe était plus encouragé et la formation continue mieux implantée, forte serait la tendance à prôner que « chaque employé est un gestionnaire, un décideur ». Il ne faut cependant pas se méprendre : seules quelques entreprises en sont rendues là. « Mais la participation nécessite des conditions et une ouverture que seuls les dirigeants peuvent réaliser ; dans des entreprises où tout a été le contraire, des dizaines d'années durant, cela ne se fera pas du jour au lendemain, ni facilement, ni sans incompréhension. Il s'agit en vérité d'un processus souvent long et laborieux, qu'on doit considérer comme une sorte d'investissement à moyen ou à long terme[1] ».

Cet investissement, il faut le faire, surtout si le capital humain est considéré comme étant le potentiel de concurrence le plus fort, celui qui possède le talent, les habiletés et la créativité pour transformer la base même de l'entreprise ; entreprise qui sera en perpétuel apprentissage et où la prise de décisions du type « commandement » et « contrôle » se transformera en prise de décisions participative. C'est alors que l'employé, considéré comme un coût de production, sera transformé en ressource humaine ; et qui dit ressource dit aussi actif à protéger et à faire croître.

## QUESTIONS DE RÉVISION

1. Comment peut se faire le partage des responsabilités en GOP ?
2. Que signifie « environnement » de la GOP ?
3. Que désigne l'acronyme PESTE ? Illustrez à l'aide d'un exemple chacune de ses composantes.
4. Nommez les quatre facteurs concurrentiels de la GOP.
5. Nommez et développez les trois conditions qui donnent de la valeur à une décision.
6. Nommez des décisions d'arbitrage dans les systèmes opérationnels et de pilotage de la GOP.
7. À quoi correspond la tâche d'un vice-président des opérations ?
8. Décrivez les cinq activités du gestionnaire des opérations.
9. Reliez les quatre caractéristiques d'une PGM au programme de réaménagement du travail.

## QUESTIONS DE DISCUSSION

1. « Le partage de l'autorité et des responsabilités dans l'entreprise moderne sera égalitaire puisqu'il y aura une forte participation. » Commentez cette affirmation.
2. Discutez des vues opposées dans l'arbitrage des facteurs concurrentiels en GOP et comparez ces derniers avec l'arbitrage de moyens.
3. L'industrie des pâtes et papiers traverse une période de restructuration. Discutez des facteurs PESTE dans cette restructuration.
4. « Une décision efficace se mesure par la multiplication des valeurs du processus rationnel, par les habiletés interpersonnelles, par le processus d'implantation ; si une de ces trois conditions est égale à zéro, la décision est égale à zéro. » Commentez cette affirmation.
5. Expliquez par quels phénomènes le nombre de niveaux hiérarchiques dans l'entreprise industrielle tend à diminuer.
6. Comparez les activités du responsable de la GOP avec celles de l'ingénieur en GOP.
7. Classez, en ordre décroissant, les cinq PGM définies dans ce chapitre, en allant de la plus à la moins mobilisatrice et en considérant les caractéristiques d'information, de connaissance, de récompense et de pouvoir.
8. « La participation des travailleurs en GOP sera longue à venir, car les cadres ne veulent céder aucun pouvoir et les travailleurs ne sont pas intéressés à éliminer leur poste. » Commentez cette affirmation.

## RÉFÉRENCES


1. AKTOUF, O., *Le management entre tradition et renouvellement*, édition révisée, Boucherville, Gaëtan Morin Éditeur, 1989.
2. CHASE, R.B. et N.J. AQUILANO, *Production and Operations Management*, Homewood, Illinois, Richard D. Irwin, 4e éd., 1985.
3. DEAN Jr., J.W. et S.A. SNELL, « Integrated Manufacturing and Job Design : The Moderating Effects of Organizational Inertia », *Academy of Management Journal*, vol. 34, 1991, p. 776-804.
4. DERTOUZOS, M.L., R.K. LESTER et R.M. SOLOW, *Made in America, Regaining the Production Edge*, Cambridge, Massachusetts, The MIT Press, 1989.
5. DULWORTH, M.R., D.L. LANDEN et B.L. USILANER, « Employee Involvement Systems in U.S. Corporations Right Objectives, Wrong Strategies », *National Productivity Review*, vol. 9, nº 2, printemps 1990.
6. ÉTIENNE, E.C. et M.O. DIORIO, « Le développement de la gestion de la production et des opérations », texte non publié, HEC, 1978.
7. FELDMAN, H.D., « The Senior Production Manager's Job : Comparison Through an Assessment of Demands », *Production and Inventory Management*, 3e trimestre, 1985, p. 88-101.
8. FERDOWS, K. et A. DE MEYER, « Lasting Improvements in Manufacturing Performance : In Search of a New Theory », *Journal of Operations Management*, vol. 9, nº 2, avril 1990.
9. GABARRO, J. et J.P. KOTTER, « Apprenez à gérer votre patron », *Harvard-L'Expansion*, automne 1980.
10. GOUSTY, Y., « Ingénieur industriel aux États-Unis », *Les cahiers du CEFI*, nº 8, octobre 1984, p. 33.

11. HAYES, R.H. et S.C. WHEELWRIGHT, *Restoring our Competitive Edge : Competing Through Manufacturing*, New York, John Wiley & Sons, 1984, p. 40-41.
12. HAYES, R.H., S.C. WHEELWRIGHT et K.B. CLARK, *Dynamic Manufacturing : Creating the Learning Organization*, New York, The Free Press, 1988.
13. HILL, T.J., « Production Managers and Directors – Their Role and Contribution », *International Journal of Operations and Production Management*, vol. 2, n° 3, 1982.
14. KÉLADA, J., *Comprendre et réaliser la qualité totale*, 2e éd., Dollard-des-Ormeaux, Éditions Quafec, 1992.
15. LAFFERTY, C.J., *The Subartic Survival Situation*, Plymouth, Michigan, Human Synergistics, 3e éd., 1975.
16. LAWLER III, E.E., « Choosing an Involvement Strategy », *The Academy of Management Executive*, vol. 11, n° 3, 1988, p. 197-204.
17. LÉONARD-BARTON, D. et W.A. KRAUSS, « Comment réussir les changements de technologie ? », *Harvard-L'Expansion*, été 1986, p. 27-41.
18. MAIER, N.R.F., *Prise collective de décisions et direction des groupes*, Paris, Éditions Hommes et Techniques, 1964.
19. MARSHALL, P.W., W.J. ABERNATHY, J.G. MILLER, R.P. OLSEN, R.S. ROSENBLOOM et D.D. WYCKHOFF, *Operations Management, Text and Cases*, Homewood, Illinois, Richard D. Irwin, 1975, p. 77.
20. MINTZBERG, H., « The Effective Organization : Forces and Forms », *Sloan Management Review*, hiver 1991, p. 54-67.
21. PORTER, M.E., *Competitive Strategy : Techniques for Analysing Industries and Competitors*, New York, The Free Press, 1980.
22. RONDEAU, A. et M. LEMELIN, « Pratiques de gestion mobilisatrices », *Gestion, Revue internationale de gestion*, vol. 16, n° 1, février 1991, p. 26-32.
23. SKINNER, W., *Manufacturing : The Formidable Competitive Weapon*, New York, John Wiley & Sons, 1985, p. 139.
24. « Conseil pour l'avancement de la technologie CAD/CAM », *Le bulletin CAD/CAM*, juin 1985, p. 2.

CHAPITRE 3

# Les entreprises de services*

JEAN NOLLET *auteur principal*



* La majeure partie du contenu de ce chapitre est extraite du livre *Les entreprises de services* écrit par Jean Nollet et John Haywood-Farmer et publié chez le même éditeur en 1992.

# LE SECTEUR TERTIAIRE

## 3.1 Le contenu du chapitre

Dans la première édition de ce livre, nous avions ajouté, dans les chapitres appropriés, quelques sections portant sur les entreprises de services et leurs particularités. Selon nous, un livre sur la gestion des opérations comporte suffisamment de notions communes à tous les secteurs de l'économie pour justifier une telle approche.

Plusieurs professeurs et étudiants nous ont suggéré d'aborder le secteur tertiaire vers le début de l'ouvrage afin de discuter de ses particularités et ainsi d'éviter l'ajout de sections qui, dans la première édition, donnaient plutôt l'impression que ce secteur était délaissé. Nous avons retenu leur suggestion : voici donc un chapitre réservé au secteur des services. Dans tous les chapitres qui suivront, nous choisirons indifféremment des exemples de l'un ou l'autre secteur.

L'objectif poursuivi dans ce chapitre est de décrire les particularités du secteur tertiaire et d'en discuter ; nous ne visons pas à déterminer avant tout comment la GOP peut s'appliquer dans le secteur des services, puisqu'une telle approche sera utilisée dans chacun des chapitres appropriés. Cependant, nous fournirons quand même plusieurs exemples tout au long du chapitre.

Pour commencer, nous abordons le secteur tertiaire avec une vision globale, de façon à le situer dans l'ensemble de l'économie. Par la suite, nous traitons de la notion de service et de certaines particularités de la prestation des services. Finalement, nous présentons brièvement certaines caractéristiques importantes de l'un des secteurs tertiaires, le secteur public.

## 3.2 Le rôle du secteur tertiaire dans l'économie

Les économistes mesurent habituellement le développement de l'économie selon l'importance de son secteur tertiaire. Il est bien connu que dans des pays industrialisés comme le Canada, les États-Unis et la Grande-Bretagne, l'emploi et le produit intérieur brut proviennent à 70 % du secteur tertiaire, alors que le secteur manufacturier et celui des ressources naturelles (mines, forêts et agriculture) fournissent le reste, soit 25 % et 5 % respectivement. Ces chiffres constituent des généralisations, et on doit les interpréter avec beaucoup de prudence. Non seulement comparent-ils des économies très différentes, mais encore sont-ils très imprécis à l'intérieur d'une même économie.

La réalisation de services va souvent de pair avec la production de biens de consommation : en fait, la majorité des fabricants tirent une portion intéressante de leurs revenus et de leurs profits des services qu'ils rendent. Par exemple, depuis plusieurs années, General Motors possède une filiale qui aide les acheteurs à financer leurs nouveaux véhicules. D'ailleurs :

> *Il est déjà – et il sera encore plus – difficile de fabriquer des produits meilleurs que ceux de la concurrence. La plupart du temps il n'est pas exagéré de dire que n'importe quelle entreprise pourrait les fabriquer. Dans un nombre croissant de secteurs industriels, ce sont les services que l'entreprise peut offrir d'une façon concurrentielle qui comptent, et non seulement la solution technique associée aux produits. Les fabricants devront prendre conscience qu'eux aussi vivent dans une économie de services et qu'ils devront en apprendre les règles*[7].

Les gestionnaires imaginatifs peuvent créer un avantage concurrentiel considérable à partir des services. Par exemple, des compagnies ferroviaires ont pu concurrencer plus efficacement les entreprises de transport routier grâce au concept de ferroutage, qui correspond à mettre les roulottes de camions sur des wagons plates-formes.

Il est difficile de maintenir l'importance du secteur tertiaire en l'absence d'un secteur manufacturier et d'un secteur primaire également forts ; le tourisme constitue sans doute l'une des rares exceptions à cette règle. Réciproquement, il est de plus en plus difficile de profiter d'une économie en pleine santé axée sur le secteur de la fabrication, sans un secteur des services bien organisé. Ce sont les améliorations des secteurs primaire et secondaire qui ont permis cette transition vers une économie des services.

Plusieurs personnes croient que le secteur des services est constitué de petites entreprises qui utilisent une main-d'œuvre peu spécialisée et qui possèdent peu de stocks ; pourtant, il y a de nombreuses exceptions. Par exemple, les détaillants gardent souvent des stocks considérables ; il en va de même de nombreuses entreprises de transport qui doivent disposer de plusieurs pièces de rechange pour assurer l'entretien de leurs véhicules.

Bien que la productivité du secteur tertiaire se soit accrue à un rythme moindre que celle du secteur secondaire, une liste compilée par la revue *Inc.* indique que 44 % des entreprises au taux de croissance le plus élevé (défini par l'accroissement des ventes des cinq dernières années) se trouvent dans le secteur des services[28].

## LES NOTIONS DE SERVICE ET DE PRESTATION DU SERVICE

### 3.3 La définition d'un service

Même après 25 années d'études, les spécialistes ne s'entendent pas sur la définition de « service ». Selon un point de vue très répandu, les services constituent l'extrant d'un système de production. Sasser *et al.*[24] fournissent une définition nettement axée sur les services en tant qu'extrants :

> *Un service est constitué à la fois d'un ensemble d'avantages explicites et implicites et des produits de fabrication qui en facilitent la réalisation.*

L'importance relative de chaque extrant dépend en bonne partie du type de service et de la situation. Des personnes et de l'équipement permettent de satisfaire les besoins d'un ou de plusieurs clients, que ces besoins relèvent de la psychiatrie, du tri ou de la messagerie. Le client peut profiter non seulement d'un service principal, mais aussi de produits permettant ce service et les services auxiliaires.

Par exemple, pour une partie de football, le **service principal** est la partie elle-même. Les avantages implicites comprennent le fait d'être associé à un vainqueur (ou même de compatir au sort du perdant). Les boissons, la nourriture et les billets d'entrée sont des **biens auxiliaires** permettant la réalisation du service ; un service d'autobus spécial vers le stade (qui permet d'accroître la

**FIGURE 3.1** ▶ **La relation entre les composantes d'un service et son degré de tangibilité**

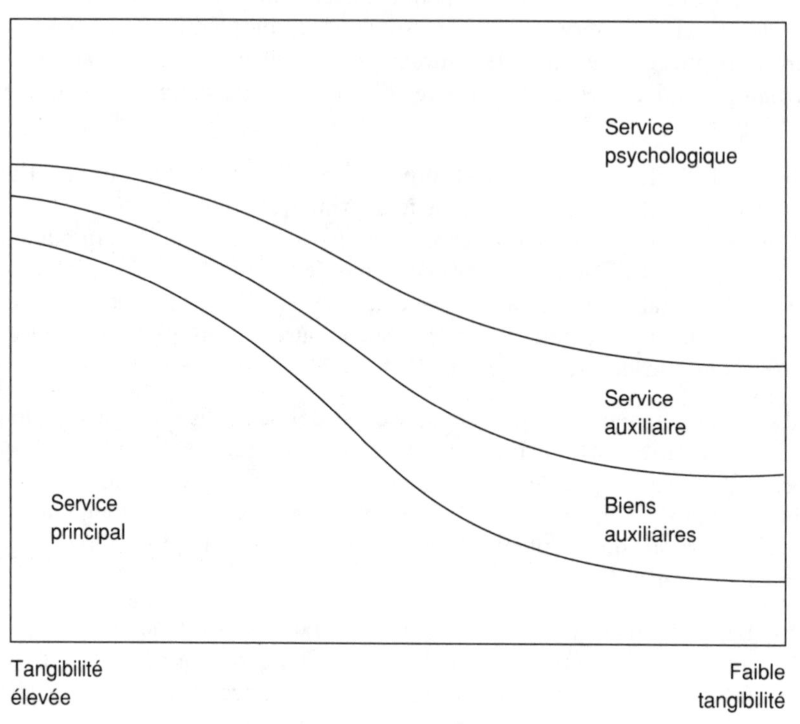


sécurité et la vitesse) constitue un **service auxiliaire** (figure 3.1). Habituellement, les spectateurs n'assistent pas au match pour profiter des biens ou des services auxiliaires qui permettent l'existence du service principal : les spectateurs aiment participer au match. Le service réel (plus explicite) est une source de divertissement ; la partie en représente seulement une portion, parfois même une toute petite portion. Lorsqu'il y a autant de biens et de services, le client obtient une **satisfaction psychologique** dont le degré dépend souvent de sa propre perception générale.

Même si des secteurs comme celui du commerce de détail possèdent des stocks, la caractéristique la plus reconnue des services est sans contredit **l'intangibilité**. Un élément intangible ne peut être ni touché ni très bien compris, quoiqu'il puisse être perçu par le biais d'un autre sens ou grâce à des images mentales. Puisque les services sont intangibles, il peut s'avérer difficile de les décrire, de les acheter et de les vendre. Il peut aussi être impossible de les stocker.

Évidemment, de nombreux segments des services sont tangibles, tels les bâtiments, l'équipement et les biens permettant leur existence. Plusieurs auteurs s'accordent à dire que l'intangibilité est la caractéristique qui facilite le plus la différenciation entre les services. Même lorsqu'il y a des produits tangibles, les entreprises vendent des promesses. Pour reprendre les mots célèbres de Charles Revson : « Dans l'usine, nous fabriquons des cosmétiques ; à la pharmacie, nous vendons de l'espoir. »[9] Ou encore, comme le mentionne Levitt[12] :

*Un produit est beaucoup plus qu'un objet tangible... Du point de vue de l'acheteur, le produit constitue une promesse, un ensemble de valeurs souhaitées, parmi lesquelles les propriétés intangibles sont aussi présentes que les propriétés tangibles.*

L'acheteur d'un bien ou d'un service en attend des avantages. La valeur réelle d'un produit en dépend beaucoup, et toutes les caractéristiques d'un service doivent être orientées vers le client. Toute transaction donne lieu à des attentes mutuelles quant aux privilèges et aux obligations qui en découlent[20]. La réputation d'une organisation constitue une promesse qui influence l'attente intangible du client.

D'ailleurs, il arrive fréquemment que les clients associent le niveau de risque à l'intangibilité et qu'ils utilisent « différentes techniques pour réduire les risques et mesurer l'intangible »[12]. Par exemple, la marque de commerce de l'organisation et l'apparence du personnel influencent grandement l'image que se font les clients potentiels.

L'intangibilité cause également des problèmes lorsqu'on tente de fournir les mêmes services dans d'autres pays. En effet, les services, plus que les biens, sont habituellement définis à partir des caractéristiques culturelles. Par exemple, les caissières chez McDonald's sont entraînées pour établir un contact visuel avec le client, ce qui est moins bien perçu entre autres au Japon.

L'**hétérogénéité** constitue une deuxième caractéristique des services. Si un client se fait servir de manière différente à deux succursales de la même entreprise, ou à des moments différents au même endroit, ou encore s'il perçoit qu'un autre client a droit à un meilleur service, sa perception sera négative. Ces variations sont beaucoup plus acceptables lorsqu'elles se présentent en fonction de groupes de services différents, comme c'est le cas pour les différentes catégories de billets des compagnies aériennes : tous les clients sont d'accord pour qu'une personne ayant un billet de première classe reçoive un meilleur traitement que si elle était en classe économique. Un gestionnaire doit comprendre que l'hétérogénéité s'applique aussi bien aux clients qu'aux services.

L'**aspect périssable** constitue une troisième caractéristique des services. À cause de leur intangibilité, il est difficile sinon impossible de stocker les services. D'une certaine façon on peut dire qu'un service est plutôt éphémère. Par exemple, lorsqu'un avion décolle, un siège vide représente une occasion ratée à jamais. Bien que les composantes des services ne puissent habituellement pas être stockées, il est parfois possible de stocker la capacité de fournir le service. Ainsi, le personnel excédentaire dans une unité d'urgence représente une capacité stockée. Une telle approche permet aux gestionnaires une plus grande flexibilité, qui peut se refléter entre autres sur la politique des prix. Les passagers en attente paient moins cher (moyennant un degré d'incertitude quant au moment du départ), ce qui permet aux compagnies aériennes d'obtenir au moins une certaine somme pour des sièges qui seraient autrement vides, ou encore de transférer certains passagers d'un vol plein à un autre vol.

La **participation du client** lors de la prestation du service constitue une quatrième caractéristique des services. Les coiffeurs, les restaurateurs, les psychologues ou les médecins ne peuvent pas vraiment offrir des services sans la participation des clients. Par contre, le nettoyage à sec, la livraison du courrier, la recherche médicale et le transport des marchandises s'effectuent habituellement en l'absence du client. Bien que la participation des clients lors de la prestation des services puisse en réduire le coût et constituer une technique utile de mise en marché, elle exige davantage de l'entreprise et de ses gestionnaires. En effet, il est plus difficile de surveiller les gestes des clients que ceux des membres du personnel, et il existe peu de programmes de formation pour la clientèle.

Ces multiples caractéristiques des services permettent également de les améliorer, ce qui constitue l'objectif ultime de toute entreprise fournissant un service, quel que soit son secteur d'activité. Un bon concept de service permet donc une intégration cohérente des éléments qui constituent ou qui rendent possible le service.

## 3.4 La classification des services

Les gestionnaires des entreprises de services doivent bien comprendre leur secteur d'activité afin de fournir un excellent service à leur clientèle. Mais ce qui se fait dans d'autres secteurs peut aussi les inspirer. Trop souvent, les gestionnaires du secteur tertiaire croient qu'il est nécessaire d'avoir une grande expérience dans un domaine précis et de bien le comprendre ; ils ont l'impression que leur secteur est si spécialisé que la compréhension des autres secteurs ne peut les aider. Les animateurs de séminaires se font souvent poser la question : « Qu'est-ce que je vais apprendre qui puisse s'appliquer directement à mon secteur ? » C'est un signe évident que les participants ne sont intéressés que par les aspects propres à leur domaine. Les gestionnaires doivent faire preuve d'une plus grande clairvoyance pour s'améliorer. C'est dans cet esprit que sont présentées les quelques taxonomies suivantes, qui peuvent être utiles pour les gestionnaires œuvrant dans tous les types d'entreprises de services.

Chase[3] répartit les services selon le **degré de contact** entre le client et l'entreprise ; la répartition va des services purs (santé, hôtellerie, éducation) à la fabrication de biens durables, en passant par les services mixtes (maisons funéraires, succursales bancaires, bureaux de poste locaux) et les entreprises de quasi-fabrication (sièges sociaux des banques, administration gouvernementale, tri postal). Dans les services à contact élevé, l'efficacité est réduite à cause d'un manque de contrôle sur la prestation. Le principe consiste à concevoir des systèmes pour isoler autant que possible les activités qui nécessitent la participation directe des clients, afin de pouvoir utiliser des techniques de fabrication connues.

Lovelock[18] a élaboré une classification, situant sur un axe le **degré d'intangibilité** et sur l'autre axe le genre de prestation du service, selon qu'il s'adresse à une personne ou s'applique à un objet qu'elle possède. Comme l'illustre la figure 3.2, cette taxonomie permet de voir clairement l'influence des gestes qu'on dit tangibles. Les entreprises doivent surveiller étroitement la façon dont les clients évaluent les activités intangibles, car les efforts consacrés à la prestation du service ne garantissent pas leur satisfaction. Rappelons que Levitt[12] propose de rendre les services intangibles aussi tangibles que possible.

Lovelock classifie également les services selon le **degré de standardisation** et le **niveau de jugement** requis des employés. Certains services sont personnalisés et, selon leur nature, exigent beaucoup de jugement de la part des personnes qui les fournissent (figure 3.3). Si les employés d'une chaîne de restauration rapide n'ont pas à utiliser beaucoup leur jugement, cela provient des systèmes très bien

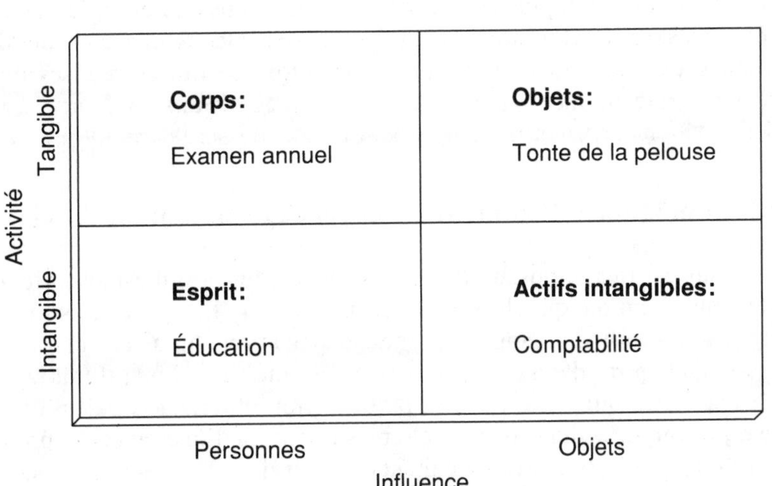

Activité
Tangible
Intangible
Corps:
Examen annuel
Objets:
Tonte de la pelouse
Esprit:
Éducation
Actifs intangibles:
Comptabilité
Personnes
Objets
Influence

**Source :** Adaptation d'une figure de Lovelock[18].

**FIGURE 3.2**
**La classification des services en fonction de l'intangibilité et des objectifs**

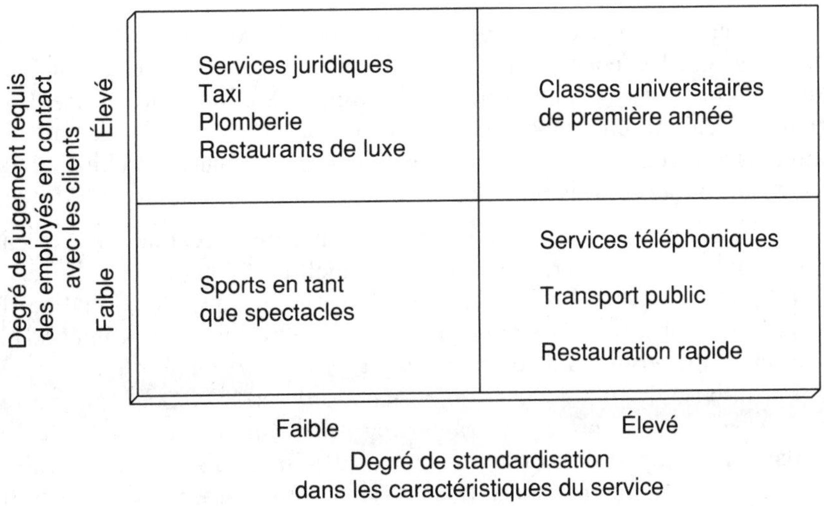

Degré de jugement requis des employés en contact avec les clients
Élevé
Faible
Services juridiques
Taxi
Plomberie
Restaurants de luxe
Classes universitaires de première année
Sports en tant que spectacles
Services téléphoniques
Transport public
Restauration rapide
Faible
Élevé
Degré de standardisation dans les caractéristiques du service

**Source :** Adaptation d'une figure de Lovelock[18].

**FIGURE 3.3**
**La classification des services en fonction du degré d'adaptation et de jugement des employés**

définis et contrôlés qui les encadrent. Par contre, les chauffeurs de taxi et les garçons de table des grands restaurants doivent faire preuve de beaucoup de jugement. Les entreprises dans chacun des quatre quadrants de la figure 3.3 ont besoin d'employés aux capacités fort différentes, ce qui met en évidence l'importance d'établir des politiques d'embauche et de formation permettant d'assurer un excellent service à la clientèle.

On peut envisager plusieurs autres classifications ; en effet, les services peuvent être classifiés selon tout ce qu'il est possible de mesurer ou d'estimer. L'objectif d'une classification est de reconnaître que des entreprises de services différentes partagent une ou plusieurs caractéristiques qui s'appliquent à la gestion et qui permettent une meilleure adéquation entre le service et sa prestation.

## 3.5 L'importance de l'adéquation service–prestation du service

Le processus est très important dans les services. En fait, il est aussi fondamental lors de leur création que lors de leur prestation. En règle générale, un bon processus comporte des étapes et une planification logiques, un flux continu, une gestion adéquate de la capacité et une certaine flexibilité ; il fait la différence entre les activités qui nécessitent la participation du client et celles qui ne l'exigent pas. Il importe donc que le client se sente à l'aise avec le processus, et que celui-ci appuie les autres éléments du service. Une bonne conception des services est particulièrement importante parce que le client participe au processus ; la correction d'une erreur ou une mauvaise conception sont beaucoup plus évidentes que dans un processus de fabrication. Une bonne conception permet de fournir au client un service de qualité satisfaisante à un prix satisfaisant. La conception doit intégrer la nature et la qualité du service (elles ne peuvent être ajoutées ultérieurement) car le client évalue les deux, souvent subjectivement.

Une conception soignée s'impose pour atteindre l'excellence dans la prestation d'un service. Une conception détaillée facilite le contrôle de la qualité et l'uniformité du processus, car elle permet d'examiner l'ensemble du service. L'une des façons de réaliser une conception détaillée du service consiste à faire une description schématique des étapes, qui ressemble à des plans d'architecte, à un chemin critique ou à un ordinogramme[26].

Le client, qui participe souvent à la réalisation du service, doit être au centre de sa conception. Les caractéristiques du personnel, de l'équipement, du service et de sa prestation doivent être en équilibre (c'est-à-dire que l'exploitation doit correspondre à la planification) afin que chacun de ces facteurs s'intègre bien dans l'ensemble du service. La figure 3.4 représente un exemple d'équilibre. Un service est composé de trois facteurs importants (les services principaux et périphériques, le système de prestation et le processus) qui sont toujours présents, quoique dans des proportions variables, mais difficiles à distinguer. Le rôle du client peut varier, tout comme son influence sur le processus, mais le client peut modifier chacun des trois facteurs. Il perçoit le processus, évalue le système et la qualité du service. Pour que le système soit en équilibre, le gestionnaire doit agir sur sa structure afin de suggérer des stratégies à l'entreprise. Par exemple, les patients d'une clinique médicale sont satisfaits du service lorsque les horaires sont respectés et qu'ils reçoivent une attention complète et inconditionnelle du médecin.

Lorsqu'une entreprise offre plusieurs services à différents types de clients, il arrive fréquemment que ceux-ci préfèrent obtenir un service adapté à leurs besoins particuliers[23]. Le système de prestation des services peut comporter des activités principales bien établies, auxquelles peuvent s'ajouter de nouvelles activités pour satisfaire des demandes précises. Par exemple, les compagnies aériennes fournissent un traitement préférentiel à leurs passagers de première classe lors de

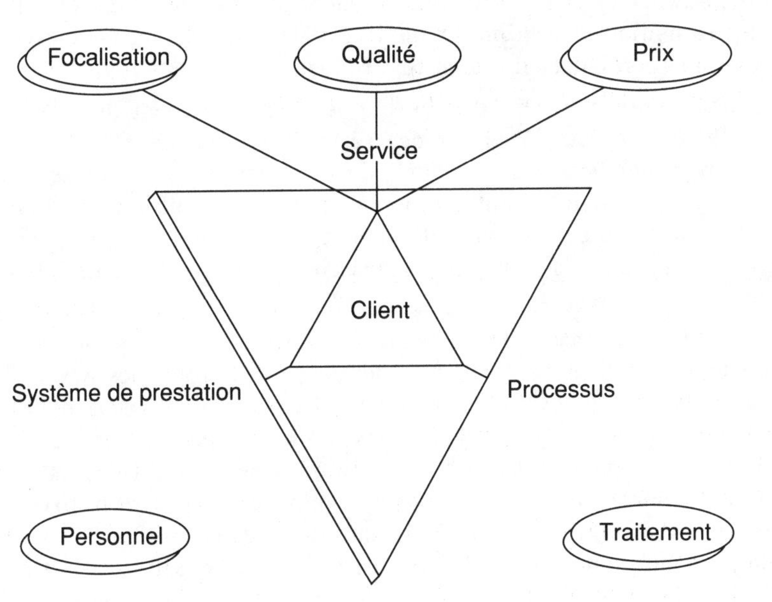


**FIGURE 3.4**
**L'équilibre de la conception**

l'enregistrement, même si le processus ne diffère pas vraiment de celui de la classe économique ; cependant, tous les passagers forment une file d'attente unique aux douanes et aux postes de sécurité.

Lors de la prestation des services, il peut arriver que le client se rende chez le fournisseur ou vice versa, ou encore que les deux transigent à distance, possiblement par des intermédiaires[17]. Les implications en sont intéressantes. Mais jusqu'à ce que l'extermination de la vermine puisse se faire par téléphone, il sera toujours nécessaire de se rendre chez le client. De la même façon, la majorité des vacanciers préfèrent participer à une croisière que d'écouter l'émission « La Croisière s'amuse ». Par contre, les transactions bancaires et boursières exigeaient avant que les clients se rendent sur les lieux ; elles peuvent maintenant s'effectuer par télécommunication.

## 3.6 L'industrialisation des services

Levitt[13,14] a été le premier à suggérer le concept d'industrialisation des services, qui vise à améliorer l'efficience et l'efficacité des services par une approche systématique, normalisée, « industrielle », qui s'applique à la conception du service et à son exploitation. Il propose que l'approche traditionnelle des services, qui implique une variabilité humaine et une disponibilité envers les clients, soit remplacée par des technologies rigides, flexibles et hybrides. Une **technologie rigide** consiste en un équipement que le client peut utiliser lui-même, comme les lave-autos, les guichets automatiques, les télécopieurs, ou qui peuvent être utilisés par un technicien, comme c'est le cas pour les diagnostics médicaux ou les réparations d'automobiles. Des forfaits de voyages, des services d'impôts ou des logiciels constituent des exemples de **technologie flexible**. Les **technologies hybrides**, comme les systèmes qui permettent de contrôler les itinéraires de camions par radio, les technologies de l'information et celles qui traitent les cartes de débit, présentent une combinaison d'éléments rigides et flexibles.

L'industrialisation des services implique fréquemment que des services à faible volume sont remplacés par des services normalisés où les extrants sont beaucoup plus nombreux. Les chaînes de restauration rapide présentent peu de flexibilité mais offrent rapidité, propreté et service uniforme partout, en tout temps, à un nombre considérable de clients. (Il y a encore de la place pour les restaurants traditionnels, car ils s'adressent à un segment de clientèle très différent[2].)

Lorsque c'est nécessaire, on peut accroître la normalisation si le contrôle des caractéristiques des systèmes et la définition des problèmes liés à la clientèle (déclarations de revenus) ou à ses attentes (restauration rapide) permettent une planification appropriée. Cependant, dans d'autres types de services, comme la consultation et la plupart des services professionnels, la détermination des problèmes et des solutions peuvent s'avérer complexes, requérir un niveau élevé de compétence et un service personnalisé. Dans de telles situations, la standardisation est beaucoup plus difficile à réaliser, même s'il est possible et désirable de le faire en partie[8].

## 3.7 Le client comme ressource productive

Plutôt que de se concentrer sur l'aspect technologique, Lovelock et Young[19], entre autres, insistent sur la contribution possible des clients à la prestation des services. Cette approche est intéressante, car elle s'oriente avant tout d'après l'attitude et l'engagement du client. Sa participation peut aller d'un extrême à l'autre, soit d'un engagement complet à une absence totale de participation. La télévision n'exige guère de participation ; les services postaux ne sont réalisés qu'avec un engagement minime du client. Par contre, la location d'un appareil pour nettoyer les tapis nécessite une grande participation du client pour le transport, le remplissage de la machine avec de l'eau et du shampooing ainsi que pour le nettoyage des tapis et celui de l'appareil.

En pratique, sauf si la qualité de la participation de certains clients laisse à désirer, s'ils dérangent les autres clients ou les membres du personnel ou encore s'ils accaparent trop ces derniers, on suggère d'encourager le plus possible la participation des clients[22]. La participation accrue du client ne constitue pas la seule façon d'accroître la productivité ; de ce fait, elle peut s'avérer insuffisante. Elle doit être en équilibre avec l'industrialisation des services et le traitement de l'information. Certaines améliorations majeures apportées à la productivité proviennent des relations entre les clients et les ordinateurs. Les entreprises de services doivent donc s'assurer que l'équipement et les logiciels permettent aux clients de se sentir à l'aise ; c'est seulement ainsi qu'on atteindra les bénéfices escomptés.

Un bon client se comporte de façon prévisible dans un système donné[27], qu'il soit productif ou non. Par exemple, dans un hôtel cinq étoiles, il est normal d'utiliser les services d'un chasseur. Si un client s'occupe lui-même de ses bagages, il se heurte à l'hostilité des réceptionnistes et des chasseurs. Les chasseurs s'emparent parfois des valises pendant que le client s'inscrit à la réception ; ainsi, il n'a pas le choix. Cette attitude illustre la définition des fonctions dans les services. Les clients apprennent leur rôle tout d'abord par l'observation et l'imitation, puis par leur participation. Lorsque leur comportement correspond aux prévisions, la productivité s'améliore ; par conséquent, il est important de fournir les informations appropriées aux clients afin qu'ils jouent bien leur rôle.

Avec l'internationalisation des services, la socialisation des clients et l'uniformité du comportement prennent une dimension tout à fait différente[15]. Par exemple, dans les pays industrialisés, les files d'attente sont habituellement bien planifiées et acceptées, bien qu'elles varient d'un pays à l'autre. Cependant, dans certains pays, il n'y a pas de files d'attente : la personne qui joue le mieux du coude ou qui crie le plus fort est celle qui se fait servir en premier.

Pour obtenir la participation des clients, il faut leur offrir des avantages ; après tout, ce sont d'abord des clients et non des employés. Ces avantages peuvent être des prix plus faibles, une meilleure qualité, un service plus rapide ou plus adapté à leurs besoins, un meilleur contrôle ou encore une plus grande satisfaction personnelle. Les efforts de mise en marché doivent insister non pas sur le rendement du système, mais sur les avantages offerts en retour de la participation des clients. Par exemple, un rabais de 0,01 $ le litre ne suffit pas à décider une majorité d'automobilistes à mettre de l'essence eux-mêmes lorsque le thermomètre indique moins 25 degrés...

La participation aux services peut être physique (1), intellectuelle (2) ou émotive (3) et peut être axée sur la réalisation du service (A), la contribution aux caractéristiques du service (B), ou encore sur la participation au service ou sur l'évaluation et le contrôle du processus (C)[11]. Les catégories le long de ces deux axes (1-3 et A-C) ne sont pas mutuellement exclusives ; elles permettent la construction d'une matrice 3 × 3, qui peut aider les gestionnaires à définir les combinaisons qui conviennent le mieux au service. Une vague de vandalisme et de vols peut amener les résidents d'un quartier à créer un programme de surveillance en collaboration avec la police. Dans ce cas, une charge émotive liée au service entraîne une plus grande participation dans l'application de la loi.

On associe habituellement la participation du client à son taux d'interaction élevé avec le système ; par contre, le service industriel exige un taux de rapport faible. Les systèmes à contact élevé (SCE) correspondent le plus souvent à une grande participation des clients et des membres du personnel, contrairement aux systèmes à contact faible (SCF). Chacun des systèmes correspond à un environnement différent et, par conséquent, à un objectif différent : l'efficacité dans le cas des SCE, et l'efficience pour les SCF[4]. L'efficience cadre bien avec une structure rigide et mécaniste comme c'est le cas dans les SCF, tandis que l'efficacité convient mieux à la structure flexible et organique des SCE. Les SCE et les SCF diffèrent de plusieurs autres façons : l'emplacement, l'aménagement, le contrôle de la qualité, la planification de la main-d'œuvre, etc. Une pizzeria qui tente d'attirer la clientèle à l'intérieur (SCE) doit choisir un emplacement facilement répérable et accessible. Par contre, une pizzeria qui ne fait que des livraisons à domicile (SCF) se situera à un endroit où les coûts d'exploitation sont faibles, qui est d'accès facile pour les véhicules de livraison et qui n'est pas loin de la clientèle. En fait, une visibilité trop grande peut constituer un désavantage pour les SCF.

Il est préférable de séparer les employés et les clients quand les circonstances le permettent. En effet, les clients sont agacés lorsque certains employés, qui pourraient être disponibles pour répondre à leurs questions, leur disent que ce n'est pas leur travail, ou encore lorsqu'ils s'assoient à leur bureau en ne portant aucune attention à la file d'attente. Par contre, en ne répondant pas au téléphone, les clients ne peuvent savoir si on les ignore ou non.

Dans les cas où plus d'un mode de prestation du service est offert, il est possible de transférer la demande des clients d'un système à un autre. Les gestionnaires peuvent créer un système où le niveau de contact est élevé, et un autre où il est faible. Par exemple, les transactions par guichet automatique coûtent moins cher que les transactions effectuées par des caissières. Ainsi, certaines banques imposent des frais aux clients qui veulent être servis par une caissière pour effectuer une transaction que les guichets automatiques peuvent tout aussi bien faire. Il arrive parfois que les clients évitent volontairement les rencontres personnelles ; dans ces cas, il est préférable de limiter le niveau de contact.

# UN SECTEUR PARTICULIER : LE SECTEUR PUBLIC

## 3.8 La nature du secteur public

Dans cette section et la suivante, nous traitons brièvement de l'un des secteurs importants des services : le secteur public. Cette approche permet d'illustrer non seulement les concepts présentés dans ce chapitre, mais également certains concepts qui seront étudiés ultérieurement. Une grande partie du secteur tertiaire se trouve dans le secteur public, où la productivité est inférieure à celle du secteur privé. Pour Drucker[5], les raisons habituellement invoquées pour expliquer le piètre rendement du secteur public (irrationalité de l'approche des gestionnaires, incompétence des fonctionnaires, intangibilité des objectifs et des résultats) constituent seulement de piètres excuses. Selon cet auteur, la cause réelle des malaises du secteur public se trouve dans le mode de subvention. Dans le secteur privé, on paie des entreprises pour satisfaire des clients. Si les clients n'en ont pas pour leur argent, les entreprises les perdront. Par contre, le secteur public est habituellement subventionné à partir d'un budget. Les budgets ne sont reliés que marginalement aux résultats ; ils sont plutôt déterminés par des promesses et de bonnes intentions. Ils ne correspondent pas directement à ce que le client entend par résultats et rendement, pas plus qu'à son utilisation des services. La situation se complique encore à la suite de l'absence de vérification des services due à un manque de motivation et de ressources.

Dans un système où la croissance des budgets entraîne une augmentation du pouvoir, l'efficience n'est pas nécessairement souhaitable[5]. Des résultats atteints avec un budget ou un personnel réduit signifient souvent une réduction du rendement et du pouvoir. Cela peut même remettre en cause la raison d'être du service, et sûrement celle des fonctionnaires qui en sont chargés. Dans le secteur public, l'efficacité est plus menacée que l'efficience[5]. Quand un organisme gouvernemental remet en question sa présence dans un secteur, il met en danger son budget, son pouvoir et même sa survie. Par opposition à la rationalisation, les augmentations du nombre de secteurs d'activité constituent une source de dispersion et d'inefficience. La dépendance à un budget n'encourage pas la détermination des priorités ni la concentration des efforts. Pourtant, on a fait certains progrès[6]. En s'appuyant sur un échantillonnage statistique, le service des douanes américaines a adopté un système d'honneur à l'aéroport international de Houston, et en a multiplié la capacité par 2,5. Il est évident que cette approche a amélioré l'efficience et probablement la perception du service, mais elle permet également à certaines personnes de contourner la loi et de faire décroître l'efficacité.

Plusieurs sont d'avis que la bureaucratie est excessive, que la croissance du secteur public est effrénée. Peut-on réellement mesurer la bureaucratie? Ament[1] suggère les quatre critères suivants (qui s'appliquent également au secteur privé) :

- la centralisation excessive du processus décisionnel ;
- la participation excessive d'un trop grand nombre de fonctionnaires dans les décisions politiques, techniques et juridiques ;
- la prolifération des niveaux hiérarchiques ;
- le nombre excessif des manuels de processus et des réunions d'orientation.

On cherche des mesures significatives pour résoudre ces problèmes et améliorer l'image du secteur public. Par exemple, plusieurs grandes villes ont décentralisé leurs bureaux administratifs afin de créer des unités plus petites et plus efficaces qui peuvent mieux répondre aux besoins locaux.

Face à un contexte comme celui que nous venons de décrire, voici certaines avenues à considérer pour tenter de résoudre quelques-uns des problèmes auxquels fait face le secteur public.

## 3.9 Quelques solutions de GOP

À Washington (D.C.), deux des principaux problèmes qu'a causés le service d'urgence 9-1-1 ont été de faire correspondre le personnel et la demande et d'améliorer le rendement dans le traitement des appels[10]. La demande était élevée (plus de deux millions d'appels par année pour les services d'urgence de police, d'ambulance, d'incendie et autres) et très variable, avec des périodes de pointe importantes les vendredis et samedis entre 15 h et 23 h, et des appels dont la durée s'étendait de 10 secondes à 18 minutes. Les téléphonistes répondaient aux appels sans tenir compte de leur ordre. Une analyse minutieuse des opérations, à l'aide de bases de données, d'études de temps, d'échantillonnage de travail et de dossiers concernant les files d'attente, de même qu'une analyse de l'assimilation et de la programmation linéaire alliée à une amélioration des méthodes, de l'ordonnancement et de l'équipement ont permis de réduire la période d'attente moyenne pour les appels urgents de 10 à 3 secondes, et de diminuer la proportion des appels en attente de 33 % à 12 %. Ces améliorations ont été apportées sans augmentation du personnel.

Une étude a démontré que les villes canadiennes, particulièrement celles dont la population était inférieure à 50 000 habitants, pouvaient réduire les coûts des services d'incendie sans en diminuer la qualité (temps de réponse) par l'adjonction de pompiers à temps partiel[20]. Par contre, un personnel composé seulement d'employés à temps partiel prenait 25 % plus de temps à réagir qu'un personnel comprenant exclusivement des employés à temps plein.

La sous-traitance et la privatisation sont devenues des moyens populaires pour réduire les coûts du secteur public. Cependant, il faut considérer d'autres facteurs. À mesure que s'accroît le travail effectué à l'extérieur, les gestionnaires peuvent perdre le contrôle du service. Il se peut que la sous-traitance amène les gestionnaires à prendre la bonne direction. Si on laissait les sous-traitants du secteur privé faire ce qu'ils font de mieux (atteindre la norme le plus économiquement possible), le secteur public en profiterait. Il est possible et même souhaitable d'atteindre un équilibre entre la sous-traitance et le travail à l'interne.

À Edmonton, à Winnipeg et à Montréal, on a atteint cet équilibre dans la collecte des déchets[21] et le déneigement[16]. Par exemple, à Winnipeg, on a confié en sous-traitance environ 30 % du déneigement au secteur privé en procédant par appels d'offres. La synchronisation et la capacité sont très difficiles à prévoir. Lorsqu'il neige, on recourt aux entrepreneurs à partir des soumissions les moins chères jusqu'aux plus dispendieuses, puis on les laisse partir dans l'ordre inverse. Cela permet d'assurer un service adéquat lors d'une forte tempête et de récompenser le soumissionnaire le plus bas. La sous-traitance peut exercer une pression sur les fonctionnaires en établissant de nouvelles normes[21]. Par exemple, North Vancouver a pu démontrer qu'une équipe de deux personnes à l'emploi d'entrepreneurs pouvait recueillir les déchets de 694 résidences à l'heure, comparativement à 705 pour des équipes de trois personnes employées par la municipalité.

Il n'est pas nécessaire de chercher des solutions compliquées pour améliorer les opérations. Par exemple, la ville de Tampa a loué des chèvres afin de raser le gazon des pentes abruptes appartenant à la municipalité ; il en est résulté une réduction des coûts de la main-d'œuvre et une amélioration de la sécurité. Cependant, il est souvent plus aisé d'insister sur l'aspect technique plutôt que sur l'aspect humain de la technologie, tout spécialement lorsqu'on doit motiver des employés qui travaillent dans un système qui n'incite pas au rendement.

Une gestion axée sur la qualité totale constitue une approche intéressante et possiblement très utile pour améliorer le rendement des opérations.

## 3.10 Vers une vision GOP plutôt que sectorielle

Dans plusieurs industries du secteur tertiaire, on tend à accorder des promotions plutôt qu'à embaucher à l'externe. Bien que cette pratique permette de conserver les compétences à l'intérieur de l'industrie et de motiver les gestionnaires et les employés, elle engendre également un manque d'intérêt regrettable envers les autres industries des secteurs tertiaire ou manufacturier. Par exemple, une agence de voyages qui met l'accent sur les voyages d'affaires peut apprendre tout autant du secteur de la restauration rapide que de celui des forfaits-vacances.

Les entreprises de services, comme celles du secteur public, qui tendent à accorder des emplois à vie éprouvent d'ailleurs des problèmes particuliers face à l'échange trop limité des connaissances. Elles ne peuvent certes pas se prétendre complètement autonomes et, dans un contexte politique de déréglementation et de privatisation, les monopoles et les oligopoles sont de plus en plus rares. Comme le note Schmenner[25] :

> [...] *les gestionnaires de services qui continuent à prétendre que leurs opérations sont uniques pourraient bien mordre la poussière au profit de ceux qui pensent que leurs activités sont beaucoup plus générales.*

Une telle approche démontre bien que les gestionnaires ne saisissent pas vraiment les influences possibles d'un secteur sur un autre. Il est d'ailleurs intéressant de constater que l'évolution du champ de connaissances appelé « gestion des opérations des entreprises de services » reflète une ouverture croissante sur le transfert de connaissances entre secteurs économiques. Alors qu'au début des années 70 l'accent était mis sur les applications de la recherche opérationnelle, il y a eu une évolution vers des études comparatives entre différents secteurs de services, et même, depuis quelques années, vers le transfert de connaissances du secteur tertiaire au secteur secondaire (par exemple en ce qui concerne le rôle du client dans un système de production). Ce type d'application et de transfert permet de mieux examiner les notions de service et de prestation d'un service sous l'angle de systèmes opérationnels qui doivent être gérés le mieux possible.

Somme toute, les facteurs sociaux et politiques, alliés à l'orientation bureaucratique du secteur public, rendent difficile l'émergence de changements profonds. Cependant, dans les années à venir, d'autres options intéressantes se présenteront, puisqu'on s'attend de plus en plus à un rendement accru du secteur public. Il est certain qu'une saine gestion des opérations peut grandement aider les gestionnaires du secteur tertiaire, y compris ceux du secteur public.

## CONCLUSION

Le but de ce chapitre était de présenter certaines particularités des entreprises de services. Une telle approche permet d'aborder plus facilement les autres notions du livre dans une optique globale, où les systèmes opérationnels sont étudiés en fonction de leurs caractéristiques propres plutôt que selon leur appartenance à un secteur de l'économie. Comme l'ont démontré les quelques exemples présentés dans ce chapitre, la gestion des opérations s'applique tant au secteur tertiaire qu'aux autres secteurs.

## QUESTIONS DE RÉVISION

1. Quelles sont les principales caractéristiques du secteur tertiaire ?
2. Quelles ont été les principales étapes de l'évolution de la gestion des opérations des entreprises de services ?
3. Qu'est-ce qu'un service ?
4. Quels liens existe-t-il entre un service et la prestation du service ?
5. Selon Drucker, quels sont les principaux problèmes auxquels fait face le secteur public ? Comment la GOP peut-elle aider à résoudre certains de ces problèmes ?

## QUESTIONS DE DISCUSSION

1. Commentez la citation suivante : « Dans un nombre croissant de secteurs industriels, ce sont les services que l'entreprise peut offrir d'une façon concurrentielle qui comptent, et non seulement la solution technique associée aux produits. »
2. À l'aide d'un exemple, examinez la gamme de services rendus par une organisation. Est-il possible de déterminer un service principal et des services auxiliaires ?
3. En utilisant l'une des classifications mentionnées dans le chapitre, classifiez les services suivants : transport en commun, consultation informatique, sécurité publique, entretien ménager, ministère du Revenu, cinéma, poste d'essence et télécommunications.
4. Dans quelles circonstances l'intangibilité et l'aspect périssable d'un service constituent-ils des avantages plutôt que des inconvénients pour les gestionnaires ?
5. Le secteur public comporte une multitude de services. Choisissez l'un de ces services et décrivez comment la GOP fait partie intégrante de ce service (soyez précis quant aux aspects considérés : qualité, stratégie, etc.).

## RÉFÉRENCES


1. AMENT, J.M., « Change a Queue System from Passive to Active », *Industrial Engineering*, vol. 12, nº 4, avril 1980, p. 40-44.
2. BLOIS, K.J., « The Structure of Service Firms and their Marketing Policies », *Strategic Management Journal*, vol. 4, nº 3, 1983, p. 251-261.
3. CHASE, R.B., « Where Does the Customer Fit in a Service Operation ? », *Harvard Business Review*, vol. 56, nº 6, novembre-décembre 1978, p. 137-142.
4. CHASE, R.B. et D.A. TANSIK, « The Customer Contact Model for Organization Design », *Management Science*, vol. 29, nº 7, septembre 1983, p. 1037-1050.
5. DRUCKER, P.F., *People and Performance*, Londres, Heinemann, 1977, chap. 16.
6. EWING, B.G., C. BURSTEIN et C. WICKMAN, « Meeting the Productivity Challenge in the Federal Government », *National Productivity Review*, vol. 5, nº 3, été 1986, p. 252-261.
7. GRÖNROOS, C., « New Competition in the Service Economy : The Five Rules of Service », *International Journal of Operations and Production Management*, vol. 8, nº 3, 1988, p. 9-19.
8. HAYWOOD-FARMER, J. et J. NOLLET, « Productivity in Professional Services », *The Service Industries Journal*, vol. 5, nº 2, juillet 1985, p. 169-180.
9. KOTLER, P., *Marketing Management : Analysis, Planning, and Control*, 2e éd., Englewood Cliffs, New Jersey, Prentice-Hall, 1972, p. 423.
10. KUHN, P. et T.P. HOEY, « Improving Police 9-1-1 Operations in Washington D.C. », *National Productivity Review*, vol. 6, nº 2, printemps 1987, p. 125-133.
11. LANGEARD, É., « Le comportement du consommateur de services », *Institut d'administration des entreprises*, document de travail nº 176, janvier 1980.
12. LEVITT, T., « Marketing Intangible Products and Product Intangibles », *Harvard Business Review*, vol. 59, nº 3, mai-juin 1981, p. 94-102.
13. LEVITT, T., « The Industrialization of Service », *Harvard Business Review*, vol. 54, nº 5, septembre-octobre 1976, p. 63-74.
14. LEVITT, T., « Production-Line Approach to Service », *Harvard Business Review*, vol. 50, nº 5, septembre-octobre 1972, p. 41-52.

15. LITUCKY, T., « The Socialization of Customers as Partial Employees : Generic Skills, and when They Are Learned », présentation faite lors de la rencontre nationale de l'Academy of Management, Anaheim, Californie, août 1988.

16. LOVE, M., « Blizzard Forces Review of Winnipeg's Snow Clearing Operations », *Civic Public Works*, février 1988, p. 9, 26.

17. LOVELOCK, C.H., « Strategies for Managing Demand in Capacity-Constrained Service Organizations », *The Service Industries Journal*, vol. 4, n° 4, novembre 1984, p. 12-30.

18. LOVELOCK, C.H., « Classifying Services to Gain Strategic Marketing Insights », *Journal of Marketing*, vol. 47, n° 3, été 1983, p. 9-20.

19. LOVELOCK, C.H. et R.F. YOUNG, « Look to Consumers to Increase Productivity », *Harvard Business Review*, vol. 57, n° 3, mai-juin 1979, p. 168-178.

20. McDAVID, J.C., « Part-Time Fire Fighters in Canadian Municipalities : Cost and Effectiveness Comparisons », *Canadian Public Administration*, vol. 29, n° 3, automne 1986, p. 377-387.

21. McDAVID, J.C. et G.K. SCHICK, « Privatization Versus Union-Management Cooperation : The Effect of Competition on Service Efficiency in Municipalities », *Canadian Public Administration*, vol. 30, n° 3, automne 1987, p. 472-488.

22. MILLS, P.K. et J.H. MORRIS, « Clients as ''Partial'' Employees of Service Organizations : Role Development in Client Participation », *Academy of Management Review*, vol. 11, n° 4, octobre 1986, p. 726-735.

23. MORRIS, B., « Accommodating Multiple Objectives in the Design of Customer Treatment Operations », *International Journal of Operations and Production Management*, vol. 8, n° 3, 1988, p. 86-94.

24. SASSER, W.E., R.P. OLSEN et D.D. WYCKOFF, *Management of Service Operations*, Boston, Massachusetts, Allyn & Bacon, 1978, p. 8-13.

25. SCHMENNER, R.W., « How Can Service Businesses Survive and Prosper ? », *Sloan Management Review*, vol. 27, n° 3, printemps 1986, p. 21-32.

26. SHOSTACK, G.L., « Designing Services that Deliver », *Harvard Business Review*, vol. 62, n° 1, janvier-février 1984, p. 133-139.

27. SURPRENANT, C.F. et M.R. SOLOMON, « Predictability and Personalization in the Service Encounter », *Journal of Marketing*, vol. 51, n° 2, avril 1987, p. 86-96.

28. « The Inc. 100 », *Inc.*, vol. 11, n° 5, mai 1989, p. 92-102.

PARTIE II

# La mise en place du système Opérations-Production



Le système Opérations-Production peut s'avérer un atout stratégique sur les plans de la compétitivité et de la pérennité de l'entreprise. Les décisions qui s'y rattachent engagent l'entreprise et la majorité de ses ressources humaines, matérielles et financières sur de longues périodes. La flexibilité de ce système et sa capacité à répondre adéquatement, économiquement et techniquement, à la demande sont les principaux facteurs à considérer lors de sa mise en place.

De nos jours, les principales décisions relatives à la conception et à l'organisation du système Opérations-Production sont de plus en plus liées à une technologie qui évolue rapidement et qui concerne grandement la GOP. Ces décisions, qui influent sur le choix du produit ou de la gamme de produits, le choix du processus de fabrication, la capacité de production de l'équipement et des installations diverses, la localisation et l'aménagement des unités de production et d'entreposage, sont complétées par l'élaboration de structures organisationnelles, de systèmes d'information, de méthodes et de processus de travail.

Le chapitre 4 aborde le tandem des décisions relatives au choix du produit et au choix du processus, lesquelles occupent maintenant une place de toute première importance dans le processus décisionnel concernant la mise en place du système Production depuis l'avènement de la révolution technologique. Ces deux types de décisions sont particulièrement interreliés et, de ce fait, gagnent à être traités conjointement. C'est pourquoi nous décrivons dans ce chapitre les techniques et les moyens adoptés pour choisir un produit et sélectionner un processus, et montrons les interrelations de même que l'interdépendance des décisions qui les gouvernent.

À cause de l'importance et de l'effet de la technologie sur la majorité des décisions précitées, nous avons jugé important de consacrer le chapitre 5 à l'aspect technologique. Nous y indiquons l'influence de la technologie sur la stratégie de l'entreprise, son impact social sur les travailleurs, sur les diverses activités des responsables de la fonction Opérations-Production et sur l'exécution des opérations de production. Ce chapitre traite aussi des développements technologiques et du choix du moment propice pour l'acquisition d'une nouvelle technologie.

D'importants capitaux sont investis dans l'appareil de production. Il nous semble donc judicieux de réserver à la gestion de l'équipement et des installations une attention toute particulière. Le chapitre 6 traite des divers aspects de cette gestion comprenant l'acquisition, l'utilisation, l'entretien et le renouvellement de l'équipement.

Le chapitre 7 traite de la détermination de la capacité à installer et, dans certains cas, à sous-traiter. Nous mentionnons aussi des moyens d'accroître la capacité de production sans qu'on soit obligé d'engager d'importants capitaux. Enfin, nous indiquons les diverses stratégies utilisées pour augmenter la capacité en tenant compte des prévisions de la demande.

Au chapitre 8, nous étudions les aspects concernant la localisation et l'aménagement des bureaux et des diverses unités de production ou d'entreposage. La décision relative au choix d'un emplacement pour l'une de ces unités peut entraîner des conséquences sur les investissements requis lors de son installation et les coûts d'exploitation lors de sa mise en service. De plus, l'aménagement rationnel des espaces disponibles peut influer sur la productivité au sein de ces unités.

Le chapitre 9 présente la nouvelle tendance à revoir globalement le fonctionnement de l'entreprise, à remettre en question son « processus d'affaires ». Ce chapitre regroupe aussi les activités traditionnelles d'« organisation et méthodes » requises pour la conception et la mise sur pied d'un ensemble de modes de fonctionnement qui visent à élever la productivité sur tous les plans (en d'autres termes, qui fait quoi, quand, où, comment et pourquoi – QQQOCP). Parmi ceux-ci, mentionnons les structures organisationnelles, les méthodes et la mesure du travail, les instructions de travail et les systèmes d'information ; cependant, nous ne traitons pas de ce dernier point à cause de l'étendue du sujet.

CHAPITRE 4

# La conception du produit et du processus

ISABELLE DESCHAMPS *auteure principale*
MATTIO O. DIORIO *collaborateur*

# INTRODUCTION

## 4.1 La nature et les objectifs de la conception du produit et du processus

Quel produit fabriquer et par quel processus le réaliser ? Voilà les deux premières décisions que doivent prendre et constamment réviser les responsables des opérations. Le **produit** est défini comme la combinaison des biens et des services à fournir, c'est-à-dire l'extrant de l'entreprise. Par exemple, pour une entreprise comme Les Industries Lassonde, les produits sont les jus de fruits (produit *Oasis*) et les desserts (produit *Fruité*)[22]. Par ailleurs, le **processus** est l'ensemble des opérations et des procédés par lesquels le système crée ou réalise le produit. Par exemple, dans l'entreprise citée plus haut, le processus renvoie en fait à plusieurs éléments, dont les procédés de clarification du jus de fruits, de stockage, de stérilisation, d'emballage, de surveillance de la qualité (faite par automates), etc.[36]. Ensemble, le produit et le processus forment le **cœur du système opérationnel**. En effet, le processus transforme l'intrant en extrant (produit) ; de ce fait, il y a une forte interaction entre le produit et le processus (figure 4.1*a*). Par exemple, l'industrie de transformation du bois et de fabrication de meubles utilise de multiples processus et fabrique de nombreux produits (figure 4.1*b*). L'ensemble de ces produits et processus peut se retrouver dans une même entreprise ou au sein de plusieurs, qui se spécialisent dans un nombre restreint de produits et de processus.

Les produits et les processus sont remplacés ou modifiés périodiquement. Par exemple, la compagnie 3M a adopté, au cours des années 80, une politique exigeant que 25 % des revenus des ventes annuelles proviennent de nouveaux produits. Selon Cooper et Kleinschmidt[17], environ 40 % des ventes réalisées aux États-Unis en 1986 provenaient de nouveaux produits, comparativement à 33 % l'année précédente. Dans l'industrie mondiale de l'automobile, le taux d'ajout de nouveaux produits ou de modification des modèles de voitures est impressionnant : sur une période de cinq ans, plus de 131 nouveaux modèles ont été introduits par les géants américains, japonais et européens[13] (tableau 4.1).

▼ **FIGURE 4.1**
**L'interaction entre le produit et le processus de transformation**

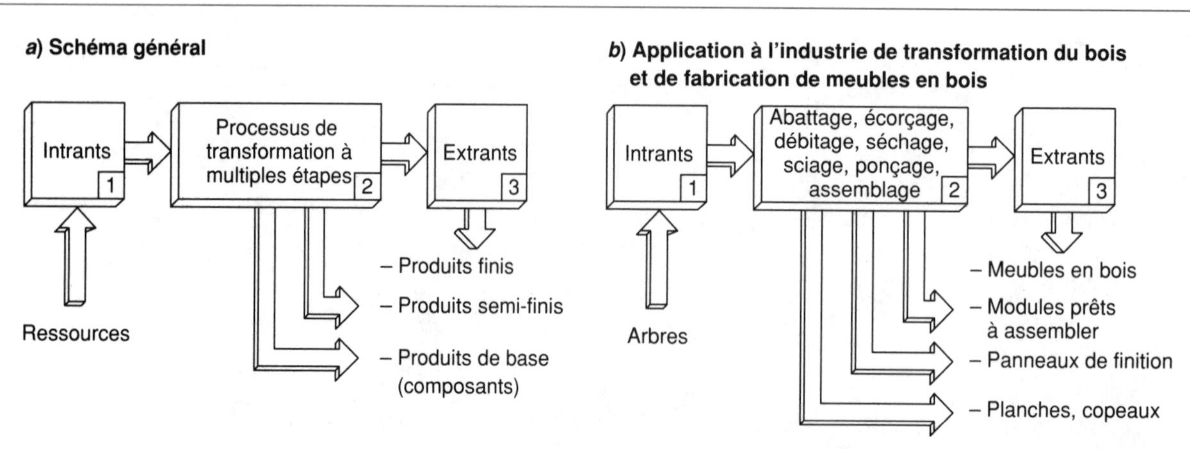

**Tableau 4.1**

**Les changements de modèles d'automobiles chez les fabricants des trois grandes régions du monde (1982-1987)**

| | États-Unis | Europe | Japon |
|---|---|---|---|
| Nombre moyen de modèles offerts | 28 | 77 | 55 |
| Nombre de nouveaux modèles développés | 21 | 38 | 72 |
| Durée de vie moyenne d'un modèle | 8,1 ans | 12,2 ans | 4,6 ans |

**Source :** Adaptation d'une figure de Clark et Fujimoto[13].

Dans de nombreuses industries, les gammes de produits et les processus ont évolué grâce à l'informatisation des opérations. Par exemple, l'apport de l'informatique a révolutionné l'industrie de la fabrication des meubles au Canada, où des robots et des machines programmables permettent à des entreprises de faible taille de concurrencer les géants américains par le biais d'une gamme de produits originaux, diversifiés et dont les coûts de fabrication sont réduits. L'interaction à double sens entre les produits et les processus est ici bien illustrée : premièrement, l'utilisation d'un nouveau type d'équipement informatisé, par exemple des machines à contrôle numérique (nouveau processus), a mené à une réduction des temps d'ajustement des machines et des temps d'opérations, à l'augmentation de la précision ainsi qu'à la diminution des rebuts et de la main-d'œuvre. Globalement, selon un sondage auprès des firmes utilisatrices, ces nouvelles machines diminuent les coûts, augmentent la capacité et la qualité, permettent de fabriquer de nouveaux produits, de diminuer les délais et de pénétrer de nouveaux marchés. Elles influent donc sur les produits par le biais de leur impact sur les processus. Ces tendances devraient se poursuivre puisque la stratégie relative aux produits des fabricants de meubles canadiens vise une variété de styles, de modèles et de prix[55]. Ces points forts exigent un renforcement de l'adaptabilité et de la productivité des processus.

Les exemples cités montrent que les liens interactifs complexes entre le produit à fabriquer et le processus posent des défis au gestionnaire des opérations. La conception initiale d'un produit ou d'un processus ainsi que la révision de cette conception sous la forme d'ajouts, d'amélioration ou de remplacement exigent de suivre une certaine méthodologie. De plus, il y a lieu d'ajuster ces méthodologies et ces étapes des activités de conception de produits ou de processus à de nombreux facteurs, dont l'âge des produits ou des processus (correspondant au cycle de vie), ainsi qu'aux conditions générales de l'industrie (concurrence) et de l'environnement PESTE (réglementation, cycle économique). La conception des produits et des processus demande au gestionnaire des opérations qu'il intègre et harmonise de multiples préoccupations dans ses efforts de révision et de promotion de l'innovation en matière de produits et de processus. Les principaux éléments qui influenceront ses choix sont brièvement abordés ci-dessous.

Premièrement, les **plaintes des clients** sont d'importantes occasions à saisir, car elles traduisent leur désaccord avec les produits ou les services offerts. Par exemple, les usagers d'Hydro-Québec, mécontents des nombreuses et longues pannes d'électricité survenues à la fin des années 80, ont incité les dirigeants à concevoir des technologies « intelligentes » qui permettent de suivre à distance la consommation d'énergie de chaque client dans le but d'aviser ce dernier en cas de panne probable ou de surcharge de courant, de réduire sa facture d'électricité et de diminuer la probabilité de pannes pour l'ensemble de la clientèle. De même, des fabricants de produits pour enfants, comme Fisher-Price (jouets, chaises hautes) et Pampers (couches), consultent régulièrement les clients dans le but d'améliorer l'attrait, la sécurité, la facilité d'utilisation et l'efficacité de leurs produits.

Dans un autre ordre d'idées, la découverte d'**erreurs dans la conception initiale** et les problèmes qui en découlent amènent souvent une modification des produits et des processus. Certaines de ces anomalies sont difficilement prévisibles, ce qui fait de la conception des produits et des processus un éternel recommencement. Par exemple, il est apparu, après plusieurs années d'utilisation des microordinateurs, que les usagers souffraient de divers malaises : maux de dos, picotement des yeux, etc. À partir de ces constatations, on a reconçu les écrans cathodiques, les tables et les chaises de travail. D'autres types d'erreurs de conception tiennent au manque de connaissances scientifiques sur les matériaux et leurs réactions dans l'environnement où ils sont utilisés. Ainsi, le choix des multiples composants des produits ou des processus est parfois issu d'un processus par tâtonnement ou d'essai renouvelé.

Les **pressions concurrentielles**, quant à elles, s'avèrent autant d'occasions que de défis en matière de conception des produits et des processus. Par exemple, dans l'industrie du meuble, le fini laqué, très attrayant, attire les clients et crée un style qui se démarque de la concurrence, quoiqu'il exige des processus complexes et potentiellement polluants.

Les **découvertes technologiques** mènent elles aussi à une révision des produits ou des processus existants, ou à la conception de nouveaux. Par exemple, la mise au point d'un processus issu du génie enzymatique a permis à l'entreprise pharmaceutique Eli Lily de concevoir un nouveau produit, l'insuline humaine, qui remplace l'insuline animale[21]. De façon similaire, les efforts récents dans l'amélioration des processus de recyclage des rebuts (séparation mécanique, enlèvement des saletés et des peintures, chauffage à haute température sous atmosphère contrôlée pour réduire les émanations et augmenter la pureté) ont contribué à la création de produits « prêts à désassembler » ou fabriqués à l'aide de matériaux recyclés, tels les contenants utilitaires en plastique[58].

En dernier lieu, les découvertes technologiques se conjuguent souvent avec les **tendances écologiques et légales** pour forcer la reconception du produit (par exemple, une cannette d'aluminium plus légère aux parois plus minces et faite de matériaux recyclés), laquelle oblige souvent à une reconception du processus (ajout d'étapes de nettoyage du métal en fusion et de laminage de la tôle).

En conclusion, la conception du produit et celle du processus sont deux décisions charnières en GOP, qui contribuent à l'**atteinte des multiples objectifs de l'entreprise**.

1. Le produit et le processus contribuent ensemble à atteindre les **objectifs commerciaux et concurrentiels** quant aux revenus, au profit, à la croissance

et à la compétitivité de l'entreprise. Un bon exemple de cette contribution est la chaîne de restaurants McDonald's, qui a su bâtir un avantage concurrentiel et créer une marque distinctive grâce à une variété de produits que l'on peut préparer à l'avance puisqu'ils sont servis de façon standard, à un procédé de cuisson à la chaîne et à des méthodes de travail simplifiées. Cette combinaison gagnante permet à l'entreprise de faire bénéficier ses clients d'un temps d'attente deux fois moins long que celui de ses concurrents[48].

2. La conception du produit et du processus poursuit l'objectif ultime de **satisfaction du client** et de respect des normes établies par divers autorités et intermédiaires. La combinaison du produit et du processus doit faciliter la livraison d'un produit ou d'un service conformément aux exigences attendues de qualité, de volume, de temps, de lieu et de coût. Par exemple, les systèmes de messagerie (tel Federal Express) ne peuvent aujourd'hui se passer des processus modernes d'identification (code barres), de communication (téléphone cellulaire) et de transport (avions-cargos de courte et de longue distance) conçus pour offrir une variété d'options de produits ou de services (livraison en 2 heures, 24 heures par jour, locale ou outre-mer, de lettres et de colis, etc.) et ainsi satisfaire une clientèle diversifiée dispersée à travers le monde. L'adéquation du processus et du produit est capitale dans ces secteurs où la lutte contre la montre et la concurrence ne pardonne pas : un retard de livraison ou un colis égaré entraînent de coûteuses indemnisations et une perte de clientèle.

3. Le développement du produit et du processus entraîne des **effets financiers** considérables sur l'entreprise, car il requiert des investissements dont l'impact se fera sentir pendant une longue période, de façon positive ou négative. Un produit mal conçu coûte cher, puisque la majorité des coûts de fabrication (jusqu'à 70 %) sont déterminés lors de la conception[58]. De plus, un produit dont la conception a été négligée entraînera des plaintes et peut-être même des accidents, également coûteux. Plus le produit et le processus qui ont été choisis sont nouveaux, plus les effets financiers sont potentiellement grands. Par exemple, dans le cadre du projet *Saturn*, la mise en place de l'usine et la conception de l'automobile ont coûté près de 5 milliards à General Motors. Toutefois, les nouveaux modèles d'automobiles de cette division ont connu un tel succès, que les dirigeants de GM n'ont eu d'autre choix que d'investir encore plus de capitaux pour augmenter la capacité de production, et ce même si les pertes se chiffraient, en 1992, à plus de 500 millions de dollars américains par année et que le retour à la profitabilité n'est prévu que pour le milieu des années 90[59].

4. Les décisions relatives au produit et au processus constituent un mécanisme privilégié pour les gestionnaires de l'entreprise, car elles permettent d'**harmoniser les choix avec les constituants de l'environnement PESTE**. En effet, au cours de la dernière décennie, l'industrie de l'automobile a dû, en bonne partie à cause des nouvelles normes antipollution, modifier le système d'échappement, changer certains types de moteurs, réduire la taille et le poids des voitures. Ces changements ont entraîné, à leur tour, des modifications dans les matériaux et les processus de transformation et d'assemblage.

5. La conception du produit et du processus détermine comment la fonction GOP sera organisée et utilisée pour **atteindre les objectifs généraux de l'entreprise**. Pour ces raisons, une modification dans la conception du produit et du processus, si petite soit-elle, doit être étudiée sérieusement, car elle peut entraîner des changements dans d'autres sous-systèmes de la GOP et de l'entreprise tout entière. Par exemple, la conception d'une gamme complète de produits sous la forme de modules ou de pièces en partie interchangeables pose des exigences supplémentaires lors de la conception, mais elle offre en revanche de nombreux avantages en matière de performance et gestion des opérations. L'interchangeabilité exige la régulation des intrants du système opérationnel afin que les extrants soient suffisamment identiques pour remplir de façon indifférenciée les mêmes fonctions[52]. Ainsi, plusieurs types d'ampoules électriques peuvent être utilisés pour une même lampe de bureau, sans nécessiter d'adaptateur. Le concept de modularité pousse plus loin cette idée d'interchangeabilité, tout en l'englobant[52] : un module est non seulement interchangeable, mais il a aussi des utilisations multiples. Par exemple, une minuterie peut être utilisée pour allumer ou éteindre les lampes, pour démarrer à heure fixe une pompe de piscine, pour mettre un four en marche ou encore pour faire fonctionner un appareil d'arrosage. Le concept d'interchangeabilité s'applique à un grand nombre de produits finis. Le module, à cause de ses possibilités d'utilisation dans de nombreux produits, réduit davantage la variété des pièces, des composants et des produits intermédiaires, et rend plus faciles les activités de pilotage (dont nous traiterons dans des chapitres ultérieurs) et celles du système opérationnel. Par exemple, les activités d'ordonnancement, d'approvisionnement, de gestion des stocks et de gestion de la qualité en sont simplifiées. Cette cascade de changements dans la conception du produit et du processus et les pratiques de GOP entraînera une diminution des coûts totaux de fabrication, une augmentation de la qualité, une simplification de l'entretien après vente, etc.

Plusieurs responsables de la GOP et de diverses autres fonctions de l'entreprise sont concernés par les décisions et les opérations de conception du produit et du processus, ainsi que par leurs répercussions. Le terme « conception » fait allusion à des activités de natures diverses telles que la création, l'invention, l'analyse technique, stratégique et financière, l'intégration, la construction, les tests, les comparaisons. La réalisation de ces activités nécessite donc l'apport de nombreuses disciplines et fonctions (par exemple juridique, commerciale), l'intégration de sources d'information internes et externes (clients et fournisseurs) ainsi que la participation d'employés, de cadres et de professionnels à plusieurs niveaux hiérarchiques. Traditionnellement, les besoins du marché et les produits ou services à concevoir étaient déterminés par la fonction Marketing. Maintenant, bon nombre d'idées proviennent des fonctions Recherche et Développement (R&D) ainsi que Opérations-Production. Il en est de même pour le processus : si les idées ont le plus souvent pris leur source au sein de l'ingénierie de production, elles ressortent aussi de la R&D, des comités de travailleurs, des concurrents et des fournisseurs.

Depuis le milieu des années 80, les pratiques des chefs de file dans diverses industries mondiales (telles que l'automobile, les télécommunications, l'électronique) convergent vers l'accentuation de l'intégration de la conception du produit et du processus. Les approches privilégiées se caractérisent par la simultanéité des décisions et des activités de conception, lesquelles sont alors sous la responsabilité d'équipes multifonctionnelles, où sont représentés les responsables du marketing, de la GOP, de l'ingénierie, les concepteurs-designers et les scientifiques du laboratoire de R&D. Toutefois, malgré l'attrait d'un synchronisme parfait de la conception du produit et du processus, la complexité et les nombreuses difficultés administratives qui découlent de cette approche en retardent l'application dans la majorité des entreprises. L'introduction de ces nouvelles approches intégrées est plus marquée dans les industries où les produits sont complexes et requièrent de multiples assemblages et sous-assemblages (ordinateurs, voitures, systèmes de télécommunication, outils) ; dans ces contextes, les incitatifs sont nombreux pour concevoir simultanément le produit et le processus de façon que tout nouveau produit puisse être fabriqué en respectant les contraintes des processus de fabrication existants. Par exemple, en plus des aspects esthétiques et fonctionnels, il faut considérer la simplification du produit, la réduction du nombre de pièces, la facilité d'assemblage. IBM, avec l'imprimante *Proprinter III*, constitue un bon exemple de cette tendance.

Le gestionnaire des opérations doit être un fervent promoteur de l'intégration de la conception des produits et des processus ; son objectif central, face à la tendance des experts à s'isoler, est le suivant : établir et mettre en œuvre un processus interactif de conception des produits et des processus en collaboration avec les responsables des autres fonctions, dans le but de formuler une politique cohérente et équilibrée de produits et de processus qui soit adaptée à son contexte (type de marché, de technologies, de ressources humaines, etc.).

Avant tout, le gestionnaire des opérations cherchera un **équilibre entre ces deux extrêmes** :

1. **Vendre ce que le marché exige, sans égard au processus existant**. Dans ce cas, il faut définir les besoins du marché, créer le produit et, s'il y a lieu, adapter le processus de fabrication aux nouveaux produits. Cette pratique est malheureusement trop courante, surtout dans les entreprises de taille restreinte organisées en « ateliers à tout faire ». Toutes les commandes sont acceptées, quitte à devoir inventer des outils, louer un équipement ou embaucher du personnel temporaire pour les réaliser ! Ce type de politique prime dans des entreprises de réparation de voitures, de rénovation résidentielle ou de consultation en gestion ou en génie, par exemple. Ces entreprises conservent un noyau restreint de ressources et de processus et misent sur des moyens « temporaires » pour satisfaire les besoins imprévus des clients.

2. **Ne vendre que ce qui peut être fabriqué par le système opérationnel**. Ici, on ne choisit que des produits ou des services compatibles avec le processus en place, puis on tente de les vendre. À l'opposé de la politique précédente, cette approche prévaut dans les plus grandes entreprises, mieux établies et dotées d'installations considérables dont la nature est réglée par l'âge et le type d'équipement, les conventions collectives de travail, le réseau de sous-traitants en place, les plans d'investissement et les contrats de vente à court

et à long terme. Se retrouvent dans cette catégorie des entreprises diverses telles que les aciéries, les boulangeries, les sociétés pétrolières. De plus, les entreprises spécialisées, comme les avionneries, les usines de photocopieurs et les banques, ont tendance elles aussi à instaurer de telles politiques.

# LA CONCEPTION DU PRODUIT

## 4.2 La définition et les paramètres de la conception du produit

Comme nous l'avons mentionné précédemment, un produit ou un service recèle souvent de nombreuses composantes, et il s'avère parfois difficile de dissocier le produit (tangible) du service (intangible). À cet effet, voici l'exemple de deux entreprises manufacturières et de deux entreprises de services qui montrent cette combinaison de produits et de services :

- IBM : ordinateurs et service après-vente ;
- Nissan : automobiles et service de dépannage et d'entretien ;
- IKEA : ameublement et service de garderie ;
- Paccini : nourriture et service rapide de repas (15 minutes le midi).

Cet élargissement de la notion de produit pour y inclure une dimension de service complique davantage la conception du produit et du processus, puisque toute décision dans ces deux domaines doit alors prendre en considération des critères additionnels à ceux discutés plus tôt : à un produit de qualité facilement manufacturable s'ajoutent un service plus rapide, une plus grande facilité de réparation, une souplesse d'adaptation du produit aux différents utilisateurs (experts ou novices, handicapés, personnes de taille et de poids différents, etc.). Afin de simplifier et d'alléger le texte qui suit, le terme « produit » sera utilisé en se rappelant que tout produit renferme une portion de service, et vice versa.

Face à l'élargissement de la notion de produit, de multiples critères doivent guider la conception d'un produit et, du même coup, la conception du processus par lequel ce dernier sera fabriqué. Ces critères correspondent à l'ensemble des caractéristiques qui influent sur la complexité de la conception et des modifications de cette conception. Ces caractéristiques ont aussi une incidence sur les coûts de la conception du produit, la durée des activités de conception ainsi que la probabilité de faire des profits avec les produits conçus (selon la taille du marché, l'acceptation du produit par les clients, la rapidité avec laquelle les concurrents peuvent copier le produit). Ces différentes **caractéristiques d'un produit** sont les suivantes :

- la proportion des **éléments tangibles** par rapport aux **éléments intangibles** (par exemple, essence ou assurances) ;
- la **consommation de masse** ou le **produit spécialisé** (par exemple, ordinateur personnel ou central ; comptoir de commandes à emporter ou restaurant de luxe) ;
- le **bien durable** ou **bien de consommation courante** (par exemple, meuble ou crème glacée) ;
- le **bien périssable** ou **bien conservable** (par exemple, pâtisserie ou ciseaux) ;

- le produit au **design complexe** (grand nombre de pièces et de composantes) ou au **design simple** (par exemple, voiture ou feuille de papier ; déclaration de revenus d'une multinationale ou d'un particulier) ;
- la **technologie de pointe** ou **technologie éprouvée** (par exemple, moteur d'automobile en céramique ou en acier ; traitement expérimental du cancer ou vaccination de routine) ;
- le **bien complémentaire** à d'autres ou **bien d'emploi seul** (par exemple, lecteur de disques compacts ou radio portative) ;
- le **bien jetable** ou **bien récupérable** après usage (par exemple, couches en papier ou stylo rechargeable) ;
- l'**utilisation interactive** ou **utilisation passive** du produit par l'utilisateur (par exemple, automobile ou train ; guichet automatique ou comptoir avec caissier).

Les tendances observées à propos de ces caractéristiques changent constamment, ce qui complexifie la tâche des concepteurs. Depuis les années 80, les produits et les services évoluent selon les tendances suivantes : plus d'intangibilité, un recours accru aux technologies de pointe (informatisation, miniaturisation, science des matériaux, ergonomie, etc.), un recours aux conceptions qui permettent la durabilité et la récupérabilité des produits et qui accentuent l'interactivité. Le produit doit être fiable, résistant aux épreuves, souple, simple et sophistiqué à la fois, facilement adaptable aux besoins du client. Pour les responsables de la conception du produit et du processus, ces caractéristiques sont d'une importance capitale parce qu'elles pointent vers les critères ou les paramètres qui serviront à évaluer la qualité du produit conçu, laquelle sera définie en fonction des deux aspects suivants :

- l'aptitude du produit à satisfaire les besoins des clients ;
- la capacité du produit à s'adapter aux contraintes techniques des processus.

Plus précisément, à titre d'exemples, les **critères ou paramètres de conception** peuvent être une combinaison des points suivants, qui doivent faire l'objet d'une analyse et d'un consensus par les multiples experts de l'entreprise (nous en reparlerons au chapitre 17 qui traite de la qualité) :

- le **rendement** technique du produit (la montre donne-t-elle l'heure juste ?) ;
- le **coût** de conception ou de fabrication du produit (le produit incorpore-t-il des composants coûteux dont l'unique fournisseur est à l'étranger ?) ;
- la **durabilité** (le train d'atterrissage peut-il subir sans risque des milliers de secousses ?) ;
- la **conformité aux normes** locales et internationales (l'essence contient-elle du plomb ? la propreté du restaurant est-elle satisfaisante ?) ;
- la **fiabilité** dans le temps (la turbine peut-elle tourner pendant des milliers d'heures sans bris imprévus ? le pilote d'avion peut-il supporter un aller-retour Montréal–Paris sans s'endormir ?) ;
- la **sécurité** d'usage (le pare-choc de l'automobile résiste-t-il aux impacts survenant à 50 km/h ?) ;
- le degré de **miniaturisation** relatif aux contraintes de poids, de volume, etc. (le circuit électronique peut-il servir dans une sonde implantable dans le corps humain ?) ;

- le degré de **précision** des attributs du produit (la planche doit mesurer 2 m ± 1 cm ; l'instrument chirurgical doit mesurer 15 cm ± 0,01 mm) ;
- le **caractère écologique** du produit (est-il propre à l'usage ? consomme-t-il peu d'énergie ?) ;
- la **flexibilité** et l'**adaptabilité** (les options, l'incorporation possible d'innovations subséquentes, l'ajustement au goût de l'utilisateur) ;
- la **modularité** et la **compatibilité** intergénérations (l'ordinateur peut-il faire l'objet d'une extension de mémoire ? est-il compatible avec les ordinateurs d'il y a trois ans ? avec les ordinateurs qui seront construits dans trois ans ?) ;
- la **facilité de réparation et d'entretien** (le grille-pain est-il assemblé de façon qu'il soit possible de le réparer avec des outils domestiques d'usage courant ?) ;
- l'**esthétique** (le design d'une cafetière plaît-il à l'œil ?).

Tous ces paramètres ne s'appliquent pas à l'évaluation de la conception de tous les produits. Il s'agit, lors de la conception, de définir les paramètres clés, soit ceux auxquels le marché est sensible, sur lesquels la concurrence est féroce, ceux qui permettent de réduire les coûts grâce à un bon design, et qui sont le plus intimement reliés aux contraintes imposées par le processus. Certains de ces paramètres peuvent faire l'objet d'une combinaison. Par exemple, les cartes de communication interordinateurs fabriquées par une entreprise de haute technologie, telle Corporation Technologies Eicon, doivent être d'une fiabilité absolue, car les clients ne peuvent se permettre un bris de communication au sein de leur réseau d'ordinateurs à travers leurs succursales. De plus, ces cartes doivent être adaptables à toutes sortes d'ordinateurs, offrir un rendement technique élevé, assurer l'ajout potentiel d'un surplus de puissance, en plus de garantir une compatibilité intergénération afin de conserver la clientèle passée et de s'assurer une clientèle future[23].

## 4.3 La conception et la révision du produit

Plusieurs facteurs, autant à l'intérieur de l'entreprise que dans son environnement, contribuent à alimenter et à guider le processus de conception des produits. Puisque les produits se distinguent par de nombreuses caractéristiques, il y a lieu de les préciser et d'en établir les priorités. Le premier facteur décisionnel dans ce domaine est la **stratégie de l'entreprise** en matière de marchés visés et de mode de concurrence : est-ce le rapport qualité–prix (performance technique) qui est visé (par exemple, les calculatrices Texas Instruments) ou est-ce l'innovation (par exemple, les calculatrices Hewlett-Packard) ? Le deuxième facteur est la **distribution du pouvoir décisionnel** en matière de produits : y a-t-il une fonction dominante dans l'entreprise (par exemple, les fonctions Marketing, Recherche et Développement, Production ou Finances) ? Les visions et les politiques de ces diverses fonctions sont-elles intégrées ? Conjointement, ces deux facteurs détermineront des politiques et des processus de conception des produits, qui se démarquent par trois éléments :

- le type de produit choisi au regard des nombreux paramètres cités à la section précédente ;

- les critères à appliquer et à prioriser lors de cette conception (économie, simplicité, performance) ;
- la rapidité ou la périodicité de renouvellement des produits.

Dans une entreprise où les fonctions Marketing et Production optent pour une **stratégie axée sur l'innovation**, le processus de conception et de révision des produits est guidé par ce que font les concurrents et ce que veulent les clients. Il est composé d'une suite de décisions se traduisant ainsi : une large gamme de produits, le lancement fréquent, et avant les concurrents, de nouveautés, des modifications fréquentes des produits courants adaptées aux besoins du client et, ainsi, une forme d'équilibre dans la gamme des produits, où une proportion fixe de nouveautés et de primeurs doivent figurer (il s'agit là du type parfait de gestion par extraversion[29] qui sera expliquée dans un chapitre ultérieur).

À l'opposé, dans une firme plus traditionnelle dont la **stratégie** est **axée sur la vente et la production de produits éprouvés**, et où domine le contrôle des investissements et des coûts et la prise en considération des limites de l'équipement et des processus désuets, le processus de conception et de révision des produits comporte peu d'attentes et est plutôt centré sur les problèmes internes occasionnés par de nouveaux produits. Il en découle une suite de décisions caractérisées par un nombre restreint de produits qui, sans être identiques, offrent plusieurs similitudes, c'est-à-dire qui comportent des paramètres précis et fixes (rendement, durabilité, recyclabilité, etc.) qui, de ce fait, facilitent les modifications à apporter. Somme toute, les choix des produits favorisent les modifications qui sont planifiées, de façon à permettre d'organiser les changements correspondants dans le processus de fabrication (cet exemple, poussé à l'extrême, constitue une gestion par intraversion[29]).

Dans une troisième entreprise qui comporte une **stratégie axée sur l'aspect financier**, les politiques émises en matière de choix des produits et de taux de remplacement sont dictées par des préoccupations financières (par exemple, une PME en démarrage ou une plus grande entreprise lors d'une récession économique). Les considérations financières obnubilent à ce point la vision des gestionnaires, qu'ils sont enclins à ne permettre la conception et la fabrication de produits que s'ils rapportent des profits immédiats, soit des produits caractérisés par un volume de ventes élevé, une absence de concurrence ou une marge bénéficiaire élevée, en fonction d'une image de marque bien établie.

Pour réconcilier les aspects divergents de ces choix stratégiques et des groupes fonctionnels qui les endossent, la direction générale peut définir une politique de produits intégrée et équilibrée. Ce type de politique souhaitable est axée vers des choix tels que :

- introduire des produits dont la rentabilité est démontrée ;
- n'accepter que des produits qui n'exigent pas de changements majeurs dans les systèmes opérationnels ou de pilotage, ou qui permettent une planification dans ce sens ;
- équilibrer la gamme de produits par une combinaison comportant certains produits fortement rentables à court terme et d'autres ayant un potentiel à long terme.

Cette politique de produits intégrée se définit en considérant un ensemble de facteurs, à savoir : les ressources dont dispose l'entreprise, les besoins du marché et les forces économiques, concurrentielles et technologiques dans l'industrie. Certains de ces aspects seront d'ailleurs développés dans les chapitres 5 et 19 qui traitent respectivement de la technologie et de la stratégie industrielle.

Une fois établies les grandes lignes des politiques et des processus de conception et de révision des produits, il faut mettre ces choix en œuvre, appliquer ces critères de décision, et effectuer les opérations de conception et de révision à un rythme et avec un succès tels, que le taux visé de renouvellement des produits soit atteint. Si chaque entreprise a vraisemblablement institué une approche particulière de conception de ses produits, chaque produit est issu d'un processus qui a sa propre histoire. Toutefois, l'expérience démontre qu'il y a un certain modèle à suivre, soit une suite d'événements qui, dans l'ensemble, sont assez apparentés lors de la conception d'un produit. D'ailleurs, les observations faites par des experts de renom[17, 37] confirment l'émergence d'un processus systématique de développement des produits dans les entreprises manufacturières réputées, telles General Motors et Northern Telecom.

Les deux caractéristiques de ce processus systématique et efficace qui guident les efforts de conception des produits sont les suivantes.

1. La **formalisation** : l'instauration d'un processus formel de conception des produits, connu de tous et dont les étapes, les critères de décision, les rôles et les responsabilités des participants sont prédéfinis, aboutit à des améliorations substantielles et multicritères : meilleure qualité, coût moindre, durée du processus de conception écourtée. De plus, cette formalisation contribue à améliorer la communication, à créer un plus grand esprit d'équipe, à favoriser le travail bien fait, à augmenter le taux de succès des nouveaux produits, à faciliter le lancement d'un produit, à détecter plus précocement les défauts, à diminuer le temps de conception, de fabrication et de commercialisation[17].

2. L'**intégration** et la **simultanéité** : l'entreprise qui opte pour un processus intégré cherche à faire intervenir, au moment approprié, les représentants des diverses fonctions concernées (Design, Production, Marketing, Approvisionnement, Relations de travail, etc.) pour pouvoir bénéficier de toutes les sources possibles d'idées et juger ces idées à partir des prérogatives des nombreux intervenants.

Les entreprises japonaises sont pionnières dans l'utilisation de ces approches formelles et intégrées où le principe de simultanéité prédomine, c'est-à-dire où de multiples intervenants et critères d'évaluation sont pris en considération de façon concourante plutôt que séquentielle[13, 31]. Ces approches, appelées « conception simultanée » ou « ingénierie transfonctionnelle », introduisent des concepts tels que le design manufacturable, le design pour l'assemblage, le design fiable, le design pour l'automatisation.

L'instauration d'un processus systématique de conception des produits sert tout particulièrement à améliorer deux éléments vitaux dans le processus de conception, soit l'apport d'idées nouvelles et diverses et l'évaluation complète de ces idées. Premièrement, il s'agit de tirer profit des nouvelles idées qui proviennent de l'extérieur comme de l'intérieur de l'entreprise. Ces idées peuvent résulter d'une enquête faite par les nombreux groupes de recherche privés, publics, universitaires ou gouvernementaux, d'une demande particulière d'un client, d'articles de revues et de périodiques spécialisés, de modifications ou d'améliorations de produits selon les tendances d'un marché particulier de l'entreprise ou de marchés connexes, ou encore de modifications récentes de l'équipement qui offre des possibilités d'amélioration des produits. Deuxièmement, les nouvelles idées seront évaluées en fonction de critères élargis. S'il y a plusieurs sources d'idées et plusieurs moyens de déclencher des idées de produits et de services, une firme cherchera particulièrement à retenir celles qui sont conformes à ses objectifs, à ses ressources, à sa compétence distinctive ou à celle qu'elle désire se donner.

Le processus décrit ci-dessus mènera à des idées qui pourront être évaluées selon au moins quatre dimensions fonctionnelles :

- selon la fonction Recherche et Développement : se demander si l'idée est techniquement traduisible en un produit ou service ;
- selon la fonction Marketing : se demander si le concept de produit a un bon potentiel de commercialisation ;
- selon la fonction Opérations-Production : examiner la compatibilité de l'idée avec les opérations en cours ;
- selon la fonction Finances : évaluer les risques et les avantages d'après l'analyse des coûts et des revenus susceptibles d'être engendrés par ce produit.

Malgré les avantages d'un processus plus systématique, à la fois formel et intégré, le succès du processus qui mènera de la conception à la réalisation du produit dépend en tout premier lieu de la faisabilité de la conception et de la mise en place du produit visé, c'est-à-dire la compatibilité du produit en cause avec la stratégie de l'entreprise et la gamme de produits et de processus existants. Par exemple, le projet de conception et de commercialisation d'un autocar allongé par le fabricant d'autobus Prévost illustre bien ce propos ; malgré la nouveauté du design, ce projet était cohérent avec la gamme de produits et la stratégie en place. L'entreprise a su gagner la confiance de partenaires financiers et technologiques et, après 10 ans d'efforts de la part des 75 chercheurs et des 350 employés des services de production et de marketing, elle a réussi à lancer un modèle révolutionnaire d'autocar et à garnir son carnet de 50 commandes à 550 000 $ chacune[6].

Les expériences réalisées à ce jour incitent à croire que le succès du processus de conception ou de révision d'un produit n'est pas facile à atteindre ni à prévoir malgré les efforts de formalisation et d'intégration décrits plus haut. La performance en matière de durée du processus, de coûts et de taux de réussite varie significativement selon l'entreprise ou le secteur industriel, et selon le cycle de vie du produit. Premièrement, très peu d'idées de nouveaux produits peuvent satisfaire l'ensemble des critères de choix discutés plus haut ; de ce fait, comme le montre la figure 4.2*a*, le taux d'échec des idées et des concepts de nouveaux produits est très élevé. Deuxièmement, le gestionnaire des opérations doit ajuster les efforts de conception et de révision du produit au cycle de vie du produit ; la figure 4.2*b* schématise ce cycle de vie. Très peu d'idées s'avèrent des réussites commerciales qui subsistent après toutes les phases en *a* et qui évolueront dans le temps selon les étapes en *b* (figure 4.2). Essentiellement, cette figure illustre la demande du produit dans le temps. On y distingue quatre phases.

1. Le **lancement** : la phase commence par la présentation du produit aux clients et prend généralement fin avec un programme de promotion. Durant cette phase, les ventes augmentent lentement et le design est modifié très fréquemment, selon les réactions de la clientèle.
2. La **croissance** : si le produit est accepté, les ventes croissent rapidement. Plusieurs modifications sont apportées au produit, et tout particulièrement aux caractéristiques de qualité, de performance, et parfois d'individualisation du produit.
3. La **maturité** : une fois le produit accepté, sa croissance ralentit et des efforts de standardisation du produit sont entrepris. Les modifications du produit cèdent le pas aux révisions du processus.
4. Le **déclin** : les ventes commencent à diminuer, à moins qu'un effort de promotion, de renouvellement ou de remplacement du produit ne soit entrepris.

Durant chacune de ces phases du cycle de vie du produit, des modifications à la conception du produit sont nécessaires en raison de nombreux facteurs concurrentiels, technologiques, financiers et écologiques. La lutte est rude pour conserver l'attrait des clients. Les révisions subséquentes de la conception du produit seront nombreuses, parfois majeures et parfois mineures. Elles entraîneront des

▼ **FIGURE 4.2**
**L'évolution d'un produit au cours du processus de conception et du cycle de vie**

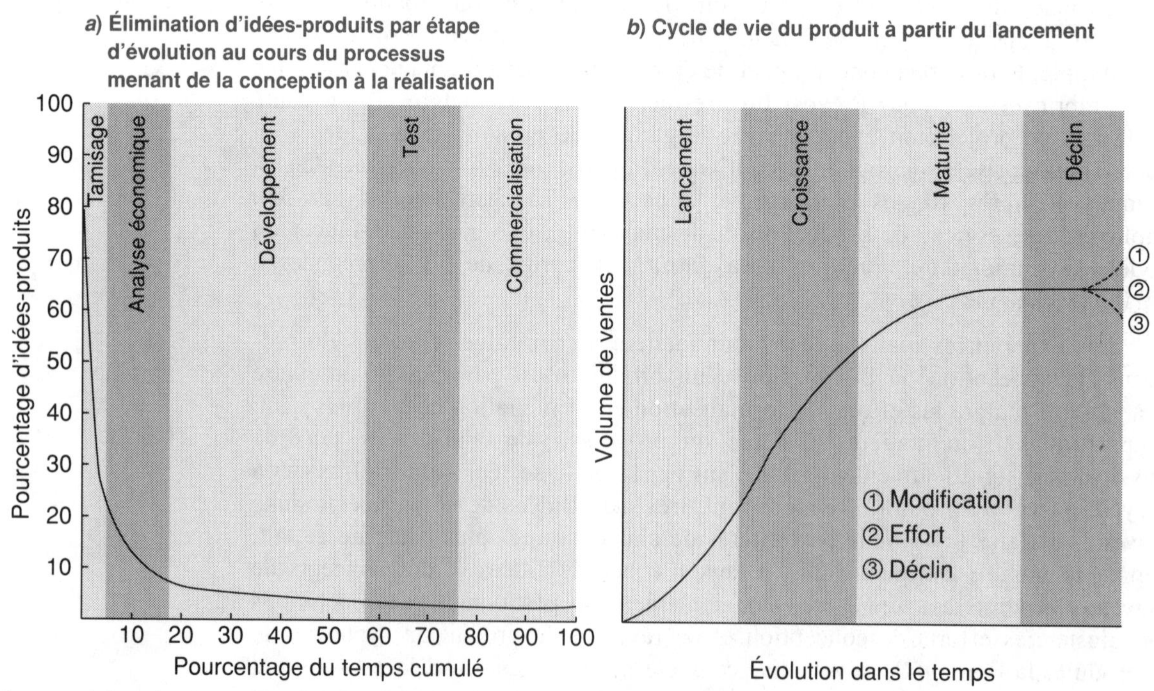


**Source :** Adaptation d'une figure de Uman[56].

modifications du processus de fabrication. Cependant, toutes les entreprises d'un même secteur ne réussiront pas à garder le pas, c'est-à-dire à établir un rythme de conception et de révision du produit suffisant pour s'établir dans l'industrie. Un bon exemple de réussite est le fabricant de jus de fruits et de produits dérivés Les Industries Lassonde qui, en plus de son produit original, le jus de pomme, offre maintenant quelque 10 jus de fruits différents. De même, il y a eu innovation en matière d'emballage avec l'emballage *Hypa*, qui est un mélange unique de papier et d'aluminium permettant la conservation des jus à la température ambiante sans l'aide d'agents de conservation. Ces modifications n'ont pas cessé depuis 10 ans, et ce malgré l'âge avancé du produit[22, 36].

## 4.4 De la conception à la réalisation du produit

Une multitude de tâches, effectuées par de nombreux spécialistes et responsables fonctionnels, doivent faire l'objet d'une planification et d'une exécution soignées pour « réussir » le lancement d'un produit nouveau ou modifié. Les responsables de la GOP sont, directement ou indirectement, concernés par un grand nombre de ces tâches et, de ce fait, ils se doivent de participer à la planification et à l'exécution du processus complet menant de la conception à la réalisation d'un produit, en passant par le développement et les nombreux tests.

Quoique le détail des étapes, des points de décision et de la participation des experts et responsables fonctionnels varie d'une entreprise à l'autre, le schéma de la figure 4.3 est représentatif du processus menant de la conception à la réalisation d'un produit (PCRP), qui comporte quatre grandes étapes[17] :

- la définition du concept ;
- le développement et les tests préliminaires ;
- la démonstration (tests prolongés, préproduction et essais commerciaux) ;
- la fabrication et le lancement à grande échelle.

Dans une des entreprises étudiées par les auteurs qui ont élaboré ce modèle, le PCRP contenait plus de 135 tâches prédéterminées, en plus de préciser les responsabilités et le moment opportun pour chacune d'elles. Au total, 10 groupes fonctionnels y étaient mis à profit : laboratoire de R&D, marketing, services techniques, production, contrôle, ingénierie des procédés, comptabilité, affaires internationales et juridiques[17]. Le détail de ces tâches, responsabilités, déroulements et acteurs est présenté ci-dessous.

- **Étape 1 : la définition du concept** sert à bien situer le produit en tant qu'entité physique, à définir sa fonction et à établir l'environnement auquel il sera soumis (compétition, possibilités de mise en marché, contraintes du PESTE). Cette étape s'avère primordiale car la viabilité du projet en dépend. Il s'agit d'atteindre un équilibre idéal entre les valeurs marketing, technologiques et commerciales qui influent sur le produit et qui garantissent sa viabilité tout au long des étapes menant de sa conception à sa réalisation, puis à son lancement commercial réussi. Cette étape initiale comprend surtout des activités de marketing et de R&D, quoiqu'elle concerne également la GOP par la définition du processus et le développement des méthodes d'assurance et de contrôle de la qualité.

▼ **FIGURE 4.3**
**Le processus menant de la conception à la réalisation d'un produit (PCRP)**

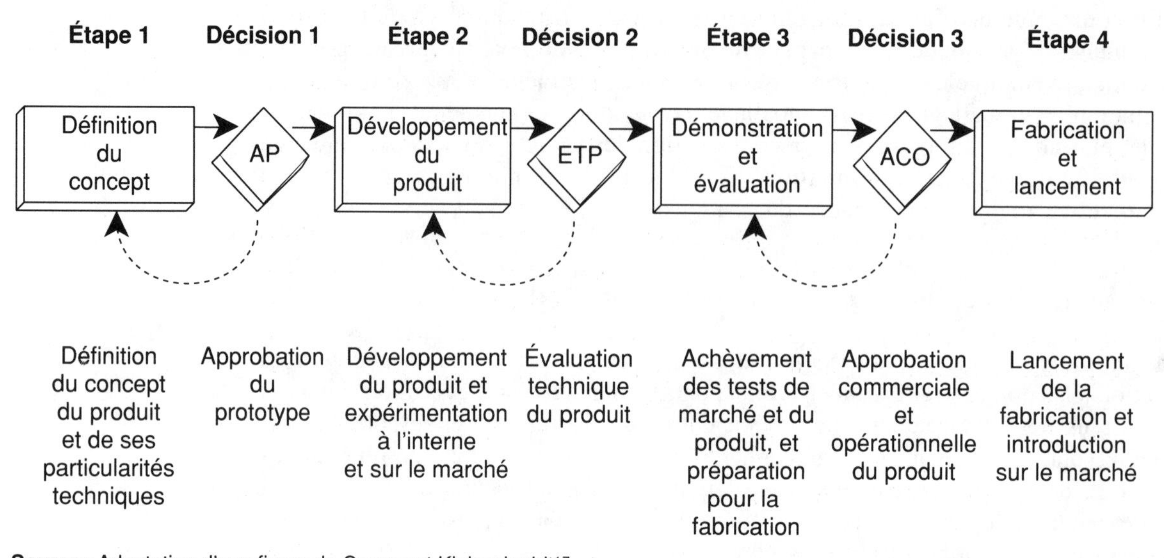


**Source :** Adaptation d'une figure de Cooper et Kleinschmidt[17].

- **Décision 1 :** la fin de la première étape mène au point de décision 1, à savoir l'**approbation** (ou le rejet) **du prototype** (appelée « AP » à la figure 4.3). Ici, tous les dirigeants et les représentants des groupes concernés se rencontrent pour revoir le processus et les plans, évaluer les possibilités et les progrès et autoriser (ou refuser) le passage à l'étape 2.
- **Étape 2 : le développement du produit** a pour objet de démontrer que tous les problèmes techniques potentiellement liés à la fabrication du produit ont été résolus, ou du moins cernés. L'accomplissement de ce travail nécessite bien sûr l'apport des fonctions Marketing et Recherche et Développement, mais les autres groupes fonctionnels, dont la GOP, prennent une part plus active dans le processus.
- **Décision 2 :** l'étape de développement est complétée lorsque le point de décision 2 est franchi avec succès. Dans ce cas, les vérifications émanent davantage du laboratoire de R&D, qui procède à une **évaluation technique du produit** (appelée « ETP » à la figure 4.3) pour en déterminer la viabilité. Une évaluation positive conduira vraisemblablement au transfert des responsabilités du projet à l'équipe de lancement de nouveaux produits (s'il s'agit d'une primeur) ou à l'équipe de commercialisation et d'exploitation (s'il s'agit d'une modification de produits existants).
- **Étape 3 : la démonstration et l'évaluation du produit** permettent de vérifier avec plus de détail et de précision si le produit remplit les exigences du marché et s'il peut être fabriqué. Il est alors souhaitable de découvrir le

plus tôt possible toutes les défaillances du produit et du processus, afin d'en minimiser les conséquences et d'apporter les correctifs requis. À cette étape, la GOP joue un rôle déterminant : c'est ici que le produit et le processus sont réellement mis en adéquation. Des problèmes mineurs de fabrication peuvent entraîner une révision du prototype du produit à l'essai (étape 2) ; des problèmes plus graves mèneront parfois à un retour à la planche à dessin (étape 1). En outre, des modifications au processus permettront d'éviter une telle remise en cause et, ainsi, préserveront l'essentiel des efforts de conception et de développement.

- **Décision 3 :** les ajustements entre le produit et le processus sont cristallisés sous la forme de décisions formelles et communes, qui mèneront à la poursuite ou au retour en arrière du projet et qui feront l'objet de discussions entre les intervenants concernés. Le point de décision 3 constitue l'**approbation commerciale et opérationnelle du produit** (appelée « ACO » à la figure 4.3). Les représentants de la GOP rencontrent ceux du marketing, de l'ingénierie des procédés, de l'assurance de la qualité, etc. pour évaluer les résultats des essais exhaustifs en usine et auprès d'une clientèle cible. Des résultats favorables propulseront le PCRP à l'étape ultime.

- **Étape 4 : la fabrication et le lancement.** Enfin, le plan de production et de commercialisation, issu des étapes précédentes, est implanté. La réalisation du produit au sein du système opérationnel exige que soient accomplies de multiples tâches relatives à la mise en place et au rodage final de l'équipement, des outils, du personnel, des systèmes de planification, des nouveaux fournisseurs, du système d'assurance et de contrôle de la qualité. Certaines composantes du système opérationnel, du système d'information et du système de pilotage seront mises à contribution lors de ces mises au point. De façon générale et sommaire, les activités qui auront cours lors de cette quatrième étape et qui concernent la GOP sont :

  - la conception, le choix, la planification des processus de fabrication et d'assemblage pour chaque pièce, chaque composant, chaque sous-ensemble et chaque assemblage final. Les processus sont définis de façon à y inclure l'ordre des opérations, la spécification des intrants, les méthodes et les processus de travail, le choix des machines ;
  - la conception et le choix de l'outillage et des gabarits ;
  - la conception et la planification des installations (modification de l'aménagement physique, augmentation de la capacité, etc.) ;
  - la conception et la planification de nouveaux sous-systèmes de pilotage, s'il y a lieu, ou leur adaptation. Une attention particulière est portée aux systèmes de qualité et d'ordonnancement et aux habiletés de la main-d'œuvre, sans négliger les systèmes d'information.

La plupart de ces idées sont étudiées dans d'autres chapitres du présent ouvrage, en particulier dans le chapitre 5 sur la technologie, le chapitre 6 sur l'équipement et les installations et le chapitre 9 sur l'organisation et les méthodes. Cependant, vu l'importance d'une adéquation optimale des produits et des processus, la conception du processus sera traitée ci-après.

# LA CONCEPTION DU PROCESSUS

## 4.5 La définition et la conception du processus

Le processus de fabrication d'un produit ou de prestation d'un service constitue le cœur du système opérationnel, à tel point que les expressions système opérationnel et processus de fabrication (système de transformation) sont pratiquement interchangeables. Ces expressions font référence à un segment d'un organisme qui transforme un ensemble d'intrants en un ensemble d'extrants en y ajoutant de la valeur tout en respectant les contraintes de l'entreprise.

La triade intrants–processus de transformation–extrants a déjà été présentée brièvement en début de chapitre : elle est illustrée à la figure 4.1. Il y a lieu de préciser que l'intérêt de ce chapitre porte non pas sur des considérations strictement techniques reliées au processus de transformation (case 2, figure 4.1*a*), mais sur le processus de fabrication au sens large, soit l'ensemble des activités opérationnelles et de gestion qui concourent à déterminer et à rassembler les intrants requis (case 1, figure 4.1*a*) et à transformer ces derniers par une suite d'étapes (case 2, figure 4.1*a*), de façon à produire ou à rendre disponibles des produits (extrants) exigés (case 3, figure 4.1*a*). Ainsi, dans ce qui suit, il sera question de toutes les parties du système opérationnel qui contribuent à transformer les intrants en extrants.

Un **processus de fabrication** (que nous appellerons « processus ») est défini comme **une collection, un ensemble de ressources et de tâches ou d'opérations qui sont reliées par un flux de matières et qui transforment divers intrants en extrants utiles**. De plus, un processus doit permettre d'entreposer non seulement les matières, mais aussi les informations nécessaires à leur cheminement à travers les diverses étapes de transformation (case 2, figure 4.1*b*).

Les processus de fabrication sont à ce point complexes, qu'on a élaboré, au fil des ans, des outils de planification, de conception, d'analyse et de suivi à cet égard. Un des outils de base est le **diagramme de circulation**, qui représente schématiquement, en plan, les déplacements des matières et des flux d'informations dans le cours de la réalisation d'un produit. Ce diagramme permet de visualiser et d'analyser ce qui se passe dans un processus à l'aide d'une série de symboles particuliers qui seront expliqués au chapitre 9 traitant de l'organisation et des méthodes. En plus du cheminement des matières, le diagramme de circulation montre le flux d'informations à partir des lignes pointillées.

Cette définition du diagramme de circulation sera mieux comprise à l'aide d'un exemple. La figure 4.4 illustre un diagramme de circulation (appelé aussi diagramme ou graphique de cheminement) s'appliquant à la fabrication de civières. Un fabricant de civières acquiert des matières et des composants qu'il entrepose. Ces matières et composants sont des pièces de bois, de la toile et des agrafes. Chaque civière nécessite 2 brancards en bois, 1 toile et 24 agrafes pour fixer la toile aux brancards. La première tâche est le sciage du bois selon la longueur désirée ; la deuxième tâche est, à l'aide d'une machine, la taille des deux poignées aux extrémités de chaque brancard ; la troisième tâche est la taille de la toile selon les dimensions spécifiées dans un devis ; ensuite l'agrafage de la toile aux brancards, puis le contrôle de la qualité des civières ; enfin, la civière est roulée sur elle-même et entreposée pour être éventuellement expédiée à un client et y ajouter une valeur.

**▼ FIGURE 4.4**
**Un diagramme de circulation**

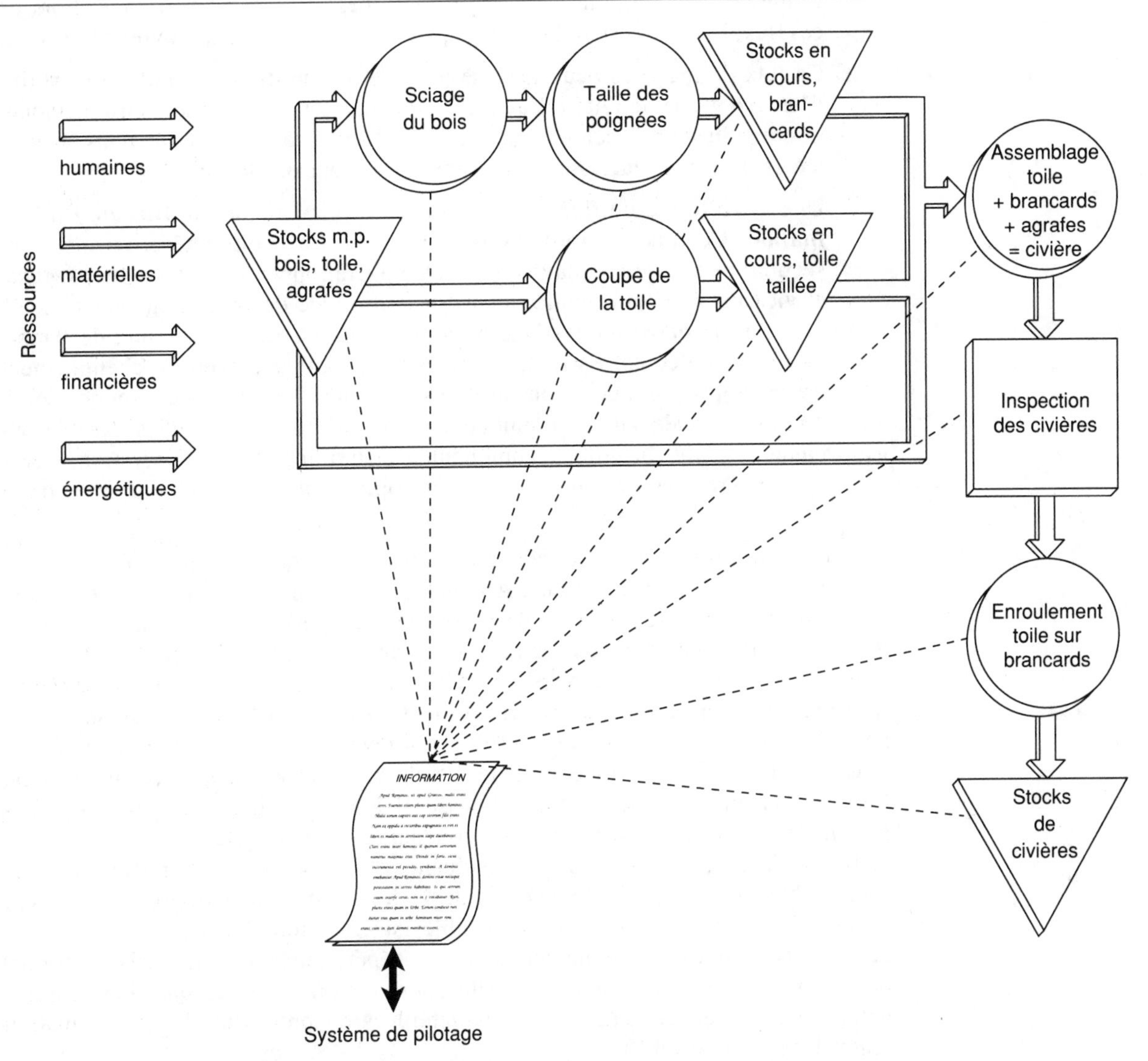


Plus on avance dans le cheminement du processus, plus on s'approche du produit fini. Dans certains cas, la valeur ajoutée est sous forme de main-d'œuvre seulement (enroulement manuel de la civière) ; dans d'autres cas, elle est ajoutée par une personne et par un outil (à l'aide d'une agrafeuse, une personne fixe la toile aux brancards) ; enfin, dans certains systèmes automatisés, la valeur est ajoutée par une machine sans main-d'œuvre.

Au sein des processus, les flux peuvent être de différentes catégories.

1. Il y a le **flux de matières**, qui déplace la matière d'un endroit à un autre, c'est-à-dire d'un lieu de stockage à un poste d'opération, et vice versa ; ou

encore d'un poste d'opération à un autre poste d'opération, ou d'un poste d'opération à un poste d'inspection. Ces déplacements s'effectuent sous forme de manutention, à l'aide de machines, de transporteurs, etc. Lors de ces flux, la valeur est ajoutée principalement par la main-d'œuvre et l'énergie.

2. Ce flux de matières peut aussi se traduire par un **déplacement de la main-d'œuvre** d'une activité à l'autre. Parfois, la même personne peut faire fonctionner plusieurs machines ou exécuter diverses tâches, comme dans les systèmes où il y a élargissement et enrichissement des tâches.
3. Une autre forme de flux, d'une importance capitale, est le **flux de l'information**. Ce flux d'informations, comme on l'a mentionné dans une autre section, permet le couplage du système opérationnel au système de pilotage, et vice versa. L'information contient l'ensemble des renseignements nécessaires au pilotage du système en matière de qualité, de volume, de temps, de lieu et de coûts. Parfois, certaines informations suivent le cheminement des matières premières. On fait alors référence à la fiche de gamme d'opérations, appelée aussi graphique des opérations (*voir le chapitre 9*), qui énumère, dans un ordre techniquement déterminé, chaque opération nécessaire à la réalisation d'une pièce, d'un composant, d'un produit intermédiaire ou final.

La notion de valeur ajoutée ressort clairement comme un élément central dans la définition d'un processus. Augmenter la valeur ajoutée (et non les coûts) par le biais de la mise en place de processus plus performants demeure le pivot des efforts de conception ou de révision d'un processus dans son ensemble ou d'une de ses parties. Le concept de chaîne de valeur[41] prend ici toute sa signification, puisqu'un processus de transformation n'est qu'un des éléments essentiels de ce qu'on appelle les activités principales de logistique interne, de transformation, de logistique externe, de distribution et de service après-vente (respectivement représentées dans les cases 1 à 5 de la figure 4.5). Ces activités principales sont accomplies avec le concours d'activités de soutien, telles les activités d'administration générale (incluant la planification), de gestion des ressources humaines, de développement de la technologie et d'approvisionnement (cases 6 à 9 de la figure 4.5). Ensemble, si elles sont bien coordonnées, ces activités contribuent à augmenter la marge bénéficiaire de l'entreprise (case 10 de la figure 4.5). Cependant, une telle coordination exige de bien connaître la nature générale et les caractéristiques détaillées du processus de transformation (case 2 de la figure 4.5).

## 4.6 Les caractéristiques et la typologie du processus

La schématisation du processus de fabrication à l'aide d'un diagramme de circulation permet au gestionnaire de mieux comprendre non seulement ce qui se passe à l'intérieur de celui-ci, mais aussi de déterminer les caractéristiques nécessaires pour sa conception, sa planification et son contrôle. Ces caractéristiques concernent le niveau de technologie, la capacité, le temps de cycle, la flexibilité, l'efficience et l'efficacité du système.

Le **niveau de technologie** correspond au niveau de sophistication des opérations, du processus, des techniques, des méthodes et des machines utilisées à chaque étape du système opérationnel. Cette caractéristique permet de saisir s'il

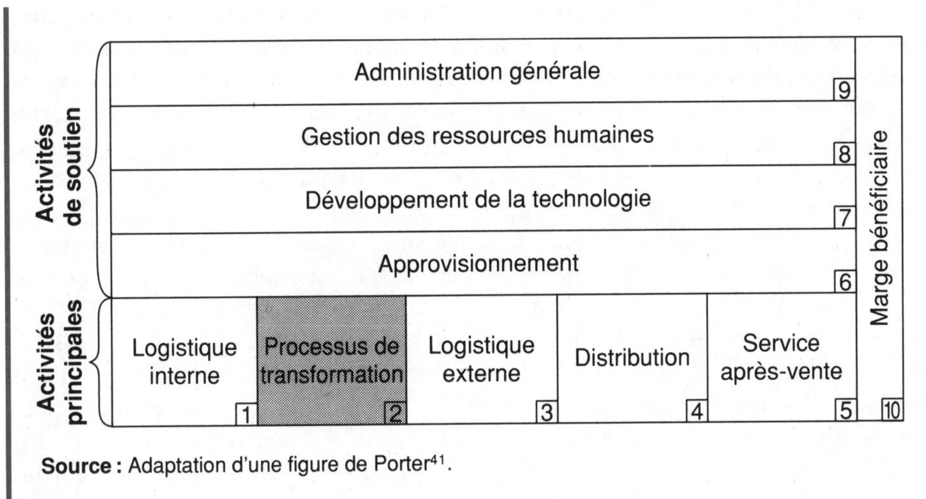


**Source :** Adaptation d'une figure de Porter[41].

**FIGURE 4.5**
**Le processus de transformation dans la chaîne de valeur**

y a importance relative dans l'utilisation de la main-d'œuvre ou dans celle du bien capital ainsi que le déplacement possible, dans le temps, de l'une vers l'autre. Le choix de la technologie dictera également les liens entre chaque étape du processus et le choix des ressources nécessaires pour transformer l'intrant en extrant. De façon générale, la technologie choisie a des répercussions sur la conception du produit à fabriquer, sur le volume et le niveau de qualité, sur le type de flux de matières et sur la nature même des tâches à accomplir. La technologie est le sujet du chapitre suivant ; cependant, l'exemple des guichets bancaires automatiques, déjà abordé succinctement dans le chapitre 3 sur les entreprises de services, illustrera ce propos. Ce nouveau système est caractérisé par un niveau de technologie plus avancé que le système traditionnel de comptoirs-caisses. Il permet un plus grand volume de transactions par unité de temps, mais il est limité dans la nature des produits à livrer (par exemple, il ne peut fournir des billets en monnaie étrangère) et son fonctionnement est dépendant de l'habileté et du bon vouloir du client à accomplir des tâches nouvelles.

La **capacité** du système opérationnel détermine le taux de production possible dans un agencement donné, soit la quantité (en poids, en volume, en nombre d'unités) que le processus peut transformer par unité de temps. La capacité du processus doit être telle qu'elle permet de satisfaire à la demande prévue (quantité/temps). Le diagramme de circulation permettra de déterminer si le système présente des goulots d'étranglement à des étapes précises, soit une cadence insuffisante en capacité à certaines étapes, qui empêcheraient le processus de suffire à la demande planifiée.

Le **temps de cycle**, caractéristique reliée aux notions de capacité et de goulot, représente le temps total de la durée de l'ensemble des activités de transformation. À une époque où la concurrence à l'échelle mondiale est fortement axée sur la rapidité, il s'avère capital de diminuer ce temps de cycle[9]. Dans cet ordre d'idées, les petites et les grandes entreprises œuvrant dans des secteurs de pointe, tels la micro-électronique, les télécommunications, l'élaboration de logiciels et de systèmes experts, les services financiers spécialisés, font face à des exigences de marché qui les incitent à prioriser la diminution du temps de cycle comme critère de conception des processus. Par exemple, la célérité est de rigueur chez Virtual Prototypes[54], qui conçoit des systèmes permettant la conception de produits à l'aide de l'intelligence artificielle et la simulation en temps réel. Les produits sont conçus sur mesure mais ils doivent être livrés dans un délai très court. La même contrainte s'applique chez Corporation Technologies Eicon, qui fabrique sur commande des cartes de communication de données destinées aux ordinateurs et qui a dû mettre en place un processus et un système de pilotage capable de satisfaire les clients dans un délai de deux semaines, alors que la norme est de six semaines dans l'industrie[23]. Dans les entreprises de services, telle la Bourse de Montréal, les processus sont également choisis en fonction de leur temps de cycle. Par exemple, le nouveau registre électronique des ordres, le système *MORRE* (*Montréal Exchange Registered Representative Order Routing System*) implanté en 1990, permet l'enregistrement, l'appariement et la confirmation automatique des ordres au marché et à cours limité. La réduction à leur strict minimum des opérations manuelles qui est rendue possible par ce nouveau processus procure une plus grande rapidité d'exécution et une confirmation instantanée. Ce système augmente également la capacité de traitement de la Bourse tout en augmentant la fiabilité du processus, en réduisant les erreurs et en assurant l'intégrité des données.

La **flexibilité** est sans doute l'une des caractéristiques les plus complexes à saisir, car elle comporte trois facettes : la flexibilité-quantité, la flexibilité-produit et la flexibilité-délai.

La **flexibilité-quantité** mesure le degré d'adaptabilité du système à des variations de quantité de produit. Par exemple, le processus peut-il fabriquer 10 civières par jour comparativement à une production de 1000 unités par jour ?

La **flexibilité-produit** mesure la souplesse du système à s'adapter à des modifications du produit ou à l'introduction de nouveaux produits. Par exemple, le système permet-il la fabrication de civières avec brancards en aluminium plutôt qu'en bois ? Ou encore permet-il la fabrication simultanée de civières et de tentes pour le camping ? De la même manière, dans les entreprises de services telles que les banques, les processus sont-ils capables de répondre aux besoins de différents types de clientèle ? Par exemple, les systèmes de guichets automatiques, qui étaient critiqués à leur début à cause de leur trop grande rigidité et des services limités qu'ils offraient, ont fait l'objet de nombreuses révisions : ajout de transactions possibles (par exemple, transfert de fonds d'un réseau bancaire à un autre), ajout d'opérations possibles (par exemple, vérification du solde au compte), amélioration de la convivialité (meilleur affichage, possibilité d'utiliser plusieurs langues), variété d'options permettant de faire les transactions à un rythme plus rapide ou plus lent, selon le choix du client (bouton « retrait éclair » pour des montants de 20 $, de 50 $ ou de 100 $), etc.[8].

La **flexibilité-délai** mesure le temps de réaction du système face à une demande. Par exemple, si le temps normal pour fabriquer une civière est de 15 jours ouvrables, le système peut-il répondre à une demande urgente dans un intervalle de 5 jours ?

L'**efficacité** et l'**efficience** constituent deux caractéristiques qui sont souvent confondues. Elles seront examinées ultérieurement (*voir le chapitre 19 sur la stratégie*). Pour le moment, notons que l'efficacité (faire la bonne chose) est une caractéristique qui dénote la capacité à réaliser ce qui est prévu et même à s'ajuster face aux changements imprévus de façon à produire l'extrant désiré par la clientèle et contribuer à la marge bénéficiaire de l'entreprise. L'efficience (bien faire la chose) renvoie à une notion plus restreinte de performance ; elle consiste à suivre les directives et les politiques établies à chaque étape, en s'assurant d'une conformité garante d'une économie maximale d'intrants (de ressources et de temps) pour produire des extrants prédéterminés. Par exemple, dans l'entreprise Virtual Prototypes citée plus tôt, les produits sont faits sur mesure mais ils doivent être livrés très rapidement, ce qui exige des processus qui minimisent les pertes de temps (efficience), de façon à pouvoir innover et créer constamment de nouveaux produits ou des produits révisés (efficacité). Dans ce même exemple, la réconciliation de ces deux objectifs s'obtient en grande partie par une adéquation du produit et du processus, qui nécessite une planification précoce : dès qu'une commande est reçue pour un produit, on vérifie s'il s'agit d'une composante ou d'un système complet, si ce produit peut être adapté et convenir à d'autres clients (taille de lots prévue) et s'il sera livré seul ou accompagné de services connexes (formation de l'utilisateur). Ces questions, soulevées quotidiennement, orientent la conception du produit et la mise en place d'un processus approprié.

De cette liste de caractéristiques d'un processus on peut déduire que chaque processus, selon ses particularités, se différenciera des autres. On peut toutefois regrouper les processus selon leur degré de similitude, c'est-à-dire selon qu'ils servent à fabriquer des produits et à servir des marchés pour lesquels les exigences ou les lois de la concurrence sont similaires. Ces catégories peuvent être regroupées dans une typologie des processus de fabrication, dont la plus connue et la plus utile est illustrée à la figure 4.6. Cette typologie a été synthétisée à partir des caractéristiques suivantes : la quantité de produits fabriqués à la fois (taille du lot), la variété de produits, le type de demande (indication de la flexibilité) et le type de flux.

Dans le type **projet**, un bien ou un service complexe unique est réalisé ; par exemple, la construction d'un stade, la fabrication d'un prototype, le projet *Apollo*. Pour mener à bien le projet, un grand nombre d'opérations et d'activités, utilisant des ressources limitées mais variées, doivent être coordonnées dans un ordre prédéterminé mais particulier au service ou au produit en voie de réalisation. Il s'agit non seulement d'une production sur commande, mais de plus, le produit est généralement conçu en liaison étroite avec l'acheteur. C'est le cas chez Virtual Prototypes qui conçoit des systèmes experts[32].

Dans le type **atelier**, où il y a production sur commande ou sur demande, le processus doit être souple pour satisfaire les exigences variées quant à la qualité et à la quantité des produits. Les produits sont différenciés selon les spécifications des clients ; ce ne sont donc pas des produits standard. Dans le processus de fabrication, le flux des matières est discontinu : la matière s'achemine d'une opération à l'autre suivant un ordre particulier à cette commande. Le fabricant de cartes de communication Corporation Technologies Eicon en est un bon exemple[23].

▼ **FIGURE 4.6**
**Une typologie des processus de fabrication**

| VARIABLES DE GESTION | TYPES DE PROCESSUS<br>Projet | Atelier | Production de masse par lot | Production de masse en continu | Process |
|---|---|---|---|---|---|
| **Quantité de produits** | Un seul (ou presque) | Faible | Moyenne | Élevée | Très élevée |
| **Variété de produits** | Très forte (produit unique) | Forte | Moyenne | Réduite | Faible (forte standardisation) |
| **Type de demande** | Production sur commande | | | | Production pour le stock |
| **Flux d'opération** | Fixe | Discontinu | Discontinu | Semi-continu | Continu |
| **Exemple** | Construction d'un stade | Atelier mécanique | Matériel lourd | Assemblage (auto, TV) | Raffinage du sucre |

**Source :** Adaptation d'une figure de Le Moal et Tarondeau[33].

Dans le type **production de masse par lot**, la quantité de produits est plus grande et la variété relative est moins élevée. C'est le cas dans le secteur de l'alimentation, par exemple, pour la mise en conserve de légumes, de soupes ou de confitures. C'est aussi le cas de la fabrication de matériel lourd, comme les tracteurs ou les compacteurs. Dans ce type de fabrication, le processus est conçu de telle sorte que la transformation se fait dans un flux où l'ordre des opérations est presque le même pour tous les produits. Le flux d'opération est discontinu car même s'il y a un flux dominant, les lots peuvent être acheminés de diverses façons et ne subissent que quelques opérations. Le fabricant de jus Les Industries Lassonde en est un exemple[22, 36].

Dans le type **production de masse en continu**, la production suit un cheminement préétabli au travers d'une longue chaîne de montage composée d'un équipement spécialisé ; c'est généralement le cas dans la plupart des entreprises d'assemblage de produits à volume élevé tels que les appareils ménagers, les téléviseurs et les automobiles. Les produits sont réalisés à partir de composants standardisés. Même si le flux est généralement continu, le système permet parfois des traitements particuliers à un produit. Ce type d'organisation physique de la production, qualifié aussi de chaîne de montage, peut, selon son importance, fonctionner d'après une cadence-personne ou une cadence-machine. Le projet *Saturn* de General Motors illustre bien ce propos.

Enfin, le type **process** se distingue par un modèle de flux clair, rigide et très continu. Le volume est élevé, le produit est généralement unique et fortement standardisé. Ici, le produit et le processus sont entièrement liés et interdépendants, et le flux est rigide puisque sa flexibilité d'adaptation est presque nulle ; c'est le cas de la production dans les industries de raffinage du pétrole, d'affinage des métaux et de raffinage du sucre.

Quant à la typologie des processus de prestation de services, elle a fait l'objet de peu d'études et d'efforts de standardisation. Les principales typologies reconnues pour ce secteur privilégient les caractéristiques suivantes comme critères de regroupement : le degré de contact avec le client, le niveau de technologie (ratio des opérations faites par des humains par opposition aux machines), le degré de standardisation des opérations (ou, à l'inverse, la flexibilité face aux demandes et aux besoins particuliers des clients), le potentiel pour effectuer simultanément des opérations de prestation de services et des opérations de promotion et de vente (mesuré souvent par le type de formation qu'a reçue le personnel de contact). Deux exemples de typologies de services utilisant ces caractéristiques sont fournis aux figures 4.7 et 4.8.

Il est intéressant de noter que les tendances concurrentielles, qui accentuent le besoin de flexibilité, de réponse rapide et de service personnalisé au sein des entreprises manufacturières et de services, contribuent à l'augmentation du nombre de caractéristiques des processus dont il faut tenir compte lors de leur conception. De ce fait, les typologies peuvent devenir des outils un peu trop simplistes, car elles sont restreintes quant au nombre de dimensions qu'on peut y incorporer. La concurrence se fait sur plusieurs fronts, les processus doivent offrir plus de possibilités et, de ce fait, les outils doivent s'adapter à la conception et à la révision des processus.

Une classification des processus plus stratégique permettra de mieux cerner les caractéristiques d'efficacité et d'efficience, soit la capacité à fabriquer le bon produit ou à offrir le bon service et à effectuer cette tâche par l'utilisation optimale des moyens actuels ou potentiels. Une telle typologie classerait les processus selon leur capacité à répondre à diverses priorités concurrentielles. Une étude effectuée dans l'industrie de l'électronique a permis d'établir une telle typologie au tableau 4.2.

Quoique chaque entreprise ne puisse établir un type prédominant de processus selon les classifications présentées aux figures 4.6, 4.7 et 4.8, la plupart d'entre elles utilisent une combinaison de ces types de processus, c'est-à-dire un type hybride conçu pour effectuer de nombreuses opérations et pour acquérir plusieurs des habiletés mentionnées au tableau 4.2, afin de répondre aux particularités du mode de concurrence auquel elles font face pour chacune de leurs gammes de produits. Pour ces raisons, la conception ou la révision d'un processus exige d'intégrer les diverses classifications de processus présentées plus haut. Par exemple, la chaîne de restauration rapide McDonald's se doit de concevoir un système opérationnel comprenant plusieurs habiletés (tableau 4.2), car elle désire offrir à sa clientèle un service rapide et courtois, une gamme de produits variée et novatrice, de qualité constante et à faible coût. À cette fin, elle a divisé ses activités en deux parties : avec contact (comptoir) et sans contact (cuisson des aliments). La première partie des activités est du type 4 dans la figure 4.7, soit un système partiellement perméable avec possibilité moyenne de promouvoir les produits, caractérisé par un « face à face avec spécifications standard ». Ces activités cor-

**FIGURE 4.7 ▶ La matrice de conception des systèmes opérationnels dans les entreprises de services**

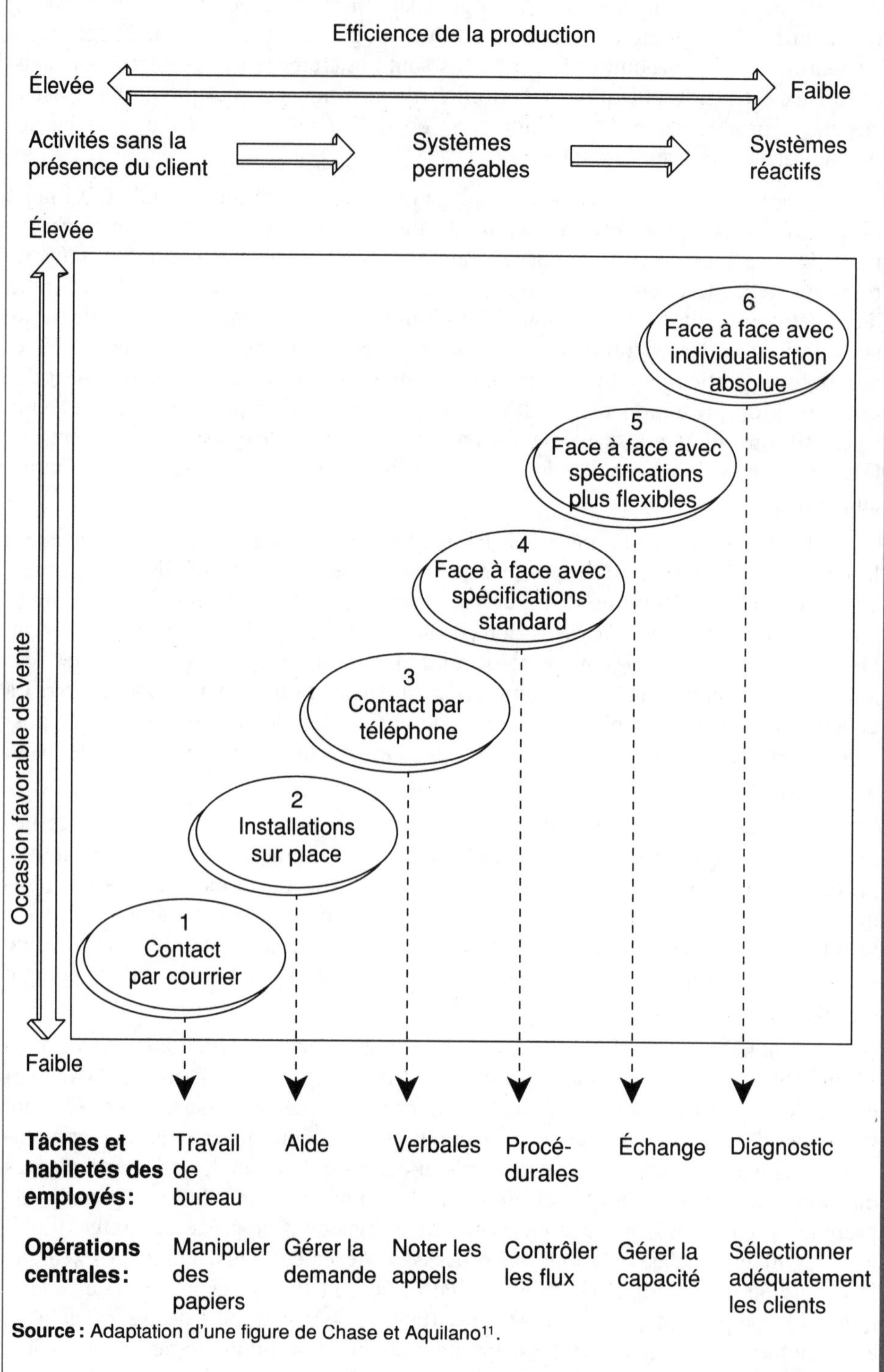


**Source :** Adaptation d'une figure de Chase et Aquilano[11].

▼ **FIGURE 4.8**
**Une matrice des processus de prestation des services**

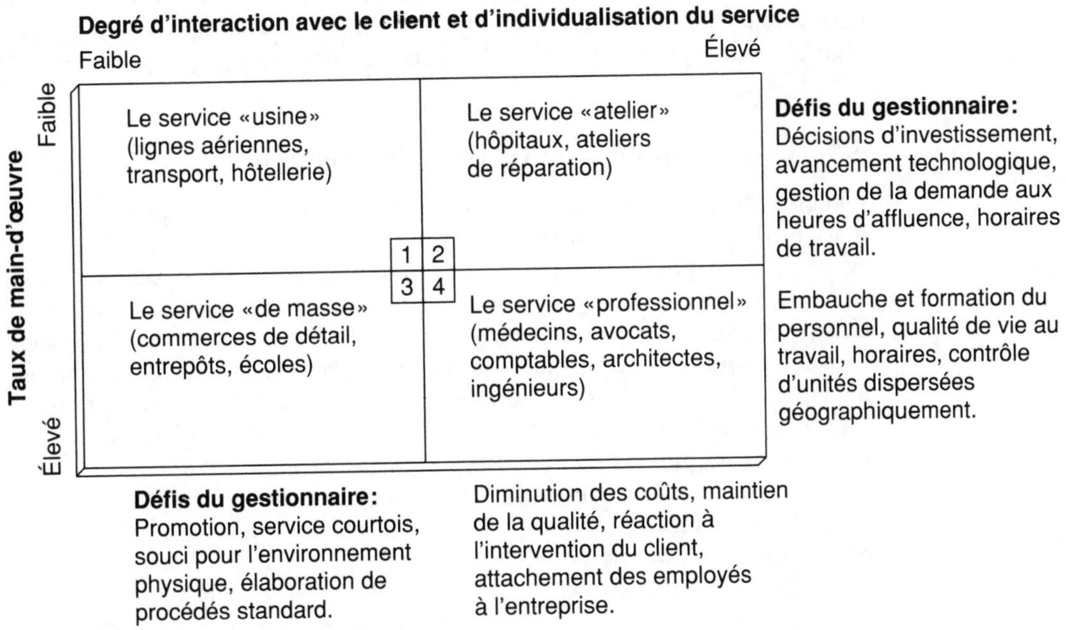

**Degré d'interaction avec le client et d'individualisation du service**

| Taux de main-d'œuvre | Faible | Élevé | |
|---|---|---|---|
| Faible | 1 Le service «usine» (lignes aériennes, transport, hôtellerie) | 2 Le service «atelier» (hôpitaux, ateliers de réparation) | **Défis du gestionnaire:** Décisions d'investissement, avancement technologique, gestion de la demande aux heures d'affluence, horaires de travail. |
| Élevé | 3 Le service «de masse» (commerces de détail, entrepôts, écoles) | 4 Le service «professionnel» (médecins, avocats, comptables, architectes, ingénieurs) | Embauche et formation du personnel, qualité de vie au travail, horaires, contrôle d'unités dispersées géographiquement. |
| | **Défis du gestionnaire:** Promotion, service courtois, souci pour l'environnement physique, élaboration de procédés standard. | Diminution des coûts, maintien de la qualité, réaction à l'intervention du client, attachement des employés à l'entreprise. | |

**Source :** Adaptation d'une figure de Schmenner[49].

**Tableau 4.2**

**Une typologie des processus selon leur portée stratégique : caractéristiques des processus de production en fonction des priorités concurrentielles**

| Caractéristiques du processus | Sous-éléments reliés aux priorités concurrentielles |
|---|---|
| Innovation | Habileté à lancer des produits novateurs<br>Habileté à lancer des technologies novatrices |
| Flexibilité | Habileté à effectuer des changements de volume rapidement<br>Habileté à faire face à des changements de spécifications<br>Habileté à offrir une gamme de produits variée |
| Fiabilité | Habileté à offrir un service supérieur<br>Habileté à effectuer les livraisons à temps<br>Habileté à livrer rapidement |
| Qualité | Habileté à offrir des produits de qualité constante<br>Habileté à offrir des produits de qualité supérieure |
| Coût | Habileté à minimiser les coûts<br>Habileté à offrir un prix de vente peu élevé |

**Source :** Adaptation d'un tableau de Dostaler[20].

respondent au type service « de masse » de la figure 4.8, où le taux de main-d'œuvre est élevé mais l'interaction entre l'employé et le client est assez faible. En contraste, la portion des activités sans contact correspond davantage au service « usine » de la figure 4.8, où l'interaction et le taux de main-d'œuvre sont tous deux faibles. Ces opérations fortement mécanisées et automatisées sont essentielles pour atteindre simultanément les habiletés requises en matière de rapidité, de qualité et de coût.

## 4.7 La conception et la révision du processus

La conception du processus s'effectue par le biais d'une séquence d'activités qui, nous l'avons vu, s'imbriquent au sein des activités de conception des produits. Ainsi, la conception ou la révision du produit entraîne nécessairement une révision du processus, voire la conception d'un nouveau processus. Dans d'autres cas, même sans modification du produit, il y a lieu de réviser le processus en place en raison de la désuétude, du développement de nouvelles technologies, du démarrage d'une nouvelle usine ou de l'agrandissement des installations existantes, de la nécessité d'adapter le processus aux nouvelles conditions environnantes (main-d'œuvre plus ou moins scolarisée, réglementations en matière de pollution ou de santé-sécurité au travail). Par exemple, la mise en place de la nouvelle usine des Boulangeries Weston à Longueuil illustre bien ce propos. Les nouveaux processus qui y ont été installés leur permettent d'entrer dans le XXIe siècle[25] : les cadences affichées sont de 3 pains tranchés à la seconde, soit 1,5 million de pains par semaine, les nouvelles chaînes de fabrication ne requièrent que 7 employés plutôt que 26, le gain de productivité est de 270 % et les nouvelles installations permettent d'offrir des produits de qualité constante à des coûts très concurrentiels.

Dans toutes les situations de conception de processus, on doit, comme c'est le cas pour la conception d'un produit, établir un processus formel et intégré qui systématise la planification et l'exécution des étapes ainsi que la distribution des tâches. Les étapes menant de la conception à la réalisation d'un processus de fabrication ressemblent en quelque sorte à celles décrites pour un produit : à partir d'une série de concepts on concrétise, à la suite de divers tests et prises de décisions, un choix final de processus. L'important, c'est de reconnaître les spécifications des produits qui doivent être harmonisés avec les multiples possibilités et contraintes offertes par les diverses méthodes disponibles pour les réaliser. Les étapes suivantes constituent le processus formel de conception du processus.

- **Première étape :** l'**analyse achat-fabrication** des pièces et des composantes consiste en une décision clé qui définit l'étendue des opérations, c'est-à-dire le degré d'intégration verticale du système opérationnel. Cette analyse permet de décider quelles pièces et quels composants du produit sont achetés d'un fournisseur et lesquels sont fabriqués par la firme. La méthodologie de cette analyse est étudiée au chapitre 16 traitant de l'approvisionnement. À noter toutefois que les pièces qui sont fabriquées nécessitent des machines et un équipement appropriés, tandis que les pièces achetées et fabriquées exigent des moyens de manutention et d'assemblage qui seront intégrés au processus.
- **Deuxième étape :** compte tenu qu'on sait quelles pièces sont achetées et fabriquées, la **définition des opérations** consiste à déterminer les opérations

nécessaires pour la réalisation du produit. On doit créer un premier diagramme de circulation montrant l'ordre des activités suivantes : le stockage, les opérations, l'inspection et le transport pour réaliser le produit. L'exemple de la civière vu précédemment illustre cette étape.

- **Troisième étape :** plusieurs moyens de fabrication sont généralement disponibles pour accomplir une activité. Celle-ci peut, par exemple, être exécutée manuellement ou à l'aide d'une machine ou encore par une machine seulement, selon la technologie disponible. De plus, une activité de formage d'une pièce métallique peut se faire par moulage, par forgeage, par soudage de pièces usinées ou par compression et frittage à chaud à partir de poudres métalliques. L'**établissement préliminaire des moyens** a pour but de fournir un éventail de moyens qui sont par la suite analysés en profondeur. Dans l'exemple de la civière, la toile peut être coupée à l'aide de ciseaux de couturière, en lot avec une cisaille industrielle, ou encore au rayon laser. Lors de cette étape, certains gestionnaires préfèrent disposer du plus grand nombre possible de moyens : cela a pour avantage de découvrir toutes les méthodes mais a comme inconvénient d'allonger l'élagage. D'autres préfèrent limiter les choix de moyens à l'aide de critères choisis, comme n'opter que pour des moyens partiellement ou totalement automatisés. Cette approche est plus rapide, mais on risque de laisser passer des moyens plus intéressants.
- **Quatrième étape :** l'**analyse détaillée des moyens** retenus se fait en fonction de différentes considérations telles que leurs exigences particulières, leur capacité à satisfaire les spécifications du produit, leur rapidité d'exécution, les coûts qu'ils engendrent, leur facilité d'intégration dans le processus, etc. Par exemple, dans le cas de la civière, la coupe manuelle est un moyen qui a l'avantage de n'exiger qu'un faible investissement dans l'outillage ; par contre, ce moyen nécessite plus de temps d'opération et coûte plus cher en main-d'œuvre. La coupe de la toile au rayon laser est plus précise et plus uniforme, et elle permet de tailler un plus grand nombre d'épaisseurs de toile à la fois ; ce moyen est plus rapide que la coupe manuelle, mais il exige un investissement considérable.
- **Cinquième étape :** il s'agit ici d'étudier l'**interdépendance des moyens**, à savoir : comment un moyen donné influe-t-il sur celui qui le précède et sur celui qui le suit. À partir de l'analyse précédente, il est facile de vérifier si le nombre d'extrants d'une opération correspond au nombre d'intrants de l'opération suivante. Sinon, des stocks tampons peuvent être créés pour éviter un engorgement du processus. Si le processus est discontinu, les moyens de fabrication pourront être indépendants, ce qui donnera de la flexibilité au système. Par ailleurs, si le processus est continu, les moyens deviennent dépendants les uns des autres, le système devient rigide et il impose ainsi la synchronisation des capacités de chaque activité.
- **Sixième étape :** à partir des analyses antérieures qui donnent les avantages et les inconvénients des divers moyens possibles, il faut déterminer une **combinaison d'options** pour en arriver à un **choix final** selon la stratégie de l'entreprise, les objectifs qui en découlent et les critères qui mesurent la performance du processus. Le processus choisi est vérifié en fonction du tandem produit–marché, à savoir s'il répond aux critères de qualité, de

volume, de temps, de lieu et de coûts. Quant aux critères du couple produit–processus, ils sont testés en vue d'assurer la souplesse d'opération désirée, dont sa fiabilité et sa maintenabilité. De plus, le processus en voie de développement doit satisfaire les exigences financières et humaines prévues. D'une part, les coûts d'installation, les coûts variables et les frais fixes doivent permettre une profitabilité et une rentabilité espérées ; d'autre part, le processus doit incorporer les besoins de la personne qui y travaille, tant du point de vue santé et sécurité que du point de vue participation et motivation. Enfin, dans le choix final, il faut s'assurer que le processus repose sur une technologie qui offre une certaine stabilité d'opération et qui est compatible avec les habiletés humaines et techniques dont dispose l'entreprise ou qu'elle peut acquérir sans trop de difficultés ou de contraintes.

- **Septième étape :** il s'agit de concevoir le **système de pilotage** dans toutes ses dimensions et de le coupler au processus par l'entremise d'un **système d'information**. En pratique, cette étape est souvent négligée ou remise à plus tard. Cette négligence est une source de problèmes car, comme il sera discuté dans les sections suivantes, chaque type de processus impose ses exigences particulières de pilotage et d'information.
- **Huitième étape :** la conception du processus n'est pas une réussite tant que ce dernier n'a pas atteint l'étape de la réalisation, soit l'**implantation en usine**. Cette étape est, elle aussi, souvent prise à la légère. Elle comprend l'installation, le démarrage et le déverminage. Ces aspects seront traités au chapitre 5 portant sur l'implantation des changements technologiques.

À l'instar de l'approche intégrale à la gestion de la qualité (ou qualité totale), certains experts[46] recommandent une approche intégrale à la gestion des processus. Cette approche est composée des trois étapes suivantes : 1. établir une vision du futur ; 2. définir la réalité courante ; 3. concevoir une série de mécanismes qui traduiront les écarts entre les points 1. et 2. en idées et en actions concrètes, lesquelles permettront de maintenir les processus à jour. Ces trois étapes sont intégrées séquentiellement les unes aux autres de façon à former une boucle fermée d'amélioration continue. L'objectif principal de cet exercice est la satisfaction du client. À cette fin, les équipes qui s'engagent dans l'approche intégrale de la gestion des processus devront obligatoirement compter dans leurs rangs des spécialistes du processus, mais aussi des gens versés dans la connaissance du client et dans la direction empruntée par l'industrie.

# L'ÉVOLUTION ET L'INTERACTION DU PRODUIT ET DU PROCESSUS

## 4.8 La dynamique de l'évolution du produit et du processus

Utterback et Abernathy[57] ont fait figure de pionniers en présentant un modèle dynamique décrivant l'évolution des relations entre l'innovation de produits et l'innovation de processus. La figure 4.9 représente cette relation, qui met en évidence les taux d'innovation du produit et du processus par rapport à trois étapes

▼ **FIGURE 4.9**
**L'innovation et les étapes de développement du produit et du processus**

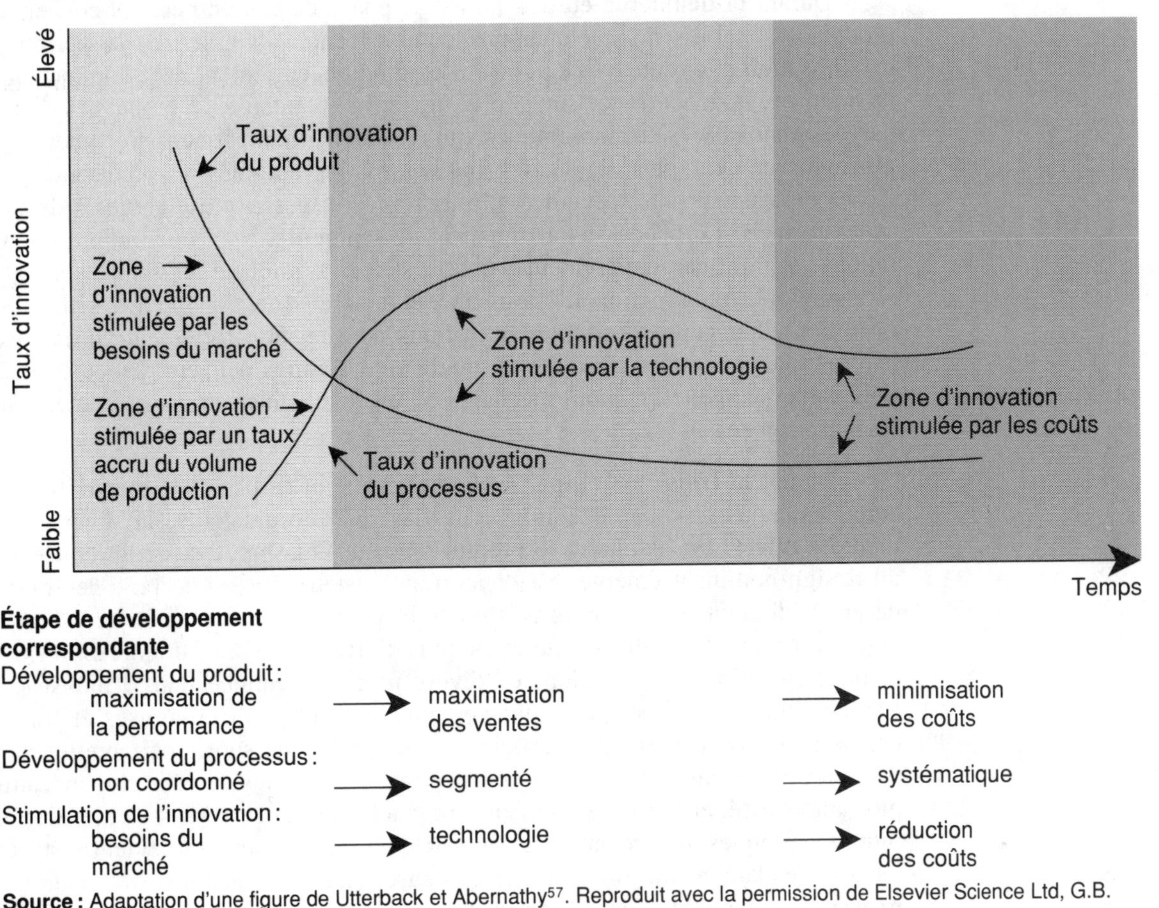


**Étape de développement correspondante**

| | | |
|---|---|---|
| Développement du produit : maximisation de la performance | → maximisation des ventes | → minimisation des coûts |
| Développement du processus : non coordonné | → segmenté | → systématique |
| Stimulation de l'innovation : besoins du marché | → technologie | → réduction des coûts |

**Source :** Adaptation d'une figure de Utterback et Abernathy[57]. Reproduit avec la permission de Elsevier Science Ltd, G.B.

de leur développement respectif. D'une part, les trois étapes classiques et reconnues de **développement du processus** sont respectivement qualifiées de non coordonnée, segmentée et systémique ; d'autre part, les trois étapes correspondant au **développement du produit** sont la maximisation de la performance du produit, la maximisation des ventes et la minimisation des coûts.

Durant la **première étape**, qui constitue la phase de **lancement** et d'**émergence**, les innovations de produits, stimulées par les besoins de concurrence, sont fréquentes ; la diversité des produits augmente et l'entreprise désire accroître la performance de ceux-ci en prévoyant les besoins du consommateur. Face à la diversité et à l'instabilité des produits, le processus est modifié pour s'adapter aux nouvelles caractéristiques des produits. Cependant, en raison de l'instabilité des produits durant cette étape, le processus doit être flexible, car il est largement composé d'opérations manuelles et non standard, avec un équipement de type général plutôt que spécialisé. Le **processus** est alors qualifié de **non coordonné**, car les liens entre chaque activité du processus sont relativement lâches et imprécis.

Durant la **deuxième étape**, qui est la phase de **croissance**, les concepts de produits se stabilisent, quelques-uns commencent à dominer, et la période de maximisation des ventes est entamée. Les produits entrent au début de leur phase de maturité, la concurrence sur le prix devient plus intense, le processus s'adapte par des innovations technologiques qui visent particulièrement l'efficience. Le processus devient plus rigide, les liens entre les activités se précisent, et les tâches deviennent plus spécialisées, plus standardisées et plus sujettes à des contrôles formels. Le **processus** est qualifié de **segmenté**, car l'intégration des opérations est faite particulièrement par le système de pilotage, et chaque opération est améliorée en fonction d'elle-même et non en fonction de l'ensemble des opérations. Par contre, certaines opérations peuvent être fortement automatisées par des innovations technologiques, tandis que d'autres peuvent demeurer essentiellement manuelles et non spécialisées, résultant ainsi en un système opérationnel segmenté.

Durant la **troisième étape**, le produit a atteint sa phase de **maturité** ; dans certaines industries, par exemple celle des micro-ordinateurs, la diversité des modèles offerts est réduite et le produit devient plus standardisé : un concept ou un design dominant émerge. La concurrence est fondée sur le prix, les marges de profit diminuent, les entreprises qui font partie du secteur se concentrent sur la minimisation des coûts, ce qui exige plus d'efficience. Dans d'autres industries, la différenciation se fait selon les divers modèles, comme dans l'industrie de l'automobile. Toutefois, même dans ce cas, les coûts sont minimisés et les processus se doivent d'être plus efficients. Les processus sont ainsi améliorés par des innovations qui réduisent les coûts. Chaque processus devient plus mécanisé, plus automatisé, et les investissements en machinerie augmentent. Toutes les opérations physiques dépendent alors des machines, et le processus devient fortement intégré, rendant même difficiles et coûteuses des modifications de produit. Le **processus** est qualifié de **systémique** à cause de sa forte intégration physique et de l'interdépendance élevée des opérations. En effet, à cette étape, un changement dans le produit ou le processus, même minime, peut engendrer des modifications considérables et coûteuses à chacune des autres activités du système opérationnel.

Ce modèle traditionnel de la dynamique d'innovation du produit et du processus montre bien l'interaction entre l'évolution de la conception d'un produit et l'évolution de la conception d'un processus. À chaque étape de développement, on constate la tendance progressive d'une forte flexibilité vers une forme de rigidité tant du produit que du processus ; de même, cette tendance va d'une faible préoccupation pour les coûts vers une exigence de forte efficience ; enfin, ces préoccupations changeantes mènent vers une stagnation de l'innovation.

Plus récemment, diverses études réalisées par Abernathy[1], Clark[14] et Porter[41] ont révélé une **quatrième étape**, soit celle de la **dématuration**. À cette phase, des ruptures majeures dans la dynamique concurrentielle, économique ou technologique amènent le processus de développement à ressembler au processus en place lors des phases antérieures : certains qualifient cette étape de « renaissance » de l'industrie, ou d'industrie « âgée », où désormais l'évolution conjointe du produit et du processus s'apparente à celle d'une industrie en émergence dans les modèles classiques d'évolution. En effet, comme au début du cycle de vie de l'industrie, des innovations fréquentes sont introduites afin d'augmenter la performance des produits ; de plus, il y a une recrudescence du nombre de concurrents et de clients potentiels attirés par les nouveaux produits : l'instabilité et l'incertitude s'accroissent ; enfin, le processus se modifie à un rythme plus accéléré, il y a moins de concepts dominants, et plusieurs options en matière de processus sont en concurrence. Les exemples connus d'une telle phase de « renaissance » à fort degré d'interaction produit–processus sont : l'industrie de l'acier[12], des céramiques spécialisées[14], de l'insuline[21], de l'automobile[1] et de l'aluminium[51]. Au cours de cette phase, les innovations de produits et de processus sont parfois majeures, par exemple les mini-aciéries et la coulée continue dans l'industrie de l'acier[12], ou l'automobile en aluminium, qui a révolutionné conjointement l'industrie de l'automobile et de l'aluminium[51].

Hayes et Wheelwright[26] ont également élaboré un modèle qui fournit au gestionnaire des opérations des concepts et des modèles complémentaires à ceux décrits précédemment, et relatifs à l'interaction des cycles de vie du produit et du processus. Comme le produit, qui comporte différentes phases de cycle de vie (le lancement, la croissance, la maturité et le déclin), le processus de production passe aussi par un phénomène similaire, que ces auteurs appellent le cycle de vie du processus : 1. type projet à l'étape de conception, 2. type atelier à l'étape de lancement, 3. type production de masse et 4. type process lors de la maturité du produit. Ces deux cycles de vie du produit et du processus ont été intégrés par les auteurs dans une matrice produit–processus ; ils sont représentés à la figure 4.10, où la correspondance des étapes a été établie. Dans cette matrice, le processus de type projet est inclus dans la catégorie de processus de type atelier, car le premier type est un cas particulier du deuxième type.

De la phase 1 à la phase 4 de la matrice, les processus montrent une flexibilité décroissante, qui est accompagnée toutefois d'une croissance dans leur stabilité et leur productivité. De même, pour le cycle de vie du produit, les étapes progressent selon les exigences du produit, allant d'une flexibilité décroissante à une productivité accrue. Une entreprise peut être caractérisée selon la place qu'elle occupe sur la diagonale de la matrice. Cette place est déterminée par l'étape du cycle de vie du produit et le choix du processus pour ce produit.

Puisque le produit évolue selon une série de phases principales, le processus de fabrication lié à ce produit passe également par une succession d'étapes, pour ensuite s'adapter aux exigences du produit. Habituellement, le processus est conçu pour être souple au début. Puisqu'il doit s'adapter, il est faiblement productif et s'oriente par la suite vers une standardisation, une mécanisation, une automatisation accrue, pour finalement tendre vers un processus continu, où il culmine. Ce processus continu, bien qu'il diminue le prix de revient, augmente les dépenses d'investissement et, bien qu'il permette de fabriquer de grandes quantités de produits, il demeure peu flexible. Il s'adapte difficilement, et ses coûts de modification sont élevés[19].

De cette matrice ressort nettement l'importance du choix des produits et des processus ; la combinaison choisie impose des limites en matière de productivité et de flexibilité, qui ne peuvent être simultanément très élevées : il s'agit

**FIGURE 4.10 La matrice produit–processus**

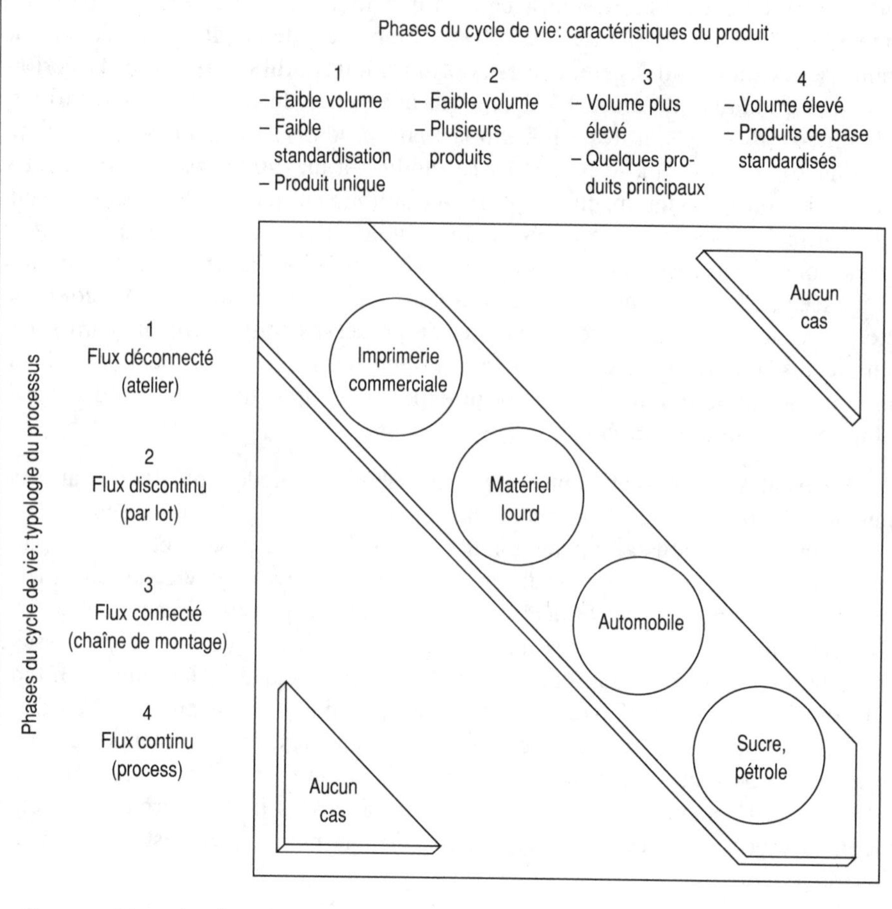


**Source :** Adaptation d'une figure de Hayes et Wheelwright[26].

alors du dilemme productivité–flexibilité. Un même processus ne peut satisfaire simultanément et économiquement toutes les habiletés indiquées au tableau 4.2, soit, par exemple, des exigences de faibles coûts et de volume élevé (haut degré de productivité) en même temps que des exigences d'innovation fréquente de produits (haut degré de flexibilité). Ainsi, divers produits qui auraient des caractéristiques disparates en matière de coût, de qualité et de rythme de changement ne pourraient être fabriqués selon un même processus. Le produit et le processus doivent nécessairement former un ensemble homogène. D'ailleurs, les zones situées hors de la diagonale (figure 4.10) démontrent par l'absurde ce besoin d'homogénéité : dans le coin inférieur gauche de la matrice, une seule unité d'un produit serait réalisée avec un processus continu, ce qui est difficile à atteindre étant donné les exigences de ce type de processus en matière de capitalisation en installations permanentes ; dans le coin supérieur droit de la matrice, un fort volume d'un produit standard serait réalisé par un processus du type atelier, ce qui est tout aussi invraisemblable en raison du prix de revient excessif qui en découlerait. Bref, la matrice produit–processus est d'une importance capitale pour le gestionnaire de la production, car il peut en tirer plusieurs leçons, dont trois sont énoncées ci-dessous.

1. **Le besoin d'adaptation du produit au processus, et vice versa, mérite une attention constante.** Par exemple, si le cycle de vie du produit évolue différemment de celui du processus, l'entreprise peut segmenter son processus par rapport à ces cycles, ou avoir des processus distincts pour chaque gamme de produits, ou encore se spécialiser dans certains segments de production et confier à des sous-traitants ses autres besoins. En somme, l'entreprise doit penser à la focalisation de ses opérations (le concept de focalisation sera traité au chapitre 19).
2. **Les habiletés de gestion requises diffèrent selon le type de processus.** En effet, le processus de type atelier nécessite un système de pilotage de forte intensité pour pallier le fait que le processus est faiblement coordonné physiquement ; il exige aussi des habiletés en manutention des matières, car le système est peu mécanisé ; aussi la gestion de la capacité devient difficile en raison des exigences éparses de la variété de produits et de la congestion causée par les goulots d'étranglement. Par contre, pour un processus de type process où, par un flux continu, on réalise un fort volume de produits, des particularités de gestion différentes apparaissent. L'accroissement de la capacité ne peut se faire que par tranche ; les prévisions des ventes doivent être assez précises vu le manque de flexibilité du processus ; la gestion des matières prend encore plus d'importance, car une opération de type continu ne peut faire face à un arrêt de production causé par une pénurie. De plus, les tâches étant spécialisées, le travailleur doit être motivé et intéressé.
3. **Les habiletés de gestion requises diffèrent selon la quantité et la variété du produit.** À faible quantité et à forte variété correspondent les difficultés d'évaluer le prix de revient, d'offrir des délais de livraison rapides et de modifier le produit, le processus ou les deux pour satisfaire les exigences de chaque client. Inversement, à forte quantité et à faible variété correspondent les difficultés d'obtenir une productivité élevée, car la concurrence est fondée sur les prix ; les difficultés d'adaptation du produit et du processus sont plus aiguës étant donné la rigidité qu'imposent au processus ces caractéristiques. Le tableau 4.3 reprend, sous la forme d'un tableau comparatif, différentes variables de gestion associées aux divers types de processus.

La matrice produit–processus montre non seulement l'interaction qui existe entre les deux entités que constituent le produit et le processus, mais aussi le besoin d'adaptation face à l'évolution technologique. La prochaine section étudie certaines technologies nouvelles qui se propagent assez rapidement dans le milieu industriel. Il y sera question des incidences de l'informatisation et de l'automatisation quant aux possibilités nouvelles qu'elles offrent en matière de conception du produit et du processus.

## 4.9 L'informatisation et l'automatisation

Comme l'ont rapporté les experts au cours des dernières années[3, 7, 40, 42, 43, 55], la révolution informatique a envahi tous les secteurs de l'économie sans qu'une entreprise manufacturière ou de services puisse y échapper. Les nouvelles technologies

**Tableau 4.3**

**La comparaison des types de processus et des variables de gestion**

| Variables de gestion | Types de processus | | | |
|---|---|---|---|---|
| | **Atelier** | **Production de masse par lot** | **Production de masse en continu** | **Process** |
| Variété de produits | Forte | Moyenne | Faible | Très faible |
| Volume de produits | Faible | Moyen | Fort | Très élevé |
| Moyen d'achat | Sur commande | Sur commande et sur prévision | Sur prévision | Sur prévision |
| Type de concurrence | Sur performance du produit, sur délai de livraison, sur service | Sur performance, sur fiabilité, sur souplesse | Sur performance, sur prix, sur fiabilité de délai | Sur prix |
| Utilisation capital / main-d'œuvre | Main-d'œuvre | Main-d'œuvre et machines | Main-d'œuvre encore importante, vers mécanisation | Très capitalistique |
| Taille d'opération | Généralement de faible taille | Taille moyenne | Grande taille | Très grande taille |
| Capacité | Difficile à circonscrire | Facile à circonscrire | Bien connue | Très bien connue |
| Ordonnancement | Souple avec des incertitudes | Souple avec peu d'incertitudes | Horaire assez fixe | Horaire fixe |

d'information, combinant autant du matériel (*hardware*) que des logiciels (*software*), transforment la nature des produits et des processus et influent directement sur les activités de conception de ces derniers. Ces nouvelles possibilités technologiques modifient les règles de la concurrence et offrent des potentialités élargies. En revanche, elles constituent une source de défis pour les gestionnaires, car les pressions du marché s'exercent en faveur de produits et de processus « parfaits » et conçus rapidement.

Les effets de la technologie de l'information sur les produits et les processus sont de deux ordres, qu'on appelle respectivement l'informatisation (aussi appelée l'automatisation « douce ») et l'automatisation (que certains appellent l'automatisation « dure »). L'**informatisation** désigne l'application des technologies de l'information dans les processus, les systèmes de gestion et les systèmes d'information. L'**automatisation** concerne plutôt le matériel : équipement, outils, moyens de transport, etc. Les particularités et les rôles de chacune de ces formes d'incursion de la technologie de l'information dans l'entreprise sont plus faciles à saisir à l'aide de la chaîne de valeur discutée plus tôt et schématisée à la figure 4.5. Ce modèle est repris à la figure 4.11, où l'on indique les différents types de technologies associées à l'informatisation et à l'automatisation ; d'une part, l'informatisation est présente au sein des activités de soutien (cases 6 à 9) et de quelques activités principales « en aval », tels le marketing et le service après-vente (cases 4 et 5) ; d'autre part, l'automatisation concerne davantage les activités principales, et surtout les opérations de transformation (case 2).

▼ **FIGURE 4.11**
**Les technologies de l'information dans la chaîne de valeur**

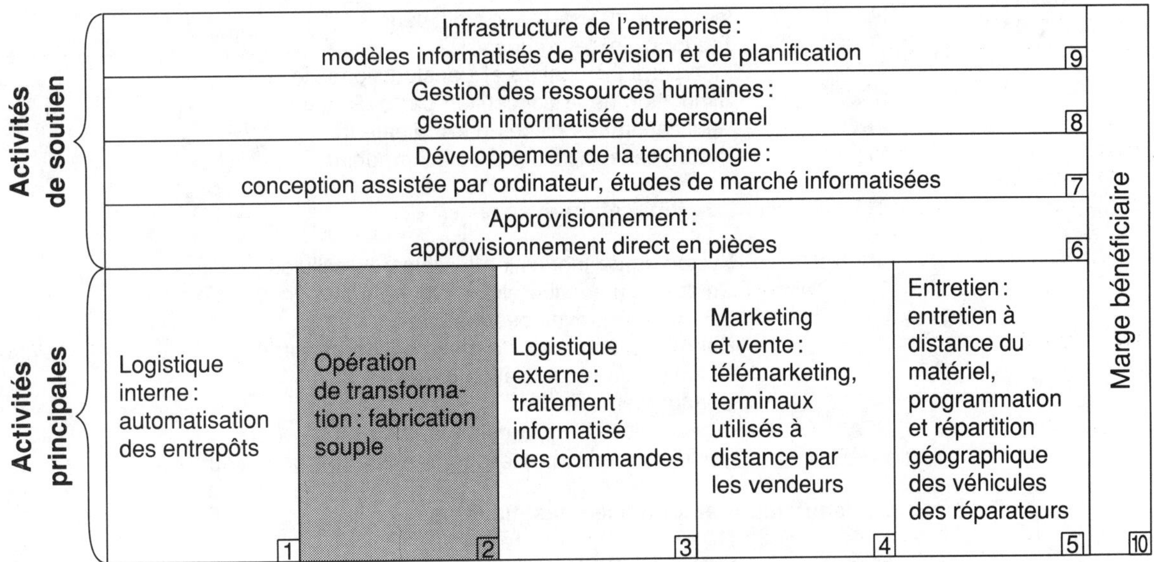


**Source :** Adaptation d'une figure de Porter et Millar[42].

Les tendances actuelles d'application des technologies de l'information vont vers une intégration de l'automatisation et de l'informatisation. Pour ces raisons, le terme « automatisation » sera utilisé pour désigner n'importe quelle forme d'utilisation des technologies de l'information dans les activités de l'entreprise. Dans les paragraphes subséquents, un aperçu des tendances technologiques et de leur incidence sera donné, sans trop nous attarder sur les détails puisque les technologies et les applications particulières évoluent rapidement. De plus, le chapitre 5 traite plus à fond des façons de choisir et d'introduire ces technologies dans un système opérationnel.

L'ensemble des applications de l'automatisation aux produits et aux processus de fabrication ainsi qu'aux processus et aux systèmes afférents de conception de produits et de processus, d'approvisionnement, de distribution et d'information–communication est communément appelé **technologies manufacturières avancées** (TMA). Ces technologies, à des degrés divers, remplacent le travail manuel et intellectuel des personnes telles que des ouvriers, des assembleurs, des ingénieurs, des concepteurs, des planificateurs, etc. Plus le degré d'automatisation est élevé, plus les technologies sont à la fine pointe, plus les TMA utilisées sont en mesure d'effectuer des opérations manuelles ou intellectuelles complexes (par exemple, souder ou diagnostiquer une maladie). Le tableau 4.4 propose un résumé des TMA utilisées à ce jour, en les classifiant en huit catégories principales que nous examinerons brièvement tour à tour.

**Tableau 4.4**

**Les technologies manufacturières avancées (TMA)**

**1. Conception et ingénierie automatisées**

| | |
|---|---|
| CAO : | Conception assistée par ordinateur |
| IAO : | Ingénierie assistée par ordinateur |
| TG : | Technologie de groupe |
| IST : | Ingénierie simultanée et transfonctionnelle |
| SCO : | Simulation de la conception par ordinateur |
| VPO : | Vérification des pièces par ordinateur |
| PR : | Prototypage rapide (stéréolithographie) |

**2. Équipement de fabrication avancé**

| | |
|---|---|
| SFFC : | Systèmes de fabrication flexibles en cellules |
| CND/CNI : | Contrôle numérique direct / Contrôle numérique informatisé |
| Lasers : | Lasers pour travail des matières |
| Robots : | Robots de soudage, de manutention et autres |
| OSP : | Optimisation et simulation de procédés |
| CO : | Changement d'outils |
| SPA : | Surveillance des processus automatisés |
| PPAO : | Planification des processus assistée par ordinateur |

**3. Manutention automatisée des matières**

| | |
|---|---|
| SERA : | Systèmes d'entreposage et de récupération automatisés |
| SVGO : | Systèmes de véhicules guidés par ordinateur |
| SLBC : | Systèmes de lecture de barres codées |

**4. Assemblage et emballage automatisés**

| | |
|---|---|
| AAO : | Assemblage assisté par ordinateur (robots) |
| EAO : | Emballage assisté par ordinateur (robots) |
| CAF : | Cellules d'assemblage flexibles |

**5. Ordinateurs et liens communicationnels**

| | |
|---|---|
| RL : | Réseaux locaux |
| RIO : | Réseaux interorganisationnels |
| CLP : | Contrôles logiques programmables |
| OU : | Ordinateurs d'usines |
| PAP : | Protocoles d'automatisation de la production |
| EED : | Échanges électroniques de données |

**6. Systèmes avancés d'inspection et de tests**

| | |
|---|---|
| IAO : | Inspection assistée par ordinateur |
| TAO : | Tests assistés par ordinateur |
| CSP : | Contrôle statistique de procédés |

**7. Systèmes de contrôle et de gestion de la production**

| | |
|---|---|
| PBM (*MRP*) : | Planification des besoins-matières |
| PRP (*MRP II*) : | Planification des ressources de production |
| JAT : | Juste-à-temps |
| EPAO : | Entretien préventif assisté par ordinateur |
| GIQ : | Gestion intégrale de la qualité |
| GIE : | Gestion intégrale de l'entretien |

**Tableau 4.4**

*(suite)*

| **8. Technologies d'intégration des systèmes** | |
|---|---|
| CAO/FAO : | Intégration de la conception et de la fabrication assistées par ordinateur |
| SFFI ou SFIAO (*CIM*) : | Systèmes de fabrication flexibles intégrés ou Systèmes de fabrication intégrés assistés par ordinateur |
| SADCS : | Systèmes d'acquisition de données, de contrôle et de supervision |

**Source :** Adaptation d'un tableau de l'Association of Provincial Research Organizations (APRO)[3] réalisé dans le cadre de travaux financés par le Conseil national de recherches du Canada.

1. La **conception** et l'**ingénierie automatisées** regroupent une variété de technologies et d'équipement qui servent directement à améliorer les méthodes de conception des produits et des processus. Sans ces technologies qui permettent l'analyse multicritères de design complexes, certains produits n'auraient jamais pu voir le jour, ou auraient été lancés avec des erreurs qui auraient fait l'objet de révisions coûteuses. De plus, l'automatisation favorise l'échange et la mise à jour d'informations diverses entre de nombreux postes de travail, facilitant ainsi l'implantation de l'approche simultanée et intégrée à la conception de produits, dont il fut question plus tôt. Par exemple, chez IBM, l'utilisation de ces technologies a permis d'élaborer un nouveau modèle d'ordinateur portatif en moins de 13 mois[15].

2. L'**équipement de fabrication avancé** comprend une variété de processus et d'équipement automatisés, allant du plus élémentaire (machine à contrôle numérique ou robot) au plus complexe (système de fabrication flexible), en passant par la gamme de processus secondaires qui servent à améliorer les processus de transformation, tels les systèmes de simulation, de suivi ou d'échange d'outils. Les machines à contrôle numérique consistent en une forme d'automatisation programmable, où le processus (par exemple, une fraiseuse) est contrôlé à partir de codes préenregistrés sur des cartes, des rubans ou des disques magnétiques, comme le montre la figure 4.12. Quant aux robots, ils remplacent les travailleurs dans les tâches difficiles, monotones, insalubres ou dangereuses. La figure 4.13 propose quelques exemples de robots à divers usages[30]. Enfin, les systèmes de fabrication flexibles consistent en des systèmes plus sophistiqués et intégrés, qui regroupent plusieurs machines à contrôle numérique interconnectées par un flux d'informations et un flux de matières par convoyeur.

3. La **manutention automatisée des matières** fait référence à des systèmes complexes intégrant le matériel et les logiciels en vue de faciliter l'entreposage, la détermination, la manutention et le déplacement de tous les composants, modules, produits, équipements, pièces de rechange, etc. Elle est utilisée dans tout domaine d'activité à multiples produits ou à multiples composants, où le volume de matières est élevé et où la rapidité de fabrication ou de livraison est de mise. Il peut s'agir autant d'un fabricant de microordinateurs que d'une chaîne de marchés d'alimentation.

**FIGURE 4.12** ▶
**Un système à contrôle numérique**

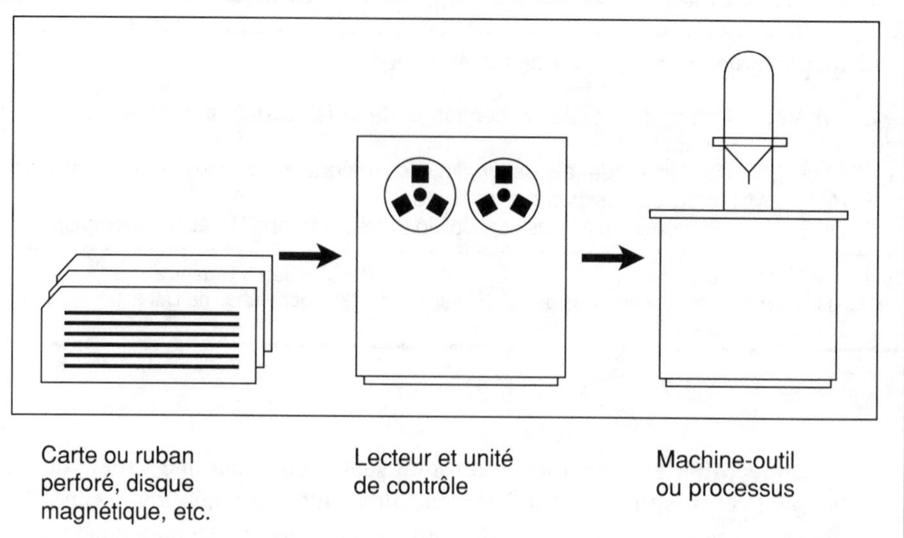


**FIGURE 4.13** ▶
**Diverses configurations de robots industriels**

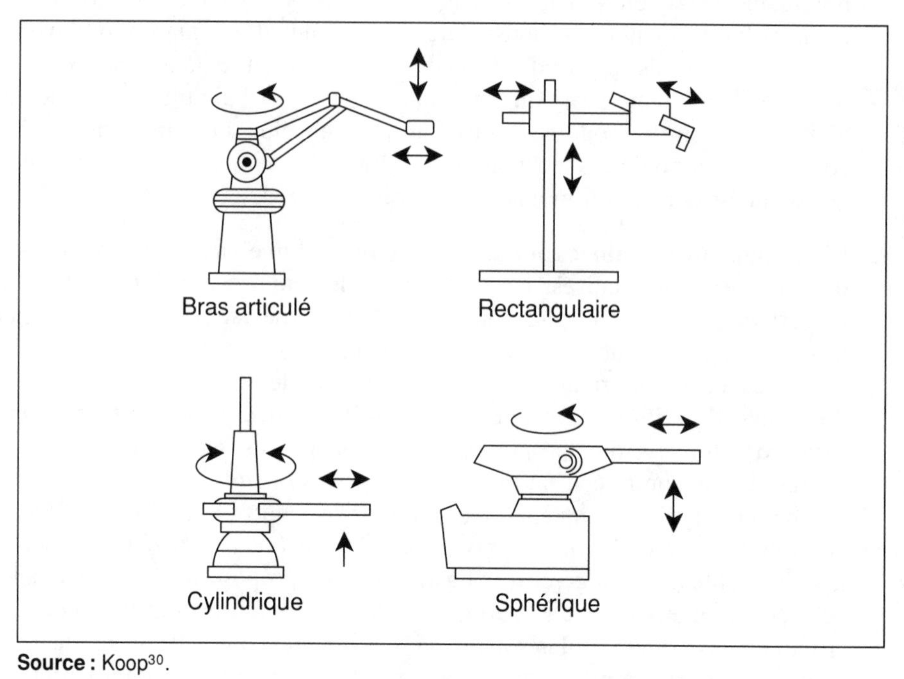


**Source :** Koop[30].

4. L'**assemblage** et l'**emballage automatisés** sont différenciés des autres TMA par leur position particulière dans la chaîne d'opérations, soit en aval, ainsi que par leurs particularités techniques, soit leur besoin de précision, de dextérité et de précaution, afin de préserver la qualité et l'esthétisme du produit. Ces technologies tirent profit des découvertes récentes en matière d'intelligence artificielle, de reconnaissance de la voix, de senseurs et de vision artificielle afin d'augmenter les applications possibles ainsi que leur rendement[27].

5. Les **ordinateurs** et les **liens communicationnels** font appel à l'utilisation de plusieurs médias de communication pour permettre l'échange et la conservation de données ou d'informations sous diverses formes (plans, dessins, calculs mathématiques, voix, photographies, etc.). Ces TMA permettent aux intervenants dispersés à travers la chaîne de valeur de l'entreprise de communiquer entre eux, ainsi qu'aux nombreux collaborateurs externes de l'entreprise d'échanger avec ces personnes. Les entreprises qui ont recours aux sous-traitants pour la conception ou la fabrication de leurs produits, comme dans la micro-électronique, l'aérospatiale ou le textile, considèrent qu'elles épargnent temps et argent par ces investissements technologiques[15].
6. Les **systèmes avancés d'inspection et de tests** facilitent la mise en place d'un processus intégré de gestion de la qualité, dont il sera question plus loin. Dans certaines industries de pointe, où les normes de qualité sont sévères, où les produits sont complexes et où le degré de miniaturisation est élevé, comme dans l'électronique, ces processus automatisés sont essentiels plutôt qu'optionnels. Par exemple, chez NovAtel Corporation (une entreprise de taille moyenne qui fait concurrence aux géants américains et japonais dans l'industrie du téléphone cellulaire), le système avancé de test des circuits électroniques permet d'effectuer les tests de l'ensemble des fonctions d'un circuit en 30 secondes ; ce système comprend une base de données statistiques sur la production, les défauts et le taux de rendement, des diagrammes de Pareto, des histogrammes, etc.[24]. Ces idées seront traitées au chapitre 17 portant sur la qualité.
7. Les **systèmes de contrôle et de gestion de la production** agissent en parallèle avec les systèmes précités, en améliorant la capacité des systèmes de pilotage de « gérer » l'abondante et complexe information reliée aux TMA. Ces technologies facilitent la planification, l'ordonnancement, l'assurance de la qualité, l'entretien, l'approvisionnement, etc., thèmes qui seront traités dans les chapitres sur le système de pilotage.
8. Les **technologies d'intégration des systèmes** ne sont pas constituées d'un type de machines plus avancées que les TMA décrites ci-dessus ; elles représentent plutôt un regroupement intégré de ces divers systèmes, comme l'illustre la figure 4.14. L'élément nouveau que comportent ces TMA est la connectivité et la compatibilité de l'ensemble des systèmes concernés. Très peu d'entreprises ont atteint cet idéal. Certaines ont intégré les activités de conception et de fabrication automatisées (CAO, FAO), mais peu d'entre elles y ont intégré les divers systèmes de communication, de planification et de contrôle, d'inspection ou de manutention[39]. En consultant la figure 4.15 où sont illustrés les quatre étapes et degrés d'automatisation, on constate que les degrés 1 et 2 sont beaucoup plus facilement accessibles que les degrés 3 et 4, compte tenu des efforts d'intégration requis à ces degrés supérieurs.

Mettre en place des TMA (dont les mots d'ordre sont flexibilité et intégration) est au moins aussi difficile que choisir parmi toutes les technologies disponibles énumérées au tableau 4.4. Une approche globale et étapiste, s'inspirant de l'approche systémique et des étapes préconisées dans ce chapitre, s'avère fructueuse. L'entreprise Schlumberger, fournisseur de technologies et d'équipement pour l'industrie pétrolière, en sait quelque chose ; en effet, elle a instauré

**FIGURE 4.14** ▶
**La représentation schématique d'un système de fabrication intégré**

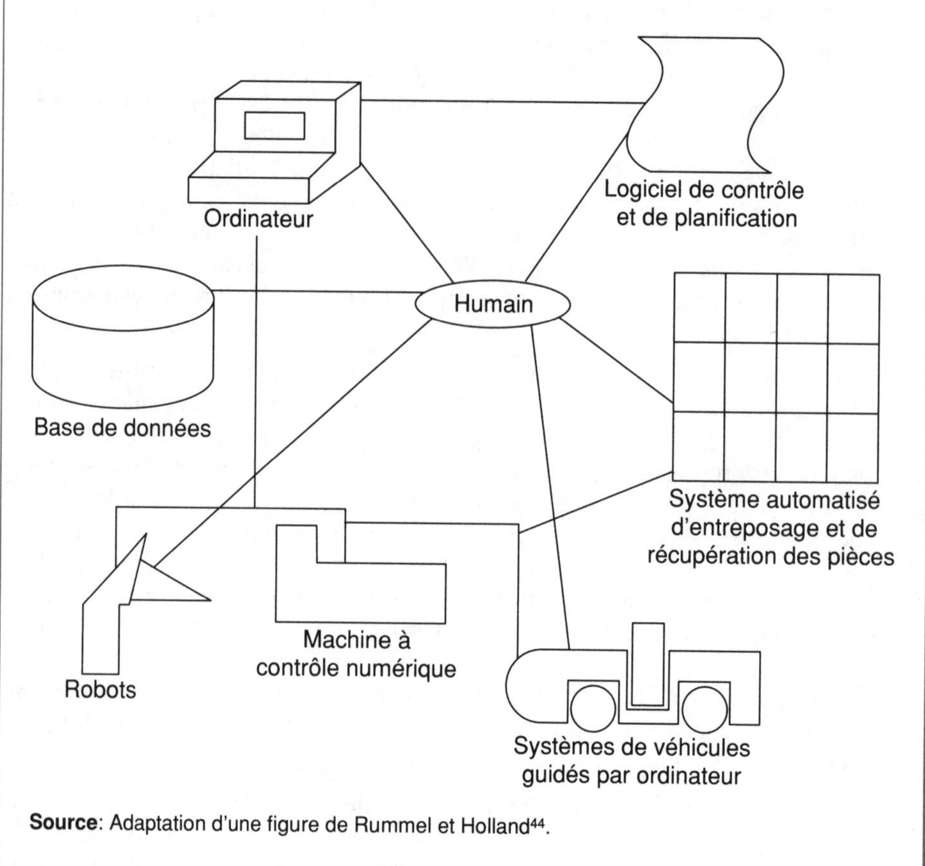


**Source**: Adaptation d'une figure de Rummel et Holland[44].

le système *EMBOSS* (*Engineering & Manufacturing Business Operations Systems*) qui vise, par une approche globale, à automatiser et à intégrer les opérations de fabrication et de conception des produits et des processus dans le but de mettre en œuvre l'approche de conception simultanée et d'ingénierie transfonctionnelle décrite plus haut. Le service de l'ingénierie a vu sa productivité tripler : 300 mises à jour de produits par mois sont effectuées plutôt que 100 ; de plus, la durée totale du cycle ingénierie–fabrication, lors d'une modification de produit, est passée de six à une semaine[16]. Dans un autre domaine, soit une entreprise de services d'assurances, on a également utilisé une méthode rigoureuse pour analyser l'ensemble du système opérationnel et déterminer les applications possibles de l'informatisation. Aidée d'un consultant, cette entreprise a d'abord révisé son processus dans le but d'augmenter la continuité des flux, d'éliminer les goulots d'étranglement et, ainsi, de réduire le temps de cycle. Cette simple révision, sans ajout de nouvelles technologies, a permis de réduire à cinq jours le temps requis pour régler une réclamation qui exigeait un traitement de deux semaines et demie. Ensuite, l'introduction de technologies d'information et de communication telles les télécopieurs, les lecteurs de documents et les réseaux interordinateurs, a contribué à abaisser le temps de cycle de cinq à un jour !

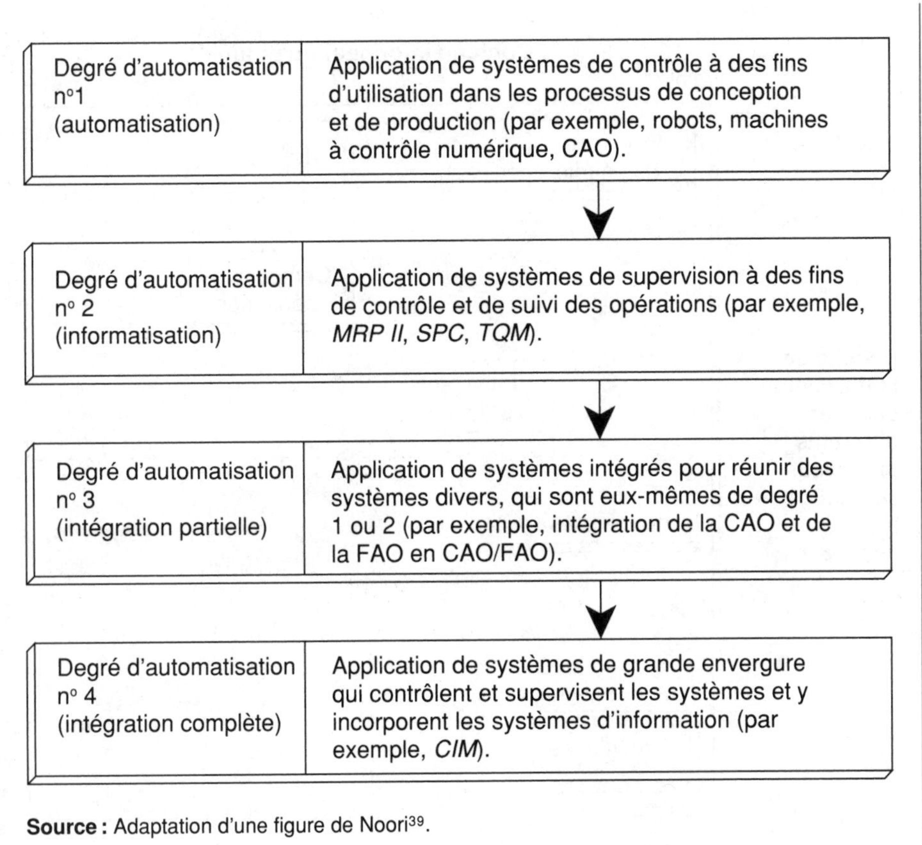


**Source :** Adaptation d'une figure de Noori[39].

**FIGURE 4.15**
**Les étapes et les degrés d'automatisation**

Très souvent, malheureusement, l'informatisation ou l'automatisation ne donnent pas les résultats escomptés, au contraire. Les données recueillies entre 1985 et 1990 dans de nombreux secteurs ont dénoté, globalement, une chute de la productivité dans les entreprises ayant effectué des investissements en logiciels et en matériel informatique[7]. Par exemple, une banque aurait dépensé plusieurs millions sur une période de huit ans pour que ses caissiers soient branchés sur un système de traitement des données en temps réel, soit durant le temps de contact avec les clients, dans le but avoué de réduire le temps de cycle et les coûts d'opération. En raison principalement d'un manque de formation, le système a augmenté les coûts par un facteur de six !

De nombreux facteurs sous-tendent ces écarts de performance des TMA, dont plusieurs sont reliés à la gestion du processus d'introduction des TMA dans son ensemble, sujet traité au chapitre suivant. Les besoins de chaque entreprise en matière de TMA diffèrent selon les caractéristiques propres de leurs produits et de leurs processus. Il faut donc ajuster les efforts d'automatisation en conséquence. La figure 4.16 indique deux éléments clés à considérer : le contenu informatif du produit (ou du service) et la densité d'informations dans les processus au sein de la chaîne de valeur[42]. Les entreprises où ces deux composantes sont élevées, telles les banques ou les compagnies aériennes, ont beaucoup à gagner en informatisant leurs opérations. Toutefois, si cette informatisation n'est pas bien planifiée et effectuée, les

**FIGURE 4.16** ▶ **La répartition de la densité de l'information dans les produits et les processus comme guide à l'informatisation et à l'automatisation**

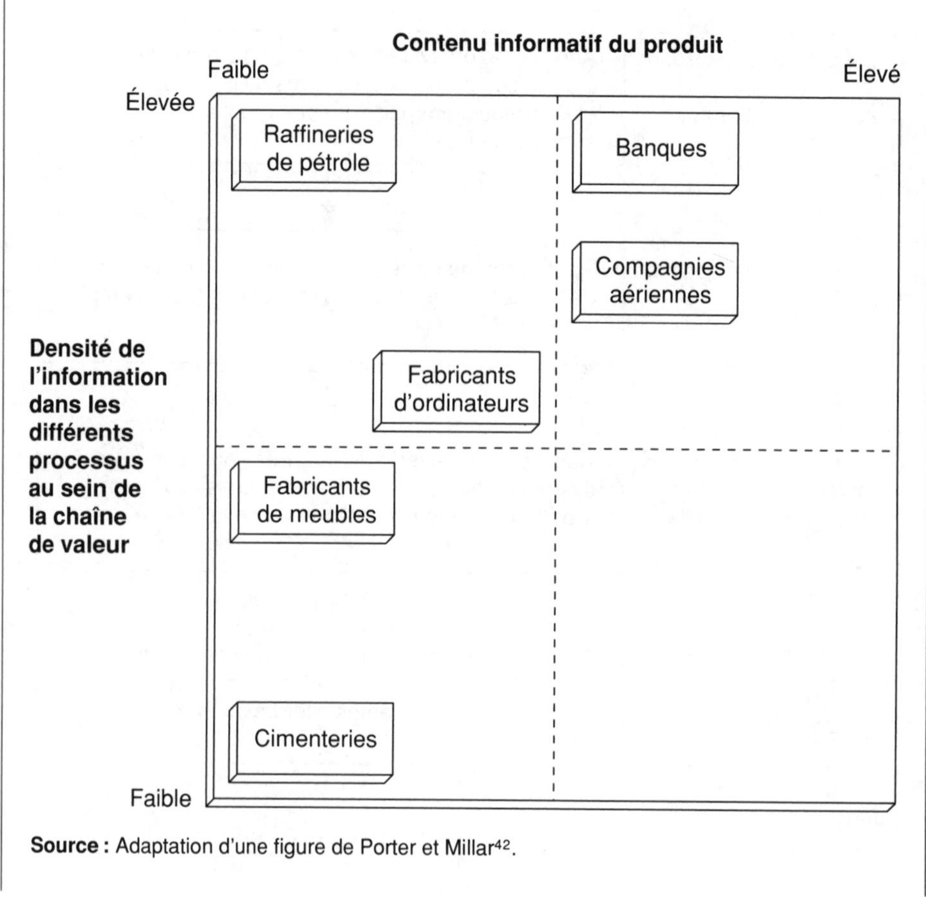


**Source :** Adaptation d'une figure de Porter et Millar[42].

risques de nuire à la performance sont plus grands. Le cas de la banque ci-dessus en fait foi.

D'autres facteurs, ceux-là plus externes à l'entreprise, influent sur le rythme d'introduction des diverses TMA au sein des nombreux secteurs industriels et de services. Comme l'indique la figure 4.17, il s'agit des efforts de recherche fondamentale et appliquée (dans les domaines tels que les systèmes experts, la reconnaissance de la voix, etc.) ainsi que du taux de développement des TMA propres à l'industrie, qui est lui-même dépendant de la demande générale du secteur pour ces technologies plutôt que du désir d'une entreprise.

Ensemble, les facteurs internes et externes à l'entreprise détermineront le type de TMA disponibles et le désir des dirigeants d'utiliser ces TMA au sein de leurs opérations. Beaucoup d'améliorations restent à faire dans ces deux domaines. Par exemple, dans l'industrie canadienne de fabrication de meubles et de bois ouvré, le taux de pénétration des TMA est faible ; ainsi, en 1989, 0,5 % des entreprises possédaient un robot, 19 % une machine à contrôle numérique, et 5 % un système de CAO/DAO[55]. Cette situation est peut-être due à la densité d'informations plutôt moyennes dans les processus (figure 4.17), mais elle est également attribuable à la faible taille des entreprises ou au faible degré de scolarisation des employés.

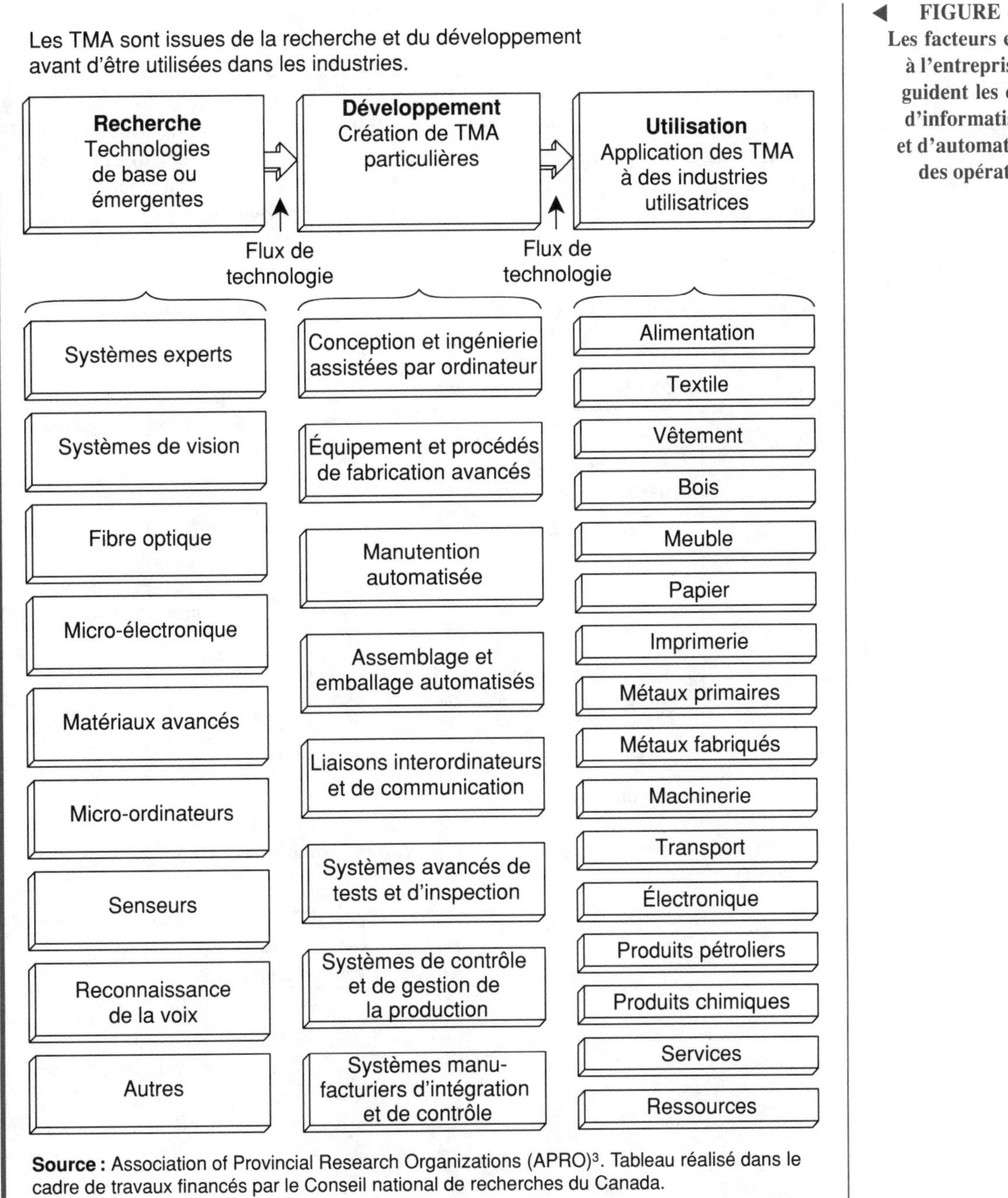


**Source :** Association of Provincial Research Organizations (APRO)[3]. Tableau réalisé dans le cadre de travaux financés par le Conseil national de recherches du Canada.

**FIGURE 4.17**
**Les facteurs externes à l'entreprise qui guident les efforts d'informatisation et d'automatisation des opérations**

Malgré une diffusion assez lente des TMA, nombre d'experts en prévoient l'expansion, voire l'explosion, vers la fin du siècle et au cours des décennies à venir. Selon des études et des sondages effectués auprès d'industries diverses autant en Europe, au Japon qu'aux États-Unis, l'ensemble des gestionnaires chercheront à résoudre le dilemme flexibilité–productivité imposé par les technologies traditionnelles rigides[2, 18, 39, 45]. Les marchés sont trop sensibles au prix, au cycle de conception–production–livraison ainsi qu'à une variété de produits s'adaptant à leurs goûts, pour ne pas « s'embarquer » dans la vague d'automatisation amorcée dans certains secteurs. Les TMA, en particulier celles des catégories les plus avancées (étape 4 de la figure 4.15) comme les systèmes de fabrication flexibles ou intégrés, offrent la possibilité d'accéder à la fois à une productivité accrue et à une plus grande flexibilité. Selon Noori[39], ces TMA de degrés supérieurs permettent d'accéder à des positions, dans la matrice produit–processus, qui étaient considérées comme non viables avant leur apparition. Comme l'indique la figure 4.18*a*, il deviendrait alors faisable et rentable de fabriquer des produits uniques

**FIGURE 4.18 ▶ L'incidence des TMA sur la matrice produit–processus**

***a*) Matrice produit–processus révisée par l'arrivée des économies d'intégration**

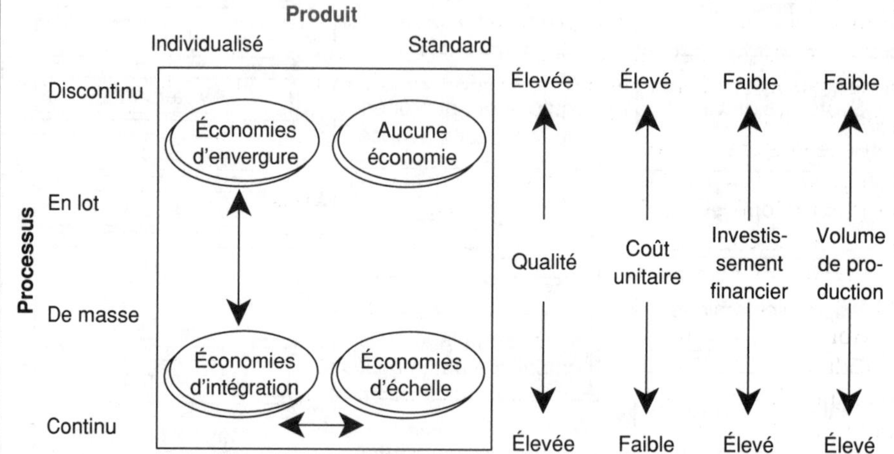


**Source** : Adaptation d'une figure de Noori[39].

***b*) Effet des TMA sur la matrice produit–processus : évolution historique des positions les plus communes**

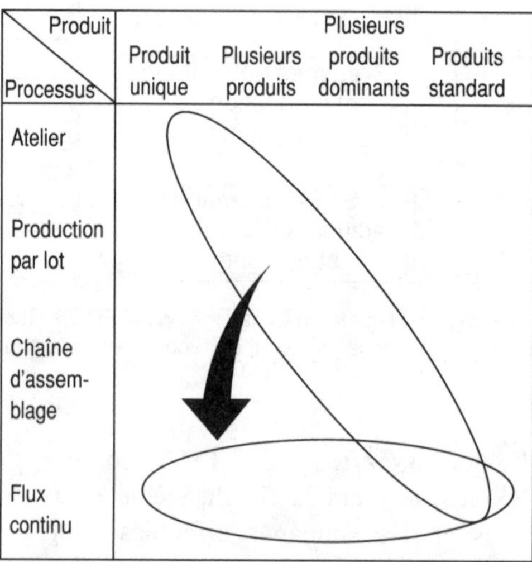


**Source :** Adaptation d'une figure de Adler[2]. Reproduit avec la permission de The Regents of the University of California.

avec un processus à flux plus continu. Selon Adler[2], les positions les plus communes des entreprises, au sein de cette matrice, ne seraient plus situées sur la diagonale, mais plutôt sur une bande horizontale (figure 4.18*b)*, puisque tous les types de produits seraient fabriqués à l'aide de processus automatisés et intégrés fonctionnant en continu.

## CONCLUSION

Les entreprises manufacturières et de services misent beaucoup sur la combinaison de produits et de processus qu'elles auront privilégiée afin de battre la concurrence désormais mondiale. Ces entreprises de classe mondiale, dont traiteront les chapitres 17 et 19, sont davantage à l'écoute des clients et de leurs besoins changeants. Pour ces raisons, la conception d'un produit en adéquation avec les besoins perçus, actuels et futurs constitue la clé de voûte du succès de l'entreprise. Pour ces raisons également, la conception d'un processus devient tout aussi primordiale, car un produit (ou un service) demeure un concept tant qu'il n'a pas été fabriqué (ou offert). Comme on l'a vu dans ce chapitre, les clients jugent la qualité des produits en fonction de multiples critères (par exemple, la performance technique et la rapidité de livraison), dont l'obtention dépend en bonne partie des caractéristiques adéquates du processus telles la capacité, les goulots d'étranglement et la flexibilité. Dans cette optique, les principes de conception simultanée et intégrée des produits et des processus suggérés dans ce chapitre s'avèrent la seule approche viable, au détriment de l'approche traditionnelle séquentielle et spécialisée par fonction. De plus, l'introduction de l'automatisation dans les diverses activités des systèmes opérationnel et de pilotage ouvre des avenues intéressantes pour améliorer l'efficacité en matière de conception du produit et du processus.

## QUESTIONS DE RÉVISION

1. Quels sont les liens entre le produit et le processus ?
2. Pourquoi les produits et les processus sont-ils modifiés ?
3. Quels sont les éléments d'une politique de produit ?
4. Quels sont les caractéristiques et les critères d'évaluation d'un produit ?
5. Dans une entreprise, qui est concerné par la conception du produit et du processus ?
6. Quels grands principes doivent guider l'application d'un processus de la conception à la réalisation d'un produit ?
7. Quel est le rôle de la fonction Opérations-Production dans la conception du produit et du processus ?
8. Quels sont les types de processus et comment sont-ils associés à des types de produits ?
9. Comment l'arrivée des technologies manufacturières avancées (TMA) influe-t-elle sur les produits et les processus ?
10. Comment la conception du processus est-elle reliée à la capacité du système opérationnel à répondre aux priorités concurrentielles ?
11. Quelles sont les étapes de l'automatisation ? Quel type de TMA correspond à ces étapes ?

## QUESTIONS DE DISCUSSION

1. Choisissez une entreprise de services et essayez de positionner son système opérationnel dans l'une des typologies suggérées aux figures 4.7 ou 4.8. Discutez de ses caractéristiques propres, de ses limites, de ses points critiques, etc.

2. Choisissez une entreprise manufacturière et tracez un diagramme de circulation. Nommez les différents flux. Quel(s) type(s) de technologies manufacturières avancées peut-on y introduire ? À quelle étape ? Quel en sera l'effet ?

3. Choisissez un produit que vous utilisez (par exemple, calculatrice, montre, automobile, boisson gazeuse, vêtement, baladeur, etc.). Décrivez ses caractéristiques et dressez la liste de ses forces et de ses faiblesses. Ensuite, imaginez que vous êtes chargé d'en réviser la conception. Quels critères de performance allez-vous prioriser ? Comment allez-vous procéder pour vous assurer de la validité et de la faisabilité de votre choix ? En quoi les modifications prévues exigeront-elles une modification du processus ?

## RÉFÉRENCES


1. ABERNATHY, W.J., K.B. CLARK et A.M. KANTROW, *Industrial Renaissance : Producing a Competitive Future for America*, New York, Basic Books Inc., 1983.
2. ADLER, P., « Managing Flexible Automation », *California Management Review*, vol. 30, nº 3, printemps 1988.
3. ASSOCIATION OF PROVINCIAL RESEARCH ORGANIZATIONS (APRO), *Advanced Manufacturing Technologies in Canada*, monographie, avril 1992.
4. BARCELO, Y., « La révolution des robots », *Commerce*, novembre 1990, p. 70-77.
5. BEATTY, C.A. et J.R.M. GORDON, « Barriers to the Implementation of CAD/CAM Systems », *Sloan Management Review*, été 1988, p. 25-35.
6. BÉRARD, D. et C. BELLAZI, « Histoire d'une innovation articulée », *Commerce*, décembre 1990, p. 81-88.
7. BLACKWELL, G., « The Great Leap… Sideways », *Canadian Business*, août 1992, p. 78-82.
8. BOULEY, F., « Moyens de paiement et monétique », *Gestion des nouvelles communications*, 1990.
9. BOWER, J.L. et T.M. HOUT, « Cycle rapide et compétitivité », *Harvard-L'Expansion*, automne 1989, p. 33-49.
10. CALORI, R., « Stratégie : soyons réalistes ! », *Harvard-L'Expansion*, printemps 1989, p. 64-83.
11. CHASE, R.B. et N.J. AQUILANO, « Service-System Design Matrix » *in Production and Operations Management*, 7e éd., R.D. Irwin, 1995, p. 113.
12. CLARK, K.B., « Investment in New Technology and Competitive Advantage », dans TEECE, D.J. (dir.), *The Competitive Challenge*, Ballinges Publishing Co., 1988.
13. CLARK, K.B. et T. FUJIMOTO, *Product Development Performance : Strategy, Organization, and Management in the World Auto Industry*, Boston, Harvard Business School Press, 1991.
14. CLARK, K.B. et E. ROTHMAN, *Management and Innovation : The Evolution of Ceramic Packaging for Integrated Circuits*, Cambridge, Harvard University, 1987.
15. COOK, B.M., « IBM Laptop : From Design to Product in 13 Months », *Industry Week*, 5 août 1991, p. 57.
16. COOK, B.M., « Flexible Manufacturing : Something that People Do », *Industry Week*, 5 novembre 1990, p. 36-43.

17. COOPER, R.G. et E.J. KLEINSCHMIDT, *Developing Formal Processes for Managing New Products*, NCMRD Monograph Series, London (Ont.), The University of Western Ontario, 1991.

18. DE MEYER, A. *et al.*, « Flexibility : The Next Competitive Battle », *Strategic Management Journal*, vol. 10, 1989, p. 135-144.

19. DIORIO, M.O., « De la productivité traditionnelle à la productivité concurrentielle », *L'ingénieur*, mai-juin 1984.

20. DOSTALER, I., « Stratégie d'opération et évaluation de la performance de l'unité de production », *Cahier de recherche n^o 91-03*, Groupe de recherche en contrôle de gestion, Montréal, École des HEC, été 1991.

21. DURAND, T. et T. GONARD, « Stratégie et ruptures technologiques : le cas de l'industrie de l'insuline », *Revue française de gestion*, novembre-décembre 1986.

22. DUROCHER, S., « Les rois de la pomme », *L'Actualité*, 15 décembre 1991, p. 41.

23. GAUTHIER, P., « Corporation Technologies Eicon », monographie préparée dans le cadre du cours « Séminaire : Environnement technologique », document non publié, Montréal, École des HEC, mai 1991.

24. GROVES, C., « Hand-Off Manufacturing Transcends Limits of CIM », *Industrial Engineer*, août 1990, p. 29-31.

25. GUÉNARD, M., « Les petits pains high-tech de Weston », *Commerce*, avril 1991, p. 50-54.

26. HAYES, R.H. et S.C. WHEELWRIGHT, « Le cycle de vie du processus de production », *Harvard-L'Expansion*, partie 1 : été 1979, partie 2 : automne 1979.

27. HOLLOWAY, C. et H.H. HAND, « Who's Running the Store, Anyway ? Artificial Intelligence ! ! ! », *Business Horizon*, mars-avril 1988, p. 70-76.

28. IZUCHUKWU, J.I., « Intelligent Foundation for Product Design Reduces Costs, Tome-To-Market : Part I », *Industrial Engineer*, juillet 1991, p. 29-35.

29. KÉLADA, J., *Réaliser la gestion intégrale de la qualité*, Éditions Quafec, 1991.

30. KOOP, J.E., « The Industrial Engineer as a Robot Project Manager Can Increase Productivity », *Industrial Engineer*, juin 1991, p. 32-35.

31. KUO, W. et J.P. HSU, « Update : Simultaneous Engineering Design in Japan », *Industrial Engineer*, octobre 1990, p. 23-26.

32. LECONTE, C., « Virtual Prototypes : La passion de la création », *Commerce*, avril 1991, p. 46-47.

33. LE MOAL, P. et J.-C. TARONDEAU, « Un défi à la fonction Production », *Revue française de gestion*, janvier-février 1979.

34. LILES, P.R. et J.R. BUGNION, *Timex Corporation*, cas n^o 9-376-102, Boston, Harvard Business School, 1991.

35. MOFFAT, S., « Japan's New Personalized Production », *Fortune*, 1991.

36. NADEAU, J.B., « Les fruits de l'innovation », *Commerce*, février 1991, p. 18-28.

37. NADLER, G., « Let's Look at Design Processes and Their Results », *Industrial Engineer*, juillet 1989, p. 44-47.

38. NOËL, A., « Les entreprises québécoises face à la mondialisation : la voie des alliances », *Gestion*, septembre 1990.

39. NOORI, H., « Economies of Integration : A New Manufacturing Focus », *Int. Journal Technology Management*, vol. 5, n^o 5, 1990.

40. ORGANISATION DE COOPÉRATION ET DE DÉVELOPPEMENT ÉCONOMIQUES (OCDE), *La technologie dans un monde en évolution*, Paris, Service des publications de l'OCDE, 1991.

41. PORTER, M.E., *L'avantage concurrentiel : comment devancer ses concurrents et maintenir son avance*, Paris, Inter-Édition, 1986.

42. PORTER, M.E. et V.E. MILLAR, « Pour battre vos concurrents, maîtrisez mieux l'information », *Harvard-L'Expansion*, printemps 1986, p. 6.

43. REDDINGTON, G.J., « Using Technology in the Catalogue Business », *Business Quarterly*, printemps 1991, p. 87-91.

44. RUMMEL, P.A. et T.E. HOLLAND Jr., « Human Factors are Crucial Component of CIM System Success », *Industrial Engineer*, avril 1988, p. 36-42.

45. RUSH, H. et J. BESSANT, « Revolution in Three-Quarter Time : Lessons from the Diffusion of Advanced Manufacturing Technologies », *Technology Analysis & Strategic Management*, vol. 4, n° 1, 1992, p. 3-19.

46. RUSSEL, W.R., « Total Process Management », *Industrial Engineering*, mai 1991, p. 28-32.

47. SASAKI, N., « The Market Oriented Production Systems of Japanese Companies », *IJQRM*, vol. 7, n° 1, 1989, p. 14-20.

48. SASSER, W.E. et D.C. RIKERT, *McDonald's*, cas n° 9-681-044, Boston, Harvard Business School, 1991.

49. SCHMENNER, R.W., « How Can Businesses Survive and Prosper ? », *Sloan Management Review*, printemps 1986, p. 25.

50. SOHAL, A., D. SAMSON et P. WEILL, *Manufacturing Strategy and Technology Strategy*, cahier de recherche n° 17, Université de Melbourne, septembre 1990.

51. STEWART, T.A., « A New Way to Wake Up a Giant », *Fortune*, 22 octobre 1990.

52. TARONDEAU, J.-C., *Produits et technologies : choix politiques de l'entreprise industrielle*, Paris, Dalloz, 1982.

53. TAYLOR III, A. *et al.*, « Why Toyota Keeps Getting Better and Better », *Fortune*, 19 novembre 1990.

54. TOULOUSE, J.M. et R.A. BLAIS, *Les leçons de la réussite : 20 cas de PME technologiques à succès au Québec*, 1990.

55. TURCOTTE, A., Comité sectoriel d'adaptation de la main-d'œuvre, Industrie du meuble et des articles d'ameublement, bilan situationnel, monographie, mars 1990.

56. UMAN, D., *Management of New Products*, 4e éd., Booz, Allen & Hamilton Inc., 1964, p. 67.

57. UTTERBACK, J.M. et W.J. ABERNATHY, « A Dynamic Model of Process and Product Innovation », *Omega*, vol. 3, n° 6, 1975.

58. WELTER, T.R., « Product Design Is About Possibilities », *Industry Week*, 17 juin 1991, p. 39-62.

59. WOODRUFF, D. *et al.*, « Saturn GM Finally Has a Winner. But Success Is Bringing a Fresh Bath of Problems », Business Week, 17 août 1992, p. 85-91.

CHAPITRE 5

# La gestion de la technologie

ISABELLE DESCHAMPS *auteure principale*
JEAN NOLLET *collaborateur*

# LA TECHNOLOGIE : UN TOUR D'HORIZON

## 5.1 Quelques définitions et types de technologies

La technologie comporte de multiples facettes. D'ailleurs plusieurs experts de diverses disciplines se sont penchés sur sa définition.

De nombreux économistes définissent la technologie comme un objet tangible et utile, situé au confluent de divers sources et types de connaissances. Elle est définie comme :

- un mélange de savoir-faire scientifique, issu de la pratique ;
- un ensemble de moyens codifiés et reproductibles de faire les choses, tirés de principes rationnels[19].

Pour les spécialistes de la gestion, la technologie est matérialisée sous la forme d'un système d'éléments et d'activités interreliés[34]. Ce système est vital puisque « toute activité créatrice de valeur utilise une technologie pour combiner les moyens de production achetés et des ressources humaines afin de fabriquer un produit »[84].

L'approche systémique privilégiée dans cet ouvrage cadre parfaitement avec les visions de la technologie suggérées plus haut. La technologie ne se limite pas à l'équipement : elle comporte à la fois un ensemble de méthodes, de processus, d'équipements et même d'approches utilisés pour fournir un service ou produire un bien. La figure 5.1 montre les différents types de technologies et leurs domaines d'application.

1. Les **technologies appliquées aux produits** : un nouveau matériau composite, léger et résistant, le *Duralcan*, a été mis au point en 1990. Il est déjà employé dans la fabrication de produits industriels et on compte l'utiliser dans d'autres applications, telles les bicyclettes[110].
2. Les **technologies appliquées aux processus** : l'implantation d'une cellule de fabrication automatisée à la division DMS-100 de Northern Telecom a permis de réduire de 82 % la quantité de stocks de produits en cours[98].
3. Les **technologies appliquées aux systèmes d'information et de communication** : les systèmes d'échange électronique de données entre IBM et ses fournisseurs ont aidé à réduire le temps de conception d'un nouveau modèle de micro-ordinateur à moins de 13 mois[26].
4. Les **technologies appliquées aux systèmes de gestion et de contrôle** (ou systèmes de pilotage) : le fabricant d'ordinateurs IBM et l'entreprise de transport aérien American Airlines ont uni leurs efforts pour automatiser le système de planification des sièges chez Aéroflot, un transporteur soviétique[109].

La technologie a tellement de ramifications dans l'entreprise, et surtout dans son système opérationnel, qu'il est difficile de la définir précisément et de la gérer efficacement. Malheureusement, le terme « technologie » est trop souvent associé à quelque chose qu'il vaut mieux laisser à des spécialistes[93]. Pourtant, la technologie est présente sous de multiples formes, qui sont loin d'être techniques ou difficiles d'accès pour le gestionnaire. Bien entendu, les responsabilités du gestionnaire des opérations l'amènent à s'intéresser tout particulièrement aux technologies de processus (équipement, outils, procédures) et de pilotage (gestion de

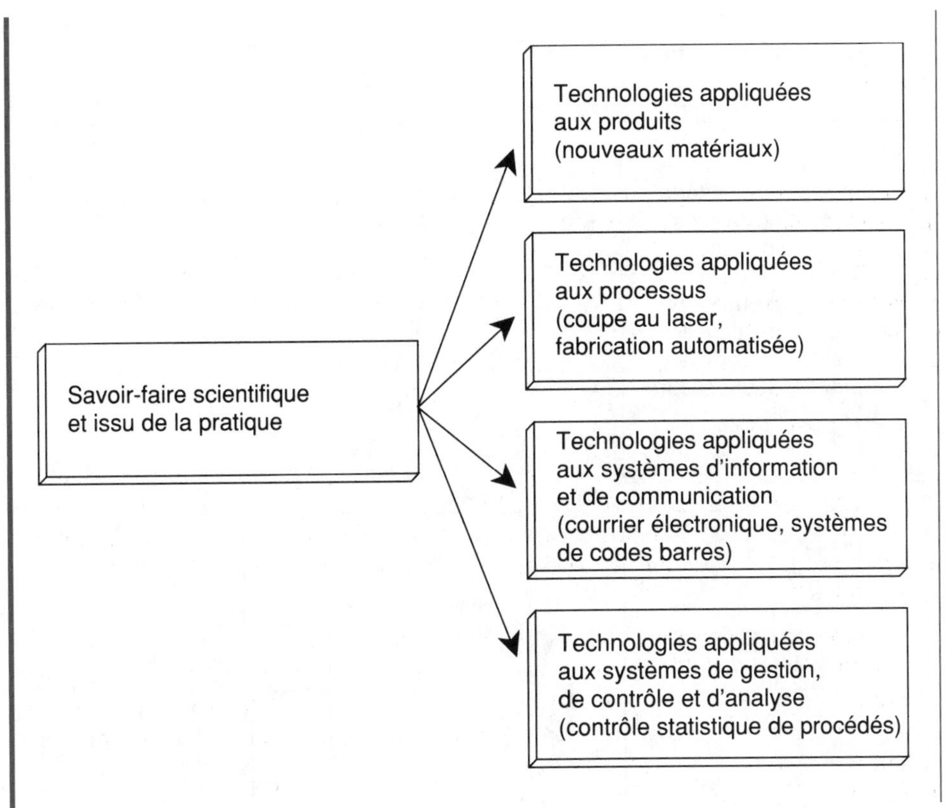


**FIGURE 5.1**
**Les types de technologies et leurs applications**

la qualité, planification et contrôle de la production, entretien). Toutefois, il est concerné par les choix des produits et il doit veiller à la mise en place d'un système d'information qui soutient les activités opérationnelles et de pilotage. Il lui incombe donc, avec ses collègues des autres fonctions, de veiller à une saine gestion de tous les types de technologies présents dans l'entreprise. C'est dans cette perspective d'ouverture et cet esprit de collaboration que les gestionnaires ont avantage à envisager toute nouvelle technologie.

## 5.2 Le degré de technicité de l'industrie

On ne peut définir exactement le champ de connaissances technologiques ou les habiletés en gestion qu'un responsable des opérations doit posséder pour maîtriser la technologie et en aborder la gestion. Ces aspects sont intimement reliés à l'industrie, en particulier aux caractéristiques de l'environnement économique du secteur. Comme l'illustre la figure 5.2, plusieurs éléments dans l'environnement de l'entreprise peuvent servir d'indices de l'importance de la technologie et de la nature des changements technologiques que doit tenter de gérer le responsable des opérations. Ensemble, ces éléments signalent ce qu'on appelle le **degré de technicité de l'industrie**. Ce degré de technicité augmente lorsque les éléments suivants varient, soit individuellement ou conjointement.

▼ **FIGURE 5.2**
**Le degré de technicité de l'industrie : sources et effets**

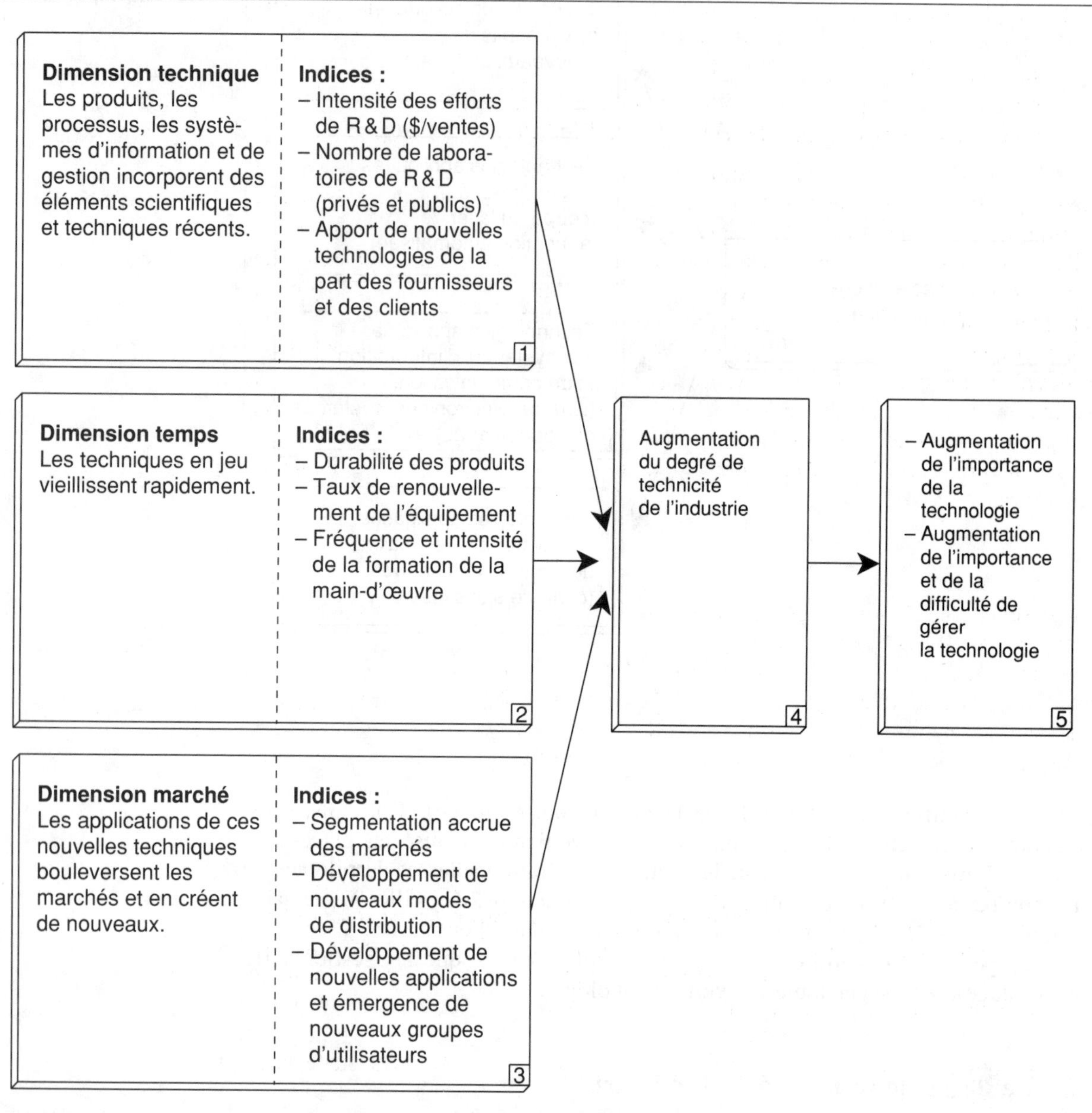


1. La **dimension technique** : les produits incorporent des éléments scientifiques et techniques récents (case 1) : les indices de cette dimension sont l'intensité des efforts de R&D, le nombre de laboratoires de R&D, l'apport externe de nouvelles technologies de la part des fournisseurs ou des clients de l'entreprise.
2. La **dimension temps** : les techniques en jeu vieillissent rapidement (case 2) : on mesure cette dimension par le cycle de vie des produits, la fré-

quence de renouvellement de l'équipement et la formation de la main-d'œuvre.

3. La **dimension marché** : les applications de ces techniques bouleversent les marchés et en créent de nouveaux (case 3) : plus les marchés deviennent segmentés ou que les canaux de distribution se multiplient ou se modernisent ou que les groupes d'utilisateurs se diversifient, plus cette dimension est marquée et plus le degré de technicité de l'industrie augmente.

En somme, plus ces trois dimensions sont présentes à des degrés élevés plutôt que faibles, plus le degré de technicité de l'industrie est élevé, et plus la gestion de la technologie est importante et difficile. Aujourd'hui, bien peu d'industries, même expérimentées, comportent un faible niveau de technicité. Les bouleversements en matière d'électronique, de micro-informatique, de communication multimédias, de nouveaux matériaux et de biotechnologies font en sorte que pratiquement toutes les entreprises pourraient se classer à titre d'industrie où le degré de technicité est élevé, soit des industries de « haute technologie ». En particulier, toutes les industries caractérisées par des produits et des processus complexes utilisant de nombreux matériaux (par exemple, l'automobile) doivent passer maître dans l'art de fusionner de multiples technologies et domaines scientifiques[60].

## 5.3 Les innovations technologiques

La présence de la technologie se manifeste directement, surtout lorsqu'on doit la changer. En effet, ce n'est souvent qu'au moment d'introduire un changement ou une innovation technologique qu'on peut se rendre compte de la présence et du rôle important des technologies. Les innovations technologiques n'ont toutefois pas toutes la même importance ni les mêmes conséquences. La prise en considération du type d'innovation technologique est utile au gestionnaire des opérations, car elle lui permet de prévoir (et donc de gérer) l'incidence des changements technologiques auxquels il participe. Si on compare diverses innovations technologiques, on note des différences de deux ordres :

- Nature des connaissances : s'agit-il de nouvelles connaissances scientifiques sur le comportement chimique ou électromagnétique des matériaux (par exemple, les matériaux composites utilisés dans les micro-ordinateurs) ? S'agit-il de la connaissance de marchés étrangers ou nouveaux dont les besoins sont à peine émergents et peu connus (par exemple, le marché des produits écologiques) ? S'agit-il de nouveaux savoir-faire en gestion de la production (par exemple, les systèmes de fabrication flexibles ou le juste-à-temps) ?
- Nature et ampleur des effets escomptés[63, 67] : les effets seront-ils internes ou externes à l'entreprise ? Financiers, concurrentiels ou humains ? Toucheront-ils seulement une partie de l'entreprise (par exemple, les robots sur une chaîne de montage) ou l'organisation entière (par exemple, le courrier électronique) ? Ces effets seront-ils positifs ou négatifs ? À court ou à long terme ?

Pour les gestionnaires, classer chacun des changements ou innovations technologiques selon leur nouveauté et leurs effets n'est pas chose facile. Souvent, une même innovation technologique peut avoir de multiples conséquences opérationnelles, humaines et financières, par exemple en réduisant le temps ou le nombre d'opérations, en simplifiant la tâche de l'opérateur et en diminuant les coûts de fabrication. Afin de faciliter la tâche de ceux qui ont à planifier et à mettre en place les innovations technologiques, plusieurs experts ont élaboré des **outils de classification**.

- L'innovation technologique peut être classée selon qu'elle fait partie de l'une ou de plusieurs des catégories suivantes : 1. introduction de nouveaux biens ; 2. de nouvelles méthodes de production ; 3. de nouveaux débouchés ; 4. de nouvelles matières premières ; 5. de nouvelles organisations[92]. Par exemple, un modèle de voiture sport constitue un nouveau bien (catégorie 1) et de nouveaux débouchés (catégorie 3), mais n'exige pas nécessairement de nouvelles méthodes de production, de nouvelles matières premières ou de nouvelles organisations. Par contre, l'avènement de l'automobile électrique apporterait à la fois un nouveau bien, de nouvelles méthodes de production dues au design original, aux nouveaux matériaux et aux composants différents, de nouveaux débouchés, de nouvelles matières premières (en particulier pour la fabrication des batteries) ainsi que de nouvelles organisations (entre autres de nouveaux services d'entretien et de recharge des batteries).
- L'innovation technologique issue de nouvelles connaissances scientifiques et techniques peut être classée selon qu'elle touche les composants, les appareils, les procédés, les systèmes ou les ressources[18]. Cette classification fait appel au degré de sophistication et de complexification des éléments touchés par le changement technologique : du plus élémentaire ou primaire (ressources naturelles) au plus avancé (systèmes ou produits complexes tels qu'une automobile ou un satellite).

# LA GESTION DE LA TECHNOLOGIE

## 5.4 L'importance de la technologie et de l'apprentissage de sa gestion

Dans notre société, la technologie est souvent perçue comme une salvatrice d'industries ou même de nations, ou comme une pécheresse qui conduit à des catastrophes écologiques. La plupart des gens sont prêts à admettre que leur existence serait complètement bouleversée sans la technologie actuelle. Des experts[22, 37, 96] soutiennent que ce sont les nouvelles technologies ainsi que la façon de les gérer qui contribuent le plus à hausser la productivité, la compétitivité et la qualité de vie. En contrepartie, il est reconnu que le retard technologique de certaines industries « matures » ou de certains pays moins développés contribue à accentuer la menace de leur disparition ou de la dégradation de leur bien-être[4]. Malheureusement, nombre d'entreprises en sont affectées, par exemple les entreprises québécoises des secteurs du meuble, du textile, de la transformation de produits métalliques, etc.[7, 48, 72, 77, 101]. La course technologique se fait à l'échelle mondiale, et il semble que les entreprises nord-américaines soient en perte de vitesse en matière de développement et d'application des nouvelles technologies par rapport aux entreprises membres des deux autres pôles centraux de l'économie, soit le Japon et les pays asiatiques d'une part, ainsi que la Communauté européenne d'autre part[23, 38, 80, 84, 87, 100].

En premier lieu, **la technologie améliore la productivité**. Nous n'avons qu'à penser à la CFAO (conception et fabrication assistées par ordinateur), qui accroît souvent de plus de 100 % la productivité. De même, le central téléphonique numérique *DMS* de Northern Telecom n'utilisait, en 1985, que 7 % de l'espace requis 30 ans auparavant par un système électromécanique[15]. L'automobile constitue un autre exemple intéressant. Bien que le moteur à combustion interne soit demeuré relativement inchangé depuis le début du siècle, la révolution électronique améliore de plus en plus les instruments de commande du véhicule. En effet, qui, à part les collectionneurs, choisirait une automobile fabriquée en 1950 plutôt qu'une voiture de l'année ? Enfin, dans la plupart des industries fabriquant et assemblant des produits aux multiples composantes, il est difficile de se passer des nouvelles technologies flexibles automatisées. Un recensement auprès d'utilisateurs indique, en moyenne, des gains de 32 % en taux d'utilisation de l'équipement, de 38 % en réduction des produits en cours et une hausse de la productivité de la main-d'œuvre de 40 %[95].

De plus, **la technologie est un facteur central de compétitivité**. La succession de révolutions technologiques que traversent les industries est à la fois source de menaces et de possibilités concurrentielles. Les consommateurs bénéficient de prix plus bas et de produits nouveaux ou améliorés grâce aux nouvelles technologies. Il est cependant essentiel que cette mutation soit gérée plutôt que subie. Il faut que les gestionnaires s'approprient la technologie et en défendent l'accès à leurs concurrents s'ils veulent en faire un instrument de compétitivité. Par exemple, la rapidité avec laquelle l'entreprise pharmaceutique Eli Lily a su mettre au point, fabriquer et commercialiser l'insuline humaine en remplacement de l'insuline animale lui a permis de battre ses concurrents américains et européens. Cette avance a été permise grâce à une combinaison gagnante de connaissances et de savoir-faire en biotechnologie[36].

En outre, **la technologie est un gage de qualité de vie**, et ce autant pour les travailleurs de l'entreprise qui la côtoient quotidiennement que pour le tissu social environnant. Les choix technologiques influent sur les activités de conception des produits et des processus, comme on l'a vu au chapitre précédent. De ce fait, ils touchent : 1. la nature et la quantité de ressources renouvelables ou non renouvelables qui seront investies, 2. la sorte et le degré de pollution du sol, de l'air et de l'eau qui seront engendrés au cours de l'opération du processus, ainsi que 3. la nature des produits qui seront fabriqués en matière de récupération et de recyclabilité. Par exemple, les procédés de décapage de la peinture, de fusion du métal et de contrôle de la qualité en continu permettent maintenant de recycler les cannettes d'aluminium tout en réduisant les pertes lors de la refonte. Cela permet d'économiser substantiellement puisque la fabrication d'une cannette en aluminium à partir d'un matériau recyclé coûte de 100 à 200 fois moins cher, principalement à cause de l'élimination des procédés d'extraction qui sont très énergivores[3].

Pour toutes les raisons évoquées, la technologie doit être un des centres de préoccupation du gestionnaire des opérations. Il incombe au responsable de la GOP de participer aux décisions d'ordre technologique qui sont susceptibles d'influer sur les choix en cette matière, sur la performance économique de l'entreprise et sur la capacité de l'entreprise à réconcilier des objectifs économiques, écologiques et concurrentiels. Par exemple, le concept de bureau à « zéro déchet », mis en application par l'entreprise Bell Canada à l'intérieur de son siège social, contribue non seulement à épargner des milliers de dollars en achats et en mise au rebut de papiers, mais aussi à participer au développement durable[111].

La prise en charge de la gestion de la technologie élargit et modifie le champ de référence du gestionnaire des opérations, qui se cantonne trop souvent à tort dans des activités à courte vue dont la manifestation est certaine. Au contraire, la technologie ou la révolution technologique « correspond à une plus grande ouverture des dirigeants d'entreprises envers la technologie de pointe [...] et ses applications à l'entreprise [...]. [Elle] met les dirigeants et les employés dans une situation ayant des traits communs importants : incertitude, nouvelles technologies, compétition croissante »[76]. En fait, le dynamisme de l'environnement technologique se combine souvent à la turbulence et à l'incertitude des besoins du marché et de la concurrence pour créer une pression très forte pour l'adoption de principes d'une gestion des opérations qui soit dynamique[32, 50]. Il n'est plus possible de « programmer » les activités opérationnelles et de considérer les objectifs organisationnels, les techniques de production, l'environnement de l'entreprise et les facteurs de production comme étant stables, connus, homogènes et uniformes. Cette nouvelle approche pénètre les jeunes entreprises comme les anciennes, les petites comme les grandes, dans les secteurs de pointe comme dans les secteurs plus traditionnels.

Étant donné l'ampleur des éléments à considérer et le degré d'incertitude élevé associé à ces multiples éléments, la gestion de la technologie n'est pas une entreprise où l'on réussit à tout coup, du premier coup. L'apprentissage de la gestion de la technologie se fait lentement, souvent à la suite d'une série d'essais et d'erreurs, comme il a été mentionné dans le chapitre précédent. Cet apprentissage de la gestion de la technologie demande non seulement de bien maîtriser des principes de gestion établis, mais également de cheminer en matière d'apprentissage des technologies. Nombre d'experts en gestion[34, 73, 84] insistent pour que les gestionnaires améliorent leur apprentissage des technologies eux-mêmes, ce qui implique la maîtrise de disciplines scientifiques et de techniques (par exemple, l'électrométallurgie, le soudage au gaz).

En particulier, le gestionnaire des opérations doit être familier avec le processus de transformation des matières premières en produits finis, sans être obligé de saisir la transformation dans ses moindres détails. Par contre, sa connaissance des facteurs clés propres aux opérations principales du processus est essentielle. Il doit être en mesure de répondre à des questions telles : Qu'est-ce qui fait qu'une étape du processus est efficiente ? Où y a-t-il des stocks importants de produits en cours et pourquoi ? Quel effet aura l'utilisation du type de technologie actuel plutôt que celle d'un autre type proposé par un fournisseur ? Puisque ces questions correspondent à des aspects de gestion essentiels, le gestionnaire, pour y répondre adéquatement, doit nécessairement en comprendre la base, c'est-à-dire le système opérationnel et la technologie qui lui est sous-jacente. Voyons un exemple pour illustrer ces propos.

**Exemple**

Dans une entreprise de fabrication de meubles en bois, l'approvisionnement devra comporter différentes qualités de bois pour différents types et styles de meubles. Par exemple, il ne sert à rien d'utiliser du chêne lorsque du bois fait de particules pressées ferait tout autant l'affaire. Par ailleurs, le pourcentage d'humidité du bois traité doit être maintenu entre 10 % et 15 % afin d'éviter le gondolement du bois lors des étapes ultérieures et même après la vente aux clients. Les principales étapes de transformation sont le séchage, le débitage, la coupe exacte, l'assemblage et la teinture. L'étape cruciale est celle du débitage car c'est à ce moment que se détermine le pourcentage de perte. La technologie utilisée consiste souvent en machines dont certaines sont encore peu sophistiquées. C'est surtout une main-d'œuvre non spécialisée qui manœuvre ces machines.

La détermination des caractéristiques des extrants et des intrants de même que la compréhension générale des étapes du processus et de leurs caractéristiques peuvent requérir moins d'un mois d'apprentissage pour l'exemple précédent. Après avoir étudié le processus en détail, le gestionnaire peut logiquement en déterminer les étapes clés et les particularités sur le plan de la technologie, notamment les méthodes et le savoir-faire requis.

La familiarisation avec une technologie se fait donc par étapes. L'important n'est pas de tout maîtriser, mais de progresser en matière de compréhension des technologies et de leurs applications. Au tableau 5.1, on voit que **le processus**

**Tableau 5.1**

**Le processus d'apprentissage de la technologie**

| Stades d'apprentissage | Types de connaissances technologiques qui s'améliorent |
|---|---|
| 1 | Reconnaissance d'un prototype (ce qui est un bon produit ou un bon processus) |
| 2 | Reconnaissance des attributs à l'intérieur du processus (habiletés à déterminer les conditions idéales d'opération) |
| 3 | Discrimination parmi les attributs (pour les plus importants ; reconnaissance des tendances ; les experts diffèrent parfois d'opinion) |
| 4 | Mesure des attributs (pour les plus importants ; la mesure est quantitative ou qualitative) |
| 5 | Contrôle local d'attributs (la performance peut être répétée ; les processus sont conçus par des experts non scientifiques) |
| 6 | Reconnaissance et discrimination parmi les contingences et leur effet sur la performance (le processus peut être mécanisé et contrôlé manuellement) |
| 7 | Contrôle des contingences (le processus est automatisé) |
| 8 | Connaissance complète de l'ensemble des paramètres et des procédures (le processus est entièrement connu ; il est entièrement programmé, opéré et même corrigé par des automates) |

**Source :** Adaptation d'un tableau de Leonard-Barton[63].

**d'apprentissage est étapiste** et que plus le stade d'apprentissage est avancé, plus le gestionnaire est en mesure de maîtriser les produits, les processus et les systèmes, c'est-à-dire d'instaurer des mécanismes (informatisés ou non) qui permettent d'établir des façons de procéder et de les faire respecter[63].

Par exemple, aux stades les plus élémentaires du processus d'apprentissage (n$^{os}$ 1 et 2), on peut **reconnaître** ce qui est un bon produit ou un bon processus en l'observant ou en mesurant sa performance globale (par exemple, l'imprimante au laser imprime quatre feuilles à la minute). Lentement, on peut **distinguer** les composantes du produit–processus qui lui confèrent cette performance (stade n$^{o}$ 3).

Ensuite, lorsqu'on atteint des stades intermédiaires d'apprentissage (n$^{os}$ 4 et 5), on commence à établir, à mesurer et à **contrôler** les paramètres clés, quoique souvent partiellement.

Enfin, quand l'apprentissage est aux stades avancés (n$^{os}$ 6 à 8), le gestionnaire est au fait de tous les paramètres influençant l'habileté (actuelle ou future) de son système opérationnel à répondre aux priorités concurrentielles (tableau 4.8). Il peut alors mieux définir les lacunes de ce système et, de ce fait, **agir** de façon très proactive pour en corriger les erreurs. Le processus de fabrication est alors complètement automatisé et guidé par des systèmes experts.

Malheureusement, peu de gestionnaires des opérations s'intéressent actuellement à la technologie et sont motivés à progresser dans ce domaine. Une étude[93] révèle que les gestionnaires moins performants ont certains points communs : ils ne possèdent pas à un degré suffisant la connaissance, l'habileté et la confiance en soi nécessaires pour gérer efficacement la technologie, trois qualités à rechercher simultanément dans une certaine proportion. Il est certain qu'on ne peut s'attendre à ce que tous les cadres possèdent l'ensemble de ces qualités, d'autant que de nombreuses qualités et connaissances sont théoriquement requises pour assurer une bonne gestion de la technologie. Bien sûr, le gestionnaire des opérations n'est ni ingénieur, ni économiste, ni analyste du marché. Toutefois, il devrait participer, même s'il agit à titre d'observateur, à la plupart des activités de gestion de la technologie. En particulier, en matière de mise à jour et d'évaluation des avoirs technologiques, le gestionnaire des opérations doit prendre une part directe et très active aux activités. Qui de mieux que lui est instruit des composantes actuelles des systèmes opérationnels (matières premières, processus, produits) ainsi que de leurs forces ou de leurs faiblesses ? Des exemples d'informations à colliger et à analyser afin de contribuer à l'élaboration de plans de développement technologique sont : Quels sont les procédés de fabrication utilisés dans les différentes usines de l'entreprise ? Quelles améliorations locales peut-on transférer à l'ensemble des unités ? Que font les concurrents en matière de nouveaux processus ? Quels sont les développements en cours en matière d'informatisation : coût d'achat, capacité de traitement de l'information, compatibilité avec les opérations en place ? Comment se compare la performance des unités opérationnelles et des produits ou des services par rapport à celle de la concurrence (*benchmarking*) ? Doit-on améliorer la qualité ou la finition du produit, la rapidité de livraison ?

Une telle vision de l'apport du gestionnaire au développement technologique est relativement nouvelle. Elle demande que soit élargi le champ de compétences et de connaissances du gestionnaire des opérations, comme nous le verrons à la prochaine section.

## 5.5 Le rôle du gestionnaire des opérations et les étapes du processus d'innovation technologique

Les gestionnaires doivent chercher à gérer la technologie plutôt qu'à simplement l'utiliser. La gestion de la technologie constitue un défi parce qu'elle nécessite une recherche d'équilibre entre les aspects humain, stratégique et technique.

Dans leur article désormais célèbre intitulé « Managing our Way to Economic Decline », Hayes et Abernathy[49] prétendent que les gestionnaires n'ont pas adopté une vue à assez long terme de la technologie, ce qui a engendré une baisse significative de la compétitivité américaine. Notons que l'arbitrage court terme – long terme revient à maintes reprises dans ce volume : le point d'équilibre entre les deux est difficile à déterminer et comporte de nombreux risques. Par ailleurs, cet équilibre est d'autant plus difficile à évaluer si les gestionnaires ne possèdent pas à un degré suffisant des connaissances technologiques. Faut-il se surprendre alors des choix à court terme effectués sur la seule base de critères financiers, plutôt que des choix à long terme où le rendement financier ne représente qu'un facteur considéré parmi plusieurs autres ? Une étude effectuée par Sohal et ses associés[94] confirme que les techniques financières sont encore très populaires et que ces « tests » financiers sont beaucoup plus importants que ceux de nature concurrentielle : 80 % des entreprises interrogées utilisaient la méthode des flux financiers et de la période de récupération ; seulement 5 % des mêmes répondants avaient introduit des technologies qui n'avaient pas « passé » ces tests financiers. Le gestionnaire des opérations doit s'inquiéter de telles tendances, car il demeure le premier responsable de ces projets d'adoption de nouvelles technologies : dans l'étude citée, par exemple, 35 % des projets étaient sous la responsabilité unique de gestionnaires de la production, 18 % relevaient de l'ingénierie et 34 % de plus d'un groupe fonctionnel.

L'aversion de certains gestionnaires pour tout ce qui est technique peut se transformer en aversion technologique. On craint ce qu'on ne connaît pas. Il vaut la peine, pour tout gestionnaire, de se familiariser avec les technologies employées dans son milieu de travail, même si cet effort demande un investissement de temps parfois appréciable. Il en retirera une plus grande confiance en soi, une meilleure habileté à gérer la technologie, une bonne connaissance et une facilité de communication, qui constituent des avantages certains. Cependant, pour y arriver, il devra lutter contre certains mythes, à savoir[93] : qu'il est préférable de confier tous les aspects techniques à des ingénieurs ou à d'autres experts en la matière ; que plusieurs années d'apprentissage sont nécessaires ; que seuls les ingénieurs sont compétents ; qu'il est préférable de garder ses distances vis-à-vis d'eux ; qu'un bon gestionnaire ne doit pas s'attarder aux détails. Chacun de ces arguments suffit à justifier une aversion technologique ; regroupés, ils semblent indestructibles. Pourtant, il suffit d'un peu de volonté et de logique pour les écarter l'un après l'autre.

Parmi les dangers qui guettent le gestionnaire non familier avec les technologies, mentionnons l'antithèse de l'aversion, soit l'engouement à outrance pour toute nouvelle technologie. Des études récentes menées auprès de PME québécoises[44] incitent à croire que des technologies manufacturières avancées sont souvent acquises sur un coup de tête, qu'on regrette parfois plus tard. Pour cette raison, toute innovation technologique doit être abordée avec discernement : ni trop d'aversion, ni trop de passion.

En conclusion, le gestionnaire des opérations a un rôle capital à jouer pour faire avancer l'entreprise en matière d'innovation technologique et de maîtrise des technologies en place. Sa contribution est importante, ne serait-ce que pour contrebalancer l'apport des experts et des spécialistes « techniques » qui sont actifs dans le processus d'innovation technologique. Muni d'une vision systémique et stratégique ainsi que d'une connaissance du système opérationnel de l'entreprise, le gestionnaire peut aider au développement de technologies qui sont bien intégrées aux activités de la firme. Pour ce faire, il doit cependant participer à l'ensemble des activités qui mènent de l'idée à l'implantation de la technologie.

Les étapes du processus d'innovation et de gestion de l'innovation sont nombreuses, comme l'illustre la figure 5.3. On y voit que le processus menant de la planification à la mise en place d'une technologie nouvelle ou améliorée se compose d'étapes reliées. Aux fins de simplification, ces activités ont été séparées dans des cases mais, en fait, il est souvent difficile d'isoler les étapes puisqu'elles sont effectuées simultanément et par les mêmes personnes. La décomposition de ce processus en trois grandes composantes : **éléments précurseurs** internes et externes, **activités stratégiques** et **activités opérationnelles**, en facilite néanmoins la compréhension et l'analyse[32].

L'analyse des **éléments précurseurs** au processus d'innovation technologique fait écho au propos ci-dessus à l'égard des nombreux facteurs dans l'environnement de l'entreprise qui déterminent ses choix technologiques. Ces éléments précurseurs sont de nature diverse. Il s'agit : des **avoirs technologiques** de l'entreprise ou dans l'industrie (case 9) ; de la **stratégie** actuelle de l'entreprise et de sa **position concurrentielle** (case 10) ; des **événements récents** (politiques, sociaux, économiques, écologiques) dans l'environnement de l'entreprise (case 13) ; des **découvertes scientifiques et techniques** issues hors de l'industrie (case 12) ; de la **perception**, par les gestionnaires, des facteurs énumérés ci-dessus (cases 9, 10, 12, 13) et de leur jugement personnel quant à la position technologique de l'entreprise et au besoin d'innovation de celle-ci (case 11).

L'ensemble de ces facteurs précurseurs interreliés joue un rôle majeur dans le processus d'innovation, car ils dictent le moment de son déclenchement et la vitesse de son déroulement. Ainsi, des éléments précurseurs favorables conduiront à plus d'innovations, déclenchées souvent prématurément et dont le déroulement est accéléré ; en revanche, des éléments précurseurs défavorables retarderont ou même annihileront dès le départ les efforts de démarrage du processus d'innovation.

En général, les éléments précurseurs ne sont pas analysés de façon « bipolaire » telle que : position d'avantage ou de retard concurrentiel, croissance du marché forte ou faible, absence ou présence de percées technologiques. On procède plutôt à la construction de multiples scénarios[84] où les données probables, pessimistes ou optimistes, relatives aux éléments suivants sont analysées : taux de croissance des marchés, taux de diffusion des technologies, émergence de substituts, vitesse d'apprentissage des clients, nouvelles réglementations, arrivée de concurrents, etc.

La participation du gestionnaire des opérations à ces activités initiales est d'autant nécessaire que les exercices d'analyse des multiples éléments précurseurs et de construction de scénarios constituent la porte d'entrée des étapes ultérieures

▼ **FIGURE 5.3**
**Le processus d'innovation technologique et ses éléments précurseurs**

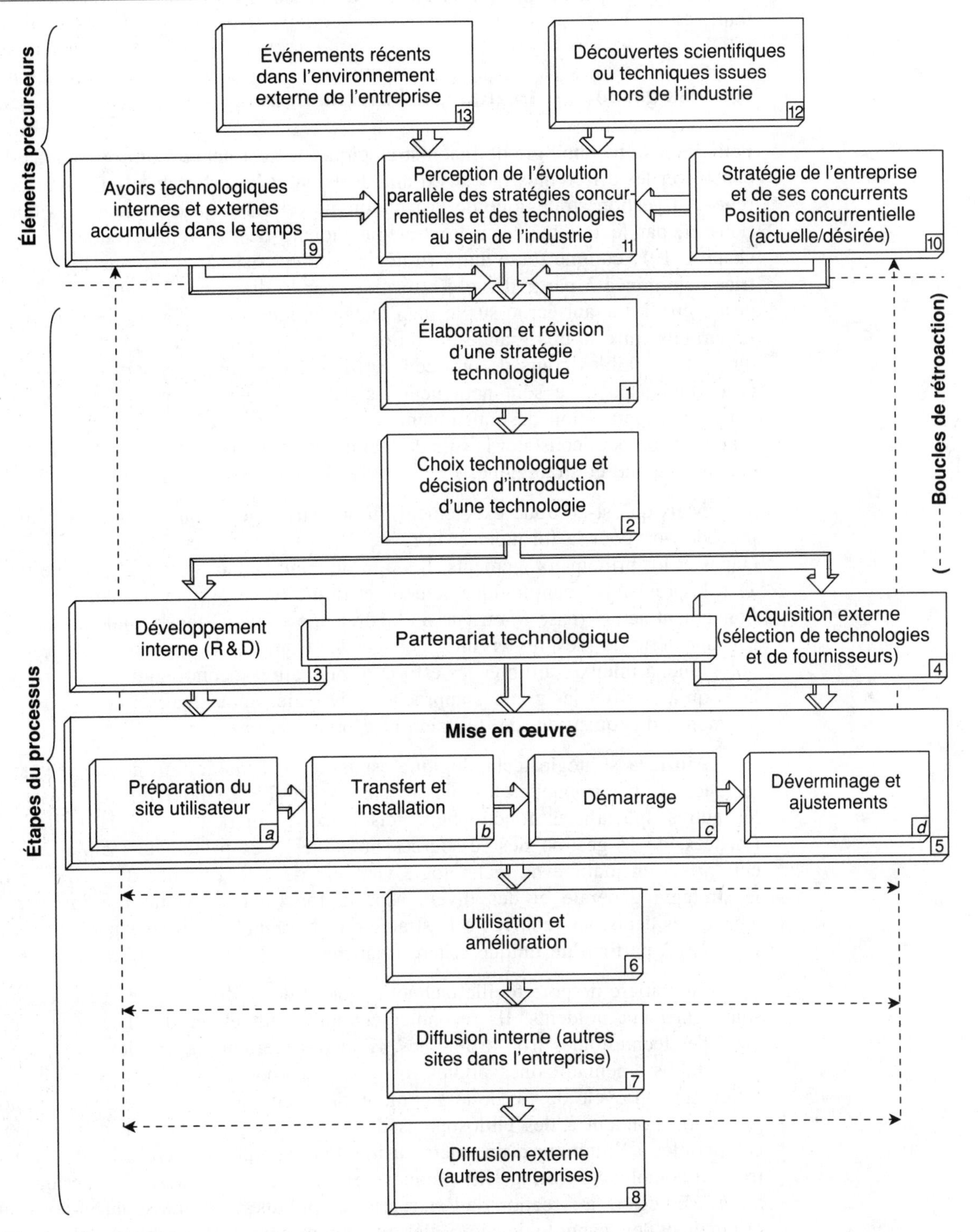


**Source :** Adaptation d'une figure de Deschamps et Diorio[32].

de formulation ou de révision de la stratégie technologique et de mise en place de cette stratégie, étapes au cours desquelles il sera plus concerné. Les volets stratégique et opérationnel de la gestion de la technologie seront abordés tour à tour.

## 5.6 La gestion stratégique de la technologie

Pour gérer la technologie de façon stratégique, le gestionnaire des opérations doit considérer les différentes facettes d'une décision et les arbitrages qui y sont inhérents. La gestion stratégique de la technologie est reliée à la stratégie des opérations et, par le fait même, à la stratégie globale de l'entreprise (sujet traité au chapitre 19) ; comme toute autre stratégie, elle consiste à suivre une ligne directrice déterminée à partir des objectifs fixés par la direction. Toute entreprise qui désire être à l'avant-garde sur le plan technologique doit effectuer des arbitrages importants entre la très grande flexibilité de ses processus, la fiabilité de ses produits et les faibles coûts de production. Malgré des contrôles serrés exercés sur ce dernier aspect, ce sont nettement les deux premiers points qui prédominent dans une organisation désirant obtenir ou conserver le leadership technologique. Ici encore on peut constater le rôle de premier plan qui doit être accordé à l'approche systémique et stratégique.

Mais qu'est-ce donc exactement qu'une stratégie technologique ? Comment procède-t-on pour la formuler et la réviser ? La figure 5.4 en propose les grandes étapes et les principaux éléments. Il s'agit de combiner la stratégie générale (case 1) et la prévision technologique actuelle et future (case 2) pour décider d'un positionnement actuel (case 3) en vue d'élaborer une stratégie technologique (case 4), soit une série de mesures visant à corriger les écarts, à augmenter l'avance technologique, à mieux équilibrer les efforts d'innovation technologique et les risques ainsi qu'à clarifier les grandes approches privilégiées pour réaliser ces désirs, soit les modes d'acquisition, de diffusion et d'organisation.

Ainsi, la stratégie technologique est issue de l'intégration de données stratégiques et opérationnelles fournies par le responsable de la GOP, mais aussi par les autres spécialistes fonctionnels, tels ceux du marketing, de la R&D, des finances, de la gestion des ressources humaines. Les principales faiblesses des entreprises en matière de technologie viennent de cette absence d'intégration de la stratégie générale et des divers aspects fonctionnels. Cette non-intégration amène des décisions relatives à la stratégie technologique qui sont parcellisées et justifiées à partir d'un unique critère financier.

En matière de portefeuille technologique et de sa diversité, les gestionnaires sont également prudents. Ils reconnaissent qu'il faut éviter d'utiliser conjointement des technologies trop différentes. L'un des meilleurs exemples à ce propos est l'établissement d'usines pilotes lorsque des produits se situent à des étapes différentes du cycle de vie de la gamme entière, ou encore lorsque des technologies correspondent à des philosophies de gestion de la fabrication difficilement compatibles à l'intérieur d'une même usine. Par exemple, General Motors a construit un complexe à Spring Hill (Tennessee) pour concevoir, tester et fabriquer la *Saturn*. En effet, la direction de l'entreprise a appliqué une philosophie de gestion originale et des technologies nouvelles, et ne considère pas possible de les intégrer dans ses centres de R&D ou ses usines existantes[106].

▼ FIGURE 5.4
**Les étapes de formulation et les éléments de la stratégie technologique**

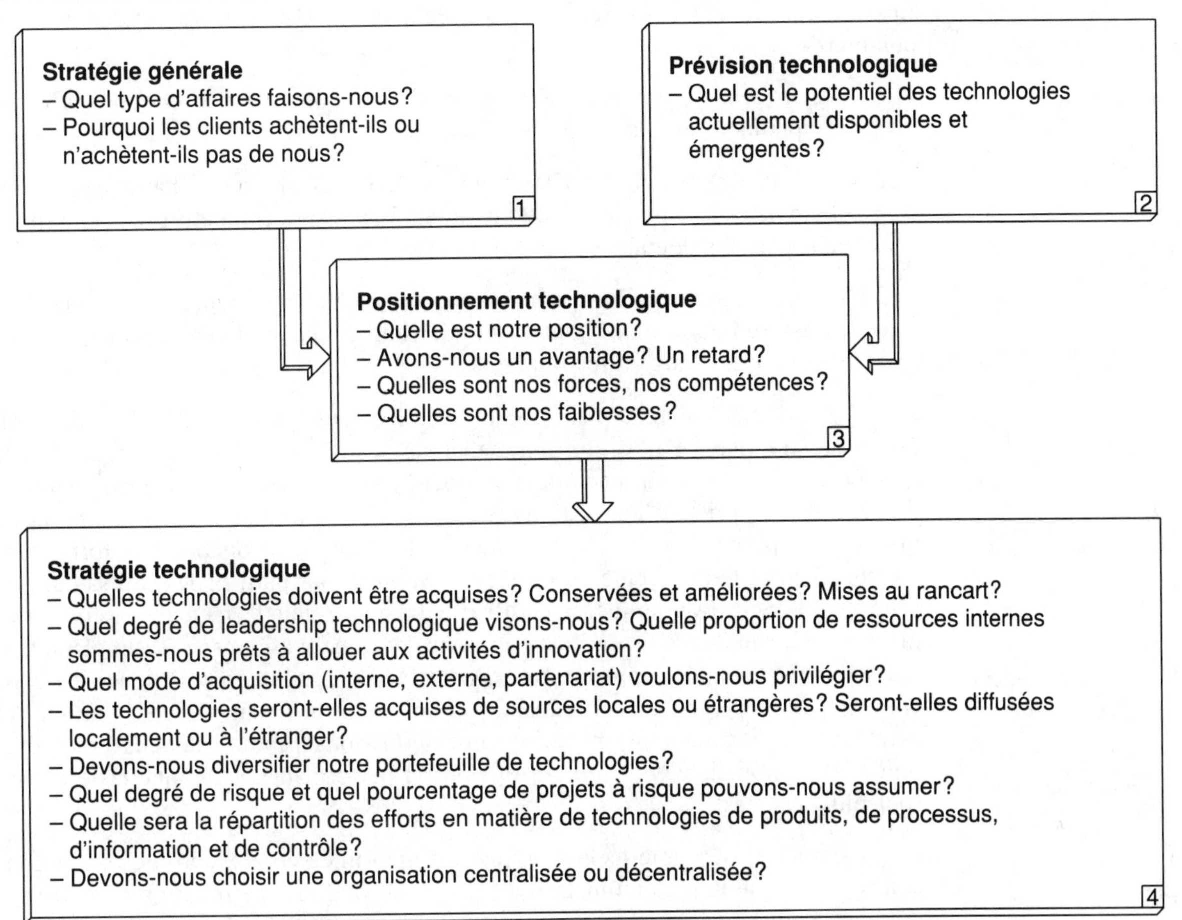


Les experts[84] sont d'avis que la stratégie technologique diffère selon l'orientation d'entrée sur le marché et le degré de leadership technologique recherché par l'entreprise. Par exemple, une société comme Hewlett-Packard, qui désire être la première à lancer de nouveaux produits, doit évidemment se tenir à la fine pointe du progrès dans le domaine de la recherche. Elle s'expose à de grands risques, mais avec la possibilité de rendements élevés. Par contre, une société telle que Texas Instruments, qui vise la minimisation des coûts, a besoin de fonds considérables pour élaborer des processus plus efficaces et plus automatisés.

En conclusion, toute stratégie n'a de signification que dans une prise de décision étapiste mais éclairée et systémique. À son tour, cette dernière n'a de sens que dans l'action. Il est cependant difficile de déterminer avec précision où se termine l'aspect stratégique et où commence l'aspect opérationnel de la gestion de la technologie.

## 5.7 La gestion opérationnelle de la technologie

Les entreprises qui exploitent bien la technologie ont trois caractéristiques en commun[43] :

1. les dirigeants sont depuis longtemps à l'emploi de ces entreprises et en comprennent bien les aspects techniques ;
2. les gestionnaires allouent les fonds destinés aux projets à partir de critères clairement définis, en vue de maintenir l'avantage compétitif de l'entreprise dans certains domaines ;
3. les gestionnaires utilisent sciemment l'approche systémique, c'est-à-dire qu'il y a un lien étroit entre la prise de décisions reliée au domaine technologique et celle reliée aux autres domaines.

Ces principes généraux coïncident avec les constatations faites dans de nombreuses entreprises. Par exemple, une étude réalisée par un des auteurs de ce volume confirme l'importance de l'approche systémique. L'analyse comparative de près de 40 projets d'innovations technologiques en matière de produits ou de processus a permis d'établir que la nature des liens interfonctionnels forts entre les chercheurs, les concepteurs de technologies d'une part, et les utilisateurs de cette technologie (Marketing et GOP) d'autre part, était le facteur le plus fortement associé au succès (ou à l'échec) du projet d'innovation, soit à l'implantation réussie[31]. Cette étude, appuyée par d'autres[63, 85], conclut que lorsque les liens entre les concepteurs, les producteurs et les vendeurs sont directs, continus et harmonieux, les projets d'innovation sont moins longs, moins coûteux et conduisent à des innovations technologiques dont la performance technique et le design sont plus avancés.

Lorsque la stratégie technologique est bien intégrée aux activités opérationnelles de chaque unité administrative, et que chaque groupe fonctionnel participe de façon coordonnée à l'élaboration et à la mise en œuvre de cette stratégie, les chances de succès du processus d'innovation technologique dans son ensemble (figure 5.3) augmentent considérablement. Au contraire, un déséquilibre des efforts d'élaboration, versus l'implantation des plans stratégiques, ainsi qu'un manque de coordination entre les intervenants à ces différentes étapes peuvent être très néfastes. En particulier, négliger les aspects opérationnels peut s'avérer fatal. Une trop grande insistance sur la formulation d'une stratégie technologique peut inciter les dirigeants à ne s'intéresser qu'aux étapes initiales du processus d'innovation (étapes 1 et 2 de la figure 5.3). La haute direction se dissocie alors des étapes de développement, d'acquisition et de mise en œuvre (étapes 3, 4 et 5 de la figure 5.3), qui sont au cœur même du processus d'innovation. Ce manque d'intérêt et d'encouragement peut contribuer à démotiver et à essouffler les personnes directement concernées par ce processus, tels les scientifiques, les ingénieurs, les concepteurs, les analystes de marché, les experts en formation et en recyclage du personnel, etc. La stratégie technologique dictée par la direction peut alors perdre sa force d'impulsion. Le projet encore embryonnaire peut avorter aux étapes 3 ou 4. Ou encore, une carence dans la gestion d'un aspect opérationnel peut créer une accélération indue de la mise en œuvre (étape 5) et provoquer l'implantation prématurée d'une technologie qui causera des problèmes aux étapes d'utilisation. Ces deux types de problèmes, l'abandon ou la mise en œuvre difficile, auront des répercussions néfastes à long terme sur la capacité et le désir des gestionnaires d'innover ou de participer au processus d'innovation technologique[32].

La gestion opérationnelle de la technologie s'effectue le plus souvent par projets ou programmes. Chacun de ces programmes voit à définir, à acquérir et à mettre en œuvre les technologies nécessaires à l'entreprise pour combler un besoin particulier, par exemple pour améliorer ou remplacer une gamme de produits ou un type de processus. On divisera alors les unités opérationnelles qui s'occupent de la gestion de la technologie en divisions par produits, par processus, par marchés visés, ou même par composantes principales des produits ; par exemple, dans l'industrie automobile, des groupes différents sont affectés au choix et au développement technologique pour les moteurs, la carrosserie, la suspension, etc. Chacune de ces unités gère les projets particuliers à son « domaine ». Toutefois, il faut également établir des mécanismes d'intégration des efforts individuels de ces unités opérationnelles si l'on veut mettre en place un système opérationnel et des produits en adéquation.

Chaque projet ou programme visant à améliorer ou à changer une technologie (ou un groupe de technologies) nécessite de passer par chacune des étapes indiquées dans les cases 2 à 8 de la figure 5.3. À chacune de ces étapes, le gestionnaire des opérations aura des décisions à prendre, en s'appuyant sur des informations et des outils d'aide à la décision. Nous aborderons certaines des décisions et suggérerons certains outils dans la prochaine section.

## 5.8 Les décisions et les outils d'aide à la décision en gestion de la technologie

La première analyse à effectuer à l'étape du **choix d'une nouvelle technologie** (case 2 de la figure 5.3) concerne la distinction entre un **choix majeur** et un **choix mineur**, comme le montre la figure 5.5.

- Dans le cas d'un **choix mineur**, il s'agit de technologies éprouvées qui constituent par le fait même un risque plus faible. Ces technologies sont souvent achetées clés en main et fournies par des fabricants qui en assurent l'installation, le démarrage et l'entretien. Les risques, minimes, sont de deux types : opérationnels (les machines ne fonctionnent pas, doivent être réglées, etc.) et humains (les opérateurs sont résistants à leur utilisation).
- Dans le cas d'un **choix intermédiaire**, la situation comporte un peu plus de nouveauté et de risques. L'entreprise ne connaît pas la technologie en cause, mais celle-ci est déjà utilisée dans quelques entreprises du secteur. Il y a possibilité d'acquérir de l'expérience de ces dernières. Toutefois, il n'y a pas toujours de technologie « standard » prête à utiliser. La technologie en utilisation chez les concurrents n'est pas nécessairement disponible sur le marché, puisqu'elle est développée à l'interne. Il faut alors faire des efforts supplémentaires pour adapter soi-même les technologies existantes. Cela entraîne, en plus des risques opérationnels et humains précités, des risques financiers et commerciaux, en raison des sommes d'argent investies et des

▼ **FIGURE 5.5**
**Les choix majeurs et mineurs de technologies, les types de risques et le niveau de risque**

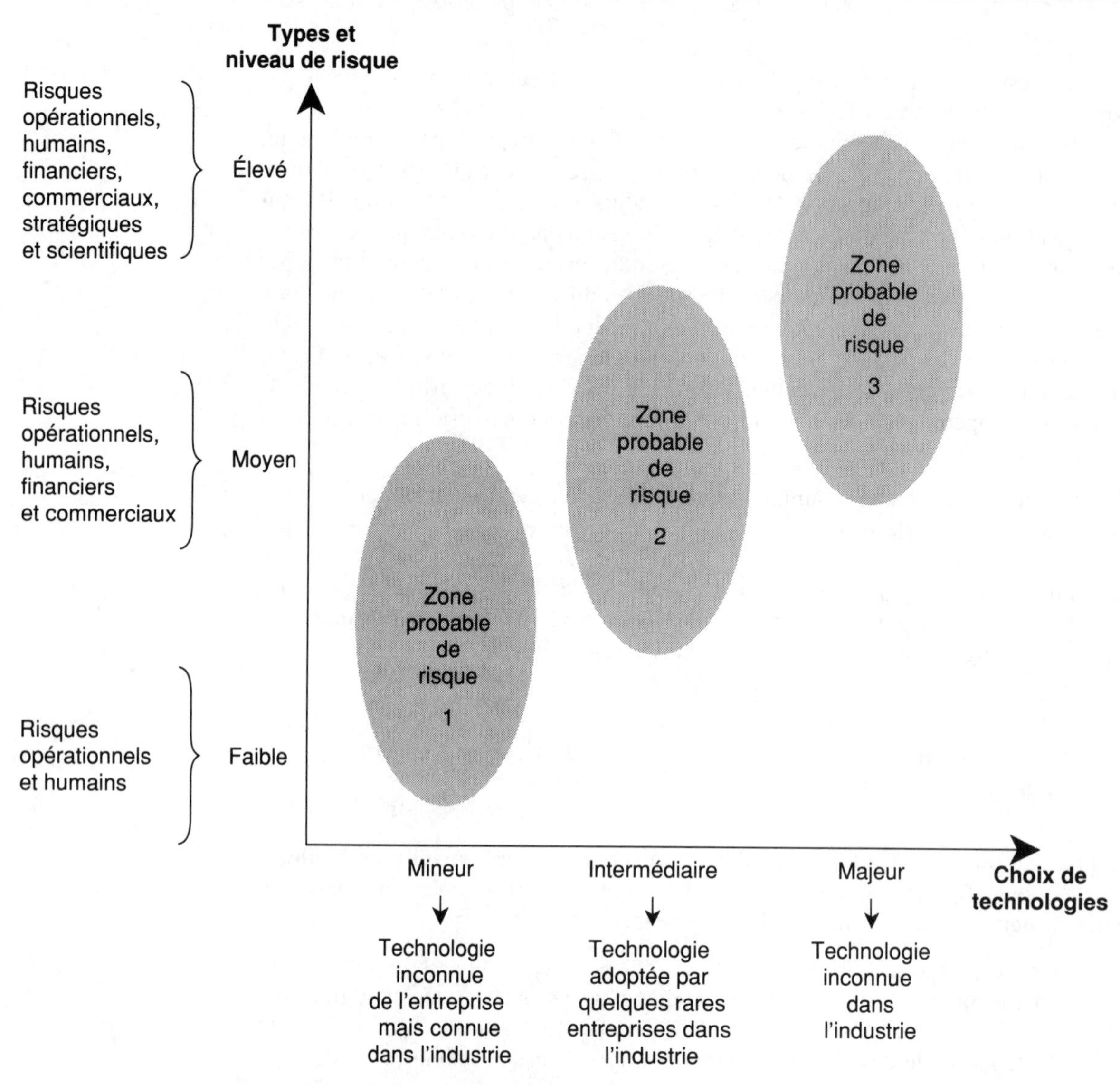


problèmes de démarrage à grande échelle qui causeront des pertes éventuelles de marché.

- Dans le cas d'un **choix majeur**, il s'agit habituellement de technologies théoriquement valables, mais qui n'ont pas encore été concrétisées à l'échelle commerciale. L'entreprise qui effectue un tel choix devra faire face à des difficultés supplémentaires. Les technologies en cause n'en sont souvent qu'à des ébauches ou à des modèles théoriques sur papier. Aux risques mentionnés dans les deux cas précédents s'ajoutent les risques scientifiques (les connaissances seront insuffisantes pour concrétiser et faire fonctionner la technologie dans des conditions commerciales d'utilisation) et les risques stratégiques (l'image et la crédibilité de l'entreprise seront ternies si elle ne peut rendre à terme ce projet d'innovation sur lequel repose ses plans d'affaires).

Le **moment d'introduction** est aussi important que le choix de la technologie. L'introduction d'une nouvelle technologie est inutile si la clientèle n'est pas prête à utiliser les produits fabriqués ou les services rendus à partir de cette technologie. Par exemple, Zenith avait mis au point la technologie des téléviseurs en couleurs quelques années avant leur introduction sur le marché. Les dirigeants de cette entreprise ont cependant préféré attendre que le consommateur soit prêt à accepter cette innovation et qu'il y ait un nombre suffisant d'émissions diffusées en couleurs avant de démarrer la fabrication et la vente de ce produit.

Comment effectuer ces choix de technologies ? Comment savoir quand investir en technologie et dans laquelle investir ? Comment mesurer les risques d'échec et les chances de réussite ? Les outils et les approches en **prévision technologique** sont alors utiles. La prévision de la technologie (case 2, figure 5.4) consiste en la détermination des réalisations technologiques susceptibles de survenir à l'intérieur d'une certaine période de temps. Pour ce faire, on doit d'abord évaluer systématiquement ce qui est connu. Par la suite, on tente de déterminer l'écart entre la technologie actuelle et celle qui est nécessaire pour atteindre certaines réalisations. Une entreprise dont les prévisions de la technologie sont assez précises pourra évaluer adéquatement sa position et ajuster sa stratégie sur une période relativement longue (cases 3 et 4, figure 5.4).

Il existe une variété de techniques utilisées en prévision de la technologie ; elles s'étendent de la simple prévision aux analyses statistiques complexes. Tout comme dans le cas de la prévision des ventes, les techniques les plus complexes ne sont pas nécessairement les meilleures. Par ailleurs, l'expérience et l'intuition peuvent également jouer un rôle important dans ce type de prévision. Nous décrirons ici brièvement quelques-unes de ces **techniques de prévision**.

La **méthode Delphi** consiste à demander à des spécialistes leur opinion, en particulier sur le développement des technologies futures. On compile ces opinions, puis on les fait circuler un certain nombre de fois parmi les membres du groupe jusqu'à ce qu'une tendance nette se dégage. Cette méthode, aussi appelée opinion d'experts, et la méthode de développement de scénarios constituent deux des techniques intuitives utilisées en pratique.

L'**extrapolation linéaire** peut s'avérer trompeuse en tant que méthode de prévision de la technologie, puisque l'évolution technologique est rarement linéaire. D'autres types de relations ou d'extrapolations sont à considérer, notamment l'analyse des tendances. Par exemple, on a démontré qu'il y avait une relation étroite entre la vitesse maximale des avions commerciaux et celle des avions de chasse militaires. D'autre part, l'évolution de la taille des ordinateurs de même puissance est prévisible depuis plusieurs années. D'ailleurs, si l'industrie du transport avait progressé au même rythme que la micro-électronique entre 1965 et 1985, une automobile aurait pu parcourir alors 4 250 km au litre[14] !

L'analyse historique de l'évolution des technologies dans le temps, pour des industries aussi variées que le transport, les médicaments ou l'électronique[40], confirme que les innovations technologiques incorporées dans des produits, des processus, des systèmes ou des matériaux se succèdent en une suite logique visant à améliorer la performance de façon progressive. Cette évolution de la performance n'est toutefois pas linéaire ; elle prend plutôt l'allure d'un *S*, comme l'illustre la figure 5.6.

Les prévisions obtenues à l'aide d'outils comme la courbe en *S* permettront de guider les choix de technologies (case 2, figure 5.3) et les choix de modes d'acquisition de ces technologies, à savoir la recherche et le développement à l'interne (case 3) ou l'acquisition à l'externe (case 4). Une solution mitoyenne est également possible, soit le partenariat technologique. Chacun de ces modes d'acquisition des technologies recèle des particularités dont nous discutons ci-dessous.

## 5.9 Les modes d'acquisition des technologies

L'importance stratégique des technologies est associée à leur position dans leur cycle d'évolution (courbe en *S* de la figure 5.6). Comme l'indique la figure 5.7,

**FIGURE 5.6** ▶ **La courbe de performance de la technologie**

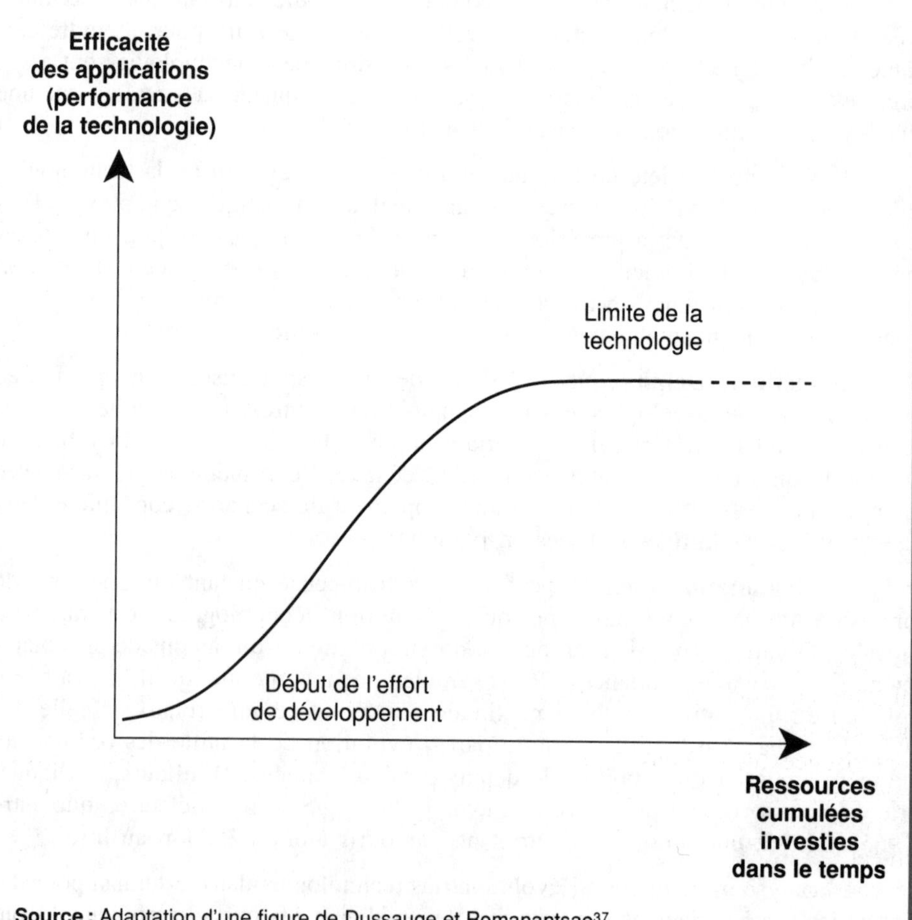


**Source :** Adaptation d'une figure de Dussauge et Romanantsao[37].

les technologies situées au milieu de leur cycle d'évolution sont considérées comme des **technologies clés**, soit celles dont la performance est établie et qui offrent un potentiel d'amélioration de cette performance, que cette amélioration soit majeure ou mineure. Ces technologies fournissent et permettent de maintenir un avantage concurrentiel, par exemple en matière de qualité du fini des produits, de rapidité de livraison, etc. Les **technologies émergentes**, quant à elles, sont plus récentes, mais elles comportent davantage de risques. Elles offrent de forts potentiels d'amélioration de la performance des applications (produits, processus, etc.), changeant ainsi les bases de la concurrence. Enfin, les **technologies de base** sont les plus établies et les plus sûres, mais aussi celles qui offrent le plus faible potentiel d'amélioration. Elles ne procurent aucun avantage stratégique car elles sont connues et disponibles dans toutes les entreprises d'un secteur.

▼ **FIGURE 5.7**
**Le cycle d'évolution des technologies et l'avantage concurrentiel**

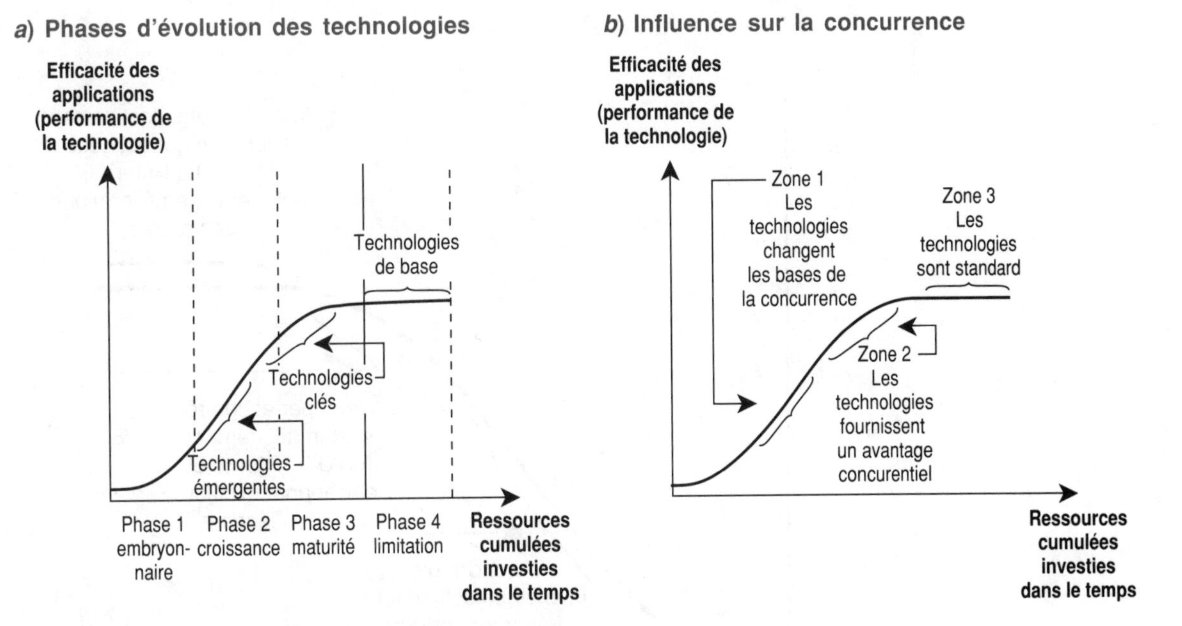


**Source :** Adaptation d'une figure de Dussauge et Romanantsao[37].

Face à ces variations du degré d'évolution des technologies, on doit effectuer un arbitrage important lors des choix technologiques : plus les technologies choisies sont « jeunes » (phase 1 ou début de la phase 2 dans la figure 5.7), plus elles sont risquées et coûteuses, mais plus elles offrent un potentiel de performance technique et de performance concurrentielle (par exemple, la liste des habiletés au tableau 4.2). En revanche, plus les technologies sont « âgées », plus elles constituent des choix sûrs qui, cependant, n'offrent que de faibles avantages. Face à ce constat, il ressort que la stratégie concurrentielle de l'entreprise combinée à l'attitude face aux risques de ses dirigeants dicteront les choix technologiques et les modes d'acquisition de ces technologies (figure 5.8) :

– dans le cas des **technologies émergentes**, **investir** sélectivement à l'interne (projet de R&D) si l'on est prêt à assumer des risques, ou **attendre** que les autres entreprises les développent et les testent, quitte à les acheter d'elles afin de réduire les risques ;
– dans le cas des **technologies clés**, **développer** à l'interne ou veiller à **contrôler** leur développement par le biais de relations à long terme avec les fournisseurs ou de partenariats technologiques ;
– dans le cas des **technologies de base**, **abandonner** sélectivement certaines technologies pour les remplacer par d'autres plus performantes.

**FIGURE 5.8 ▶ Le cycle d'évolution des technologies et les modes d'acquisition**

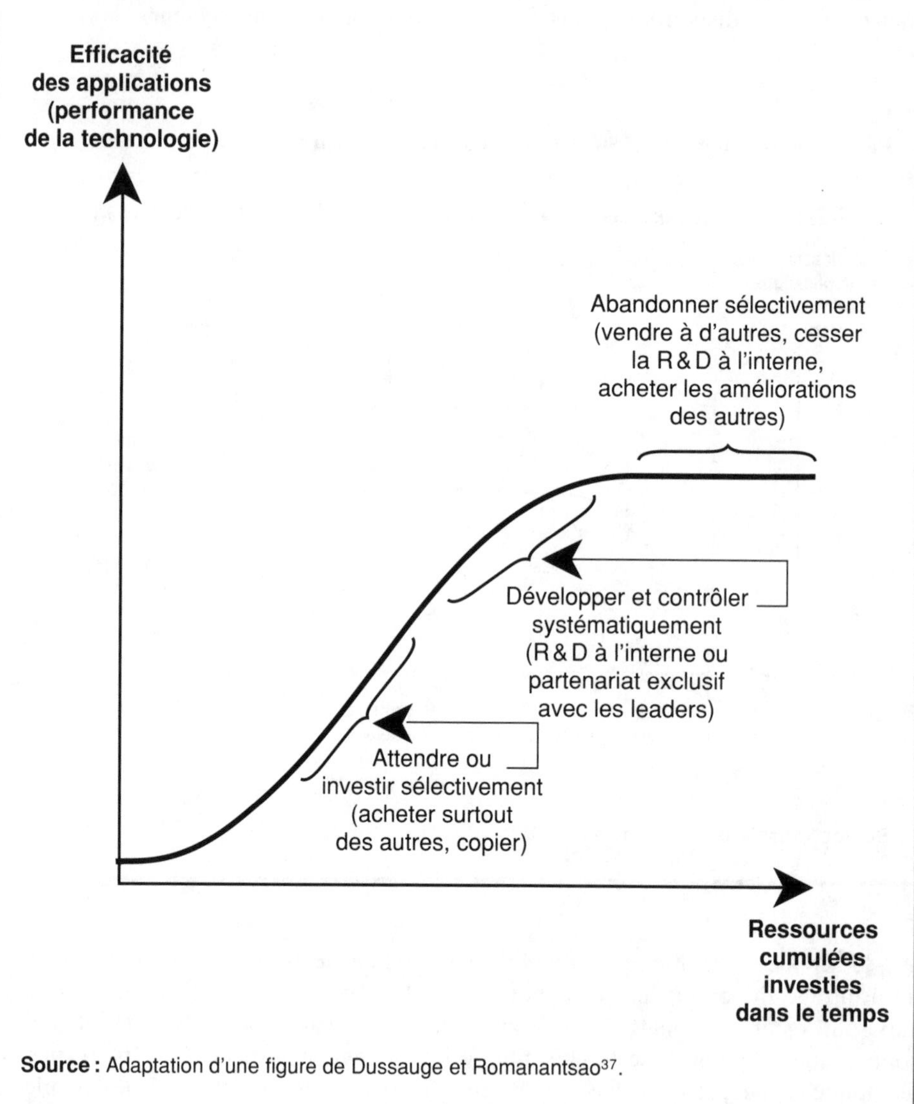


**Source :** Adaptation d'une figure de Dussauge et Romanantsao[37].

Parce qu'elles visent surtout le développement des technologies clés, les **activités de recherche et de développement** (case 3, figure 5.3) constituent sans doute le cœur des activités d'acquisition de nouvelles technologies d'une entreprise. La recherche peut être pure ou appliquée. En **recherche pure**, on tente de repousser les frontières des connaissances et de la science. Très souvent, le résultat des applications des découvertes n'est pas bien connu. Les entreprises choisissant une technologie à ce stade de connaissances font vraiment un choix de technologie majeur. Elles misent sur les développements futurs de la science en vue de faire émerger de nouvelles technologies (phase 1, figure 5.7*a*). En **recherche appliquée**, on concentre les efforts sur des projets dont l'orientation va de pair avec les objectifs économiques ou technologiques. Même dans ce type de recherche, certaines entreprises peuvent faire des découvertes ou réaliser des inventions axées vers l'accession d'une technologie émergente au statut de technologie clé (phase 2). Le **développement** technologique est subséquent à la recherche qui a donné naissance aux technologies émergentes. Il permet de développer de façon systématique le potentiel des technologies les plus prometteuses, qui constitueront alors des technologies clés (zone 2, figure 5.7*b*). Sans des efforts de développement continuel, l'avance technologique s'effritera, de même que l'avantage concurrentiel.

Des chercheurs et des praticiens du milieu de la R&D[30, 59, 96] vantent les mérites d'une recherche appliquée et dirigée vers les besoins des utilisateurs et des concepteurs d'applications technologiques, soit des concepteurs de produits, de processus ou de systèmes d'information. Comme le montre la figure 5.9, la recherche est alors perçue comme une activité (case 7) qui alimente le réservoir de connaissances de l'entreprise (case 6) au fur et à mesure qu'un manque de connaissances est perçu dans les activités d'innovation technologique, à savoir l'analyse du marché, l'invention, le design détaillé, la démonstration et la fabrication–commercialisation (cases 1 à 5). Ce modèle sous-tend une interaction étroite et parfois directe entre les chercheurs et les responsables des opérations, par exemple par le biais de consultations lors de problèmes de démarrage en usine. Cette nouvelle vision brise certains mythes à propos des cloisons séparant les chercheurs, les producteurs et les vendeurs[21].

En période de crise, les dirigeants d'une entreprise peuvent comprimer radicalement le budget alloué à la recherche et au développement. Ils ne doivent cependant pas oublier que ce type de débours constitue un investissement plutôt qu'une dépense, et que si les retombées ne sont pas nécessairement immédiates,

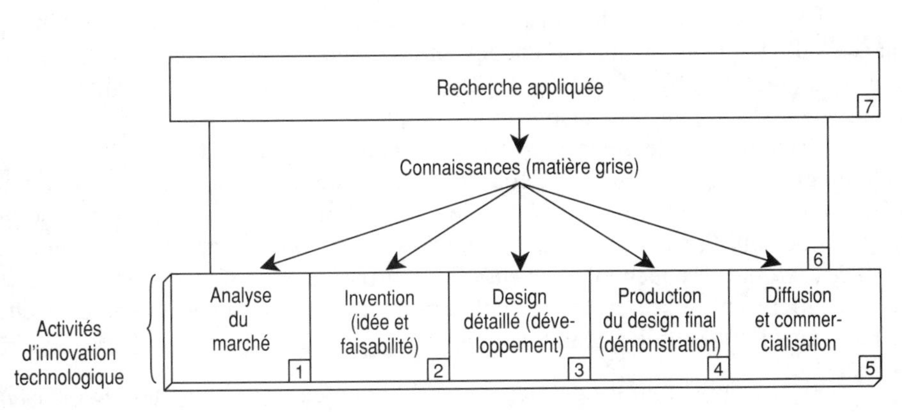


**Source :** Adaptation d'une figure de Kline[59].

**FIGURE 5.9**
**La recherche appliquée comme source de connaissances pour les activités d'innovation technologique**

elles seront éventuellement fructueuses à plus ou moins long terme. En effet, si on néglige l'aspect R&D, les technologies vieillissantes pourront bien ne pas avoir de remplaçantes valables lors du redressement des affaires de l'entreprise.

Les « nouvelles » stratégies technologiques[52] observées depuis plus de dix ans cherchent à réconcilier et à intégrer les forces des petites et moyennes entreprises, fortes dans l'invention (case 2, figure 5.9), et des grandes entreprises, plus habiles dans la concrétisation de cette invention[16], dans des produits et des processus, sous la forme d'innovations technologiques (cases 1, 3, 4 et 5). Les PME offrent en effet un climat propice à la créativité et à l'émergence d'idées (case 2, figure 5.9), mais elles n'ont pas l'argent ou les connaissances nécessaires pour effectuer les activités de design, de tests, de démonstration, d'analyse de marché et de commercialisation. Elles n'ont pas toujours les connaissances (case 6) ni les moyens ni le personnel requis pour effectuer les travaux de recherche (case 7) nécessaires à l'avancement des connaissances. Afin de pallier leurs faiblesses respectives et de rassembler leurs forces, les experts suggèrent un partenariat technologique entre les petites et les grandes entreprises ainsi que le démantèlement des grands centres de R&D en petits groupes de travail autonomes.

Les dernières années ont donné lieu à un nouveau mode d'acquisition de nouvelles technologies, soit le **partenariat technologique**. Ce partenariat s'effectue entre les fournisseurs et les clients, entre les concurrents, entre les secteurs public et privé ou entre des entreprises de divers secteurs. Les buts sont nombreux : partager les frais, réduire les risques technologiques, accélérer le processus d'innovation technologique, percer de nouveaux marchés et ainsi permettre une plus grande et plus rapide valorisation d'une innovation par sa commercialisation à l'échelle mondiale, contourner les barrières tarifaires et diverses réglementations sur le partage d'informations et la cession de licences, etc. En corollaire, le partenariat présente des risques relatifs à l'espionnage, principalement en raison de la présence d'étrangers dans les usines et les laboratoires de R&D[47]. Il semble toutefois que le nombre et le type de partenariats soient à la hausse, en particulier dans le secteur des biotechnologies[80].

Un autre mode d'acquisition, soit l'**achat d'une technologie** d'un fournisseur (figure 5.3, case 4), comporte d'autres types de risques et d'avantages. En matière de performance des applications, l'entreprise devient plus dépendante des efforts consentis par les fournisseurs de technologies. Il y a aussi moins de chances de bâtir un avantage concurrentiel, puisque la technologie peut être fournie à d'autres entreprises. Par contre, les risques financiers et techniques sont moins grands. De plus, en raison de la complexité et de la multiplicité des technologies à maîtriser, les entreprises ont de plus en plus tendance à acheter des technologies de l'extérieur[106]. Certaines parties de processus (par exemple un robot) ou de produits (par exemple le train d'atterrissage d'un avion) seront acquises de fournisseurs spécialisés, l'entreprise se concentrant sur le développement à l'interne des technologies qu'elle maîtrise le mieux et qui sont au cœur de son produit et de ses avantages concurrentiels (par exemple, les moteurs chez le fabricant d'automobiles Honda)[87].

Après l'acquisition, les dernières étapes du processus d'innovation consistent en la mise en place de la technologie sur un premier site utilisateur (figure 5.3, cases 5*a* à 5*d*) ainsi qu'en son transfert à d'autres utilisateurs (cases 6 et 7). Ces étapes ne doivent pas être négligées même si elles présentent, en apparence, moins de défis techniques ou scientifiques que les précédentes. Elles seront brièvement abordées dans la section suivante.

## 5.10 L'implantation des technologies

Le véritable défi que représente la mise en place d'une nouvelle technologie ne réside pas seulement dans la technologie elle-même ; le changement technologique est également difficile à gérer (cases 5 à 8 de la figure 5.3). Il est reconnu qu'une nouvelle technologie crée des problèmes tant organisationnels que techniques. La façon selon laquelle on introduit une technologie en détermine souvent le succès ou l'échec. Les considérations économiques sont naturellement importantes, tout autant que l'aspect humain. Les travailleurs concernés et les éventuels utilisateurs doivent être informés des changements et de leurs répercussions sur le milieu de travail et sur la société.

La résistance au changement vient fréquemment contrecarrer les meilleurs plans, quels qu'ils soient. Le facteur critique pour la réussite de l'implantation d'une technologie demeure l'attitude de la main-d'œuvre et des gestionnaires vis-à-vis de toute nouveauté en la matière. C'est pourquoi une gestion appropriée du changement s'avère déterminante pour obtenir le succès escompté. Cette gestion fait intervenir les aspects humains, technologiques, économiques, politiques et écologiques, entre lesquels on doit viser un équilibre.

Il y a lieu de répéter que le processus d'innovation est étapiste, en particulier lors des activités terminales d'implantation. Il s'agit alors non seulement d'introduire une nouvelle technologie, mais aussi de bouleverser l'ordre des choses, les mentalités et les croyances. L'arrivée d'une technologie dérange. Elle peut être source d'angoisse ou de stress si les appréhensions des personnes concernées ne sont pas prises en considération. Ce qui compte, ce ne sont pas les caractéristiques et les **effets réels** de la nouvelle technologie, mais plutôt les caractéristiques et les **effets perçus** par les groupes concernés[63]. De plus, il faut prévoir aussi bien les **effets positifs** que les **effets négatifs**, et ce sur l'ensemble du personnel : ouvriers, spécialistes, superviseurs et cadres. Ces effets sont souvent déséquilibrés ou contradictoires, ce qui cause des mésententes et des tensions parmi le personnel concerné.

Le processus d'implantation d'une innovation technologique ressemble en beaucoup de points au processus général de gestion du changement dans les organisations[66, 67]. Pour implanter un nouveau comportement ou de nouvelles idées, il faut que toutes les personnes concernées par les changements passent par les trois étapes suivantes :

1. La **volonté de changement** : les méthodes traditionnelles sont devenues insatisfaisantes.
2. La **réalisation du changement** : l'introduction du changement doit avoir un effet rapide et observable sur le comportement des individus.
3. La **stabilisation du changement** : le personnel concerné accepte le changement, personne n'est tenté de retourner en arrière.

Si l'une des étapes est négligée, il est probable que la modification du comportement des employés ne sera que temporaire. De mauvais choix technologiques peuvent aller jusqu'à entraîner la fermeture d'une usine ou la faillite d'une entreprise. Une étude[91] révèle que plus du tiers des fermetures d'usines touche des usines implantées depuis six ans ou moins. La raison majeure de ces fermetures est un choix de technologie dont le rendement est insuffisant.

Les prévisions relatives au temps requis pour l'implantation d'une nouvelle technologie sont habituellement optimistes. Il semblerait même que cet optimisme est d'autant plus fort si la technologie diffère de ce qui existe déjà[102]. La sous-estimation du temps d'implantation est très dangereuse, car elle risque de nuire sérieusement au processus de planification d'une entreprise. C'est pourquoi on doit demeurer très prudent dans ses prévisions.

Le temps de déverminage requis pour atteindre la capacité prévue est parfois sous-estimé de 300 % à 500 %. L'effet sur les prévisions de ventes et les rentrées de fonds est alors désastreux. De plus, la réputation de fiabilité que l'entreprise avait acquise au fil des ans en matière de livraison est grandement compromise par des promesses non remplies. En effet, les clients sont habituellement moins préoccupés par la cause du retard que par la coûteuse réalité du délai auquel ils ont à faire face[99]. Les caractéristiques du personnel de l'entreprise s'avèrent un des principaux facteurs qui peut faire échouer ou réussir le projet d'implantation d'une nouvelle technologie. Lefebvre *et al.*[62] ont d'ailleurs démontré le lien très fort entre le degré de scolarisation des cols bleus et le taux d'adoption des nouvelles technologies.

Un autre facteur de succès est la concentration des efforts sur quelques changements à la fois. Il est plus facile pour les gestionnaires d'une entreprise de diriger un nombre restreint de projets bien planifiés et bien maîtrisés plutôt qu'un trop grand nombre (qu'il devient alors très difficile de gérer adéquatement). On a avantage à bien planifier et à bien contrôler les étapes de tout projet de changement technologique puisque la technologie implantée entraîne, dans un milieu de travail, des modifications et même des bouleversements dont l'ampleur sera réduite par une bonne gestion de projets (sujet dont nous traiterons plus à fond au chapitre 15).

Des études effectuées en Angleterre, aux États-Unis et au Canada dans le domaine des technologies manufacturières avancées nous renseignent sur de multiples **aspects du problème de mise en place et d'utilisation** des TMA. Ces facteurs nuisibles, que le gestionnaire des opérations doit veiller à maîtriser sont :

- les **composantes structurelles ou organisationnelles**, soit l'absence de mécanismes de coordination efficaces entre les intervenants[103] ;
- les **composantes financières et comptables**, soit l'absence de moyens adéquats pour mesurer les coûts et les bénéfices des acquisitions technologiques (coût d'achat, durée du projet, coût d'entretien, effets sur la qualité, sur les coûts de fabrication et sur le personnel)[6] ;
- les **composantes managériales**, soit l'attitude trop conservatrice des dirigeants face au risque[48, 66] ;
- les **composantes politiques et humaines**, liées aux phénomènes précités d'aversion ou d'engouement, provoquent un manque de soutien, un trop grand enthousiasme, des attentes trop élevées qui seront déçues, une crainte injustifiée de conséquences négatives ;

– les **composantes techniques ou scientifiques**, c'est-à-dire que la technologie introduite est incompatible avec les systèmes en place, ou qu'elle nécessite des connaissances et un savoir-faire opérationnel qui sont absents[65, 79].

Afin de prolonger les effets positifs de l'implantation et d'augmenter le taux d'utilisation des technologies nouvellement en place, les experts et les chercheurs dans le domaine recommandent avant tout le réalisme des attentes[77]. Les faibles taux d'utilisation ne sont pas attribuables au refus des employés de les utiliser ou aux mauvaises relations syndicales, puisque la plupart des nouvelles technologies réduisent beaucoup moins la main-d'œuvre qu'on le croit ; au contraire, le faible succès d'utilisation des technologies est lié à des attentes trop élevées : par exemple, on prévoit installer, démarrer et déverminer complètement un robot-soudeur en moins de trois mois.

Enfin, comme dernière étape du processus d'innovation, il y a souvent un transfert de technologie à d'autres utilisateurs, soit à l'interne ou à l'externe. On parle alors de diffusion de la technologie à de nouveaux utilisateurs, soit par des mécanismes internes ou externes à une entreprise (figure 5.3, cases 7 et 8). Les technologies nouvellement développées ou acquises sont rarement utilisées pour un seul produit, un seul marché ou encore dans un seul type d'équipement à l'intérieur d'une usine. Au contraire, les coûts énormes d'achat ou de R&D sont généralement amortis par l'application de la technologie à de multiples fins. En particulier, le cas des entreprises ayant plusieurs systèmes opérationnels dispersés géographiquement est intéressant ; on parle alors de transfert intra-organisationnel de technologies. Les études menées à ce jour dénotent toutefois de grandes difficultés dans ces domaines : premièrement, d'après une étude de Johnston et Leenders[56], un très faible pourcentage des innovations technologiques développées ou acquises localement, par des unités opérationnelles autonomes, sont transférées à d'autres unités opérationnelles de la même entreprise, même si ces unités sont dans un même pays. De plus, une étude menée auprès d'entreprises ayant développé des systèmes et un équipement informatisés a également démontré que plus des deux tiers des entreprises échouent en matière de transfert intra-organisationnel : même si on transfère l'équipement ou les technologies « physiques » (logiciels, ordinateurs, machines), on ne réussit pas à transférer le savoir-faire qui les accompagne. Il en résulte que le deuxième ou le troisième site d'utilisation des technologies prend souvent autant, sinon plus, de temps pour implanter et utiliser pleinement la technologie[65].

La technologie se transfère au-delà des frontières d'une même entreprise ; elle chemine aussi à travers une industrie, souvent par le biais de ses créateurs et de ses vendeurs. Par exemple, l'ensemble des technologies manufacturières avancées (TMA) dont il a été question au chapitre précédent fait l'objet d'une pénétration évolutive dans divers secteurs de l'économie. Selon les observations récentes[7, 102], le Québec et le Canada accusent un retard par rapport aux autres pays industrialisés. Le Japon, très en avance au début des années 80, a vu les pays européens le rattraper en matière de taux de pénétration. Aux États-Unis, le taux d'utilisation des TMA augmente lentement. De plus, le taux de pénétration de ces technologies ainsi que le type de technologies adoptées varient selon les secteurs. Par exemple, au Québec, en 1989, selon l'Association CAO/FAO[6] :

*Le secteur des **produits en matière plastique** connaît un taux de pénétration élevé des automates et ordinateurs pour le contrôle des procédés de fabrication avec 41 % des établissements utilisant cette technologie ;*

*dans le secteur des **produits textiles**, les machines à contrôle numérique et la gestion informatisée de la production sont les plus présentes dans les établissements avec des taux de pénétration de 11 % et 13 % ;*

*les secteurs du **meuble et bois**, des **produits métalliques** et des **produits mécaniques** obtiennent les taux de pénétration les plus élevés au niveau des machines CN/CNO, avec respectivement 19 %, 17 % et 30 % des établissements de chacun des secteurs qui utilisent cette technologie ;*

*la technologie la plus présente dans le secteur du **vêtement** est la gestion informatisée de la production, 12 % des établissements l'ayant adoptée ;*

*le secteur du **matériel de transport** ainsi que celui des **produits électriques et électroniques** obtiennent leur taux de pénétration le plus élevé au niveau du dessin et/ou de la conception assistés par ordinateur (DAO/CAO), avec respectivement 29 % et 44 % de leurs établissements qui l'utilisent.*

Toute technologie suit une courbe de croissance et de déclin semblable à celle du cycle de vie du produit, comme on a pu le voir aux figures 5.7 et 5.8. Il est essentiel pour les dirigeants de prendre en temps opportun la décision de se départir d'une technologie. D'autre part, une entreprise ayant développé une technologie voit s'ajouter une autre dimension à cette décision : elle doit déterminer à quel moment il est approprié de vendre une technologie à l'externe, soit nationalement ou internationalement (cases 7 et 8, figure 5.3). La plupart des experts croient qu'une entreprise devrait vendre toute technologie incompatible avec ses objectifs, comme l'a fait General Electric après que ses chercheurs eurent développé un micro-organisme capable de digérer et d'éliminer l'huile répandue sur l'eau[39]. De même, ces experts sont d'avis qu'il est préférable pour une entreprise de ne pas trop tarder à vendre son innovation, au lieu d'attendre et de laisser des concurrents vendre une technologie semblable à des clients potentiels.

Le transfert technologique international s'accélère lui aussi. D'une part, un nombre grandissant d'entreprises des pays industrialisés exporte des technologies industrielles dans les pays où les salaires sont beaucoup moins élevés. D'autre part, la surveillance étroite entre les concurrents et les partenaires technologiques entraîne la réduction du délai pendant lequel une entreprise bénéficie d'un avantage technologique.

Il semble plus simple d'exporter une technologie éprouvée plutôt que d'en adapter une à une usine outre-mer. On devrait cependant tenir compte des caractéristiques propres à chaque région où l'on décide d'implanter une usine ou une technologie. D'ailleurs, le risque d'échec dans l'implantation croît avec la complexité de la technologie. Souvent, on bâtit une nouvelle usine à l'extérieur du pays et on tente d'y implanter rapidement une technologie, car les conditions semblent favorables et le besoin de la capacité de production est très pressant. Il faudrait normalement étudier une telle implantation encore plus en détail avant de la mettre en place. En plus de considérer les aspects économiques et techniques, on devrait prêter une grande attention au type de main-d'œuvre disponible et se demander, entre autres, si elle influencera le processus et la technologie initialement considérés et si elle sera influencée par sa propre culture dans la réalisation de son travail[4].

Les transferts internationaux de technologies ont de multiples retombées politiques et sociales. Il en est de même de la technologie en tant que telle. Selon les nombreux analystes de la scène mondiale[82, 85, 87], la technologie moderne est devenue un instrument politique auquel l'État s'intéresse de plus en plus. Il semblerait que de nombreux pays exportent leurs ressources naturelles à condition qu'on exporte chez eux certaines technologies qui les intéressent. C'est sans doute le facteur technologique qui continuera de constituer l'une des plus grandes causes des écarts entre les pays dont l'économie est très développée et les autres. C'est pourquoi nous traiterons de quelques aspects sociaux dans la section suivante. Plusieurs des considérations mentionnées s'appliquent tant au pays qu'à l'étranger; le contexte et l'importance relative des aspects peuvent changer, mais ces considérations n'en demeurent pas moins valables.

## 5.11 Les effets des changements technologiques

On ne peut nier les répercussions de toute décision technologique sur la main-d'œuvre et sur la société. Souvent, ces décisions semblent isolées et leur effet paraît restreint aux organisations concernées. Ce n'est pourtant pas le cas. L'approche systémique indique que les sous-systèmes sont interreliés et font partie de systèmes plus grands. La société constitue un tel système. Elle est donc touchée par les décisions qui sont prises à l'intérieur des sous-systèmes. En effet, tout changement concernant les personnes a une influence sur la société puisqu'elle est constituée d'êtres humains. De plus, la technologie a été reconnue comme un instrument puissant de développement économique, instrument qui confère du pouvoir à ceux qui la détiennent et qui peuvent faire du tort aux autres qui subissent les effets des changements technologiques[45]. Pour ces raisons, il faut en planifier l'utilisation et la diffusion à bon escient.

Certains sont d'avis qu'il faut aller de l'avant pour toute forme de technologie. L'argument invoqué est habituellement que, si une entreprise ou une nation ne le fait pas, les autres le feront de toute façon. Par ailleurs, tous les gouvernements sont sensibilisés à la relation entre le chômage et la technologie : il apparaît impossible d'accroître le développement technologique sans accroître le chômage à court terme. De plus, les gouvernements sont également conscients des effets potentiellement négatifs pour l'environnement de certaines technologies énergivores, polluantes ou qui modifient les écosystèmes, telles les technologies qui obligent à modifier les cours d'eau. Toutefois, malgré ces impacts prévisibles, un gouvernement a-t-il le choix de refuser lorsque d'autres accueillent à bras ouverts toute nouvelle technologie ?

Les dirigeants d'entreprise font également face à ce type de pressions de la part de leurs concurrents. Nombre d'entre eux croient que beaucoup de leurs problèmes sont résolus aussitôt qu'ils remplacent une partie de la main-d'œuvre par de l'équipement. Quelle illusion ! De plus, il est nécessaire de tenir compte des aspects travail et main-d'œuvre en ce qui concerne les emplois qui demeurent. Ce sont ces aspects que mettent en évidence les dirigeants syndicaux. Par ailleurs, nombre d'auteurs soutiennent que les dirigeants doivent absolument accorder une très grande importance à l'aspect travail, ce qui apparaît évident lorsqu'on constate le manque de satisfaction au travail. D'après une étude[107], les difficultés et les désillusions, autant chez les travailleurs que chez les gestionnaires, qui découlent de l'introduction des technologies informatisées peuvent être causées par une automatisation et une recherche d'efficience trop grandes de la part des dirigeants. Ces exigences ont un effet plutôt négatif sur les individus en tant que membres d'une société et en tant que travailleurs. On peut déjà se demander si la technologie prévaut sur l'être humain... Souvent, celui-ci ressent de l'impuissance vis-à-vis de cette transformation de la société. Il lui reste alors l'alternative suivante : tenter de s'y adapter ou encore se sentir aliéné dans un monde où il est parfois déjà difficile de vivre. Les experts recommandent d'utiliser les technologies avancées pour mieux informer les employés plutôt que pour les remplacer : il s'agit alors d'informatiser plutôt que d'automatiser[107]. Dans le premier cas, plus souhaitable, on remplace les personnes par la machine pour les tâches manuelles, pendant que les nouveaux systèmes informatisés de gestion et de contrôle fournissent plus d'information à l'employé, qui devient alors un surveillant et un expert qui résout les problèmes majeurs plutôt qu'un simple exécutant.

Puisque les nouvelles technologies changent la nature du travail, il ne sert à rien d'argumenter pour décider si elles créent plus d'emplois qu'elles n'en éliminent. On doit plutôt intégrer les nouvelles technologies au milieu du travail, tout en demeurant conscient que des mutations inévitables sont déjà amorcées. Les nouvelles technologies éliminent surtout des emplois abrutissants, peu productifs et parfois même dangereux. Par contre, elles entraînent la création d'emplois plus intéressants mais plus exigeants sur le plan des connaissances. Ce type d'emplois ne convient malheureusement pas toujours à ceux que la technologie a délogés de leur travail[61]. En vertu de la nature des défis posés par les nouvelles technologies, les entreprises qui réussissent bien et qui ont acquis la confiance de leurs travailleurs ont à leur tête des gestionnaires axés non seulement sur l'aspect technique, mais aussi sur l'aspect humain et sur le rôle social de l'entreprise en matière de développement économique et de développement durable, c'est-à-dire soucieux de l'environnement[82]. En conclusion, une technologie bien gérée inclut forcément toutes les considérations relatives aux aspects humains, sociaux, économiques, politiques et écologiques, soit l'ensemble des éléments de l'environnement PESTE. Gérer la technologie dans un tel contexte incite le plus souvent aux arbitrages, car on ne peut pas toujours satisfaire tous les intervenants. Par exemple, malgré des pertes d'emploi évidentes, on doit prendre en considération l'amélioration de la productivité, l'élimination d'emplois peu attrayants et la création de types d'emplois plus intéressants.

## CONCLUSION

La diffusion rapide et mondiale des technologies avancées touche tout le monde. Notre société ne peut donc se permettre qu'un grand nombre d'entreprises soient dirigées par des gestionnaires qui ne gèrent pas vraiment l'aspect technologique. Tant dans les secteurs primaire et secondaire que tertiaire, les gestionnaires des opérations doivent gérer efficacement les technologies plutôt que se laisser gérer par elles. Ils doivent aussi être bien conscients qu'une nouvelle technologie n'est pas une panacée et que, si elle permet de résoudre certains problèmes, elle en crée toujours d'autres. Une approche systémique de la technologie cadre bien avec l'approche générale de la gestion des opérations et de la production, qui est de tenir compte des répercussions de chacune des décisions sur les différents sous-systèmes. De plus, l'approche à la gestion de la technologie doit être dynamique et stratégique, axée vers l'apprentissage continu et graduel des technologies en vue d'améliorer la position concurrentielle. Enfin, la gestion de la technologie fait appel à l'éthique des décideurs en matière de technologie : leur conscience sociale et professionnelle constitue l'ultime guide des choix technologiques qui seront effectués.

## QUESTIONS DE RÉVISION

1. Quelles sont les différentes formes d'application des technologies ?
2. Qu'est-ce que le degré de technicité d'une industrie ? Comment le mesure-t-on ?
3. Quelles sont les étapes d'apprentissage de la technologie ?
4. Quelles sont les étapes de formulation et les éléments faisant partie de la stratégie d'opération ?
5. Quels sont les trois grands modes d'acquisition de technologies ?
6. Quels sont les principaux avantages et inconvénients relatifs à l'adoption d'une nouvelle technologie développée à l'externe ?
7. Qu'est-ce qu'une technologie émergente ? Une technologie clé ? Une technologie de base ?
8. Quels facteurs poussent une entreprise à vendre une technologie qu'elle a elle-même développée ?

## QUESTIONS DE DISCUSSION

1. Comment expliquer que beaucoup de gestionnaires craignent la technologie ? Que peut-on et que doit-on faire pour remédier à cette situation ?
2. Donnez un exemple de choix technologique majeur et de choix technologique mineur dans le secteur tertiaire.
3. Une entreprise a-t-elle de meilleures chances de réussir si elle met davantage l'accent sur la recherche ? Sur le développement ?
4. Comment expliquer que de nombreuses entreprises réussissent bien sans faire de recherche ou de développement ?
5. « La technologie est un facteur de compétitivité et de qualité de vie. » Commentez cette affirmation.
6. Quel doit être le rôle du gestionnaire des opérations à chacune des étapes du processus d'innovation ?

## RÉFÉRENCES


1. ABERNATHY, W.J. et K.B. CLARK, « Innovation : Mapping the Winds of Creative Destruction », *Research Policy*, vol. 14, 1984, p. 3-22.
2. ADLER, P., « Managing Flexible Automation », *California Management Review*, printemps 1988.
3. ALCAN, *Rapport annuel 1989*.
4. AMESSE, F., *Essais sur les transferts internationaux de technologie*, HEC, cahier de recherche, 1990.
5. AMESSE, F., P. LAMY et A. LEVERT, *La géographie du secteur « high tech » au Canada : caractéristique et distribution spatiale*, CETAI, École des HEC, cahier de recherche n° 86-09, 1986.
6. ASSOCIATION CAO/FAO, *Tendances et degrés de pénétration. L'automatisation et l'informatisation*, octobre 1989.
7. ASSOCIATION OF PROVINCIAL RESEARCH ORGANIZATIONS (APRO), « Advanced Manufacturing Technologies in Canada », monographie, avril 1992.
8. BADIRU, A.B., « Analysis of Data Requirements for FMS Implementation is Crucial to Success », *Industrial Engineer*, octobre 1990, p. 29-32.
9. BARCELO, Y., « Misons sur le bon cheval », *Les Affaires*, 25 avril 1992.
10. BARCELO, Y., « La révolution des robots », *Commerce*, novembre 1990, p. 70-77.
11. BARTLETT, C.A. et S. GHOSHAL, « Managing Across Borders : New Strategic Requirements », *Sloan Management Review*, été 1987, p. 7-17.
12. BEATTY, C.A. et J.R.M. GORDON, « Advanced Manufacturing Technology : Making it Happen », *Business Quarterly*, printemps 1990, p. 46-53.
13. BERGEN, S.A., *Project Management. An Introduction to Issues in Industrial Research and Development*, Basil Blackwell, Oxford University Press, 1988.
14. BLAIS, R.A., « Les nouvelles technologies et la société de demain », *L'Ingénieur*, mars-avril 1985, p. 3-7.
15. BLAIS, R.A. et P. CHOLLET, « L'innovation industrielle », *L'Ingénieur*, janvier-février 1985, p. 9-16.
16. BLAIS, R.A. et J.M. TOULOUSE, *Entrepreneurship technologique. 21 cas de PME à succès*, Montréal, Publications Transcontinental inc. et Fondation de l'entrepreneurship, 1992.
17. BOHN, R. et R. JAIKUMAR, *Dynamic Approach : An Alternative Paradigm for Operations Management*, Working paper 88-011, Boston, Harvard Business School, 1988.
18. BONIN, B. et C. DESRANLEAU, *Innovation industrielle et analyse économique*, Gaëtan Morin Éditeur, 1988.
19. BROOKS, H., *The Government of Science*, Cambridge, The M.I.T. Press, 1968.
20. BURGELMAN, R.A. et A. ROBERTS, « Corporate Entrepreneurship and Strategic Management : Insights from a Study », *Management Science*, vol. 29, décembre 1983.
21. CLARK, K.B., « Abattre les cloisons entre les chercheurs et les vendeurs », *Harvard-L'Expansion*, été 1990, p. 93-97.
22. CLARK, K.B., « Technology and Competitive Advantage », *Harvard Business School*, 1988.
23. CLARK, K.B. et T. FUJIMOTO, *Product Development Performance : Strategy, Organization, and Management in the World Auto Industry*, Boston, Harvard Business School Press, 1990.
24. CLELAND, D.I. et W.R. KING, *Project Management Handbook*, 2e éd., New York, Van Nostrans Reinhold, 1988.
25. COMPAIN, G., « Les règles de la gestion de l'innovation technologique », *Revue française de gestion*, mars-avril-mai 1986, p. 140-149.
26. COOK, B.M., « IBM Laptop : From Design to Product in 13 Months », *Industry Week*, 5 août 1991, p. 57.

27. COOK, W.D., D.A. JOHNSTON et D. McCUTCHEON, « Implementation of Robotics : Identifying Efficient Implementors », *International Journal of Management Science*, vol. 20, nº 2, 1992, p. 227-239.

28. CURRY, S.J. et R.H. CLAYTON, « Business Innovation Strategies », *Business Quarterly*, hiver 1992, p. 121-126.

29. DERMER, J., *Competitiveness Through Technology. What Business Needs from Government*, Lexington Books, 1986.

30. DESCHAMPS, I., « Comment diriger les équipes de recherche et de développement », *Gestion*, mai 1992, p. 66-76.

31. DESCHAMPS, I., *Developing New Technologies in a De-Maturing Commodity Producer : An Empirical Study*, DBA Dissertation, Harvard Business School, mars 1991.

32. DESCHAMPS, I. et M.O. DIORIO, « Stratégie technologique : le rôle de la GOP », *Gestion*, vol. 14, nº 3, 1989, p. 94-104.

33. DRUCKER, P.F., « The Discipline of Innovation », *Harvard Business Review*, mai-juin 1982, p. 67-72.

34. DRUCKER, P.F., *Technology Management and Society*, New York, Harper Colophon Books, 1977.

35. DURAND, T., « Management stratégique de la technologie : dix enseignements », *Futuribles*, novembre 1989, p. 39-51.

36. DURAND, T. et T. GONARD, « Stratégies et ruptures technologiques : le cas de l'industrie de l'insuline », *Revue française de gestion*, novembre-décembre 1986, p. 89-99.

37. DUSSAUGE, P. et B. RAMANANTSAO, « Technologies et stratégies », *Harvard-L'Expansion*, printemps 1986, p. 61-81.

38. ERICKSON, T.J., « Worldwide R&D Management : Concepts and Applications », *Columbia Journal of World Business*, hiver 1990, p. 8-13.

39. FORD, D. et C. RYAN, « Taking Technology to Market », *Harvard Business Review*, mars-avril 1981, p. 117-126.

40. FOSTER, R.N., *Innovation : The Attacker's Advantage*, New York, Simon & Schuster, 1986.

41. FREEMAN, C., *The Economics of Industrial Innovation*, 2e éd., Cambridge, The M.I.T. Press, 1982.

42. FRIGON, A.G., « Analyse de l'industrie du train rapide », rapport non publié, Lévesque, Beaubien, Geoffrion inc. et Université de Sherbrooke, 7 septembre 1992.

43. FROHMAN, A.L., « Technology as a Competitive Weapon », *Harvard Business Review*, janvier-février 1982, p. 97-104.

44. GAGNON, Y.C., « L'adhésion aux nouvelles technologies, un acte d'entrepreneur », rapport non publié, Montréal, École des HEC, décembre 1990.

45. GAUDIN, « Les métamorphoses du futur », *Futuribles*, nºs 129-130, février-mars 1989, p. 23-39.

46. HAGERDOON, J., « Organizational Modes of Inter-Firm Co-Operation and Technology Transfer », *Technovation*, vol. 10, nº 1, 1990, p. 17-30.

47. HAMEL, G. et C.K. PRAHALAD, « S'associer avec la concurrence : comment s'en sortir gagnant », *Harvard-L'Expansion*, automne 1989, p. 24-32.

48. HARVEY, J., « Le retard technologique du Québec : le cas de la commande numérique », *Gestion*, novembre 1987, p. 25-31.

49. HAYES, R.H. et W.J. ABERNATHY, « Managing our Way to Economic Decline », *Harvard Business Review*, juillet-août 1980, p. 67-77.

50. HAYES, R.H., S.C. WHEELWRIGHT et K.B. CLARK, *Dynamic Manufacturing*, New York, Free Press, 1988.

51. HOLLOWAY, C. et H.H. HAND, « Who's Running the Store, Anyway ? Artificial Intelligence ! ! ! », *Business Horizon*, mars-avril 1988, p. 70-76.

52. HORWITCH, M., « Les nouvelles stratégies technologiques des entreprises », *Revue française de gestion*, mars-avril-mai 1986, p. 157-174.

53. HUBER, R.F., « Justification : Barrier to Competitive Manufacturing », *Production*, septembre 1985, p. 46-51.

54. JAIKUMAR, R., « Technologies nouvelles, organisations obsolètes », *Harvard-L'Expansion*, 1989.

55. JAIN, R.K. et H.C. TRIANDIS, *Management of R&D Organizations. Managing the Unmanageable*, John Wiley & Sons, 1990.

56. JOHNSTON, D.A. et M.R. LEENDERS, « The Diffusion of Innovation Within Multi-Unit Firms », *IJOPM*, vol. 10, n° 5, 1989, p. 15-24.

57. KAPLAN, R.S., « Must CIM Be Justified by Faith Alone », *Harvard Business Review*, mars-avril 1986, p. 87-97.

58. KAPLAN, R.S., « Yesterday's Accounting Undermines Production », *Harvard Business Review*, juillet-août 1984, p. 95-101.

59. KLINE, K.E., « Innovation is not a Linear Process », *Research Management*, vol. 23, n° 4, juillet-août 1985, p. 36-45.

60. KODAMA, F., « Technology Fusion and the New R&D », *Harvard Business Review*, juillet-août 1992, p. 70.

61. LASFARGUE, « Technologies nouvelles, nouveaux exclus », *Futuribles*, n° 136, octobre 1989, p. 3-13.

62. LEFEBVRE, E., L.A. LEFEBVRE et R. POUPART, « Innovation et PME : les enjeux stratégiques », *Gestion*, mai 1991.

63. LEONARD-BARTON, D., « Implementation and Mutual Adaptation of Technology and Organization », *Research Policy*, vol. 17, 1988a, p. 251-267.

64. LEONARD-BARTON, D., « Implementation Characteristics of Organizational Innovations », *Journal of Communication Research*, vol. 15, n° 5, octobre 1988b.

65. LEONARD-BARTON, D., « Implementing New Production Technologies : Exercises in Corporate Learning », dans VON GLINOW, M.A. et S. MOHRMAN (dir.), *Managing Complexity in High Technology Industries : Systems and People*, Oxford Press, 1988c.

66. LEONARD-BARTON, D. et I. DESCHAMPS, « Managerial Influences in the Implementation of a New Technology », *Management Science*, octobre 1988, p. 1252-1265.

67. LEONARD-BARTON, D. et W.A. KRAUSS, « Comment réussir les changements de technologies », *Harvard-L'Expansion*, été 1986, p. 27-41.

68. LIOUVILLE, J., « Les problèmes du management de la R&D en RFA », *Analyses de la S.E.D.E.I.S.*, n° 78, novembre 1990, p. 169-171.

69. LITTLE, A.D., *The Strategic Management of Technology*, Cambridge, 1981.

70. LOSEE, S., « Closing the Innovation Gap », *Fortune*, 2 décembre 1991, p. 56-62.

71. MEYER, M.H. et E.B. ROBERTS, « New Product Strategy in Small Technology-Based Firms : A Pilot Study », *Management Science*, vol. 32, n° 7, 1986, p. 806-821.

72. MILLER, R., « Les courses à l'innovation technologique », conférence du printemps de l'Association des directeurs de recherche industrielle du Québec, Montréal, mai 1992.

73. MINTZBERG, H., *Mintzberg on Management*, Free Press, 1989.

74. MOFFAT, S., « Japan's New Personalized Production », *Fortune*, 22 octobre 1990, p. 132-135.

75. NIOSI, J., M. BERGERON et M. SAWCHICK, « Les alliances technologiques stratégiques : de la théorie à la situation canadienne », *Études internationales*, vol. 22, n° 1, mars 1991, p. 63-80.

76. NOLLET, J. et C. BELLAZI, « Le virage technologique », *Réussir en affaires*, Montréal, Levasseur et ass. / HEC / Roy Nat, 1983.

77. NOLLET, J. et R. HANDFIELD, « Problems Associated with the Use of Robotics in Canada », Congrès de l'ASAC, Halifax, 5-7 juin 1988.

78. NOORI, H., « Economies of Integration : A New Manufacturing Focus », *International Journal Technology Management*, vol. 5, n° 5, 1990.

79. NORTHCOTT, J. *et al.*, « Robot in British Industry : Expectations and Experience », *PSI Research Department*, n° 660, 1986.

80. OCDE, *La technologie dans un monde en évolution*, Paris, 1991.
81. PETRE, P., « Macro Wonders from the Latest Micros », *Fortune*, 10 décembre 1984, p. 115-128.
82. PETRELLA, R., « La mondialisation de l'économie et de la technologie », *Futuribles*, septembre 1989, p. 3-25.
83. PICHÉ, L., « Lassonde & Fils est devenu un leader grâce à ses nouveaux produits et sa technologie révolutionnaire », *Les Affaires*, 8 septembre 1984, p. 9.
84. PORTER, M.E., *Competitive Advantage : Creating and Sustaining Superior Performance*, New York, Free Press, 1985.
85. PORTER et MILLAR, « Pour battre vos concurrents... maîtrisez mieux l'information », *Harvard-L'Expansion*, printemps 1986, p. 6-20.
86. PRAHALAD, C.K., « Globalization : The Intellectual and Managerial Challenges », *Human Resource Management*, vol. 29, n° 1, 1990, p. 27-37.
87. PRAHALAD, C.K. et G. HAMEL, « The Core Competence of the Corporation », *Harvard Business Review*, mai-juin 1990, p. 79-91.
88. ROSENBLOOM, R.S. et M.A. CUSAMANO, « Technology Pioneering and Competitive Advantage : The Birth of the VCR Industry », *California Management Review*, vol. 29, 1987, p. 51-76.
89. ROY, M., « La fibre entrepreneuriale des ingénieurs », *Plan*, mai 1991.
90. SAPORITO, B., « Ikea's Got'em Lining up », *Fortune*, numéro spécial « Winning Companies. Winning Strategies », 22 octobre 1990, p. 30-31.
91. SCHMENNER, R.W., « Every Factory Has a Life Cycle », *Harvard Business Review*, mars-avril 1983, p. 121-129.
92. SCHUMPETER, J.A., *The Theory of Economic Development*, New York, Oxford University Press, 1961.
93. SKINNER, W., *Manufacturing in the Corporate Strategy*, 2e éd., New York, John Wiley & Sons, 1984.
94. SOHAL, A., D. SAMSON et P. WEILL, *Manufacturing Strategy and Technology Strategy : A Survey of Planning for A.M.T.*, Université de Melbourne, cahier de recherche n° 17, septembre 1990.
95. SONNTAG, V., « Flexible Manufacturing... from a Different Perspective », *Industrial Engineer*, novembre 1990, p. 58-65.
96. STEELE, L.W., *Managing Technology. The Strategic View*, McGraw-Hill, 1989.
97. STEWART, T.A., « A New Way to Wake up a Giant », *Fortune*, numéro spécial « Winning Companies. Winning Strategies », 22 octobre 1990, p. 61-65.
98. TAHERI, J., « Northern Telecom Tackles Successful Implementation of Cellular Manufacturing », *Industrial Engineer*, octobre 1990, p. 38-43.
99. TARONDEAU, J.-C., « Les effets du retard de lancement d'un nouveau produit : une étude de cas », *Revue française de gestion*, juin-juillet-août 1991, p. 152-159.
100. THUROW, L.C., « Who Owns the Twenty-First Century ? », *Sloan Management Review*, printemps 1992, p. 5-17.
101. TURCOTTE, A., Comité sectoriel d'adaptation de la main-d'œuvre, Industrie du meuble et des articles d'ameublement, bilan situationnel, monographie, mars 1990.
102. TWISS, B., *Managing Technological Innovation*, 2e éd., Londres, Angleterre, Longman Group Limited, 1980.
103. TYRE, M., « Managing the Introduction of New Process Technology : An International Comparison », 2nd International Production Management Conference, Fontainebleau, France, 13-14 mars 1989.
104. VALLIÈRES, M., « Multisens se taille un créneau auprès des grands donneurs de contrats technologiques », *Les Affaires*, 25 avril 1992.
105. VON GLINORO, M.A. et S.A. MOHRMAN, *Managing Complexity in High Technology Organizations*, Oxford University Press, 1990.

106. WOODRUFF, D., « Saturn GM Finally Has a Winner. But Success Is Bringing a Fresh Bath of Problems », *Business Week*, 17 août 1992, p. 85-91.

107. ZUBOFF, S., *In the Age of the Smart Machine : The Future of Work and Power*, New York, Basic Books, 1988.

108. « High Tech Sport », *The Economist*, vol. 324, n° 7770, 1er août 1992, p. 17.

109. « IBM et American Airlines mettront sur pied le système de réservation d'Aéroflot », *Le Devoir*, 27 avril 1992.

110. « Le Duralcan : un modèle à suivre », *L'Ingénieur*, vol. 4, n° 1, février 1991.

111. « Management de l'environnement. Stratégie et financement », Colloque HEC, Montréal, avril 1992.

CHAPITRE 6

# La gestion de l'équipement et des installations

ISABELLE DESCHAMPS *auteure principale*
JEAN NOLLET *collaborateur*

# INTRODUCTION

## 6.1 La nature et les objectifs de la gestion de l'équipement et des installations

Les ressources matérielles coûteuses, autres que les matières premières et les composants, doivent être opérationnelles ou du moins utiles durant de nombreuses années. Toute installation négligée finit par subir des pannes et montrer d'autres signes de défaillance avant de devenir complètement inutilisable, voire dangereuse à l'usage.

La qualité et le volume des biens ou des services sont alors amoindris, ce qui entraîne de plus longs délais de livraison, des coûts plus élevés et, finalement, une baisse de la productivité et de la rentabilité de l'entreprise. De plus, un équipement et des installations mal gérés augmentent les risques d'accident industriel et, de ce fait, remettent en cause la santé et la sécurité des employés, la sécurité publique et le respect de l'environnement. En vertu de ces incidences multiples, une saine gestion des installations et de l'équipement est tout aussi nécessaire que celle des stocks ou de toute autre ressource rare ou coûteuse, même si les types de gestion préconisés ne sont pas forcément les mêmes.

Conformément à l'approche systémique privilégiée dans ce manuel, la gestion de l'équipement et des installations (GEI) doit se faire en harmonie avec les autres composantes de la gestion des opérations. Comme le montre la figure 6.1, la GEI s'appuie sur les décisions stratégiques de l'entreprise en matière de conception du système opérationnel (case 1) ainsi que sur l'ensemble des décisions découlant de la révision de cette conception, soit des changements technologiques

FIGURE 6.1 ▶ L'approche systémique appliquée à la gestion de l'équipement et des installations

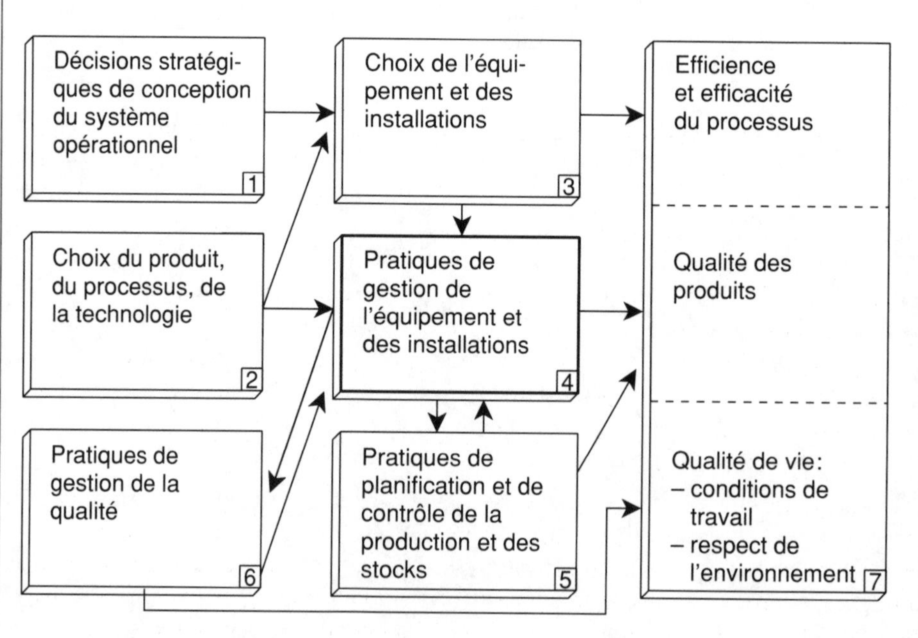

(case 2) ou l'ajout d'équipement (case 3). Avant de se doter d'un nouvel équipement, les responsables de la GEI doivent s'assurer que les choix de l'entreprise sont en adéquation avec les technologies, les produits et les processus qu'elle compte utiliser.

Les différentes pratiques de GEI (case 4, figure 6.1) s'appliquent à une multitude de décisions particulières, telle l'acquisition de l'équipement. Ce type de décision exige du gestionnaire qu'il effectue certains arbitrages, par exemple qu'il juge s'il est rentable ou valable d'affecter des ressources financières et humaines à l'achat de nouveaux moyens de production (machinerie, outils, etc.). Les principales raisons qui incitent une entreprise à se doter d'un équipement nouveau ou additionnel sont énumérées au tableau 6.1. Dans nombre de cas, plus d'un facteur entre en ligne de compte.

**Tableau 6.1**

**Les facteurs justifiant l'acquisition d'un équipement**

| Facteurs | Motifs |
|---|---|
| Économiques | – Rendement accru (volume plus élevé, rejets plus faibles)<br>– Qualité supérieure (amélioration du produit fini)<br>– Remplacement (le coût d'un nouvel équipement est moindre que les frais d'entretien actuels) |
| Compétitifs | – Maintien ou accroissement de la capacité de production<br>– Utilisation par la concurrence (effet sur l'image)<br>– Découverte de nouveaux processus (meilleure précision, plus grande flexibilité, adaptabilité à de nouveaux matériaux, réduction de la main-d'œuvre) |
| Autres | – Protection de l'environnement (équipement moins énergivore et moins polluant)<br>– Sécurité (moins de risques d'accidents)<br>– Hygiène (diminution du bruit) |

Par sa nature, la GEI constitue une série d'activités effectuées en parallèle aux activités de planification et de contrôle de la production et des stocks (PCPS) (case 5, figure 6.1). Un programme visant l'objectif ultime de qualité totale, dont nous discuterons plus abondamment au chapitre 17, s'appuie sur des pratiques de GEI qui sont en adéquation (case 6). On parle alors d'une approche intégrale à la GEI, qui vise à instaurer des pratiques d'entretien plus productives et soucieuses de la qualité totale (*total productive maintenance*)[21].

La nature des activités de GEI ainsi que les objectifs poursuivis par ces activités varient selon le type d'industrie et les choix de l'entreprise en matière de produits, de processus et de technologies, comme nous l'avons vu dans les deux chapitres précédents.

La figure 6.2 illustre deux exemples typiques de systèmes opérationnels qui combinent des choix différents de produits, de processus et de technologies et qui nécessitent une approche adaptée de la GEI. D'une part, aux installations où l'on fabrique des produits à maturité correspondent des technologies parvenues à maturité elles aussi. Dans ce contexte, la GEI préconise une organisation des activités

▼ **FIGURE 6.2**
**La gestion de l'équipement et des installations adaptée au contexte**

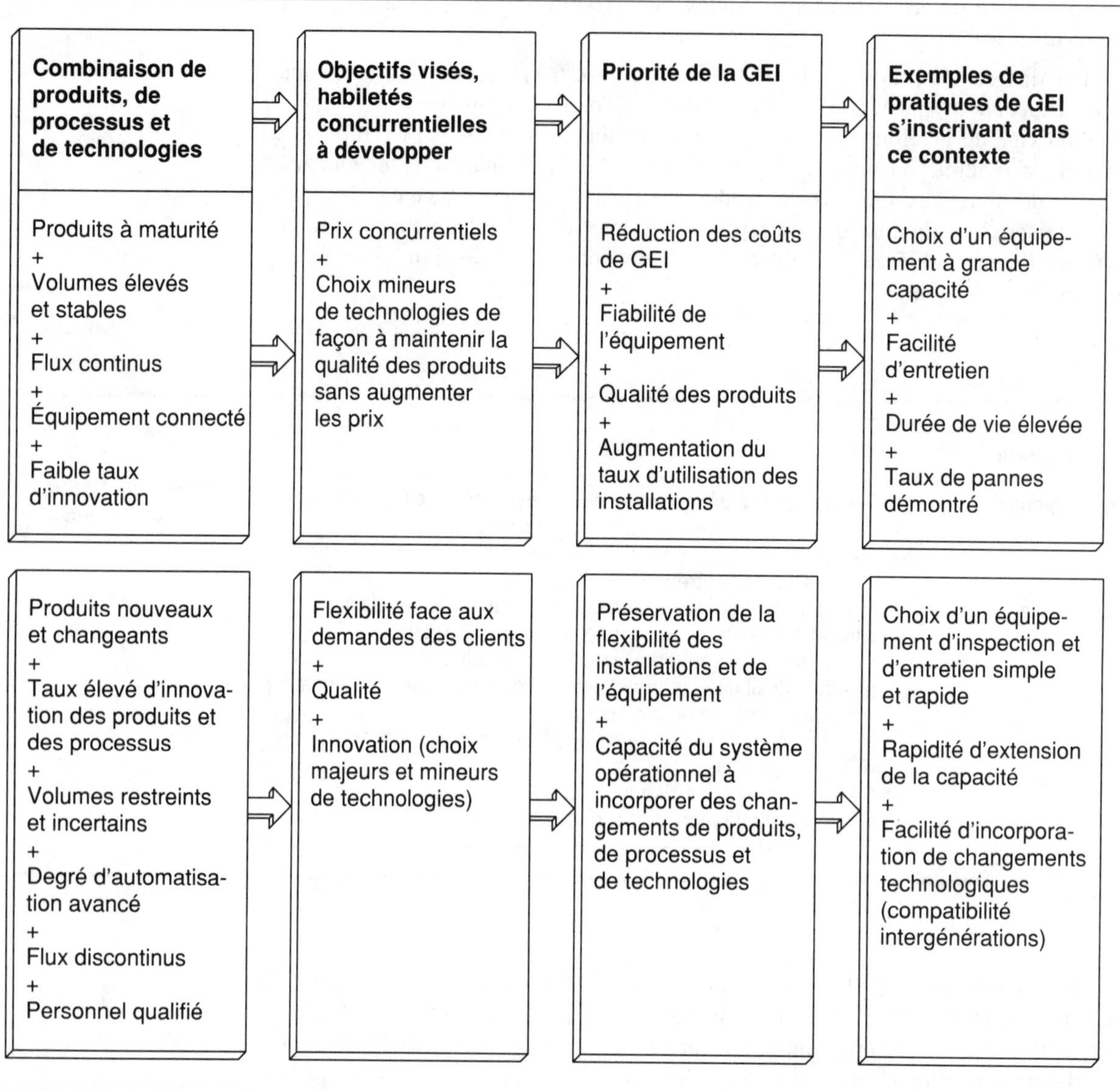


d'entretien qui minimise les coûts tout en offrant de solides garanties quant à la fiabilité et à la qualité. D'autre part, la GEI s'appuiera sur des priorités et des objectifs différents dans un milieu industriel où la mission est de fabriquer des produits relativement nouveaux ou changeants et dont le cycle de vie se situe dans la phase de lancement ou de croissance. En outre, si le degré de technicité de l'industrie s'avère élevé (voir les critères établis à la figure 5.2), les produits et les processus seront sujets à de fréquentes modifications. Dans cet environnement plus dynamique, la GEI détermine ses choix d'équipement et contrôle les opérations d'entretien en vue de préserver la flexibilité du système opérationnel et la capacité d'innovation de l'entreprise tout entière.

Aujourd'hui, en vertu de l'augmentation de l'automatisation, des liens encore plus étroits se tissent entre la qualité des produits et l'efficacité des processus d'une part, et la qualité de l'équipement d'autre part. Ce resserrement des liens entre produit et processus et entre productivité, qualité et santé-sécurité découle de l'optimisation accrue et de la faible marge de manœuvre accordée aux systèmes opérationnels fortement automatisés. Les robots, les machines à contrôle numérique, les convoyeurs sophistiqués, les lecteurs optiques, etc. sont conçus pour fonctionner avec moins d'équipement et de personnel, pour effectuer des tâches diverses, précises et complexes, pour minimiser les pertes de temps et de matériel et pour réduire l'apport de la main-d'œuvre ; de ce fait, ces systèmes opérationnels modernes sont souvent plus « fragiles » et « interconnectés ». Il peut en résulter qu'une défaillance mineure et isolée, non décelée en raison du faible degré de surveillance humaine, entraîne une série de défaillances ailleurs dans le système, voire un arrêt total d'une grande partie du système.

Pour pallier ce type de risque, les responsables de la GEI doivent adapter leurs pratiques au type et au degré d'automatisation en présence : ils s'adjoindront un personnel d'entretien plus alerte, capable d'assurer un suivi constant d'une longue série de paramètres d'opération, muni d'une solide formation polyvalente et doté d'outils sophistiqués pour procéder au contrôle et à l'autocorrection des opérations ainsi qu'à la planification des activités de GEI.

## 6.2 Les décisions en gestion de l'équipement et des installations et leurs effets

Les exemples précités démontrent que la continuité et le degré de performance du système opérationnel reposent grandement sur la qualité des décisions en matière de gestion de l'équipement et des installations. Ces décisions engendrent des effets à court et à long terme sur la capacité d'un système opérationnel à satisfaire les clients et à faire face à la concurrence, et sont de diverses natures : elles influent sur la conception, la mise en place, l'opération, le maintien et l'amélioration de l'ensemble du système opérationnel, comme le montre la figure 6.3. Ainsi, la GEI va bien au-delà de l'entretien (case 2 de la figure 6.3), tout en l'englobant.

Une telle approche à la GEI ne s'est pas développée d'emblée et n'est pas encore présente dans la majorité des entreprises. D'après les relevés, on compte quatre **stades d'évolution** des entreprises en matière de GEI[21].

- **Stade 1 :** l'**approche corrective** (communément appelée « entretien correctif ») : à ce stade, l'entreprise se préoccupe de l'équipement défectueux. Le partage des responsabilités y est dichotomique : le personnel de la production fait fonctionner l'équipement, les responsables de l'entretien le réparent lorsqu'il y a un bris. C'est souvent le service de la production qui renseigne le service de l'entretien au sujet du bris, puisqu'il y a peu d'activités d'inspection et de prévention. L'entretien est vu comme une fonction au service de la production. Par exemple, le personnel de l'entretien travaille au moment où le service de la production en a besoin, même si des heures supplémentaires ou l'embauche de personnel externe et temporaire sont nécessaires et très coûteuses.
- **Stade 2 :** l'**approche préventive** (communément appelée « entretien préventif ») : à ce stade, le service de l'entretien est encore considéré comme

▼ **FIGURE 6.3**
**Quelques exemples de décisions en gestion de l'équipement et des installations**

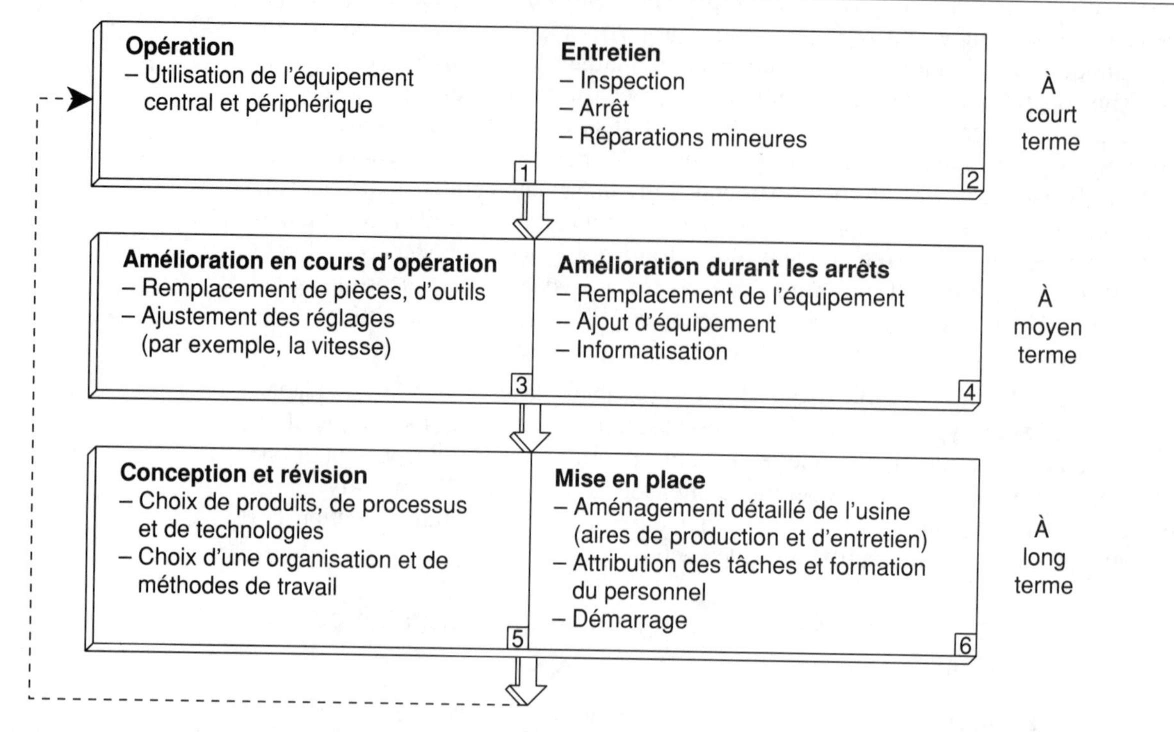


un centre de « services » à la production, mais il a de plus lourdes responsabilités et davantage d'autonomie, soit une marge de manœuvre en matière d'établissement de politiques d'entretien. En règle générale, le service de l'entretien établit, pour un groupe principal d'équipement, une procédure d'inspection et de réparations préventives de l'équipement. Ces opérations sont toutefois planifiées d'avance et codifiées dans un horaire qui doit être approuvé par les responsables de la production. En cas d'imprévus majeurs (par exemple, une hausse subite de la demande exigeant de fonctionner à plein régime), les responsables de la production ont préséance sur ceux de l'entretien. Ainsi, les mesures préventives sont effectuées selon la disponibilité de l'équipement et du personnel. Les préoccupations et les priorités sont différentes d'un service à l'autre : le service de la production mise sur la productivité à très court terme, la fonction GEI veille à la sécurité et à la productivité à moyen terme (continuité des opérations sur un trimestre) tandis que le service du personnel désire que les employés travaillent dans des conditions moins stressantes, plus régulières et plus harmonieuses.

– **Stade 3 :** l'**approche productive** : cette approche combine le meilleur des deux approches précédentes à l'aide d'outils d'« entretien prédictif ». Par rapport aux stades plus « primitifs », le service de l'entretien voit s'élargir son mandat et son horizon de planification. À ses responsabilités s'ajoute celle de la « prédiction », tâche appelée « entretien prédictif » ; à son rôle de « gardien » de l'équipement s'ajoute celui de conseiller à la conception, qui a une portée à plus long terme. Dans ces entreprises, les responsables de l'entretien déploient une panoplie d'instruments pour inspecter l'équipement afin non seulement de prévoir les défaillances, mais aussi d'en analyser les causes. Des moniteurs de vibrations, technique de détection par infrarouges ou ultrasons, combinés à des logiciels d'analyse permettent de diagnostiquer la condition de l'équipement en activité sans qu'il y ait d'arrêt, même de courte durée. La productivité des ressources humaines et matérielles s'en trouve améliorée à court comme à long terme. Le fait qu'une bonne partie des activités d'inspection soient effectuées sans perturber la production et que les techniques de prédiction permettent d'allonger les périodes de temps entre les arrêts préventifs constituent deux améliorations qui renforcent les liens de collaboration entre les services de la production et de l'entretien et permettent d'atténuer grandement les conflits entre ces deux groupes.

- **Stade 4 :** l'**approche productive et intégrale** (*total productive mainte-nance*) : cette approche intègre toutes les autres, dans un but de qualité totale et de productivité totale. Une entreprise qui atteint ce stade ultime brise les barrières administratives et atténue la plupart des conflits entre les responsables des services de la production et de l'entretien. On y intègre souvent les activités d'entretien majeur et mineur, d'inspection, de conception et d'amélioration des systèmes opérationnels au sein des mêmes unités administratives chargées des opérations et du soutien technique. Il y a parfois disparition complète du service autrefois appelé « entretien » : les employés et les gestionnaires de la production sont chargés des inspections et des réparations mineures et ils proposent des améliorations ; les employés et les gestionnaires des services techniques (ingénierie de produits ou de processus, recherche et développement, approvisionnement, etc.) travaillent de concert avec leurs homologues de la production, souvent à l'aide de groupes multidisciplinaires, d'équipes spéciales ou de cercles de qualité, afin d'établir les choix majeurs d'équipement et d'élaborer une stratégie intégrée de GEI[13, 16].

Le stade 4 n'a été instauré que dans les années 70 et 80, et seulement dans des entreprises fortement avancées en matière de pratiques de GOP modernes telles que la qualité totale, le juste-à-temps, les groupes autonomes de travail, etc. Lorsqu'une entreprise passe du stade 1 au stade 4, elle déplace d'abord ses préoccupations de GEI des cases 1 et 2 de la figure 6.3 (opération et entretien à court terme) vers les cases 3 et 4 (amélioration à moyen terme), puis elle accède aux cases 5 et 6 (conception à long terme et mise en place d'un système opérationnel et d'un système de pilotage intégrés en totalité).

Ainsi, aux stades avancés, la GEI est beaucoup plus qu'une activité de pilotage au service du système opérationnel, qui a des effets à court ou à moyen terme sur les opérations. Une gestion de l'équipement et des installations inspirée des principes avancés plus haut permet à l'entreprise d'acquérir de nombreux avantages concurrentiels, tels la qualité, les prix, la livraison, etc. De plus, une approche à la GEI qui atteint les stades 3 ou 4 procure aux employés, aux gestionnaires et au tissu environnant de meilleures conditions de travail et une meilleure qualité de vie : diminution des risques, des problèmes de santé, du bruit, des accidents, etc. (case 7 de la figure 6.1).

Cette vision moderne de la GEI en fait un « centre de profits » plutôt qu'un « centre de coûts ». La GEI est alors perçue comme un catalyseur du succès industriel plutôt qu'une activité qui draine les profits[10]. Cependant, pour réaliser pleinement cette nouvelle mission à multiples facettes, les gestionnaires responsables de la GEI doivent s'attaquer simultanément à de nombreux problèmes et défaillances, répartis dans l'ensemble des opérations et provenant de diverses sources techniques, humaines ou managériales ; il s'agit, en bref, de réduire les pertes de toutes sortes en vue d'augmenter le taux d'utilisation des ressources productives, d'accroître la performance du système opérationnel et la prévisibilité de cette performance. Les éléments sur lesquels doit agir le responsable de la GEI pour atteindre de tels résultats sont nombreux et interreliés. On peut résumer les préoccupations du responsable de la GEI sous la forme de six cibles, qui correspondent aux familles de défaillances ou de problèmes visés par le gestionnaire en quête de l'objectif ultime du « zéro-panne » et du « zéro-accident »[21].

1. Les **arrêts** ou **temps morts** :
   - **Cible 1 :** les **défaillances** et les **arrêts complets** de l'équipement qui proviennent de bris mécaniques ou électroniques.
   - **Cible 2 :** les **temps d'ajustement et de mise en route** (ou mise en course) qui sont dus aux limites de l'équipement et à la configuration des installations, de l'équipement et des outils, à de mauvaises façons de procéder, à une formation inadéquate, à une planification et à un ordonnancement non optimaux.
2. Les **réductions du rythme de production** :
   - **Cible 3 :** les **arrêts mineurs** qui sont dus à des défaillances légères de l'équipement central ou à des défaillances de l'équipement périphérique (senseurs, lecteurs, convoyeurs d'acheminement ou de triage, chutes), à des erreurs humaines, à la variabilité des pièces et des matériaux transformés (couleur, fini extérieur, longueur, largeur).
   - **Cible 4 :** la **vitesse réduite de production** en partie causée par des facteurs techniques, matériels, administratifs, humains (par exemple, le désir d'harmoniser le rythme avec celui d'un équipement connexe), par le degré d'habileté et de motivation du personnel, par des calendriers de production peu garnis faute de clients, par la peur d'accidents, etc.
3. Les **défauts** et les **rebuts** :
   - **Cible 5 :** les **défauts de processus** qui sont dus à la conception inadéquate du processus dans son ensemble ; la qualité des produits fabriqués est altérée (dimensions, fini, durabilité, résistance aux conditions d'utilisation, etc.).
   - **Cible 6 :** le **rendement lors du démarrage** : il s'agit des pertes de temps et de matières entre le moment où l'on démarre un équipement et celui où l'on a atteint des conditions stables d'exploitation. Ces pertes sont liées à la fréquence et au taux d'utilisation et d'entretien, aux caractéristiques mêmes de l'équipement, aux connaissances et à l'habileté des opérateurs, aux processus de démarrage en vigueur (taux de croissance de la vitesse), etc.

La diversité de ces cibles d'amélioration et des causes des problèmes énoncés ci-dessus renseigne sur la complexité du mandat qui incombe aux responsables de la GEI. Comme nous l'avons déjà mentionné, la responsabilité de la prise des décisions est souvent partagée entre plusieurs gestionnaires attachés à diverses unités administratives. L'organisation particulière de la GEI diffère selon le stade d'évolution (1 à 4), l'industrie et les caractéristiques du système opérationnel en cause (produits, processus, technologies et degré d'automatisation).

Au moment d'« attaquer » ces cibles, l'ensemble des responsables de la GEI doit tenter de réconcilier une multitude d'objectifs d'efficience, d'efficacité, de qualité et de protection des personnes et des écosystèmes (case 7, figure 6.1)[19]. Par exemple, la fonction GEI doit contribuer à concevoir des systèmes qui permettent l'amélioration continue de la qualité des produits, tout en réduisant simultanément les coûts de fabrication et d'entretien ainsi que les délais de fabrication. À long terme, il faut également viser à augmenter la continuité des opérations et la fiabilité de l'équipement de façon à réduire au minimum le niveau (et donc les coûts) des stocks de produits, de matières premières et de pièces de rechange. À ces priorités s'ajoutent des critères de performance plus indirects mais néanmoins vitaux, à savoir les indices suivants[3, 8, 16, 23, 28, 32] : la sécurité des lieux de travail, la santé des travailleurs, le respect de l'environnement, incluant la protection des écosystèmes environnants et la protection des citoyens, la capacité à réagir adéquatement lors d'accidents ou de crises.

# LES ACTIVITÉS RELATIVES À LA GESTION DE L'ÉQUIPEMENT ET DES INSTALLATIONS

## 6.3 L'acquisition d'un équipement

La décision du gestionnaire, quant à l'acquisition ou non d'un équipement, découle d'une analyse à la fois quantitative et qualitative du choix à effectuer, de même que d'une analyse de l'importance des facteurs mentionnés au tableau 6.1.

Lorsque des considérations d'ordre stratégique prédominent et que les montants en cause sont particulièrement élevés, la décision d'acquisition des principaux équipements revient la plupart du temps à la haute direction de l'entreprise. Souvent, le processus de prise de décisions est suffisamment long et complexe pour justifier la mise sur pied d'un comité formé de représentants de la production, de la GEI, des services techniques (tels l'ingénierie, l'approvisionnement) et de la comptabilité. Le projet d'acquisition sera défini, un calendrier d'activités et un budget seront établis. L'emploi de techniques de gestion de projets, discutées dans un chapitre ultérieur, sera également souhaitable.

Il n'est pas surprenant que l'acquisition d'un équipement soit aussi complexe. Elle comporte des risques élevés et nécessite des prévisions à long terme. Quelle sera la durée de vie utile de l'équipement de production ? Quelle sera la demande pour les biens produits ? Quels coûts d'exploitation engendrera cette acquisition ? Une erreur dans les réponses à ces questions peut être suffisamment grave pour fausser une décision prise sur une base économique. Cette base ne sert pas qu'à décider de l'achat, de la location ou de la réparation de l'équipement : elle sert à déterminer quelle option minimise à la fois les coûts d'acquisition et d'exploitation du bien. En effet, une machine peut être économique à l'achat, mais coûteuse à l'utilisation.

L'achat d'un équipement de production entraîne généralement des problèmes particuliers. En voici six[15].

1. Les fonds requis sont considérables.
2. L'intervalle de temps entre les achats est souvent long. Il en est de même parfois de l'intervalle entre l'achat d'une pièce d'équipement et sa réception.
3. La détermination du coût final exact est impossible : il faudrait aussi connaître la valeur de revente et, pour chacune des années d'utilisation, le coût d'entretien, le taux d'emprunt et le taux d'inflation.
4. Ce type d'achat a lieu surtout durant les périodes où le cycle économique est favorable. Cependant, attendre le bon moment peut en retarder l'acquisition, ce qui pourrait signifier des pertes considérables de revenus.
5. La revente d'une machine peut nécessiter beaucoup de temps, surtout lorsqu'il s'agit d'un équipement de production spécialisé.
6. Les délais occasionnés par la période de rodage de l'équipement de production peuvent forcer les responsables de l'approvisionnement à recourir à des mesures d'urgence, en particulier pour l'achat de certains biens qui ne peuvent être produits en quantité suffisante.

Ces éléments font de l'acquisition d'un équipement un défi de taille. Une fois que des besoins clairement définis justifient l'acquisition d'un équipement de production, une collaboration étroite entre les services de la GEI, de la production, de l'ingénierie et de l'approvisionnement est par conséquent essentielle. Cette collaboration permet de considérer simultanément les aspects techniques, les conditions contractuelles ainsi que les modifications à apporter à l'usine pour l'installation de cet équipement (Comment cet équipement va-t-il modifier l'aménagement de l'usine ? A-t-on besoin d'une source d'énergie supplémentaire ? Les processus de production seront-ils modifiés ? etc.).

Les caractéristiques de l'équipement à acquérir étant connues et ses répercussions étant définies, il faut choisir entre quatre modes d'acquisition.

1. L'**achat d'un équipement neuf** : on procédera souvent par appels d'offres. Les soumissions nécessiteront une analyse très soignée. En effet, chacun des fournisseurs offre une gamme différente de produits. Il importe donc de s'assurer que l'équipement proposé satisfait bien aux exigences en matière de spécifications techniques, de prix, de garantie, d'entretien, de réputation des fournisseurs, de service après-vente, de disponibilité des pièces.
2. La **location d'un équipement** : la location d'un équipement est également une option valable dans certains cas, surtout quand les liquidités d'une entreprise sont faibles, que le risque d'obsolescence de l'équipement est élevé, ou encore lorsque les fournisseurs permettent aux clients de tester l'équipement avant de le louer ou que les déductions fiscales sont intéressantes.
3. L'**achat d'un équipement usagé** : l'achat d'un équipement usagé constitue un moyen intéressant de réduire le coût d'acquisition. Ce type d'achat est également indiqué lorsque la demande pour les biens fabriqués est passa-

blement incertaine ou que l'équipement demeurera inutilisé une grande partie du temps.

4. La **fabrication à l'interne** : finalement, certaines entreprises disposent sur place des compétences nécessaires pour concevoir et parfois même fabriquer l'équipement de production requis. C'est l'option choisie par beaucoup d'entreprises japonaises ou allemandes en raison des coûts plus faibles et de l'obtention plus rapide d'un équipement mieux adapté. Cependant, les facteurs suivants sont à considérer avant d'envisager cette option[2, 12, 30] : les paramètres de conception sont définis plus facilement et plus précisément ; le personnel de l'ingénierie dispose de temps ; les délais de livraison de l'équipement peuvent être abrégés ; le design et la fabrication à l'interne de l'équipement permettent de perfectionner les techniques et les habiletés de production, c'est-à-dire d'évoluer en matière d'apprentissage des produits, des processus et des technologies[21] (*revoir la figure 5.2 sur le processus d'apprentissage de la technologie*). Certaines politiques internes ou externes à l'entreprise peuvent influer sur le choix de cette quatrième option, à savoir : 1. le mode de financement possible, par exemple les subventions gouvernementales, peut encourager soit l'achat soit le développement à l'interne, selon le cas ; 2. la centralisation de l'approvisionnement en équipement encouragera plutôt l'achat que la fabrication interne, car elle favorisera la standardisation de l'équipement acquis et assurera ainsi l'approvisionnement en équipement de qualité par des voies externes.

## 6.4 L'utilisation de l'équipement et des installations

Les premiers jours d'utilisation d'un nouvel équipement sont particulièrement difficiles en raison du rodage des pièces, des erreurs possibles et du manque d'expérience de la main-d'œuvre. Les guides d'utilisation, les cours théoriques et pratiques, les simulations et les productions d'essai sont autant de moyens qui facilitent la mise en route puis le fonctionnement régulier de l'équipement[8, 9, 27, 29].

Il vaut toujours mieux prévoir un nombre de jours plus élevé que moins élevé pour qu'un équipement de production atteigne le rendement prévu. Une planification adéquate de l'équipement et des essais est essentielle, en particulier lorsque ces derniers sont complexes. Meilleure est la planification, plus grande sera l'économie de temps[22]. Comme il s'écoule toujours un certain délai entre l'obtention de la première unité valable et le rendement normal, il faut en prévoir l'effet sur les opérations. L'ordonnancement et la capacité risquent tout particulièrement d'être perturbés durant cette période. Cette dernière observation s'applique à tout type d'équipement passablement complexe ou peu éprouvé, tant dans les secteurs primaire et secondaire que dans le secteur tertiaire.

De plus, le temps requis pour le déverminage suit une certaine courbe par rapport à la linéarité du déroulement des opérations. L'allure de cette courbe démontre l'importance non seulement d'une planification adéquate, mais aussi d'un effort soutenu. La figure 6.4 illustre cette courbe familière en forme de *S*. Au départ, beaucoup de problèmes surgissent, qui ne sont pas toujours faciles à résoudre ; par la suite, le déverminage va bon train. Un ralentissement se produit juste avant d'atteindre le rendement normal, les employés travaillant alors avec moins d'acharnement à la fin de cette étape de mise au point.

**FIGURE 6.4**
**L'évolution du rendement d'un équipement après la période de démarrage**

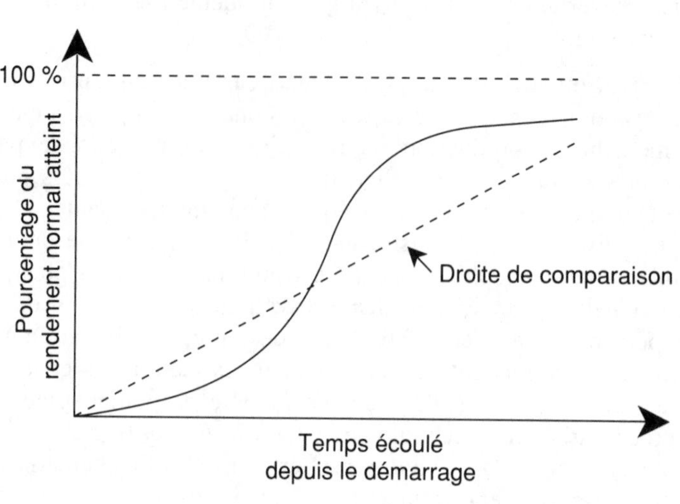


Après la phase de démarrage et de déverminage, l'utilisation de l'équipement suit un cours plus « routinier ». Chaque pièce d'équipement trouve son utilité et se voit inspectée, adaptée ou réparée de façon périodique, sans modification majeure. Ces conditions stables prévalent tant qu'il n'y a pas de changements majeurs dans l'environnement interne ou externe de l'entreprise.

En cours d'utilisation, avec l'apprentissage et la détérioration, plusieurs raisons justifient le remplacement d'un équipement. Il peut s'agir d'une combinaison des facteurs suivants :

- un coût d'entretien élevé ;
- une réparation majeure à effectuer ;
- l'avènement d'une nouvelle technologie ;
- une valeur de revente élevée ;
- un nouvel équipement offert à un prix avantageux ;
- l'arrêt définitif de la fabrication de certains produits et l'impossibilité d'utiliser la machine actuelle à d'autres fins, cette machine étant désuète ou coûtant trop cher à modifier ;
- l'utilisation, par les principaux concurrents, d'un équipement plus perfectionné qui leur confère un avantage en matière de coût, de qualité, de flexibilité ;
- les modifications de la réglementation en matière de santé-sécurité ou de respect de l'environnement (actuelles ou prévues), qui obligent ou incitent fortement l'entreprise à se doter d'un équipement plus sécuritaire, moins bruyant, moins énergivore, plus apte à traiter des matériaux recyclés, etc.

Les effets d'un changement d'équipement se font sentir non seulement sur chacune des machines, mais également sur l'ensemble du processus de production.

Dans certains cas, une machine relativement récente mais reliée à une machine plus ancienne peut être écartée de la production en même temps que la seconde. Beaucoup de gestionnaires pensent qu'on ne doit pas remplacer une machine récente en raison de son coût très élevé et du fait qu'elle peut être opérationnelle encore plusieurs années. C'est là une grave erreur. Toute décision doit être orientée vers le futur. Les coûts passés ne sont pas pertinents à la décision, puisqu'ils ont déjà été assumés et qu'ils ne peuvent habituellement pas être récupérés.

## 6.5 L'entretien : catégories, complémentarité et outils

De nos jours, même dans les entreprises ayant atteint le stade 4 de la GEI, il existe deux principales catégories d'activités d'entretien : 1. l'entretien qui nécessite un arrêt de production et 2. l'entretien qui s'effectue sans arrêt de production (tel le graissage, l'huilage, le nettoyage, la vérification des manomètres, etc.). La répartition des activités d'entretien dans chacune de ces catégories dépendra, au sein de chaque entreprise, du type d'équipement en place ainsi que de la philosophie et de la stratégie d'entretien préconisées. Les stratégies d'entretien peuvent être divisées en deux catégories principales[11] : celles qui réduisent la fréquence des pannes et celles qui en diminuent la gravité. La première catégorie comprend l'entretien préventif, la conception et l'amélioration de l'équipement qui favorisent une fiabilité très poussée et la sous-utilisation de l'équipement. La deuxième catégorie regroupe l'accélération du temps de traitement par des équipes plus nombreuses, l'augmentation des stocks de pièces de rechange et la construction d'un équipement facilitant l'entretien.

Tout équipement (y compris la machine à écrire ou l'ordinateur) nécessite un entretien quelconque, qui va de l'entretien non planifié à un entretien rigoureusement structuré. L'entretien peut avoir lieu en divers temps, par exemple au moment des pannes, ou tous les jours, ou encore toutes les 50 heures d'utilisation, etc. La stratégie de nombreuses entreprises est de confier au fournisseur le contrat d'entretien des appareils ; de ce fait, elles reconnaissent la compétence de ce dernier, mais elles abandonnent à un groupe externe la responsabilité de décisions importantes, et ce même si elles donnent leur accord sur la fréquence et la nature de l'entretien à effectuer. Les gestionnaires acheteurs négligent alors d'examiner l'effet de cette décision sur les arbitrages propres à l'entreprise même ; par exemple, un entretien mensuel peut être insuffisant compte tenu des frais directs et indirects imputables aux pannes, mais qui effectuera ce calcul ? De toute façon, les contrats d'entretien sont souvent perçus comme une assurance contre les frais occasionnés par les pannes. Fait à noter, ce type d'assurance protège contre les coûts des composants et les frais de la main-d'œuvre qui effectue l'entretien, mais ne compense pas la production perdue.

Chacune des principales **catégories d'entretien** (correctif, préventif et prédictif) qui seront discutées tour à tour dans cette section doit faire partie intégrante d'une stratégie globale d'entretien.

- L'**entretien correctif** : l'entreprise qui aspire à atteindre le stade 4 de la GEI tend à limiter cette catégorie d'entretien. Ce type d'entretien est non planifié et survient lorsque des pannes imprévues provoquent la mise hors de service de l'équipement. Ce type de pannes est bien entendu indésirable, car celles-ci créent des problèmes quant au respect de l'ordonnancement des commandes et des délais de livraison. De plus, les pièces de rechange sont très coûteuses : les stocks de pièces sont maintenus au minimum, ou sont du moins à la baisse dans la majorité des entreprises. Un achat de pièces effectué en catastrophe n'est jamais avantageux.

- L'**entretien préventif** : le but de cette catégorie d'entretien est de diminuer les défaillances et les arrêts imprévus d'équipement qui occasionnent des retards de production, des coûts supplémentaires et un stress accru chez les employés et les gestionnaires. Lorsque l'entretien préventif a réussi à réduire au minimum les pannes imprévues, il crée une plus grande confiance dans le système de production. Par contre, l'entretien préventif ne peut à lui seul éliminer toutes les pannes imprévues.

Les études antérieures de fiabilité stipulent que les causes des défaillances de l'équipement varient dans le temps. La figure 6.5 montre la distribution typique du taux de défaillance en fonction du temps. Cette courbe est connue sous l'expression courbe « en baignoire » à cause de sa forme caractéristique. À partir de cette courbe, il est possible de prévoir que lorsque l'équipement est neuf, il y a beaucoup de problèmes à régler, qui demandent un entretien plus correctif. Par la suite, le taux de défaillance se stabilise et le type de défaillances est plus prévisible en raison de l'apprentissage. Sur une période assez longue, il est donc possible d'appliquer pleinement l'entretien préventif. Plus tard, quand l'équipement se rapproche de la fin de sa vie utile et que le taux de défaillance augmente, l'équipement est considéré comme désuet. Il devient évident que l'entretien préventif n'éliminera pas toutes les défaillances. On recourra davantage à l'entretien correctif, à moins d'améliorer la capacité de prédiction des défaillances. Dans ce cas, il sera possible d'allonger la durabilité de l'équipement en évitant la hausse du taux de défaillance en fin de cycle de vie (portion à droite de la courbe en baignoire à la figure 6.5). On aura alors recours à l'entretien prédictif, dont il sera question un peu plus loin.

**FIGURE 6.5** ▶
**La distribution typique des défaillances de l'équipement : la courbe « en baignoire »**

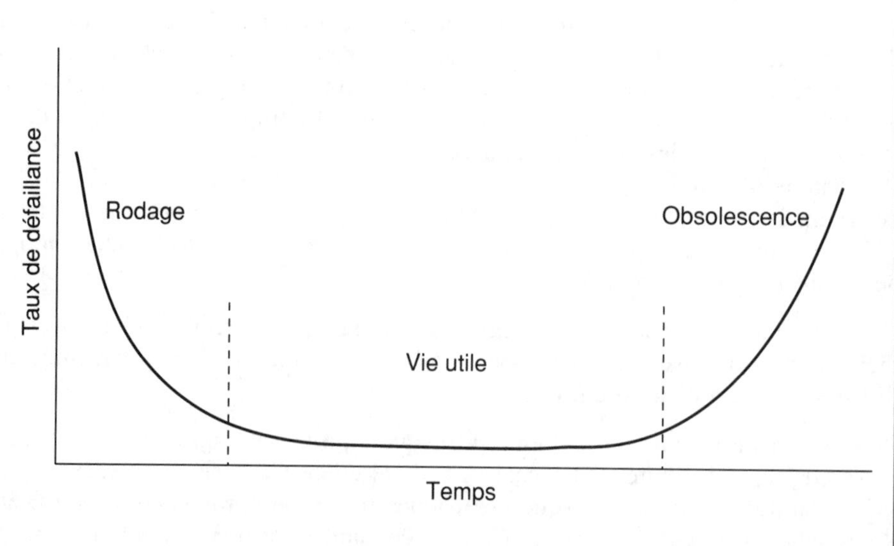

Les activités correctives et préventives d'entretien sont complémentaires, leur importance relative variant selon le cycle de vie de l'équipement en cause. Un entretien préventif réduit peut paraître économique à première vue, surtout lorsque les conséquences techniques et financières des pannes sont perçues comme négligeables. Il faut cependant se méfier des coûts sous-estimés. Les tendances récentes indiquent qu'il est plus rentable d'effectuer un peu plus d'entretien préventif qu'on le croit nécessaire. En effet, il semble que les sous-estimations des coûts rattachés aux pannes soient plus substantielles et beaucoup plus fréquentes que les surestimations. Par ailleurs, tout entretien préventif qui peut être effectué lors des arrêts normaux de l'équipement, par exemple les soirs ou les fins de semaine, occasionne généralement des frais beaucoup moins élevés, malgré le coût des heures supplémentaires de travail à assumer dans certains cas.

- L'**entretien prédictif**: comme son nom l'indique, l'entretien prédictif sert à prédire ou du moins à déceler le type et le moment des bris d'équipement qui pourraient survenir. Cela permet donc de planifier l'arrêt de l'équipement en vue de l'entretien préventif, et ainsi d'empêcher des dommages plus sérieux si une panne majeure était provoquée par le bris de la pièce défaillante. On procède à ce type d'entretien à l'aide de moniteurs modernes, de techniques d'analyse et d'essais non destructifs pour diagnostiquer les conditions de l'équipement durant les opérations et détecter les signes de détérioration ou de bris imminents.

En conclusion, on se rend compte que la productivité globale d'un équipement dépend en tout premier lieu de sa qualité et ensuite de son entretien, que celui-ci soit prédictif, préventif ou correctif. Une fois la pièce d'équipement acquise, le gestionnaire n'a d'influence que sur le second facteur. On peut donc s'attendre à ce que les entreprises cherchent à atteindre la zone d'équilibre entre les coûts d'entretien préventif et prédictif d'une part, et les coûts des pannes et de l'entretien correctif d'autre part. Des enquêtes ont révélé que, malgré certains efforts en ce sens, la priorité des gestionnaires n'est pas d'équilibrer l'ensemble de ces coûts : leur première préoccupation est de ne pas dépasser les budgets qui leur sont alloués. Ainsi, dans certains cas, ils choisiront la révision générale d'une machine plutôt que l'entretien préventif. En effet, le coût de la révision peut parfois être capitalisé, ce qui n'influe pas sur le budget, tandis que tout entretien mineur le touche directement. Ce choix survient surtout lorsqu'un gestionnaire est évalué avant tout sur le respect des budgets d'exploitation qui lui sont accordés. Le mode d'évaluation de la performance du système d'entretien influence donc les décisions qui s'y rapportent ; par conséquent, la direction ne doit pas négliger l'effet du mode d'évaluation sur la stratégie d'entretien qui sera adoptée[7].

## 6.6 Les outils et les activités connexes à la gestion de l'équipement et des installations

L'ordinateur peut être considéré comme un instrument primordial pour traiter les données utiles en GEI, surtout en entretien prédictif et en entretien préventif. La collecte des données relatives aux paramètres d'opération et à leur variation servira à déceler les changements brusques dans le fonctionnement de l'équipement afin de faciliter la prédiction. De plus, la collecte des données relatives aux pannes et aux activités d'entretien préventif et correctif effectuées permet de meilleurs arbitrages entre la prévention et la correction. L'ordinateur peut faciliter la production de nombreux rapports, notamment les rapports d'exception dont la nature est déterminée par le gestionnaire au moment de la conception des logiciels. Par exemple, un gestionnaire voudra être averti si une pièce d'équipement tombe en panne plus de trois fois durant l'année, ou si elle coûte en réparations plus de 10 % de son coût d'achat ; un tel rapport le permettra.

La simulation, souvent faite à l'aide de l'ordinateur, s'avère également très utile pour mieux équilibrer les efforts d'entretien prédictif, préventif et correctif. La simulation permet d'établir rapidement les conditions transitoires d'un système. Prenons l'exemple d'une entreprise de transport qui dispose de 20 véhicules, dont 18 sont requis en tout temps. On compte en moyenne une seule panne par véhicule annuellement. Le temps moyen de réparation est de trois jours. Si l'entretien préventif, qui immobilise un véhicule pendant deux jours, est effectué trois fois l'an, dans quel pourcentage de temps l'entreprise disposera-t-elle de 18, de 19 ou de 20 véhicules ? La réponse à cette question et à d'autres du même type est d'une importance cruciale pour de nombreuses entreprises. Fait à noter, les distributions des temps de réparation et des pannes (à moins que ces dernières ne soient strictement dues au hasard) sont nécessaires pour fournir une réponse chiffrée. Si l'entreprise a pour politique de ne pas faire d'entretien sur un véhicule quand il y en a déjà un en panne, la probabilité de disposer d'au moins 18 véhicules est plus élevée que dans le cas contraire. En effet, si un véhicule tombe en panne alors qu'il y en a déjà un en panne et 18 autres disponibles pour effectuer les livraisons, le service est assuré normalement. Par contre, si l'entretien d'un véhicule est effectué pendant qu'un autre est en panne, il n'y a plus de marge de manœuvre si un troisième véhicule devient non disponible.

La surveillance continuelle de certaines pièces ou de certains facteurs (par exemple la température, la pression) peut être assurée par un ordinateur (24 heures sur 24) ou par des inspections périodiques. Ces inspections de l'équipement constituent un groupe d'activités de soutien essentielles à l'évolution de l'entreprise qui a atteint les stades 3 et 4 de la GEI. Les méthodes et les techniques d'inspection sont aujourd'hui très sophistiquées. Elles sont appuyées d'ordinateurs, de logiciels et de systèmes experts perfectionnés dont les décisions ou les suggestions sont fondées sur les dernières connaissances scientifiques en matière de résistance des matériaux, de corrosion, de cryogénie, etc. Ces outils permettent de poser des diagnostics complets et précoces des défaillances actuelles et probables, de prédire le moment de défaillance ou d'atteinte d'une zone dangereuse d'activité, et de localiser avec précision la cause de la défaillance (par exemple, un joint de soudure entre deux pièces d'équipement). L'inspection trouve son utilité auprès de tout système opérationnel comportant des opérations et un équipement où des forces et des mécanismes divers (vieillissement, froid, chaleur, pression, corrosion, détérioration au contact de l'air ou de l'humidité) limitent sérieusement la prévisibilité de la durée de vie de l'équipement. L'inspection sert alors à prévoir la durée de vie et les défaillances au cours de cette durée (*voir la courbe en baignoire de la figure 6.5*), et surtout à augmenter la précision des prévisions, voire à réviser ces prévisions. Dans cetains cas, l'inspection est obligatoire plutôt qu'optionnelle, en raison du degré élevé de criticité de l'équipement, soit dans les cas où les risques de défaillances sont grands si une partie de l'équipement est détériorée, ainsi que dans les cas où les effets probables de ces défaillances sur les personnes ou sur le matériel sont majeurs.

Dans un autre ordre d'idées, les enjeux en matière de santé-sécurité sont plus que jamais au cœur des préoccupations des gestionnaires des opérations, et en particulier des responsables de la GEI. En effet, la législation en matière de santé-sécurité et de protection de l'environnement est de plus en plus sévère, ce qui force les entreprises à revoir leurs processus et leur équipement. De plus, elle constitue moins une contrainte à laquelle le gestionnaire doit réagir qu'un catalyseur de progrès face auquel on doit proagir[24].

Le responsable de la GEI qui aura intégré pleinement dans ses pratiques les préoccupations de santé-sécurité au même titre que les préoccupations de productivité saura atteindre le stade 4 d'entretien productif intégral et, ainsi, positionnera avantageusement l'entreprise. En effet, l'expérience dans de nombreuses industries a démontré que les coûts supplémentaires engendrés par la révision des façons de procéder, la formation du personnel ou l'ajout et le remplacement d'un équipement en vue d'améliorer les conditions de travail (et de protéger l'environnement en général) semblent être absorbés rapidement par les gains provenant des facteurs suivants : l'économie de matières et de temps, l'augmentation de la récupération et du recyclage, la réduction de la consommation d'énergie, la réduction des rejets et des produits défectueux. Ces gains découlent, entre autres, de la formation, de l'équipement et de la standardisation accrue des façons de procéder et des méthodes, lesquelles sont suivies et contrôlées de plus près lorsque les préoccupations de santé, de sécurité et de protection générale sont plus vives[8, 16, 24, 27, 28, 32].

L'atteinte de tels bénéfices ne survient pas inopinément. La récolte de ces gains matériels, financiers et humains est le fruit d'un long processus d'apprentissage individuel et organisationnel, que le gestionnaire de l'équipement et des installations doit activer. Selon l'expérience d'une entreprise pétrolière reconnue comme pionnière dans le domaine[8], ces responsabilités s'intègrent les unes aux autres au sein d'une « pyramide de la sécurité », où la mobilisation du personnel constitue l'étape ultime qui repose sur des mesures concrètes en matière d'acquisition d'équipement, de formation du personnel, de certification et de regroupement du personnel régulier et d'urgence, comme le montre la figure 6.6.

Un tel succès est fondé sur une deuxième étape préliminaire importante : la formation du personnel d'opération et d'entretien. Cette formation, selon les experts, doit être[8, 16, 27] :

- pratique et réaliste ;
- axée sur des problèmes précis de l'entreprise en matière de santé-sécurité ;
- rattachée directement au poste de travail ;
- appuyée par la haute direction à l'aide d'un budget adéquat et de « messages » renforçant son importance ;
- continuelle et faisant l'objet de mises à jour ;
- effectuée à l'aide d'installations factices (simulation, modèles réduits) plutôt qu'avec de simples manuels.

**FIGURE 6.6**
**La pyramide de la sécurité**

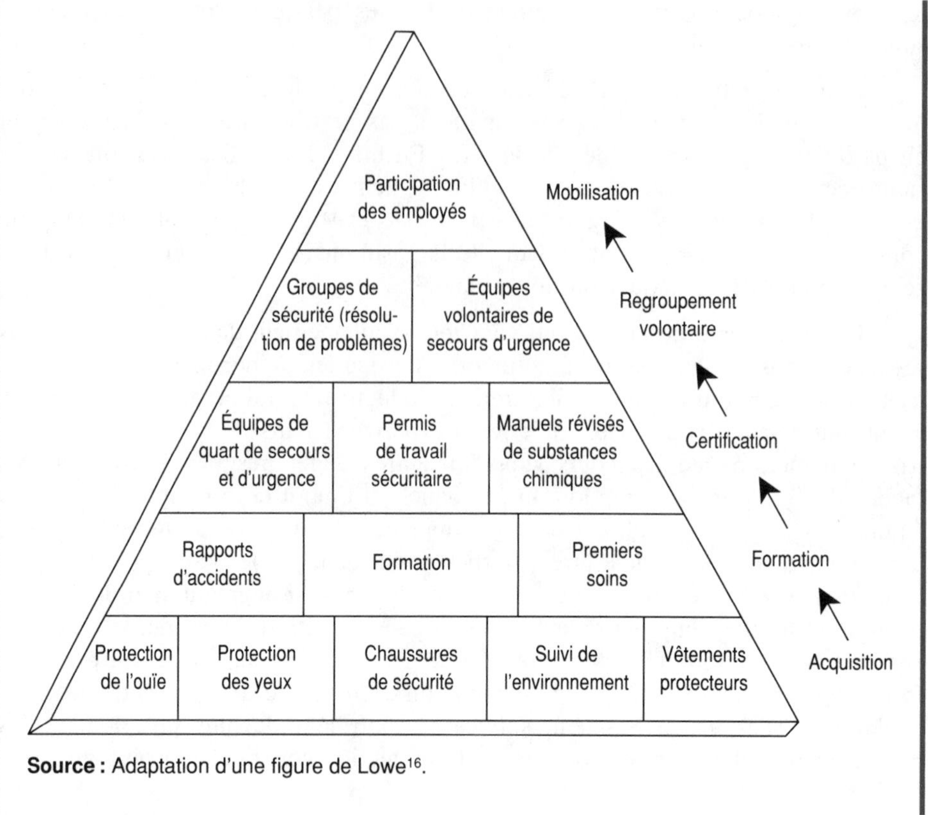


**Source :** Adaptation d'une figure de Lowe[16].

La protection de l'environnement, c'est-à-dire de l'ensemble des écosystèmes, fait elle aussi partie du panorama du responsable de la GEI. En particulier, lors de l'acquisition ou de la fabrication à l'interne d'un équipement, il y a lieu d'incorporer des critères additionnels de choix qui tiennent compte des contraintes et des objectifs environnementaux de l'entreprise. On parle alors d'un choix d'équipement qui favorise les technologies « propres » ou appropriées, plutôt que tourné simplement vers les solutions les plus économiques à court terme. Voici quelques exemples de préoccupations à intégrer lors du choix d'un équipement :

- les procédés non polluants ;
- les procédés permettant le recyclage des matériaux ;
- les procédés conservant les ressources renouvelables et non renouvelables ;
- les procédés réduisant la dépendance à l'égard des transports ;
- l'équipement de longue durée ;
- les procédés encourageant la production à petite échelle ;
- les procédés encourageant la qualification de la main-d'œuvre et le contrôle de l'ensemble des paramètres opératoires à l'échelon local[26, 31].

À titre d'activités connexes plus « extraordinaires », le responsable de la GEI doit également s'occuper des arrêts majeurs planifiés des activités aux fins d'entretien de l'équipement central, de modernisation ou d'expansion des installations. En raison des ressources immobilisées et des coûts prohibitifs des ressources affectées à ces activités spéciales, il y a d'énormes avantages à bien structurer et à contrôler la séquence des opérations lors d'un arrêt planifié. Plusieurs décisions majeures doivent alors être coordonnées : la durée et la fréquence des arrêts et le moment précis de l'arrêt. Deux stratégies sont possibles : d'une part, des arrêts plus fréquents mais de plus courte durée en raison du plus petit nombre d'activités spéciales à effectuer et du nombre restreint de « mauvaises surprises » (défaillances et bris non prévus) ; d'autre part, des arrêts moins fréquents mais de plus longue durée et comportant diverses activités à effectuer simultanément.

Bien entendu, le gestionnaire choisira un moment propice où la demande est plus faible, où le stock de produits est élevé, où les conditions climatiques sont favorables, où la main-d'œuvre spécialisée en entretien est plus disponible (si on embauche des sous-traitants) et où les concurrents sont prêts à collaborer en cas de rupture de stocks.

Pour chaque arrêt planifié et pour chaque groupe d'équipement concerné, il s'agira d'utiliser au mieux les concepts de base de la gestion de projets, étudiés au chapitre 15. Il faut d'abord dresser une liste de travaux, qui seront mis en ordre séquentiel et classés « urgents », « prioritaires » ou « secondaires ». Cet ordonnancement et cette classification serviront à établir un calendrier des travaux et les besoins monétaires en main-d'œuvre et en matériel. Ces décisions seront prises en vertu des priorités de l'entreprise entre le respect du budget, de l'échéancier, et l'assurance de la qualité des travaux. Afin de mieux maîtriser ces trois éléments clés des projets majeurs d'arrêts planifiés, les entreprises auront recours à diverses stratégies : heures supplémentaires, embauche d'employés temporaires, sous-traitance de l'exécution et même de la gestion des travaux d'entretien, formation polyvalente des employés de production et d'entretien, etc.

# LES TENDANCES EN GESTION DE L'ÉQUIPEMENT ET DES INSTALLATIONS

## 6.7 L'organisation et la gestion des ressources humaines

Les entreprises qui ont atteint le stade 4 de la GEI visent une utilisation maximale des connaissances et des ressources déjà en place. Pour tirer profit de l'ensemble des forces, elles ont recours à de nouvelles formes d'organisation du travail routinier comme aux grands projets d'entretien ou d'acquisition. On parle alors de stratégies intégrées et de structures multifonctionnelles. Une telle approche intégrée décloisonne les services ou les fonctions. L'entreprise tend non pas à augmenter ses efforts (d'entretien, d'amélioration, etc.), mais à mieux les coordonner. Chez Motorola, l'application de principes semblables, par la mise sur pied d'équipes spéciales et multifonctionnelles, a entraîné la réduction des coûts et des temps de cycle de fabrication, la diminution des rebuts et l'amélioration du produit, tout en permettant une réduction de l'encadrement par une plus grande décentralisation des activités de GEI aux premiers échelons[13].

Les tendances en GEI vont vers une responsabilisation accrue des employés, comme on l'a vu au chapitre 2. Premièrement, on tend à rendre l'opérateur d'un équipement plus responsable de l'entretien de ce dernier. La familiarisation de l'opérateur avec un équipement requiert passablement de temps, chaque pièce d'équipement ayant ses particularités. D'une certaine façon, on peut dire que plus une pièce tombe en panne souvent, mieux on la connaît et plus le temps de réparation diminue d'une fois à l'autre. Comme l'opérateur finit par bien connaître la machine avec laquelle il travaille, on lui confie souvent des tâches mineures d'entretien. Il faut toutefois s'attendre à ce qu'il prenne plus de temps, dans certains cas, qu'un mécanicien expérimenté qui connaît toutes les machines. Le recours à l'opérateur pour certaines tâches d'entretien permet en outre de l'occuper en période de production un peu moins intense.

Au fur et à mesure que les tâches d'entretien sont déléguées au personnel d'opération, la planification et l'ordonnancement de la production peuvent davantage s'harmoniser avec les activités d'entretien. En effet, lorsqu'on planifie simultanément l'entretien d'une machine et l'utilisation de celle-ci pour livrer une commande, des conflits inévitables surgissent. Si la même personne, ou du moins des personnes d'un même groupe, planifie l'entretien et la fabrication, il sera plus facile de procéder à un arbitrage équitable. Comme l'illustre la figure 6.7, la production comporte, d'une part, un ordonnancement optimal, selon le critère visé (faible nombre de mises en route par exemple) ; d'autre part, l'entretien doit être fait à des moments bien précis, ce qui nécessite parfois l'arrêt des machines en pleine période de production. Cet arbitrage démontre encore une fois la nécessité d'une approche systémique cohérente.

**FIGURE 6.7** ▶
**Les arbitrages entre l'ordonnancement optimal des opérations et celui de l'entretien**

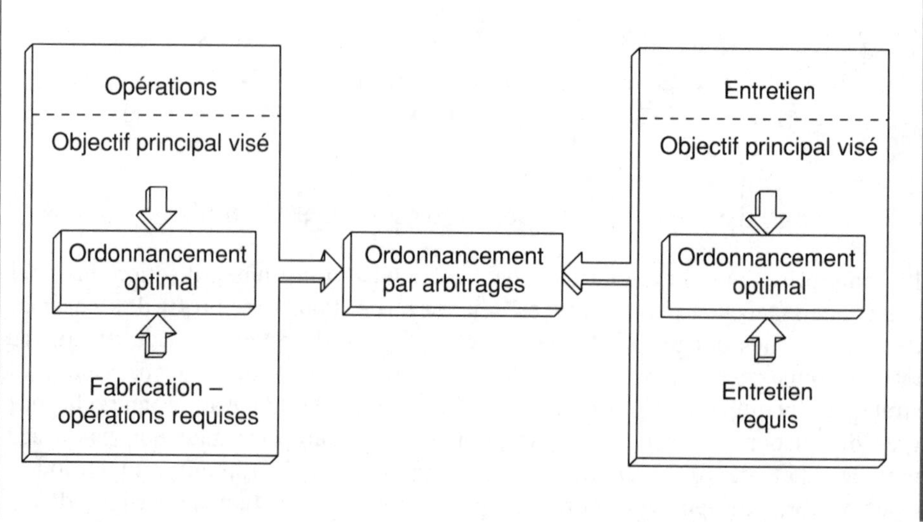

## CONCLUSION

L'équipement aide à produire les biens et à offrir les services. Tout comme les installations, il représente un investissement substantiel pour de nombreuses entreprises. L'acquisition d'un équipement, souvent coûteuse, peut être rentabilisée grâce à une utilisation et à un entretien appropriés.

Puisque la GEI comporte de multiples activités qui sont très diversifiées, les qualités requises pour bien les gérer différeront elles aussi. Les gestionnaires concernés doivent reconnaître leurs limites et tous doivent travailler en étroite collaboration. Une gestion adéquate de l'équipement est beaucoup plus exigeante qu'il n'y paraît à première vue. Elle requiert une parfaite coordination des opérations et une intégration des activités de ce système avec celles des autres systèmes de l'entreprise.

Une entreprise qui réussit à relever le défi de cette intégration des activités de GEI entre elles et de l'harmonisation de celles-ci avec les autres systèmes de l'entreprise atteint un mode intégral et productif de gestion de l'équipement. De plus, elle augmente la productivité de l'équipement tout en préservant ou même en améliorant le bien-être des personnes concernées par cet équipement. De ce fait, la GEI a une portée stratégique, économique, humaine et écologique à court et à long terme.

Comme nous l'avons souligné dans les chapitres traitant de la conception des produits et des processus (chapitre 4) et de la gestion de la technologie (chapitre 5), les dernières années ont été empreintes d'une compétitivité industrielle croissante, fondée en grande partie sur l'incorporation rapide et à moindres frais des développements technologiques récents au sein des systèmes opérationnels et des produits. Malheureusement, beaucoup d'entreprises n'ont pu demeurer parmi les chefs de file en matière de produits ou d'équipement et sont devenues dépendantes des autres entreprises en devenant des « acheteurs » de technologies et surtout d'équipement. Ces solutions offrent des avantages certains, mais plusieurs observateurs les jugent néfastes à long terme, les qualifiant même de « sources de déclin » dans les secteurs industriels de plusieurs régions industrialisées et jadis dominatrices, tels les États-Unis[2, 30].

Selon ces experts, la « spirale du déclin industriel » est engendrée par la considération de certaines facettes et la négligence de certaines autres. Par exemple, on juge adéquat d'acheter plutôt que de fabriquer en s'appuyant sur une analyse strictement financière ou concurrentielle à court terme, sur une base contractuelle, projet par projet. De plus, de nombreuses considérations « stratégiques » relatives à la décision d'achat plutôt qu'à la fabrication d'équipement sont négligées telles que : les liens entre la maîtrise des technologies de processus et l'avantage concurrentiel ; la maturité et l'obsolescence éventuelle de l'équipement incorporant diverses technologies de processus ; la position relative des concurrents en matière d'équipement et de technologies de processus[30]. À cet égard, les experts suggèrent une recrudescence des efforts de fabrication interne de l'équipement, ce qui tendra à élargir, avec le temps, le champ des responsabilités en matière de GEI.

## QUESTIONS DE RÉVISION

1. Quels sont les liens entre la gestion de la technologie, la gestion de l'équipement et la conception du processus ?
2. En quoi la GEI, la gestion de la qualité et la planification de la production sont-elles reliées ?
3. Quels sont les stades d'évolution en GEI ? Comment les préoccupations et les types d'entretien préconisés évoluent-ils d'un stade à un autre ?
4. Quelles sont les six cibles auxquelles s'attaquent les responsables de la GEI ? Lesquels de ces problèmes sont causés par des sources techniques, humaines, matérielles, managériales ?
5. Quels sont les principaux facteurs qui justifient l'aquisition d'un équipement ?
6. Quels facteurs peuvent inciter un gestionnaire à remplacer une pièce d'équipement ? Ces raisons varient-elles selon l'industrie ?
7. Quels sont les avantages et limites de chaque type d'entretien ? En quoi sont-ils complémentaires ?
8. Pourquoi et quand devrait-on arrêter un équipement aux fins d'entretien ?

## QUESTIONS DE DISCUSSION

1. « Les activités de GEI sont au service entier des activités de production. » Commentez cette affirmation.
2. Vu le nombre limité de fournisseurs, n'est-il pas plus facile de choisir un fournisseur pour de l'équipement que pour des matières premières ?
3. Est-il sage de conseiller à une entreprise ayant des problèmes de liquidités de modifier son approche quant à l'entretien préventif ? Pourquoi ?
4. Dans la pratique, comment peut-on déterminer si l'entretien préventif ou prédictif effectué sur une machine est exagéré, adéquat ou insuffisant ?
5. Peut-on prévoir de façon réaliste que les entreprises de taille moyenne utiliseront de plus en plus l'ordinateur, la simulation ou les techniques d'inspection afin de faciliter la planification et le contrôle de l'entretien ? Pourquoi ?
6. Jusqu'à quel point la GEI est-elle une activité stratégique ? Illustrez par un exemple.
7. En quoi les préoccupations de productivité et de profitabilité d'une part, et celles de santé, de sécurité et de protection de l'environnement d'autre part, sont-elles compatibles au sein d'une approche intégrale à la GEI ?
8. « La GEI devient à ce point stratégique et complexe, et utilise des outils tellement sophistiqués qu'elle sera de plus en plus entre les mains de professionnels et de techniciens spécialisés. » Commentez cette affirmation.

## RÉFÉRENCES

1. BAKER, M.J.C., « How Often Should a Machine Be Inspected ? », *International Journal of Quality and Reliability Management*, vol. 7, n° 4, 1988, p. 14-18.
2. BETTIS, R.A., S.P. BRADLEY et G. HAMEL, « Outsourcing and Industrial Decline », *Academy of Management Executive*, vol. 6, n° 1, 1992, p. 7-22.
3. BOURDELEAU, Dr., « L'organisation des secours dans un établissement industriel de pétrochimie », *Pétrole et Techniques*, n° 346, janvier-février 1989, p. 10-18.

4. BROWN, G.G. *et al.*, « An Optimization Model for Modernizing the Army's Helicopter Fleet », *Interfaces*, vol. 21, n° 4, juillet-août 1991, p. 39-52.

5. BYRD, T.A. *et al.*, « Keeping the Helicopters Flying – Using a Knowledge Based Task Support System to Manage Maintenance », *Interfaces*, vol. 21, n° 4, juillet-août 1991, p. 53-62.

6. CARLSSON, B., « Management of Flexible Manufacturing : An International Comparison », *Omega, International Journal of Management Science*, vol. 20, n° 1, 1992, p. 11-22.

7. CHASE, R.B. et N.J. AQUILANO, *Production and Operations Management. A Life Cycle Approach*, 4e éd., R.D. Irwin, 1985.

8. CLYMER, A.B., « Simulate your Way to Safety », *Hydrocarbon Processing*, décembre 1985, p. 79-80.

9. EDOSOMWAN, J.A., « Professionals Must Train for Factory of Future's Integrated Work Environment », *Industrial Engineering*, octobre 1989, p. 20-25.

10. FRENCH, J.W., « Maintenance : Profit Drain, or Catalyst ? », *Production Engineering*, février 1985, p. 84-88.

11. HARDY, S.T. et L.J. KRAJEWSKI, « A Simulation of Interactive Maintenance Decisions », *Decision Sciences*, octobre 1975, p. 797-813.

12. HAYES, R.H., S. WHEELRIGHT et K.B. CLARK, *Dynamic Manufacturing*, New York, Free Press, 1988.

13. KUMAR, S. et Y.P. GUPTA, « Cross Functional Teams Improve Manufacturing at Motorola's Austin Plant », *Industrial Engineering*, mai 1991, p. 32-36.

14. LARAMÉE, B.-P. et I. DESCHAMPS, « La planification des arrêts de production à la raffinerie de Petro-Canada à Montréal », centrale de cas, Montréal, École des HEC, 1992.

15. LEENDERS, M.R., H.E. FEARON et W.B. ENGLAND, *Purchasing and Materials Management*, 10e éd., Homewood, Illinois, Richard D. Irwin, 1993.

16. LOWE, G., « Use a Safety Advisory Group », *Hydrocarbon Processing*, Gulf Publishing Co., décembre 1985, p. 75-76.

17. MATSUEDA, T., « Refinery Management and Operation by Advanced Technology », IFAC, *Production Control in the Process Industry*, Osaka, Japon, 1989, p. 225-228.

18. McCURDIE, D.C., « When You Build a Plant in a Developing Country... », *Hydrocarbon Processing*, octobre 1986, p. 84-B à 84-J.

19. MEHTA, A., « Fast-Cycle Manufacturing : How to Develop an Effective Manufacturing Plan », *Industrial Engineering*, avril 1990, p. 22-26.

20. MERINO, D.N., « Economics of Quality : Choosing Among Prevention Alternatives », *International Journal of Quality and Reliability Management*, vol. 7, n° 3, 1988.

21. NAKAJIMA, S., *Introduction to TPM. Total Productive Maintenance*, Productivity Press, Cambridge, 1988.

22. NOLLET, J. et R. HANDFIELD, « Problems Associated with the Use of Robotics in Canada », Conférence annuelle de l'ASAC, Halifax, 5-7 juin 1988.

23. O'SHIMA, E., Y. NAKA et H. MATSUYAMA, « Reliability Assuring Maintenance », '91 TPM World Congress, Japan Institute of Plant Maintenance, Takanawa Prince Hotel, 5-7 novembre 1991.

24. PASQUERO, J., « Gérer stratégiquement dans une économie politisée », *Gestion*, septembre 1989.

25. PRAZAK, S., « Maintenance Operations in Desert Storm : An Interview with Col. Davies », *Industrial Engineering*, octobre 1991, p. 38-41.

26. RACINE, L., G.A. LEGAULT et L. BÉGIN, *Éthique et ingénierie*, McGraw-Hill, 1991.

27. SOUTHERST, J., « Kenworth's Grey Revolution », *Canadian Business*, septembre 1992.

28. STEINER, V., « Assessing the Safety Climate of a Plant. Yields Long Term Benefits », *Plant Engineering*, 23 avril 1987, p. 26-29.

29. TOMLINSON, H.C., « Improve your Operator Training », *Hydrocarbon Processing*, février 1985, p. 115-119.
30. WELCH, A. et P.R. NAYAK, « Strategic Sourcing : A Progressive Approach to the Make-or-Buy Decision », *Academy of Management Executive*, vol. 6, nº 1, 1992, p. 23-31.
31. WINTER, G., *Entreprise et environnement. Une synergie nouvelle*, McGraw-Hill, 1989.
32. « Total Quality Management and Productivity », *Management Services*, octobre 1991, p. 28-34.

CHAPITRE 7

# La détermination de la capacité de production

MATTIO O. DIORIO *auteur principal*

# LE CONCEPT DE CAPACITÉ

## 7.1 Introduction

Dans ce chapitre, il sera question de la détermination et de la modification de la taille d'un système opérationnel, c'est-à-dire sa capacité de production. L'accent est mis sur les décisions à long terme, soit combien, quand, où et comment se font les modifications de capacité. Ce type de décision découle d'une stratégie que l'entreprise élabore en considérant dans son analyse non seulement le capital investi dans le projet, mais aussi l'impact social de celui-ci, l'incertitude des prévisions et la réaction des concurrents. La décision est importante, car une fois établie, la nouvelle capacité demeure en place et s'il y a surcapacité ou sous-capacité, une situation problématique est créée.

Ce chapitre ne traite qu'en partie de l'ajustement de la capacité à moyen et à court terme, sujets qui seront aussi abordés aux chapitres 12 à 14. Par contre, les concepts de la courbe d'apprentissage et d'expérience y sont étudiés, car ces phénomènes ont pour effet d'accroître progressivement la capacité.

## 7.2 L'importance de la décision

De concert avec les autres décisions dans la conception du système opérationnel, celle de la capacité tire son importance des effets qu'elle a sur les possibilités de l'entreprise à satisfaire ou non la demande dans les marchés qu'elle dessert avec ses produits, biens et services. Plusieurs facteurs font ressortir cette importance, dont les suivants.

Premièrement, la **taille d'une unité** de production de biens ou de prestation de services détermine l'investissement initial nécessaire à sa réalisation. En règle générale, plus la capacité d'un système est grande, plus l'unité coûte cher, même s'il n'y a pas de lien direct de proportionnalité entre la taille d'une unité et son investissement initial. Par exemple, dans plusieurs industries[12], si la capacité est doublée, l'investissement requis augmente seulement de $2^a$, l'exposant $a$ étant compris entre 0,6 et 0,8 ; or, pour une augmentation de 100 % de la capacité, l'investissement augmente de 52 % à 74 %.

Deuxièmement, la **capacité d'une unité** est étroitement liée à ses coûts d'exploitation : 1. les frais d'amortissement sont plus élevés si la capacité est plus grande ; 2. les frais totaux sont influencés par les économies et les déséconomies d'échelle, notions qui sont examinées plus loin ; 3. aussi, une capacité excédentaire inutilisée signifie un capital inutilement immobilisé, alors qu'une capacité déficitaire ne satisfait pas à la demande ou nécessite des coûts supplémentaires pour y arriver.

Troisièmement, à part la variation de la demande, un grand nombre d'incertitudes influent sur la capacité : il y a l'incertitude de la réaction des concurrents, celle relative aux effets de l'évolution technologique, l'incertitude des autres aspects de l'environnement, par exemple l'écologie. Ces trois dernières incertitudes sont expliquées :

- La **réaction d'un concurrent** : celui-ci pourrait décider de se donner une capacité additionnelle pour s'accaparer une nouvelle part de marché.
- L'**évolution technologique** : le maréchal-ferrant a vu sa forge disparaître avec la venue de l'automobile.

– L'**évolution écologique**: la cimenterie qui exploite une carrière dans une ville doit relocaliser ses installations à cause de problèmes de pollution.

Ces incertitudes rendent complexe la détermination de la capacité, car celle-ci exige une sortie de fonds considérable pour ce même futur incertain.

Un quatrième facteur est celui des liens stratégiques engendrés par la **détermination de la capacité**. Un changement de capacité peut imposer des changements dans les installations, dans les caractéristiques des produits et des processus de fabrication, ainsi que des modifications dans l'organisation du travail et dans l'aménagement; il peut même exiger une relocalisation. D'ailleurs, l'expérience démontre que les modifications de capacité sont causées par des changements et en causent à leur tour dans les systèmes de pilotage et d'information. Ces changements doivent donc faire l'objet de sérieuses études qualitatives et quantitatives, car la bonne marche et la survie même de l'entreprise pourraient en dépendre. Malgré l'importance de la détermination de la capacité, il est surprenant de constater qu'il est parfois difficile de la définir et de la mesurer.

## 7.3 La définition et la mesure de la capacité

Dans le langage courant, le mot « capacité » signifie, entre autres, la quantité de substance que renferme un contenant. Dans le contexte dynamique de la production, le sens du mot « capacité » doit être précisé, car il a plusieurs acceptions, soit la surface de plancher, le volume d'entreposage, le taux de production d'une machine, la cadence d'une opération, l'habileté d'un individu et combien d'autres encore.

La notion de **capacité** peut se définir comme étant la quantité théorique maximale de produits pouvant être réalisée par un système opérationnel donné durant une période précise de temps et lorsqu'il fonctionne dans des conditions préétablies. Malgré le caractère explicite de cette définition, il est utile d'en examiner les variables.

En effet, la définition donnée semble indiquer que la capacité doit être exprimée de façon directe par un taux de production: le nombre d'unités de produits qui peut être fabriqué durant une période donnée, c'est-à-dire la quantité d'extrants par unité de temps. Une difficulté réside parfois dans la définition de l'extrant. Si une installation est conçue pour fabriquer un seul produit ou plusieurs produits peu différenciés (c'est-à-dire des produits **homogènes**), une mesure unique et directe peut exprimer adéquatement l'extrant. Par exemple, la capacité d'une usine de filtration d'eau s'exprime par le nombre de litres traités par heure. Par contre, si une installation est conçue pour réaliser une gamme de produits (par exemple, une raffinerie transforme du pétrole brut en une variété de produits, tels le naphta, le carburant pour automobiles, l'essence pour avions, le benzène, le mazout, la paraffine, etc.), ces extrants ne peuvent s'additionner pour exprimer la capacité, à cause de leur **hétérogénéité**. Pour résoudre ce problème, au moins deux solutions sont possibles: 1. les extrants sont traduits en unités communes appelées aussi unités équivalentes (*voir le chapitre 12*); 2. utiliser, comme mesure de capacité, soit l'intrant, soit l'une des ressources clés de production. Dans le cas de la raffinerie, la capacité est mesurée par l'intrant, soit le nombre de barils de pétrole brut transformé par jour; dans le cas d'un hôtel, la capacité est donnée par une ressource clé, tel le nombre de chambres disponibles.

En pratique, chaque entreprise d'un même secteur industriel se sert de la même mesure de capacité; par exemple, la capacité d'un stade est toujours exprimée en fonction du nombre de sièges. Par contre, il est déconseillé d'utiliser des mesures instables dans le temps : la mesure de capacité en dollars de production est à éviter à moins qu'elle soit ajustée, car l'effet de l'inflation et l'instabilité du dollar masquent la valeur de la production réelle et la capacité d'installation.

Le tableau 7.1 donne des exemples de mesure de capacité où l'extrant est soit homogène soit hétérogène pour des entreprises des secteurs primaire, secondaire et .tertiaire.

**Tableau 7.1**

**Quelques exemples d'unités de mesure de la capacité**

| Extrant homogène | | Extrant hétérogène | |
|---|---|---|---|
| **Entreprise** | **Unité de mesure** | **Entreprise** | **Unité de mesure** |
| Laiterie | Nombre de litres de lait par jour | Protection civile | Nombre de policiers |
| Mine de fer | Tonnes de minerai par année | Restauration | Nombre de tables |
| Service portuaire | Nombre de conteneurs chargés et déchargés par année | Hôpital | Nombre de lits |
| Avionnerie | Nombre d'avions par période de temps | Établissement d'enseignement | Nombre d'étudiants équivalents par année |
| Bureau d'émission des permis de conduire | Nombre de permis par unité de temps | Atelier d'usinage | Nombre d'heures-machine disponibles par unité de temps |
| Usine d'assemblage d'automobiles | Nombre de voitures assemblées par jour | Raffinerie de pétrole | Nombre de barils de pétrole brut par jour |

## 7.4 La notion de capacité dans le secteur des services

La détermination de la capacité dans le secteur des services s'apparente à celle du secteur industriel, quoique certaines particularités doivent être évaluées et incorporées : 1. les services ne sont pas stockables ; 2. en général, ils sont difficilement transportables ; 3. ils sont en partie ou totalement intangibles ; 4. le client est souvent présent dans le système de prestation des services.

Le fait de **ne pouvoir stocker les services** enlève une variable importante dans la régulation de la prestation de services face aux variations cycliques et saisonnières de la demande. La capacité doit être suffisante pour atteindre le niveau de service défini selon la stratégie de l'entreprise. Généralement, la taille de la capacité se rapproche davantage de la demande maximale que de la demande moyenne. Par exemple, dans un supermarché le jeudi soir, 15 caisses enregistreuses fonctionnent avec des files d'attente, tandis que le mardi matin, deux caisses suffisent. Puisqu'il n'est pas possible de stocker le service à la clientèle du jeudi au mardi et qu'il y a, dans les services, une alternance entre des périodes de congestion et d'inactivité, cela favorise l'utilisation de la théorie des files d'attente ou de la simulation pour déterminer la capacité optimale

Contrairement aux biens physiques, **les services sont difficilement transportables**, ce qui favorise une localisation près du client ou du marché. Par exemple, le choix entre un seul grand restaurant et plusieurs petits restaurants McDonald's ne peut s'exercer, car il est généralement nécessaire de les localiser près de la clientèle. Cependant, certains services hautement standardisés sont devenus transportables, comme la livraison de pizzas ou d'autres mets à domicile. Or, la capacité doit s'ajuster à la localisation de la clientèle, et parfois des variations de stratégie sont nécessaires.

L'**intangibilité d'un service** et la **présence du client** dans le système forcent le gestionnaire à créer une grande souplesse de capacité. Le client a la possibilité de préciser sur place les caractéristiques du service qu'il désire; il influence ainsi la rapidité de prestation du service et, par conséquent, la capacité du système.

La stratégie de détermination de la capacité dans les services oblige le gestionnaire à considérer ces particularités et à surveiller l'équilibre sans cesse mouvant entre les exigences du contact du client avec le système et les ressources disponibles pour satisfaire et parfois limiter les exigences du client présent.

# LES FACTEURS QUI INFLUENT SUR LA CAPACITÉ

## 7.5 Les économies et les déséconomies d'échelle et de diversité

Plus la taille d'une installation est grande, plus le prix de revient unitaire tend à diminuer, car les frais fixes sont absorbés par un plus grand nombre d'unités produites. Cette affirmation reflète l'idée traditionnelle d'**économies d'échelle**, et certains s'y réfèrent pour parfois ajouter des capacités sans analyses préalables. Ce sens traditionnel donné au concept d'économies d'échelle cache trois formes distinctes[18] que prendront ces économies et il empêche le gestionnaire de les exploiter à son avantage: les économies de volume, les économies de capacité et les économies de technologie.

Les **économies de volume** correspondent à la notion d'échelle généralement comprise dans la pratique. Pour un même niveau de capacité, il y a économies de volume s'il y a augmentation du volume de production: s'il y a augmentation de volume, par exemple de 75 % à 85 % de la capacité donnée, le prix de revient moyen par unité diminue, car les frais fixes sont répartis sur un plus grand nombre d'unités. De même, il y a des économies de volume lorsque la taille d'une série de production est accrue: le temps fixe de mise en route est réparti sur un plus grand nombre d'unités. Ces économies de volume peuvent comporter des inconvénients: une augmentation du volume sans une augmentation correspondante de la demande accroît le niveau des stocks et les coûts afférents; l'augmentation de la taille d'une série de production accroît non seulement le niveau des stocks, mais aussi l'intervalle entre les mises en route, ce qui peut parfois causer des déséquilibres quant au niveau des stocks. La réduction du temps de mise en route sera étudiée dans le contexte du juste-à-temps au chapitre 18.

Par **économies de capacité** on entend la modification du niveau de capacité: pour des usines qui fonctionnent à un même taux de production, c'est-à-dire à un même taux d'utilisation de la capacité, celle qui a la plus grande capacité obtient, en général, des coûts moyens unitaires plus faibles. La figure 7.1 illustre cet aspect. Ces économies de capacité sont attribuables: 1. à l'étalement des frais fixes sur un plus

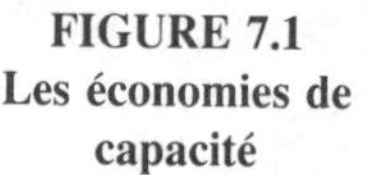

**FIGURE 7.1**
**Les économies de capacité**

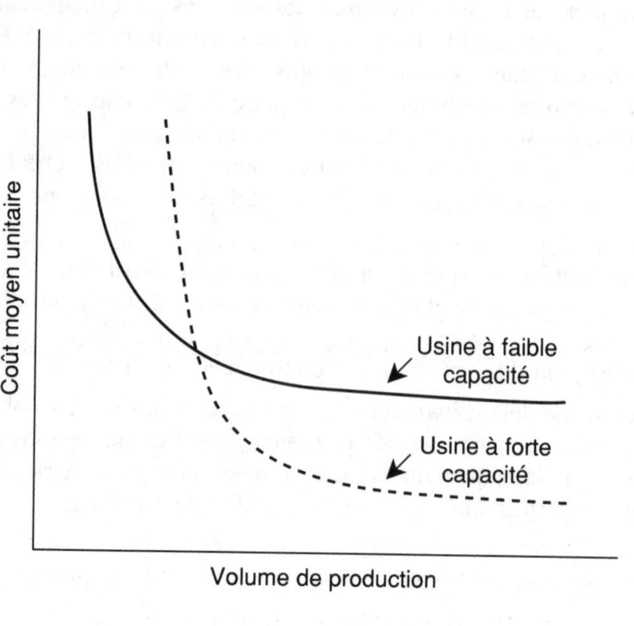


grand volume de production, comme on l'a mentionné précédemment ; 2. au fait que les frais fixes ne sont pas nécessairement proportionnels à la capacité ; par exemple, les coûts de gardiennage sont probablement les mêmes pour une usine qui a une capacité simple que pour celle qui a une capacité double ; 3. au fait d'utiliser une plus grosse machine qui, en général, coûte moins cher que d'employer plusieurs machines de moindre taille ; par exemple, dans une mine à ciel ouvert, il coûterait moins cher, par unité de produit, de transporter 50 tonnes de minerai dans un camion de 50 tonnes que dans 50 camions d'une tonne !

Les **économies de technologie** sont attribuées à des modifications de la technologie de processus, de produit, d'information ou de gestion. Lors de l'agrandissement d'une usine, le gestionnaire en profite pour y intégrer des technologies nouvelles, ou encore pour y ajouter un équipement auxiliaire qui peut se justifier à cause de la taille plus grande. Un accroissement de capacité et un changement de technologie peuvent diminuer à la fois les frais fixes et les coûts variables. Par contre, il est à noter qu'une grande usine automatisée qui veut réduire son prix de revient doit avoir un fort volume de produits homogènes, sinon les économies d'échelle peuvent être illusoires. C'est en partie la thèse[9] qui soutient qu'aujourd'hui, les nouvelles technologies de production disponibles permettent non seulement l'accroissement de l'échelle des opérations, mais aussi la diversité de celles-ci en offrant, entre autres, des avantages tels que la flexibilité dans la conception du produit et du processus, la souplesse face aux changements de la demande et une plus grande fiabilité d'opération.

En somme, il s'agit d'**économies de diversité**, c'est-à-dire que les nouvelles technologies, les concepts de gestion, tels le juste-à-temps, les méthodes flexibles de fabrication, le contrôle informatique, rendent possible l'utilisation de techniques de pointe focalisées sur de faibles séries d'un produit. Par exemple, une machine-outil contrôlée par ordinateur peut travailler successivement sur une douzaine d'unités semblables puis, de façon aléatoire, sur une douzaine de produits différents dans les limites, bien entendu, de conception de produits appartenant à une même famille. Le temps imputable au changement et les coûts en résultant sont négligeables dans la mesure où la tâche d'organisation de la machine consiste à lire un programme d'ordinateur[9].

Selon Deschamps[4], certains experts parlent désormais d'**économies d'intégration**, des arrangements et des modes de gestion qui visent à combiner les avantages d'économies d'échelle et de diversité.

« Au faîte des grandeurs, le tonnerre gronde. » Cette maxime nous avertit qu'à des économies d'échelle correspondent des **déséconomies d'échelle**. En effet, des inconvénients et des coûts sont rattachés à l'échelle d'une opération. Le premier inconvénient est celui relié à la gestion : plus une usine est grande, plus difficile et plus complexe est sa gestion. Une grande usine exige généralement un plus grand nombre de travailleurs et, vraisemblablement, un plus grand nombre de contremaîtres et de cadres, ce qui engendre des moyens complexes de coordination d'activités, des formes différentes de relations de travail et de motivation, des méthodes de communication plus structurées et, bien souvent, des coûts accrus de gestion.

Fortement reliées aux **déséconomies de gestion** sont les **déséconomies de diversité** : certaines grandes usines ont eu tendance à accepter une plus grande variété de produits, de technologies, de spécialités de toutes sortes, sans efforts de focalisation. Deux autres formes de déséconomies sont liées à des facteurs géographiques : 1. plus une usine est grande, plus ses clients sont éloignés, ce qui accroît ses frais de transport ; 2. plus une usine est grande, plus elle embauche de la main-d'œuvre environnante. La communauté locale devient alors dépendante de l'usine, jusqu'à parfois vouloir influencer ses activités.

## 7.6 Les variables de la capacité

La capacité d'une entreprise à fabriquer des produits ou à fournir des services dépend de plusieurs facteurs. La figure 7.2 fait référence à ceux discutés ci-dessous.

1. La **durée d'utilisation** d'une installation influe directement sur sa capacité. Un système conçu pour fonctionner 80 heures par semaine a théoriquement une capacité de production double de celui qui fonctionne 40 heures par semaine. La durée d'utilisation d'un système repose sur deux critères. Ainsi, à la suite d'une décision de gestion, la répartition du travail peut se faire sur plusieurs quarts ; cette décision s'appuie sur la demande prévue du produit, tout en considérant les aspects économiques et psychosociaux de prolonger les heures de travail. De même, la décision peut découler d'impératifs technologiques qui contraignent le gestionnaire à faire fonctionner les installations à feu continu, comme dans le cas des industries chimiques, pétrolières et sidérurgiques. Un troisième facteur peut s'ajouter aux deux premiers : il s'agit des services essentiels qui sont offerts sans interruption, comme dans le secteur hospitalier et dans ceux des communications téléphoniques et de la distribution de l'électricité.
2. La **gamme de produits** à fabriquer influe sur la capacité. Par exemple, dans l'industrie du meuble, la capacité de production pour la fabrication de 1 000 chaises d'un même type est moindre que celle nécessaire à la fabrication de

**FIGURE 7.2** ▶
**Les facteurs influant sur la capacité d'un système**

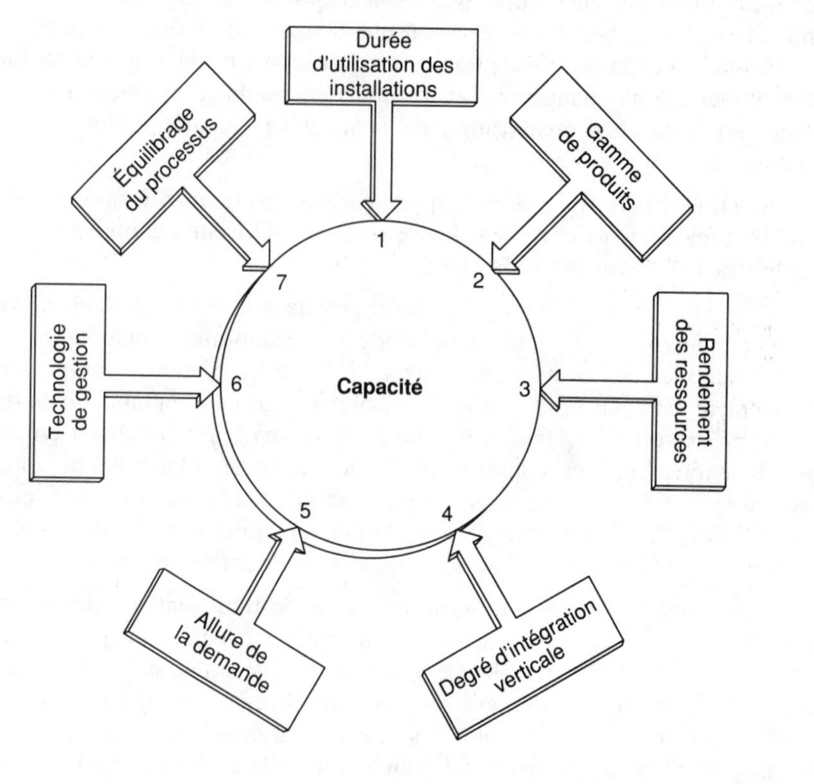


200 chaises, de 200 bancs, de 200 fauteuils, de 200 pupitres et de 200 tables. En effet, chaque type de produit nécessite généralement une préparation, une main-d'œuvre, une machinerie et des espaces très différents. Même si une installation a une gamme restreinte de produits, le fait qu'il y ait des temps différents de mise en route a pour effet de réduire la capacité. L'exemple suivant illustre certains effets pouvant être causés par la diversité des produits.

**Exemple** ■

L'entreprise désire exécuter une commande de 100 produits identiques et 100 commandes d'un produit légèrement différent. Le temps de mise en route est de 10 minutes et le temps d'opération est de 1 minute par unité dans tous les cas. Quel est le temps moyen de fabrication requis dans les deux cas ?

*Solution*

Une commande de 100 unités d'un même produit requiert :

10 minutes + (100 unités × 1 minute/unité) = 110 minutes

soit 1,1 minute par unité, tandis que 100 commandes de 1 produit nécessitent :

(100 × 10 minutes) + 100 unités × 1 minute/unité = 1 100 minutes

soit 11 minutes par unité.

Cette notion de gamme de produits et son effet sur la capacité font poindre l'idée qu'une usine ne peut exceller dans toutes les conditions de concurrence et qu'elle doit exercer des choix correspondant aux objectifs compétitifs découlant de la stratégie de l'entreprise.

3. Le **rendement des ressources** de production fait aussi varier la capacité d'une entreprise. L'expression « dans des conditions préétablies », qui fait partie de la définition de la capacité, présuppose un rendement fixe et uniforme. Divers éléments, dont la motivation des travailleurs, ont pour effet de modifier ce taux de rendement et, par conséquent, le taux de production. Les autres éléments sont : la fatigue causée par des cadences trop rapides ou par de trop longues heures de travail, les conditions physiques du milieu de travail, l'utilisation des espaces, l'état des machines, la qualité des matières premières, etc.

4. La capacité est influencée par le **degré d'intégration verticale** choisi pour une installation ; autrement dit, il s'agit du pourcentage de sous-traitance dans les étapes de réalisation du bien ou de prestation du service. Un fabricant de meubles peut concevoir un processus de fabrication complet à partir du bois non séché et prévoir diverses capacités de traitement de ce bois. Il peut aussi commencer son processus à partir de bois semi-ouvré, c'est-à-dire acheter ou sous-traiter plutôt que fabriquer lui-même ses composants, modifiant ainsi les besoins de capacité à diverses étapes de la production.

5. L'**allure de la demande** des produits exerce une action non négligeable tant sur la dimension que sur l'utilisation de la capacité. Dans le cas de la fluctuation de la demande, la capacité doit-elle être établie selon le seuil maximal, selon le seuil minimal ou selon la moyenne de la demande ? Ou encore, quelle est la capacité souhaitée, selon que la demande pour le produit est croissante, stable ou décroissante ? Vu l'importance de ces questions soulevées par l'allure de la demande sur la capacité, elles seront reprises plus loin dans ce chapitre.

6. Les nouvelles **technologies de gestion** ont souvent pour effet d'accroître considérablement la capacité. Le Japon, avec des investissements en capital par véhicule moindres que ceux des États-Unis, réussit à utiliser moins de main-d'œuvre dans les opérations clés de fabrication de petites automobiles ; par exemple, 17 heures de main-d'œuvre d'assemblage sont requises au Japon par rapport à 28 heures aux États-Unis[1]. Or, une bonne gestion des opérations permet aux entreprises japonaises de n'utiliser que 60 % (17/28) de la capacité requise par les fabricants américains pour un même volume de production.

7. Le degré d'**équilibrage des postes de production**, ou sa contrepartie le **goulot d'étranglement**, a pour effet de faire varier la capacité d'une entité. Les systèmes de production sont généralement scindés en sous-systèmes ou en étapes de fabrication interdépendantes conçues de telle sorte que l'étape antérieure ne retarde pas l'étape suivante. Un système est en équilibre lorsque l'extrant de chaque étape fournit exactement le volume d'intrants requis par l'opération qui suit. Pour au moins deux raisons, cet équilibre est difficile à atteindre : d'une part, la conception d'un système équilibré à multiples étapes est difficile, et d'autre part, les variables opérationnelles imposent des déséquilibres qui entraînent des goulots d'étranglement. C'est la capacité du goulot d'une étape, dans un système continu, qui en fixe la capacité totale.

   Il est souvent difficile, voire impossible, d'obtenir un équilibre parfait des postes, car les machines disponibles pour chacune des étapes peuvent avoir des capacités différentes. Dans l'opération du système, la variabilité des produits et de leur demande ainsi que la variabilité des conditions opérationnelles contribuent à causer ces goulots d'étranglement. Pour compenser ces écarts d'équilibre, le gestionnaire dispose de plusieurs mesures correctives : la surutilisation ou la sous-utilisation de l'équipement par des heures supplémentaires ou par du temps inoccupé, la sous-traitance, les stocks tampons et d'autres moyens qui seront étudiés au chapitre 12.

Fait à noter : bon nombre de variables, dont les effets sont difficiles à cerner avec précision et exactitude, ont des retombées importantes sur la dimension, l'utilisation et la régulation de la capacité. Lorsqu'il doit déterminer ou repenser la capacité d'une opération, le gestionnaire vérifie les facteurs qui rendent cette décision importante, révise les variables qui l'influencent, tente d'incorporer diverses économies d'échelle ou de diversité et d'éviter les déséconomies et les goulots d'étranglement. Il est fondamental pour le gestionnaire de ne pas considérer ces éléments de façon isolée, mais de les intégrer dans la stratégie de l'entreprise. La section suivante étudie un certain nombre de décisions majeures qui permettent justement cette intégration de la décision de capacité dans le système global de l'entreprise[20].

## LES DÉCISIONS MAJEURES CONCERNANT LA CAPACITÉ

### 7.7 La capacité de production requise (combien)

Cette décision paraît plus simple qu'elle ne l'est en réalité à cause d'une certaine indivisibilité de la capacité et des horizons de temps. Selon le type de technologie, l'accroissement ne peut se faire qu'en blocs ou en tranches de capacité, et souvent cette capacité n'est pas totalement utilisée dans l'immédiat. Certaines industries, comme celles du raffinage du pétrole, de l'affinage des métaux, des brasseries, ne peuvent accroître la capacité qu'en tranches de capacité. Or, parfois, l'addition se fait dans des unités économiques de taille, ce qui crée un excédent de capacité : ainsi, Air Canada pourrait mettre en service un super jet qui ne serait utilisé au début que pour quelques vols ; Sidbec-Dosco pourrait installer un four à arc électrique de 50 tonnes à l'heure qui ne fonctionnerait que quelques heures par jour. Les frais fixes de ces ajouts ne seraient absorbés que par l'accroissement graduel de la demande sur une période relativement longue. Or, dans ces situations, l'horizon de temps de planification doit être judicieusement examiné. Cet horizon de temps peut être scindé en trois parties.

La **planification de la capacité à long terme** s'applique aux changements dans la demande pour des périodes pouvant aller jusqu'à 15 ans. Elle est la plus risquée, car elle se base sur des projections qui comportent toujours des éléments d'incertitude ; elle est aussi risquée à cause de l'évolution rapide de la réaction des concurrents et, enfin, à cause du dynamisme de la technologie. Par contre, il y a des situations où l'ajout se fait le plus tôt possible, par exemple lorsque le marché est en forte expansion comme ce fut le cas dans l'industrie de la télévision durant les années 60.

La **planification de la capacité à moyen terme** est traitée au chapitre 12. Elle consiste à ajuster la capacité selon des variations cycliques ou saisonnières de la demande et selon des accroissements relativement faibles de la demande. Dans cet horizon à moyen terme, il ne s'ajoute généralement aucune installation. Cependant, sont utilisés des moyens planifiés de production tels que l'embauche, la mise à pied, le temps inoccupé, les heures supplémentaires, les stocks, la sous-traitance, etc. Ces moyens s'adaptent bien à une planification à moyen terme, période qui, en pratique, oscille entre 3 et 18 mois.

La **planification de la capacité à court terme** comporte des périodes allant d'un jour à quelques mois ; elle est traitée au chapitre 14. Il s'agit surtout d'ajustements de la capacité qui ont pour but de contrer les variations aléatoires mineures de la demande, les écarts et les retards entre la production prévue et la production réalisée.

Pour répondre plus en détail à la question : « Quelle est la capacité de production requise (combien) ? », le gestionnaire pourrait s'inspirer du processus rationnel de prise de décisions étudié au chapitre 2.

## 7.8 Le choix du moment approprié (quand)

Intimement liée à la décision précédente, la synchronisation de l'ajout ou de la réduction de capacité prend une signification stratégique importante. Essentiellement, s'il y a surcapacité à un moment donné, comme ce fut le cas de l'industrie du pétrole en 1984-1985, les revenus ne permettent plus d'atteindre la marge de profit habituelle, vu la guerre des prix visant à engendrer des revenus suffisants pour couvrir les frais fixes. S'il y a sous-capacité dans une industrie, les premières entreprises à ajouter de la capacité ont l'occasion d'accaparer de larges parts de marché et de profiter d'économies d'échelle et d'apprentissages, ce qui restreint l'étendue de la réaction d'un concurrent.

Il y a trois options temporelles face à l'ajout de capacité : l'option d'anticipation, l'option ponctuelle et l'option réactive[6]. La figure 7.3 illustre ces options.

Dans l'**option d'anticipation**, la capacité est augmentée avant qu'elle ne soit nécessaire ; or, pendant un certain temps, il y a un excédent de capacité. Cette surcapacité, vraisemblablement temporaire si la demande est croissante, peut se comparer à un stock de sécurité qui exige un investissement, mais qui permet de faire face à une demande imprévue[13]. S'il y a des inconvénients à avoir ce surplus, il y a aussi des avantages tels que devancer la concurrence, accaparer une part du marché, combler une erreur pessimiste de prévision, décourager la compétition, satisfaire aux demandes non prévues et offrir des délais de livraison plus rapides. Quant aux inconvénients possibles, cette surcapacité occasionne une surcharge de frais fixes qui augmente le prix de revient, entraîne la perte d'autres possibilités d'investissement et provoque le risque de ne pas obtenir la demande pour ce surplus de capacité.

Dans l'**option ponctuelle**, la capacité est ajoutée exactement au moment prévu en tenant compte des délais d'implantation des installations et de la tendance de la demande. Cette option a pour avantage de réduire le risque lié à l'investissement, de profiter d'une période plus longue pour s'assurer de la tendance des prévisions, d'utiliser presque pleinement la capacité et de soustraire des frais fixes qui ne sont pas immédiatement récupérables. Par contre, la concurrence pourrait profiter des avantages d'une option d'anticipation. Aussi, si la demande est plus forte que prévue ou s'il y a des retards dans l'ajout, cette option pourrait causer des pertes de ventes ou l'utilisation d'autres moyens de production plus coûteux, comme les heures supplémentaires.

L'**option réactive** a pour but de n'ajouter la capacité que lorsque la demande s'est manifestée. L'avantage est de retarder les frais d'investissement et les risques qui y sont reliés. Cependant, le fait d'être constamment en sous-capacité peut à la

**FIGURE 7.3** ▶
**Les options temporelles d'ajout de capacité**

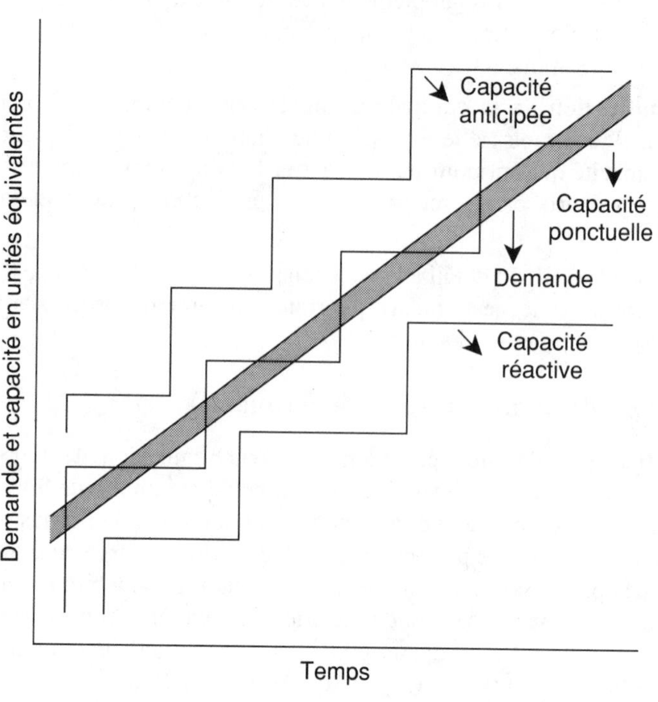


fois ajouter des frais variables supplémentaires et causer une détérioration de la part de marché, car la probabilité est forte qu'un concurrent utilisant l'une des deux autres options accapare le marché.

Dans leur recherche, deux auteurs[14] soulignent l'importance de bien cerner le climat économique général et celui du marché afin de s'assurer d'une stratégie de capacité adéquate. Ils suggèrent de relier la décision stratégique de capacité au climat économique de l'industrie. Durant une période de croissance économique, les coûts sont généralement à la baisse et la tendance est de construire à forte échelle, de créer de nouvelles usines et d'anticiper sur la prévision de la demande. Durant une période de faible croissance économique, les coûts sont généralement à la hausse et la tendance est de construire à faible échelle, d'améliorer les installations existantes et de suivre la demande ou d'y réagir par des ajouts fréquents.

Le choix du moment pour procéder à un ajout de capacité est relié à celui de la détermination de la taille de l'ajout. La figure 7.4 illustre cette situation. Si la demande est croissante, l'ajout de capacité peut se faire plusieurs fois en petits blocs ou moins de fois en de plus grosses tranches. Il s'agit ici de considérer plusieurs aspects de ces choix : la technologie peut imposer des limites inférieure et supérieure à l'ajout de capacité ; le coût de capital varie disproportionnellement selon la taille à ajouter ; les frais variables sont distincts indépendamment de la taille de l'installation ; les chambardements opérationnels et structurels seront plus ou moins fréquents selon la fréquence d'ajout.

Ces choix relatifs au moment et à la taille de la capacité font jaillir de nombreuses analyses d'arbitrages qui nécessitent le concours des divers agents de l'entreprise, entre autres ceux du marketing, de la production, des ressources humaines, des finances et de l'ingénierie. Une de ces analyses portera sur le choix d'accroître la

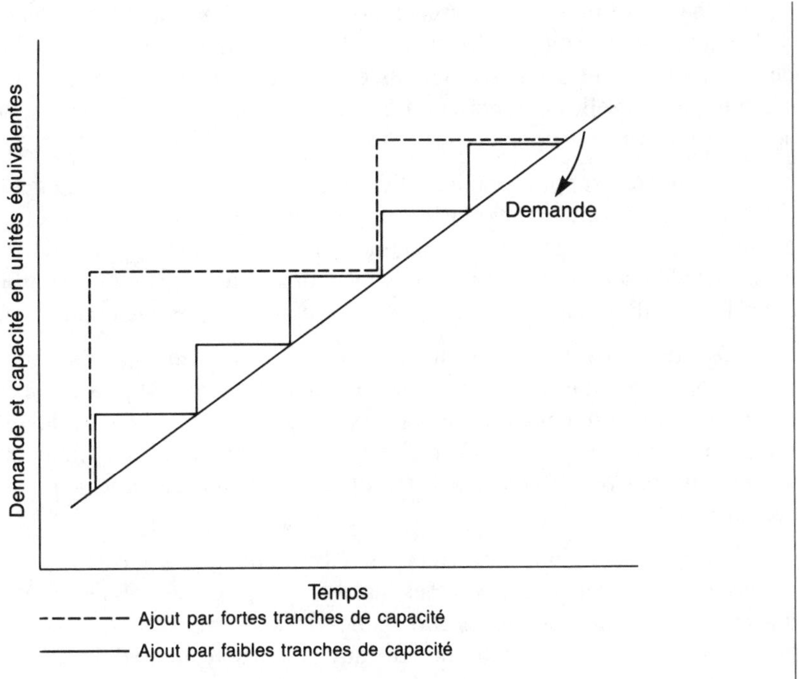


**FIGURE 7.4**
**La taille de l'ajout de capacité**

capacité par des installations physiques ou par d'autres formes d'ajouts qui sont souvent plus utiles et économiques.

## 7.9 Les formes de capacité (comment)

Avant d'investir dans de nouvelles installations, il est indiqué d'examiner d'autres moyens d'accroître la capacité. Un premier moyen consiste à analyser les opérations actuelles afin de déceler s'il est possible d'accroître substantiellement la productivité et l'utilisation de la capacité existante par des pratiques améliorées de gestion.

C-Mac, une entreprise sous-traitante de Sherbrooke, est devenue le plus grand fabricant de circuits hybrides au Canada en réduisant ses coûts au minimum, en offrant un niveau très élevé de qualité et en améliorant les délais de livraison. De 1987 à 1989, son chiffre d'affaires passe de 1,7 million de dollars à 6 millions de dollars. En 1990, elle acquiert l'usine et l'équipement de Tie à Sherbrooke, achat assorti d'un contrat avec l'usine Tie de Markham (Ontario) ; son chiffre d'affaires augmente alors à 21 millions de dollars. En 1991, C-Mac triple sa taille par l'acquisition de l'usine de Northern Telecom à West Palm Beach, en Floride. En 1992, avec 900 employés dans trois usines, le volume des ventes de l'entreprise atteint 100 millions de dollars. C-Mac vise un chiffre d'affaires d'un demi-milliard d'ici cinq ans[17].

Venmar Ventilation de Drummondville, fabricant de systèmes de ventilation domestiques, réalise des ventes de 15 millions de dollars et emploie une cinquantaine de personnes. En 1989, elle implante un système de fabrication juste-à-temps et en un an, l'usine réduit ses délais de fabrication de 80 % et son espace d'entreposage de 40 % ; elle augmente ses ventes de 30 %, en plus de rendre inutile un agrandissement prévu de 3 000 à 5 000 mètres carrés[8].

D'autres formes d'accroissement de la capacité existent et peuvent être utilisées de façon temporaire ou permanente, selon leur valeur économique et selon les besoins de l'entreprise. Ces formes d'accroissement nécessitent généralement des analyses d'arbitrages, car elles comportent à la fois des bénéfices et des coûts, des avantages sociaux et des inconvénients.

Les heures supplémentaires, l'élimination des goulots d'étranglement, l'ajout d'équipes de travail et l'extension de la semaine de travail sont des moyens qui augmentent la capacité mais qui comportent des coûts sur le plan de la productivité et sur le plan social. Mis à part l'analyse des effets intangibles, l'arbitrage se fait entre le coût d'un surplus de capacité et le coût marginal des options choisies.

D'autres moyens d'accroître la capacité concernent la sous-traitance de composants ou de produits ; ici encore, l'arbitrage se fait entre la prime à la sous-traitance et le coût de capital pour un ajout aux installations. Il est également possible de remplacer certaines machines par d'autres plus productives, ou encore d'adopter une technologie nouvelle ; enfin, il est toujours envisageable d'acheter une entreprise concurrente !

En plus de l'étude de la capacité de production de base d'une installation, l'analyse devra, bien sûr, inclure les installations connexes : si un restaurateur décide d'accroître le nombre de sièges et de tables dans son restaurant, doit-il aussi accroître la capacité de la cuisine, celle du bar, des toilettes et du stationnement ? De même, si une entreprise accroît par étape sa capacité de transformation, doit-elle, lors du premier accroissement, prévoir la pleine capacité pour ses installations auxiliaires, comme les transformateurs, les compresseurs, le chauffage, la ventilation et autres ?

Lorsqu'il s'agit d'ajout physique de capacité, surtout dans des conditions dynamiques de marché, le gestionnaire doit se demander s'il est préférable de faire l'ajout ailleurs qu'à l'usine existante.

## 7.10 La localisation de la capacité (où)

L'ajout de capacité peut se faire essentiellement à partir de trois options majeures : 1. agrandir les installations sur l'emplacement de l'usine existante ; 2. fermer l'usine et bâtir ailleurs ; 3. garder l'usine existante et bâtir une autre usine ailleurs. Quoique le choix de la localisation soit détaillé au chapitre 8, ces trois options sont examinées ici en fonction de la décision de capacité.

Si le manque de capacité cause un engorgement et rend l'aménagement problématique, la première option peut aggraver le problème ; la deuxième option, puisqu'on part à neuf, se prête à des améliorations radicales ; la troisième option permet d'éviter l'engorgement à la deuxième usine et, éventuellement, de le corriger à l'usine existante lorsque celle-ci sera allégée par le déplacement de capacité.

Si on combine le manque de capacité à un élargissement de gamme de produits, la troisième option semble supérieure aux deux autres, surtout si la deuxième usine est organisée en fonction du cheminement des produits.

Enfin, si le manque de capacité résulte de l'accroissement de la demande de plusieurs produits et de la réduction de la demande d'un produit particulier et si l'entreprise désire entrer en concurrence sur une base de coûts, les deux premières options donnent vraisemblablement plus d'économies d'échelle.

Dans le contexte de la mondialisation, les entreprises, surtout les multinationales, doivent envisager l'intégration globale de leurs opérations : intégrer chaque étape de la valeur ajoutée, coordonner l'ensemble des activités et tirer avantage de ce qu'elles peuvent obtenir de mieux dans chaque partie du monde. Xerox a mis un accent particulier sur cinq fonctions de base[16] : le développement de produits, l'approvisionnement, la production, la gestion de la demande et la coordination des commandes des clients dans un réseau mondial de distribution. Ces activités peuvent maintenant être accomplies n'importe où dans le monde.

## 7.11 Les problèmes de surcapacité

Si les décisions reliées à la détermination de capacités nouvelles sont importantes, celles rattachées à la surcapacité ne peuvent plus être négligées. Il ne s'agit pas ici d'excédents de capacité dus à des cycles saisonniers de la demande, comme dans l'industrie de la motoneige, ni de surplus techniques de capacité dus à des effets de taille, ni de surcroît de capacité stratégique dont le but est de décourager l'ajout de capacité par des concurrents. Ces trois surplus de capacité peuvent être gérés de façon que l'entreprise demeure rentable et saine.

Il s'agit plutôt d'une **surcapacité involontaire**[3] qui cause des pertes financières, des faillites et la disparition d'usines, d'entreprises et d'industries entières. Par exemple, General Motors, aux prises avec des problèmes financiers (elle aurait perdu 4,9 milliards de dollars en 1991), prévoit fermer 21 usines et éliminer 74 000 emplois d'ici 1995[22]. L'entreprise doit réduire sa capacité et ses coûts en fonction de sa part de marché qui est passée de 45 % à 35 % dans les années 90[23].

Parmi les causes de ce type de surcapacité[3], mentionnons : des prévisions trop optimistes de la demande malgré des indications de croissance lente, de récession, de guerre des prix, etc. ; des investissements massifs basés sur des économies d'échelle et sur une demande future qui ne vient pas ; l'établissement de nouvelles usines, dans les pays industrialisés, qui n'incorporent pas de nouvelles technologies alors que des usines presque identiques construites dans des pays en voie de développement offrent l'avantage d'une main-d'œuvre moins chère, d'une législation moins sévère, de subventions locales et de prêts à faible intérêt d'agences internationales ; le retard dans l'adoption de nouvelles technologies de gestion des opérations. On peut ajouter à ces causes l'omission de certaines entreprises de s'ajuster aux nouvelles conditions de concurrence issues du libre-échange dans diverses parties du monde.

Il n'est pas facile de réduire ou d'éliminer cette surcapacité pour plusieurs raisons : les coûts de ces opérations sont énormes, et même si les actifs étaient vendus, ils seraient coûteux à déplacer et à réinstaller ; dans certains pays, la loi interdit d'abandonner une usine et force les gestionnaires à la démanteler et à nettoyer l'emplacement ; certains gouvernements, pour maintenir des emplois, financent des entreprises qui normalement devraient fermer. Mentionnons également la crainte de perdre des clients pour des produits d'autres divisions de la même entreprise ; les aspects intangibles tels que l'achalandage, les réseaux de distribution, le savoir-faire et les relations avec les fournisseurs et le gouvernement ; les aspects émotionnels liés à la décision, l'effet sur le sort futur des gestionnaires et l'inexpérience à gérer la décroissance.

La diminution de la surcapacité, tout en tenant compte de ses causes et de ses barrières, peut se faire par la réduction de la taille des installations ou la fermeture de l'usine. Harrigan[11] propose cinq stratégies face à la surcapacité en fonction de la structure de l'industrie et des perspectives de demande, des forces et des faiblesses de la concurrence. Le tableau 7.2 résume ces stratégies dont nous discuterons par la suite.

**Tableau 7.2**

**Les stratégies de réduction de la surcapacité**

| Structure de l'industrie et perspective de la demande | Force par rapport aux concurrents pour des créneaux prometteurs | |
|---|---|---|
| | **Grande** | **Infime** |
| Favorable | Accroître ou maintenir l'investissement | Réduire de façon sélective ou dégarnir l'investissement |
| Non favorable | Réduire de façon sélective ou dégarnir l'investissement | Renoncer |

**Source :** Adaptation d'un tableau de Harrigan[11].

- **Accroître** l'investissement afin de dominer le marché ou d'obtenir une position concurrentielle supérieure. Les gestionnaires ici ont confiance en leur position future ; ils entrevoient des créneaux et des produits prometteurs et sont même prêts à acquérir des concurrents en surcapacité.
- **Maintenir** le niveau d'investisssement jusqu'à ce que les incertitudes soient résolues, car l'entreprise jouit d'une situation stratégique valable.
- **Réduire** de façon sélective les produits en déclin ainsi que les segments de marché inintéressants pour se concentrer dans des créneaux prometteurs avec des produits mieux centrés sur les besoins des clients visés.
- **Dégarnir** ou retirer l'investissement de l'unité en difficulté afin de récupérer le plus de ressources possible par des prix de vente élevés, le transfert de ressources à d'autres fonctions ou unités, la réduction de l'effectif de vente et d'administration. En somme, tenter de retirer le plus possible de la situation, car aucune autre stratégie ne serait valable.
- **Renoncer** rapidement à l'entreprise de la façon la plus avantageuse par la vente ou l'abandon des actifs : la vente permet une récupération du capital, l'abandon évite l'accumulation des pertes.

D'après Harrigan[11], 93 % des entreprises qui ont appliqué les stratégies recommandées ont réussi et 7 % ont échoué, alors que 16 % des entreprises qui n'ont pas suivi les stratégies ont réussi et 84 % ont échoué.

## 7.12 La détermination des ressources

Essentiellement, trois types de besoins en ressources de capacité sont déterminés : les besoins en nombre de machines, en effectif ouvrier et en matières premières ou composants. Le calcul de ces besoins est relativement simple : il suffit de déterminer le nombre d'unités de ressources nécessaires pour donner la capacité désirée, et de rectifier selon des facteurs de correction propres à chaque ressource. Quelques exemples illustrent ces calculs.

Le **nombre de machines** se calcule en comparant le volume de bons produits désirés à la capacité de la machine, tout en faisant une rectification pour le taux d'utilisation, le taux de défectuosité, le taux de rendement et pour d'autres facteurs, comme les temps de mise en route.

**Exemple** ■

5 000 bonnes unités de produit sont prévues par journée de 8 heures. La machine qui fabrique ce produit a un temps standard d'exécution de 2 minutes par unité ; par expérience, il est connu que le taux d'utilisation de ce type de machine est de 80 % et que l'opération engendre 4 % de défectuosités. Combien de machines sont nécessaires si le temps de mise en route est négligeable ?

***Solution***

Pour réussir 5 000 bonnes unités, il faut fabriquer :

$$\frac{5\,000}{1 - 0{,}04} = 5\,208 \text{ unités par jour à cause des rejets.}$$

Le temps standard par machine nécessaire est alors :

$$5\,208 \times 2 \text{ minutes} = 10\,416 \text{ minutes par jour.}$$

Le temps-machine disponible est :

$$8 \text{ heures par jour} \times 60 \text{ minutes par heure} \times 80\,\% = 384 \text{ minutes par jour.}$$

Donc, le nombre de machines totalise $\frac{10\,416}{384} = 27{,}13$ machines.

Le nombre de machines qui fournit la capacité nécessaire à la demande est 27,13. Puisqu'une machine est indivisible, 28 machines seront choisies, ce qui donne un surcroît de capacité qui peut occasionner un déséquilibre si le processus est à multiétapes.

La détermination de l'**effectif ouvrier**, aussi appelée la quantification de l'effectif, s'effectue ainsi dans l'exemple : si chaque machine est utilisée par une personne, il y a un nombre égal de machines et d'opérateurs. Cependant, le calcul de l'effectif est généralement plus complexe, car il doit incorporer des ressources pour des opérations variées, des machines différentes, des mises en route ; de plus, il faut considérer des rendements-personne différents, des situations où il y a plus de machines que d'opérateurs et d'autres situations où il y a plus de personnes que de machines. Dans l'exemple précédent, il a été question de la détermination de la main-d'œuvre directe ; il faut ajouter à cela la main-d'œuvre indirecte, soit les personnes affectées à la réception, à l'expédition, à la manutention et à l'entretien.

Le calcul des **matières premières** ou des **composants** s'effectue essentiellement selon la même logique que le calcul des autres besoins. Cependant, à part la rectification des rejets, il faut aussi tenir compte du taux de transformation-matière (*yield*). Le taux de transformation-matière ou le taux de rendement-matière est obtenu par le rapport de la matière qui compose le produit et celle utilisée dans la fabrication. L'exemple suivant montre ce calcul.

**Exemple** ■

Il faut fabriquer 5 000 moulages d'aluminium ayant chacun un poids net de 2 kg. Pour couler ces moulages, on utilise un système d'alimentation (des conduits qui amènent le métal liquide jusqu'à l'empreinte de la pièce) et un système de masselottage (une masse de métal liquide coulée en même temps que la pièce afin de l'alimenter lors de la solidification et d'éviter ainsi les défauts dus au retrait). Ces deux systèmes, qui sont éliminés de la pièce moulée après sa solidification, pèsent 0,75 kg. Dans cette fonderie, le taux de rejet est de 4 %. Quelle est la quantité de métal qui doit être en fusion et quel est le taux de rendement-matière ?

*Solution*

Chaque bonne pièce nécessite 2 kg d'aluminium, 0,75 kg pour l'alimentation et le masselottage en plus d'une rectification de 0,04 pour les pièces défectueuses ; d'où l'aluminium nécessaire pour une pièce est égal à :

$$\frac{2 + 0{,}75}{1 - 0{,}04} = 2{,}865 \text{ kg}$$

et pour 5 000 bonnes pièces, cela correspond à :

$$5\,000 \text{ unités} \times 2{,}865 \text{ kg} = 14\,325 \text{ kg}.$$

Pour expédier 5 000 bonnes pièces, c'est-à-dire 10 000 kg, il faut faire la fusion de 14 325 kg. Or, le taux de rendement-matière se calcule ainsi :

$$\frac{\text{Poids net}}{\text{Poids brut}} = \frac{10\,000}{14\,323} = \frac{2}{2{,}865} = 70\,\%.$$

Plus le rendement-matière est faible, plus la capacité doit être grande.

Cette idée de transformation ou de rendement-matière n'est pas exclusive à l'industrie métallurgique. Ce phénomène se rencontre dans presque tous les secteurs industriels : dans l'industrie du vêtement, il y a perte ou chute de tissu lorsque le textile est coupé ; dans l'industrie du papier journal, il y a également perte lorsque le long rouleau de papier est taillé selon la largeur requise par les divers acheteurs ; dans l'industrie du meuble de bois, il y a les retailles, etc. Les facteurs de rectification s'imposent simplement lorsqu'il s'agit d'un processus à étape unique. Cependant, ces mêmes facteurs réduisent de beaucoup la capacité d'une installation lorsqu'il y a plusieurs étapes reliées à la transformation des matières en produits finis.

Quand la transformation des produits nécessite plusieurs étapes, un effet multiplicateur se présente, ce qui réduit de façon appréciable la capacité, surtout lorsque l'équilibre des étapes entre elles n'est pas possible.

Le tableau 7.3 illustre ce phénomène dans deux situations possibles. Si les étapes sont indépendantes l'une de l'autre et s'il y a un stock tampon suffisant entre elles, la production globale à la fin de la journée n'est que de 87,3 unités, ce qui réduit en fait la capacité à 87,3 %. Si les étapes sont dépendantes l'une de l'autre et s'il n'y a pas de stock tampon entre elles, alors la capacité réelle se situe encore plus bas, soit à 86,6 %.

**Tableau 7.3**

**L'effet de rectification dans un processus multiétapes**

| Processus | Étape A | Étape B | Étape C |
|---|---|---|---|
| Capacité de transformation | 100 unités par jour | 100 unités par jour | 100 unités par jour |
| Rendement | 100 % | 110 % | 90 % |
| Taux de rejet | 5 % | 6 % | 3 % |
| Bonne production réussie si chaque étape est indépendante | 100 × 1,00 × 0,95 = 95 unités | 100 × 1,10 × 0,94 = 103,4 unités | 100 × 0,90 × 0,97 = 87,3 unités |
| Bonne production réussie si chaque étape est dépendante | 100 × 1,00 × 0,95 = 95 unités | 95 × 0,94* = 89,3 unités | 89,3 × 0,97** = 86,6 unités |

* Puisque l'étape B ne peut recevoir que 95 unités, elle n'en traitera que 95 et non 110 ; son rendement supérieur est perdu. Les travailleurs auront du temps inoccupé.

** À l'étape C, on peut traiter (100 × 90 %) = 90 unités dans la journée ; il n'en rentre que 89,3 soit une quantité presque égale au rendement de 90 %. Les travailleurs auront peu de temps libre.

Dans un cas comme dans l'autre, la capacité est réduite et des moyens correctifs sont nécessaires, dont l'amélioration du rendement et la réduction du taux de rejet, pour en arriver à une production équilibrée. En effet, on constate que la détermination des ressources dans un contexte de multiétapes séquentielles et dépendantes exige une attention particulière d'équilibrage afin d'utiliser adéquatement la capacité. C'est l'étape la moins productive qui établit la capacité et en détermine les ressources.

La détermination des ressources de capacité soulève bon nombre d'options et exige l'arbitrage entre ressources. Chacune des options doit être soumise à une évaluation qui considère, entre autres, l'aspect dynamique de la capacité.

## L'ASPECT DYNAMIQUE DE LA CAPACITÉ

### 7.13 La courbe d'apprentissage

La capacité d'un système a tendance à se modifier et généralement à s'accroître, car l'être humain apprend constamment et améliore sa productivité. Les courbes d'apprentissage et d'expérience reflètent ce phénomène.

La pratique d'un métier ou d'une profession conduit normalement à l'amélioration du rendement de la personne qui l'exerce. Plus un musicien pratique son instrument, plus il s'améliore. La répétition d'une même tâche contribue à améliorer l'habileté de celui qui l'exerce. Il en est de même pour la fabrication de produits et pour la prestation de services. Ce phénomène s'observe de façon précise lors de la réalisation de produits complexes tels que des avions, des bateaux, des wagons et des outillages lourds. Il se manifeste aussi lors de la prestation de services où un travailleur améliore son rythme de travail à mesure qu'il prend de l'expérience à exercer sa tâche.

Ce phénomène observé, son ampleur a été mesurée à l'avionnerie Curtiss-Wright. Des études démontrèrent que les heures-personne nécessaires pour fabriquer le quatrième avion représentaient environ 80 % de celles requises pour le deuxième appareil ; le huitième avion ne nécessitait que 80 % des heures du quatrième ; quant au seizième avion, il n'exigeait plus que 80 % du temps requis pour le huitième appareil. Ce phénomène qu'est la **courbe d'apprentissage** traduit les améliorations obtenues lors de la réalisation d'une opération ; il est maintenant confirmé que l'amélioration résulte non seulement de l'apprentissage par le travailleur, mais qu'elle est aussi attribuable à d'autres effets. Certaines améliorations sont dues à une meilleure préparation du travail telle que la conception du produit et du processus, le choix de l'équipement et de l'outillage, l'organisation et les méthodes utilisées. D'autres sont la conséquence de changements apportés à ces mêmes facteurs lors de l'exécution du travail et, enfin, d'autres encore sont dues à de meilleures méthodes de planification, d'ordonnancement, d'approvisionnement, d'entretien, de contrôle et de motivation.

Dutton et Thomas[5], s'appuyant sur plus de 200 études, soulignent l'importance de comprendre la dynamique sous-jacente de l'apprentissage dans une entreprise. Le tableau 7.4 résume les facteurs qui permettent l'apprentissage.

La distinction entre l'apprentissage autonome et l'apprentissage induit demeure importante. L'**apprentissage autonome** est issu de l'apprentissage par la pratique et résulte d'une production répétitive sur une longue période de temps. Ce type d'apprentissage n'exige généralement pas d'efforts ou d'actions de la part des gestionnaires et est acquis par la main-d'œuvre directe de façon quasi automatique, pourvu qu'il n'y ait pas de contrainte à son évolution naturelle. Par ailleurs, l'**apprentissage induit** est la résultante d'un effort conscient des gestionnaires et du personnel pour l'amélioration continue des opérations et du taux d'apprentissage. D'autres actions sont la recherche et le développement, la formation des travailleurs, l'étude des produits des concurrents (ingénierie à rebours), l'investissement dans des systèmes améliorés d'information[7]. Une étude récente établit un lien entre la qualité de conformité d'un produit et la courbe d'apprentissage et tente d'expliquer pourquoi l'amélioration de la qualité est accompagnée par une réduction de coût, en particulier dans un système de juste-à-temps[7].

**Tableau 7.4**

**Quelques facteurs influant sur la courbe d'apprentissage**

| | Apprentissage autonome | Apprentissage induit |
|---|---|---|
| **Sources exogènes** | 1. Croissance générale dans les connaissances techniques et scientifiques dans une entreprise<br>2. Amélioration continue de la productivité, qui s'accumule lorsqu'une entreprise remplace périodiquement son équipement | 1. Apprentissage des fournisseurs d'équipement induit par l'expérience des utilisateurs<br>2. Investissement dans un équipement amélioré pour accroître le taux de production<br>3. Copie ou adaptation des innovations technologiques de concurrents qui réussissent |
| **Sources endogènes** | 1. Apprentissage de la main-d'œuvre directe dû au principe *practice makes perfect* ou à des programmes d'incitation salariale<br>2. Planification soutenue de la production | 1. Accroissement de l'outillage<br>2. Changement dans le processus de production<br>3. Changement de design des produits pour améliorer l'efficience de production |

**Source :** Adaptation d'un tableau de Dutton et Thomas[5].

## 7.14 Le principe de la courbe d'apprentissage

Concept empirique qui repose sur l'observation et l'expérience, le **principe de la courbe d'apprentissage** peut s'exprimer ainsi : « À chaque doublement du volume de production d'un produit, le temps de main-d'œuvre requis pour la dernière unité diminue d'un taux constant ». Ce principe révèle deux aspects majeurs pour le gestionnaire : il permet de mesurer le temps nécessaire à l'exécution d'une opération et de prévoir les temps futurs, aidant ainsi à la planification et à l'utilisation des capacités. De plus, la mesure et la prévision des temps peuvent s'appliquer aussi bien au temps unitaire ou marginal qu'aux temps moyens et cumulés, comme nous le verrons plus loin.

Il est important de retenir que, par convention, la courbe est représentée par le symbole ρ qui est le complément du taux d'amélioration. Par exemple, un ρ de 90 % représente un taux d'amélioration de 10 % ; une courbe de 80 % signifie qu'il y aura 20 % de réduction de temps à chaque doublement de volume.

Le concept de la courbe d'apprentissage est illustré au tableau 7.5, où une première unité d'un produit a nécessité 1 000 heures-personne directes de travail et la deuxième unité, 800 heures. L'amélioration de temps étant de 20 %, le coefficient d'apprentissage est alors égal à 80 %. Un doublement de production cumulée de 2 à 4 unités réduit le temps unitaire requis de 800 à 640 heures-personne. Le rapport entre 640 et 800 est de 80 %, et chaque doublement de production donne ce même rapport.

Les données du tableau 7.5 sont reprises à la figure 7.5, où les temps en heures-personne sont mis en rapport avec le volume cumulé de production. Ce tableau et ce graphique révèlent que la répétition dans la fabrication d'un produit apporte une amélioration constante du temps d'exécution de ce produit. Cependant, si le taux d'amélioration est constant, l'amélioration du temps d'exécution tend à s'aplanir sans toutefois atteindre zéro. Il y a alors une relation exponentielle de croissance qui répond à l'équation suivante :

$$y = ax^b$$

où $y$ = temps pour réaliser la $x^e$ unité (temps marginal),

$a$ = paramètre correspondant au temps requis pour la 1re unité,

$x$ = production cumulée à partir de la 1re unité,

$b$ = coefficient relié à la pente de la courbe.

**Tableau 7.5**

**Le principe de la courbe d'apprentissage**

| Production cumulée | Transformation arithmétique | Temps requis pour la dernière unité produite |
|---|---|---|
| 1 | – | 1 000 heures-personne |
| 2 | 1 000 × 80 % | 800 heures-personne |
| 4 | 800 × 80 % | 640 heures-personne |
| 8 | 640 × 80 % | 512 heures-personne |
| 16 | 512 × 80 % | 410 heures-personne |
| 32 | 410 × 80 % | 328 heures-personne |
| 64 | 328 × 80 % | 262 heures-personne |

Cette équation et la courbe qui la représente deviennent linéaires lorsqu'elles sont exprimées en logarithme, car $\log y = \log a + b \log x$. La courbe d'apprentissage est souvent exprimée graphiquement sur une échelle logarithmique : la droite qui en résulte facilite l'évaluation du taux d'apprentissage et permet de constater à vue d'œil si l'évolution des temps correspond à l'apprentissage espéré. La figure 7.6 retrace les données du tableau 7.5. Il est à noter que c'est le temps réel qui est tracé sur le graphique log-log.

**FIGURE 7.5** ▶ **Un graphique arithmétique de la courbe d'apprentissage**

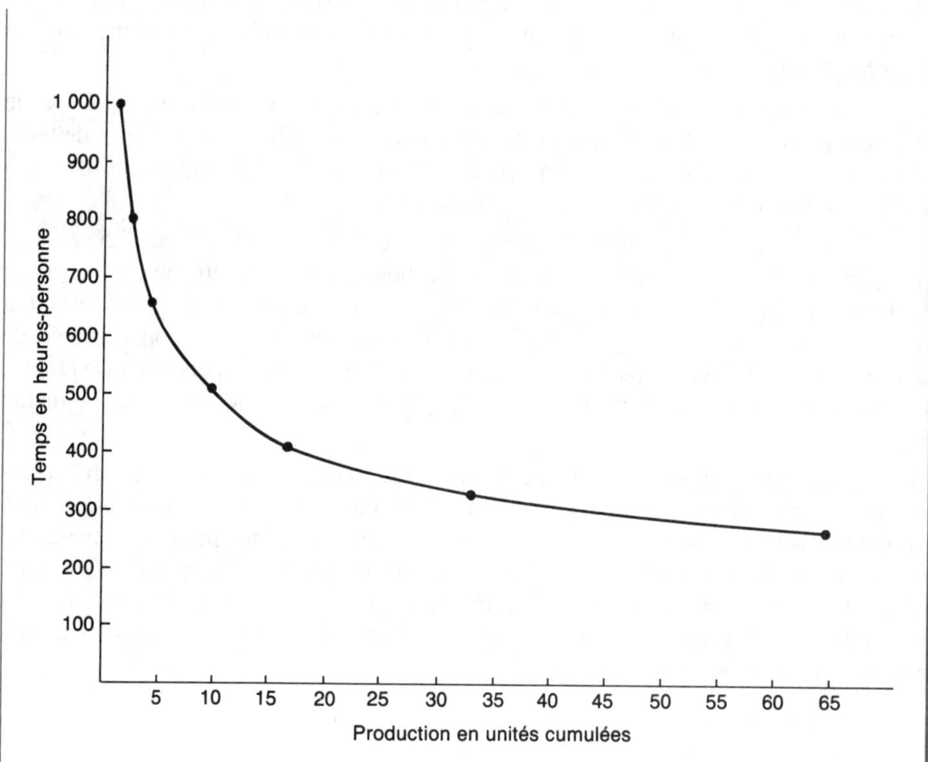


**FIGURE 7.6** ▶ **La courbe d'apprentissage exprimée sur une échelle logarithmique**

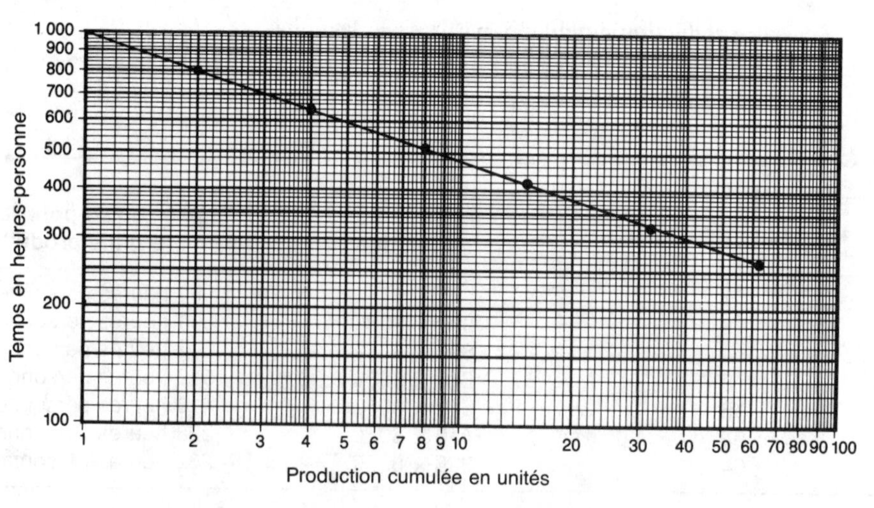

L'utilisation de l'équation $y = ax^b$ pour exécuter les calculs qu'exige l'application de la courbe est laborieuse. En pratique, les calculs se font à partir des tables disponibles à l'annexe C. La table 1 donne la valeur du temps marginal, c'est-à-dire le temps de l'unité en question lorsque la première unité a exigé une heure-personne. La table 2 donne les temps cumulés, c'est-à-dire le temps total que prendrait un certain nombre d'unités. Pour utiliser les tables, il faut aussi connaître le temps de la première unité et le coefficient d'apprentissage. En pratique, ces valeurs sont soit observées, soit estimées à partir de l'expérience des gestionnaires d'une entreprise ou de l'industrie, ou encore dérivées soit graphiquement, soit par régression linéaire à partir d'observations réelles ou historiques. Les deux exemples qui suivent illustrent les calculs liés à la courbe d'apprentissage.

**Exemple 1** ■

La 1re unité d'assemblage d'un module spatial a demandé 500 heures-personne. L'expérience de l'entreprise indique qu'une courbe de 75 % est appropriée. 1. Combien de temps prendra la 25e unité ? 2. Combien de temps prendront ces 25 unités ? 3. Quel est le temps moyen pour ces 25 unités ?

***Solution***

1. Le temps pour la 25e unité, selon la table 1 :

$y_{25} = ax^b$

$y_{25} = 500\ (0{,}2629) = 131{,}45$ heures-personne.

(On notera ici que la valeur $x^b = 0{,}2629$.)

2. Le temps cumulé pour 25 unités, selon la table 2 :

$y_{25} = ax^b$

$y_{25} = 500\ (10{,}19) = 5\ 095$ heures-personne.

3. Le temps moyen pour les 25 unités :

$$\frac{\text{Temps cumulé}}{\text{Nombre d'unités}} = \frac{5\ 095}{25} = 203{,}8 \text{ heures-personne.}$$

**Exemple 2** ■

La 10e unité d'un train d'atterrissage a requis 30 heures-personne d'usinage tandis que la 20e unité en a exigé 27. 1. Combien de temps ont pris la 1re et la 5e unités ? 2. Combien de temps prendront la 25e et la 30e unités ? 3. Quels sont les temps moyens d'usinage des 5, 10, 20, 25 et 30 premières unités ?

***Solution***

Le coefficient de la courbe d'apprentissage, ρ, s'obtient par définition, c'est-à-dire :

$$\rho = \frac{y_{20}}{y_{10}} = \frac{27}{30} = 0{,}90.$$

1. La valeur correspondant à la première unité $a$ se calcule à partir de l'équation $y = ax^b$, d'où :

$$a = \frac{y_{10}}{x^b} = \frac{30}{0{,}7047} = 42{,}57 \text{ heures-personne.}$$

Le temps pour la 5e unité :

$y_5 = 42{,}57\ (0{,}7830) = 33{,}33$ heures-personne.

*(suite)*

**Exemple 2**
***(suite)***

2. Le temps pour la 25e unité :

   $y_{25}$ = 42,57 (0,6131) = 26,1 heures-personne.

   Le temps pour la 30e unité :

   $y_{30}$ = 42,57 (0,5963) = 25,38 heures-personne.

3. Pour déterminer les temps moyens, nous devons calculer les temps cumulés pour chaque rang de produits et, à partir de ce chiffre, déterminer les temps moyens :

| Production cumulée | Temps cumulés | Temps moyens |
|---|---|---|
| 5 | 42,57 (4,339) = 184,7 | 184,7 ÷ 5 = 36,9 |
| 10 | 42,57 (7,994) = 340,3 | 340,3 ÷ 10 = 34,0 |
| 20 | 42,57 (14,61) = 622,0 | 622,0 ÷ 20 = 31,1 |
| 25 | 42,57 (17,71) = 753,9 | 753,9 ÷ 25 = 30,2 |
| 30 | 42,57 (20,73) = 882,5 | 882,5 ÷ 30 = 29,4 |

Plusieurs leçons sont à retenir de ces deux exemples. Dans l'exemple 2, le temps cumulé pour les 10 premières unités est 340,3 heures-personne ou un temps moyen de 34,0 heures-personne par unité ; par contre, les 10 unités suivantes ne prennent que 622,0 – 340,0 = 282 heures-personne ou 28,2 heures-personne par unité en moyenne. Du point de vue temps, les 10 premières unités exigent, s'il y a affectation d'une personne qui travaille 40 heures par semaine, 3 430 ÷ 40 = 8,5 semaines de travail ; les 10 prochaines unités, dans les mêmes conditions, ne prennent que 282 ÷ 40 = 7 semaines de travail. Or, dans la conception de la capacité et dans la planification de la production, ce facteur doit être pris en considération, car il s'agit là d'une augmentation progressive de la capacité.

Il existe un lien étroit entre le phénomène de la courbe d'apprentissage et la productivité, car la première mesure l'amélioration selon l'augmentation du volume cumulé, tandis que la seconde mesure l'amélioration durant une période définie, généralement un an. Une courbe de 75 % signifie qu'il y a 25 % d'amélioration dans le temps de fabrication. Si, d'une année à l'autre, il y a eu doublement de la production cumulée, la productivité moyenne durant cette année s'est améliorée de 25 %. Par ailleurs, si le doublement de la production ne s'est effectué qu'après deux ans, alors la productivité moyenne annuelle est de 12,5 % ; après trois ans, elle est de 8,33 %, etc.

Le taux d'amélioration, le taux de croissance du volume des ventes et leur effet combiné sur la productivité deviennent des facteurs importants non seulement dans la conception et la planification de la capacité, mais aussi dans la stratégie de l'entreprise, selon l'expérience de cette dernière dans ces domaines.

## 7.15 La courbe d'expérience

Plusieurs entreprises, entre autres la société Texas Instruments, ont constaté que le phénomène d'amélioration ne se limite pas à la seule main-d'œuvre directe, mais s'applique aussi à la main-d'œuvre indirecte, aux agents de maîtrise, aux vendeurs, aux responsables de la distribution et, d'une façon générale, à l'ensemble de l'entreprise. Pour ces activités il s'agit de la **courbe d'expérience**, et ce phénomène s'explique ainsi : avec l'apprentissage, les coûts de main-d'œuvre baissent lorsque la quantité à produire s'accroît ; cet accroissement de volume ou de quantité rend possible la spécialisation des tâches et la standardisation des produits, ce qui crée de nouvelles réductions de coûts ; l'augmentation de volume, la spécialisation, la standardisation poussent vers la mécanisation et l'automatisation ; et ainsi, l'ensemble des coûts se resserre. La courbe d'expérience s'apparente à une réaction en chaîne dans la réduction des coûts.

Deux adaptations s'imposent quand on aborde la courbe d'expérience ; il ne s'agit plus d'heures directes, mais de coûts ; or, ceux-ci doivent être actualisés selon les effets de l'inflation pour s'assurer d'une comparaison exacte. Ce n'est pas le prix de revient, mais la valeur ajoutée qui est utilisée dans le calcul de la courbe d'expérience ; celle-ci s'applique à l'ensemble des coûts, à la main-d'œuvre directe, à la main-d'œuvre indirecte et aux frais généraux, à l'exception des approvisionnements qui en sont exclus. Or, la courbe d'apprentissage n'est qu'une composante de la courbe d'expérience ; cette constatation est importante, surtout si on veut bénéficier des améliorations. La courbe doit être considérée en tant que modèle intégratif[21], c'est-à-dire que les apprentissages des différentes sources de l'entreprise y sont inclus : l'apprentissage de la main-d'œuvre, celui des gestionnaires et celui de toute l'organisation. La courbe d'apprentissage peut être considérée comme un cas particulier de la courbe d'expérience, et certains auteurs[20] utilisent ces deux expressions de façon interchangeable.

## 7.16 L'utilisation des courbes d'apprentissage et d'expérience

Bien utilisées, les courbes d'apprentissage et d'expérience deviennent des outils importants de planification et de contrôle, non seulement de la production et des opérations, mais aussi pour l'ensemble de l'entreprise.

La plupart des décisions reliées aux machines et à l'équipement, au nombre de travailleurs, à l'obtention des matières premières et à la livraison des produits dépendent du facteur temps. Les courbes d'apprentissage et d'expérience permettent de prévoir ces temps. Une bonne connaissance des paramètres des courbes et de leur utilisation devient un atout pour planifier et ordonnancer les facteurs de production. Une fois la planification accomplie, les écarts entre la prévision et la réalisation peuvent être facilement maîtrisés, tout en considérant le taux d'amélioration espéré.

Les mêmes données utilisées dans la planification des opérations avec l'aide des courbes peuvent servir à établir les budgets annuels de ces opérations. Cependant, si les budgets utilisent des coûts standard, cela peut signifier que les éléments d'apprentissage et d'amélioration ne sont pas intégrés et que les budgets peuvent, par cette omission, être gonflés[21]. En incorporant les paramètres des courbes dans les budgets, cette anomalie se corrige. De plus, les objectifs inhérents au budget sont plus réels, ce qui améliore non seulement la planification et le contrôle, mais vraisemblablement les coûts et les autres facteurs de concurrence, en particulier les délais de livraison.

Une stratégie utilisée par bon nombre d'entreprises est l'établissement des prix de vente à l'aide de la courbe d'expérience. La figure 7.7 illustre cette stratégie. La courbe des coûts suit son amélioration avec l'accroissement de volume.

Initialement, l'entreprise a établi son prix de vente correspondant au point A ; elle a, bien sûr, perdu de l'argent jusqu'à ce que le volume atteigne le point B. À partir du point B et faisant un profit, l'entreprise doit décider si elle maintiendra son prix de vente au même niveau, soit ABCE, ou si elle réduira son prix selon ABCD.

**FIGURE 7.7** ▶ **L'établissement du prix de vente à l'aide de la courbe d'expérience**

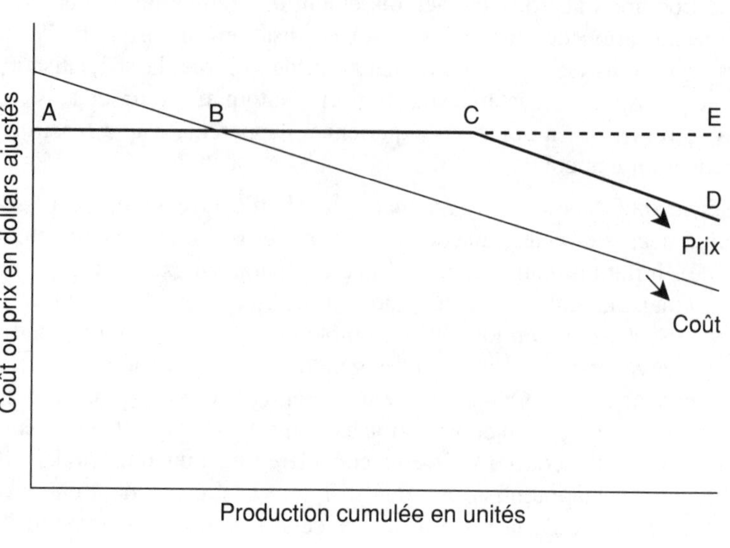


Si elle maintient son prix, elle court le risque d'attirer des concurrents désireux de partager la forte marge de profit. Si elle réduit son prix selon CD, l'entrée d'un concurrent se fera plus difficilement, car celui-ci n'aura pas une marge pour le protéger pendant qu'il tentera de se tailler une place sur le marché.

La courbe d'expérience s'applique aussi dans le secteur non manufacturier. Par exemple[21], la fréquence des accidents de travail, traditionnellement définie par l'expression

$$\frac{\text{Nombre d'accidents} \times 1\,000\,000}{\text{Nombre d'heures-personne travaillées}}$$

est erronée, car le dénominateur exprime le nombre d'heures et non le nombre d'unités de production. Dans cette expression, le facteur d'amélioration ou de productivité n'est pas pris en considération ; puisque plus d'unités de produit ont été fabriquées dans le temps, les accidents par unité ont effectivement diminué.

D'autres exemples de l'utilisation de la courbe d'expérience se trouvent dans les références à la fin de ce chapitre. Il est à noter, cependant, qu'à part la réduction des coûts, l'amélioration de la qualité et la détermination du prix de vente, la courbe peut aussi être utilisée pour la planification de la main-d'œuvre[2], l'établissement d'objectifs de concurrence[20], la planification et le contrôle de la production[15], la négociation des achats[19], etc.

Hélas, comme dans beaucoup de situations intéressantes, certaines limites s'imposent, et celles-ci doivent être prises en considération pour bien utiliser ce concept d'apprentissage. Lorsqu'une opération requiert une main-d'œuvre abondante, ou encore lorsque l'opération fonctionne à cadence-personne, par opposition à une cadence-machine, le taux d'amélioration est plus fort. Dans une opération peu mécanisée, où seulement 25 % de la main-d'œuvre travaille à la cadence-machine, la valeur de la courbe $\rho$ est de 80 %, d'où une amélioration de 20 %. À l'autre extrême, dans une opération fortement mécanisée, si 75 % de la main-d'œuvre travaille à la cadence-machine, alors la valeur de la courbe ρ n'est que de 90 %, ou une amélioration réduite de 10 %[21].

Chaque entreprise d'un même secteur industriel, à cause de ses particularités de gestion, de motivation et d'organisation, a un taux d'apprentissage qui lui est propre et doit évaluer empiriquement son taux au lieu d'utiliser un taux hypothétique ou celui d'un compétiteur.

Certaines améliorations de la main-d'œuvre directe peuvent être causées par des effets de transfert, par exemple un lot de matières premières d'une qualité particulièrement excellente ou une substitution temporaire de la main-d'œuvre directe par de la main-d'œuvre indirecte.

S'il y a apprentissage, il peut aussi y avoir oubli. Si l'apprentissage est acquis par l'expérience et si les connaissances ne sont pas ravitaillées par une production continue, ces connaissances peuvent se déprécier rapidement[11]. De plus, s'il y a une interruption assez prolongée d'une tâche, l'apprentissage s'arrête et lorsque l'activité recommence, la performance est inférieure à celle observée lors de l'interruption, mais supérieure à la performance initiale[1].

La courbe d'apprentissage et la courbe d'expérience sont fortement mises en évidence depuis environ deux décennies, et plusieurs entreprises les ont utilisées pour la planification et le contrôle des opérations, de même que pour la planification stratégique de leurs activités. Ces courbes peuvent être utilisées pour accroître la part de marché par une réduction des coûts et des prix, sans toutefois oublier qu'il y a d'autres facteurs de concurrence, comme la qualité, l'innovation et la fiabilité. Enfin, ces courbes permettent aussi de formaliser le concept d'amélioration continue (*kaisen* en japonais), qui sera examiné au chapitre 18.

## CONCLUSION

La décision relative à la capacité est souvent critique, car elle signifie que de grosses sommes d'argent sont en jeu et surtout que la décision, une fois prise, est presque irréversible. De plus, la question de la capacité n'est, en somme, jamais réglée. Plusieurs facteurs viennent constamment modifier la capacité d'une installation : la cadence de travail, les courbes d'apprentissage et d'expérience, les produits et les processus en mutation constante, la variation de la demande. Le gestionnaire des opérations, la direction générale et les autres responsables doivent suivre ces mouvements afin d'en déterminer l'importance et d'évaluer adéquatement les incertitudes reliées à ces variables. De plus, ils doivent effectuer de bons choix car, par exemple, une capacité de forte taille permet des économies d'échelle, mais en même temps peut causer des coûts reliés à une surcapacité. Aussi, faut-il bien évaluer le temps entre chaque augmentation de la capacité : l'ajout hâtif d'une capacité n'équivaut-il pas à un surplus de capacité ?

## QUESTIONS DE RÉVISION

**1.** Qu'entend-on par rôle stratégique de la décision de capacité ?

**2.** La capacité se mesure-t-elle différemment dans les secteurs primaire, secondaire ou tertiaire ?

3. Commentez les facteurs qui influent sur la capacité.

4. Distinguez les concepts d'économies et de déséconomies d'échelle.

5. Qu'est-ce qu'un goulot d'étranglement ? Quel est son lien avec la capacité ?

6. Nommez et discutez les décisions majeures dans la conception de la capacité.

7. Comparez l'option d'anticipation et l'option réactive lorsqu'il s'agit de décider de l'ajout de la capacité.

8. Quelle est la principale différence entre la courbe d'apprentissage et la courbe d'expérience ?

## QUESTIONS DE DISCUSSION

1. En quoi la décision de capacité est-elle reliée au système de pilotage ?

2. « L'utilisation des heures supplémentaires doit être une méthode privilégiée pour accroître la capacité. » Commentez cette affirmation.

3. « Il est absurde de croire que la courbe d'apprentissage n'a pas de limite. » Commentez cette affirmation.

4. L'entreprise Dilemme inc. fabrique et vend des meubles de bureau sur mesure. Le vice-président des ventes aimerait que l'usine augmente sa capacité pour respecter les promesses de livraison ; le vice-président de la production désire aussi accroître la capacité, car cela lui permettrait plus de souplesse dans l'utilisation de ses ressources ; par contre, le vice-président des finances désire limiter la capacité, car son coût d'investissement est élevé ; le président, partiellement d'accord avec le vice-président des finances, croit cependant qu'une surcapacité forcerait le service des ventes à vendre davantage et qu'une sous-capacité inciterait la production à être plus créatrice dans l'utilisation de la capacité. Commentez.

5. Établissez l'analogie entre surcapacité et stock tampon, de même qu'entre sous-capacité et coût de pénurie.

6. En vous inspirant de l'article de C.J. Teplitz cité en références, commentez le lien entre les remises sur quantité en approvisionnement et la courbe d'apprentissage.

7. « Si un ascenseur a une capacité de 10 personnes et qu'une onzième personne s'y faufile, ce ne sera pas seulement la onzième personne qui sera inconfortable, mais bien les 11 personnes. » Commentez cette affirmation.

8. « Si le cheminement d'un processus était conçu selon le principe d'un entonnoir renversé, les problèmes de goulot d'étranglement seraient résolus. » Commentez cette affirmation.

9. Établissez une distinction entre la conception de la capacité et la régulation de la capacité.

10. Y a-t-il lieu d'établir un lien entre les limites de la courbe d'expérience et les limites du concept d'économies d'échelle ? Expliquez.

## PROBLÈMES ET MISES EN SITUATION

1. Vous désirez commander 35 machines-outils auprès d'un fabricant connu de votre région. Ces machines sont d'une conception toute nouvelle et vous limitez votre commande à 2 unités.

   Ayant été satisfait de la première machine livrée, vos ingénieurs vous demandent de passer la commande pour les autres machines-outils. À cette étape-ci, le fabricant vous avise qu'il vient de terminer la deuxième machine et vous lui demandez de produire les 33 autres machines. Le fabricant vous informe que la première machine a coûté 3 000 $, et la deuxième 480 $ de moins. Quel sera le coût total pour l'ensemble des 35 machines-outils ? Le taux moyen est de 10 $ l'heure et le coût de la première unité comprenait 80 % de main-d'œuvre directe.

Par la suite, si vous passez une commande supplémentaire de 40 machines, quel sera le coût moyen de main-d'œuvre par machine pour ce dernier lot ?

**2.** L'entreprise Navigatex fabrique des bateaux de plaisance. Depuis quelques mois, elle consacre les ressources de production de son usine de Lachine, en banlieue de Montréal, exclusivement à la réalisation d'un nouveau type de voilier, le modèle *Telfa*. Un important distributeur de voiliers a récemment approché cette entreprise. Il serait intéressé à passer une commande de 300 voiliers *Telfa*, à la condition expresse que cette commande lui soit livrée au plus tard 12 semaines après la signature du contrat. Le comité de direction de Navigatex s'est réuni ce matin et certains de ses membres ont tenu les propos qui suivent.

M. Lebrun, directeur du marketing : « Je pense qu'il est essentiel d'accepter la commande qui nous est offerte. Le marché pour le voilier *Telfa* s'est développé moins rapidement que prévu, et j'avoue que nous arrivons tout juste à placer la production courante. Ce contrat pour 300 voiliers nous accordera un délai de près de 3 mois pour intéresser de nouveaux clients, et ce ne sera pas de trop. »

M. Leroux, président : « Évidemment, ce contrat paraît intéressant, d'autant plus que nous pourrions en tirer un bon profit. Ce que je crains, c'est que nous ne puissions achever la commande à temps. Le client insiste pour inclure dans le contrat une clause de pénalité très sévère, et tout retard nous ferait donc perdre beaucoup d'argent. Le contrat doit être signé d'ici deux semaines. »

M. Leblanc, directeur de la production : « Nous aurons terminé d'ici deux semaines les 200 premières unités du *Telfa*, ce qui équivaut aux commandes fermes reçues jusqu'à présent. Nous pourrons donc consacrer toutes les ressources de l'usine à la réalisation de la nouvelle commande de 300 voiliers dès que le contrat sera signé. Malgré tout, compte tenu de l'expérience acquise jusqu'ici, je partage vos doutes quant à la possibilité de terminer cette commande à temps. »

M. Lebrun : « Sur quoi vous basez-vous ? »

M. Leblanc : « Ça nous a pris 120 heures-personne de travail pour terminer la première unité du voilier *Telfa*. Pour ce genre de produit, et l'expérience le confirme jusqu'à maintenant pour le *Telfa*, le coefficient d'apprentissage est de 90 %. Notre usine de Lachine compte 25 ouvriers qui travaillent en équipe depuis le début de la fabrication du *Telfa*. Des contraintes techniques nous empêchent d'accroître notre effectif ouvrier. Nous ne disposons donc que de 100 heures-personne par semaine (la durée normale de la semaine de travail étant de 40 heures) et, à mon avis, ce sera insuffisant pour achever la nouvelle commande à temps. »

M. Lebrun : « On peut toujours faire des heures supplémentaires. »

M. Leblanc : « C'est possible en effet. Ces heures supplémentaires ne devront toutefois pas dépasser 25 % du temps normal. Mais si on fait des heures supplémentaires, nos coûts de main-d'œuvre seront très élevés, puisque le taux horaire sera alors majoré de 50 %. De toute façon, je ne suis pas sûr que cela suffise pour achever le contrat. »

M. Leroux : « Alors, aux grands maux les grands remèdes ! Je vous propose le plan suivant :

- embaucher une deuxième équipe qui sera affectée exclusivement, pendant 12 semaines, à la fabrication des unités destinées à la nouvelle commande ;
- charger la première équipe de la fabrication des unités nécessaires pour respecter cette commande dans le délai prévu.

Avec le chômage qui sévit dans la région, ce ne sera pas difficile de trouver 25 ouvriers. Cette deuxième équipe devrait être capable de fabriquer une bonne partie des unités du nouveau contrat. Avec ce plan, nous serons certains de terminer dans les délais. Évidemment, on devra peut-être trouver d'autres commandes pour occuper la première équipe pendant toute cette période. Pour cela, nous comptons sur vous, M. Lebrun. »

M. Leblanc : « Votre proposition me paraît intéressante. Même si, pour la deuxième équipe, ce sera comme si on commençait la production à la première unité, je suis persuadé que notre expérience nous permettrait de ramener à 100 heures-personne le temps requis pour fabriquer cette première unité. Ensuite, le coefficient d'apprentissage à 90 % s'appliquera. Nous n'aurons pas à payer de prime pour les heures supplémentaires, les ouvriers de la deuxième équipe étant payés au même taux régulier que ceux de la première équipe, soit 10 $ l'heure. Leur semaine de travail sera également de 40 heures. Cependant, nous devrons assumer certains frais fixes pour la mise sur pied d'une deuxième équipe. »

M. Legris, directeur du personnel : « Si on peut leur garantir 12 semaines de travail, je n'aurai aucune dfficulté à recruter à temps les 25 ouvriers requis. D'après mon expérience, les frais fixes relatifs à une deuxième équipe devraient s'élever à 10 000 $. Dans la conjoncture actuelle du marché du travail, nous pouvons mettre sur pied cette deuxième équipe en moins de deux semaines, si l'équipe de M. Leblanc est prête à faire sa part. »

M. Lenoir, directeur des finances : « Je crois qu'avant de prendre notre décision, on devrait établir les coûts respectifs de chaque option. »

*a*) En travaillant des heures normales avec une seule équipe, quel sera le nombre de semaines nécessaires pour terminer la nouvelle commande ? Justifiez votre réponse.

*b*) Si on décide de travailler en faisant des heures supplémentaires, en respectant le maximum évoqué par M. Leblanc, pourrait-on terminer la nouvelle commande à temps ? À combien se chiffrerait le coût de la main-d'œuvre relatif à cette nouvelle commande ? Justifiez votre réponse.

*c*) Si on réalise le plan de M. Leroux et qu'on met sur pied une deuxième équipe qui travaille pendant 12 semaines à construire autant de bateaux que possible pour la nouvelle commande, le reste étant produit par la première équipe, terminera-t-on la fabrication des 300 voiliers dans les délais prévus ? Si oui, combien de temps la première équipe passera-t-elle sur cette commande ? Quel sera le coût de la main-d'œuvre relatif à la nouvelle commande si on adopte cette solution ? Justifiez votre réponse.

*d*) Navigatex devrait-elle accepter cette nouvelle commande ? Si oui, laquelle des deux options (les heures supplémentaires ou la deuxième équipe) favoriseriez-vous ? Justifiez votre réponse.

**3.** La compagnie Lavetronics limitée fabrique des machines industrielles à laver le linge. La première unité produite d'un nouveau modèle a coûté 600 $, dont 40 % représentent des coûts de main-d'œuvre. Celle-ci est payée au taux horaire de 4 $. La deuxième unité a coûté 540 $. M. Durand, propriétaire de l'entreprise, sait que les coûts de main-d'œuvre diminuent selon le phénomène de la courbe d'apprentissage et que les autres coûts sont constants.

*a*) Quel est le coefficient de réduction du temps d'exécution ($\rho$) ?

*b*) À Montréal, une importante entreprise de lavage demande à M. Durand de soumissionner un contrat de 40 machines. En sachant que M. Durand veut faire un profit de 20 % de son coût de fabrication, quel prix unitaire doit-il demander pour ce contrat ?

*c*) Pour quelle unité de ce premier contrat le temps marginal de main-d'œuvre serait-il égal au temps moyen requis pour les 40 machines ?

*d*) Par la suite, le premier contrat ayant été accepté et se trouvant en cours d'exécution, M. Durand reçoit une offre d'achat pour 25 autres machines au prix de 460 $ l'unité. Exprimez en pourcentage du coût de fabrication, pour ces 25 machines, le profit qu'il réalisera en acceptant ce second contrat.

**4.** La compagnie Marisar se spécialise dans le montage de composants électroniques utilisés dans la fabrication de calculatrices. Elle détient un contrat pour le montage de 2 000 unités d'un certain composant. Au 31 mai, 1 200 unités ont déjà été montées. L'entreprise désire terminer le contrat au cours des prochaines semaines en assurant un emploi à plein temps à un groupe de 75 ouvriers (la semaine normale de travail s'échelonnant sur 40 heures). Grâce à l'expérience acquise depuis le début du contrat, l'entreprise a pu déterminer que le coefficient de la courbe d'apprentissage est de 80 %. Elle sait également qu'il a fallu 170,4 heures-personne de main-d'œuvre directe pour faire le montage de la première unité.

*a*) Déterminez, en tenant compte du phénomène de l'apprentissage et du désir de l'entreprise d'assurer un emploi à plein temps à ses travailleurs, le nombre d'unités qui devront être assemblées chaque semaine d'ici la fin du contrat.

*b*) Le prix demandé par l'entreprise Marisar, pour le montage de ce composant, a été déterminé à l'aide d'une estimation rapide des coûts de main-d'œuvre directe. On a établi que pour l'ensemble du contrat, le montage d'une unité exigerait en moyenne 23 heures-personne de main-d'œuvre directe. Compte tenu de la courbe d'apprentissage et du fait qu'une heure-personne de main-d'œuvre directe coûte 8 $ à l'entreprise, calculez à combien s'élèvera, pour l'ensemble du contrat, la différence entre l'estimation rapide et le coût véritable pour la main-d'œuvre directe. Cette différence sera-t-elle favorable ou non à la compagnie Marisar ?

*c*) La compagnie Marisar signe un contrat pour monter 1 000 unités supplémentaires de ce composant dès que le premier contrat sera terminé. Les clauses du contrat précisent que le coût de main-d'œuvre sera calculé en tenant compte de l'apprentissage, que les autres coûts reliés au montage seront fixés à 30 $ l'unité et que le prix payé à Marisar comprendra, en outre, un profit égal à 30 % de l'ensemble des coûts. Une clause supplémentaire prévoit qu'advenant le cas où l'entreprise acheteuse désirerait acquérir un nombre inférieur de composants à celui indiqué dans le contrat, Marisar pourra réévaluer ses coûts en fonction de la quantité effectivement fournie et qu'elle pourra exiger, en plus de son profit normal sur la quantité produite, la moitié du profit qu'elle aurait réalisé sur la partie annulée du contrat. Après avoir entamé le deuxième contrat, l'entreprise acheteuse avise Marisar qu'elle ne désire plus que 600 unités. Quel prix total Marisar devra-elle alors exiger ?

## RÉFÉRENCES


1. ABERNATHY, W.J., K.B. CLARK et A.M. KANTROW, *Industrial Renaissance : Producing a Competitive Future for America*, New York, Basic Books, 1983.
2. ARGOTE, L., S.L. BECKMAN et D. EPPLE, « The Persistance and Transfer of Learning in Industrial Setting », *Management Science*, vol. 36, n° 2, février 1990.
3. BADEN-FULLER, C.W.F., *Managing Excess Capacity*, Basil & Blackwell Ltd., 1992.
4. DESCHAMPS, I., « La mondialisation de la gestion de la technologie et ses incidences sur les stratégies manufacturières et technologiques : une approche systémique », rapport du congrès annuel ASAC-GOP, édité par C.R. Duguay, vol. 13, n° 11, 1992.
5. DUTTON, J.M. et A. THOMAS, « Treating Progress Functions as a Managerial Opportunity », *Academy of Management Review*, 1984, vol. 9, n° 2, p. 235-247.
6. ÉTIENNE, E.C., *Codex 4-500 – Production*, Séance II – Capacité, Montréal, HEC, 1980.
7. FINE, C.H., « Quality Improvement and Learning in Productive Systems », *Management Science*, vol. 32, n° 10, octobre 1986.
8. FRECHET, L., « Juste-à-temps », *Commerce*, mai 1990, p. 92-96.

9. GOLDHAR, J.D. et M. JELINEK, « Plan for Economies of Scope », *Harvard Business Review*, novembre-décembre 1983, p. 141-148.
10. GRANT, R.M., « Exit and Rationalization in the Cutlery Industry », dans BADEN-FULLER, C.W.F. (dir.), *Managing Excess Capacity*, Basil Blackwell Ltd., 1992, p. 107.
11. HARRIGAN, K.R., « Implementing End Game Strategies for Declining Industries », dans BADEN-FULLER, C.W.F. (dir.), *Managing Excess Capacity*, Basil Blackwell Ltd., 1992, p. 194-198.
12. HAX, A. et N.S. MAJLUT, « La courbe d'expérience », *Harvard-L'Expansion*, hiver 1983-1984, p. 67.
13. HAYES, R.H. et S.C. WHEELWRIGHT, *Restoring our Competitive Edge : Competing Through Manufacturing*, New York, John Wiley & Sons, 1984.
14. LEONE, R.A. et J.R. MEYER, « Capacity Strategies for the 1980's », *Harvard Business Review*, novembre-décembre 1980, p. 133-140.
15. LIAO, W.M., « Effects of Learning on Resource Allocation Decision », *Decision Sciences*, vol. 10, n° 1, 1979, p. 116-125.
16. McGRATH, M.E. et R.W. HOOLE, « Manufacturing's New Economies of Scale », *Harvard Business Review*, mai-juin 1992, p. 94-102.
17. NADEAU, J.B., « Comment C-Mac affronte les Asiatiques », *Commerce*, mai 1992, p. 10-14.
18. SCHMENNER, R.W., « Before you Build a Big Factory », *Harvard Business Review*, juillet-août 1976, p. 100-104.
19. TEPLITZ, C.J., « Negotiating Quantity Discounts Using a ''Learning Curve Style'' Analysis », *Journal of Purchasing and Materials Management*, été 1988.
20. WHEELWRIGHT, S.C., « Capacity Planning and Facilities Choice », Course Module ICCH5-979-601, Boston, *Harvard Business School*, 1979.
21. YELLE, L.E., « The Learning Curve : Historical Review and Comprehensive Survey », *Decision Sciences*, vol. 10, 1979, p. 302-327.
22. « Doing It Right Till the Last Whisle Blows », *Business Week*, 6 avril 1992.
23. « They've Made It a Manhood Issue Now », *Business Week*, 2 mars 1992.

CHAPITRE 8

# La localisation et l'aménagement

JOSEPH KÉLADA *auteur principal*

# INTRODUCTION

## 8.1 L'importance des décisions de localisation et d'aménagement

Dans le processus de création ou d'expansion d'une entreprise, les dirigeants, après avoir déterminé quoi produire et comment le faire, doivent décider où produire. Leur choix s'arrêtera nécessairement sur une région géographique donnée dans laquelle ils retiendront une localité parmi plusieurs autres et un emplacement précis dans cette localité. L'aménagement de l'emplacement retenu devra permettre d'y installer les unités de production et d'entreposage, les bureaux de la direction, les postes de vente, etc.

Lors de l'aménagement, chaque unité de travail est installée à l'endroit prédéterminé sur l'emplacement choisi. Chaque service et chaque section sont ensuite disposés dans cette unité. La place de l'équipement et du mobilier est alors déterminée dans chaque section.

Les décisions de localisation et d'aménagement sont grandement influencées par les stratégies de l'entreprise et peuvent également les influencer. Leur incidence sur la compétitivité, sur les coûts d'exploitation et de distribution de l'entreprise de même que sur le service à la clientèle est considérable. L'ampleur des investissements découlant de telles décisions et l'envergure des coûts rattachés à d'éventuels changements (tels une relocalisation ou un réaménagement majeur) expliquent l'attention que portent les dirigeants à ces décisions.

Traditionnellement, les entreprises exerçaient leurs activités à l'intérieur de leur pays d'origine ou, tout au plus, dans un pays voisin. La mondialisation de l'économie, les changements politiques et technologiques actuels, l'abolition de nombreuses frontières et l'élimination de barrières tarifaires ou autres ont amené les entreprises à considérer, lors d'une décision de localisation, des régions qui, il n'y a pas si longtemps, semblaient trop éloignées et totalement inadéquates, et où seules les multinationales osaient s'établir.

Le contexte international actuel accroît l'importance de la décision de localisation. En effet, lorsqu'une entreprise décide de s'établir à plusieurs milliers de kilomètres de son lieu d'origine, les risques d'erreurs sont plus grands et leurs conséquences peuvent être très graves et parfois même néfastes du fait que, bien souvent, les dirigeants d'entreprise connaissent mal la culture, l'économie, les aspects légaux et les courants politiques qui prévalent dans certains pays où des changements radicaux peuvent survenir brusquement, sans signes précurseurs ni avertissement. Cela est encore plus vrai des pays dits « en voie de développement », qui connaissent un essor industriel prodigieux et qui dépassent rapidement les pays industrialisés. C'est le cas de nombreux pays du Sud-Est asiatique, de l'Amérique centrale et de l'Amérique du Sud, telle la Corée du Sud qui, il n'y a pas si longtemps, était encore considérée comme un pays « en voie de développement » !

Les récents événements survenus en Europe de l'Est et dans l'ancienne Union soviétique suscitent actuellement l'intérêt de plusieurs entreprises occidentales ; il reste à savoir si la témérité récompensera ou punira les entreprises qui décideront de s'établir dans ces pays.

Généralement, la localisation et l'aménagement influent sur les opérations courantes et les activités de pilotage. À titre d'exemple, la localisation peut avoir un effet direct sur la quantité et la qualité des fournisseurs à choisir. De même, l'adoption d'une focalisation par processus ou par produit peut nécessiter un réaménagement majeur et coûteux des installations de fabrication et d'entreposage.

Le présent chapitre porte sur les principaux aspects qui sont sous-jacents à la localisation et à l'aménagement de même que sur quelques techniques utilisées dans ces domaines.

# LA LOCALISATION

## 8.2 Les conséquences du choix d'un emplacement

Le choix de l'emplacement d'une entreprise ou d'une unité de production (ou d'affaires) telle qu'un entrepôt, une usine, un magasin, un siège social, un bureau, un centre de vente, de service ou de distribution est une décision souvent coûteuse et à long terme, qui ne doit donc pas être prise à la légère. En effet, elle requiert généralement des investissements considérables, surtout dans le cas d'une usine à processus complexes comprenant un grand nombre de machines et un équipement lourd. Cependant, malgré l'importance majeure de ce choix, il arrive souvent, en pratique, que la localisation d'une entreprise ne soit basée sur aucune approche scientifique. Cette façon de faire s'explique par le fait qu'habituellement, plusieurs choix s'offrent, qui comportent des avantages et des inconvénients presque équivalents ou difficiles à distinguer. Ainsi, diverses entreprises florissantes dont les opérations sont similaires sont établies un peu partout au pays et ailleurs dans le monde. Bien souvent, les entreprises ne cherchent pas la localisation idéale, mais tentent plutôt d'éviter une localisation inadéquate.

Ainsi, on ne sait pourquoi l'industrie de l'automobile américaine est installée à Detroit, ni pourquoi celles de l'aéronautique et de l'informatique sont établies en Californie. Au Québec, l'industrie du textile est concentrée dans la région de Drummondville–Trois-Rivières ; pourtant, aucune raison évidente n'explique une telle concentration. On note toutefois certaines tendances, tel le déplacement d'entreprises des petites villes vers les grands centres urbains et vice versa.

Généralement, le choix d'un emplacement est dicté par un certain nombre de facteurs que nous étudierons plus loin. Ce choix comporte parfois de grands avantages ou de sérieux inconvénients. Hendrick et Moore[5] citent plusieurs cas où la décision de localisation a entraîné de fâcheuses conséquences. Ainsi, une entreprise qui s'installa dans une région pour profiter des bas salaires qui y étaient versés fit faillite en misant sur le recyclage des mineurs de charbon pour en faire des menuisiers. Par ailleurs, en Nouvelle-Angleterre, certaines entreprises du textile qui refusèrent de s'installer plus au sud, où les coûts d'exploitation étaient plus faibles, durent fermer leurs portes.

La localisation et l'aménagement d'une entreprise influent sur la gestion des opérations et de la production. Par exemple, le choix d'un fournisseur et les relations avec ce dernier sont fonction de la localisation de l'entreprise ; il est évident que la proximité d'un fournisseur favorise des relations harmonieuses et efficaces, aussi bien sur le plan humain que sur le plan technique. De même, l'aménagement d'une usine détermine le taux et la capacité de production de l'entreprise ; par exemple, un aménagement inadéquat occasionne des pertes de temps dues à de possibles goulots d'étranglement ou à des distances trop longues à parcourir tant pour le personnel que pour le produit ou ses composants. Enfin, le mauvais aménagement d'une unité de production peut nuire à la qualité des produits, par exemple si les unités de produit fini ou en cours de fabrication sont souvent manipulées, transportées, empilées, ou si les conditions physiques de travail sont inadéquates (éclairage, bruit, chaleur ou froid, poussière, etc.). Dans ces conditions, il est plus difficile de respecter les délais de livraison, et les coûts de production risquent d'être plus élevés que dans un meilleur aménagement.

Le juste-à-temps requiert un aménagement particulier des quais de réception qui, traditionnellement, sont installés non loin de l'entrepôt ou du magasin principal où sont stockés les articles reçus. Dans le cas du système juste-à-temps, les articles, les composants et les pièces sont livrés au moment où on en a besoin, ce qui entraîne la disparition ou la réduction significative des stocks et l'élimination des entrepôts et des magasins. La livraison doit donc se faire à proximité de l'endroit où ces pièces et composants sont requis, ce qui exige l'aménagement d'un grand nombre de petits quais de réception placés le long de la chaîne de production.

## 8.3 Les facteurs à considérer lors du choix d'un emplacement

Les facteurs qui déterminent le choix d'un emplacement peuvent être objectifs ou subjectifs.

Parmi les **facteurs objectifs**, on trouve : 1. la disponibilité et les coûts des éléments essentiels au bon fonctionnement des opérations de la production ; 2. les éléments qui ont une influence directe sur les revenus de l'entreprise (tableau 8.1).

Lors du choix de l'emplacement d'une unité de production, les responsables de l'entreprise doivent préalablement s'assurer de la disponibilité des **éléments essentiels au bon fonctionnement** de cette unité. Parmi ces éléments mentionnons la main-d'œuvre (opérateurs, spécialistes, cadres et dirigeants), l'eau, l'énergie électrique et les moyens de transport pour les matières premières et les produits finis.

Par exemple, pour ce qui est de la **main-d'œuvre**, une entreprise peut avoir besoin d'un personnel nombreux et peu spécialisé. Elle cherchera alors à s'établir dans un centre urbain, où ce type de main-d'œuvre est abondant et où un service de transport en commun efficace et relativement peu coûteux permet aux travailleurs de se déplacer facilement. Par contre, l'entreprise qui emploie des spécialistes bien rémunérés peut se permettre de s'installer en périphérie des centres urbains. En effet, ce type d'employés se déplace habituellement en automobile et un grand nombre d'entre eux habite la banlieue.

La disponibilité de la main-d'œuvre requise n'est pas le seul facteur à considérer. La stabilité à moyen et à long terme est un élément majeur dont dépend le bon fonctionnement de l'entreprise. Dans certaines régions, on observe une tendance migratoire des jeunes vers des centres urbains plus importants, tandis que d'autres subissent les contrecoups des fréquents conflits de travail. Bien que ces régions ne soient pas systématiquement exclues lors du choix d'un emplacement, les responsables en étudient les effets possibles sur la bonne marche des opérations à long terme.

Pour certains types de production, telle la production de l'aluminium, la **disponibilité de l'énergie** électrique est fondamentale. Le Québec jouit d'une situation favorable dans le domaine hydroélectrique et, par conséquent, il attire de gros producteurs d'aluminium. D'autres processus requièrent de grandes quantités d'**eau** ; c'est le cas des aciéries, de l'industrie du caoutchouc et des distilleries, qui s'établissent nécessairement à proximité des lacs ou des rivières. Citons le cas de la société Seagram située à La Salle, non loin du fleuve Saint-Laurent.

**Tableau 8.1**

**Les facteurs à considérer lors du choix d'un emplacement**

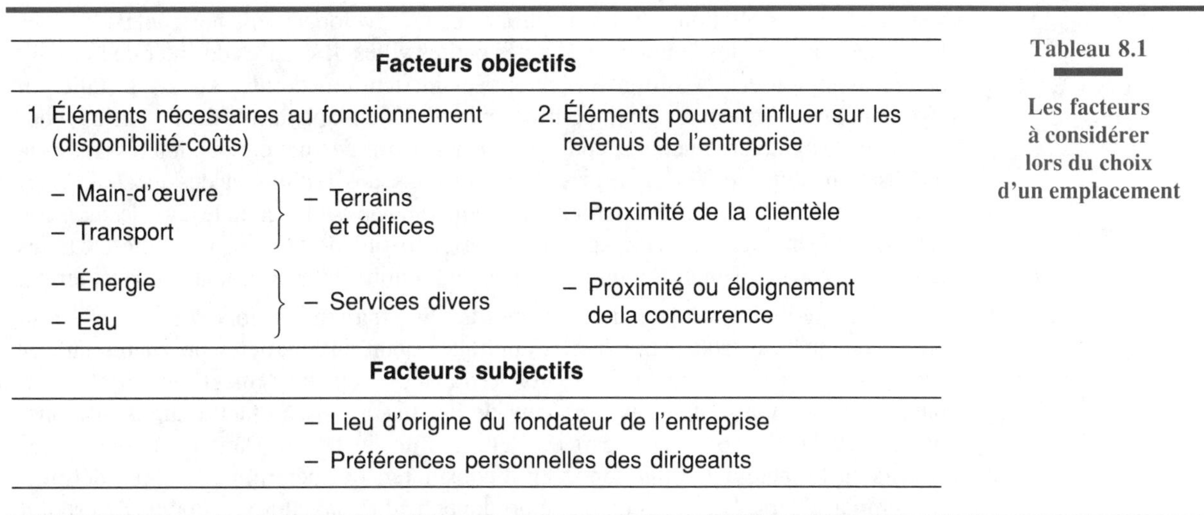

| Facteurs objectifs | | |
|---|---|---|
| 1. Éléments nécessaires au fonctionnement (disponibilité-coûts) | | 2. Éléments pouvant influer sur les revenus de l'entreprise |
| – Main-d'œuvre<br>– Transport | – Terrains et édifices | – Proximité de la clientèle |
| – Énergie<br>– Eau | – Services divers | – Proximité ou éloignement de la concurrence |
| **Facteurs subjectifs** | | |
| – Lieu d'origine du fondateur de l'entreprise<br>– Préférences personnelles des dirigeants | | |

Toute entreprise industrielle transporte, ou fait transporter vers ses unités de production, les matières premières, les pièces et les composants qui entrent dans la fabrication de ses produits. Ces produits finis sont à leur tour acheminés vers des distributeurs ou des clients. On doit donc s'assurer de la disponibilité de **moyens de transport** adéquats. Selon le type de matières premières et de produits finis, l'entreprise choisira généralement un emplacement bien desservi par les divers réseaux de transport : aérien, routier, fluvial ou ferroviaire.

Certaines régions ne sont pas desservies par des voies ferrées, des autoroutes ou des lignes aériennes ; l'entreprise qui veut s'y établir doit alors pourvoir à son propre transport, ce qui peut créer de sérieuses difficultés. Citons l'exemple de la Société d'énergie de la Baie James qui a dû instaurer son propre système de transport aérien et son propre réseau routier pour desservir ses chantiers de construction et ses installations de production et de transport d'électricité.

Pour assurer le bon fonctionnement de l'appareil de production lors du choix de l'emplacement d'une entreprise ou de l'une de ses unités, les responsables doivent aussi prendre en considération l'ampleur de l'activité industrielle et commerciale de l'endroit. En effet, une concentration d'entreprises permet le développement de **services essentiels** communs tels que les services d'entretien de l'équipement, les services financiers (banques, compagnies d'assurances), les services téléphonique et d'informatique, les services gouvernementaux, les services de courrier, de sécurité...

Le choix d'un emplacement influe également sur les coûts d'installation et d'exploitation. Les coûts d'installation comprennent principalement les investissements requis pour l'**acquisition de terrains et d'édifices**, lorsque ceux-ci ne sont pas loués. Les coûts d'exploitation comportent les dépenses courantes relatives à la main-d'œuvre, aux matières premières, aux fournitures, au transport, au loyer, aux taxes foncières, à l'entretien des édifices et de l'équipement. Les responsables du choix de l'emplacement tenteront de déterminer celui qui peut minimiser ces coûts.

Le **coût d'achat d'un terrain** varie substantiellement d'un endroit à l'autre. Il est évident qu'un terrain situé au centre-ville est beaucoup plus coûteux qu'un terrain situé en banlieue ; il en est de même pour les taxes foncières. Cela explique l'expansion verticale des installations en centre urbain et le développement horizontal dans les banlieues. De plus, les municipalités et les petites villes désireuses de créer de l'emploi dans leur région et d'y attirer des entreprises incitent ces dernières à s'y installer en réduisant sensiblement les taxes pour des périodes s'étalant sur plusieurs années. Pour leur part, les gouvernements encouragent, par l'octroi de subventions intéressantes, la localisation d'entreprises créatrices d'emploi dans des régions et des localités dites défavorisées, où l'activité économique est réduite ou en déclin et où le taux de chômage est élevé. Dans certains cas, ces incitations constituent un piège à éviter, car les désavantages à moyen et à long terme peuvent annihiler les avantages à court terme.

Pourquoi doit-on étudier les **coûts de transport** lors du choix d'un emplacement ? Le facteur transport s'applique autant aux matières premières qu'aux produits finis. Généralement, les coûts de transport sont facilement quantifiables et, bien qu'ils ne représentent qu'un facteur de localisation parmi tant d'autres, ils constituent souvent le point de départ de l'étude d'un tel choix. Dans certains cas, ces coûts sont le facteur le plus important à considérer, qui détermine le choix définitif de l'emplacement. Les coûts de transport dépendent de la nature et du type de produit transporté (liquide, fragile, volumineux, en vrac...). En effet, la nature du produit transporté (matières premières ou produits finis) peut contraindre l'entreprise à s'installer près de ses fournisseurs ; c'est le cas si la matière première est périssable (légumes, lait). Inversement, l'entreprise devra s'établir près de sa clientèle si c'est le produit fini qui est périssable (produits alimentaires, produits laitiers), puisque le transport de ces produits par camions ou wagons réfrigérés est souvent très coûteux.

Les coûts de transport dépendent aussi de la distance sur laquelle un produit est transporté, du poids de ce produit, de son volume et de ses dimensions, de la rapidité de transport requise, de la régularité du service souhaitée, de la fiabilité exigée (horaires, risques de vol et de détérioration) et des coûts unitaires (par kilomètre, par tonne, par unité).

Quant aux **coûts de la main-d'œuvre**, ils représentent souvent une bonne partie des coûts d'exploitation. L'entreprise cherchera alors à s'établir là où les salaires versés sont plus bas qu'ailleurs, à compétences égales et selon le type de main-d'œuvre requis.

Certaines **stratégies de réduction des coûts d'exploitation** sont fonction de la localisation de l'entreprise, laquelle, à son tour, dépend de ces stratégies. En effet, les entreprises qui adoptent l'approche zéro-stock requièrent des livraisons fréquentes et rapides de petites quantités de pièces ou de sous-ensembles achetés ou sous-traités. Cette approche suppose donc la localisation de l'entreprise à proximité de ses fournisseurs ou, dans le cas de très grandes entreprises, l'installation du fournisseur près de son client. Par exemple, une des usines de General Motors où on assemble des voitures de modèle *Buick* est située de façon à permettre aux fournisseurs de faire des livraisons toutes les heures. Au Japon, Toyota procède de la même façon[5].

Lors du choix d'un emplacement, l'entreprise doit également considérer les **facteurs de revenus.**

Parmi ces facteurs, mentionnons le **service à la clientèle**. Tant pour les entreprises industrielles que pour les entreprises de services, les relations directes avec les clients sont primordiales. Ainsi, un fabricant de fournitures de bureau, en voyant l'accroissement rapide de la demande pour ses produits, décida de se relocaliser pour augmenter sa capacité. Son choix se porta sur une ville voisine, où il loua un local très spacieux. Contrairement à ses attentes, la demande chuta sensiblement. La raison de ce revirement s'explique par l'éloignement de ses clients ; ceux-ci s'étaient habitués à un service rapide et personnalisé, qu'ils ne pouvaient plus obtenir en raison de la nouvelle localisation.

Un autre aspect important à considérer est la **localisation de la concurrence**. Une entreprise doit-elle s'installer près de ses concurrents ou, au contraire, s'en éloigner ? En général, si une entreprise veut prendre une plus grande part d'un marché qu'elle partage avec un concurrent, elle a avantage à assurer une présence égale ou supérieure à ce concurrent sur ce marché. C'est le cas des banques et des supermarchés d'alimentation qui s'installent à proximité de leurs concurrents.

Par contre, si l'entreprise veut conquérir de nouveaux marchés, elle doit s'éloigner de la concurrence pour bénéficier d'une présence exclusive sur ces marchés, jusqu'à ce que le succès commence à attirer des concurrents. L'entreprise tentera alors de conserver l'avantage du premier arrivé.

Certains **facteurs subjectifs** déterminent également le choix d'un emplacement. En effet, la localisation d'une entreprise ne repose pas toujours sur les facteurs rationnels (économiques, techniques ou commerciaux) mentionnés précédemment.

Pour plusieurs entreprises, le choix de l'emplacement est lié au fait que le fondateur était originaire de l'endroit. L'**attachement à une communauté** est souvent le critère principal du choix d'un emplacement. Cependant, cette décision n'est pas purement émotive ; des facteurs rationnels expliquent également ce choix. Le fait que l'entrepreneur et les responsables des institutions financières de la place entretiennent des relations personnelles et d'affaires de longue date facilite le financement de l'entreprise, grâce à la confiance réciproque qui s'est installée au fil du temps.

Ces liens existent aussi avec les fournisseurs locaux, qui assurent alors un meilleur service, surtout en cas de problèmes tels que l'accroissement imprévu de la demande ou une pénurie de matières sur le marché. Cette façon de faire peut s'étendre au recrutement d'une main-d'œuvre locale avec laquelle on entretiendra des relations presque familiales, qui favoriseront des relations de travail harmonieuses et, de ce fait, contribueront à maintenir un haut niveau de productivité et de rentabilité.

Finalement, le choix d'un emplacement peut être fonction des **préférences personnelles** des dirigeants. En effet, même s'il n'est pas originaire d'une région, le dirigeant d'une entreprise peut décider de s'y installer simplement parce qu'il s'y sent bien, sans connaître précisément les raisons qui le motivent. En pratique, la décision de localisation d'une entreprise comporte presque toujours une part d'intuition.

Après l'élaboration des facteurs relatifs à la décision de localisation, les responsables commencent le repérage d'un emplacement qui correspond à ces facteurs. Ils cherchent des données pertinentes auprès de différentes sources. Diverses agences gouvernementales de développement régional, aux niveaux fédéral, provincial et municipal, ainsi que des bureaux de statistique offrent un grand nombre de renseignements très utiles pour la localisation d'une unité de production ou d'entreposage.

## 8.4 Les particularités de la localisation des entreprises de services

Certaines entreprises, surtout les entreprises de services ou celles où le service joue un rôle important, doivent être situées près de leur clientèle. Si le service est fourni par le personnel de l'entreprise chez le client (contrats d'entretien d'édifices, d'équipement de bureau ou de production), la localisation doit permettre une communication rapide et un temps de réponse relativement court. Dans certains cas, l'entreprise de services doit être divisée en plusieurs unités dispersées et peut parfois nécessiter des installations mobiles. Dans d'autres cas, des unités sont carrément installées chez le client; à titre d'exemple, les fournisseurs d'encre des imprimeurs s'installent parfois chez leur client pour faciliter le service.

Si le service est offert dans les locaux mêmes de l'entreprise de services et si le client doit se déplacer, il faudra en tenir compte lors de la décision de localisation. C'est le cas, par exemple, des grands magasins, des hôpitaux, de certaines agences gouvernementales, des clubs sociaux ou de culture physique, des théâtres et des cinémas, des salons de coiffure. En tout temps, l'emplacement doit être facile d'accès (transport en commun ou stationnement) et situé à proximité d'autres services requis par la clientèle (bureau de poste, restaurants...).

Plusieurs facteurs relatifs à la décision de localisation dans le secteur industriel sont communs au secteur des services; cependant, il existe aussi d'importantes différences. Entre autres, les investissements reliés aux installations sont moins élevés. De plus, la proximité indispensable d'une entreprise de services, dont les contacts avec les clients sont constants, rend essentielle l'étude de l'évolution de la clientèle. En effet, celle-ci peut se déplacer (mouvement vers les banlieues ou vers les grands centres urbains), elle peut changer ses attitudes ou ses habitudes (aller moins souvent au cinéma, préférer regarder la télévision, aller plus fréquemment au restaurant, manger plus rapidement, faire affaire par téléphone...).

Plus que dans le cas du secteur industriel, la localisation d'une entreprise de services doit être flexible. L'entreprise doit réagir rapidement et efficacement à l'évolution de sa clientèle, se déplacer avec elle, s'adapter à ses nouvelles habitudes. Souvent, l'entreprise doit aussi prévoir les tendances de cette évolution, par exemple le vieillissement de la population ou la hausse du niveau de vie.

## 8.5 Les techniques d'évaluation du choix d'un emplacement

Certaines techniques mathématiques à portée relativement restreinte permettent de déterminer l'emplacement pour lequel l'ensemble des coûts est le plus bas. Il en est de même pour tout critère quantitatif jugé important.

D'autre part, lorsqu'une unité doit desservir un grand territoire, tel un centre de service téléphonique ou une clinique médicale, l'emplacement choisi peut être situé dans le centre géographique (ou géométrique) de ce territoire. Cependant, pour plus d'efficacité, on peut considérer le centre de gravité plutôt que le centre géographique. On prend alors en considération la concentration des points à desservir et la fréquence requise des services aux divers points, favorisant ainsi une majorité au détriment d'une minorité, ce qui est en contradiction avec une politique d'égalité de services pour tous, si elle existe ou si elle est souhaitable.

Notons que certains facteurs non quantifiables doivent aussi être évalués; même s'ils sont difficiles à estimer quantitativement, ces facteurs n'en sont pas moins réels et on doit résister à la tentation de laisser les chiffres prendre le pas sur l'analyse raisonnée mais qualitative.

Parmi les méthodes qualitatives et quantitatives utilisées mentionnons:

- la **méthode du « problème de transport »**, qui permet de déterminer mathématiquement, parmi un certain nombre d'emplacements, celui qui permettrait de minimiser les coûts de transport vers les destinataires des produits. S'il existe une unité de production à cet emplacement, on peut l'agrandir si la demande du produit qui y est fabriqué ou stocké le justifie. S'il n'existe pas d'unité de production à cet emplacement, on pourra alors y installer une nouvelle usine (ou entrepôt);

- l'**arbre de décision**, auquel on peut rattacher des probabilités aux informations prévues mais incertaines telles que le niveau des salaires, une réduction de taxes foncières ou la disponibilité de matières premières locales ;
- les **méthodes *CPM*** (méthode du « chemin critique » ou *Critical Path Method*) **et *PERT*** (*Program Evaluation and Review Technique*), qui peuvent être utilisées lors du transfert d'une usine ou de la construction d'une nouvelle usine, pour planifier et suivre l'exécution de la localisation ;
- la **méthode qualitative**, qui consiste à établir une échelle subjective pour chaque facteur ; par exemple, A, B, C, D et E, où A = excellent, B = très bon, C = passable, D = médiocre, E = éviter à tout prix ;
- la **méthode semi-quantitative**, qui consiste à attribuer une valeur numérique sur 10 à chaque facteur ; par exemple, A = 10, B = 8, C = 5, D = 3, E = 1.

**Exemple**

**MÉTHODE QUALITATIVE**

| Emplacement | 1 | 2 | 3 | 4 |
|---|---|---|---|---|
| Climat ouvrier | B | A | C | B |
| Proximité des fournisseurs | A | B | C | D |
| Proximité des clients | B | C | C | C |
| Disponibilité de la main-d'œuvre | C | D | C | D |
| Niveau des salaires | A | E | C | C |
| Total | 2A + 2B + C | A + B + C + D + E | 5C | B + 2C + 2D |

Selon toute évidence, l'emplacement 1 semble le meilleur. Cependant, il serait difficile de déterminer lequel des emplacements 2 ou 3 est préférable.

**MÉTHODE SEMI-QUANTITATIVE**

| Emplacement | 1 | 2 | 3 | 4 |
|---|---|---|---|---|
| Climat ouvrier | 8 | 10 | 5 | 8 |
| Proximité des fournisseurs | 10 | 8 | 5 | 3 |
| Proximité des clients | 8 | 5 | 5 | 5 |
| Disponibilité de la main-d'œuvre | 5 | 3 | 5 | 3 |
| Niveau des salaires | 10 | 1 | 5 | 5 |
| Total | 41 | 27 | 25 | 24 |

L'emplacement 1 semble supérieur à tous les autres.

Si les facteurs ne sont pas tous de la même importance, ce qui est généralement le cas, on peut utiliser des valeurs pondérées comme suit :

| Emplacement | Pondération | 1 | 2 | 3 | 4 |
|---|---|---|---|---|---|
| Climat ouvrier | 18 | 144 | 180 | 90 | 144 |
| Proximité des fournisseurs | 3 | 30 | 24 | 15 | 9 |
| Proximité des clients | 2 | 16 | 10 | 10 | 10 |
| Disponibilité de la main-d'œuvre | 1 | 5 | 3 | 5 | 3 |
| Niveau des salaires | 1 | 10 | 1 | 5 | 5 |
| Total | | 205 | 218 | 125 | 171 |

Selon cette pondération, l'emplacement 2 est le meilleur.

Une fois que l'emplacement est choisi, l'agencement des diverses unités sur cet emplacement peut être considéré comme la dernière phase du processus de localisation et le début des activités d'aménagement. La prochaine partie de ce chapitre est consacrée à ces activités.

# L'AMÉNAGEMENT

## 8.6 L'importance de l'aménagement

Dans le milieu des années 80, la société General Motors achève la construction de deux usines géantes qui intègrent ce qu'il y a de plus récent dans le domaine de l'automatisation. Souhaitant améliorer la compétitivité de l'entreprise, la direction décide alors d'y introduire des concepts modernes de gestion des opérations, dont l'approche juste-à-temps (zéro-stock), qui réduit presque à zéro les stocks de matières, de produits en cours et de produits finis. Un obstacle majeur se dresse cependant contre l'application efficace de cette approche dans ces deux usines. En effet, tant à l'usine d'Orion Township au Michigan qu'à celle de Wentzville au Missouri, l'aménagement n'a pas été pensé en fonction d'un système juste-à-temps. De ce fait, les vastes espaces de stockage des deux usines deviennent inutiles si l'approche est appliquée ; en outre, elles n'ont pas assez de quais de déchargement nécessaires aux fréquentes livraisons de matières premières et de pièces, préconisés par l'approche juste-à-temps[8].

Généralement, la stratégie industrielle de l'entreprise détermine le type d'aménagement (appelé aussi implantation) requis pour ses diverses unités ; à l'inverse, l'aménagement peut avoir un certain effet sur la stratégie, comme dans le cas des usines de General Motors mentionné plus haut. De plus, l'aménagement des diverses installations détermine la rentabilité et la compétitivité de l'entreprise ; il exerce une influence directe sur les opérations courantes et leurs résultats en matière de qualité, de productivité, de délais et de coûts.

Du point de vue de la **qualité**, les matières premières, les produits en cours de fabrication et les produits finis en stock peuvent se détériorer s'ils sont mal entreposés ou s'ils sont constamment transportés d'un endroit à l'autre par des moyens inadéquats. Leur qualité peut aussi être altérée s'ils ne sont pas stockés au bon endroit ou à l'abri de changements majeurs de conditions telles qu'une température trop élevée ou une ventilation inadéquate. De plus, une des exigences de l'assurance de la qualité (chapitre 17) est la séparation des unités défectueuses d'avec les unités conformes aux spécifications. Cette exigence se concrétise, dans certains cas, par l'organisation d'aires de quarantaine réservées aux produits non conformes. Ainsi, certaines entreprises ne peuvent satisfaire à une telle exigence à cause de l'aménagement existant.

Du point de vue de la **capacité de production**, un aménagement inadéquat peut créer des goulots d'étranglement ou réduire les cadences de travail en deçà du taux de production requis. De plus, de mauvaises conditions (chaleur, froid, bruit, aires de travail exiguës, difficulté de manutention) nuisent aux travailleurs et réduisent les taux de production. De même, certaines tâches répétitives engendrent la monotonie et l'ennui, diminuant ainsi la capacité de production. Pour réduire ces effets, d'autres processus ont été élaborés qui requièrent un aménagement spécial, tel l'assemblage des automobiles dans une usine de la société Volvo où l'on a abandonné le principe de la chaîne de montage traditionnelle et dont l'aménagement sera présenté un peu plus loin dans ce chapitre.

Comme nous le verrons au chapitre 9, les méthodes de travail et le temps requis pour l'exécution de chacune des opérations sont largement fonction de l'aménagement de l'équipement et de l'organisation des services. Les temps improductifs attribuables aux déplacements inutiles des matières ou de la main-d'œuvre peuvent être radicalement réduits par un aménagement adéquat. La productivité en est alors grandement augmentée.

En matière de **temps** (délais de fabrication et de livraison), un aménagement inadéquat accroît les temps improductifs. Ces derniers découlent des distances que le personnel ou les matières doivent parcourir, tels les déplacements du personnel vers les magasins pour chercher des matières ou des outils, ou vers le bureau du contremaître pour demander un bon de travail ou de l'information sur un travail en cours. Les temps de production peuvent alors être largement dépassés et l'entreprise a alors de la difficulté à respecter les délais requis par sa clientèle.

Quant aux **coûts**, on peut affirmer que l'effet direct de la fabrication de produits défectueux, du ralentissement des cadences de production ou de l'augmentation des temps improductifs est l'accroissement indu des coûts directs et indirects de fabrication.

Nous verrons, dans les prochaines sections, les objectifs et les étapes d'une étude d'aménagement, les différents types d'aménagement, les techniques utilisées lors de l'étude d'aménagement et nous terminerons avec l'équilibrage des chaînes de travail (figure 8.1).

## 8.7 L'aménagement : définition et objectifs

On entend par **aménagement** d'une usine, d'un atelier ou d'une zone de montage, l'agencement de l'emplacement des services ou des ateliers de l'usine, des machines, des postes de travail et des points de stockage dans les zones de travail ainsi que, le cas échéant, des bureaux et des installations diverses destinées au personnel, les uns par rapport aux autres[1]. Un aménagement adéquat permet l'exécution des opérations avec efficience et efficacité et en toute sécurité, en prenant en considération la satisfaction des employés.

L'importance de l'aménagement augmente avec le poids, la taille, la mobilité et la complexité des produits. Elle augmente aussi avec le rapport entre la durée du processus et celle de la manutention, et selon que la fabrication tend vers de longues séries, comme dans le cas de la production de masse.

L'objectif de l'aménagement est l'accroissement de la productivité, de la qualité des produits et du climat de travail par une utilisation adéquate des espaces disponibles et l'agencement rationnel des services et de l'équipement au sein de ces espaces. Le tableau 8.2 indique les points à considérer lors d'une étude d'aménagement.

Après un aménagement initial, les entreprises réaménagent de temps à autre leurs diverses installations. Ces réaménagements sont rendus nécessaires : 1. pour adapter les installations à des changements dans les gammes de produits réalisés ou dans les processus de production ; 2. pour améliorer la productivité de ces installations à la suite de changements de méthodes ; 3. pour éliminer les goulots d'étranglement ; 4. pour permettre l'introduction de nouvelles approches ou méthodes de pilotage, telle l'approche juste-à-temps ; 5. pour améliorer le climat de travail.

Le réaménagement d'une unité existante peut comprendre l'ajout de sections et l'agrandissement de l'unité (verticalement ou horizontalement). Le réaménagement est une opération à laquelle s'appliquent généralement les mêmes principes que ceux

**FIGURE 8.1** ▶
**L'aménagement : définition, objectifs et moyens de réalisation**

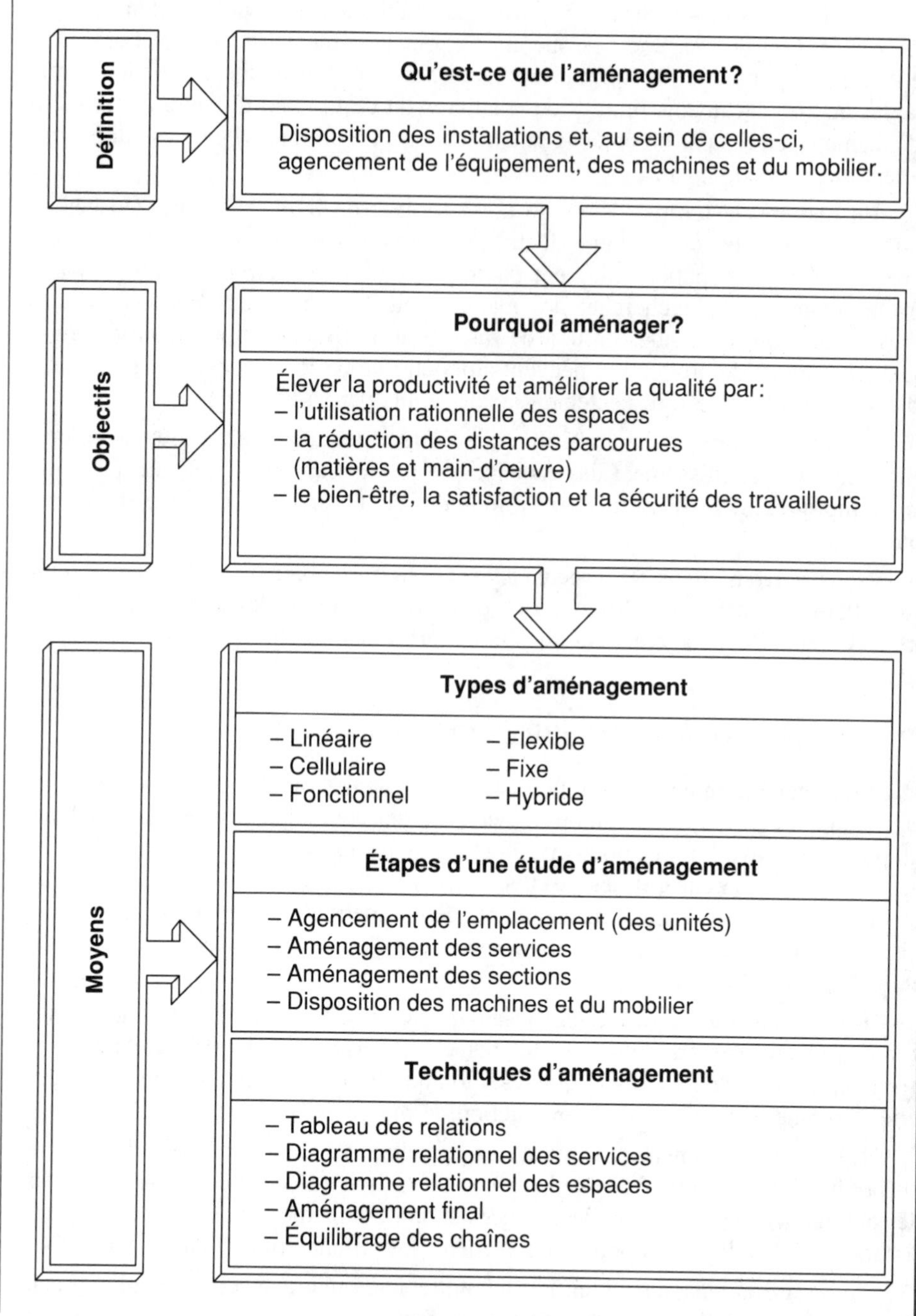


de l'aménagement, mais qui est sujette à plusieurs contraintes découlant de l'aménagement existant telles que la possibilité et les coûts de déplacement d'une pièce d'équipement lourd (presse, chaudière) ou la modification d'installations diverses (conduits de ventilation, câbles électriques).

Souvent, le terrain sur lequel un édifice doit être érigé ou celui d'un édifice à occuper posent de sérieux défis aux concepteurs d'un aménagement. En effet, le terrain peut être rectangulaire, long et étroit, ou encore en forme de *L*, de *T* ou de

**Tableau 8.2**

**Les aspects à considérer lors d'une étude d'aménagement**

Un aménagement approprié vise à rechercher la meilleure solution concernant :

- l'utilisation des espaces, tant horizontalement que verticalement, afin de minimiser les coûts de location ou de construction ainsi que les coûts d'entretien et d'exploitation (chauffage, éclairage) ;
- les distances que les travailleurs doivent parcourir pour se rendre aux magasins de pièces ou de matières premières, au bureau du contremaître, aux casiers personnels, à la cantine, aux points d'inspection s'ils doivent y amener le produit fini ;
- les distances que les matières (y compris les pièces, les sous-ensembles, les produits en cours de fabrication et les produits finis) ont à parcourir, afin de simplifier la manutention, d'éliminer ou de réduire le besoin de stockage interétapes et les risques de bris ou de détérioration des pièces, des produits en cours ou des produits finis ;
- le cheminement des matières afin de réduire les temps d'exécution ;
- la flexibilité pour accommoder les changements (prévus ou imprévus) dans la demande, les procédés et les méthodes de travail, et les possibilités d'expansion future ;
- la satisfaction des travailleurs et leur bien-être physique ;
- la surveillance de toutes les opérations.

fer à cheval. De plus, si l'édifice est déjà construit, on peut être aux prises avec plusieurs colonnes qui obstruent la vue et la circulation, ou encore avec plusieurs étages à occuper quand un seul aurait suffi. C'est pourquoi le choix de la localisation d'une unité de production, de l'emplacement final et des édifices existants ou à construire est d'une extrême importance pour l'aménagement.

Heragu[6] affirme que dans un système industriel, les activités de manutention incluent le transport des produits en cours de fabrication, les produits finis, les matières et les outils entre les machines ou les postes de travail ainsi que le retrait de pièces en stock dans les magasins. Lors de l'aménagement des espaces, il est important que la localisation des machines et des postes de travail minimise les distances parcourues par le personnel, les matières, les pièces et les outils nécessaires à la production. De plus, par mesure de sécurité ou pour d'autres raisons, le choix de l'emplacement de certains postes de travail est limité à des endroits précis. Les termes « machine » ou « poste de travail » incluent les endroits de stockage, les postes d'inspection, etc. Heragu a défini quatre types d'aménagement possibles : en rangée simple et linéaire, en rangée simple et circulaire, en rangée double et linéaire et en rangées multiples. Il propose des algorithmes pour optimiser certains de ces aménagements, qui permettent de réduire au minimum les distances et les déplacements du personnel et des matières. Ces algorithmes s'appliquent non seulement aux espaces rectangulaires mais aussi à des espaces irréguliers.

Comme le souligne Sutherland[10], une des pierres angulaires d'un système de fabrication est l'utilisation des installations qui lui sont consacrées. C'est l'un des facteurs majeurs qui contribuent à sa rentabilité ou à son insuffisance. Cet auteur établit un certain nombre de facteurs à considérer lors de l'aménagement d'une unité de production.

1. L'**utilisation des espaces** : il faut prendre en considération les espaces requis non seulement pour l'équipement à installer, mais aussi les espaces nécessaires pour la manutention des matières, pour l'installation d'outillages divers, pour l'entretien et le service.

2. L'**utilisation du temps** : généralement l'équipement de production est efficacement utilisé entre 88 % et 95 % de sa capacité. Des mesures appropriées peuvent réduire les temps improductifs et accroître significativement la rentabilité.
3. L'**ergonomie** et l'**efficacité** : il est très utile de consulter les fabricants de l'équipement à installer et les utilisateurs éventuels de cet équipement pour en améliorer la productivité.
4. L'**utilisation de l'énergie et des services** : des organismes tels qu'Hydro-Québec et Hydro-Ontario offrent des services gratuits pour optimiser l'utilisation de l'énergie électrique.
5. L'**utilisation des données** : il faut prévoir l'installation d'un équipement informatique qui pourra faciliter la saisie des données essentielles à l'amélioration continue de la productivité.
6. L'**emplacement de l'équipement** : il faut éliminer ou réduire tous les temps improductifs dus au déplacement des matières et du personnel.

## 8.8 Les types d'aménagement

On peut aménager une unité de production de plusieurs façons. En général, l'aménagement (ou organisation physique) peut être linéaire, fonctionnel (ou par ateliers spécialisés), fixe ou cellulaire (ou par regroupement technologique) (figure 8.2). En pratique, il existe des aménagements hybrides, combinaison de deux types ou plus d'aménagement. À titre d'exemple, une usine peut être aménagée en partie de façon linéaire et en partie de façon fonctionnelle. De plus, avec l'introduction de l'ordinateur dans les usines, un nouveau concept relié à l'aménagement s'est développé, soit l'atelier flexible, appelé aussi atelier souple. Ces types d'aménagement se retrouvent aussi dans le domaine des services.

L'**aménagement linéaire** est axé sur le produit et sur la continuité de son cheminement. Cet aménagement est généralement adopté lors d'une production en série, où la gamme des produits fabriqués en grandes quantités est réduite (en flux continu ou *flow shop*). L'exemple classique de cette organisation est la chaîne de montage. Dans ce type d'aménagement, on s'assure que le produit en cours de fabrication suit un cheminement continu, sans revenir aux postes de travail par lesquels il a déjà passé. Ce cheminement dépend de la forme de l'édifice, qui peut être en ligne droite, en forme de *S*, de *U*, de *L* ou en toute autre forme garantissant une circulation unidirectionnelle.

Dans ce type d'aménagement, les opérations sont souvent automatisées et de plus en plus robotisées, parce qu'elles sont fortement répétitives. On y trouve parfois des machines identiques sur une même chaîne, pour assurer la continuité du processus et éviter le retour du produit vers un équipement particulier. De plus, la manutention du produit, qui suit toujours le même parcours dans la même direction, peut être facilement mécanisée, ou encore on peut utiliser des installations (convoyeurs, chutes...) qui diminuent ou même éliminent l'intervention humaine. Ce type de manutention permet de réduire les temps improductifs et d'amoindrir les risques d'accidents. Dans certains cas, comme dans l'industrie alimentaire et l'industrie pharmaceutique, les risques de contamination du produit sont aussi sensiblement réduits.

Pour ce type d'aménagement, la gestion de la production comporte certaines particularités par rapport aux autres. En effet, les opérations sont exécutées dans un ordre qui est établi une fois pour toutes ; les stocks de produits en cours de fabrication

**▼ FIGURE 8.2**
**Les types d'aménagement**

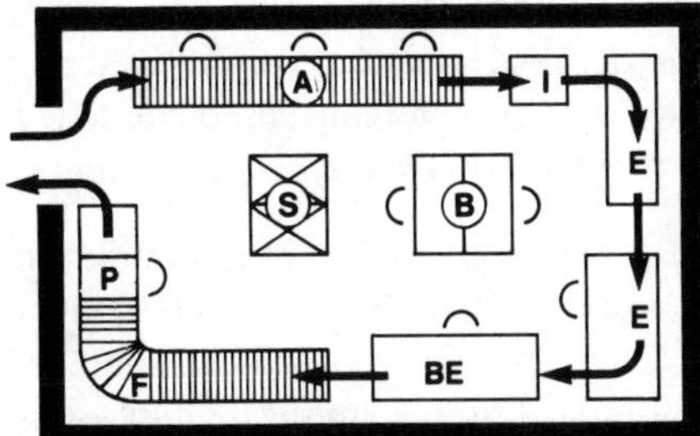


**1. Aménagement linéaire**
A) Assemblage mécanique I) Inspection
E) Assemblage électrique BE) Banc d'essai
F) Assemblage final P) Emballage
S) Stocks B) Bureau du contremaître

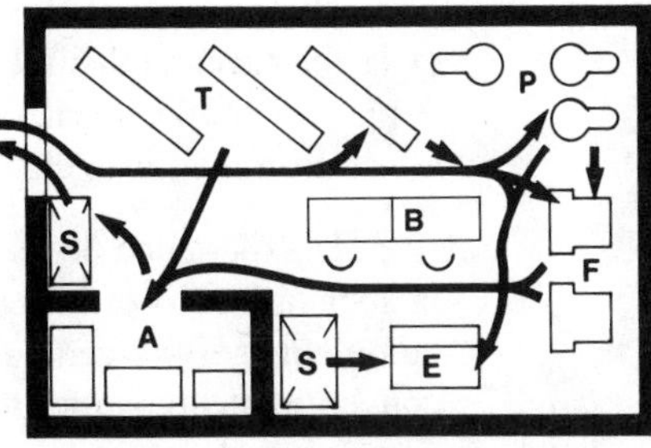


**2. Aménagement fonctionnel**
T) Tours P) Perceuses F) Fraiseuses
E) Plieuse A) Trempage et soudure
S) Stocks B) Bureau du contremaître

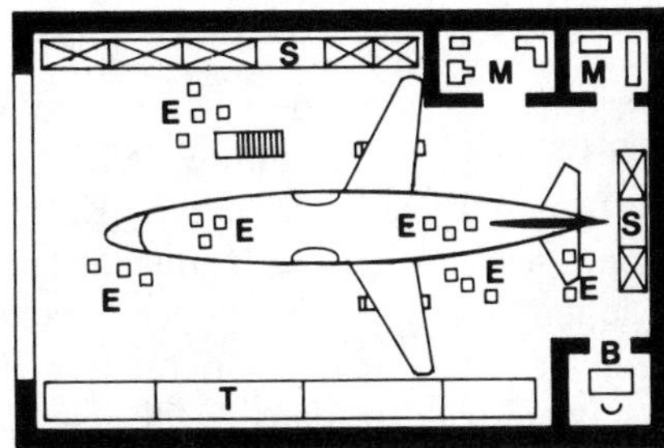


**3. Aménagement fixe**
E) Équipes de travail M) Machines-outils
T) Bancs de travail S) Stocks
B) Bureau du contremaître

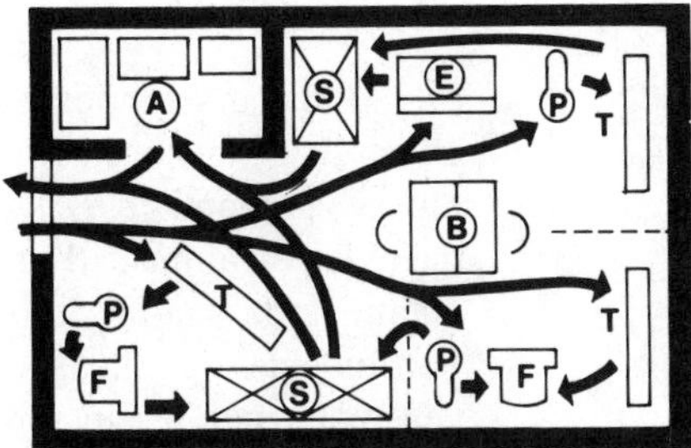


**4. Aménagement cellulaire**
T) Tours P) Perceuses F) Fraiseuses
S) Stocks A) Trempage et soudure
E) Plieuse B) Bureau du contremaître

sont presque éliminés, ce qui réduit les besoins en espaces et les risques de détérioration de ces produits ; la main-d'œuvre directe est généralement moins spécialisée et le besoin de surveillance du personnel est réduit. En outre, la qualité des produits peut être contrôlée automatiquement tout au long de la chaîne. Certaines chaînes suivent la cadence de production des opérateurs qui y travaillent, tandis que dans d'autres cas, ce sont les opérateurs qui doivent suivre la cadence de la chaîne.

L'un des exemples les plus connus de cet aménagement est la chaîne de montage automatisée, conçue au tout début du siècle par Henry Ford. Parmi les principaux désavantages de cette chaîne, mentionnons le coût initial d'installation (convoyeurs, dédoublement de l'équipement à divers points sur la chaîne), le faible taux d'utilisation de certaines machines, la monotonie engendrée par la répétitivité des mouvements, la cadence imposée aux opérateurs par la chaîne de montage, les risques d'arrêt complet ou de ralentissement à la suite d'une interruption à l'un des postes de travail où se crée alors un goulot d'étranglement, et la difficulté de distribuer le travail également à tous les postes (équilibrage des chaînes). En outre, cet aménagement est peu flexible.

À Kalmar, en Suède, la société Volvo a introduit un nouveau processus de montage des automobiles. En effet, en appliquant les principes de l'approche sociotechnique, elle a construit une nouvelle usine où on a abandonné la traditionnelle chaîne de montage. Cette chaîne, dont le travailleur suit la cadence, a été remplacée par une sorte de chariot sur lequel se déplacent, d'un service à l'autre, les unités en cours de fabrication. Dans les services, des équipes de 15 à 20 travailleurs organisent et se partagent elles-mêmes l'ensemble des tâches à accomplir. L'automobile se déplace ainsi de service en service, jusqu'à ce qu'elle soit complètement terminée. C'est un travail à la chaîne dans lequel prévaut la cadence des travailleurs.

L'expérience de Kalmar a-t-elle connu un succès ? Les avis sont partagés, mais la société Volvo estime que oui. Même si les investissements et les coûts d'exploitation engagés par cette usine sont de 10 % supérieurs à ceux de la chaîne de montage conventionnelle, selon l'estimation de Volvo, l'absentéisme et le taux de roulement du personnel ont baissé et la qualité des produits a augmenté. Cependant, un spécialiste français de la société Peugeot estime que les investissements et les coûts d'exploitation supplémentaires s'élèvent à 30 %, tandis qu'un expert allemand de la société BMW les évalue entre 70 % et 100 %. Par contre, la société General Motors précise que si elle avait utilisé l'approche Kalmar lors de la construction de sa nouvelle usine à Oklahoma, en 1983, ses frais généraux suffiraient à administrer cinq usines[4].

Plusieurs fabricants d'automobiles, dont six en Suède et un en Hollande, ont construit des usines selon le modèle Kalmar de Volvo. D'autres préfèrent encore la chaîne de montage. Schermerhorn Jr.[9] affirme qu'une usine de type Kalmar permet de réduire l'impact d'un opérateur absent (ses collègues se partagent son travail), augmente la qualité du produit, abaisse le taux de roulement du personnel, améliore l'attitude des opérateurs et permet de diminuer le nombre de contremaîtres. Il souligne cependant que les inconvénients de ce modèle résident dans le fait que Kalmar ne produit que 30 000 autos par année, tandis qu'une usine typique aux États-Unis en produit 200 000, ou 60 unités par heure. Une usine comme Kalmar a donc un taux de production réduit et requiert beaucoup plus d'espace qu'une usine à chaîne de montage conventionnelle. L'auteur conclut qu'en pratique, pour des taux de production équivalents aux taux américains, ce type d'usine est économiquement irréalisable.

Le deuxième type d'aménagement est l'**aménagement fonctionnel** (en ateliers spécialisés ou *job shop*). Cet aménagement est généralement adopté pour la fabrication d'un grand nombre de produits variés en petites quantités (atelier à façon, atelier sur demande). Ce type d'aménagement est basé sur les procédés ou les fonctions. En effet, on regroupe ensemble l'équipement et les installations diverses (établis, bancs, étagères, bureaux, classeurs, etc.) servant à la même fonction. Par exemple, dans une usine de meubles, on peut grouper dans différents ateliers les activités de sciage et de découpage (débit), de rembourrage, d'assemblage, de teinture du bois, d'emballage... C'est aussi l'aménagement traditionnel des services administratifs où le personnel est groupé par fonction : comptabilité, ventes, achats... Dans un hôpital, un patient qui doit passer des examens médicaux ira d'un service spécialisé à l'autre : radiologie, laboratoire d'analyse du sang et de l'urine, cardiologie, échographie...

L'avantage d'un tel aménagement est l'utilisation optimale de l'équipement. De plus, il permet l'achat d'un équipement à usages multiples vu la variété des opérations à exécuter sur les divers produits. Les employés sont groupés par spécialité ; la non-répétitivité des tâches et le travail sans contrainte de cadence sont souvent des facteurs de motivation et d'accroissement de la productivité. Cependant, ce type d'aménagement tend à augmenter les stocks de produits en cours pour garantir un taux d'utilisation optimal de l'équipement.

Dans ce type d'aménagement, le cheminement des produits est généralement irrégulier, ce qui crée des difficultés de manutention et de circulation entre les diverses sections. En outre, la planification de la production, spécialement l'ordonnancement, y est relativement complexe puisque n'importe quelle section peut constituer un point d'entrée, de transit ou de sortie du produit dans le système. Les responsables de cette planification ont alors de plus en plus recours à l'informatique dans leur travail.

Suzaki[11] propose de toujours rechercher un aménagement orienté vers le produit, comme dans l'aménagement linéaire, plutôt que vers le processus, comme c'est le cas de l'aménagement fonctionnel. Il souligne qu'avec ce dernier, on pense opérations individuelles ou fonctions plutôt que processus global ; la globalité ne peut être réalisée sans relier toutes les opérations en un processus influencé dans toutes ses parties par le produit fini.

Le troisième type d'aménagement est l'**aménagement fixe**. On adopte ce type d'aménagement pour réaliser un produit unique ou en petites quantités, ou encore des produits qui sont eux-mêmes fixes, comme dans le cas des maisons unifamiliales, des projets de construction, de fabrication de bateaux, de locomotives ou d'avions, de construction d'un stade, etc. Cet aménagement est caractérisé par le fait que ce sont les travailleurs, les matières, l'équipement et les outils qui se déplacent vers le produit en cours de fabrication. On doit alors utiliser un équipement transportable.

Dans plusieurs projets, telle la construction d'un stade ou d'un ensemble de maisons unifamiliales, un grand nombre d'installations (échafaudages, chantiers) et parfois même la main-d'œuvre sont temporaires, et les conditions de travail sont relativement moins clémentes que dans le cas d'un atelier permanent. Généralement, la production peut être faite par étapes entre lesquelles des temps d'arrêt sont possibles. En construction, un projet peut être arrêté complètement durant l'hiver pour reprendre au printemps. Certaines activités peuvent être effectuées simultanément tandis que d'autres ne seront exécutées qu'après certaines opérations préalables. Par exemple, lors de la construction d'une maison, les fondations sont coulées en premier, tandis que l'installation de la plomberie, du système électrique, du système de chauffage, des fils téléphoniques, des fenêtres et des portes peut se faire simultanément.

Cet aspect complique énormément la gestion des opérations à cause de l'indispensable coordination entre toutes ces activités du point de vue de l'ordre d'exécution des opérations. En effet, un installateur de sièges ne peut pas faire son travail dans un stade si le béton des gradins n'a pas été coulé. Sa présence sur le chantier occasionne des coûts supplémentaires et crée un engorgement qui ralentit toutes les autres activités. À cause de cette difficulté, les entreprises qui adoptent l'aménagement fixe mettent l'accent sur des techniques de gestion de projets (*CPM*, *PERT* et leurs variantes) et font appel à des systèmes informatisés sophistiqués, comme c'est le cas de la société Boeing, d'Hydro-Québec et des chantiers navals.

Dans le secteur des services, pour réduire le déplacement du client vers plusieurs boutiques individuelles et spécialisées (pharmacie, épicerie, boucherie, boulangerie, fruiterie...), on a créé des supermarchés où l'acheteur peut trouver, dans un seul grand magasin, presque tout ce dont il a besoin. Par contre, dans les centres commerciaux, on trouve deux types d'aménagement : un aménagement de type fonctionnel, donc par boutiques spécialisées (chaussures, vêtements pour dames, pour hommes ou pour enfants, produits de luxe ou de masse, jouets, bijoux, cartes de souhaits...) et un aménagement de type linéaire, soit les grands magasins qui vendent tous ces articles.

Le quatrième type d'aménagement est l'**aménagement cellulaire**, où le groupement de l'équipement ou des fonctions se fait selon les exigences technologiques des produits. Ce type d'aménagement attire de plus en plus l'intérêt des entreprises industrielles à cause de son potentiel d'accroissement de la productivité dans les domaines de la production, de l'ingénierie, des approvisionnements et de la planification des ressources[7].

Le principe de base de cet aménagement est de tenir compte de la similitude entre les diverses opérations et du groupement de produits du même type. On améliore la productivité en exécutant ensemble les opérations similaires et en standardisant les opérations ayant des relations importantes entre elles. On doit pouvoir déterminer et codifier tous les aspects communs aux divers produits, telle la géométrie des pièces.

L'exemple suivant illustre ce type d'aménagement. La société EG & G Sealol, après avoir produit 900 pièces (30 % de la production standard) dans des cellules de fabrication, observait une réduction de 20 % à 30 % du volume des produits en cours de fabrication et une diminution de l'espace requis de 15 %. Dans un cas particulier, cette entreprise produisait 324 pièces dans une seule cellule de fabrication, avec un ensemble de 7 machines au lieu de 22. Ces améliorations contribuèrent à une augmentation de 150 % du total de la production[7].

Du point de vue de l'aménagement, on installe des cellules de fabrication (ou groupes de machines) où sont produites toutes les pièces qui ont assez de similitudes pour être considérées comme une « famille ». L'avantage majeur qu'on en retire est la simplification des activités de pilotage, d'ordonnancement et de planification du processus, et la réduction des temps de mise en route. De plus, par rapport à un aménagement fonctionnel, ce type d'aménagement réduit les stocks de produits en cours, les délais de fabrication et les temps d'attente des pièces, et améliore les conditions de travail.

Depuis l'introduction de l'ordinateur dans les usines, on parle de plus en plus du système de fabrication flexible (SFF ou *FMS – Flexible Manufacturing System*). C'est un système où les pièces en cours de fabrication sont déplacées automatiquement d'une machine à l'autre ; chaque machine fonctionne grâce à un micro-ordinateur, lequel est relié à l'ordinateur central, qui contrôle l'ensemble des opérations. Quand une machine se libère, l'ordinateur central lui « envoie » automatiquement une pièce en attente, tandis que le micro-ordinateur de la machine en question met en œuvre les opérations à effectuer sur cette pièce (figure 8.3). Un système de fabrication flexible se situe entre une production en série (petite gamme de produits fabriqués en grandes quantités) et une production en petites quantités d'une gamme étendue de produits.

## 8.9 Les étapes d'une étude d'aménagement et les techniques d'aménagement

Une étude d'aménagement débute par l'agencement de l'emplacement, dernière étape de localisation où est précisée la place de chaque unité. À l'intérieur d'une unité, on organise les divers services ou sections en déterminant leur position relative les uns par rapport aux autres. On prend alors en considération le cheminement des personnes et des matières, la fréquence des déplacements entre ces sections, le volume et le

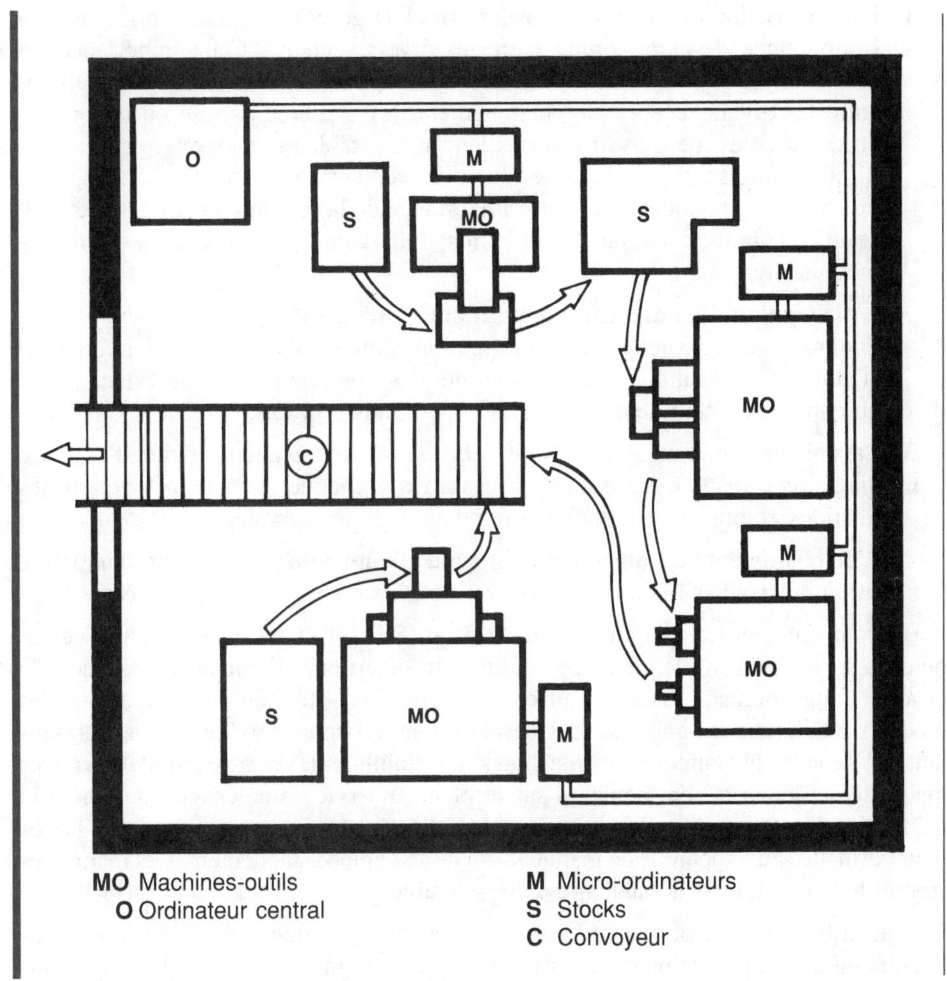


◀ **FIGURE 8.3**
**L'atelier flexible**

poids des matières qui sont déplacées, les aspects de sécurité tels que les sorties d'urgence, les besoins en manutention et en espace horizontal et vertical, l'emplacement des services (eau, électricité, vapeur, air comprimé, ventilation-climatisation, éclairage) et la distance requise entre les sections.

À l'intérieur de chaque service ou section, les diverses machines ou l'équipement, les postes de travail et les espaces d'entreposage, de rangement ou de classement sont disposés en prenant en considération un certain nombre de facteurs, dont les besoins de manutention (la largeur des allées, l'installation de ponts roulants), les besoins en services (l'énergie, la vapeur), le cheminement des matières, la circulation des personnes et les besoins de supervision.

L'une des méthodes les plus utilisées en pratique d'aménagement est la méthode *SLP* (*Systematic Layout Planning*). Cette méthode a été élaborée par Richard Muther au début des années 60. Elle comprend principalement trois étapes : 1. la détermination des relations entre les différents services ou secteurs pour établir la disposition relative de ces services les uns par rapport aux autres ; 2. la détermination de l'espace nécessaire à chaque service ; 3. l'adaptation de cette disposition et de ces espaces en tenant compte des contraintes réelles imposées au projet. Voici les principales étapes de cette méthode.

1. La préparation d'un **tableau relationnel** (figure 8.4*a*). Ce tableau définit l'importance de la proximité entre les divers secteurs. Cette importance est basée sur un certain nombre de facteurs tels que l'intensité du flux de matières entre les divers secteurs, le cheminement des matières imposé ou non par le processus, les besoins de surveillance. Ce tableau comprend trois types d'informations : une liste des services, des secteurs ou des activités à disposer, un code alphabétique qui établit l'importance de la proximité entre les secteurs, et un code numérique qui définit la raison du degré de proximité ou d'éloignement désiré.
2. L'élaboration d'un **diagramme relationnel des services** (figure 8.4*b*). Ce diagramme traduit visuellement l'information contenue dans le tableau relationnel et illustre les relations entre l'ensemble des opérations et des services plutôt qu'entre seulement deux services ou opérations à la fois.
3. La préparation d'un **diagramme relationnel des espaces** (figure 8.4*c*). Ce diagramme dispose les espaces nécessaires à chaque service en fonction des relations établies par le diagramme relationnel des services.
4. L'établissement de l'**aménagement final** (figure 8.4*d*). Ce dernier diagramme sert à déterminer l'emplacement final des divers services ou activités.

On procède ensuite à l'aménagement détaillé. En effet, à l'intérieur d'un secteur ou d'un service, on suit le même processus pour déterminer l'emplacement précis de chaque unité (bureau, machine, pièce d'équipement). Ici, on utilise parfois des modèles réduits ou des gabarits. Ces derniers sont des morceaux de carton représentant, à l'échelle, les bureaux, les machines, les établis et les autres installations. Ces maquettes et gabarits sont déplacés sur le plan du service à aménager, dessiné à la même échelle. Il faut alors s'assurer que les allées et les passages sont assez larges pour permettre aux appareils de manutention de se déplacer facilement. Les maquettes sont utilisées surtout si la hauteur est considérable.

L'utilisation de l'ordinateur pour l'aménagement remonte aux années 60. Soulignons qu'aucun programme ne permet de trouver le meilleur aménagement à tous les points de vue. Ils n'optimisent qu'un certain nombre d'objectifs quantifiables. De plus, tous les facteurs qui contribuent à l'efficacité d'un aménagement tels que les réactions ou les comportements humains, le moral des employés, les besoins esthétiques, l'image que veut projeter une entreprise sur ses clients ou sur ses concurrents ne sont pas quantifiables. Cependant, on doit prendre en considération les aspects humains, en particulier l'effet de la localisation des postes de travail sur la motivation. Ford[3] propose comme complément à l'enrichissement des tâches ce qu'il appelle le *job nesting*, un concept de groupement physique de postes de travail similaires, qui favorise des relations personnelles entre les occupants de ces postes et qui résulte en une motivation accrue et en une meilleure productivité.

## 8.10 L'équilibrage d'un processus multiétapes

L'équilibrage d'une chaîne de travail ou d'un processus multiétapes a pour objectif d'éliminer ou de réduire les goulots d'étranglement, donc d'éliminer ou de réduire les temps improductifs ou l'attente indue des clients qui viennent recevoir un service. Pour ce faire, on doit distribuer le temps total d'exécution sur un certain nombre de postes de travail ayant chacun, autant que possible, le même temps d'exécution individuel. Ce concept s'applique aussi bien à une chaîne de production qu'à un service, tel un diagnostic médical qui comporte plusieurs étapes ou tests.

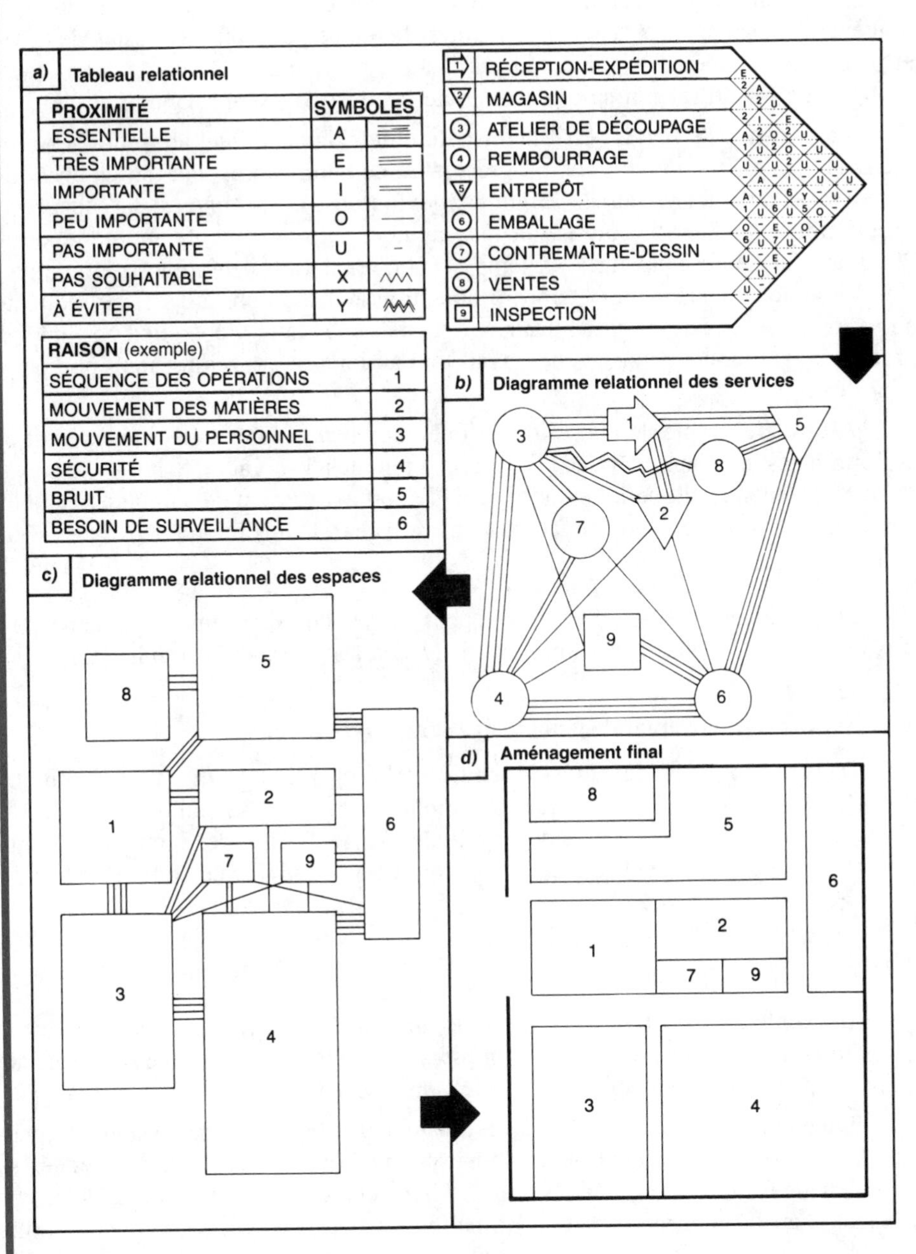


◀ **FIGURE 8.4**
**Les étapes de la méthode d'aménagement *SLP***

L'équilibrage d'un processus multiétapes consiste : 1. à décomposer ce processus en activités ou en opérations indépendantes ; 2. à définir les contraintes selon l'ordre d'exécution des opérations ; 3. à assigner ces opérations dans un ordre qui permet d'optimiser le rendement du processus, c'est-à-dire de réduire au minimum les temps improductifs, comme nous le verrons plus loin.

En général, un processus multiétapes comprend un certain nombre de postes de travail par lesquels passent toutes les unités du produit en fabrication ou tous les clients qui requièrent un service. Une opération, au cours du processus, ne peut débuter si l'opération précédente n'est pas terminée. Entre les divers postes, il ne devrait y avoir aucune accumulation de stocks des produits en cours ni aucune file d'attente de clients. La cadence de travail est la même pour tous les postes de travail et pour tous les opérateurs ou employés qui y travaillent. Il est donc évident que si un poste de travail ralentit sa cadence, toute la « chaîne » sera ralentie.

La **cadence de travail** est l'inverse du temps durant lequel le produit séjourne à chacun des postes tout au long du processus ; ce temps est appelé **temps cyclique**. En effet, si pour un processus le temps cyclique est de 5 minutes, la cadence de production est de 60/5, soit 12 unités par heure. Inversement, une cadence de 20 unités par heure équivaut à un temps cyclique de 1/20 heure ou 60/20 minutes, soit 3 minutes. Idéalement, le temps d'opération à chaque poste de travail équivaut au temps cyclique du processus. Dans ce cas, le temps total d'opération par unité de produit est le nombre de postes de travail tout au long du processus, multiplié par le temps cyclique.

À titre d'exemple, le temps total d'opération (*Tto*) d'une unité d'un produit est de 15 minutes, le temps cyclique (*Tc*) est de 3 minutes, le nombre de postes de travail (*N*) est 5 et le temps d'opération individuel (*To*) est exactement de 3 minutes à chaque poste ; nous avons donc une situation idéale et aucun temps improductif :

$Tto = N \times Tc$ soit $15 = 5 \times 3$ minutes.

En pratique, le temps d'opération peut ne pas être exactement le même pour tous les postes ; le temps total improductif (*Tti*) est alors calculé comme suit :

$Tti = Ttd - Tto$

où *Ttd* est le temps total disponible et est égal à $N \times Tc$.

Dans l'exemple précédent, si le temps total d'opération (*Tto*) est de 12 minutes et les temps d'opération individuels (*To*) pour les cinq postes sont de 3, 2, 2, 3 et 2 minutes respectivement, le temps cyclique (*Tc*) est alors de 3 minutes (temps d'opération le plus long) et le temps total improductif est calculé comme suit :

$Ttd = N \times Tc = 5 \times 3 = 15$
$Tto = 3 + 2 + 2 + 3 + 2 = 12$
$Tti = Ttd - Tto = 15 - 12 = 3$ minutes.

Le **nombre de postes** de travail minimal pour un temps cyclique donné est le temps total d'opération divisé par le temps cyclique. Il n'est réalisable que si aucun temps d'opération individuel ne dépasse le temps cyclique.

Évidemment, on peut utiliser un ordinateur pour effectuer ces calculs. Cependant, devant le grand nombre de combinaisons possible, les algorithmes utilisés se contentent de former des ensembles dont les éléments sont éliminés du reste du travail à exécuter, au fur et à mesure de la formation d'ensembles. Un équilibrage optimal n'est pas assuré pour autant, puisque les éléments déjà choisis auraient pu se retrouver avantageusement dans d'autres ensembles. La qualité des résultats d'une simulation par ordinateur dépend de la qualité des règles de priorité données à l'ordinateur. Parmi ces règles, mentionnons la règle de priorité à l'activité ayant le temps d'opération le plus court ou le plus long, la règle de priorité à l'activité ayant le plus petit ou le plus grand nombre de successeurs... Le gestionnaire pourra utiliser une simulation et, en faisant varier les diverses règles de priorité, il trouvera une solution pour réduire le nombre de postes de travail et les temps improductifs.

L'équilibrage des chaînes de travail robotisées comporte certaines particularités dont on doit tenir compte. L'affectation de tâches particulières à chaque poste de travail occupé par un robot est suivie par la programmation de ce robot pour les exécuter. La complexité qui se présente ici vient du fait que le robot doit être programmé simultanément avec l'équipement de manutention des pièces qu'il utilise, et avec les machines ou l'équipement qui font le travail (tournevis automatique, boulonneuse à air comprimé, distributeur de peinture). Contrairement au travail sur une chaîne où l'humain utilise son jugement pour corriger des irrégularités mineures, le robot n'exécute que ce qui a été programmé. Il ne faut pas oublier que la robotique est relativement récente et, par conséquent, que les robots seront éventuellement perfectionnés et dotés d'un mécanisme de vision.

Cependant, dans le cas d'une chaîne robotisée, l'ordinateur central intègre les mouvements de tous les robots avec ceux de l'équipement qui forme le système complet. Il peut alors rapidement réagir à tout changement et réajuster l'ensemble de la chaîne presque instantanément[2]. À la suite d'un équilibrage, les temps improductifs pour chaque robot résultent en une réduction de leur vitesse d'exécution plutôt qu'en des arrêts, ce qui a pour effet de faciliter l'exactitude des mouvements. L'ordinateur central devra continuellement ajuster le fonctionnement des robots et de l'équipement d'un système tout au long d'une production, pour éliminer toute variation possible.

On peut conclure que, pour une chaîne robotisée, l'équilibrage comporte une attention spéciale pour chacun des postes de travail, mais aussi pour l'intégration parfaite et continue de l'ensemble du système et de ses composantes. De plus, une chaîne qui est robotisée est beaucoup moins flexible et plus onéreuse qu'une chaîne qui ne l'est pas. En effet, on peut difficilement changer le nombre de postes, et, en cas de changement de produit, on devra ajuster le temps cyclique au nombre de postes plutôt que le contraire, comme on le fait pour les chaînes qui requièrent des opérateurs.

En outre, contrairement à l'humain, le facteur vitesse d'exécution est important pour un robot. En effet, un robot lent est généralement beaucoup moins complexe et, par conséquent, moins cher qu'un robot rapide. D'autre part, une chaîne robotisée ne tolère aucune variation dans les unités du produit fabriqué, ce qui ne présente généralement aucun problème pour les chaînes traditionnelles, si ces variations sont mineures.

**Exemple** ■

| Opération | Temps d'opération (en minutes) | Prédécesseurs immédiats |
|---|---|---|
| 1 | 9 | – |
| 2 | 3 | 1 |
| 3 | 5 | 1 |
| 4 | 7 | 2 |
| 5 | 2 | 3, 4 |
| 6 | 4 | 4 |
| 7 | 7 | 6 |
| 8 | 4 | – |
| 9 | 5 | 5, 7, 8 |
| 10 | 8 | 7 |
| 11 | 11 | 9 |
| 12 | 7 | 10,11 |
| 13 | 3 | 12 |
| 14 | 4 | – |
| 15 | 2 | 13,14 |
| 16 | 3 | 11 |
| 17 | 4 | 16 |
| 18 | 6 | 16 |
| 19 | 5 | 18 |
| 20 | 4 | 15,17,19 |
| Total | 103 | |

*(suite)*

**Exemple** *(suite)*

1. Trouvez le nombre minimal théorique de postes de travail si le temps cyclique est de 18 minutes.

   $\frac{103}{18} = 5{,}7 = 6$ postes.

2. Trouvez le temps cyclique minimal.

   Le temps cyclique minimal est le temps d'opération individuel le plus long, soit 11 minutes (11e opération dans le tableau précédent).

3. Si le temps cyclique est de 18 minutes, répartissez le travail en un minimum de postes.

| (1) | | (2) | | (3) | | (4) | | (5) | | (6) | |
|---|---|---|---|---|---|---|---|---|---|---|---|
| 1<br>2<br>3 | 9 min<br>3 min<br>5 min | 4<br>6<br>7 | 7 min<br>4 min<br>7 min | 5<br>8<br>10<br>14 | 2 min<br>4 min<br>8 min<br>4 min | 9<br>11 | 5 min<br>11 min | 12<br>13<br>16<br>17 | 7 min<br>3 min<br>3 min<br>4 min | 15<br>18<br>19<br>20 | 2 min<br>6 min<br>5 min<br>4 min |
| T | 17 min | T | 18 min | T | 18 min | T | 16 min | T | 17 min | T | 17 min |

▼ **FIGURE 8.5**
**L'équilibrage d'un processus de travail à la chaîne**

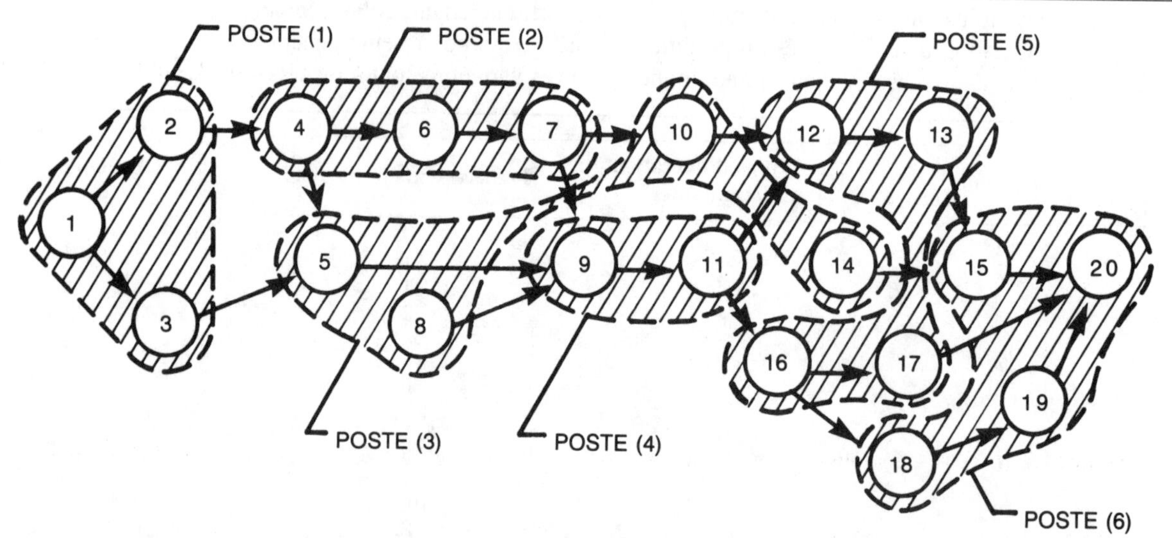


Dans ce chapitre, nous avons dressé un tableau succinct des activités d'aménagement des installations d'une entreprise ainsi que des techniques utilisées dans ce domaine. Pour plus de détails, on devra se reporter aux références présentées en fin de chapitre.

## CONCLUSION

L'évolution actuelle de la technologie influe grandement sur la localisation et l'aménagement des installations d'une entreprise. En effet, avec le développement informatique, la tendance est de plus en plus orientée vers des ateliers flexibles et un aménagement cellulaire. De plus, avec l'introduction de la robotique dans les usines et de la bureautique dans les bureaux, la localisation et l'aménagement sont en voie de changement. Le type et la quantité de main-d'œuvre requise dans l'usine robotisée ne seront pas les mêmes que ceux qu'on trouve dans une usine traditionnelle. En outre, au lieu de mettre l'accent sur la surveillance ou sur la participation des ouvriers, c'est la coordination de l'ensemble des opérations qui retiendra toute l'attention des responsables de la gestion des opérations.

Cela est aussi vrai dans le secteur des services. En effet, devant l'intensification de la concurrence, les entreprises de services s'installent plus près de leur clientèle pour bien la servir. De plus, l'aménagement des unités de service prend une plus grande importance étant donné que c'est le lieu où le client est servi. Cet aménagement doit allier l'efficience, l'efficacité, le confort et l'attrait.

## QUESTIONS DE RÉVISION

1. Quelle est l'importance stratégique des décisions relatives à la localisation et à l'aménagement de l'entreprise ?
2. Quels sont les facteurs à considérer avant de choisir un emplacement pour une unité de fabrication ? Un bureau de vente ? Un centre de services ?
3. Nommez une technique d'optimisation relative au choix d'un emplacement et expliquez-la brièvement.
4. Nommez les divers types d'aménagement et donnez-en une brève description avec un exemple pertinent pour chaque type.
5. Quel effet a sur l'aménagement l'introduction des ordinateurs dans l'industrie ?

## QUESTIONS DE DISCUSSION

1. Discutez de l'aspect humain dans le cas de la chaîne de montage.
2. Comment un aménagement peut-il influer sur les activités de pilotage suivantes : la gestion des approvisionnements, la planification et le contrôle de la production, la gestion des stocks et la gestion de l'équipement ?
3. Comment une localisation adéquate peut-elle améliorer la productivité de l'appareil de production et comment peut-elle déterminer l'efficacité de son action marketing ? Commentez et donnez des exemples.
4. Pourquoi les entreprises accordent-elles plus d'importance à la localisation d'une usine qu'à sa relocalisation ? Commentez et expliquez les raisons et les conséquences d'une telle attitude.
5. Si deux usines ont la même capacité installée, comment leur capacité réelle peut-elle varier significativement selon leur aménagement respectif ? Commentez.

## PROBLÈMES ET MISES EN SITUATION

1. Relativement au problème sur l'équilibrage des chaînes présenté à la fin du chapitre, calculez la cadence maximale sans contrainte de nombre de postes et indiquez le nombre de postes et la répartition du travail pour chacun d'eux.
2. Hydro-Québec décide de mettre sur pied un entrepôt central pour desservir toute la province. Où peut-elle l'installer ? Donnez plusieurs choix possibles, évaluez-les et choisissez-en un en précisant les raisons qui justifient ce choix.
3. Certaines universités préfèrent être situées dans les centres urbains, tandis que d'autres préfèrent une banlieue accessible. Analysez les avantages et les inconvénients de chacun de ces choix. Quels sont les principaux facteurs à considérer dans le cas d'une université ? Diffèrent-ils de ceux qui motivent la localisation d'un hôpital, d'une compagnie d'assurances ? Les facteurs déterminants sont-ils les mêmes dans ces trois cas ? Élaborez en fournissant des exemples connus.
4. La fabrication d'une tondeuse à gazon nécessite 24 opérations distinctes. Le tableau suivant présente chaque opération avec son temps d'opération et ses prédécesseurs immédiats. Afin de minimiser l'improductivité de la chaîne de fabrication et à l'aide du logiciel fourni :
   - trouvez le nombre minimal théorique de postes (*Nmint*) si le temps cyclique est de 18 minutes ;
   - trouvez le temps cyclique minimal (*Tcmin*) ;
   - répartissez les différentes opérations en nombre minimal de postes de travail.

| Opération | Temps d'opération (en minutes) | Prédécesseurs immédiats |
|---|---|---|
| A | 8 | – |
| B | 5 | A |
| C | 5 | A |
| D | 8 | B |
| E | 3 | C, D |
| F | 3 | D |
| G | 7 | F |
| H | 3 | – |
| I | 7 | E, G, H |
| J | 7 | G |
| K | 11 | I |
| L | 6 | J, K |
| M | 4 | L |
| N | 5 | – |
| O | 3 | M, N |
| P | 4 | K |
| Q | 4 | P |
| R | 6 | P |
| S | 6 | R |
| T | 3 | O, Q, S |
| U | 9 | T |
| V | 8 | – |
| W | 6 | U, V |
| X | 12 | W |
| Total | 143 | |

## RÉFÉRENCES


1. BUREAU INTERNATIONAL DU TRAVAIL, *Introduction à l'étude du travail*, Genève, 1980.
2. FISHER, R.P. et C.H. FALKNER, « The Complex Art of Balancing Robotic Assembly Lines », *Robotics Today*, décembre 1983, p. 44-47.
3. FORD, R. M., « Job Enrichment, Lessons from A.T. & T. », *Harvard Business Review*, janvier-février 1973.
4. HAGANÄES, K. et L. HALES, « Scandinavian Modes of Employee Participation », *Advanced Management Journal*, Society for Advanced Management, hiver 1983.
5. HENDRICK, T.E. et F.G. MOORE, *Production/Operations Management*, Homewood, Illinois, Richard D. Irwin, 1985.

6. HERAGU, S.S., « Recent Models and Techniques for Solving the Layout Problem », *European Journal of Operations Research*, 57, 1992, p. 136-144.
7. HYER, N.L. et U. WEMMERLÖV, « Group Technology and Productivity », *Harvard Business Review*, juillet-août 1984, p. 140-149.
8. MAIN, J., « The Trouble with Managing Japanese-Style », Fortune, 2 avril 1984, p. 50-56.
9. SCHERMERHORN Jr., J.R., *Management for Productivity*, New York, John Wiley & Sons, 1984.
10. SUTHERLAND, J., « Plant Design for Profit », *Canadian Plastics*, janvier-février 1991.
11. SUZAKI, K., *Techniques for Continuous Improvement*, The Free Press, 1987.

CHAPITRE 9

# L'organisation et les méthodes

JOSEPH KÉLADA *auteur principal*

# INTRODUCTION

Organiser, c'est doter une entreprise, un secteur ou une fonction au sein de celle-ci, d'un **mode de fonctionnement** permettant la réalisation efficace des activités de gestion et d'exécution par une utilisation optimale des ressources disponibles. Ce mode de fonctionnement comprend une **structure administrative**, une **organisation technique** et des **aspects humains** (figure 9.1). Gerbier dit que l'organisation est la science de l'efficacité[2].

Traditionnellement, depuis Henri Fayol pour les structuralistes, cette activité se limite à l'élaboration rationnelle de structures administratives et à l'application des concepts ou des principes qui s'y rattachent (unité de commandement, partage rationnel de responsabilités, centralisation ou décentralisation...). De leur côté, les tenants de l'organisation technique, héritiers de Frederick W.Taylor, semblent se limiter à la mise en place de systèmes, à la conception ou à l'amélioration de méthodes de travail, à l'automatisation d'opérations, à l'informatisation de façons de procéder, à la robotisation des processus... Quant aux humanistes, disciples des Max Weber, Elton Mayo, Maslow, Herzberg et autres, ils mettent l'accent sur l'aspect

**FIGURE 9.1** ▶ **Les trois composantes de l'organisation**

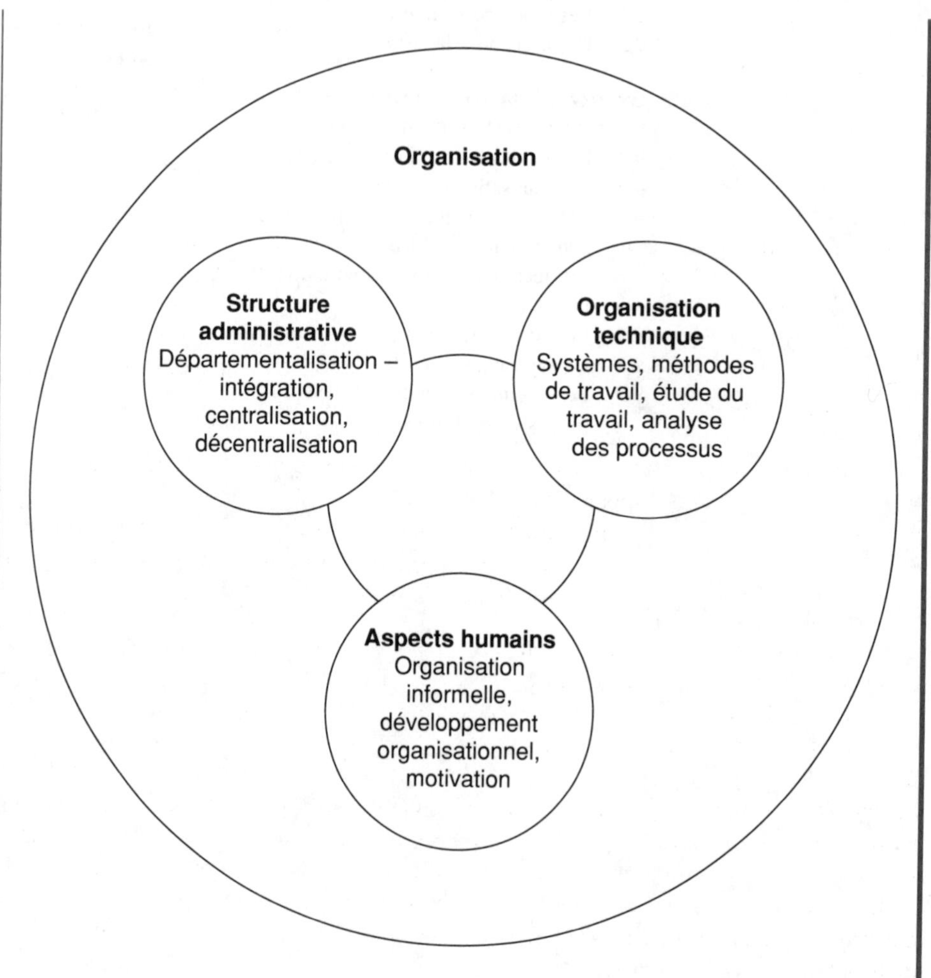

humain, et certains comportementalistes (Bennis, Bekhard...) ont lancé, dans les années 60, le mouvement du « développement organisationnel » (le DO), qui se poursuit encore aujourd'hui, et des approches telles que la gestion par objectifs, l'élargissement et l'enrichissement des tâches...

L'**approche sociotechnique**, comme son nom l'indique, préconise de mettre l'accent simultanément sur l'humain et sur la technique. Pour leur part, les systémistes ont réuni ces trois aspects (structure, humain et technique) en un seul, étant donné que chacun d'eux a un effet direct sur les deux autres et ne peut, par conséquent, être traité séparément. En effet, l'efficacité d'une organisation ne dépend pas uniquement de la conception rationnelle et optimale d'une structure administrative, ou des relations entre ceux qui l'habitent ou des outils dont ils disposent pour réaliser les objectifs de l'entreprise ainsi que les leurs propres ; elle dépend de ces trois éléments qui sont fortement interdépendants. C'est donc cette approche que nous proposons ici.

Face aux changements majeurs auxquels font face les entreprises partout dans le monde, il est actuellement proposé de repenser l'entreprise, de la réinventer, de réviser le processus d'affaires (*business process re-engineering*), d'appliquer de nouveaux concepts de gestion tels que la gestion par extraversion et la gestion par activités (*activity-based management* ou *ABM*) et la comptabilité des activités (*activity-based costing* ou *ABC*). Le processus d'affaires est l'ensemble des systèmes et de leurs composantes qui permettent à l'entreprise de fonctionner. Ces systèmes sont : la gestion des ressources humaines, du marketing, des opérations et de la production, des finances et le système technique (recherche et développement, ingénierie des processus, entretien...).

Plutôt que de se limiter, comme on le fait traditionnellement, à revoir les méthodes de travail dans un secteur quelconque afin de l'améliorer, ou de réviser la structure administrative, la tendance actuelle est de repartir à zéro, de faire table rase. En partant des besoins des actionnaires (rentabilité) et de ceux des clients (exprimés par QVALITÉ) – dans le secteur public on parle de contribuable et de bénéficiaire –, on conçoit des **systèmes** qui se subdivisent en **processus** ; ceux-ci comprennent des **activités** composées elles-mêmes de **tâches** (figures 9.2 et 9.3). Chaque système, processus, activité et tâche doit contribuer aux objectifs globaux de l'entreprise et au bien-être de ses employés, considérés alors comme des partenaires internes. Cette approche, appelée par les Japonais *Policy Deployment* ou *Management by Policy* ou encore « déploiement de politiques », a actuellement beaucoup d'adeptes. Le mot « politiques » est pris ici dans le sens d'« objectifs ». Un grand nombre d'entreprises occidentales applique actuellement ce concept.

Au fond, le changement majeur entre cette approche globalisante et l'approche traditionnelle de l'organisation est de passer d'une microvision à une macrovision de l'entreprise, de ses systèmes, de ses structures et de ses méthodes de travail. Cette dernière n'exclut pas la microvision : elle l'inclut. Au lieu de chercher à optimiser le fonctionnement d'un processus au sein de l'entreprise par rapport aux objectifs qui lui ont été assignés, on le fait par rapport aux objectifs globaux de l'entreprise, en partant de l'actionnaire et du client. Cette approche, bien qu'elle paraisse simple, sinon simpliste, représente un certain défi d'intégration entre toutes les activités de l'entreprise et va jusqu'à prendre en considération les activités des partenaires externes de l'entreprise, en amont et en aval de son processus d'affaires : fournisseurs, distributeurs, collaborateurs...

**FIGURE 9.2** ▶
**Le processus d'affaires**

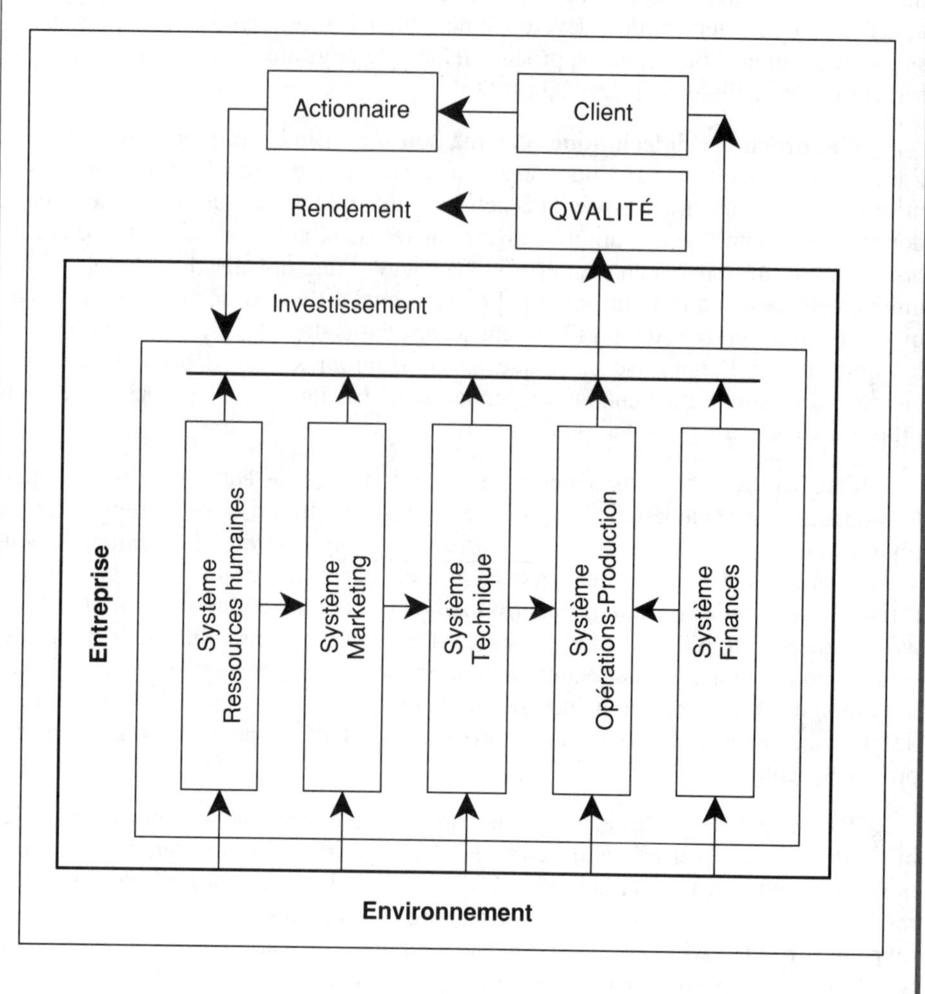


Schermerhorn[6] affirme que les avantages d'une bonne organisation consistent :

- à clarifier le déroulement du travail ;
- à établir des lignes directrices en ce qui concerne les performances individuelles ;
- à faciliter la planification et le contrôle en créant un cadre pour ces efforts ;
- à établir des canaux de communication et de prise de décisions ;
- à éliminer le doublement du travail et les conflits au sujet des tâches ;
- à focaliser les efforts en reliant toute activité aux objectifs.

Nous ne nous étendrons pas trop ici sur les aspects structurels et humains de l'organisation, le premier étant mieux couvert dans des ouvrages spécialisés et le second ayant été couvert dans le chapitre 2. Par contre, nous examinerons plus en détail la technologie qui s'inscrit dans le cadre de la GOP, soit la technologie traditionnelle et la technologie récente.

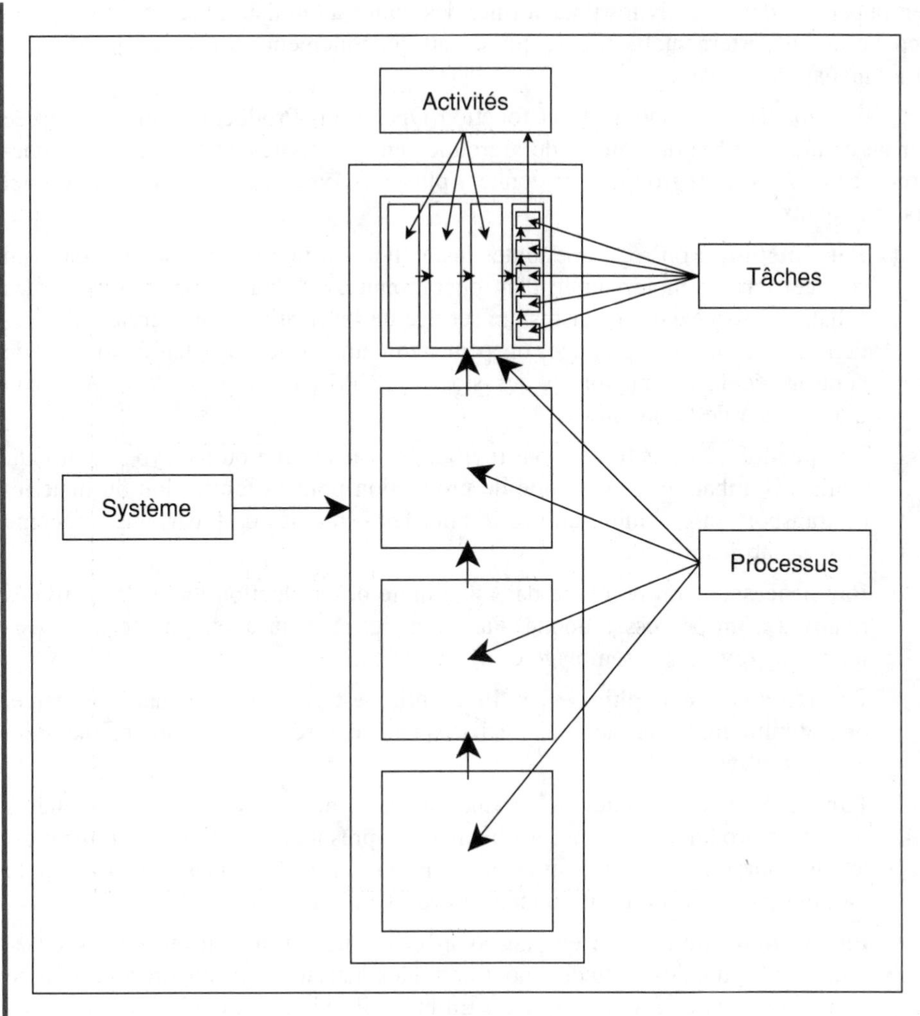


FIGURE 9.3
Le système, les processus, les activités et les tâches

# LA STRUCTURE ORGANISATIONNELLE DE LA FONCTION OPÉRATIONS

## 9.1 Les types de structure

Hayes et Schmenner[3] notent que les responsables des opérations doivent faire face à des pressions et résoudre des problèmes inhérents à une structure qui est souvent elle-même la source de ces problèmes. Ils affirment que le niveau du responsable de cette fonction au sein de la hiérarchie de la direction de l'entreprise, la mission qui lui est confiée et le rôle organisationnel qu'on lui attribue peuvent avoir un effet direct sur le rendement de l'appareil de production et de sa gestion, et généralement sur la compétitivité de l'entreprise.

La mise sur pied d'une structure organisationnelle consiste à analyser un travail en vue de le diviser et de le répartir entre un certain nombre d'unités administratives. Elle débute par la définition des activités à organiser. Cette définition est suivie d'un regroupement de ces activités pour former des unités administratives ; c'est ce qu'on appelle la « départementalisation », qui se fait généralement au niveau opérationnel et au niveau du pilotage.

La départementalisation de la fonction Opérations-Production peut être basée sur un certain nombre de critères de regroupement d'activités au sein de cette fonction. Les critères de regroupement donnent plusieurs **types de structure**, dont voici les principaux.

1. **Par fonctions :** on regroupe toutes les activités d'une même fonction dans un service. Par exemple, sur le plan opérationnel, on peut avoir un service des achats, un service de magasins, un service de fabrication et un service d'entretien. Sur le plan du pilotage, on peut avoir un service de planification et de contrôle de la production et des stocks (PCPS), un service de contrôle ou d'assurance de la qualité.
2. **Par produits :** les activités sont regroupées par famille ou par type de produit réalisé. Bombardier a une unité de production pour la fabrication du matériel de transport en commun, une autre pour les véhicules de loisir, une troisième pour la fabrication d'avions...
3. **Par processus :** on regroupe dans une unité de production toutes les activités relatives à un processus donné. Par exemple, on peut avoir un service d'usinage, un service d'assemblage et d'emballage.
4. **Par régions géographiques :** si l'entreprise est géographiquement dispersée, on regroupe toutes les activités réalisées dans une région dans une même unité administrative.
5. **Par clients :** les activités de production peuvent être regroupées par clients quand les produits changent sensiblement d'après leur destination, comme c'est le cas pour les produits destinés à l'exportation ou fabriqués pour le compte du gouvernement ou d'un donneur d'ordres important.
6. **Par périodes de temps :** on peut avoir des unités de travail ou des responsabilités individuelles distinctes pour certaines activités par rapport à la période de temps où elles sont entreprises. En effet, il existe des équipes de nuit, des contremaîtres de jour...
7. **Par combinaisons de critères :** par exemple, on peut former des unités par produit au sein desquelles on crée des services par fonction (Achat, Personnel, Opérations...).

## 9.2 De la vision à la structure

La structure organisationnelle découle d'une **vision globale** que se font les dirigeants de l'entreprise de l'avenir. Elle comprend la perception qu'ils ont de l'environnement dans lequel l'entreprise aura à s'insérer, dans cinq ou dix ans. Cet environnement inclut d'une part le marché, donc la clientèle potentielle, l'économie, la concurrence, le rôle des gouvernements, et d'autre part la place qu'ils voudraient voir leur entreprise occuper dans cet environnement. De cette vision découle une stratégie globale qui permettra à l'entreprise de réaliser sa vision.

Afin de choisir une structure adéquate pour la fonction Opérations, on doit remonter à la stratégie globale de l'entreprise[3]. Ce principe s'inspire des concepts de **mission industrielle** et de **focalisation industrielle** développés par Skinner (que nous verrons plus en détail au chapitre 19).

Ce sont les responsables des opérations qui déterminent la **mission industrielle**. Celle-ci consiste à agencer la structure organisationnelle et les activités de gestion pour qu'elles épousent et renforcent la stratégie globale. Le type de structure qu'adoptent ces responsables pour organiser la fonction Opérations a des effets directs sur l'accent relatif mis sur certaines caractéristiques de la stratégie globale[3]. En effet, il y a des types de structure qui sont caractérisés par une grande flexibilité, certains visent une production au moindre coût possible, tandis que d'autres favorisent la meilleure qualité ou le respect des délais de livraison promis. C'est donc une **focalisation par objectif** qui, selon les forces et les faiblesses de l'entreprise, celles de ses concurrents et les besoins de ses clients, mettra l'accent sur un ou plusieurs aspects de QVALITÉ.

Dans les entreprises qui possèdent plusieurs usines, le partage des responsabilités, qui est à la base d'une structure organisationnelle, peut se faire par un autre genre de focalisation. Plusieurs choix sont possibles, dont la focalisation par produit et la focalisation par processus.

La **focalisation par produit** est caractérisée par une grande décentralisation et, par conséquent, par une importante flexibilité, spécialement lors de l'introduction d'un nouveau produit. Elle est conseillée quand les technologies de processus ne sont ni complexes ni coûteuses puisqu'elle ne requiert pas, à l'échelle de l'entreprise, une planification trop précise ou un contrôle trop rigoureux. En effet, chaque usine est relativement autonome et doit faire sa propre planification et exercer son propre contrôle, le tout coordonné par le siège social.

Quand on adopte une **focalisation par processus**, plusieurs sous-produits sont fabriqués dans une même usine. À titre d'exemple, une usine peut se concentrer dans la fabrication de toutes les pièces forgées, une autre peut se spécialiser dans les composants électriques nécessaires à la fabrication de plusieurs produits. Dans ce cas, plutôt que d'avoir des centres de profits, on a généralement des centres de coûts. Au siège social, les activités de planification, de coordination et de contrôle sont plus complexes et plus centralisées. Cette organisation est utilisée dans les entreprises qui ont des processus complexes et divisibles, qui requièrent des investissements considérables. Moins flexible que la focalisation par produit, la focalisation par processus permet la réduction des coûts d'exploitation.

Quel est le rapport entre la technologie et la structure de la fonction Opérations ? La technologie peut influer, du point de vue opérationnel, sur l'éventail de commandement, donc sur le nombre de subordonnés relevant d'un même supérieur hiérarchique. Plus la technologie est complexe, plus cet éventail se réduit pour permettre des contacts plus fréquents entre le supérieur hiérarchique et ses subordonnés et entre les subordonnés eux-mêmes.

D'après plusieurs auteurs, une technologie qui varie peu, c'est-à-dire où les tâches sont prévisibles et stables, fonctionne bien sur le plan opérationnel avec une **structure mécaniste**, hiérarchisée et formaliste (figure 9.4*a*). Dans une telle structure, toutes les communications se font entre un supérieur et plusieurs subordonnés, mais il n'existe que peu ou pas d'échanges entre les subordonnés. Par contre, pour une technologie complexe qui requiert beaucoup d'échanges d'informations et qui évolue rapidement, on privilégie une **structure organique** (figure 9.4*b*). Dans ce type de structure, les communications se font entre tous les membres d'une unité de production.

Schermerhorn[6] affirme que ce type de structure (la structure organique) est celui qui prévaut dans les petites et les moyennes entreprises, mais qu'il est aussi utilisé

**FIGURE 9.4** ▶
**La structure et la technologie**

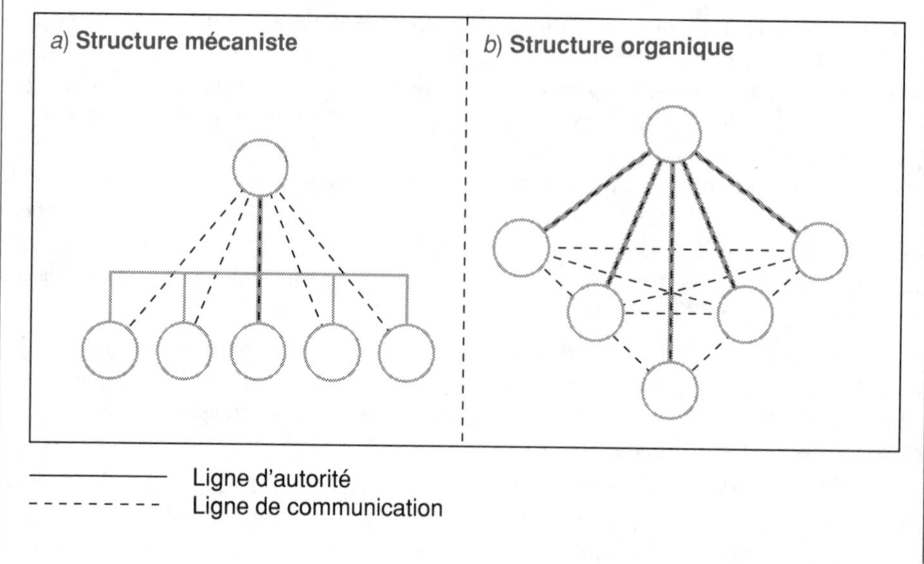


dans certains secteurs des grandes entreprises telles que les sociétés General Electric et Xerox. Ces secteurs sont chargés de concevoir de nouveaux produits ou de nouvelles technologies. C'est le cas de la société General Electric, qui pénètre dans le domaine hautement incertain et nouveau de la biotechnologie. Une structure organique fait appel à une participation et à une autonomie accrues des groupes de travail et est utilisée dans les entreprises qui adoptent l'approche sociotechnique.

Pour des projets d'envergure ou pour des produits différents, on observe que la structure conventionnelle par fonctions pose des problèmes de fonctionnement. On attribue cela au fait que plusieurs responsables sont affectés à un même projet ou à un même produit, soit les directeurs fonctionnels responsables pour l'ensemble de l'entreprise des diverses fonctions d'ingénierie, d'approvisionnement, de comptabilité, de personnel, etc. Suivre les activités d'un projet est alors pratiquement impossible puisque chaque fonction ne couvre qu'une partie de ce projet.

Pour pallier cet inconvénient, un directeur est nommé pour chacun des projets ou des produits. Il a alors la responsabilité de coordonner toutes les activités relatives à un projet donné. On appelle cette forme d'organisation une **structure matricielle**. Ce type de structure crée cependant d'autres problèmes de fonctionnement. Par exemple, un individu affecté à un projet peut avoir deux supérieurs immédiats (soit le directeur de ce projet et le directeur de sa fonction) et recevoir ainsi des ordres contradictoires (figure 9.5).

# L'ORGANISATION TECHNIQUE DE LA FONCTION OPÉRATIONS

## 9.3 L'organisation technique en GOP

L'organisation technique consiste à mettre sur pied des moyens permettant de réaliser, d'une façon optimale, les diverses activités de pilotage, d'information et d'exécution dans l'entreprise. Dans le domaine de la GOP, en ce qui concerne les activités de pilotage, une technologie de gestion, dite légère (*soft*), s'est développée récemment.

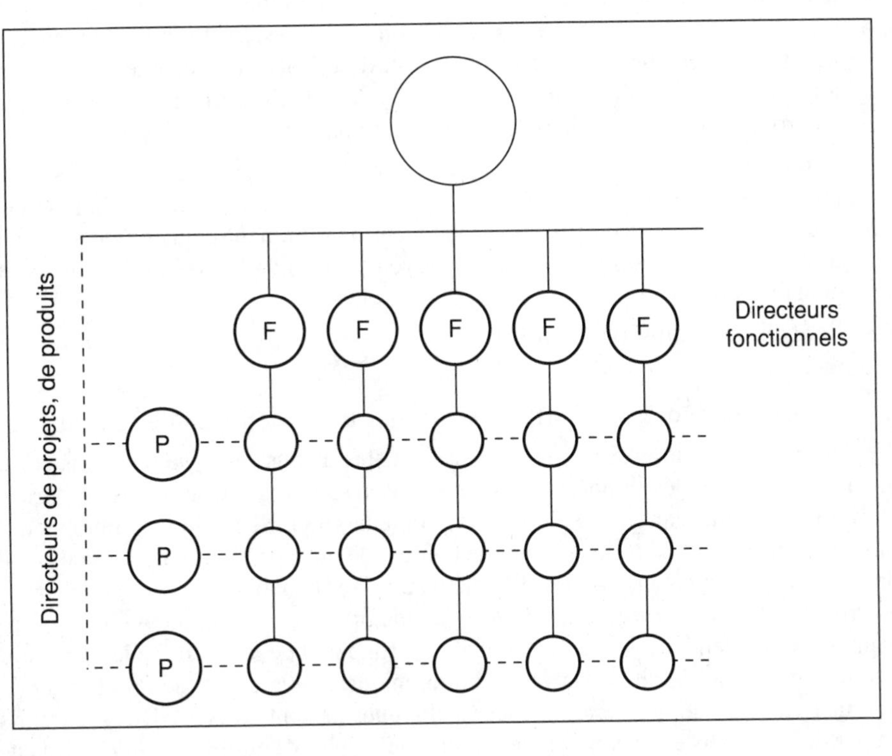


◀ **FIGURE 9.5**
**La structure matricielle**

Cette technologie comprend diverses techniques, ou outils, basées sur de nouvelles philosophies (juste-à-temps, qualité totale…) et sur une technologie lourde (*hard*) touchant la conception du matériel à l'usage des responsables des activités de pilotage, spécialement dans le domaine informatique (micro-ordinateurs de bureau, portables et portatifs, modems, télécopieurs, convivialité…), qui a donné naissance à la création d'une importante banque de logiciels, de didacticiels et de progiciels pour la gestion des opérations.

Parmi les techniques utilisées pour le pilotage, mentionnons :

- la planification des besoins-matières (PBM ou *MRP*) ;
- la planification des ressources de production (PRP ou *MRP II*), que nous verrons en détail plus loin dans ce livre ;
- le déploiement de la politique qualité (*Quality Policy Deployment*) mentionnée plus haut, une démarche systématique qui consiste à développer une politique comprenant un ensemble d'objectifs d'entreprise au niveau de la direction générale et pour l'ensemble de l'entreprise, et à la déployer au sein de toutes les fonctions et à tous les niveaux hiérarchiques ;
- la technique d'ordonnancement Kanban, que nous expliquerons au chapitre 14 ;
- le contrôle statistique des processus (CSP), expliqué en détail au chapitre 17.

Pour le système opérationnel, on utilise aussi certaines techniques existantes ou qui ont été récemment développées. Parmi ces techniques, mentionnons :

- la CAO–FAO que nous avons déjà abordée ;
- les techniques Taguchi, qui visent la conception de produits de qualité « robuste » et qui sont appliquées lors de la conception des produits et des processus ;

- le déploiement de la fonction qualité (DFQ), appliqué aussi lors de la conception des produits et des processus. Il consiste à systématiser les exigences et les attentes des clients (appelées la « voix du client ») et leur interprétation par toutes les fonctions au sein de l'entreprise (Marketing, Ingénierie, Production, Approvisionnement...) dans leur propre jargon ;
- le poka-yoké (anti-erreur), appliqué lors de la conception des produits et des processus ou en vue d'améliorer les processus existants. Cette technique consiste à trouver des moyens qui préviennent ou éliminent pour toujours certains problèmes (potentiels ou existants), moyens qui sont à l'épreuve de toute erreur humaine (*foolproof*) ;
- l'organisation du travail, ou OT ;
- le *SMED* ;
- l'analyse du processus d'affaires et de tous les processus qui en découlent.

Un certain nombre de techniques applicables à tous les systèmes existent ou ont été récemment développées. Ces techniques sont regroupées sous le titre de « prévention, identification et solution de problèmes » (PISP) ; elles comprennent le remue-méninges (*brainstorming*), la technique de groupe nominale, l'analyse de Pareto, le diagramme causes-effet d'Ishikawa, et la schématisation, ou modélisation, des procédés (*flowcharting* ou *mapping*). La majorité de ces techniques ne sont pas récentes, mais la tendance actuelle est de les regrouper et de les mettre à la disposition de tout le personnel à tous les niveaux hiérarchiques. Cela constitue un changement important vu que, traditionnellement, ces techniques ne sont utilisées dans l'entreprise que par des spécialistes, des ingénieurs industriels ou des conseillers et des analystes en organisation et méthodes.

## 9.4 L'organisation du travail

On associe généralement l'organisation technique au taylorisme. C'est en effet Taylor qui a jeté les bases de cette forme d'organisation qui, depuis, a beaucoup évolué. Elle a débuté avec l'organisation du travail et elle fait aujourd'hui appel aux mathématiques, à la statistique et à la recherche opérationnelle. L'organisation technique comprend, entre autres, les systèmes d'information, la gestion des documents, et elle utilise de plus en plus l'informatique pour l'aménagement rationnel des espaces, l'automatisation du travail, la robotique, la bureautique et l'équilibrage des chaînes de travail.

Mais qu'est-ce donc que l'organisation du travail (OT) ? Aussi appelée « organisation scientifique du travail » (OST) ou « étude du travail », elle a été connue sous le nom d'« étude des temps et mouvements » (*time and motion study*), mais plusieurs trouvent ce titre trop limitatif. Originellement proposée par Taylor, ses disciples et leurs successeurs par la suite, l'organisation du travail comprend un ensemble de techniques qui servent à analyser chaque élément d'une tâche donnée. Le but d'une telle analyse est d'éliminer toute opération inutile et de développer la méthode la plus rapide, la plus efficace et la plus sécuritaire dans l'exécution de cette tâche en vue d'élever la productivité.

Schonberger[7] attribue à l'application des techniques de Taylor et de Gilbreth la phénoménale croissance de l'industrie américaine entre 1900 et 1950. Il observe que l'application de ces techniques s'est étendue au secteur des services et il cite le succès sans précédent de la chaîne de restaurants McDonald's qui, observe-t-il, est basé en grande partie sur une telle application.

Il souligne que certains auteurs attribuent le succès industriel des Japonais au fait qu'ils ont rejeté le taylorisme, donc l'étude des méthodes et les concepts d'OT. Paradoxalement, il affirme que les Japonais sont les plus fervents croyants de ces techniques au monde. Il mentionne que chez Toyota, les contremaîtres sont formés à ces techniques, et que les problèmes éprouvés lors de l'application de leur philosophie juste-à-temps (zéro-stock) sont résolus par l'utilisation des concepts de l'étude des méthodes.

Parmi les activités qui composent l'OT, mentionnons la standardisation de l'équipement et de l'outillage de même que l'amélioration des méthodes et des conditions physiques de travail. De plus, ce type d'organisation comprend l'établissement, pour chaque tâche, d'un temps standard (défini plus loin) requis dans des conditions normales de travail. Parfois, il inclut des gratifications monétaires pour encourager l'exécutant à atteindre, voire à dépasser, les standards de performance.

Organiser le travail revêt une importance primordiale, car on peut améliorer considérablement les conditions d'utilisation des ressources de l'entreprise et faire ressortir d'autres lacunes et faiblesses d'organisation. Cet aspect de l'organisation s'applique autant au travail de bureau qu'à la construction sur un chantier.

Par l'OT, le gestionnaire ne vise pas à accroître la production en faisant travailler plus, mais en faisant travailler mieux. Pour réaliser ce but, le gestionnaire utilise principalement, et souvent simultanément, l'étude des méthodes et la mesure du travail. Il s'agit de tirer le meilleur parti possible des ressources humaines et matérielles affectées à l'exécution d'un certain travail, sans occasionner de dépenses substantielles. D'après cette définition, on voit que l'OT se limite aux installations et à la main-d'œuvre existantes et en améliore la productivité. Les changements majeurs de processus ne font donc pas partie de ce domaine.

## 9.5 L'étude des méthodes : démarche et applications

L'organisation du travail est basée sur une démarche systémique et systématique de recherche, d'analyse et de résolution de problèmes concernant l'exécution d'un travail donné. De plus, elle fait appel à certaines techniques pour élaborer des méthodes efficaces de travail. Elle est fondée principalement sur l'analyse d'un travail (un ensemble de tâches) en posant systématiquement les questions « QQQOCP », soit qui fait quoi, quand, où, comment et pourquoi. Ces questions touchent les façons de procéder et les méthodes de travail, l'outillage, les montages et les gabarits utilisés, l'aménagement des lieux de travail et des services connexes, les conditions physiques de travail (chaleur et froid, ventilation, éclairage, bruit) et la manutention des matières, des pièces, des produits en cours de fabrication et des produits finis.

L'étude des méthodes et la mesure du travail sont considérées comme les activités principales de l'organisation du travail. Le tableau 9.1 résume la démarche à suivre et les approches et les techniques utilisées pour entreprendre une étude des méthodes. On recommande de faire participer, à toutes les étapes, les personnes qui sont concernées par la méthode et celles qui auront à l'utiliser.

## 9.6 Les techniques utilisées en étude des méthodes

Les principales techniques utilisées lors de l'étude des méthodes sont : le graphique d'opérations, le graphique de déroulement du processus, le graphique de cheminement (des matières), le diagramme à ficelles, le graphique d'activités multiples, le graphique personne-machine, le graphique d'exécutant, le graphique des deux mains,

**Tableau 9.1**

**La démarche de l'étude des méthodes**

| Étapes | Technique ou approche | Action ou résultat |
|---|---|---|
| Choix de la méthode (ou du problème) à étudier | Goulot d'étranglement, tâche répétitive, taux de rejet excessif, etc. | Définition de l'objet de l'étude |
| Collecte d'informations sur la méthode actuelle | Graphiques et diagrammes : d'opérations, de cheminement, personne-machine, à ficelles, d'activités multiples, d'exécutant, de déroulement du processus… | Compilation de statistiques, mesure du temps requis pour la méthode actuelle, délais, distances parcourues, etc. |
| Analyse de l'information (recherche des causes) « QQQOCP » (quoi, qui, quand, où, comment, pourquoi) | Objet du travail : Pourquoi le faire ? Est-il nécessaire ? Où est-il fait ? Pourquoi cet endroit ? Moment : Pourquoi est-il fait à ce moment ? Personne : Pourquoi est-il fait par cette personne ? Moyen : Pourquoi est-il fait de cette façon ? | Évaluation de la méthode actuelle et de ses résultats |
| Développement de nouvelles méthodes (ou d'une solution) | Possibilité d'éliminer cette opération. Possibilité de la simplifier, de la faire plus rapidement ailleurs, par une autre personne, à un autre moment. Possibilité de la faire autrement. | Élimination de l'opération. Combinaison avec d'autres opérations, ailleurs, en la confiant à quelqu'un d'autre. Modification de la méthode : automatisation si possible. |
| Évaluation et choix d'une nouvelle méthode (ou d'une solution) | Mesure du temps requis<br>Étude de rentabilité<br>Effet sur les autres opérations, sur l'ensemble des opérations | Choix de la méthode la plus rentable, la plus rapide, qui demande le moins d'effort, qui rencontre le moins de résistance. |
| Préparation de la mise en place | Préparation des instructions, des temps standard, du matériel requis | Mise à jour des instructions, du manuel des procédures |
| Mise en œuvre et évaluation finale de la nouvelle méthode | Mise en œuvre et suivi<br>Mesure des résultats | Nouvelle méthode introduite<br>Résultats réels<br>Modification si nécessaire |

le graphique combiné personne-machine et activités multiples. Nous décrivons ici quelques-uns de ces graphiques aux fins d'illustration. Pour plus de détails, on pourra se référer à des ouvrages spécialisés présentés à la fin du chapitre.

Le **graphique d'opérations** est la représentation d'une suite d'opérations ou d'activités illustrées par des symboles recommandés par l'American Society of Mechanical Engineers ou ASME (tableau 9.2). Ce graphique est très utile pour visualiser l'ensemble des opérations. De plus, on voit l'ordre d'entrée des matières pre-

**Tableau 9.2**

**Les symboles d'activités utilisés en étude des méthodes**

| Symbole | Activité |
|---|---|
| ○ | **Opération :** modification, transformation, montage d'un objet ou traitement d'une information, préparation d'un plan, d'une commande. |
| □ | **Contrôle :** inspection ou vérification de la qualité, de l'exactitude, de la quantité, de la détermination d'un produit quelconque (bien ou service). Cette activité ne contribue pas directement à la réalisation du produit. |
| ⇨ | **Transport :** déplacement d'un objet entre les opérations ou les contrôles, de l'emmagasinage ou vers l'emmagasinage, etc. |
| D | **Délai ou attente :** arrêt dans le cheminement d'un article, telle l'attente entre deux opérations (documents en attente d'être approuvés, articles en attente d'être comptés...). |
| ▽ | **Stockage :** entrée d'un article en magasin, ou attente prolongée dans le cas d'un stock de matières premières ou de produits finis en entrepôt. |
| ⧇ | **Activités combinées :** opération combinée avec un contrôle. |

mières de gauche à droite, et de la progression du produit de haut en bas. À titre d'exemple, la figure 9.6 représente un graphique d'opérations pour l'envoi de dépliants publicitaires.

Le **graphique de cheminement**, ou schéma de circulation (figure 9.7), est un plan de l'usine ou de l'aire de travail à l'étude dessiné à l'échelle. On trouve sur ce diagramme l'emplacement exact des machines, les détails de l'édifice (colonnes, ascenseurs, chutes, portes, etc.). On y marque ensuite les divers points d'activité ainsi que le déplacement des travailleurs et des matières. Un aménagement mal fait peut augmenter considérablement le temps d'exécution d'un travail en entraînant des déplacements inutiles des travailleurs. De plus, il peut nuire à la qualité des produits fabriqués ou en cours de fabrication si des aires protégées d'entreposage ou d'accumulation n'ont pas été prévues pour ces produits.

L'amélioration de l'aménagement (qu'on a vu au chapitre précédent) fait partie des fonctions du spécialiste de l'étude du travail[1]. Les changements apportés à un aménagement entraînent généralement de nombreux déplacements de machines, de matériel et même de câbles et de canalisations. Ils peuvent aussi nécessiter des arrêts de production. Ces changements doivent être approuvés par le directeur de l'usine et par les ingénieurs chargés des installations.

Ces divers graphiques permettent de visualiser et d'analyser le déroulement d'un ensemble d'opérations en vue d'en améliorer les méthodes d'exécution. À partir de ces informations, on peut élaborer une nouvelle méthode, l'évaluer, la tester et, finalement, la mettre en application.

## 9.7 La mesure du travail

Dans cette section, nous abordons la mesure du travail, ses objectifs ainsi que les techniques utilisées par les analystes qui la pratiquent. La mesure du travail a été

**FIGURE 9.6**
**Le graphique de déroulement-matière**

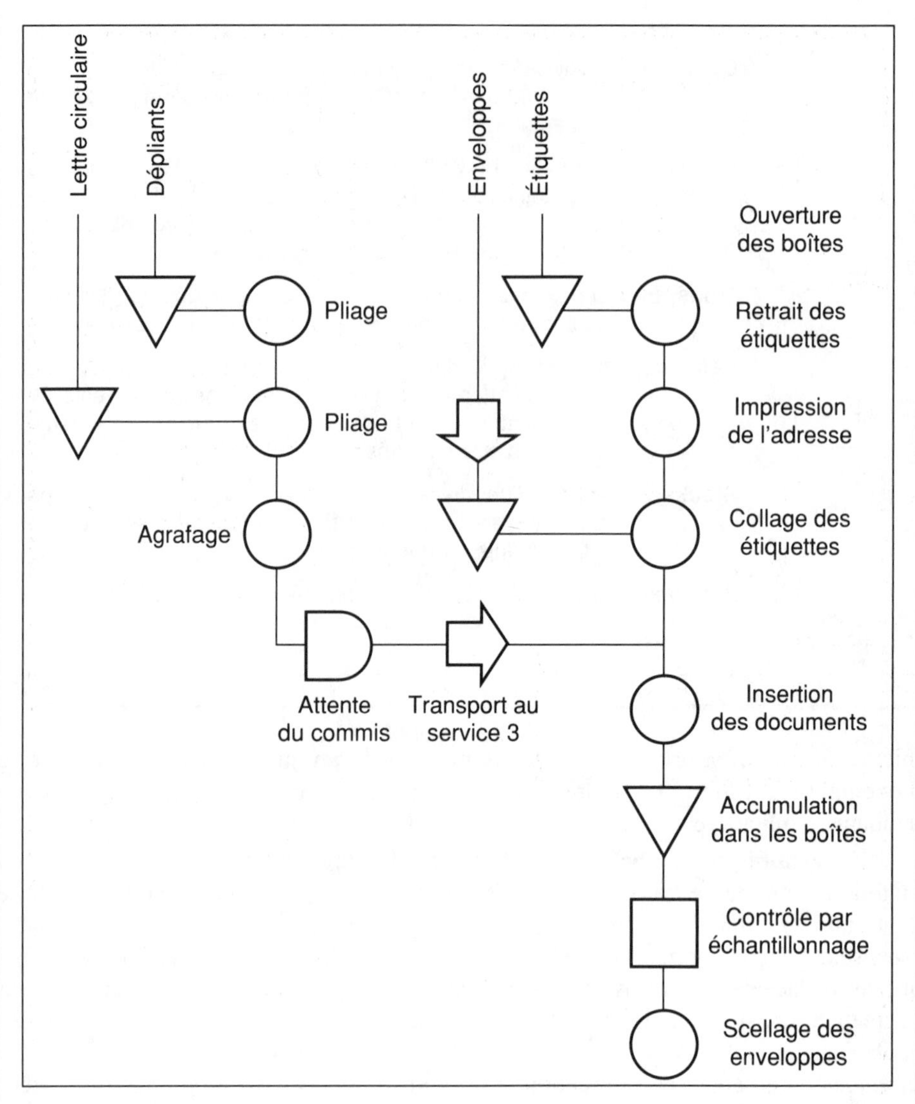


formalisée par Taylor il y a un peu plus d'un siècle. Elle sert à déterminer le contenu d'une tâche par le calcul du temps d'exécution, selon une norme de rendement bien définie, requis par un ouvrier qualifié[1]. En général, elle vise à déterminer les temps improductifs dans les diverses tâches en vue de les éliminer ou du moins de les réduire au minimum. La mesure du travail est utilisée pour :

- déterminer s'il y a des améliorations possibles pour un travail donné en établissant les temps improductifs ;
- évaluer l'efficience d'une méthode par rapport à une autre ;
- estimer le temps requis par unité de produit afin de planifier la production ;
- mesurer l'efficience d'un travailleur ou d'un service ;
- estimer les coûts, calculer les coûts standard et le prix de revient pour la préparation des soumissions ;
- équilibrer les tâches en série.

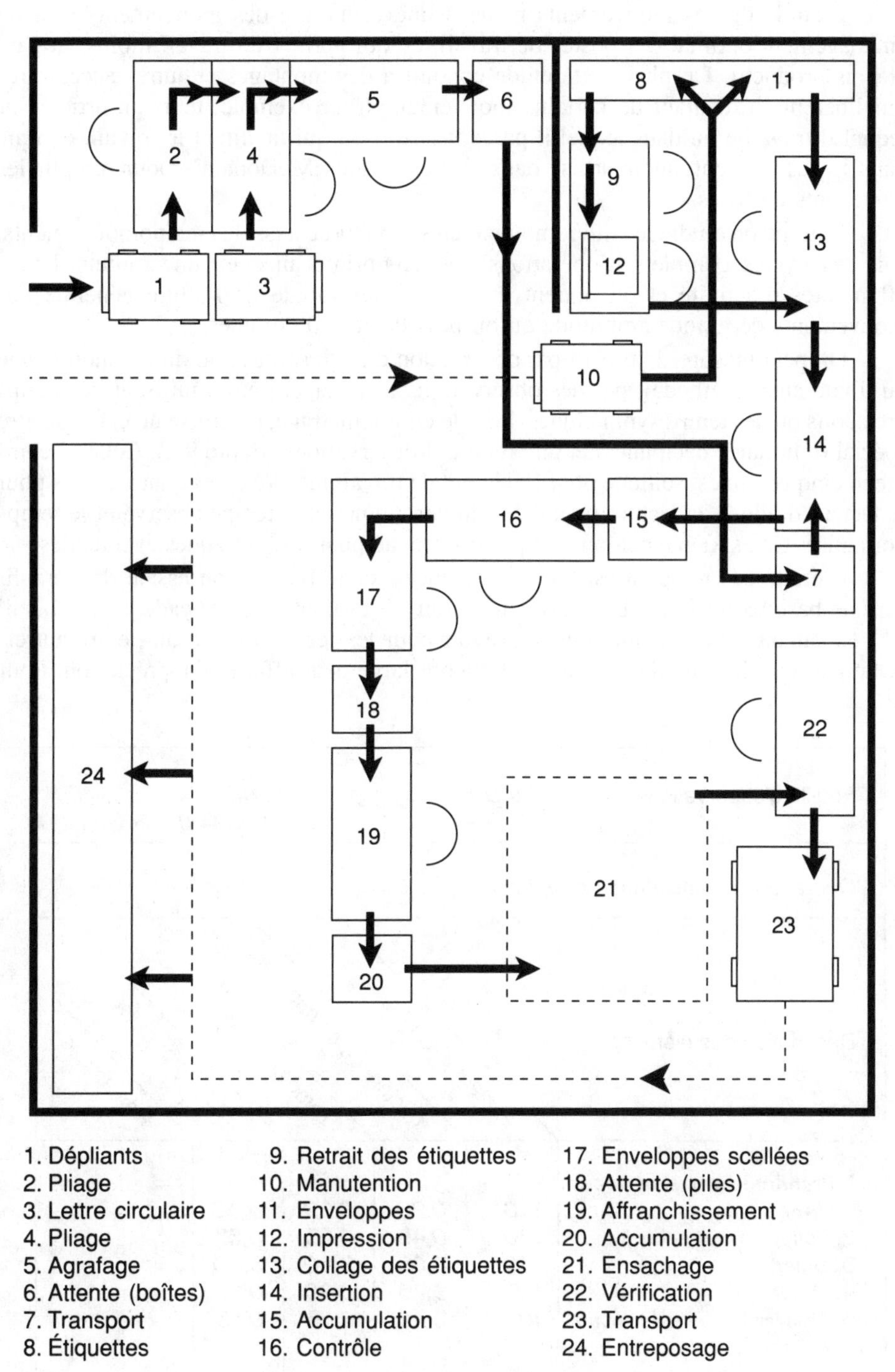


**FIGURE 9.7**
**Le diagramme de circulation**

Les premières techniques de la mesure du travail étaient regroupées dans l'étude des mouvements et, par la suite, des micromouvements, en divisant chaque mouvement en éléments. Chacun de ces éléments de base (déplacer, saisir, positionner, désengager, utiliser, assembler, inspecter…) a une valeur-temps et est représenté par un symbole[5].

L'étude de ces mouvements mène à une économie des mouvements et à un aménagement optimal des postes de travail, ce qui permet un travail moins fatigant et plus productif. De plus, cette étude conduit à des montages et autres accessoires qui libèrent l'exécutant de certains mouvements (par exemple, tenir un article sur lequel il travaille ou dans lequel il perce un trou) ou qui facilitent le travail, comme dans le cas de l'entonnoir utilisé dans les restaurants McDonald's pour remplir les contenants de frites.

Comme on étudie les micromouvements, on étudie aussi les mémomouvements, soit des cycles complets d'opérations. On comprime ainsi en une minute 10 ou 20 minutes d'activité et on obtient un aperçu très rapide de l'allure générale des mouvements de grande amplitude qu'on peut décider d'éliminer.

On peut mesurer le travail par observation directe (utilisation du chronométrage ou d'une autre méthode), par des observations instantanées et en utilisant des temps préétablis ou des temps synthétiques. Pour le chronométrage, on utilise un chronomètre spécial (à minutes décimales) et une feuille d'observations (figure 9.8). Celle-ci comprend cinq colonnes, soit une pour l'élément de travail mesuré et les quatre autres pour le facteur d'allure, la lecture (cumulée) du chronomètre, le temps observé et le temps normalisé. Une sixième colonne est parfois prévue pour les remarques éventuelles.

L'étude des temps n'est pas une science exacte bien qu'on essaie de l'établir sur une base scientifique. Le jugement d'allure (l'évaluation de la cadence de travail de l'exécutant) et les majorations à prévoir pour les repos compensant, entre autres, la fatigue qui découle du travail, sont encore largement affaire d'appréciation. Pour

**FIGURE 9.8** ▶
**Une feuille d'observations**

Feuille d'observations N° 14B Par : NID Date : 1994-04-18

Opération : *Sciage d'une barre d'acier*

| Description des éléments | Facteur d'allure | Lecture du chronomètre* | Temps observé | Temps normalisé | Remarques |
|---|---|---|---|---|---|
| 1. Prendre la barre, la poser dans l'étau | 150 | 0,20 | 0,20 | 0,30 | |
| 2. Calibrer pour scier | 130 | 0,45 | 0,25 | 0,33 | |
| 3. Scier | 130 | 3,05 | 2,60 | 3,38 | |
| 4. Limer | 125 | 3,25 | 0,20 | 0,25 | |
| 5. Enlever la pièce de l'étau | 100 | 3,40 | 0,15 | 0,15 | |
| *Temps cumulé | | | | | |
| Total (minutes) | | | | | Approuvé : 99ch |

mener à bien une étude de mesure du travail, on choisit un travailleur moyen. On doit donc éviter de prendre des sujets trop rapides ou trop lents, même si la recherche du travailleur moyen est également subjective.

Le **jugement d'allure** est une comparaison de la cadence d'un travailleur à une cadence considérée comme normale par celui qui l'observe à l'œuvre. Le **facteur d'allure** est une valeur supérieure à 100 (allure normale) si la cadence de travail est jugée plus rapide que la normale, et inférieure à 100 si elle est jugée plus lente. Par exemple, si l'on juge que la personne observée travaille plus vite à un rythme qui dépasse de 25 % la cadence normale, le facteur d'allure (*FA*) sera de 125. D'autre part, si le travailleur observé ralentit son rythme à 80 % de la cadence normale, ce facteur sera de 80.

Le temps observé (*TO*) pour une opération est mesuré au chronomètre. Il est alors utilisé pour obtenir le temps normalisé (*TN*) comme suit :

$$TN = TO + \frac{TO\ (FA - 100)}{100}$$

**Exemple**

Allure de référence = 100.

1. Temps observé : 0,20 minute, facteur d'allure : 120.

$$\text{Temps normalisé} = 0{,}20 + \frac{0{,}20 \times (120 - 100)}{100}$$
$$= 0{,}20 + 0{,}20 \times 0{,}20$$
$$= 0{,}20 + 0{,}04 = 0{,}24 \text{ minute.}$$

2. Temps observé : 0,30 minute, facteur d'allure : 80.

$$\text{Temps normalisé} = 0{,}30 + \frac{0{,}30 \times (80 - 100)}{100}$$
$$= 0{,}30 - 0{,}30 \times 0{,}20$$
$$= 0{,}30 - 0{,}06 = 0{,}24 \text{ minute.}$$

Pour calculer le **temps standard** requis pour un travail donné qu'il faut exécuter de façon continue, on ajoute au temps normal certaines majorations, lesquelles tiennent compte des retards inévitables, du repos, des besoins personnels, etc. Elles varient d'après la complexité du travail, l'effort intellectuel ou physique requis, la position du travailleur (assis, debout, accroupi...), les conditions physiques du travail (chaleur, froid, bruit, éclairage...), la monotonie de la tâche.

Temps standard = *TN* + Ensemble de toutes les majorations.

Le temps standard est indiqué en minutes par pièce, par dizaine de pièces, par tonne ou par mètre. Pour calculer les heures de production, on peut utiliser des heures standard plutôt que des heures d'horloge. Une heure standard représente la production obtenue en une heure de temps standard pour une opération donnée. On peut alors mesurer le rendement en utilisant le ratio :

$$\text{Productivité} = \frac{\text{Production en heures standard}}{\text{Temps-personne ou Temps-machine en heures d'horloge}}$$

On peut aussi estimer le temps nécessaire à une opération en utilisant l'une des **méthodes des temps prédéterminés**. Ces méthodes permettent la reconstitution des temps nécessaires aux mouvements analysés, à l'aide de tables donnant un temps prédéterminé pour chacun des gestes simples (ou stèmes) classés par catégorie de nature et de durée. La principale caractéristique de ces méthodes est de permettre de concevoir des méthodes de travail pour un travail qui n'a jamais été exécuté, et d'estimer avec assez de précision le temps requis pour l'exécuter. De plus, pour un travail déjà exécuté, elles ne requièrent aucune observation directe d'un travailleur, ce qui est souvent très pratique.

Le tableau 9.3 illustre quelques temps prédéterminés pour un certain nombre de mouvements. Ces temps sont exprimés en *TMU* (*Time Measurement Unit* = cent-millièmes d'heure).

**Tableau 9.3**

**Les tables MTM simplifiées**

| Mouvement | TMU | Mouvement | TMU |
|---|---|---|---|
| Atteindre ou mouvoir : | | Tourner | 6 |
| – 2 cm | 2 | Appliquer une pression | 20 |
| – 4 cm | 4 | Saisir: | |
| – 6 cm | 6 | – simple | 2 |
| – Au-delà de 6 cm | 5 + 0,3 L* | – ressaisir | 6 |

* L = distance

Une autre façon de mesurer le travail est la **méthode des observations instantanées**, qui est une méthode par échantillonnage. Elle consiste essentiellement à examiner le travail à des instants répartis au hasard dans le temps et à analyser la proportion des observations correspondant à chacune des activités étudiées. Le calcul statistique permet de déduire, avec une approximation connue, la fréquence ou la durée de chacun de ces phénomènes particuliers, rapportée à la fréquence ou à la durée totale de l'ensemble dont ils font partie.

Pour résumer, disons que la mesure du travail est la deuxième composante de l'organisation du travail. Elle consiste à analyser et à mesurer les mouvements nécessaires à l'exécution d'un travail donné en vue de leur amélioration, en utilisant des méthodes plus simples et plus efficaces. Elle débute par l'étude des besoins et des problèmes des travailleurs et elle a pour objectif de leur permettre de travailler avec un minimum d'effort et une efficacité maximale. L'analyste étudie donc non seulement les travailleurs, mais aussi les conditions environnantes de travail, dont le déplacement des matières, les outils et l'équipement, ainsi que l'organisation et l'aménagement du travail. Ces facteurs influent directement sur l'efficacité et le bien-être des travailleurs.

## 9.8 Le système *SMED*

La situation particulière des Japonais, privés de presque toutes les ressources naturelles, les a poussés et contraints à développer une aversion profonde pour toute forme de gaspillage. Suzaki[9] propose un certain nombre de techniques pour éliminer ou du moins réduire le gaspillage. Ainsi, l'accumulation, par les Occidentaux, de stocks inactifs et inutilisés sur de longues périodes de temps constitue une protection contre divers aléas (fournisseurs non fiables, erreurs ou imprécision dans leur planification, instabilité de la demande, clients indécis). Par contre, les Japonais y voient des matières accumulées qui immobilisent des capitaux, occupent de précieux espaces et se détériorent par l'effet du temps ou des changements technologiques; de cette perception est née la philosophie du juste-à-temps, que nous verrons au chapitre 18.

Un autre aspect sur lequel se sont penchés les Japonais est le temps de mise en route, de préparation ou de lancement d'une machine ou d'un processus. Là aussi les Occidentaux perçoivent ce temps comme un mal nécessaire et, pour en réduire l'effet économique, ils lancent de longues séries de production. Les coûts de mise en route, distribués sur un grand nombre d'unités produites, représentent alors un coût unitaire très acceptable. Inutile d'ajouter que, là aussi, les quantités de produits excédentaires vont grossir les stocks en magasin.

Pour réduire significativement les temps de mise en route, donc pour réduire les coûts et accroître la flexibilité de production (possibilité de produire de petites séries), S. Shingo, qualifié de Taylor de l'ère moderne, a lancé ce qu'il a appelé le système *SMED* (*Single Minute Exchange Die*), ou changement de moule en une minute ou moins, ou, plus exactement, *Single-digit* (nombre à chiffre unique) *Minute Exchange Die*, ou changement de moule en moins de 10 minutes. La théorie de base du système *SMED* est que dans un processus de production on trouve des opérations dites de travail (ou de transformation), d'inspection, de transport et de stockage. Chacune de ces opérations inclut une opération de réglage (de mise en route ou de préparation). En général, dans l'organisation du travail traditionnelle, on essaie d'éliminer ou de réduire les opérations non productives tel le transport. Dans le système *SMED*, on met l'accent sur la réduction des temps de mise en route et de réglage. Traditionnellement, les fabricants de matériel de production ou de manutention mettent l'accent sur le travail à accomplir par ce matériel; ils ne se préoccupent pas du temps de préparation requis pour l'utilisation de ce matériel.

Cette technique, née en 1950 quand Shingo[8] faisait une étude d'amélioration de la productivité chez Mazda, doit son nom au fait qu'il observa que les presses de moulage créaient d'importants goulots d'étranglement, et que la direction songeait à en augmenter le nombre pour accroître la production. En réduisant le temps de réglage de ces presses, la productivité augmenta considérablement. Par la suite, chez Toyota, on réduisit le temps de réglage d'une presse de 1 000 tonnes de quatre heures à deux heures, puis de deux heures à trois minutes! Shingo réalisa que les opérations de réglage comprenaient des réglages internes et des réglages externes. Les réglages internes ne peuvent être faits que quand la machine est arrêtée, comme le montage ou le démontage des moules. Les réglages externes peuvent être faits quand la machine est en marche, comme le transport des moules de leur lieu de stockage ou vers celui-ci. L'idée est: 1. de faire tous les réglages externes quand la machine est en marche; 2. de convertir le plus grand nombre de réglages internes en réglages externes; 3. de réduire le temps des réglages internes et externes (chez Mitsubishi, grâce au *SMED*, le réglage interne d'une perceuse, qui demandait 24 heures, a été réduit à 2 minutes 40 secondes).

Pour illustrer cette technique, prenons un exemple très simple. Pour réduire le temps de réglage, on peut remplacer une rondelle fermée par une rondelle en *U* (ouverte d'un côté). Ce remplacement élimine le besoin de démonter complètement l'écrou du boulon sur lequel il est vissé. En effet, on relâche légèrement l'écrou et on glisse la rondelle en *U* sous l'écrou, puis on revisse. Ainsi, en plus de réduire le temps de montage, on élimine le risque de laisser tomber l'écrou, de le perdre et d'aller en chercher un autre (figure 9.9).

Une foule d'idées ont été développées par Shingo et par d'autres dans le cadre du *SMED*. Le lecteur intéressé pourra consulter les références à la fin de ce chapitre.

**FIGURE 9.9** ▶
**Un exemple de *SMED***

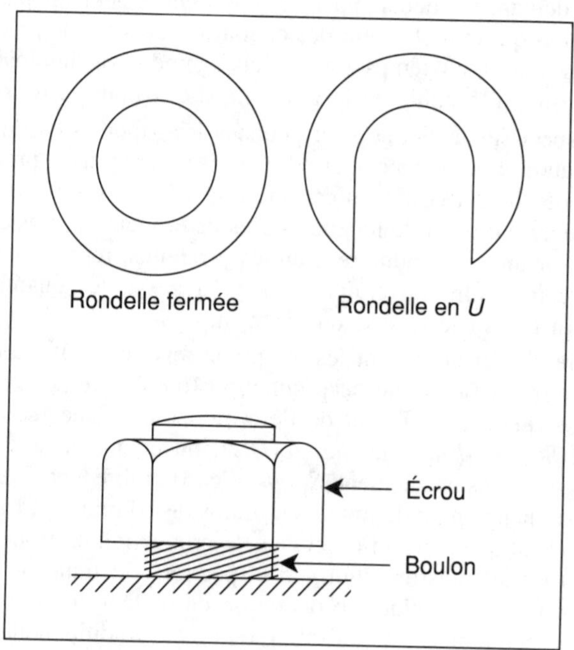


Soulignons que la démarche proposée pour l'application efficace de ce système consiste à faire participer à ce processus non seulement les spécialistes, mais toutes les personnes concernées. On aura donc une équipe *SMED* qui comprend les opérateurs, le personnel de l'entretien et du réglage, un ingénieur industriel au besoin, un représentant de l'atelier d'usinage, un magasinier... Traditionnellement, l'organisation du travail en usine était laissée à des spécialistes (ingénieurs et techniciens ou agents), et, dans les bureaux, à des conseillers ou analystes en organisation et méthodes. La tendance actuelle est de former tout le personnel aux techniques de l'OT et à d'autres plus récentes que nous avons mentionnées, dont le *SMED* ; les spécialistes ne jouent alors qu'un rôle de formation et de soutien. C'est là un aspect humain important qui concrétise la participation active et authentique du personnel, à tous les niveaux et partout dans l'entreprise, aux activités d'amélioration continue des performances.

## 9.9 La schématisation et l'analyse du processus d'affaires*

L'objectif premier de la schématisation et de l'analyse du processus d'affaires (et de tous les processus qui en découlent) est d'appliquer le concept de la **gestion par extraversion**. Ce type de gestion diffère en plusieurs points de l'approche traditionnelle par introversion ; en effet, il met l'accent sur l'extravision, une vision tournée vers l'extérieur de l'entreprise, comme nous l'expliquions au chapitre 1. Donc, en vue d'appliquer concrètement ce concept, il est proposé de repenser l'entreprise (*Business Re-engineering*), de la réinventer comme dit Naisbitt, de changer sa façon de voir, de faire et d'être. Pour cela, on doit premièrement schématiser le processus d'affaires de l'entreprise (*Mapping the Business Process*)[4].

---

* Cette section est tirée de l'ouvrage de J. Kélada, *Comprendre et réaliser la qualité totale*, Éditions Quafec, 1992.

Pour une approche par extraversion, la schématisation part de l'environnement externe (actionnaires, clients, concurrence, gouvernements, environnement physique). Un **schéma de premier niveau** (figure 9.10) montre les relations entre cet environnement de l'entreprise, ses partenaires en amont (PAM) et ses partenaires en aval (PAV) et tous les services de l'entreprise (production, marketing, finances, ingénierie, ressources humaines...). Le système Production y occupe la place centrale étant donné qu'il fournit au client les produits qui le satisferont et qui feront vivre et progresser l'entreprise. Pour sa part, le système Marketing a le rôle privilégié d'être en contact direct avec les clients et le marché en général.

Du schéma de premier niveau on passe au **schéma de deuxième niveau**, où le contenu de chaque case est détaillé. Par exemple, le **système** de gestion des opérations et de la production (niveau I) comprend les **processus** de gestion des approvisionnements, de planification et de contrôle de la production et des stocks, de gestion de la qualité des produits et de gestion de l'équipement et des installations de production (niveau II). Le processus de gestion des approvisionnements comprend des **activités** d'acquisition, de réception, d'emmagasinage... (niveau III). L'activité d'acquisition comprend les **tâches** d'achat, de location, de fabrication interne ou de sous-traitance (niveau IV).

De même, le **système** de gestion des ressources humaines (niveau I) comprend les **processus** d'embauchage, de formation, de développement, de rémunération, de santé-sécurité, de mobilisation... (niveau II). Chacun de ces processus comprend à son tour un certain nombre d'**activités** : l'embauchage comprend le recrutement, la sélection, le placement et la probation (niveau III). Le recrutement comprend un certain nombre de **tâches** : la sollicitation interne et externe, le traitement des candidatures non sollicitées... (niveau IV), et ainsi de suite.

Le fait de schématiser le processus d'affaires permet à chaque service de l'entreprise de visualiser ses relations avec les clients, les partenaires externes ainsi qu'avec les partenaires internes (que certains appellent clients et fournisseurs internes). Chaque service ou division au sein de l'entreprise doit être capable de décrire ses processus et de les situer dans le processus d'affaires ou le processus global de l'entreprise. On pourra, par une analyse appropriée, déterminer les points dans le processus d'affaires qui influent positivement ou négativement sur les performances de l'entreprise, lesquelles seront mesurées par ses résultats externes (rendement sur le capital investi, degré de satisfaction des clients, évolution de la part de marché, réactions de la concurrence, effets sur l'environnement...).

Cette technique a aussi l'avantage d'être un outil de mobilisation et de renforcement ; en effet, quand le processus d'affaires est affiché (sur tout un pan de mur), chaque service, voire chaque personne (quelle que soit sa position dans l'entreprise), se retrouve dans ce schéma (cette carte géographique de l'entreprise), ce qui lui permet de prendre conscience de sa contribution aux performances de l'entreprise. Ainsi, on n'entendra plus des affirmations comme celle du vice-président des finances qui déclarait : « La qualité totale n'est pas mon affaire ; je n'ai rien à voir avec les clients ! ». Peut-être aussi que les comptables cesseront de penser que tout ce qu'ils ont à faire c'est de compter, les acheteurs d'acheter, les magasiniers de stocker, les informaticiens d'informatiser ou de systématiser, les agents du personnel de recruter et d'embaucher, les contrôleurs de contrôler...

Toutes ces personnes travaillent ensemble pour relever des défis communs (dépasser les attentes des clients en matière de QVALITÉ, assurer aux actionnaires un rendement de qualité, protéger l'environnement), ce qui leur permettra de jouir d'une qualité de vie qui satisfera davantage leurs besoins personnels : salaire, sécurité, réalisation, reconnaissance, sentiment d'appartenance à une équipe gagnante...

▼ **FIGURE 9.10**
**Le processus d'affaires**

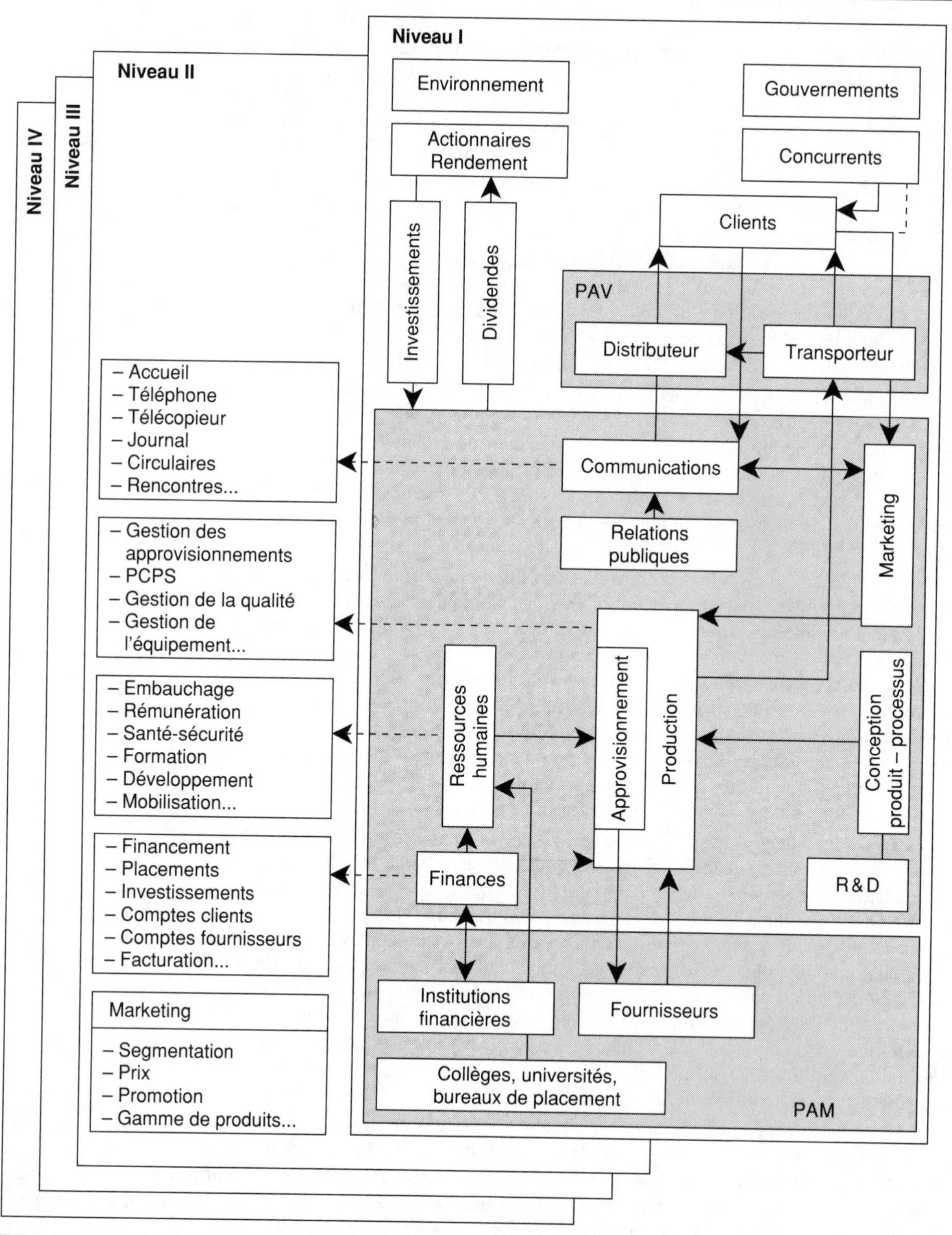

## CONCLUSION

La fonction Opérations occupe aujourd'hui une place importante dans l'entreprise. Une bonne gestion des opérations dépend largement de l'organisation de cette fonction : sa structure organisationnelle, ses systèmes administratifs et d'information, ses méthodes et procédures de travail et les aspects humains qui s'y rapportent.

L'organisation de la fonction Opérations commence par la **définition du rôle des responsables** dans l'entreprise, tant sur le plan stratégique que sur le plan opérationnel. Certaines entreprises limitent ce rôle aux seuls aspects techniques de la fabrication des produits découlant de décisions stratégiques prises par la direction générale desquelles sont exclus les responsables des opérations. Cela mène généralement l'entreprise à confier la gestion de ses opérations à des spécialistes incapables d'orienter sa stratégie. La direction générale est alors amputée de l'un de ses principaux membres, utilisateur de la majorité des ressources de l'entreprise.

L'organisation de cette fonction se poursuit en la dotant d'une **structure organisationnelle** capable de remplir un rôle stratégique dans l'entreprise. Cette structure influence et est à son tour influencée par le type et la rapidité de l'évolution de la technologie adoptée par l'entreprise ou celle qu'elle veut y introduire. Du point de vue technique, des systèmes d'information, des méthodes de travail et des procédures adéquates devront être développés et implantés pour aider les responsables de la fonction Opérations à jouer efficacement leur rôle au sein de l'entreprise. Dans plusieurs cas, il faudra concevoir à nouveau le processus d'affaires de l'entreprise ou du moins l'améliorer de manière significative.

Les **aspects humains**, qui influent grandement sur le fonctionnement de toute organisation, doivent être attentivement examinés et pris en considération afin de permettre la réalisation des objectifs de l'entreprise tout en permettant la satisfaction du personnel qui travaille à leur réalisation.

Ces trois aspects doivent être considérés simultanément dans toute activité d'organisation si l'on veut s'assurer du bon fonctionnement de l'entreprise en général, et de la fonction Opérations en particulier. On pourra ainsi améliorer la productivité et réaliser des gains durables à long terme.

L'organisation de la fonction Opérations est un préalable à la réalisation efficace des activités de pilotage au sein du système de gestion de cette fonction. En effet, elle offre aux responsables de ces activités un cadre de travail et des outils qui leur permettent de cerner les problèmes et de les analyser, pour ensuite prendre des décisions éclairées et réaliser les objectifs de cette fonction.

## QUESTIONS DE RÉVISION

1. Quelle influence la technologie a-t-elle sur le type de structure organisationnelle à choisir ?
2. La tendance actuelle est de remettre en question et de repenser l'entreprise. Pourquoi doit-on le faire ? Quelle technique peut-on utiliser pour le faire ?
3. Quels sont les objectifs d'une étude de méthodes ?
4. Comment peut-on mesurer le travail et à quoi peut servir un temps standard ?
5. Quelle différence y a-t-il entre la méthode d'observation directe et la méthode d'observations instantanées ?

## QUESTIONS DE DISCUSSION

1. Taylor a été accusé par plusieurs d'avoir déshumanisé le travail. D'autres lui attribuent la croissance spectaculaire de la productivité dans le secteur industriel. Commentez ces deux points de vue et tirez-en une conclusion.

2. Quel est l'avantage de considérer simultanément les aspects structurels, techniques et humains en organisation ? Illustrez par un exemple concret.

3. L'objectif de l'organisation du travail est d'accroître la productivité en travaillant mieux plutôt qu'en travaillant plus. Commentez et illustrez d'un exemple.

4. Certains prétendent que le concept de l'enrichissement des tâches est bon, mais qu'il n'est pas bien appliqué. D'autres pensent qu'il n'est pas applicable partout. Commentez à partir d'articles ou de publications sur le sujet.

5. Le patronat appuie le travail à la pièce, le syndicat s'y oppose. Comment chacune des deux parties justifie-t-elle sa position ? Cette approche est-elle encore applicable de nos jours ?

## PROBLÈMES ET MISES EN SITUATION

1. Pour une entreprise connue, schématisez le processus d'affaires.
2. Dans l'exemple de l'envoi publicitaire présenté dans ce chapitre, proposez une meilleure méthode en utilisant les graphiques des opérations, de déroulement et de cheminement. Utilisez l'approche systématique d'interrogation « QQQOCP » en vue d'éliminer, de combiner ou de simplifier des opérations.
3. Un analyste observe un travailleur qui exécute une opération. Se sachant observé, le travailleur semble accélérer sa cadence. L'analyste évalue à 130 son facteur d'allure. L'opération a nécessité 2,10 minutes. De plus, l'analyste estime que ce temps doit être majoré de 20, en prenant en considération la fatigue et les interruptions inévitables de travail. Si ce travailleur exécute sa tâche avec une efficience de 85, combien de temps prendra-t-il normalement pour exécuter cette opération ?
4. L'entreprise Technicol, qui se spécialise dans les produits électroniques, a vu son chiffre d'affaires s'accroître à un rythme spectaculaire. Elle a décidé de construire deux petites usines pour se donner la capacité de satisfaire la demande croissante pour ses produits. De plus, elle a ajouté deux nouvelles familles de produits à la gamme qu'elle offre déjà sur le marché. M. Nicolas, le président fondateur de Technicol, est fortement porté vers la décentralisation. Il y voit une source certaine de motivation. Lors d'une réunion du conseil de direction consacrée à la planification des activités futures des trois usines, deux courants d'idées semblent émerger et s'opposer fermement. M. Nicolas est en faveur de la spécialisation des usines par processus, tandis que le vice-président des opérations soutient la spécialisation par famille de produits. En quoi ce choix est-il important ? Quel rapport a-t-il avec la mission industrielle de l'entreprise ? Laquelle des orientations doit-on recommander ?
5. Dans l'exemple de l'envoi publicitaire, le responsable de ce service se plaint du taux de roulement élevé des employés. Les temps standard sont souvent largement dépassés malgré qu'il ait fait reprendre plusieurs fois des études de mesure du travail pour s'assurer de leur exactitude. Les goulots d'étranglement ne sont pas toujours au même endroit et varient de jour en jour, selon les employés et même pour le même employé. Un analyste en organisation du travail lui a proposé d'examiner la possibilité d'élargir ou d'enrichir les tâches de ses employés.

   Comment peut-on le faire, concrètement ? Quelles seraient les possibilités de réussite ?

## RÉFÉRENCES


1. BUREAU INTERNATIONAL DU TRAVAIL (BIT), *Introduction à l'étude du travail*, Genève, 1970.
2. GERBIER, J., « Cinquante ans d'organisation industrielle », *SCOM*, n° 75, 1er trimestre, 1980, p. 3-25.
3. HAYES, R.H. et R.W. SCHMENNER, « How Should You Organize Manufacturing ? », *Harvard Business Review*, janvier-février 1978, p. 105-118.
4. KÉLADA, J., *Comprendre et réaliser la qualité totale*, 2e éd., Dollard-des-Ormeaux, Éditions Quafec, 1992.
5. MAYNARD, H.B., *Industrial Engineering Handbook*, New York, McGraw-Hill, 1963.
6. SCHERMERHORN Jr., J.R., *Management for Productivity*, New York, John Wiley & Sons, 1984.
7. SCHONBERGER, R.J., *Operations Management*, Plano, Texas, Business Publications, 1985.
8. SHINGO, S., *Le système SMED, une révolution en gestion de production*, Les Éditions d'Organisation, 1987.
9. SUZAKI, K., *The New Manufacturing Challenge*, New York, The Free Press, 1987.

PARTIE III

# Le système de pilotage



Cette partie traite de l'ensemble des activités de pilotage du système Opérations-Production. Ces activités concernent la gestion courante, à moyen et à court terme, de la fonction Opérations-Production. Elles représentent par conséquent les principales décisions de gestion opérationnelle prises par les responsables de cette fonction.

Toute activité nécessaire à la mise en service (ou mise en œuvre) de cet appareil et à son fonctionnement efficace est basée sur une demande à satisfaire. Une surestimation de celle-ci entraînerait une accumulation indue et coûteuse de stocks invendus ; par contre, une sous-estimation pourrait engendrer une perte de ventes ou une augmentation des coûts, en cas de recours à la sous-traitance pour satisfaire à la demande imprévue. Le chapitre 11 traite des divers moyens d'estimation de la demande à satisfaire.

Les chapitres 10, 12, 13 et 14 touchent tous les aspects de la planification et du contrôle des opérations et des stocks (PCPS). Le chapitre 10 est consacré à la gestion des stocks ; les techniques permettant la détermination des lots économiques à acheter ou à fabriquer y sont énumérées. Le choix de ces techniques se fait à partir d'une analyse (ABC) qui y est aussi expliquée. La notion de niveau de service y est introduite. Le chapitre 12 comporte une revue des divers aspects concernant la planification intégrée des opérations de production. Nous y présentons un certain nombre de stratégies et de techniques utilisées lors de l'établissement du plan intégré.

Le chapitre 13 traite du plan directeur de production et présente l'approche « Planification des besoins-matières » (PBM ou *Materials Requirements Planning MRP*). Depuis l'introduction de l'informatique dans la GOP, cette approche a pris une place prépondérante dans la planification et le contrôle de la production d'un très grand nombre d'entreprises. Ce chapitre traite du contexte d'utilisation de cette approche et des décisions importantes qui lui sont sous-jacentes. La PBM combine les aspects d'achat, de stockage et de fabrication de matières, de pièces et de produits finis requis. Des applications de cette approche dans l'industrie y sont présentées.

Le chapitre 14 traite de l'ordonnancement, qui constitue la planification à très court terme de la production. Nous y élaborons les étapes de l'établissement de l'ordonnancement, énumérons les critères d'un bon ordonnancement, soulignons les facteurs qui en déterminent l'efficience et l'efficacité, et proposons différentes techniques d'ordonnancement. De plus, une partie de ce chapitre est orientée vers une approche visant la souplesse et la flexibilité dans l'exécution des commandes pour faire face aux aléas de la demande.

La planification et le contrôle d'un projet d'envergure requièrent une attention spéciale et des techniques appropriées. Le chapitre 15 est donc consacré à la gestion de ce type spécial de production que sont les projets, où l'utilisation optimale des ressources et la réalisation d'objectifs précis de qualité, de délais et de coûts sont d'une importance capitale.

Le chapitre 16 est consacré à la gestion des approvisionnements. Ce domaine comprend des activités d'acquisition des biens et des services requis par les divers secteurs de l'entreprise ainsi que des activités d'emmagasinage, de transport et de liquidation économique des surplus. Souvent, le coût de ces biens et services représente, dans le secteur industriel, plus de la moitié des revenus de l'entreprise. La gestion des approvisionnements y prend donc une importance stratégique par son influence sur les coûts d'exploitation de l'appareil de production et sur les coûts de production en général, et, par conséquent, sur la compétitivité de l'entreprise.

Le chapitre 17 introduit la notion de qualité totale qui est d'actualité partout dans le monde. Il propose une vision intégrale de la gestion de la qualité dans l'entreprise. Il n'est pas limité au seul aspect traditionnel du contrôle de la qualité en usine ; il couvre toutes les activités de gestion (planification, organisation, direction, contrôle et assurance), et ce à tous les stades depuis la définition du besoin jusqu'à sa satisfaction par un produit ou un service adéquats. Les principales techniques statistiques utilisées dans le contrôle de la qualité (plans d'échantillonnage et cartes de contrôle) sont présentées dans ce chapitre.

Le chapitre 18 traite de l'approche juste-à-temps qui prend actuellement une importance stratégique non seulement dans la gestion des opérations et de la production, mais aussi dans la gestion d'entreprise. C'est une philosophie de gestion japonaise qui est basée sur l'élimination du gaspillage, c'est-à-dire de tout ce qui consomme des ressources mais qui ne contribue pas à la réalisation des produits requis. Les stocks en sont un exemple évident vu qu'ils coûtent trop cher à gérer, à emmagasiner, à conditionner, à manutentionner et à protéger. Un autre exemple est le temps de préparation mise en route de l'équipement de production qui précède le lancement d'une série. C'est un temps improductif qu'on a longtemps considéré comme étant un mal nécessaire et qu'on réussit maintenant à réduire significativement. Cela permet la réalisation de petites séries de produits et la réduction des niveaux de stocks de matières, de produits en cours de fabrication et de produits finis.

CHAPITRE 10

# La gestion des stocks dans un contexte de demande indépendante

CLAUDE R. DUGUAY *auteur principal*

JEAN NOLLET *collaborateur*

# INTRODUCTION

## 10.1 L'importance stratégique et économique de la gestion des stocks

Un **stock** est une quantité d'articles (produits finis, composants, matières premières, pièces, etc.) gardée en réserve pour un usage ultérieur. Ce peut être pour faciliter la production ou encore pour satisfaire soit à une demande interne formulée par un des divers services d'une entreprise, soit à une demande externe provenant des clients. En gestion des stocks, il est important de distinguer deux catégories d'articles : ceux qui font l'objet d'une demande indépendante, tels les produits finis ou les pièces de rechange, et ceux dont la demande est dépendante, c'est-à-dire dont la demande découle d'une décision relevant de l'entreprise. Dans ce chapitre, nous considérons les notions de base de la gestion des stocks et les systèmes s'appliquant aux articles à demande indépendante ; la gestion des articles à demande dépendante sera considérée au chapitre 13, dans les sections portant sur la planification des besoins-matières.

Pourquoi garder des stocks ? Les articles en stock sont utiles, mais ils restent inutilisés un certain temps après le moment de leur acquisition. D'un point de vue comptable, les stocks représentent des actifs qui seront monnayés ultérieurement. Malgré un vigoureux effort de réduction des stocks au cours de la décennie 80, ces derniers constituent encore un poste important au bilan de la majorité des entreprises. Selon les secteurs, ils représentent une proportion considérable des actifs des entreprises industrielles et commerciales. L'accumulation de tels actifs se justifie par les diverses fonctions que remplissent les stocks dans l'entreprise. Nous les examinerons plus loin.

Un point de vue plus radical remet en cause l'existence même des stocks. Selon ce point de vue, un stock, étant une ressource qui reste inutilisée pendant un certain temps, constitue un gaspillage. Telle est la position des adeptes de l'approche juste-à-temps, qui vise le zéro-stock (*voir le chapitre 18*). Ceux-ci cherchent alors à faciliter la gestion des stocks... en les supprimant ! Comment peut-on réconcilier ces deux points de vue apparemment si opposés ?

Un stock devient inutile quand la fonction qu'il remplit n'a plus cours ou quand elle est mieux assumée par d'autres ressources. Tant que les stocks remplissent une fonction utile, il est avantageux de bien les gérer. Par exemple, un producteur qui réduit les temps de réglage de son équipement à quelques minutes n'a pas besoin de produire en grandes séries pour amortir ses frais de mise en route.

Dans cette partie, après avoir revu sommairement les types de stocks et leurs principales fonctions, nous examinerons la nature et les objectifs de la gestion des stocks, puis nous présenterons la méthode ABC d'analyse des stocks. Dans la deuxième partie, nous présenterons les éléments fondamentaux de la gestion des stocks, soit les principaux coûts et les arbitrages à exercer. La troisième partie du chapitre sera consacrée à l'étude de quelques techniques de base en gestion des stocks. Dans la quatrième partie, nous décrirons sommairement trois types de systèmes utilisés pour réaliser la gestion des stocks de façon structurée dans un contexte de demande indépendante. Nous terminerons par quelques considérations sur l'informatisation des activités dans ce domaine, notamment la gestion d'un réseau de distribution.

## 10.2 Les types de stocks et leurs fonctions

Dans les entreprises manufacturières, on trouve plusieurs **types de stocks** qui servent à faciliter la production ou à répondre à la demande. Les principaux sont les **stocks de matières premières**, de **composants** et de **fournitures**, les **stocks de produits en cours de fabrication** et les **stocks de produits finis** à l'usine ou dans le réseau de distribution (centre de distribution, entrepôts régionaux, points de vente). Chaque type de stocks occupe une place précise dans le processus de production. La figure 10.1 illustre les points de stockage et les activités relatives à leur gestion dans ce processus.

▼ **FIGURE 10.1**
**La place des stocks dans le système de production**

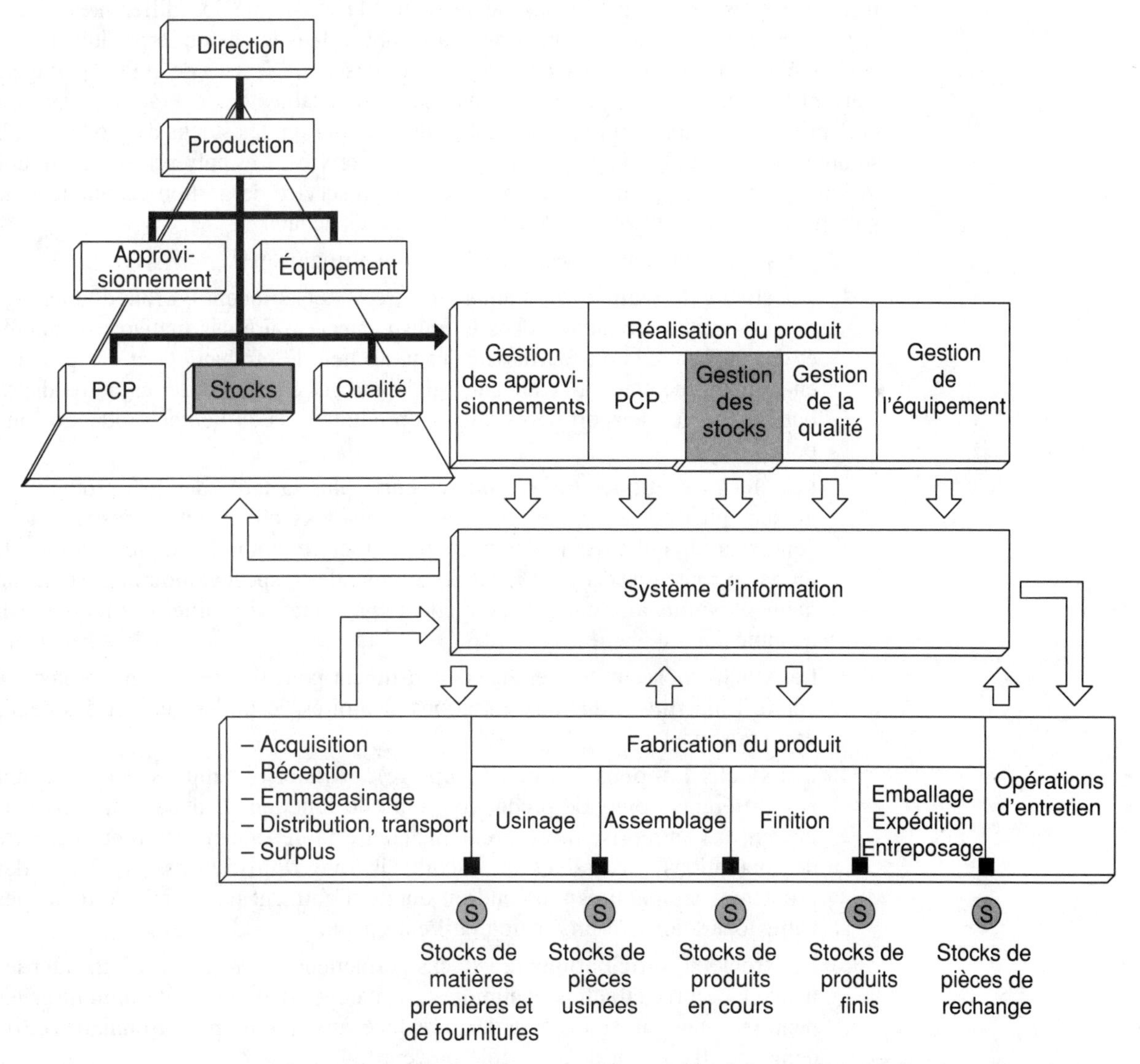

L'importance relative de chacun de ces stocks dépend du positionnement concurrentiel et du processus de production retenus par l'entreprise. Ainsi, la fabrication sur commande n'exige pratiquement pas de stocks de produits finis et relativement peu de stocks de matières premières quand celles-ci sont particulières aux produits commandés. Les stocks de produits en cours de fabrication correspondant aux commandes en cours sont ceux qui doivent être gérés avec le plus de soin. Le producteur de masse en flux continu a des préoccupations très différentes, puisque son processus est conçu pour minimiser les produits en cours. Par contre, la standardisation de ses produits et le volume de ses opérations l'amènent souvent à produire pour les stocks (donc à avoir des stocks de produits finis) et à constituer des stocks de matières premières[25].

Qui gère les stocks ? Généralement, la gestion des stocks est passablement décentralisée. Les gestionnaires du système d'approvisionnement s'occupent de l'acquisition des intrants, tandis que les responsables de la planification et du contrôle de la production (PCP) planifient la réalisation des produits finis à partir des commandes reçues et des prévisions de la demande ainsi que les différentes étapes requises à la réalisation des composants assemblés dans le cas où le produit fini est constitué de multiples composants d'origines diverses. Le service de la PCP partagera souvent le contrôle de la production avec les responsables des opérations. Dans les entreprises recourant à un imposant réseau de distribution, les stocks de produits finis seront souvent placés sous la responsabilité de ce service. Les entreprises qui ont une vision intégrée des opérations regroupent dans un service de gestion des matières la planification et le contrôle des stocks ainsi que les achats.

Les stocks peuvent remplir cinq **fonctions** principales[14].

1. Les **stocks de transit** (ou d'amorçage) : ces stocks jouent un rôle d'amorçage du système de production dans le transport nécessaire des matières premières et des composants du fournisseur jusqu'au lieu de production, et des produits en cours d'une étape à la suivante ; ils amorcent également le réseau de distribution dans le transport nécessaire des produits finis du lieu de production aux points de vente.
2. Les **stocks cycliques** (ou de lotissement) : plus la taille des lots produits est grande, plus on accumule de stocks. Les stocks qui résultent des décisions concernant la taille des lots permettent de réduire le nombre de réglages ou de mises en route (aspect interne) et de commandes (aspect externe) et, par le fait même, les frais afférents. Ils permettent également de profiter des remises sur quantité.
3. Les **stocks de sécurité** : ces stocks constituent pour l'entreprise une protection contre l'incertitude due aux variations aléatoires de la demande et des délais de livraison.
4. Les **stocks tampons** (ou de découplage) : les stocks tampons, emmagasinés aux différents points de production, ont une fonction de découplage. Ils permettent à l'entreprise de se prémunir contre la dépendance trop étroite entre des opérations successives ou encore vis-à-vis d'un fournisseur. Ainsi, des problèmes temporaires à un endroit donné n'obligent pas l'arrêt de toutes les autres opérations de production de l'entreprise.
5. Les **stocks d'anticipation** : ces stocks permettent à l'entreprise d'affronter les hausses de prix et autres contraintes du marché, d'éviter ou de minimiser les pénuries dues aux grèves et de faire face aux variations saisonnières de la demande. Ils jouent donc un rôle préventif.

Somme toute, ces cinq fonctions des stocks assurent une plus grande flexibilité du système de production de même qu'une meilleure efficience et une plus grande efficacité du système de distribution, puisque les clients des divers points de vente sont certains de pouvoir disposer rapidement de la marchandise dont ils ont besoin. Par exemple, que ferait le consommateur si le détaillant ne gardait pas de marchandises sur les étagères ? Il serait obligé de commander par catalogue et d'attendre la livraison de la marchandise. Il ne pourrait donc pas acquérir le produit désiré au moment précis où il en a besoin. Le détaillant perdrait alors des ventes, surtout celles attribuables à l'impulsion de l'acheteur plutôt qu'à la satisfaction d'un besoin préalablement défini par celui-ci. Par ailleurs, il s'avère souvent coûteux, pour une entreprise dont les fournisseurs ont des coûts de mise en route élevés, de commander les intrants en très faibles quantités. Ainsi, un fabricant de meubles aurait beaucoup de difficulté à adapter rapidement sa production aux fluctuations de la demande s'il ne disposait pas des quantités de bois requises.

La souplesse que procurent ces stocks facilite donc grandement la tâche du gestionnaire des opérations. Lorsque l'entreprise atteint une maîtrise de son processus de production telle qu'elle obtient une souplesse équivalente autrement, elle peut réduire ses stocks radicalement, ce qui est le cas des producteurs ayant adopté le système de production juste-à-temps.

## 10.3 Les stocks dans les entreprises de services

Nombre d'entreprises de services possèdent des stocks de fournitures ou autres articles qui facilitent la rapidité de prestation du service. Ainsi, le restaurant garde des stocks d'aliments ; l'hôpital, des stocks de médicaments ; l'atelier mécanique, des pièces de rechange, etc.

Les entreprises du secteur tertiaire qui requièrent de l'équipement pour fonctionner et qui ont leurs propres activités d'entretien possèdent aussi des stocks de pièces de rechange et des stocks de fournitures d'entretien, telles les entreprises de transport aérien, ferroviaire et routier. Dans ces entreprises, les stocks de pièces sont nécessaires à l'utilisation de l'équipement qui permet de fournir le service.

En principe, dans le secteur tertiaire, la plupart des entreprises ne peuvent stocker les services qu'elles offrent. Pour répondre aux demandes des clients à l'intérieur d'un temps donné, leur capacité de production doit correspondre à la demande maximale qu'elles veulent combler. Cette capacité, qui permet de fournir le service requis au moment désiré, équivaut aux stocks de produits finis dans l'entreprise manufacturière.

Comme pour les stocks, cette capacité en attente constitue une ressource non utilisée pendant un certain temps. Prenons l'exemple d'un restaurant où les tables encore disponibles à un moment donné représentent, d'une certaine façon, un stock à écouler ; elles permettront de répondre à la demande des clients qui se présenteront à ce moment. Il en est de même pour un transporteur aérien : les sièges disponibles pour un vol donné constituent une capacité non encore utilisée. Au moment de l'envol, le stock de sièges libres dans l'avion perd toute valeur, de même que les tables inoccupées du restaurant représentent un service perdu si aucun client ne vient s'y installer.

En général, les principes relatifs à la gestion des stocks dans le secteur secondaire sont également valables pour les entreprises du secteur tertiaire qui possèdent des stocks. Cette observation s'applique aussi bien aux coûts rattachés aux stocks qu'à d'autres aspects dont nous traiterons ultérieurement. Par conséquent, nous puiserons nos exemples dans un secteur ou l'autre, indifféremment.

## 10.4 L'effet systémique de la gestion des stocks

Chaque année, la situation suivante se répète malheureusement des milliers de fois, et rares sont les entreprises qui peuvent y échapper à tous les cycles de la conjoncture.

Les liquidités de l'entreprise sont faibles. Les ventes stagnent. Les stocks élevés hantent tous les dirigeants. Ces derniers pressent donc le vice-président responsable des opérations de réduire la valeur globale des stocks de matières premières et de produits en cours de 10 % par mois pour les trois prochains mois. Celui-ci considère alors les mesures suivantes.

- Suspendre certains achats. Malheureusement, les achats des matières premières requises pour la fabrication de produits finis qui se vendent bien sont ceux qui vont en souffrir le plus. En effet, ces produits finis sont fabriqués en plus grandes quantités, ou du moins plus souvent que les autres qui s'écoulent lentement.
- Réduire le nombre et la valeur des produits en cours de fabrication par l'amélioration du processus de production. Toutefois, une telle amélioration provoque rarement des effets à très court terme ; elle peut aussi entraîner une hausse des stocks de produits finis dont les ventes n'augmentent pas proportionnellement.
- Réduire la valeur aux livres de tous les articles qui comportent un certain taux de désuétude. Cette mesure ne permet pas d'améliorer la situation présente, mais elle favorise néanmoins la réduction de la valeur des stocks aux livres lorsqu'il est justifié de le faire.
- Commander par petits lots plutôt qu'acquérir immédiatement la quantité économiquement optimale (section 10.10). Les coûts unitaires croissent, mais la valeur totale des stocks décroît car il y a alors moins d'articles en stock pour chaque type d'articles.
- Effectuer l'entretien préventif de la machinerie pendant la période de réduction des stocks. Le temps d'entretien réduit le temps de production.

Il est fort probable que si toutes ces mesures sont appliquées de façon désorganisée, la demande ne sera pas satisfaite et les ventes baisseront. En effet, les marchandises disponibles seront celles qui s'écouleront lentement ; les produits qui se vendent le mieux ne pourront sans doute pas suffire à la demande, puisque la réduction des achats de matières premières n'aura pas permis de les fabriquer à temps en quantité suffisante.

Les stocks ne forment pas un groupe homogène d'articles qu'on peut réduire ou accroître sans discernement. C'est pourquoi, dans des situations où une réduction des stocks s'avère nécessaire, il importe de déterminer quels types de stocks on a intérêt à diminuer. De même, il y a lieu d'établir clairement les principales fonctions de chaque type de stocks. Une étude poussée permettrait d'ailleurs de constater que le taux de rotation des stocks (coût des ventes annuelles divisé par la valeur moyenne des stocks) varie grandement selon le type de stocks et la fonction remplie.

Une saine gestion des stocks implique avant tout une intégration des décisions relatives aux stocks avec les autres décisions relatives à la fonction Opérations-Production et aux autres fonctions. Les gestionnaires des opérations connaissent bien les arbitrages inhérents aux différents types de stocks et à leurs fonctions. Ils prennent leurs décisions en tenant compte des meilleurs intérêts de l'entreprise considérée dans son ensemble. Ainsi, ils fixent les objectifs du système des stocks à partir de la stratégie globale de l'entreprise et, en particulier, de sa capacité financière.

Pour une entreprise, les stocks représentent un investissement nécessaire qui entre en concurrence avec d'autres investissements valables. Chacun des articles en stock représente une décision d'investissement. Les gestionnaires des opérations ont donc intérêt à adopter une stratégie de réduction des stocks au plus bas niveau acceptable, compte tenu des possibilités de leur système de production. Sans viser nécessairement l'élimination des stocks, comme le font les nombreux gestionnaires qui prônent le juste-à-temps et le zéro-stock (*voir le chapitre 18*), ils ont avantage à réexaminer régulièrement l'utilité des différents types de stocks et à évaluer tout aussi régulièrement les quantités d'articles produits ou commandés.

## 10.5 La nature et les objectifs de la gestion des stocks

La gestion des stocks consiste principalement à déterminer à quel moment et en quelle quantité un article devra être renouvelé ; il s'agit alors de répondre aux deux questions suivantes : quand et combien commander ? La réponse à ces deux questions est assez simple pour chacun des milliers de produits, composants et matériaux utilisés par une entreprise industrielle ou commerciale pris un à un. Cette multitude de réponses se traduira par un niveau de service plus ou moins élevé et en un montant total en stocks plus ou moins élevé apparaissant au bilan. Leur effet cumulatif prend une importance stratégique et, dans leur ensemble, ils sont plus difficiles à gérer.

L'objectif premier du gestionnaire des stocks est d'éviter les pénuries de façon à offrir un bon service. À priori, cet objectif incite à commander à l'avance et en quantité élevée. Le second objectif, la réduction des coûts, va en sens inverse : commander les articles presque au moment de leur utilisation. En effet, si les articles arrivent peu de temps avant leur utilisation, leur coût de stockage sera réduit à presque rien et l'entreprise verra ses liquidités augmenter.

Étant donné la multitude d'articles gardés en stock, la plupart des entreprises industrielles ou commerciales ont recours à des systèmes de gestion des stocks pour prendre les décisions présentées ci-dessus. Ces systèmes ont des règles de fonctionnement qui s'appuient sur des modèles de décision permettant un arbitrage entre les divers objectifs à prendre en considération en gestion des stocks. Nous présentons les trois types de systèmes de gestion de stocks les plus fréquents, dans les sections 10.15 à 10.18.

Dans une optique traditionnelle, la gestion des stocks consiste principalement à trouver un équilibre entre les divers coûts entraînés par les stocks et les coûts de pénurie. Le premier arbitrage à établir porte sur l'équilibre entre le coût de pénurie et le coût de gestion des stocks. La figure 10.2 présente cet équilibre qui, en pratique, est impossible à atteindre puisque plusieurs coûts ne peuvent être établis avec certitude, en particulier le coût de pénurie.

Compte tenu de cette difficulté, on fixe souvent un certain niveau de service à atteindre et on se ramène à un arbitrage entre l'atteinte d'un haut niveau de service et la réduction du coût de gestion des stocks. Nous examinons ce raisonnement plus en détail à la section 10.9 portant sur le niveau de service.

L'autre recherche d'équilibre particulièrement importante en gestion des stocks porte sur l'arbitrage entre le coût de stockage et le coût de commande, ou de mise en route, selon le cas. Plus le nombre de commandes est élevé, moins le stock a besoin de l'être et vice versa. En effet, des commandes fréquentes entraînent la réception répétée de petits lots d'articles qui suffisent aux besoins jusqu'à la réception suivante. À la limite, on peut passer une commande chaque fois qu'un article est

**FIGURE 10.2** ▶
**Les arbitrages entre les coûts reliés aux stocks**

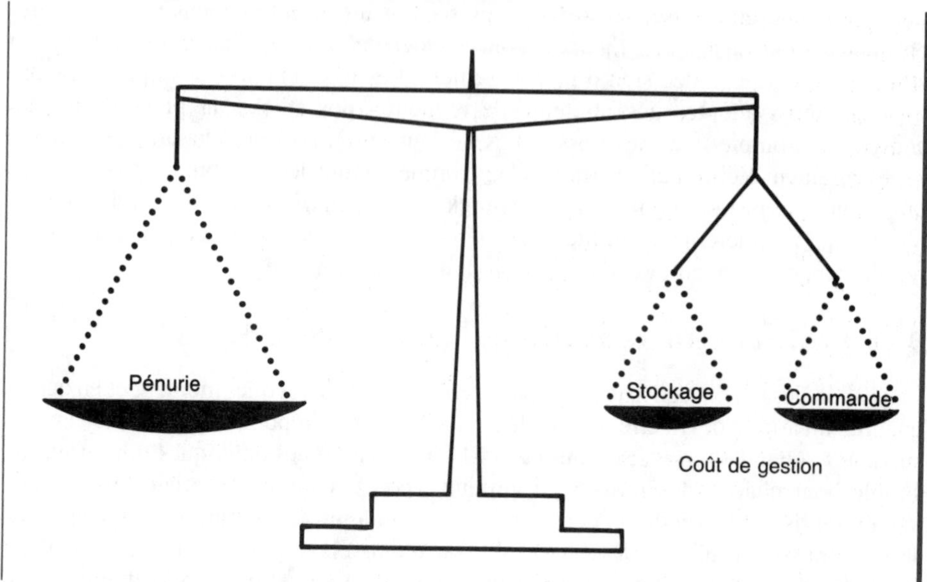


requis ou, au contraire, ne passer qu'une seule commande par an ou par deux ans afin de réduire les coûts de commande. Intuitivement, on saisit qu'il y a un équilibre à atteindre entre des commandes très fréquentes occasionnant peu de stocks et des commandes éloignées entraînant des stocks élevés. Un exemple appuyé de calculs est d'ailleurs fourni à la section 10.10 portant sur le lot économique.

Le taux de rotation des stocks fourni par le ratio « coût des ventes / valeur moyenne des stocks » est une mesure d'efficacité fréquemment employée en gestion des stocks. Lorsqu'une entreprise maintient ce ratio plus élevé que celui de ses concurrents tout en satisfaisant pleinement sa clientèle, elle montre une capacité supérieure de gestion des fonds investis. De même, un système de production flexible rend économique un grand nombre de mises en route pour des lots de quantités inférieures à ceux produits par un système dont les temps de mise en route sont plus longs. En conséquence, les stocks du premier système sont moins élevés.

Britney[4] fait remarquer qu'un taux de rotation plus faible peut aussi provenir de l'adoption d'objectifs différents. Il ajoute que, le coût de stockage pouvant varier grandement d'une entreprise à l'autre et, à plus forte raison, d'un pays à l'autre, il devient illusoire d'adopter telle quelle la mesure mentionnée ci-dessus. L'auteur suggère donc l'utilisation d'une autre mesure, le *k-turn*, qui tient compte également du coût de stockage. Cette mesure indique qu'une entreprise dont le coût de stockage est moindre que celui d'une autre entreprise du même secteur est justifiée de détenir des stocks supérieurs.

Tous les articles n'ayant pas la même importance, un principe élémentaire de gestion est de consacrer davantage d'attention à ceux qui sont les plus importants. La méthode ABC permet d'appliquer ce principe.

## 10.6 La méthode ABC d'analyse des stocks

Cette méthode, illustrée un peu plus loin, est aussi simple que son nom l'indique. Elle est également connue sous le nom d'analyse de Pareto. Le principe de l'analyse ABC est de consacrer une grande attention aux unités les plus importantes sans négliger les moins importantes. Elle peut s'appliquer à toutes sortes d'objets : clients, comptes à recevoir, etc. La méthode consiste à classer les unités en ordre décroissant d'importance suivant un critère donné, puis à découper des catégories que l'on désigne par A, B, C, ... si d'autres classes peuvent être définies. La catégorie la plus importante est la classe A, et ainsi de suite. Le critère le plus fréquemment retenu en gestion des stocks est le volume d'utilisation annuelle de chacun des articles.

La division des stocks en plusieurs catégories (A, B et C) constitue la première étape valable d'un plan d'action axé sur une gestion efficace des stocks. Il n'existe pas de règle absolue pour déterminer l'appartenance à une catégorie plutôt qu'à une autre. Un autre critère de classification est la valeur moyenne des unités gardées en stock. Ce second critère suppose qu'il est préférable de déployer plus d'efforts pour les articles qui représentent un investissement monétaire considérable, alors que le premier met l'accent sur les articles à forte demande interne ou externe.

Les articles de catégorie A requièrent les meilleures méthodes de prévision de la demande et de gestion des stocks. Il est normal de consacrer beaucoup plus de temps à l'étude des coûts et du marché pour les articles de catégorie A que pour ceux des deux autres catégories. De même, il est nécessaire de définir avec plus d'exactitude les coûts inhérents aux stocks de matières premières de catégorie A. Enfin, on doit généralement en tenir un inventaire permanent et s'assurer de l'exactitude des registres.

Puisque les articles de catégorie A ont une valeur supérieure aux autres, leur contrôle est plus serré. Ainsi, dans les entreprises, une clôture entoure habituellement les produits finis ou les matières premières entreposés à l'extérieur et qui ont une grande valeur. D'ailleurs, une partie du coût rattaché au stockage des biens est imputée aux vols. Si les produits sont coûteux et tentants pour les voleurs (des caméras et des voitures par exemple), on peut même recourir à l'installation d'un circuit fermé de télévision. De façon plus globale, le contrôle des matières premières et des produits finis fait partie de la gestion des magasins, dont les objectifs précis s'intègrent bien à la gestion des stocks. Encore ici des arbitrages s'imposent, particulièrement entre le coût et le bénéfice correspondant au contrôle.

Si seulement trois catégories ont été définies, la catégorie C comprend les articles considérés par les gestionnaires comme les moins importants. Lorsque le critère de classification est le coût, il est possible que certains articles importants mais peu coûteux soient classés dans cette catégorie. Vu leur valeur plus faible, on peut tolérer une plus grande marge d'erreur dans la prévision de la demande et un contrôle moins étroit sur les quantités en stock de cette catégorie d'articles. Pour les articles de catégorie C revêtant une importance particulière, il est relativement peu coûteux de constituer un stock de sécurité suffisant pour réduire, sinon éliminer, les pénuries. Fait à remarquer, certains logiciels permettent à l'ordinateur de commander directement les articles de classe C, avec un minimum d'intervention humaine. Dans ces cas, le responsable de l'approvisionnement a préalablement fixé une quantité minimale et maximale par commande. Même si la quantité diffère de celle qu'un acheteur aurait commandée dans les mêmes circonstances, la conséquence n'est pas tellement grave puisqu'il s'agit d'articles classés C.

Une méthode parfois utilisée pour le contrôle des articles de catégorie C est la méthode du double casier ; comme son nom l'indique, les stocks sont placés dans deux casiers (figure 10.3). Le préposé aux stocks retire d'abord les articles requis du premier casier ; une fois ce casier vide et avant même d'entamer le second, le préposé doit s'empresser d'expédier au service de l'approvisionnement la fiche

**FIGURE 10.3**
**Le système à double casier**

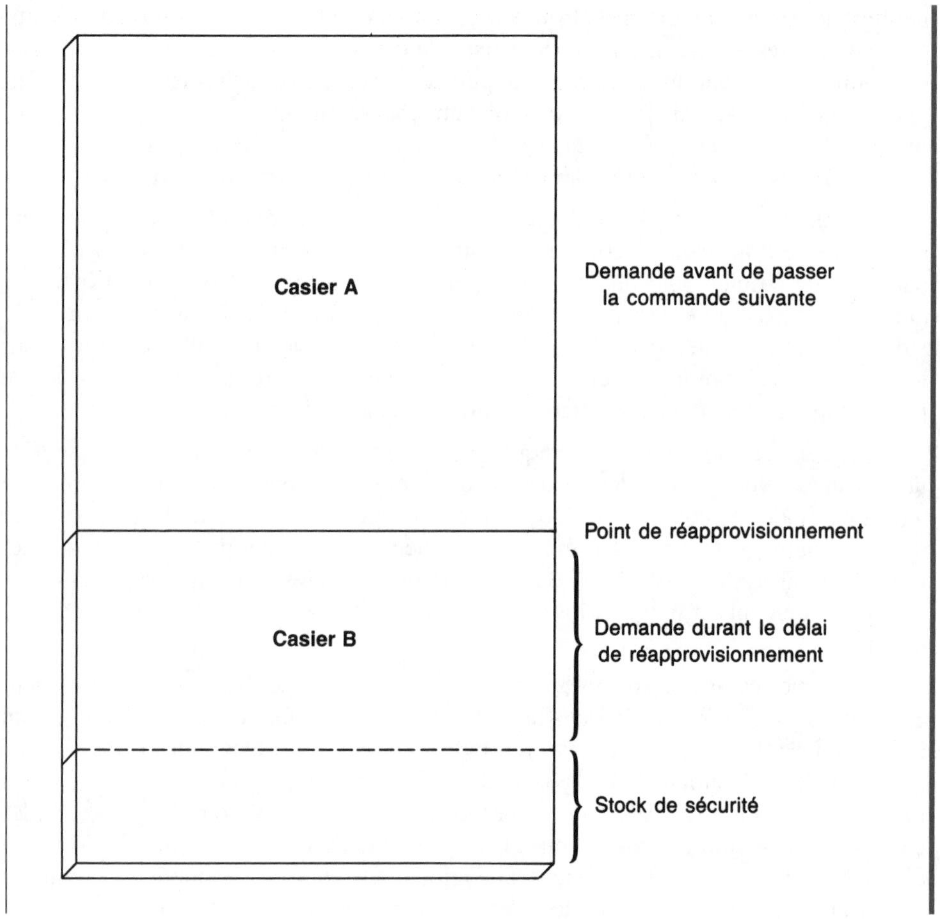


déjà remplie, posée sur le dessus du second casier. Ce système n'est efficace que si on l'applique tel quel, ce qui ne s'avère pas toujours possible en raison de l'urgence de certaines situations. En effet, à moins d'obtenir une autorisation pour ouvrir le second casier, le préposé oublie parfois d'expédier la fiche au moment voulu, ce qui entraîne une pénurie. De plus, cette technique ne permet pas toujours au gestionnaire de connaître immédiatement les quantités en stock et la fréquence d'utilisation des articles. L'avantage principal de cette méthode réside dans sa simplicité.

Plus souvent qu'autrement, la catégorie B regroupe les articles qui ne sont pas assez importants pour faire partie de la catégorie A, mais qui sont quand même plus importants que ceux de la catégorie C. Les techniques et les moyens de contrôle employés se situent entre ceux du groupe A et du groupe C.

Comment s'établit une classification ABC ? Considérons le cas où l'entreprise retient l'utilisation annuelle des articles comme critère de leur importance. Les étapes sont alors les suivantes :

- établir la liste de tous les articles utilisés l'année précédente ;
- classer les articles par ordre décroissant de valeur annuelle d'utilisation ;
- calculer le pourcentage cumulatif des valeurs et celui du nombre des articles ;

– déterminer à quelle classe appartiennent les articles. Bien qu'on utilise souvent trois classes (A, B, C) pour présenter la méthode, ce nombre peut varier entre trois et cinq ou même plus. C'est une question de jugement pratique, tout comme la délimitation des frontières des classes.

Illustrons maintenant ces étapes à l'aide d'un exemple.

**Exemple**

Prenons le cas d'un gestionnaire responsable des stocks de matières premières (MP) qui utilise le critère présenté ci-dessus : comme base de classification ABC, le gestionnaire se sert des quantités de matières premières utilisées l'année précédente. Son entreprise transforme 10 matières premières différentes dont voici les valeurs d'utilisation pour l'an dernier, arrondies au millier de dollars près :

| | | | | | |
|---|---|---|---|---|---|
| Article A: | 20 | Article E: | 0 | Article I : | 32 |
| Article B: | 30 | Article F: | 80 | Article J : | 23 |
| Article C: | 3 | Article G: | 16 | | |
| Article D: | 1 | Article H: | 95 | | |

Effectuez l'analyse ABC.

*Solution*

Un coup d'œil aux quatre étapes de classification déjà mentionnées permet de constater qu'on peut les réaliser toutes à l'aide du tableau qui suit.

| Article | Rang | Utilisation (en milliers de $) | Valeur cumulative (%) | Nombre d'articles (%) | Catégorie |
|---|---|---|---|---|---|
| H | 1 | 95 | 31,7 | 10 | A |
| F | 2 | 80 | 58,4 | 20 | |
| I | 3 | 32 | 69,1 | 30 | B |
| B | 4 | 30 | 79,1 | 40 | |
| J | 5 | 23 | 86,8 | 50 | |
| A | 6 | 20 | 93,4 | 60 | |
| G | 7 | 16 | 98,7 | 70 | C |
| C | 8 | 3 | 99,7 | 80 | |
| D | 9 | 1 | 100,0 | 90 | |
| E | 10 | 0 | 100,0 | 100 | |
| Total | | 300 | | | |

Comme on peut le voir à la figure 10.4, la courbe ABC prend ici une allure régulière, c'est-à-dire qu'elle ne réunit pas chacun des sommets des fréquences de l'histogramme. La classe A regroupe 20 % des MP et représente 58,4 % de la valeur totale. La classe B regroupe 40 % des MP et représente 35 % de la valeur annuelle d'utilisation. La classe C regroupe 40 % des MP et représente 6,6 % de la valeur totale utilisée.

Les articles de la catégorie A sont ceux auxquels les gestionnaires doivent accorder le plus d'attention. Les efforts déployés varient selon que la demande pour ces articles est dépendante ou indépendante.

*(suite)*

FIGURE 10.4
La courbe ABC

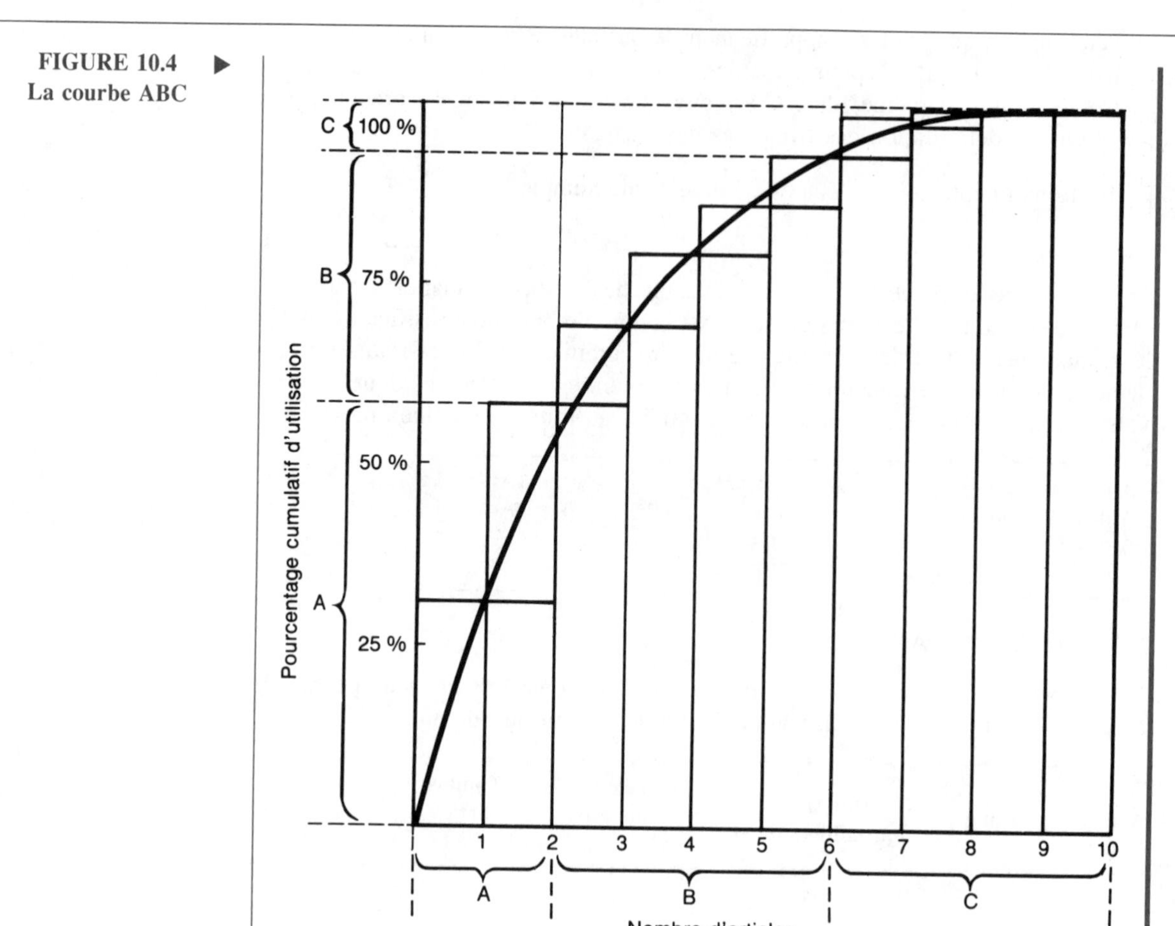


Dans la partie suivante, nous passons en revue les principaux éléments de la gestion des stocks, soit les coûts et le niveau de service. Dans la troisième partie, nous considérerons les techniques qui permettent d'atteindre l'équilibre recherché entre les objectifs, soit le lot économique et les stocks de sécurité.

## LES PRINCIPAUX ÉLÉMENTS DE LA GESTION DES STOCKS

Dans une approche juste-à-temps, l'élimination des stocks est pratiquement une fin en soi puisque tout stock est considéré comme un gaspillage. Dans la gestion traditionnelle des stocks, l'objectif majeur est la réduction des coûts inhérents aux stocks. Les principaux coûts à considérer sont les coûts de pénurie (ou de rupture), les coûts de stockage et de commande (ou de mise en route) et le coût d'acquisition des stocks. Ce dernier coût est traité en détail au chapitre 16, dans la section portant sur le juste prix à payer en approvisionnement. Nous examinerons les autres coûts dans les prochaines sections, mais il nous paraît utile de commencer par deux considérations générales importantes : Quand vaut-il la peine de gérer les stocks ? Quels coûts faut-il considérer ?

Contrairement à ce qu'on pourrait croire, un arbitrage économique entre ces différents types de coûts n'est pas effectué à chacune des transactions. En effet, de nombreuses situations ne sont pas analysées formellement en pratique. Les arbitrages sont considérés de façon intuitive ou à partir d'une façon courante de procéder, sans recourir à une analyse explicite. Dans de tels cas, il est probable que l'utilisation de techniques comme celles que nous présentons ci-après s'avérera utile.

Il importe également de savoir dans quelles circonstances il vaut la peine de déterminer les différents coûts reliés aux stocks. Cette tâche est appropriée dans les situations suivantes :

- lorsque certains articles sont très coûteux ou fort importants ;
- quand les gestionnaires cherchent à améliorer la gestion des stocks en y consacrant beaucoup de ressources humaines et matérielles ;
- lorsque des règles arbitraires existent, qui ne reposent pas sur des fondements solides (par exemple, ne jamais acheter d'articles qui ne seront pas requis dans les deux semaines suivant leur réception, commander lorsqu'il reste une dizaine d'articles en stock, etc.).

Dans ces situations et d'autres similaires, les coûts de détermination des frais rattachés aux stocks sont vraisemblablement inférieurs aux économies qui devraient résulter de l'analyse.

Quels coûts faut-il considérer ? L'imputation des coûts de stockage est souvent approximative car il est difficile d'associer à chacun des articles sa juste part des frais relatifs à l'énergie, à la manutention et aux taxes foncières, par exemple. Malgré cela, il est possible d'estimer raisonnablement ces coûts pour trouver une zone satisfaisante d'équilibre.

La prise en considération des frais fixes accroît le coût imputé aux commandes et la taille des lots commandés. En effet, plus le coût de commande est élevé, plus on est tenté d'espacer les commandes. De plus, le fait de considérer les frais fixes dans la décision constitue un danger, car ces derniers proviennent de décisions déjà prises qui risquent de fausser la décision relative au nombre maximal d'articles à détenir en stock. On peut remettre en cause les décisions concernant les frais fixes de temps à autre, mais on ne peut en reporter l'effet sur les décisions ultérieures. En effet, les frais fixes sont habituellement des coûts passés, et par conséquent des coûts non pertinents. Vollmann *et al.*[31] suggèrent de se poser deux questions pour chacun des coûts envisagés afin de déterminer ceux qui sont pertinents pour établir les coûts reliés aux stocks : S'agit-il d'une dépense plutôt que d'un investissement ? Le coût varie-t-il en fonction de la décision prise relativement aux stocks ?

Une réponse affirmative aux deux questions entraîne l'inclusion du coût en question, puisqu'il est possible de rattacher des frais supplémentaires consécutifs à la décision prise. Par exemple, le coût de construction d'un nouvel entrepôt n'a pas à être imputé aux stocks puisqu'il s'agit d'un investissement. Par contre, le coût d'une assurance sur les stocks n'est pas un coût fixe puisqu'il varie en fonction de leur valeur. Fait à noter, la première question nous ramène à l'éternel dilemme comptable : doit-on imputer des frais fixes à chacun des produits ou encore considérer ces frais globalement ? Si les frais fixes ne sont pas imputés par produit, on risque de sous-estimer le coût de stockage et de garder des stocks trop élevés. Par contre, une imputation injustifiée n'a pas sa place dans une saine gestion des stocks.

## 10.7 Le coût de pénurie

Le coût de pénurie correspond principalement aux répercussions d'une pénurie des articles demandés et à la perte de la marge bénéficiaire qui en résulte. Il s'agit d'un coût de renonciation important. Les principaux coûts rattachés à une pénurie interne ou externe sont mentionnés au tableau 10.1. Dans le cas d'une pénurie interne, ce sont les stocks de matières premières ou de produits en cours de fabrication qui sont insuffisants pour les besoins de la production. En certaines circonstances, une telle pénurie peut entraîner une pénurie externe.

**Tableau 10.1**

**Les coûts rattachés à une pénurie interne et à une pénurie externe**

**Pénurie interne**

- Main-d'œuvre inoccupée.
- Machinerie arrêtée.
- Prime à l'achat pour accélérer l'arrivée des articles requis.
- Perte possible d'une remise sur quantité si la commande effectuée réduit les quantités des commandes ultérieures au point de les faire changer d'intervalle de remise.
- Heures supplémentaires aux postes de travail précédant le poste où il risque d'y avoir pénurie, afin de parer à l'insuffisance de quantité.
- Effet négatif sur le moral des employés.
- Changements apportés à l'ordonnancement, occasionnant des mises en route plus nombreuses.
- Modifications de l'information dans les fichiers de données et particulièrement dans le plan directeur de production.
- Création de goulots d'étranglement.
- Perte de capacité de production.
- Augmentation du nombre de relanceurs.

**Pénurie externe**

- Réputation à la baisse de façon temporaire ou permanente.
- Perte de commandes présentes et ultérieures, les clients n'ayant plus autant confiance dans les délais de livraison promis ; cette situation peut mener à la perte de clients.
- Sous-traitance nécessaire pour produire à temps, le profit sur la commande allant en partie au sous-traitant et non plus en entier au fournisseur original.
- Heures supplémentaires non rémunérées par le client.
- Modes de livraison coûteux permettant de réduire les retards de livraison.

Une pénurie externe survient quand l'entreprise ne dispose pas d'un stock suffisant d'un produit fini au moment convenu avec le client. Dans un contexte de fabrication pour les stocks, cette pénurie survient au moment de la demande ; dans un contexte de fabrication sur commande, elle se produit au terme de l'échéance convenue. Certains des coûts reliés à un tel événement sont difficiles à évaluer, mais ils n'en sont pas moins réels. Ainsi en est-il de la baisse de la réputation auprès des clients ou de la possibilité de pénétration du marché par un concurrent. D'autres coûts sont plus faciles à quantifier, comme la perte de la marge brute sur les articles invendus à cause de la pénurie.

La difficulté de mesurer le coût de pénurie n'empêche pas les gestionnaires des opérations de s'efforcer de produire tous les articles désirés en quantités suffisantes, afin de satisfaire pleinement les clients. Une telle décision suppose que des coûts considérables découlent d'une pénurie.

Les gestionnaires se font davantage critiquer et sont probablement plus pénalisés lorsqu'il y a une pénurie que lorsqu'il y a un excès de stocks. En effet, une pénurie entraîne une insatisfaction des clients, dont les conséquences peuvent être assez graves et durables. Ainsi c'est une occasion privilégiée pour les concurrents de pénétrer le marché. Par contre, le surplus de stocks est plus difficile à établir et il a un effet cumulatif moins apparent. Cette raison et les autres mentionnées jusqu'à maintenant expliquent l'attitude favorisant la détention de stocks qui prévalait dans la majorité des entreprises jusqu'au début des années 80. Les très fortes pressions engendrées par la concurrence internationale ont toutefois atténué cette attitude.

## 10.8 Le coût de commande et le coût de stockage

Les coûts de commande et de stockage sont désignés parfois comme le coût de possession des articles par opposition au coût de pénurie. Le coût de commande comprend tous les frais inhérents à la préparation, au traitement puis au paiement de la commande. Ce coût varie beaucoup selon les articles, de quelques dollars à plusieurs centaines et même à des milliers de dollars dans le cas des pièces d'un équipement particulier.

Le besoin d'un article ou d'une matière première dans un service d'une entreprise donne lieu à une commande externe ou interne. Dans le premier cas, un coût de commande y est rattaché ; dans le second, c'est un coût de préparation ou de mise en route qui s'applique, puisqu'on doit produire le bien demandé. Ce coût de préparation représente l'ensemble des frais relatifs au réglage de l'équipement utilisé pour produire le bien requis. Le tableau 10.2 énumère les coûts de commande et les coûts de mise en route. Une partie importante des efforts déployés pour diminuer les stocks s'est traduite par une recherche des moyens pour réduire les frais de commande et de mise en route. Dans le reste du chapitre, nous traiterons presque exclusivement du coût de commande, quoique les propos qui s'y rapportent soient également valables pour le coût de mise en route.

Comme il s'avère parfois difficile de distinguer les frais fixes des frais variables de commande, et bien que le coût de commande ou de préparation varie d'une situation à une autre, certaines entreprises prennent comme approximation globale le ratio suivant :

$$\text{Coût unitaire de commande} = \frac{\text{Coût total annuel des commandes}}{\text{Nombre annuel de commandes}}$$

Dans le cas où la dispersion des coûts de commande est forte, on définit des classes d'articles selon le coût de commande à appliquer. Le niveau de détail à considérer est une question de jugement pratique.

En pratique, on détermine le coût unitaire de commande à partir du suivi détaillé d'un certain nombre de commandes dont on établit la portion variable des coûts mentionnés au tableau 10.2. Cette approche fournit des résultats plus précis que ceux du ratio précédent ; c'est pourquoi nous la suggérons. Puisque le coût unitaire de commande varie d'une année à l'autre, on devrait en vérifier régulièrement l'effet sur la quantité économique à commander des différents articles. L'ordinateur facilite grandement cette tâche : toutes les informations requises sont entrées sur fichier et une modification apportée au coût de commande d'un article est automatiquement prise en considération lors du calcul de la quantité économique à commander, que nous verrons aux sections 10.10 et suivantes. La généralisation de l'échange de données informatiques (EDI) a eu pour effet de réduire considérablement une bonne partie de ces coûts.

**Tableau 10.2**

**Les coûts de commande et les coûts de mise en route**

| | |
|---|---|
| **Coûts de commande** | – Préparation de la demande.<br>– Préparation du bon de commande.<br>– Traitement de l'information sur ordinateur.<br>– Frais de poste.<br>– Relance.<br>– Autorisation et paiement de la facture.<br>– Réception de la marchandise.<br>– Manutention.<br>– Inspection. |
| **Coûts de mise en route** | – Préparation de la demande.<br>– Traitement des autres documents internes, tel le bon de fabrication.<br>– Temps de mise au point de l'équipement.<br>– Période d'apprentissage des employés pour passer de la fabrication d'un type d'articles à un autre.<br>– Pièces défectueuses produites durant la mise en route. |

Le coût de stockage comprend trois catégories de coût : le coût de renonciation, le coût d'entreposage et le coût relié aux pertes sur les stocks. Ces coûts sont présentés au tableau 10.3.

Le coût de stockage constitue un coût substantiel qui peut représenter annuellement jusqu'à 50 % du coût d'achat ou de production. De nombreux chercheurs et gestionnaires s'accordent pour dire que le coût de stockage d'un article représente entre 30 % et 40 % du coût initial. Cependant, Rhodes[23] considère que ces chiffres sont souvent deux fois trop élevés, et ce pour deux raisons : un taux de 40 % inclut habituellement des frais fixes, et on omet l'apport des stocks qui peut cependant être difficile à évaluer. Par exemple, un concessionnaire d'automobiles vendrait moins de voitures s'il n'en avait aucune dans la salle d'exposition.

**Tableau 10.3**

**Les coûts inclus dans le coût de stockage**

| | |
|---|---|
| **Coût de renonciation** | – Coût sur le capital emprunté ou<br>– Taux de rendement sur les investissements autres que les stocks |
| **Coût d'entreposage** | – Taxes foncières<br>– Assurances sur l'entrepôt et les magasins<br>– Énergie<br>– Manutention<br>– Réparations à l'entrepôt |
| **Coût de détention** | – Assurances sur les stocks<br>– Désuétude<br>– Détérioration<br>– Conditionnement<br>– Feu, vol et bris |

L'accroissement du coût de stockage n'est habituellement pas linéaire, c'est-à-dire qu'il comporte des inflexions, ce qui rend difficile le calcul exact du coût de stockage réel pour une quantité donnée. Cependant, en pratique, on considère souvent le coût de stockage comme linéaire, jugeant que l'erreur résultante peut être moins coûteuse que le coût d'une recherche d'information plus détaillée.

Comme le coût de transport représente souvent de 10 % à 15 % du coût d'un bien, Vollmann *et al.*[31] suggèrent de l'intégrer à l'arbitrage relatif au coût de commande et au coût de stockage. C'est donc le coût total de ces trois facteurs qu'on devrait minimiser. Fait à noter, le choix d'un mode de transport constitue en lui-même un arbitrage important qui a un effet sur la satisfaction des clients. Si le gestionnaire a la possibilité de réduire le temps de transit et la variabilité qui l'entoure, le coût du transport est alors moindre, mais le coût de stockage peut s'accroître. Les éléments mentionnés aux tableaux 10.2 et 10.3 fournissent plus d'informations sur les composants des principaux types de coûts.

## 10.9 Le niveau de service

Lorsque la demande est déterministe, il en découle une certitude dans les prévisions et il n'y a généralement pas de pénurie. Mais lorsqu'il y a des variations aléatoires dans la demande ou dans le délai de livraison, ou les deux, on doit se prémunir contre les risques de pénurie. Il faut alors se demander, compte tenu de la distribution de la demande et de la distribution des délais de livraison, et compte tenu du rapport entre le coût de pénurie et le coût de stockage, quel niveau de service on veut offrir, c'est-à-dire quelle probabilité de pénurie on est prêt à tolérer. Un niveau de service de 95 % signifie que la demande sera satisfaite dans 95 % des cas.

L'expression « satisfaire à la demande » peut être définie de différentes façons, selon le positionnement commercial de l'entreprise. Par exemple, elle peut signifier avoir en stock l'article demandé, ou encore s'engager à le livrer dans les 24 heures. L'image d'une entreprise est grandement dépendante du niveau de service qu'elle offre ; c'est notamment à partir de ce critère que les clients se font une opinion d'une entreprise. Par exemple, s'il y a souvent des pénuries, la fiabilité des livraisons est remise en question par les clients.

Le niveau de service est établi en fonction de l'ensemble de la période. Le risque de pénurie d'un article n'est présent qu'au moment où le stock est sur le point d'être épuisé[19]. Plus on commandera en grande quantité, moins le risque de pénurie sera fréquent. Par exemple, si un article est utilisé au rythme de 100 unités par jour et qu'on le commande en lot de 3 000 à la fois, il n'y a risque de pénurie qu'une fois par mois, quand le lot de 3 000 est presque épuisé. Par contre, si on juge préférable de commander en lot de 200 unités à la fois, le risque de pénurie surviendra tous les deux jours. Nous reprendrons ces considérations dans les calculs sur les stocks de sécurité (section 10.14). Graphiquement, l'ensemble des arbitrages peut être représenté comme à la figure 10.5.

Le risque relié à une pénurie attribuable à une variation de la demande entraîne des conséquences différentes du risque relié à une variation du délai de livraison. Une fluctuation à la hausse de la demande ne risque d'entraîner une pénurie qu'aux moments où le stock est sur le point de s'épuiser et doit être réapprovisionné. Le reste du temps, les fluctuations à la hausse sont compensées par les fluctuations à la baisse.

Le fait de calculer le niveau de stock requis pour atteindre le niveau de service désiré constitue une approche plutôt passive ; les gestionnaires pourraient aussi con-

**FIGURE 10.5 ▶ Sommaire des quatre arbitrages pénurie – commande – stock – transport**

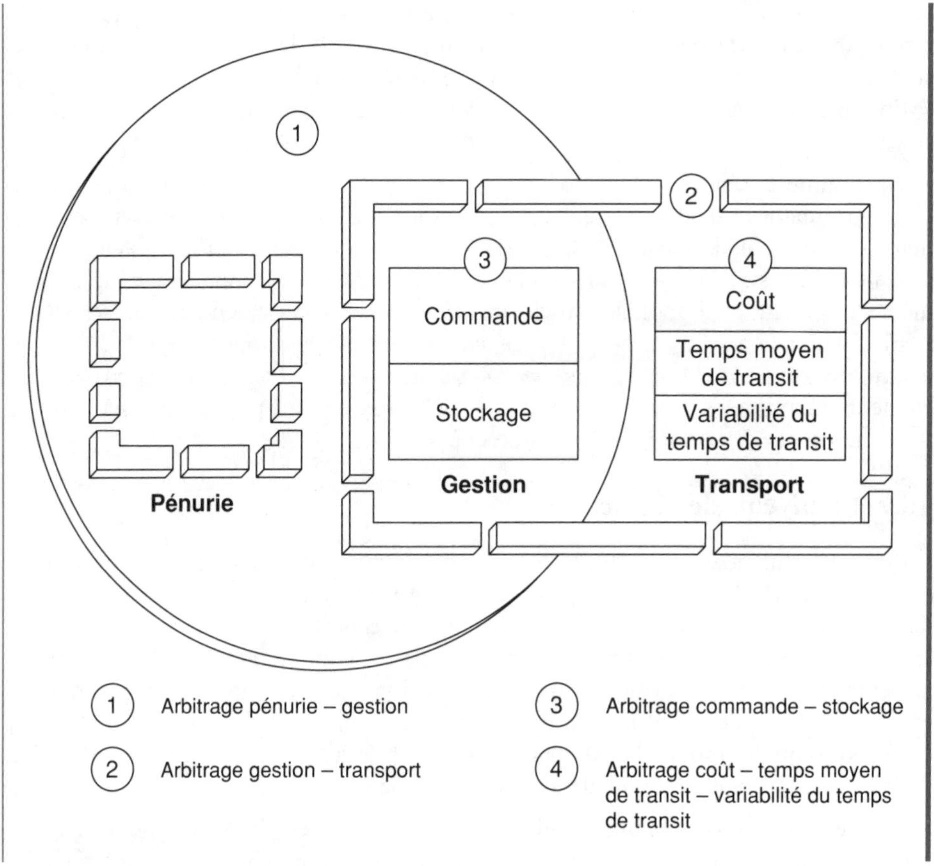


sidérer la possibilité d'agir directement sur la demande tant interne qu'externe et sur les délais de livraison. Comme la demande externe relève surtout du marketing, elle ne sera pas abordée ici. Cependant, la demande interne touche directement à la gestion des opérations ; une planification adéquate de même qu'un contrôle approprié des opérations contribuent à satisfaire la demande dans les délais prévus. Dans les entreprises transigeant avec une multitude de fournisseurs qu'elles mettent en concurrence les uns avec les autres, les gestionnaires ont habituellement une influence plus grande sur le respect des délais internes de fabrication que sur le respect des délais externes.

Par ailleurs, les retards dans les délais de livraison des commandes peuvent être causés par plusieurs facteurs, dont les suivants : un délai nécessaire pour l'autorisation d'une commande ou sa transmission au fournisseur, des ennuis mécaniques, l'absentéisme ou d'autres problèmes internes chez le fournisseur, un retard dans le délai de transport.

Bien que les délais soient empreints d'incertitude, ils ne sont pas uniquement dus au hasard. La cause principale des délais de fabrication est attribuable à l'accumulation des commandes en attente. Ces commandes pourraient être exécutées à un poste de travail, mais elles causeraient une surcharge de travail à ce poste, occasionnant par le fait même des délais. Cette accumulation risque d'entraîner un niveau de service plus faible que celui attendu, à moins d'une amélioration de l'ordonnancement. Cet aspect est traité au chapitre 14. Comme on peut le voir, il y a une relation étroite entre le niveau de service, l'ordonnancement et les stocks.

# LES TECHNIQUES DE GESTION DES STOCKS

## 10.10 Le lot économique : modèle de base

Cette section est la première de plusieurs où nous présenterons les aspects quantitatifs reliés aux stocks. Nous traiterons tout d'abord de la quantité d'unités à commander (ou à produire, selon le cas). Puis, nous développerons l'aspect du moment opportun de commander, principalement dans les sections portant sur le réapprovisionnement à quantité fixe ou le réapprovisionnement à intervalle fixes.

La méthode du lot économique constitue une façon rapide de calculer la quantité la plus économique à commander (*QEC*) pour minimiser le coût total de commande et de stockage, lorsque certaines hypothèses sont satisfaites ou qu'elles se rapprochent suffisamment de la situation réelle à l'étude. Le coût d'acquisition n'est pas considéré, puisqu'il est supposé constant d'après l'une de ces hypothèses. Le modèle de base comporte sept hypothèses, dont la plus importante est que la demande pour l'article doit être déterministe et constante. Ces hypothèses sont énumérées au tableau 10.4. Fait à remarquer, aucune d'entre elles ne stipule que la méthode du lot économique s'applique uniquement dans les cas de demande indépendante. Cependant, on peut facilement imaginer la conséquence de l'utilisation du lot économique dans certaines circonstances de demande dépendante : les quantités commandées ou fabriquées ne s'écouleraient pas de façon régulière et constante. De plus, elles pourraient varier passablement d'un article à un autre, alors que le même nombre d'unités est requis pour tous les articles nécessaires à la fabrication ou à l'assemblage d'une quantité fixe de produits.

**Tableau 10.4**

**Les hypothèses sous-jacentes au modèle de base du lot économique**

1. Demande (ou utilisation) déterministe et constante
2. Livraison immédiate, et en un seul lot, des quantités commandées
3. Coût de commande constant
4. Coût d'acquisition constant, aucune remise sur quantité
5. Coût unitaire et linéaire de stockage
6. Aucune pénurie admise
7. Horizon de planification infini

Par exemple, supposons que l'assemblage de 50 chaises d'un format spécial requiert, parmi ses composants, 50 dossiers et 200 roulettes. L'application du lot économique pourrait suggérer la production de 125 dossiers et de 1 000 roulettes. Que faire alors de l'excédent des unités fabriquées si aucune autre demande pour ce produit n'est prévue avant trois mois ? On constate que, de toute façon, on dérogerait alors à l'hypothèse stipulant que la demande est constante. Cependant, malgré la contradiction apparente entre lot économique et demande dépendante, il est parfois opportun d'utiliser cette méthode dans une telle situation. Cette observation deviendra plus claire à la lecture du chapitre 13 portant sur les modèles utilisés pour la demande dépendante.

Dans le modèle de base, le coût de commande et le coût de stockage constituent les seuls coûts pertinents. Le coût total de commande ($C_{tc}$) dépend du coût par commande ($C_c$) et du nombre de commandes effectuées durant l'année. Ce dernier nombre est fonction de la demande annuelle ($D$) et de la quantité commandée chaque fois ($Q$). D'où :

$$C_{tc} = C_c \times \frac{D}{Q} \qquad (1)$$

Le coût total de stockage ($C_{ts}$) dépend du coût unitaire de stockage ($C_s$) et de la quantité moyenne annuelle en stock. Celle-ci varie linéairement de la quantité maximale ($Q$) à la quantité minimale, zéro. C'est ce qu'illustre la figure 10.6. Puisque deux des hypothèses du modèle spécifient qu'il n'y a pas de pénurie et que la demande est constante, alors la quantité moyenne est $(Q + 0)/2$. D'où :

$$C_{ts} = C_s \times \frac{Q}{2} \qquad (2)$$

Le coût de gestion des stocks $CT$ correspond à la somme de ces deux coûts. On a donc la relation suivante, où il s'agit de déterminer la valeur de $Q$ telle que le coût de gestion des stocks soit minimal :

$$\begin{aligned} CT &= C_{tc} + C_{ts} \\ &= C_c \times \frac{D}{Q} + C_s \times \frac{Q}{2} \qquad (3) \end{aligned}$$

FIGURE 10.6 ▶ La quantité moyenne en stock

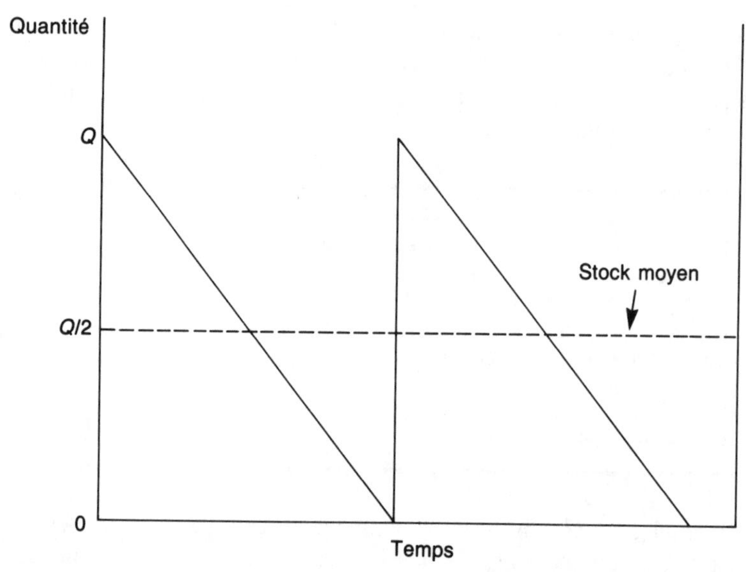


La figure 10.7 fournit une représentation graphique du coût de gestion des stocks $CT$ en fonction de la quantité commandée $Q$.

On peut déterminer la quantité optimale à commander, ou quantité économique à commander ($QEC$), par le calcul différentiel. Une façon plus intuitive consiste à considérer les arbitrages en cause à l'aide de la figure 10.7.

D'après la figure 10.7, le coût total minimal $CT_{min}$ est atteint au point d'intersection de la courbe $C_{tc}$ et de la droite $C_{ts}$. Toute quantité inférieure à $QEC$ comporte un coût de commande marginal décroissant supérieur à l'accroissement du coût de stockage correspondant. L'inverse se produit pour les quantités supérieures au lot économique.

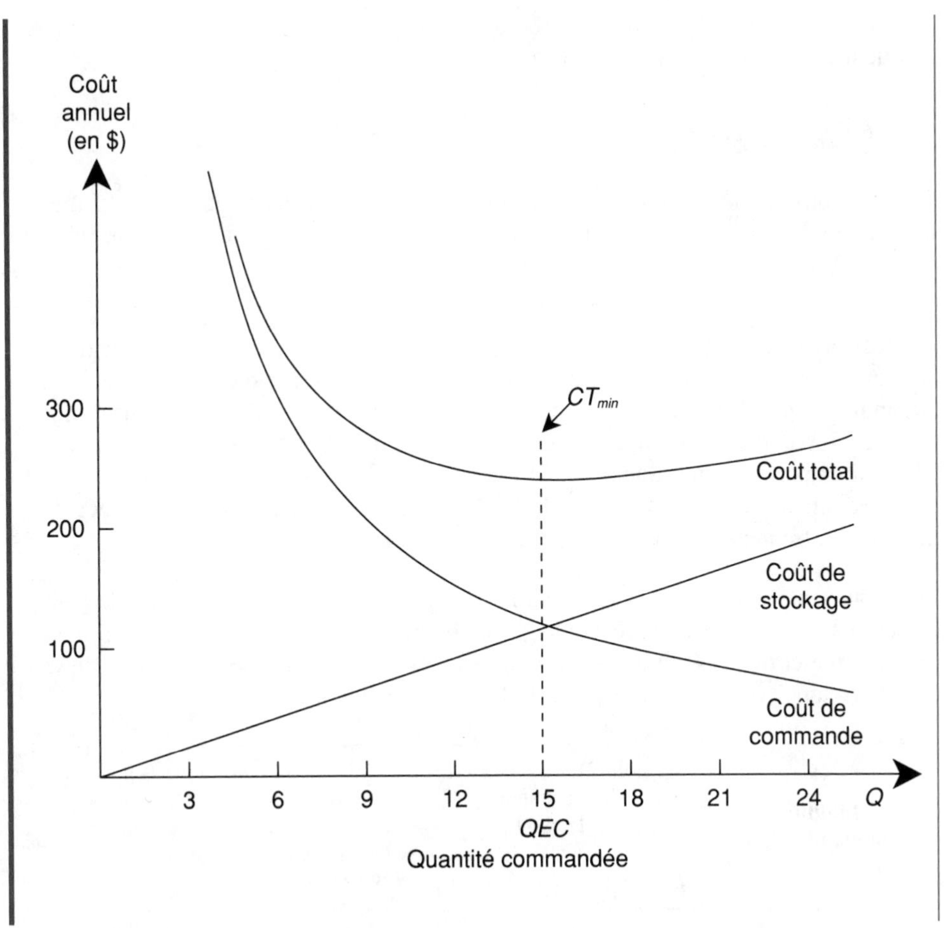


**FIGURE 10.7**
**La détermination du coût total minimal**

On peut déterminer aussi l'optimum à partir des relations suivantes fondées sur l'idée qu'à l'optimum, les coûts annuels de stockage et les coûts de commande doivent être égaux.

On doit avoir :

$$C_{tc} = C_{ts} \qquad (4)$$

En substituant dans cette équation la valeur de $C_{tc}$ donnée par (1) et la valeur de $C_{ts}$ donnée par (2), on obtient :

$$C_c \times \frac{D}{Q} = C_s \times \frac{Q}{2} \qquad (5)$$

$$2C_c \times D = C_s \times Q^2$$

d'où :

$$Q^2 = 2C_c \times \frac{D}{C_s}$$

$$QEC = \sqrt{\frac{2D \times C_c}{C_s}} \qquad (6)$$

Le coût total de commande et de stockage ($CT_{min}$) qui correspond à *QEC* s'obtient par la formule suivante (que nous ne démontrons pas ici) :

$$CT_{min} = \sqrt{2D \times C_c \times C_s}$$

Voyons maintenant une application du modèle de base du lot économique. L'exemple porte d'abord sur le calcul des coûts totaux à partir d'un processus itératif.

**Exemple** ■

Andrée Lavigueur est responsable de l'approvisionnement en papier et fournitures de toutes sortes. Elle vient de recevoir une demande du service de l'informatique, qui indique que 4 boîtes d'un type de papier perforé spécial sont requises. En revoyant les dernières demandes semblables, Andrée constate que 4 boîtes sont nécessaires par semaine. Sachant que le coût de commande est de 9 $, le coût de stockage annuel de 16 $ et le prix d'achat unitaire de 40 $, doit-elle envisager de modifier la fréquence hebdomadaire des commandes ?

*Solution*

La responsable doit chercher ici à minimiser le coût total $C_T$ constitué par le coût de commande $C_{tc}$ et le coût de stockage $C_{ts}$. Étant donné que 4 boîtes sont requises par semaine et que 200 boîtes sont commandées annuellement (selon l'hypothèse de 50 semaines ouvrables), elle dresse le tableau suivant :

| **(1) Quantité commandée (*Q*) par commande** | **(2) Coût de stockage basé sur le stock moyen $C_{ts} = (Q/2) \times 16$ $** | **(3) Coût de commande basé sur le nombre annuel de commandes $C_{tc} = (200/Q) \times 9$ $** | **(4) Coût total annuel (2) + (3) *CT*** |
|---|---|---|---|
| 1 | 8 $ | 1 800,00 $ | 1 808,00 $ |
| 2 | 16 | 900,00 | 916,00 |
| 3 | 24 | 600,00 | 624,00 |
| 4 | 32 | 450,00 | 482,00 |
| 5 | 40 | 360,00 | 400,00 |
| 10 | 80 | 180,00 | 260,00 |
| 12 | 96 | 150,00 | 246,00 |
| 13 | 104 | 138,46 | 242,46 |
| 14 | 112 | 128,57 | 240,57 |
| 15 | 120 | 120,00 | 240,00 |
| 16 | 128 | 112,50 | 240,50 |
| 17 | 136 | 105,88 | 241,88 |
| 18 | 144 | 100,00 | 244,00 |
| 19 | 152 | 94,74 | 246,74 |
| 20 | 160 | 90,00 | 250,00 |
| 25 | 200 | 72,00 | 272,00 |

Le coût total annuel le plus faible $CT_{min}$ se situe à 240 $, soit une commande de 15 boîtes à la fois. L'économie réalisée par rapport à la fréquence hebdomadaire de 4 boîtes est de : 482 – 240 = 242 $. La figure 10.7 illustre l'évolution des coûts de stockage et de commande à mesure que les quantités commandées s'accroissent.

*(suite)*

**Exemple** *(suite)*

Qu'arrive-t-il si Mme Lavigueur emploie la formule du lot économique plutôt qu'un processus itératif ? La formule du modèle de base est la suivante :

$$QEC = \sqrt{\frac{2DC_c}{C_s}}$$

où : $D$ = demande pour une période,

$C_c$ = coût unitaire de commande,

$C_s$ = coût unitaire de stockage pour une période

En y insérant les données du problème, on a :

$$QEC = \sqrt{\frac{2 \times 200 \times 9}{16}} = \sqrt{\frac{3\,600}{16}} = 15 \text{ boîtes par commande}$$

soit la même réponse.

À l'aide des données de cet exemple, on peut vérifier qu'à l'optimum, le coût de commande annuel est égal au coût de stockage, soit 120 $.

| Quantité commandée | Coût de stockage annuel | Coût de commande annuel | Écart par rapport à la quantité précédente | | |
|---|---|---|---|---|---|
| | | | $C_s$ | $C_c$ | Coût (économie) net(te) marginal(e) |
| 13 | 104 $ | 138,46 $ | 8 $ | (11,54) $ | (3,54) $ |
| 14 | 112 | 128,57 | 8 | (9,89) | (1,89) |
| 15 | 120 | 120,00 | 8 | (8,57) | (0,57) |
| 16 | 128 | 112,50 | 8 | (7,50) | 0,50 |
| 17 | 136 | 105,88 | 8 | (6,62) | 1,38 |

De plus, toute quantité commandée supérieure à 15 entraîne un coût net plutôt qu'une économie nette. Il n'est donc pas avantageux de commander en quantité supérieure à 15.

De même, le coût total de commande et de stockage $CT_{min}$ qui correspond à $QEC$ s'élève. Il est donné par la formule :

$$CT_{min} = \sqrt{2DC_cC_s}$$

Les données de l'exemple précédent fournissent le coût total suivant :

$$CT_{min} = \sqrt{2 \times 200 \times 9 \times 16} = \sqrt{57\,600} = 240 \text{ \$}$$

ce qui correspond bien au résultat obtenu dans le tableau.

Le lot économique n'est pas une formule dont la réponse doit être adoptée aveuglément. Il s'agit plutôt d'un guide qui indique les quantités économiques à commander et qui permet par conséquent d'éviter de commander des quantités trop éloignées du point optimal. Cela laisse beaucoup de latitude, comme le montre l'analyse de sensibilité à la section suivante.

D'autres contraintes peuvent entrer en ligne de compte. Des facteurs tels que les frais de transport, les fonds très limités et l'espace d'entreposage peuvent justifier un éloignement de la *QEC*. Il est certain qu'il est nuisible pour une entreprise d'établir des quantités (tailles de lots) à commander qui ne tiennent pas compte de ces autres facteurs.

## 10.11 L'analyse de sensibilité

Il a été mentionné précédemment que les coûts, particulièrement le coût de pénurie, étaient difficiles à déterminer avec exactitude. On peut dès lors s'interroger sur les conséquences d'une erreur dans la détermination ou l'estimation des coûts. Une sous-estimation ou une surestimation de la demande équivalant à 20 % du coût de stockage ou du coût de commande n'entraînent qu'une différence d'environ 5 % sur le coût total obtenu à partir du lot économique[20].

La figure 10.7 illustre d'ailleurs clairement que la courbe du coût total de commande et de stockage varie peu dans le voisinage du lot économique. Le fait de commander de 80 % à 125 % du lot économique plutôt que le lot économique exact entraîne une pénalité financière inférieure à 3 % pour une entreprise. Dans l'exemple précédent, les lots de 12 et 19 boîtes (80 % et 125 % du lot économique) ont un coût total de 246 $ et de 246,74 $ respectivement, alors que le coût total minimal se situe à 240 $. Il y a d'ailleurs plusieurs autres leçons importantes à tirer de cette observation et de la figure 10.7.

Premièrement, en cas de doute il est plus avantageux de commander plus que moins. L'allure de la courbe du coût total illustre que le coût croît beaucoup moins rapidement vers la droite que vers la gauche. Par conséquent, pour un même écart absolu par rapport au lot économique, le coût supplémentaire rattaché à des commandes trop élevées est inférieur au coût occasionné par des commandes trop faibles. Pour bien saisir cette constatation, reportons-nous à l'exemple déjà mentionné. Si Mme Lavigueur commande 10 boîtes au lieu de 15, il lui en coûte 260 $ en coûts totaux annuels de commande et de stockage pour cette différence de 5 boîtes à chaque commande. Par contre, une commande de 20 boîtes ne lui coûte que 250 $ pour l'excédent de 5 boîtes par rapport à la *QEC*.

Deuxièmement, l'exactitude des chiffres n'est pas essentielle, ce qui permet d'effectuer les calculs avec des valeurs approximatives raisonnables. La marge d'erreur qui en résulte est faible. Donc, malgré les apparences, le modèle utilisé n'exige pas une rigueur et une exactitude absolues ; il est donc assez flexible.

Troisièmement, si des facteurs poussent l'entreprise à commander des quantités jusqu'à 20 % supérieures ou inférieures au lot économique, les conséquences financières résultant des coûts de commande et de stockage sont faibles.

Une saine gestion des stocks repose sur une approche systémique. Des arbitrages sont nécessaires, et le lot économique est l'un des facteurs à considérer. Mais il arrive que plusieurs articles doivent être commandés simultanément, dont certains en quantités différentes de celles du lot économique. En pratique, le volume des quantités commandées repose souvent sur le jugement et sur l'expérience. À d'autres moments, ce sont plutôt les fonds disponibles qui priment dans la décision. L'utilité potentielle du lot économique demeure, bien que nombre de gestionnaires rejettent ce modèle et ses variantes sous le prétexte que les hypothèses ne sont jamais toutes respectées simultanément. En outre, l'analyse de sensibilité a révélé la souplesse du modèle en tant qu'aide à la décision. Avant d'y recourir, on a toutefois avantage à se poser la question suivante : le modèle peut-il être utile, compte tenu des différences qui existent entre la réalité et les hypothèses sous-jacentes au modèle ? Par exemple, si la demande par période n'est pas constante, se rapproche-t-elle suffisamment de la linéarité pour que le modèle du lot économique puisse quand même s'appliquer ? On pourrait aussi se questionner sur l'utilité du lot économique au regard des taux d'inflation variables actuels. C'est ce qu'ont fait Jesse *et al.*[12] et ils ont démontré que la souplesse du modèle résistait même à l'inflation.

Différents auteurs ont étudié le modèle de base non seulement avec pénurie, mais aussi avec remise sur quantité et avec livraison ou fabrication échelonnées. Ces deux modèles sont expliqués dans les sections qui suivent.

## 10.12 Le lot économique avec remise sur quantité

Il arrive souvent qu'un producteur réalise des économies en fabriquant de longues séries, ce qui permet aux ouvriers d'être très efficients. Pour cette raison entre autres, les producteurs offrent généralement des remises à l'achat de certaines quantités. Il peut alors être intéressant pour un acheteur d'envisager le stockage en quantité supérieure à celle déterminée par le modèle de base du lot économique. Ce modèle permet l'atteinte du coût total minimal, compte tenu du coût de commande et du coût de stockage. Comme on l'a vu précédemment, si une quantité plus élevée que le lot économique est commandée, le coût de stockage supérieur qui en résulte n'est pas compensé par l'économie provenant de la réduction du nombre de commandes. Ce coût net supplémentaire est secondaire si la remise offerte par le fournisseur fait plus que compenser cette différence défavorable. Le modèle du lot économique avec remise sur quantité permet de déterminer le coût minimal en tenant compte non seulement du coût de commande et du coût de stockage, mais aussi des remises offertes.

Deux situations peuvent se présenter : les remises sont offertes à partir de quantités supérieures **ou** inférieures à celles déterminées par le modèle de base. Cela est illustré graphiquement à la figure 10.8 ; la discontinuité de la courbe du coût total y apparaît clairement.

Dans le cas où le lot économique (*QEC*), déterminé à partir du modèle de base, se situe **avant le premier intervalle de remise** accordée par le fournisseur, on ne doit s'intéresser qu'à la limite inférieure des quantités donnant droit à une remise. En effet, toute quantité supérieure au lot économique entraîne marginalement un coût de stockage supérieur à l'économie correspondante dans le coût de commande. Seule la remise peut compenser cette hausse. Toute quantité autre que la borne inférieure d'un intervalle de remise ne peut donc pas correspondre à un meilleur coût total. En conséquence, il n'y a aucun avantage à choisir une quantité différente de celle qui correspond au lot économique selon le modèle de base, ou encore à une borne inférieure des intervalles de remise. Illustrons ce propos à l'aide d'un exemple.

▼ **FIGURE 10.8**
**Deux possibilités du modèle de lot économique avec remise sur quantité**

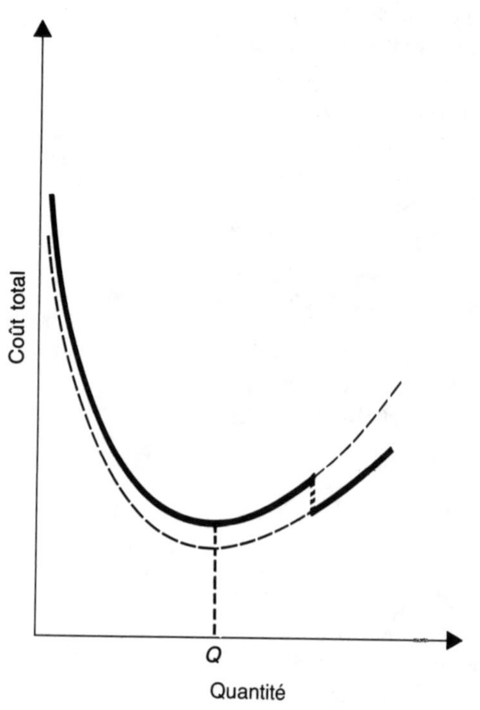


Lot économique de base correspondant à une quantité inférieure à la première zone de remise.



Lot économique de base correspondant à une quantité supérieure à la première zone de remise.

---

**Exemple** ■

Le fournisseur duquel Andrée Lavigueur achète les boîtes de papier offre les remises sur quantité suivantes :

0 à 19 = aucune remise,

20 à 29 = remise de 5 %,

30 et plus = remise de 10 %.

M^me^ Lavigueur a-t-elle intérêt à acheter en quantité supérieure à 15, c'est-à-dire la *QEC* déterminée selon le modèle de base ?

***Solution***

Dans ce cas-ci, ni le coût de commande de 9 \$, ni le coût de stockage de 16 \$, ni la demande de 200 boîtes par année ne sont modifiés par les remises. Par contre, celles-ci font baisser à 38 \$ et à 36 \$ respectivement le prix de base qui est de 40 \$. Mme Lavigueur décide de comparer les trois quantités qui l'intéressent, soit 15, 20 et 30, de même que la hausse de coûts survenant à l'achat d'une quantité supérieure à la borne inférieure :

*(suite)*

**Exemple** *(suite)*

| Quantité achetée | Coût de commande annuel | Coût de stockage annuel | Coût d'achat annuel | Coût total annuel |
|---|---|---|---|---|
| 15 | 120,00 $ | 120,00 $ | 8 000,00 $ | 8 240,00 $ |
| 20 | 90,00 | 160,00 | 7 600,00 | 7 850,00 |
| 30 | 60,00 | 240,00 | 7 200,00 | 7 500,00 |
| 31 | 58,06 | 248,00 | 7 200,00 | 7 506,06 |

Le lot économique déterminé par le modèle de base serait 15, mais les remises sont significatives et elles compensent largement la hausse du coût de stockage. Le coût total annuel le plus faible correspond à un lot de 30 boîtes. C'est donc la quantité minimale que devrait commander M$^{me}$ Lavigueur. Si le coût de stockage était exprimé en pourcentage du coût d'achat (plutôt qu'établi à 16 $), le coût total annuel serait inférieur étant donné le coût d'achat inférieur.

Dans le cas où le lot économique déterminé à partir du modèle de base (*QEC*) se situe **à l'intérieur d'un intervalle de remise**, la méthode de calcul du lot économique est semblable à celle déjà illustrée, quoique un peu plus longue.

Dans le cas d'une baisse temporaire de prix par les fournisseurs, l'acheteur ne peut utiliser intégralement le modèle du lot économique avec remise sur quantité. Tersine et Price[29] ont démontré qu'il était possible de modifier le modèle en tenant compte d'une telle remise temporaire. De nombreuses situations justifient la décision de commander des quantités beaucoup plus élevées lorsqu'il y a une remise temporaire. C'est là une conclusion importante de leur étude, qui mérite d'être retenue.

## 10.13 Le lot économique avec livraison ou fabrication échelonnées

Le modèle de lot économique que nous décrirons dans cette section peut s'appliquer dans les contextes d'approvisionnement où les caractéristiques de la livraison échelonnée se rapprochent suffisamment de celles du modèle. Par exemple, on peut considérer qu'un fournisseur qui expédie 15 ou 20 fois par semaine des lots à un client le fait sur une base continue. Signalons en passant que les caractéristiques des petits lots et des expéditions fréquentes constituent des aspects fondamentaux de la philosophie du juste-à-temps que nous aborderons au chapitre 18.

La demande peut être considérée comme constante à un taux quotidien ($d$). La quantité quotidienne produite ou livrée ($p$) doit être supérieure à la demande quotidienne afin d'y satisfaire pleinement. En période de production, les stocks de l'article fabriqué s'accumulent à un taux quotidien de $p - d$ unités. Après un certain nombre de jours ($t$), on arrête la production de cet article et on fabrique d'autres catégories d'articles. On parle alors de production échelonnée plutôt que de production instantanée, celle-ci constituant l'une des hypothèses de base du lot économique. La figure 10.9 représente graphiquement ce qui se produit dans ce modèle.

Le coût de mise en route n'est pas modifié par l'échelonnement de la fabrication, contrairement au coût de stockage. On peut montrer que la quantité moyenne en stock est :

$$\frac{t\,(p-d)}{2}$$

**FIGURE 10.9** ▶
**Le lot économique avec fabrication échelonnée**

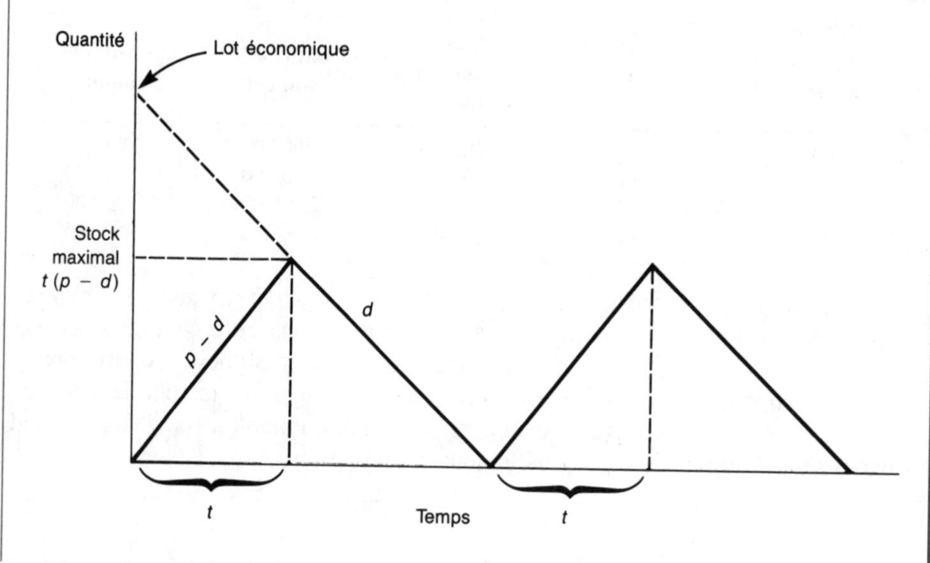


puisque la quantité maximale est $t\ (p - d)$ et que la quantité minimale est 0. La recherche d'équilibre entre le coût de commande et le coût de stockage donne la relation suivante :

$$\frac{D}{Q} \times C_c = \frac{t\,(p-d)}{2} \times C_s \qquad (1)$$

Puisque la quantité produite ($Q$) correspond au taux de production quotidien ($p$) multiplié par le nombre de périodes ($t$), on peut substituer $Q/p$ à $t$, où (1) devient alors :

$$\frac{D}{Q} \times C_c = \frac{Q\,(p-d)}{2p} \times C_{s'} \qquad (2)$$

ce qui équivaut, dans les cas où $p$ et $Q$ ne sont pas nuls, à :

$$2p\ DC_c = Q^2\,(p-d)\ \ C_s \qquad (3)$$

En résolvant (3) par rapport à $Q$, on a :

$$Q^2 = \frac{2pDC_c}{[C_s\,(p-d)\,]} = \frac{2DC_c}{C_s} \times \frac{p}{p-d} \qquad (4)$$

d'où :

$$Q = \sqrt{\frac{2DC_c}{C_s} \times \frac{p}{p-d}} \qquad (5)$$

$$= \sqrt{\frac{2DC_c}{C_s\left(\frac{p-d}{p}\right)}} \qquad (6)$$

Afin de mieux comparer cette formule avec celle du modèle de base, on peut la modifier de la façon suivante :

$$Q = \sqrt{\frac{2DC_c}{C_s\left(1-\frac{d}{p}\right)}}$$

Par cette comparaison, on constate que le lot économique croît de plus en plus rapidement à mesure que le rapport *d/p* croît, ce qui revient à dire que plus le taux d'utilisation se rapproche du taux de production, plus la période de production est longue. Par exemple, sur une chaîne de montage, on essaie d'obtenir un taux d'utilisation égal au taux de production, et ce pour tous les postes. On obtient ainsi une chaîne parfaitement équilibrée où la production n'est jamais interrompue. Par contre, une utilisation supérieure à la production entraîne des pénuries, tandis que la situation inverse entraîne une accumulation de stocks, ce qui impose à certains moments un arrêt de production. Voyons maintenant un exemple du lot économique avec fabrication échelonnée.

**Exemple** ■

Un poste de travail où une perceuse fait des trous dans des supports de bibliothèque de différentes tailles approvisionne un poste de travail moins rapide où sont effectués la peinture puis l'emballage des supports. Le personnel de ce poste de travail peint et emballe 360 supports à l'heure. Durant la même période, la perceuse peut fournir 1 200 supports. Du fait que ce produit est en forte demande, le poste de travail le moins rapide y consacre 10 heures par jour, 5 jours par semaine. Le coût de mise en route de la perceuse est 8 $, et le coût de stockage annuel 0,50 $ l'unité. Quelle est la quantité de supports le plus économique à percer, compte tenu qu'il y a 240 jours ouvrables par année ?

***Solution***

Le lot économique est :

$$Q = \sqrt{\frac{2 \times (240 \times 360 \times 10) \times 8}{0,50\left(1 - \frac{360}{1200}\right)}} = \sqrt{39\,497\,143} = 6\,284,68 = 6\,285.$$

Il est donc recommandé de percer 6 285 supports à la fois avant d'entreprendre le perçage d'autres modèles. La perceuse fonctionne pendant un peu plus de 5 heures, soit 5,24 heures. Ce nombre est le résultat de (6 285 / 1 200) supports à l'heure.

À la fin de cette période, on aura en stock 5,24 (1 200 – 360) supports, soit 4 402 supports. Cette quantité suffira pour une période de près de (4 402 / 360) heures, soit 12,23 heures.

L'opération du perçage ne requiert la perceuse que 30 % du temps de travail, soit 5,24 / (12,23 + 5,24) heures ; on peut donc se servir de la perceuse à d'autres fins, le reste du temps.

Nous avons étudié jusqu'à maintenant le modèle du lot économique et quelques-unes de ses variantes. Ces modèles fournissent des moyens techniques permettant de répondre à la question « Combien commander ? ». Dans la section suivante, nous considérons des techniques statistiques utiles pour répondre à l'autre grande question de la gestion des stocks : « Quand commander ? ».

## 10.14 Les stocks de sécurité

Un stock de sécurité est une quantité d'articles que l'on conserve pour se protéger contre les pénuries résultant des incertitudes qui proviennent soit de la demande, soit des délais de livraison, ou des deux à la fois.

Il y a risque de pénurie d'un produit seulement quand il y a un délai pour la livraison de ce produit et que sa demande est aléatoire. Quand il n'y a pas de délai de livraison pour un produit, la pénurie est théoriquement impossible.

Quand il y a un délai de livraison pour un produit dont la demande n'est pas aléatoire, il n'y aura pénurie que si l'on ne commande pas assez tôt. Par exemple, si le délai de livraison pour le produit GGF est de trois semaines et que la demande pour ce produit est de 100 par semaine, il suffit de passer une commande avant que le stock baisse en dessous de 300 unités. Par contre, si la demande est en moyenne de 300 mais qu'elle fluctue, selon les semaines, entre 250 et 350, il peut y avoir pénurie. Si le stock est de 300 unités au moment où l'on commande, il y aura pénurie si la demande est plus forte que la moyenne pendant les trois semaines suivantes. Le risque est encore plus grand si le délai est aléatoire. Le fournisseur évoqué ci-dessus, par exemple, peut parfois devoir prendre quatre semaines pour livrer. Il y a donc deux grandes sources d'incertitude contre lesquelles on veut se protéger pour éviter la pénurie à l'aide d'un stock de sécurité : la variabilité de la demande et celle des délais de livraison. Le tableau ci-après évoque quatre situations possibles.

| | | Délai | |
|---|---|---|---|
| | | **Déterministe** | **Aléatoire** |
| **Demande** | **Déterministe** | Risque nul | Délai de sécurité |
| | **Aléatoire** | Stock de sécurité | Combinaison |

Dans cette section, nous traiterons un cas simple de variabilité de la demande pendant le délai de livraison et nous évoquerons quelques résultats et techniques pour les cas plus complexes.

Dans le cas où la demande est aléatoire et le délai de livraison est déterministe, le risque de pénurie est égal à la probabilité que la demande pendant le délai de livraison soit supérieure au stock disponible au moment où on a passé la commande de réapprovisionnement. Il suffit donc de détenir à ce moment-là un stock assez élevé. Il s'agit de connaître la distribution de probabilité de la demande pendant le délai de livraison pour pouvoir déterminer, par le calcul des probabilités, le niveau de stock tel que le risque de pénurie soit minime, sinon nul. L'exemple suivant illustre cette situation.

**Exemple** ■

Dans l'entreprise de M. Boyer, la demande quotidienne moyenne de B58 est de 20 avec un écart type de 4 unités. Le délai de livraison est constant et égal à 3 jours. Quelle quantité M. Boyer doit-il garder comme stock de sécurité pour que le risque de pénurie soit inférieur à 1 % ?

*(suite)*

*Solution*

Selon son ami M. Dahan, expert-statisticien, la distribution de la demande pendant le délai de livraison peut être estimée par la loi de la somme de la demande pendant chacun des trois jours puisque, selon M. Boyer, on peut supposer que les 3 jours sont indépendants du point de vue de la demande. Dans ce cas, le risque de pénurie correspond à la probabilité qu'une variable normale de moyenne 60 et d'écart type $4\sqrt{3}$ dépasse la quantité de stock disponible pour couvrir les besoins pendant le délai de livraison.

Puisque le délai requis est de 3 jours, la demande moyenne durant cette période est :

3 jours à 20 unités par jour = 60 unités.

L'écart type de la demande survenant durant le délai ($\sigma_{dd}$) est fourni par la formule suivante :

$$\sigma_{dd} = \sqrt{n \times \sigma_d^2}$$

où $n$ = nombre de jours de délai,
$\sigma_d$ = écart type de la demande par jour.

En utilisant les données de l'exemple, on obtient :

$$\sigma_{dd} = \sqrt{3 \times (4)^2} = 4\sqrt{3}.$$

Selon la table de la loi normale, la valeur correspondant à une probabilité d'être dépassée de 1 % est 2,33. Le coefficient pour une probabilité de pénurie de 1 % est donc 2,33.

Une quantité de :

$$60 + 2{,}33\,(4\sqrt{3}) = 60 + 16{,}14 = 76{,}14 \text{ unités}$$

permet donc de répondre à la demande durant le délai de livraison dans 99 % des cas. Si on lance une commande au moment où le stock atteint 76 unités, la probabilité de pénurie pendant le délai de livraison sera de 1 %.

La quantité minimale à détenir avant de déclencher une commande est appelée généralement le **point de commande** (ou **point de réapprovisionnement**) (***Pr***). Au moment de la réception de la commande, il ne reste plus en moyenne que cette quantité supplémentaire que nous devons garder à cause de la variabilité de la demande. Cette quantité est appelée **stock de sécurité** (SS). Dans l'exemple ci-dessus, ce stock est donc de 16 unités.

D'une manière générale, on peut calculer le stock de sécurité par la formule suivante :

$$SS = Pr - E(DD)$$

où $DD$ = demande moyenne pendant le délai de livraison,
$E(DD)$ = espérance mathématique de $DD$.

Lorsqu'il y a à la fois variation de la demande et du délai de livraison, le raisonnement est le même, mais la détermination de la loi de probabilité de la demande pendant le délai de livraison est plus difficile. Dans le cas particulier où les conditions suivantes sont réalisées :

- le temps du délai est normalement distribué ;
- les quantités demandées d'une journée à l'autre sont indépendantes ;
- la demande quotidienne est répartie suivant une loi normale $[N(\mu,\sigma)]$ ;

la demande pendant le délai de livraison a alors une distribution de probabilité normale de moyenne égale à $E(n) \times \mu$, et la formule pour déterminer l'écart type de la demande durant le délai est la suivante :

$$\sigma_{dd} = \sqrt{E(N) \times \sigma^2} = \sigma\sqrt{E(N)}$$

où $N$ = nombre de jours de délai (aléatoire),

$E(N)$ = espérance mathématique du nombre de jours de délai.

La simulation par ordinateur est généralement utilisée quand les lois mathématiques ne peuvent fournir d'approximation valable. La simulation permet de faire varier la valeur de certains paramètres et de constater rapidement l'effet de ces variations sur le niveau de service.

Une grande flexibilité dans la fabrication réduit les délais de fabrication et leur variabilité, ce qui permet une réduction sensible des stocks de sécurité et comporte en outre l'avantage d'une réponse rapide à la demande.

Le modèle de base du lot économique et ses variantes constituent une réponse « scientifique » à la question « Combien commander ? ». Le stock de sécurité s'appuie lui aussi sur des résultats statistiques rigoureux et il représente un élément important de la réponse à l'autre question fondamentale de la gestion des stocks : « Quand commander ? ». Cependant, il ne fournit pas une réponse complète à cette question. Par ailleurs, nous n'avons raisonné jusqu'ici que sur un article à la fois. Dans la quatrième partie, nous complétons notre étude en considérant des systèmes de gestion des stocks.

## LES SYSTÈMES DE GESTION DES STOCKS

Un système de gestion des stocks est un ensemble de règles et de façons de procéder qui permettent de répondre systématiquement et complètement aux deux questions fondamentales de la gestion des stocks. Ces règles et ces façons de procéder sont définies pour chacun des articles et s'appliquent d'abord séparément à chacun des articles. Par la suite, les gestionnaires introduisent des considérations plus globales qui influeront sur les décisions proposées par le système. Il est très rare que des stocks soient gérés complètement par un système, sans aucune adaptation.

Dans les sections qui suivent, nous présentons trois familles de systèmes correspondant aux pratiques les plus courantes :

- les systèmes de réapprovisionnement à quantité fixe et à intervalle variable ;
- les systèmes de réapprovisionnement à intervalle fixe et à quantité variable ;
- les systèmes de planification échelonnée dans le temps.

Les deux premières familles correspondent à des systèmes réactifs, car l'action est déclenchée par ce qui s'est déjà passé ; la troisième correspond à des systèmes proactifs, car l'action est déterminée en fonction des besoins prévus pour les prochaines périodes.

## 10.15 Le réapprovisionnement à quantité fixe et à intervalle variable

Les systèmes de réapprovisionnement à quantité fixe et à intervalle variable indiquent de déclencher une commande quand les stocks atteignent un niveau prédéterminé appelé « point de commande » (ou point de réapprovisionnement). Ces systèmes sont aussi appelés « systèmes du point de commande ». La quantité commandée est une quantité fixe, basée habituellement sur le calcul de la quantité économique à commander. Comme l'écoulement du stock est sujet aux variations des ventes, l'intervalle de temps séparant deux réapprovisionnements est variable.

Le point de commande (*Pr*) est établi en fonction du délai de livraison. Il correspond à la quantité de stocks nécessaire pour couvrir les besoins pendant la période du délai de livraison. Cette quantité est égale à la demande moyenne pendant le délai de livraison (*DD*) plus un stock de sécurité (*SS*) correspondant au niveau de service souhaité. On a donc : $Pr = DD + SS$.

Pour calculer le point de commande, on doit d'abord calculer le stock de sécurité comme nous l'avons indiqué à la section 10.14. Il est important de distinguer le niveau de service souhaité de la probabilité de pénurie pendant le délai de livraison qui est utilisé dans le calcul du stock de sécurité. Cette probabilité est toujours plus élevée que le niveau de service. Cela provient du fait qu'il n'y a pas de risque de pénurie avant que le niveau des stocks atteigne le point de commande (section 10.9).

La figure 10.10 illustre une telle situation ; les chiffres utilisés sont ceux de l'exemple concernant M. Boyer et les B58. Supposons que la demande varie, mais

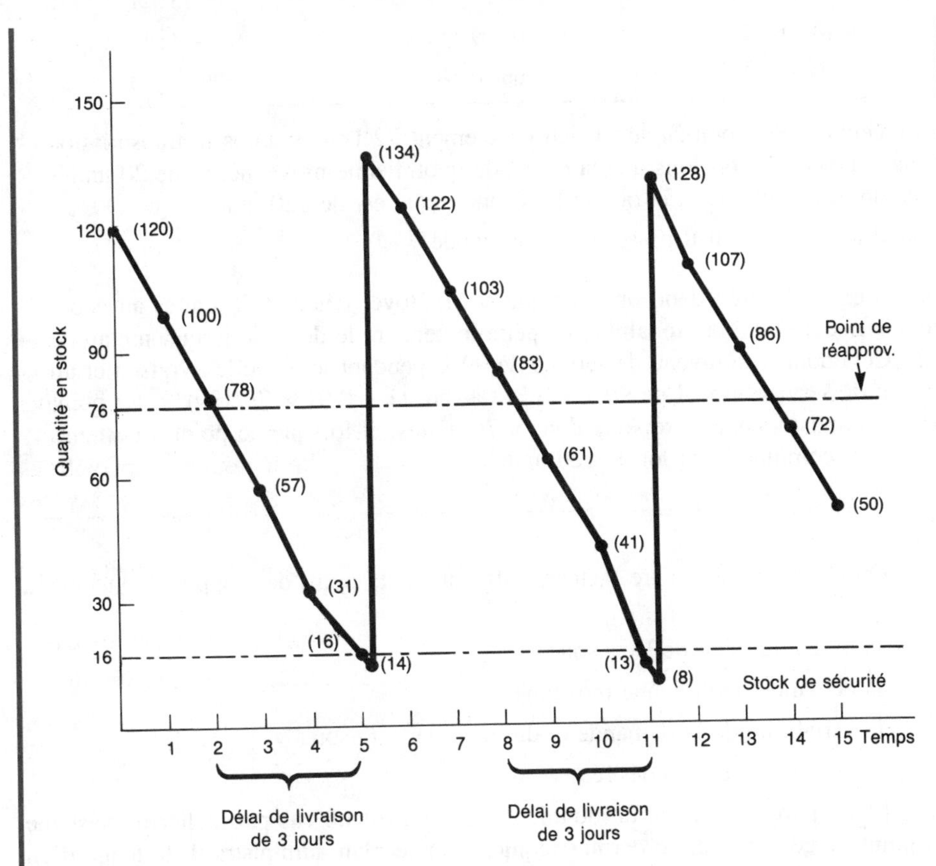


**FIGURE 10.10**
**Le réapprovisionnement à quantité fixe**

que le délai de livraison, fixé à 3 jours, demeure stable. Le point de réapprovisionnement correspond à la somme de la demande moyenne durant le délai de livraison (*DD*) et du stock de sécurité (*SS*) :

$$Pr = DD + SS$$

Dans le cas de M. Boyer, ce nombre correspond à la quantité déterminée antérieurement :

$$Pr = 3 \text{ jours } (20 \text{ unités}) + 16 = 76 \text{ unités}$$

Le point de réapprovisionnement est rarement atteint avec exactitude à la toute fin d'une journée. C'est ce qui explique les points de la figure 10.10, qui sont décalés par rapport aux nombres entiers en abscisse. Si la demande quotidienne était déterministe et constante, la quantité 76 deviendrait 60, soit la demande moyenne durant le délai de livraison.

**Exemple** ■

La demande pour les B58 vendus par M. Boyer est la suivante pour les 15 premiers jours de juin :

| | | |
|---|---|---|
| 06-01 : 20 | 06-06 : 14 | 06-11 : 28 |
| 06-02 : 22 | 06-07 : 19 | 06-12 : 26 |
| 06-03 : 21 | 06-08 : 20 | 06-13 : 21 |
| 06-04 : 26 | 06-09 : 22 | 06-14 : 14 |
| 06-05 : 15 | 06-10 : 20 | 06-15 : 22 |

La réception des commandes a lieu exactement 72 heures après la transmission de la demande. Rappelons que la demande quotidienne moyenne est de 20 unités avec un écart type de 4, et que le lot économique est de 120 unités.

Quand M. Boyer doit-il passer une commande ?

***Solution***

Dans l'exemple précédent, on a vu que si M. Boyer détenait 76 unités au début du délai de 3 jours, la probabilité de pénurie pendant le délai de livraison était de 1 %. Cela donne un niveau de service de 99 % pendant le délai de livraison et un niveau de service global de 99,4 %, c'est-à-dire (1 – 0,01 × 76/120) %. Le point de réapprovisionnement se situe donc à 76 unités, et lorsque ce point est atteint, M. Boyer commande un lot de 120 unités.

On constate que quatre facteurs influent sur le point de réapprovisionnement, soit :

- la durée du délai de livraison ;
- la demande quotidienne moyenne ;
- la variabilité de la demande et du délai de livraison ;
- le niveau de service désiré.

Mis à part le système du double casier, qui est un cas particulier du système du point de commande, ce dernier requiert, sur le plan administratif, la tenue d'un inventaire permanent exact en tout temps. Par contre, il offre une certaine souplesse face aux changements imprévus dans la demande. En cas d'une hausse de la demande, le système s'adapte en déclenchant les commandes plus rapidement que prévu. En cas de baisse de la demande, au contraire, les commandes sont déclenchées plus lentement. Le risque de pénurie n'est touché par ces fluctuations que pendant la période du délai de livraison.

## 10.16 Le réapprovisionnement à intervalle fixe et à quantité variable

Plutôt que de commander en fonction de l'évolution du niveau des stocks, on peut commander périodiquement, c'est-à-dire à intervalle fixe, par exemple toutes les semaines ou au début de chaque mois. Les dénombrements réguliers (mensuels par exemple) justifient parfois l'utilisation de cette approche et du type de système correspondant, soit les systèmes de réapprovisionnement à intervalle fixe et à quantité variable.

Le cas le plus fréquent touche sans aucun doute les détaillants, car ils ne peuvent se permettre de passer continuellement des commandes auprès des mêmes fournisseurs, surtout si ces derniers sont nombreux. Afin d'obtenir des remises sur quantité et de planifier les achats de plusieurs articles auprès d'un même grossiste, plusieurs détaillants commandent sur une base régulière (intervalle fixe) au lieu d'attendre que le stock atteigne le point de réapprovisionnement (quantité fixe).

Dans les systèmes de réapprovisionnement à intervalle fixe et à quantité variable, le moment de la commande est déterminé, au départ, par le choix de la période retenue et du moment où elle débute. La quantité commandée ($Q$), elle, correspond à la quantité nécessaire pour couvrir les besoins de la période ($M$), compte tenu du niveau de service visé et du niveau des stocks encore disponibles ($S$). On a donc les formules suivantes :

$Q = M - S$

$M = d \times l + SS$

où $l$ = nombre de jours de la période,

$d$ = demande quotidienne moyenne,

$SS$ = stock de sécurité.

La quantité commandée $Q$ correspond donc à ce qui a été vendu au cours de la période écoulée. Elle est donc variable. Par exemple, si M. Boyer commande au début de chaque mois, il commandera une quantité $M$ suffisante pour que, après avoir reçu sa commande, il soit en mesure de couvrir les besoins pour un mois. Cette quantité $M$ sera donc égale à la demande moyenne, plus un stock de sécurité. La quantité commandée, elle, sera égale à ce qu'il a vendu au cours du dernier mois écoulé.

Si le délai de livraison du fournisseur de M. Boyer est d'une semaine, la quantité $M$ devra pouvoir couvrir non seulement les besoins pour le mois, mais aussi les besoins pour la semaine du délai de livraison, en supposant que M. Boyer commande au début du mois et que la livraison se fait une semaine plus tard. La formule précédente devient alors :

$M = d \times (l + L) + SS$

où $L$ = délai de livraison en jours.

Notons que le stock de sécurité est calculé ici en fonction de toute la période, et non seulement en fonction de la durée du délai de livraison. Pour une variabilité égale de la demande, il est donc plus élevé.

Sur le plan administratif, ce système est le plus simple puisqu'il n'exige pas d'inventaire permanent ; il suffit de faire un dénombrement du stock au moment de commander. Par contre, il requiert un stock de sécurité plus élevé et ses réactions aux changements sont plus lentes.

---

**Exemple** ■

M. Boyer désire savoir quel serait l'effet d'une commande à intervalle fixe plutôt qu'à quantité fixe. Il veut aussi déterminer à quel intervalle il doit passer les commandes. Le stock initial est de 120 unités, et le délai de livraison est de 3 jours. À partir des données de l'exemple précédent et en supposant qu'il décide de passer une commande à la fin de la troisième journée, que doit-il faire ?

*Solution*

Puisque le lot économique mentionné auparavant est de 120 unités et que la demande quotidienne moyenne est de 20 unités, M. Boyer peut commander tous les 6 jours. En outre, puisque l'intervalle de réapprovisionnement est fixe, la variabilité de la demande doit être prise en considération pour les 6 jours, en plus des 3 jours de délai de livraison. En effet, s'il commande en moins grande quantité que nécessaire, l'erreur ne pourra être corrigée que lors de la réception de la commande subséquente, c'est-à-dire 9 jours plus tard. Le stock de sécurité qu'il doit détenir est donc de :

$$2{,}33\,(4\sqrt{6+3}) = 28 \text{ unités.}$$

Compte tenu que cette quantité assure un niveau de service de 99 %, il doit y avoir un maximum ($M$) de :

$$M = (9 \text{ jours} \times 20 \text{ unités par jour}) + 28 \text{ unités}$$
$$= 208 \text{ unités en stock.}$$

M. Boyer déduit donc de ce nombre la quantité en stock au moment de passer une commande. Il doit aussi s'assurer de tenir compte de la quantité qui s'écoulera durant le délai de livraison. Puisqu'à la fin de la troisième journée la quantité en stock est de :

$$\text{Stock} = 120 - 20 - 22 - 21 = 57 \text{ unités}$$

la quantité à commander est de :

$$Q = M - 57 = 208 - 57 = 151 \text{ unités.}$$

Il doit donc commander 151 unités le troisième jour.

À la fin de la neuvième journée, la quantité à commander est de :

$$Q = 208 - 92 = 116 \text{ unités.}$$

Il doit donc commander 116 unités le neuvième jour.

Cet exemple est illustré graphiquement à la figure 10.11.

Somme toute, la pire situation pouvant survenir est celle où la demande aurait été faible durant 6 jours consécutifs, puis élevée durant les 9 jours suivants (intervalle de commande et délai de livraison). Pour M. Boyer, cela pourrait correspondre à la situation suivante :

Quantité commandée à la 21e journée = 208 – 98 = 110 unités.

*(suite)*

Exemple
*(suite)*

Par la suite, la demande pourrait être en moyenne de 24 unités par jour durant 9 jours, soit 216 unités. M. Boyer n'aurait à ce moment que 208 unités (98 + 110) pour répondre à cette demande. Ici encore, il ne faut pas oublier que l'une des hypothèses stipule que la demande est normalement distribuée. Par conséquent, il est peu probable que la demande soit de 216 unités en 9 jours.

**◀FIGURE 10.11**
**Le réapprovisionnement à intervalle fixe**

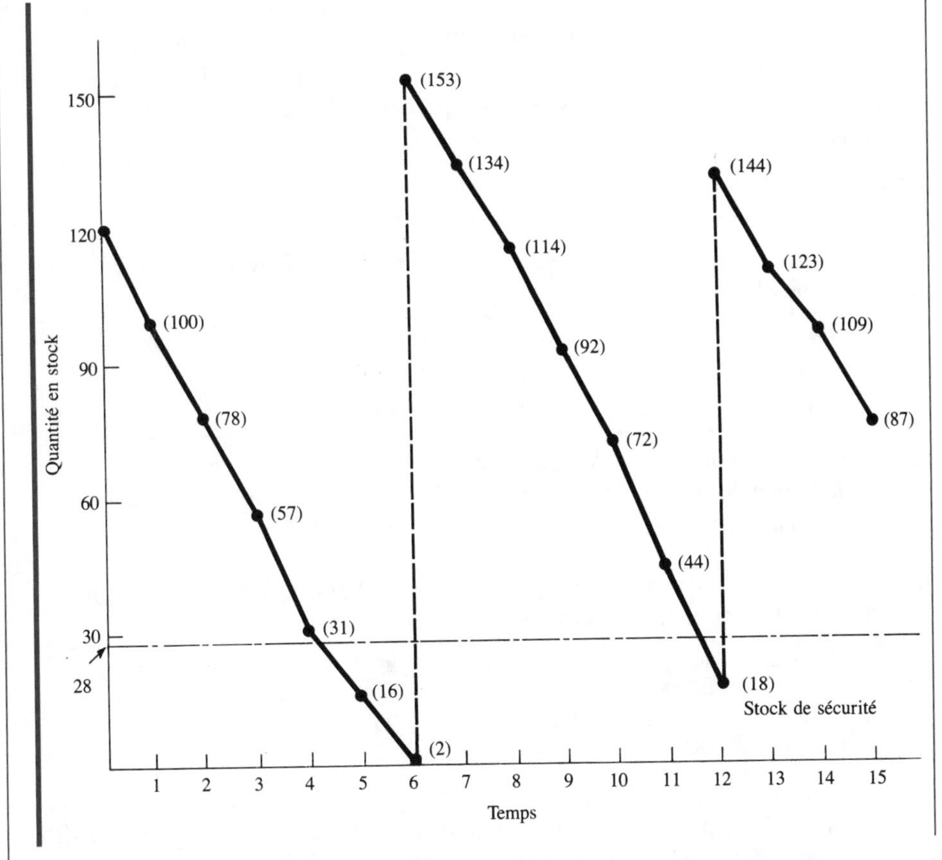


Les deux systèmes de gestion des stocks que nous venons d'étudier sont des systèmes réactifs, puisque les décisions qu'ils déclenchent sont principalement des réactions à ce qui vient de se passer. Les prévisions n'interviennent que pour fournir certains paramètres : la demande moyenne pendant l'année ou le délai de livraison pour les systèmes du point de commande, la demande moyenne pendant la période pour les systèmes à intervalle fixe. Les systèmes proactifs présentés dans la section suivante réagissent en fonction des prévisions des événements à venir.

## 10.17 Les systèmes de planification échelonnée dans le temps

Dans les systèmes de planification échelonnée dans le temps, c'est la période où le stock disponible projeté sera épuisé qui sert de base à la détermination du moment de commander. Ces systèmes peuvent être considérés comme des systèmes de point de commande, puisqu'une commande y est déclenchée quand le niveau des stocks atteint un point prédéterminé. Cependant, il s'agit dans ce cas-ci du stock projeté au cours des périodes à venir et non du stock actuel[33].

La décision « quand commander » se prend à partir de l'évolution anticipée du stock disponible. Elle requiert donc une prévision des besoins anticipés pour les prochaines périodes. Dans un premier temps, on inscrit les prévisions de besoins par période sur une grille de planification, comme celle qui apparaît dans l'exemple ci-dessous.

Dans un deuxième temps, on projette l'évolution du stock au cours des périodes. Puis, partant de la période où le stock prévu atteint le niveau de sécurité, on place une commande en décalant pour tenir compte du délai de livraison.

La taille de la commande peut être une quantité fixe ou bien elle peut varier en fonction des besoins anticipés pour les périodes ultérieures à sa réception, selon la politique de lotissement de l'entreprise.

---

**Exemple** ■

Les prévisions de la demande pour les B58 vendus par M. Boyer sont les suivantes pour les 8 prochaines périodes :

| | | |
|---|---|---|
| 1re période : 20 | 4e période : 26 | 7e période : 39 |
| 2e période : 22 | 5e période : 35 | 8e période : 20 |
| 3e période : 21 | 6e période : 34 | |

Le délai de livraison du fournisseur retenu est de 3 périodes après la transmission de la demande. Le lot économique est de 120 unités et le stock initial est de 68 unités. Quand M. Boyer doit-il passer une commande ?

*Solution*

Reportons dans la grille de planification les données du problème, puis projetons l'évolution anticipée pour le stock. Ainsi :

| **Périodes** | **1** | **2** | **3** | **4** | **5** | **6** | **7** | **8** |
|---|---|---|---|---|---|---|---|---|
| Besoins | 20 | 22 | 21 | 26 | 35 | 34 | 39 | 20 |
| Stock disponible projeté : 68 | 48 | 26 | 5 | –21 | | | | |
| Commandes planifiées | | | | | | | | |

On constate qu'une pénurie est anticipée pour la 4e période. Pour l'éviter, il suffit de placer une commande à la période 1 puisque le délai de livraison est de trois périodes. En procédant ainsi jusqu'au bout de l'horizon de planification, on obtient la grille suivante qui représente la situation anticipée en appliquant le point de commande pour commander

| **Périodes** | **1** | **2** | **3** | **4** | **5** | **6** | **7** | **8** |
|---|---|---|---|---|---|---|---|---|
| Besoins | 20 | 22 | 21 | 26 | 35 | 34 | 39 | 20 |
| Stock disponible projeté : 68 | 48 | 26 | 5 | 99 | 64 | 30 | 111 | 91 |
| Commandes planifiées | 120 | | | 120 | | | | |

---

Si les ventes au cours des périodes 2 et 3 dépassent les prévisions de plus de cinq unités, nous encourrons une pénurie avec la politique décrite ci-dessus. Pour éviter un tel risque, nous pouvons nous doter d'un stock de sécurité en adoptant pour règle qu'il faut en tout temps un stock supérieur à 10 unités. Cela nous amène à commander une période plus tôt dans l'exemple ci-dessus.

Les systèmes proactifs offrent une capacité d'adaptation nettement supérieure aux systèmes réactifs. Sur le plan administratif, ce type de système est beaucoup plus exigeant que les systèmes réactifs, puisqu'il requiert des prévisions de besoins détaillées pour chaque période ainsi qu'une étude de l'évolution prévue du stock disponible. Les développements de l'informatique ont rendu possible l'utilisation à grande échelle de tels systèmes. Une fois conçus et mis au point, leur utilisation est relativement simple pour un gestionnaire, mais elle demande un peu plus de formation que les systèmes réactifs.

Quel système choisir ? Il n'y a pas de réponse universelle ; chaque entreprise doit utiliser les éléments de base présentés ici pour choisir la solution qui lui convient le mieux. À la section suivante, nous présentons un sommaire sur les systèmes de gestion des stocks, qui aidera le lecteur à réaliser un tel choix.

## 10.18 Sommaire sur les systèmes de gestion des stocks

L'ensemble des situations est simple. Le choix de recourir à un système proactif ou aux systèmes réactifs de réapprovisionnement à quantité ou à intervalle fixes doit être fait en fonction de la situation de l'entreprise, de ses ressources disponibles pour assurer la gestion des stocks, et de l'importance des stocks établie par l'analyse ABC. Ces situations sont d'ailleurs reliées aux décisions stratégiques de la direction. Si les dirigeants comprennent l'impact des stocks sur la position concurrentielle de leur entreprise et même sur le climat de travail à l'intérieur de celle-ci, ils alloueront les ressources nécessaires pour répondre aux exigences d'un bon système. S'il y a une variation aléatoire de la demande et du délai de livraison, on doit déterminer un stock de sécurité.

Dans les systèmes à quantité fixe, on utilise le modèle de base du lot économique avec ses variantes de remise sur quantité ou de fabrication échelonnée pour déterminer quelle quantité commander. D'un point de vue technique, le point de commande permet de déterminer le stock de sécurité ainsi que le moment de commander. Quant au réapprovisionnement à intervalle fixe, il déclenche le processus de commande sur une base régulière et détermine la quantité à commander en tenant compte des quantités encore en stock et du stock de sécurité correspondant au niveau de service désiré. Si les périodes de réapprovisionnement sont relativement longues, ce sont les systèmes les plus simples à utiliser.

Les systèmes proactifs, quant à eux, sont les plus lourds à administrer, mais ils offrent des possibilités supérieures aux systèmes réactifs. Ils sont également plus sensibles à un écart par rapport aux hypothèses puisqu'ils dépendent davantage de l'exactitude des données et des prévisions. Leur succès repose beaucoup sur la qualité de leurs utilisateurs. Idéalement, on pourrait partir de la ligne de conduite suivante : recourir à un système proactif pour les articles de catégorie A, à un système de point de commande pour les articles de catégorie B et à un système à intervalle fixe pour les articles de catégorie C. Ensuite, on peut améliorer cette hypothèse de départ à la lumière des considérations pratiques découlant de la situation de l'entreprise étudiée.

L'un des principaux reproches relatifs à la méthode du lot économique est qu'elle ne concorde pas avec les conditions réelles de fonctionnement dans les entreprises. De ce point de vue, aucun modèle ne correspond exactement à la réalité. Fondamentalement, un modèle est une représentation symbolique de la réalité, qui vise avant tout à faciliter la prise de décisions. C'est pourquoi, avant de fixer son choix sur un modèle précis, on a avantage à examiner les conditions réelles de l'entreprise puis à les confronter avec les hypothèses sous-jacentes du modèle pour vérifier si leur degré de concordance est acceptable. Il en est de même avec le modèle du lot économique qui est peu sensible, comme l'a démontré l'analyse de sensibilité ; il offre donc un avantage certain si on l'utilise à bon escient.

Même si la conception d'un système prévoit un niveau de service de l'ordre de 99 %, des erreurs dans le traitement des données et des modifications apportées à l'ordonnancement peuvent entraîner une baisse du niveau de service réel. Par conséquent, même si on a recours à ce modèle, la conception et l'utilisation appropriées du système de production demeurent des facteurs essentiels à l'atteinte des objectifs visés par l'entreprise.

## L'INFORMATISATION EN GESTION DES STOCKS

### 10.19 Quelques exemples d'utilisation

De nombreux logiciels sont maintenant disponibles pour faciliter la gestion des stocks. Ils permettent de relier la prévision de la demande, l'ordonnancement, les stocks, etc., et sans eux la gestion des stocks serait beaucoup moins développée. En effet, la portée d'une décision est maintenant plus facile à déterminer, et les logiciels interactifs permettent d'accélérer la prise de décisions. Cependant, la gestion devient difficile si l'on ne connaît pas le fonctionnement et les hypothèses des modèles informatisés. En effet, comment alors interpréter les réponses obtenues ? Comment déterminer si elles ont du sens ?

Les logiciels relatifs à la simulation sont fort utiles. La simulation permet au gestionnaire de déterminer facilement l'effet de ses décisions sur les stocks. Ainsi, toute décision sur les stocks peut être reliée à des facteurs tels que le niveau de service et la planification intégrée. Par ailleurs, les rapports peuvent indiquer, entre autres, les quantités en stock à la fin de la période et le pourcentage des commandes livrées à temps. La simulation permet une meilleure compréhension du système entier. Comme elle est avant tout un outil d'aide à la décision, on doit s'en servir comme telle et éviter de s'isoler dans des données théoriques, au détriment du contact ponctuel avec les opérations et d'une prise de décisions à temps.

La plupart des logiciels standard doivent être modifiés pour s'adapter au système de production dont ils sont le support. Ces modifications sont attribuables aux particularités des organisations et aux préférences des gestionnaires. On a tout de même avantage à considérer d'abord les logiciels disponibles, car ils sont habituellement moins coûteux. Peterson et Silver[21] soulèvent 22 arguments pour ou contre l'achat de logiciels ; les motifs d'une telle décision, l'achat ou la fabrication du logiciel, correspondent à ceux de toute décision semblable.

L'une des plus grandes innovations informatiques pour faciliter la gestion des stocks est sans doute le code barres. Des codes sont préalablement inscrits sur tous les emballages des articles, permettant ainsi d'accélérer le calcul des articles aux caisses et d'éviter les erreurs d'enregistrement, à condition que les caisses soient munies d'un lecteur optique. De plus, ces codes permettent la mise à jour continuelle des registres d'inventaire permanent et, le cas échéant, des fichiers du système informatisé de gestion des stocks. À la fin des années 70, Martin[16] proposa de doter de systèmes de planification échelonnée dans le temps à la fois les principaux détaillants, leurs grossistes et l'entrepôt central de l'entreprise, et d'intégrer ces systèmes entre eux pour l'échange d'informations sur les prévisions et les décisions planifiées de réapprovisionnement. La gestion intégrée des besoins de distribution (*Distribution Requirements Planning – DRP*) était née. À la fin des années 80, ce système fut perfectionné en y intégrant l'échange de données informatiques (EDI). L'EDI relie les éléments du système à partir de la lecture optique, à la caisse enregistreuse, du code barres des articles vendus, jusqu'au système intégré de planification des producteurs, en passant par la planification du réapprovisionnement des tablettes sur le plancher du magasin.

L'informatique peut faciliter la tâche du gestionnaire des stocks dans plusieurs autres activités. Par exemple, l'ordinateur peut signaler les lots dont la date de péremption approche, si ce type de renseignement est entré sur fichier. Lorsque ce n'est pas le cas, des produits de qualité peuvent devenir désuets ou invendables à cause d'une mauvaise rotation physique des stocks. Habituellement, les produits les plus récents sont conservés en entrepôt jusqu'à ce que ceux déjà en place soient vendus ou utilisés. Dans le cas des denrées périssables, les conditions ambiantes telles que la température et l'humidité sont déterminantes pour la conservation des produits. C'est pourquoi elles sont de plus en plus contrôlées électroniquement.

L'informatique est également utilisée à d'autres fins. Ainsi, certains entrepôts sont aujourd'hui complètement automatisés. C'est le cas notamment de l'entrepôt de l'usine Ford, situé à Windsor en Ontario, où cinq véhicules sur rail sont guidés au moyen de micro-ordinateurs. Ces derniers sont contrôlés par un ordinateur central qui indique les besoins des différents services de production, de même que les articles reçus qui doivent être placés. Un système de cellules photo-électriques assure que les articles ajoutés sont placés à l'endroit approprié, où l'espace est suffisant : il s'agit d'un contrôle des données en mémoire de l'ordinateur[10].

## CONCLUSION

La réduction des stocks constitue un objectif important pour beaucoup de gestionnaires, lesquels disposent de trois principaux moyens pour y arriver : une amélioration de la prévision de la demande, une meilleure gestion du processus de production, incluant les stocks, et une plus grande collaboration avec les fournisseurs et les clients les plus importants.

Tout au long de ce chapitre, nous avons tenté de mettre en évidence la pertinence du jugement et de l'expérience du gestionnaire des stocks, qui sont complémentaires à l'aide apportée par les modèles et les systèmes décrits ici. Ces derniers ne peuvent effectivement pas expliciter tous les aspects de la gestion des opérations concernant les stocks. Ce sont des outils qui servent notamment à répondre aux questions de base, soit : « Combien d'unités doit-on détenir en stock ? Combien d'unités faut-il commander ? Quand est-il nécessaire de commander les unités ? ».

En fait, la gestion des stocks est beaucoup plus que le contrôle étroit des unités physiques qui passent dans le système : c'est la gestion d'un système entier avec tout ce que cela implique.

## QUESTIONS DE RÉVISION

1. Qu'est-ce qu'un stock ?
2. Énumérez et expliquez les cinq fonctions principales des stocks.
3. Quels sont les gestionnaires responsables des stocks ?
4. Peut-on réellement parler de stocks dans le cas des entreprises du secteur tertiaire ?
5. Dans la comparaison du taux de rotation des stocks de plusieurs entreprises, pourquoi faut-il tenir compte de leur coût du capital ?
6. En quoi consistent les principaux types de coûts inhérents aux stocks ?
7. Comment peut-on classer les articles dans la classe appropriée, soit A, B ou C ? Certains articles peuvent-ils changer de classe au cours d'une même année ? Pourquoi ?
8. « Le risque de pénurie annuel relié à la variabilité des délais de livraison est attribuable non seulement à la distribution de la demande et à celle des délais, mais aussi à la fréquence des commandes. » Commentez cette affirmation.
9. Dans quelles circonstances est-il préférable d'utiliser la méthode de réapprovisionnement à intervalle fixe et à quantité variable ?

## QUESTIONS DE DISCUSSION

1. Est-il plus facile de gérer des stocks de matières premières, de produits en cours de fabrication ou de produits finis ? Justifiez votre réponse en expliquant les problèmes de gestion propres à chacun de ces types de stocks.
2. Comment peut-on déterminer le choix des articles à retrancher lorsqu'on a décidé de réduire la valeur des stocks de 20 % ?
3. Quels sont les risques reliés à la décision de réduire rapidement les stocks d'environ 20 % ?
4. À partir d'une situation de votre choix, indiquez la démarche à adopter pour estimer un coût de pénurie.
5. « Le modèle du lot économique est peu utilisé de nos jours parce qu'il comporte trop d'hypothèses irréalistes. » Commentez cette affirmation.
6. Comment peut-on déterminer et calculer le niveau de service à un comptoir de billets de loterie ?
7. Dans quel cas vaut-il mieux qu'une entreprise confie la gestion des stocks à plus d'un responsable ?

## PROBLÈMES ET MISES EN SITUATION

1. Pour chacun des deux cas suivants, dites si l'utilisation de l'une des méthodes de calcul du lot économique est valable. Justifiez votre réponse. Dans l'affirmative, précisez la méthode qui devra être retenue.

   *a)* Un détaillant de meubles fabriqués sur demande reçoit presque toutes ses commandes la semaine suivant celle où il les a transmises. Les commandes arrivent le mercredi, à 9 h 30. Le détaillant se rend compte que ses ventes, pour les 3 produits les plus vendus, prennent l'allure suivante :
   - Produit 1 : demande stable, soit 25 tables par semaine ;
   - Produit 2 : demande stable suivant une loi normale de moyenne 30 et d'écart type 5 ;
   - Produit 3 : demande irrégulière variant entre 40 et 50 unités par semaine.

   *b)* Un imprimeur commande du papier en moyenne 2 fois par semaine. S'il commande plus de 100 000 feuilles par semaine, il bénéficie d'une remise de 5 %. De plus, s'il paie en moins de 10 jours, une remise supplémentaire de 2 % lui est accordée.

2. La compagnie Micron commande un type d'article 12 fois par année selon le modèle du lot économique. L'utilisation moyenne est de 6 unités par jour et le délai de livraison est de 24 jours. Le coût de transport et d'entreposage d'une unité est de 5 $ annuellement et le coût de pénurie se chiffre à 25 $.

| Quantité utilisée pendant le délai de livraison | Probabilité |
|---|---|
| 108 | 0,15 |
| 120 | 0,10 |
| 132 | 0,15 |
| 144 | 0,20 |
| 156 | 0,10 |
| 168 | 0,20 |
| 180 | 0,10 |

Quel devrait être le point de réapprovisionnement ?

3. La compagnie Magnétron est une entreprise industrielle qui fabrique des fours à micro-ondes. Pour l'assemblage de ce produit, l'entreprise a besoin du composant 2104 qu'elle fabrique elle-même.

   Le coût de production de ce composant est de 50 $. Les frais de manutention et d'entreposage annuels sont de 18 $. Le coût de mise en route est estimé à 200 $. Pour l'an prochain, on prévoit fabriquer 20 000 unités de ce composant.

   Pour chaque jour de travail, l'atelier de fabrication usine 160 unités du composant 2104, et le service d'assemblage monte 80 unités.

   *a*) Calculez le lot économique.

   *b*) Déterminez combien de séries de production seront exécutées l'an prochain.

   *c*) Si la pièce 2104 est achetée d'une autre firme, si le coût de commande est de 200 $ et si les autres coûts restent les mêmes, déterminez la quantité à commander.

   *d*) Supposons que l'entreprise achète à l'extérieur, que le délai de livraison est de 10 jours et qu'elle a un stock de sécurité de 500 unités. Calculez le point de réapprovisionnement.

4. Un analyste en gestion de la production de la compagnie Biengérée inc. s'est vu confier la tâche de mettre au point un système de gestion des stocks pour l'entreprise. Parmi les documents de travail qu'il a préparés, on trouve les tableaux suivants :

**Tableau 1**

| N° de la pièce | Unités utilisées | % du total | Prix de revient | Valeur | % de valeur |
|---|---|---|---|---|---|
| P 110 | 150 | 1,6 | 225,00 $ | 33 750 $ | 25,2 |
| P 111 | 175 | 1,9 | 102,00 | 17 850 | 13,3 |
| P 114 | 42 | 0,4 | 82,00 | 3 444 | 2,6 |
| P 115 | 3 200 | 34,3 | 1,50 | 4 800 | 3,5 |
| P 116 | 700 | 7,5 | 5,25 | 3 675 | 2,7 |
| P 117 | 110 | 1,2 | 52,00 | 5 720 | 4,3 |
| P 119 | 250 | 2,7 | 7,50 | 1 875 | 1,4 |
| P 121 | 1 100 | 11,7 | 1,25 | 1 375 | 1,0 |
| P 122 | 400 | 4,3 | 20,00 | 8 000 | 6,0 |
| P 123 | 650 | 6,9 | 16,00 | 10 400 | 7,8 |
| P 131 | 110 | 1,2 | 43,00 | 4 730 | 3,5 |
| P 132 | 225 | 2,4 | 8,00 | 1 800 | 1,3 |
| P 135 | 190 | 2,0 | 11,25 | 2 138 | 1,6 |
| P 136 | 200 | 2,1 | 14,00 | 2 800 | 2,1 |
| P 138 | 150 | 1,6 | 110,00 | 16 500 | 12,2 |
| P 140 | 1 500 | 16,0 | 4,25 | 6 375 | 4,8 |
| P 141 | 150 | 1,6 | 11,50 | 1 725 | 1,3 |
| P 142 | 60 | 0,6 | 120,00 | 7 200 | 5,4 |
| Total | 9 362 | 100,0 | | 134 157 $ | 100,0 |

**Tableau 2**

| N° de la pièce | Coût de commande | Coût de stockage | Délai de livraison |
|---|---|---|---|
| P 110 | 25 $ | 30 % | 2 semaines |
| P 111 | 25 | 30 | 3 semaines |
| P 115 | 25 | 30 | 1 semaine |
| P 123 | 25 | 30 | 4 semaines |

La demande pour chaque pièce est aléatoire. Elle varie d'une semaine à l'autre et n'est pas parfaitement constante durant la même année, mais ces variations sont suffisamment faibles pour qu'on puisse utiliser sans inconvénient majeur l'hypothèse d'une demande déterministe constante, si nécessaire. L'année de travail comprend 50 semaines, et on désire généralement un niveau de service de 95 %.

*a*) À partir du tableau 1, effectuez une analyse du type ABC. À quoi sert une telle analyse ?

*b*) Quel système de gestion des stocks est-il préférable d'utiliser pour chaque catégorie de stock établie en *a*) ? Justifiez votre réponse.

*c*) Calculez le lot économique et le point de réapprovisionnement pour les pièces P 110 et P 115.

*d*) Y a-t-il un système de gestion des stocks qui s'impose dans la gestion de la pièce P 121 ? Justifiez votre réponse.

*e*) Pour calculer le stock de sécurité requis, l'analyste propose d'utiliser un niveau de service de 90 % pour les pièces de catégorie A, de 98 % pour celles de catégorie B et de 99 % pour celles de catégorie C. Commentez son choix.

5. La compagnie Monidès*, le plus important fabricant de meules au Québec, a demandé à deux de ses fournisseurs habituels, Alpha et Delta, de lui faire parvenir des soumissions relatives à l'approvisionnement en meules d'un type particulier qu'elle ne fabrique pas mais qu'elle compte utiliser dans ses ponceuses au cours de la prochaine année. Monidès a précisé que ses besoins, concernant ce type de meules, équivaudraient à une utilisation totale de 500 000 heures.

Au moment de l'ouverture des soumissions, M. Duchesne, le directeur des achats, constate que les fournisseurs ont bien soumissionné pour le type indiqué de meules. Cependant, le fournisseur Alpha précise que ses meules ont une durée de vie utile de 80 heures chacune ; il présente l'échelle de prix suivante :

| Lot commandé | Prix unitaire |
|---|---|
| 0 – 399 meules | 20 $ |
| 400 – 999 meules | 18 |
| 1 000 meules ou plus | 17 |

Quant à l'autre fournisseur, Delta, les meules qu'il offre ont une durée de vie supérieure, soit 100 heures chacune, et un coût également plus élevé :

| Lot commandé | Prix unitaire |
|---|---|
| 0 – 499 meules | 25 $ |
| 500 meules ou plus | 24 |

M. Duchesne prévoit que les coûts de stockage annuels pour la prochaine année totaliseront 30 % de la valeur des articles en stock et que le coût de commande sera de 100 $ par commande. Il est entendu que, quel que soit le fournisseur choisi, on devra passer une nouvelle commande pour chaque lot commandé. De plus, les deux fournisseurs s'engagent à faire parvenir très rapidement les lots commandés, de sorte que la production chez Monidès ne soit pas interrompue par une pénurie de meules.

*a*) Cet après-midi, M. Duchesne doit présenter sa recommandation au comité de direction de son entreprise, et il devra y inclure les renseignements suivants :
- le nom du fournisseur choisi ;
- la quantité de meules dans les lots commandés ;
- les coûts suivants et leur total :
  - coûts de commande annuels,
  - coûts de stockage annuels,
  - coûts d'achat annuels ;
- l'économie annuelle réalisée selon le choix du fournisseur retenu.

Au regard des informations qu'il possède à ce stade-ci, quelle est la recommandation que M. Duchesne devrait présenter au comité de direction ?

*b*) M. Duchesne craint qu'à la réunion du comité de direction quelqu'un lui reproche de ne pas avoir fait tous les efforts nécessaires pour faire bénéficier Monidès des coûts les plus bas possible. Aussi décide-t-il d'entrer en contact avec les représentants des

* Cas conçu et rédigé par Roger Handfield, 1975.

deux fournisseurs concurrents et de leur demander s'ils n'ont pas de modifications de dernière minute à apporter à leur soumission, sans toutefois leur indiquer s'ils ont obtenu ou non le contrat. Le représentant d'Alpha lui répond qu'il ne peut rien changer à sa soumission. Par contre, celui de Delta est heureux de l'informer que la direction de son entreprise a changé sa politique et qu'elle offre maintenant trois niveaux de prix, de sorte que son échelle de prix, pour la soumission présentée à Monidès, doit se lire ainsi :

| Lot commandé | Prix unitaire |
|---|---|
| 0 – 499 meules | 25 $ |
| 500 – 999 meules | 24 |
| 1 000 meules ou plus | 22 |

Ce changement de dernière minute modifiera-t-il la recommandation de M. Duchesne ? Dans l'affirmative, expliquez comment et justifiez votre réponse.

*c*) À la réunion du comité de direction, M. Duchesne présente sa recommandation avec confiance. Dès qu'il a terminé, M. Delorme, le directeur de la production, déclare : « Encore une fois, le service des achats propose une recommandation qui ne tient pas compte des exigences de la production. Chaque fois qu'on doit changer une meule sur une machine, il faut arrêter la machine durant 15 minutes et c'est un profit de 8 $ qui s'envole. » Décontenancé, M. Duchesne répond que cela n'a rien à voir avec la décision qu'on doit prendre maintenant.

L'affirmation de M. Duchesne est-elle fondée ? Pourquoi ?

**6.** Le président de la compagnie Duratex inc. désire retenir vos services pour s'assurer une meilleure gestion de ses nombreux produits, et plus précisément du $H_2S_4O_2NaO_2$, couramment appelé le produit *ABC*. Après une étude détaillée des différentes opérations de l'entreprise et l'examen des principaux budgets et registres comptables, vous obtenez les renseignements suivants :

- L'entreprise estime à 100 000 livres sa consommation du produit *ABC* pour la prochaine année.
- Sur le marché, le coût moyen d'une livre de ce produit se chiffre à 10 $.

Pour cette consommation, Duratex devra engager les dépenses inhérentes à ce produit. N'étant pas propriétaire de la bâtisse, elle doit débourser 1 $ par livre annuellement pour payer le loyer de l'entrepôt. Les dépenses rattachées plus précisément au produit sont :

- Le coût moyen de préparation d'une commande : 1,50 $.
- Le coût moyen des frais postaux pour passer une commande : 0,50 $.
- Les frais de manutention : 1,00 $ par livre.
- L'assurance sur les stocks : 1,00 $ par livre par année.
- Le dénombrement : 1,00 $.

Des frais supplémentaires s'ajoutent chaque fois que Duratex passe une commande à son fournisseur :

- Le coût moyen de réception par commande : 11,00 $.
- Les frais moyens de comptabilité par commande : 5,00 $.

De plus, l'entreprise évalue que le coût moyen relatif aux risques de désuétude totalise 20 % du coût moyen des stocks. Le manque à gagner en intérêts est estimé à 40 % du coût moyen des stocks.

*a*) Quels sont les coûts d'entreposage et de commande ?

*b*) Quelle est la quantité économique à commander pour la prochaine année si tous les montants estimés se révèlent exacts ?

*c*) Si le fournisseur offre la remise sur quantité suivante, quelle est la quantité à commander ?

| Lot commandé | Prix par livre |
|---|---|
| 0 – 4 999 livres | 10,00 $ |
| 5 000 – 9 999 livres | 9,80 |
| 10 000 livres ou plus | 9,50 |

**7.** Patate inc. est une entreprise qui produit des frites surgelées pour une importante chaîne de restauration rapide. La demande de son client est considérée comme étant constante et déterministe. Annuellement, les besoins de la chaîne représentent 900 000 sacs de frites. Le coût de commande est évalué à 10 $, et le coût de stockage annuel à 0,45 $ l'unité. Enfin, les restaurants sont ouverts 365 jours par année et Patate inc. est en mesure de produire quotidiennement 10 250 sacs de frites.

*a*) Quelle sera la quantité économique à produire ?

*b*) Combien de lots l'entreprise devra-t-elle produire par année ?

*c*) Combien de jours seront nécessaires pour produire un lot ?

*d*) Supposez maintenant que vous êtes le gestionnaire des stocks de la chaîne de restauration et que Patate inc. vous propose les remises sur quantité suivantes :

| **Quantités** | **Remise** |
|---|---|
| 7 000 | 5 % |
| 7 500 | 10 % |
| 12 000 | 13 % |
| 195 000 | 16 % |

Si le prix d'un sac de patates est 1,11 $, si le coût de commande est évalué à 10 $ et le coût de stockage annuel à 0,45 $ l'unité, quelle quantité serait-il préférable d'acheter ?

## RÉFÉRENCES


1. AUSTIN, L.M., « Project EOQ : A Success Story in Implementing Academic Research », *Interfaces*, août 1977, p. 1-12.
2. BAKER, E.F., « The Changing Scene on the Production Floor », *Management Review*, janvier 1983, p. 8-11.
3. BLACKBURN Jr., J.H., « Forecast Error Measurement at Manufacturing Lead Time », *Production & Inventory Management*, octobre 1981, p. 1-8.
4. BRITNEY, R.R., « Productivity and Inventory Turnover : How High Is High Enough ? », *Business Quarterly*, printemps 1982, p. 61-74.
5. BRITNEY, R.R., P.J. KUZDRALL et N. FARTUCH, « Full Fixed Cost Recovery Lot Sizing with Quantity Discounts », *Journal of Operation and Management*, mai 1983, p. 131-140.
6. BUFFA, E.S. et J.G. MILLER, *Production-Inventory Systems*, 3e éd., Homewood, Illinois, Richard D. Irwin, 1979.
7. CROUHY, M. et M. GREIF, *Gérer simplement les flux de production*, Paris, Éditions du Moniteur, 1991.
8. FITZPATRICK, S.P. et J. PUTTICK, « Manufacturing Strategies – Lessons from Japan », *Production Engineering*, octobre 1983, p. 34-36.
9. FOGARTY, D.W., J.H. BLACKSTONE et T.R. HOFFMANN, *Production & Inventory Management*, 2e éd., South Western Publishing, 1991.
10. FOKES, P., « Automatic Stackers Improve Production », *Plant Management and Engineering*, août 1983, p. 34-35.
11. GRAHAM, R.J., « EOQ – Once More with Feeling », *Interfaces*, novembre 1978, p. 40-44.
12. JESSE Jr., R.R., A. MITRA et J.F. COX, « EOQ Formula : Is It Valid under Inflationary Conditions ? », *Decision Sciences*, juillet 1983, p. 370-374.
13. KUZDRALL, P.J. et R.R. BRITNEY, « Total Setup Lot Sizing with Quantity Discounts », *Decision Sciences*, janvier 1982, p. 101-112.
14. LEENDERS, M.R., H.E. FEARON et W.B. ENGLAND, *Purchasing and Materials Management*, 8e éd., Homewood, Illinois, Richard D. Irwin, 1989.
15. LIBERATORE, M.J., « Using MRP and EOQ Safety Stock for Raw Materials Inventory Control : Discussion and Case Study », *Interfaces*, février 1979, p. 1-7.
16. MARTIN, A.J., *DRP : Distribution Resource Planning*, 2e éd., Prentice-Hall, 1993.

17. MENIPAZ, E., *Essentials of Production and Operations Management*, Englewood Cliffs, New Jersey, Prentice-Hall, 1984.
18. MESTOUDJIAN, J. et J. DE CRESCENZO, *La gestion de production assistée par ordinateur*, Éditions de l'Usine Nouvelle, 1986.
19. MILLER, J.G. et P. GILMOUR, « Materials Managers : Who Needs Them ? », *Harvard Business Review*, juillet-août 1979, p. 143-153.
20. NADDOR, E., *Inventory Systems*, New York, John Wiley & Sons, 1966.
21. PETERSON, R. et E.A. SILVER, *Decision Systems for Inventory Management and Production Planning*, 2e éd., Toronto, John Wiley & Sons, 1985.
22. PLOSSL, G.W. et O.W. WIGHT, « Capacity Planning and Control », *Production & Inventory Management*, 3e trimestre, 1973, p. 31-67.
23. RHODES, P., « Inventory Carrying Cost May Be Less than You've Been Told », *Production & Inventory Management*, octobre 1981, p. 35-36.
24. RITZMAN, L.P., B.E. KING et L.J. KRAJEWSKI, « Manufacturing Performance – Pulling the Right Levers », *Harvard Business Review*, mars-avril 1984, p. 143-152.
25. SCHMENNER, R.W., *Production/Operations Management, Concepts and Situations*, 4e éd., New York, Macmillan Publishing Company, 1990, p. 474.
26. SCHULTZ, T.R., « BRP the Journey to Excellence », *The Forum Ltd.*, 1984.
27. SHELLEY, G., « Let's not Arbitrarily Cut Inventories », *Business Quarterly*, automne 1980, p. 54-57.
28. SMITH, S.B., *Computer-Based Production and Inventory Control*, Prentice-Hall, 1990.
29. TERSINE, R.J. et R.L. PRICE, « Temporary Price Discounts and E.O.Q. », *Journal of Purchasing and Materials Management*, hiver 1981, p. 23-27.
30. THURSTON, P.H., « Simplifiez votre gestion des stocks », *Harvard-L'Expansion*, été 1977, p. 30-34.
31. VOLLMANN, T.E., W.L. BERRY et D.C. HYBARK, *Manufacturing Planning and Control Systems*, 3e éd., Homewood, Illinois, Richard D. Irwin, 1992.
32. WIGHT, O.W., *Réussir sa gestion industrielle par la méthode MRP II*, Paris, CEP Éditions, 1984.
33. WIGHT, O.W., « Let's Obsolete Safety Stock », *Production & Inventory Management*, octobre 1982, p. 62-63.
34. WOOLSEY, G., « Walking thru Warehouses, Toolcribs & Shops or Profits thru Peripatetics », *Interfaces*, février 1978, p. 15-20.

CHAPITRE 11

# La prévision et la gestion de la demande

ROGER HANDFIELD *auteur principal*

JEAN NOLLET *collaborateur*

# LA GESTION DES OPÉRATIONS ET DE LA DEMANDE

## 11.1 La nature de la prévision et de la gestion de la demande et leur apport à la gestion des opérations

La planification des opérations et la gestion des stocks constituent deux des tâches fondamentales du système de pilotage de la GOP. Un préalable essentiel à l'accomplissement de ces tâches est la connaissance aussi parfaite que possible des demandes que le système de production de l'entreprise sera appelé à satisfaire. Cependant, ce préalable s'avère difficile à respecter pour la plupart des entreprises. Sauf pour les entreprises dotées d'un carnet de commandes fermes rempli pour plusieurs trimestres à l'avance au moment d'amorcer le processus de planification des opérations, la connaissance des demandes à satisfaire sur les différents horizons de planification ne repose que sur des prévisions comportant une marge plus ou moins grande d'erreur, l'avenir présentant par nature un degré plus ou moins élevé d'incertitude. Malgré cette difficulté, les gestionnaires doivent utiliser tous les moyens disponibles pour déterminer le plus exactement possible les demandes futures que l'entreprise sera appelée à satisfaire.

La **prévision** répond à ce besoin. À l'aide d'une approche rationnelle, elle vise à déterminer un événement futur (ici, l'importance de la demande à satisfaire) à partir du regroupement systématique de données portant sur les variables pouvant influer sur cet événement, de l'analyse de ces données et de l'évaluation de l'effet des tendances dégagées sur l'évolution de la variable à prédire. Par cette démarche rationnelle, la prévision se distingue de la **prédiction** qui cherche à déterminer un événement futur à partir de bases intuitives ou non scientifiques.

La prévision constitue une étape préalable à la planification des opérations. Elle sert à déterminer ce qui est susceptible d'arriver, par exemple les demandes auxquelles le gestionnaire des opérations devra répondre. La planification sert à définir ce qu'on souhaite voir se produire, grâce à l'élaboration d'une série de plans qui précisent comment le système opérationnel devra être utilisé pour répondre de façon optimale aux demandes des clients.

Plusieurs entreprises visent un marché principal où la demande présente une forte saisonnalité. Pensons aux fabricants de motoneiges. Pour ces entreprises, des efforts s'imposent pour mieux répartir la demande tout au long de l'année. Afin de répondre à ce besoin, une nouvelle technique de gestion, la **gestion de la demande**, s'est développée surtout au cours des dix dernières années. Selon la définition le plus communément acceptée, la gestion de la demande a d'abord pour rôle de bien déterminer la demande totale à satisfaire et de la faire connaître au moment voulu et selon des formes précises aux gestionnaires concernés. À cette première responsabilité s'ajoute celle d'accomplir toutes les actions administratives nécessaires à l'atteinte de la meilleure coordination possible entre la grandeur et l'allure de la demande totale à satisfaire d'une part, et les possibilités de production de l'entreprise d'autre part[3, 10, 11].

La gestion de la demande devient donc la charnière essentielle entre les clients de l'entreprise et les responsables tant du marketing et des finances que de la GOP. Le groupe responsable de la gestion de la demande assumera les responsabilités suivantes :

- la collecte des données sur tous les types de demandes que l'entreprise doit satisfaire : demande des clients pour les produits finis, demande des clients et du service à la clientèle pour les unités de remplacement et les pièces de rechange, demande provenant des besoins de fonctionnement du réseau de distribution, demande d'échanges entre les unités de production, demande pour les promotions spéciales, demande aux fins de charité, demande pour refaire les stocks de sécurité et accumuler des stocks saisonniers ;
- l'agrégation de ces demandes et la communication des résultats aux services concernés ;
- au cas où la satisfaction de la demande totale causerait des difficultés majeures à l'entreprise, la conception et la mise en œuvre de moyens propres à modifier la demande pour la rendre plus acceptable, ces moyens pouvant inclure la négociation avec les clients pour changer les dates de livraison ou pour modifier les volumes commandés, l'adoption de mesures facilitant cette négociation (rabais sur les prix, frais de stockage assumés par le fournisseur), les campagnes de promotion, le développement de produits à demande contracyclique permettant de niveler la demande totale ;
- l'établissement de délais de livraison réalistes et le contrôle du respect de ces délais.

Les responsabilités dévolues aux gestionnaires de la demande peuvent devenir très vastes. Ces derniers doivent posséder l'ensemble des connaissances requises et des aptitudes pour la communication afin d'établir de bonnes relations avec toutes les parties concernées, tant à l'intérieur qu'à l'extérieur de l'entreprise. Pour y parvenir, on confiera les responsabilités de la gestion de la demande à un groupe de cadres provenant de divers services : GOP, marketing, finances, analyse économique et autres.

Dans une entreprise où l'on procède à une gestion de la demande telle qu'on vient de la définir, la tâche du planificateur et du contrôleur de la production est grandement simplifiée. Comme on le verra au chapitre suivant, il est beaucoup plus aisé de concevoir des plans de production à faibles coûts et faciles à implanter lorsqu'on connaît longtemps d'avance et avec le plus de précision possible la demande à satisfaire, et que celle-ci demeure aussi stable que possible tout au long de l'année.

## 11.2 Les besoins de prévisions en gestion des opérations

Pour la majorité des décisions à prendre, le gestionnaire des opérations recourt à des prévisions, même s'il ne le fait pas toujours de manière explicite. Les prévisions s'avèrent utiles dans une foule de contextes, dont les suivants :

- la décision d'adopter une technologie nouvelle (*voir chapitre 5*) ;
- la gestion de l'équipement (*voir chapitre 6*) ;
- la décision de modifier la capacité (*voir chapitre 7*) ;
- les décisions de localisation et d'aménagement (*voir chapitre 8*) ;
- la gestion des stocks (*voir chapitre 10*) ;
- la planification intégrée (*voir chapitre 12*) ;
- la gestion stratégique des opérations (*voir chapitre 19*).

Ces prévisions portent le plus souvent sur la demande, mais elles peuvent aussi concerner l'évolution des prix et des coûts, la fréquence future des pannes d'équipement, la disponibilité et la productivité de la main-d'œuvre, le temps d'implantation d'une technologie nouvelle ou l'évolution de l'importance relative des facteurs de localisation. Les méthodes de prévision de la demande présentées dans ce chapitre peuvent se révéler très utiles pour aider le gestionnaire dans sa quête d'une évaluation aussi précise que possible de l'état futur des autres variables de décision que nous venons de mentionner.

En ce qui a trait à la prévision de la demande, quelques règles d'utilisation sont à retenir.

- La prévision doit porter sur la demande indépendante, soit celle qui se rapporte aux produits finis et aux pièces de rechange, et non sur la demande dépendante, qui concerne les composants, les matières premières et les pièces, dont les quantités requises pour l'avenir seront calculées lors de la planification des besoins-matières (*voir chapitre 13*).
- Il est préférable de faire des prévisions pour des familles de produits plutôt que pour des produits individuels ; les prévisions offrent alors un meilleur degré de précision à cause des phénomènes compensatoires de demande pour des produits semblables.
- Il est recommandé de faire des prévisions à court ou à moyen terme ; plus les prévisions concernent une période éloignée dans le futur, moins elles sont précises.
- Les prévisions ne doivent pas être considérées comme des valeurs qui se réaliseront avec exactitude dans l'avenir ; par leur nature, elles sont entachées d'erreur et il faut les utiliser comme telles, en considérant la probabilité que la vraie valeur de la demande se situe à l'intérieur d'un intervalle constitué de la valeur prévue, plus ou moins une mesure standard d'erreur.

L'article classique de George W. Plossl[8] contient de nombreuses recommandations quant à l'utilisation adéquate des méthodes de prévision par le gestionnaire des opérations.

# LES PRINCIPALES TECHNIQUES DE PRÉVISION

## 11.3 La classification et le choix des techniques de prévision

Les techniques ou modèles de prévision se divisent en deux groupes principaux : les **techniques qualitatives** et les **techniques quantitatives**. Certaines de ces techniques sont regroupées au tableau 11.1. Le premier groupe repose surtout sur l'expression d'opinions soigneusement analysées et ne comporte pas d'analyse mathématique de données ni d'observations passées. Le second groupe analyse systématiquement les données passées, cherche à découvrir le meilleur modèle explicatif de leur évolution et utilise ensuite ce modèle pour obtenir des prévisions.

Les techniques quantitatives se subdivisent à leur tour en méthodes causales et en méthodes des séries chronologiques. Les **méthodes causales** permettent d'abord de découvrir les facteurs quantifiables réels qui ont pu influer sur l'évolution passée d'une variable de prévision, puis d'évaluer l'importance de l'effet de chacun de ces facteurs dans l'explication des variations passées, et d'intégrer le jeu de ces variables

Tableau 11.1

Les techniques de prévision de la demande

| Techniques qualitatives | Techniques quantitatives |
|---|---|
| – Études de marché<br>– Prévisions visionnaires<br>– Méthode Delphi (groupes d'experts)<br>– Analogie historique | **Méthodes causales**<br>– Régression simple<br>– Régression multiple<br>– Modèles économétriques<br>– Tableaux d'échange<br>**Méthodes des séries chronologiques**<br>– Moyenne statistique<br>– Moyenne mobile<br>– Lissage exponentiel simple<br>– Double moyenne mobile<br>– Double lissage exponentiel<br>– Régression simple<br>– Lissage exponentiel multiple<br>– Décomposition classique<br>– Recherche des harmoniques<br>– Régression multiple |

dans un modèle de prévision approprié. Ainsi, on peut chercher à prévoir la demande pour les ordinateurs personnels à partir de facteurs explicatifs comme l'augmentation prévue de la population et de son revenu individuel, la baisse du prix de ces appareils, la croissance rapide de leur capacité de traitement, l'apport de technologies nouvelles les rendant plus désirables ou plus faciles à utiliser (pensons à l'intégration des technologies multimédias), l'évolution du pourcentage de la population active travaillant au foyer, etc. Les **méthodes des séries chronologiques**, quant à elles, ne s'intéressent pas aux facteurs explicatifs, ou plutôt elles n'en retiennent qu'un seul : le passage ou l'écoulement du temps. Le but visé par ces méthodes est la détermination d'un modèle mathématique sous-jacent à l'évolution passée de la variable de prévision, modèle appartenant à l'une des trois catégories très précises que nous verrons aux sections 11.7 à 11.9, et l'obtention de prévisions par le prolongement dans le temps de ce modèle sous-jacent.

## 11.4 Les techniques qualitatives

Comme nous l'avons mentionné précédemment, ces techniques de prévision ne comportent pas d'analyse mathématique poussée des phénomènes passés ; elles permettent plutôt d'établir des prévisions en mettant en commun le savoir-faire et l'expérience de nombreuses instances aptes à se prononcer sur l'évolution à prévoir de certains phénomènes. À cause de ce caractère particulier, les techniques qualitatives, si elles sont mal appliquées, peuvent facilement se transformer en démarches de prédictions purement intuitives. La rigueur s'impose donc dans leur utilisation, même si elles ne sont pas basées sur des modèles mathématiques.

Les techniques qualitatives sont utiles dans les situations où l'on ne dispose pas d'observations chiffrées sur le passé, comme lors de l'introduction d'un nouveau produit sur le marché. Au cours des dernières années, des entreprises n'ont pu satisfaire toute la demande dans les mois ayant suivi le lancement de nouveaux produits, faute de prévisions adéquates (par exemple les lames de rechange pour le rasoir *Sensor* chez Gillette, les ampoules fluorescentes économisant l'énergie chez Loblaw).

Ces techniques peuvent aussi fournir de bons résultats dans les circonstances suivantes :

- lorsque les données passées, même si elles existent, ne sont guère fiables pour établir des prévisions ;
- lorsqu'on estime valable de comparer des résultats prévisionnels avec ceux obtenus par des modèles quantitatifs ;
- dans le cas de développements scientifiques majeurs qui auront un effet important sur le coût d'un produit et, de ce fait, sur l'évolution de la demande pour ce produit ;
- lorsqu'une campagne publicitaire d'envergure est prévue ou que les stratégies des concurrents viennent fausser l'utilité des données passées ;
- quand des changements majeurs dans les valeurs ou les comportements peuvent faire accéder la société à une ère nouvelle (pensons aux conséquences de la prise de conscience de l'environnement).

Selon le cas, on pourra recourir à l'une ou l'autre des méthodes décrites brièvement ci-dessous (tableau 11.1).

1. Les **études de marché** : en testant des produits particuliers auprès de clients potentiels, on tente de déterminer la demande possible. De nombreux volumes de marketing traitant de cet aspect peuvent servir de référence.
2. Les **prévisions visionnaires** : elles sont souvent basées sur la préparation de prévisions par les vendeurs. Les gestionnaires et les vendeurs connaissent bien le marché et peuvent fournir des prévisions intuitives rapidement et à peu de frais. Souvent, ils tiennent compte implicitement de divers facteurs qui peuvent influer sur la demande. Le danger majeur provient du biais qui est alors souvent introduit. En général, ce type de prévisions est plutôt optimiste, sauf lorsque les vendeurs ou les gestionnaires obtiennent des primes si les ventes réelles dépassent les prévisions.
3. La **méthode Delphi** : basée sur l'opinion de groupes d'experts, elle vise l'obtention d'un consensus. Le processus consiste à recueillir en premier lieu l'opinion de chaque expert. Les opinions transcrites sont ensuite distribuées aux mêmes experts aux fins de discussion. Une deuxième série d'opinions en sortira. Souvent, une troisième série sera nécessaire pour parvenir à un consensus. Celui-ci peut fort bien être représenté par un intervalle plutôt que par un seul nombre ; dans ce cas, l'avantage majeur réside dans l'étendue des facteurs considérés, tandis que l'inconvénient est la tendance des extrêmes à se rapprocher du centre.
4. L'**analogie historique** : l'évolution des ventes d'un nouveau produit peut fort bien correspondre à celle de produits déjà lancés sur le marché. Toute analogie vraisemblable ou tout lien avec un indicateur quelconque peuvent grandement faciliter la prévision. On peut utiliser la courbe du cycle de vie des produits, bien connue en marketing, pour préciser l'analogie.

## 11.5 Les techniques quantitatives

Nous avons déjà précisé la nature propre des techniques quantitatives de prévision et la différence essentielle entre les méthodes causales et les méthodes des séries chronologiques. Comme nous développerons plus particulièrement les méthodes des séries chronologiques dans les sections 11.6 à 11.9, nous ne présenterons que brièvement certaines méthodes causales.

Ces méthodes présentent l'avantage d'une analyse plus poussée des facteurs déterminants de l'évolution d'une variable de prévision (par exemple, la demande) dans le passé et offrent par là un meilleur gage de précision pour des prévisions à long terme ou portant sur des composants majeurs de l'économie (le PNB, l'indice des prix à la consommation, l'évolution des groupes d'âge). Par contre, elles présentent plusieurs inconvénients. Ainsi, la recherche des facteurs explicatifs peut se révéler très complexe et très coûteuse. De plus, il faut souvent beaucoup de temps et d'efforts pour construire les modèles mathématiques appropriés, qui s'avèrent souvent lourds à manipuler. Enfin, la quantité de facteurs à considérer se révèle souvent énorme, et les résultats obtenus peuvent être grandement faussés si on en oublie un seul. Ainsi, pour la prévision de l'évolution de sa demande globale, Hydro-Québec utilise un modèle causal basé sur 700 paramètres. Le gestionnaire des opérations doit donc réserver l'utilisation de ce type de méthodes pour la prévision à caractère stratégique et se faire assister de spécialistes lorsqu'il veut y avoir recours.

Parmi les méthodes causales les plus utilisées, mentionnons les suivantes.

1. La **régression simple** : ce modèle fait dépendre l'évolution d'une variable (dite variable dépendante) de l'évolution d'une autre variable (dite variable indépendante) selon un modèle mathématique quelconque (souvent un modèle linéaire qui consiste en une droite de régression). Selon le degré de dépendance plus ou moins étroite dans l'évolution respective des deux variables (degré de corrélation), on peut prévoir avec une certaine précision la valeur que prendra la variable dépendante en fonction de la valeur prise par la variable indépendante. Notons ici que cette dernière doit représenter un facteur réel, autre que l'écoulement du temps, pour que cette méthode appartienne à la catégorie des méthodes causales.
2. La **régression multiple** et les **modèles économétriques** : il s'agit d'une méthode analogue à la précédente, sauf qu'on associe l'évolution de la variable dépendante à l'effet combiné de plusieurs variables indépendantes. La résolution de l'équation de régression obtenue exige de nombreux calculs et doit, en règle générale, s'effectuer par ordinateur. Parfois, on utilise plusieurs équations de régression qui doivent être résolues simultanément. On parle alors de modèles économétriques.
3. Les **tableaux d'échange** : cette approche permet d'établir des liens entre tous les composants principaux de l'économie sous forme d'un tableau les mettant en rapports quantifiés. Il est alors possible de prévoir l'évolution d'un ou de plusieurs de ces composants à partir des variations des composants qui leur sont associés. Cet outil sert avant tout aux économistes.

# LES TECHNIQUES DE L'ANALYSE DES SÉRIES CHRONOLOGIQUES

## 11.6 Les étapes de la méthode

Ces techniques, présentées dans ce texte sous l'appellation abrégée de « techniques des séries chronologiques », conviennent particulièrement bien à la prévision dans un contexte de gestion des opérations. Elles sont en général suffisamment précises sur un horizon d'un an ou moins (ce qui correspond à la majorité des besoins de prévisions en GOP) ; elles nécessitent relativement peu de données (seulement une série d'observations sur l'état passé de la variable de prévision) ; plusieurs d'entre elles exigent des calculs simples, et, pour les calculs plus complexes, elles peuvent être utilisées à l'aide de logiciels facilement disponibles ; enfin, elles reposent sur une méthode d'analyse généralement facile à comprendre et elles permettent la mesure de l'erreur qui risque d'être attachée aux prévisions obtenues.

L'utilisation des techniques des séries chronologiques repose sur une démarche qui s'exécute en quatre étapes. La figure 11.1 présente ces étapes.

**FIGURE 11.1** ▶
**Les étapes d'une analyse des séries chronologiques**

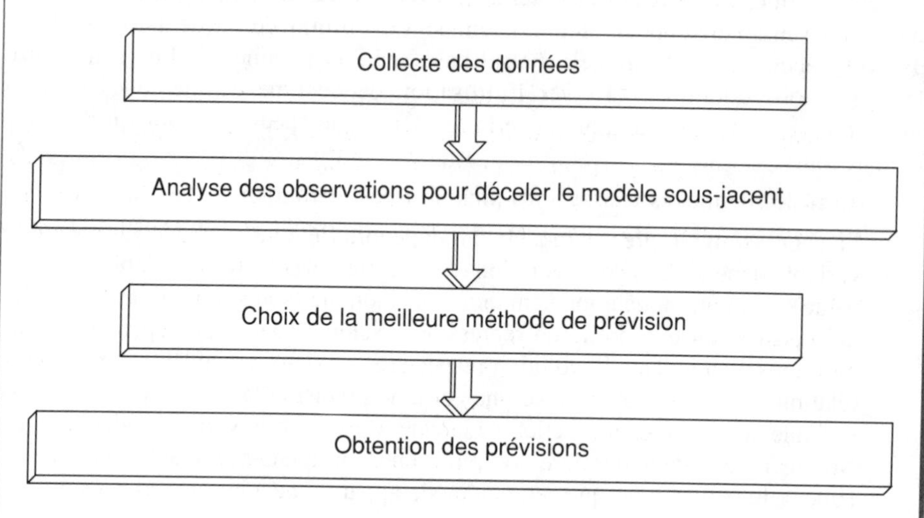


1. La **collecte des données** : cette première étape consiste à recueillir une série d'observations sur les valeurs prises par la variable de prévision (nous utiliserons ici la demande) au cours d'un nombre plus ou moins grand de périodes passées. Généralement, plus la série d'observations remonte loin dans le passé (à partir de la période la plus récente), plus les prévisions obtenues sont précises. On laisse parfois tomber certaines observations, surtout lorsqu'elles portent sur des périodes atypiques (par exemple, lors de grèves chez les principaux clients) ou lorsque des phénomènes majeurs bouleversent considérablement le jeu des forces sous-jacentes qui déterminent l'évolution de la demande (l'introduction d'une nouvelle technologie ou l'ouverture de nouveaux marchés à la suite de la signature d'un traité de libre-échange, par exemple). Dans ce dernier cas, il vaut mieux ne conserver que les observations portant sur les périodes postérieures à l'apparition du phénomène. Si on utilise un logiciel de prévision, cette étape se termine par l'entrée des observations sous forme de données.
2. L'**analyse des données** : l'objectif de cette étape est de définir le modèle sous-jacent qui représente le mieux l'évolution de la demande passée. En analyse des séries chronologiques, on reconnaît trois types de modèles sous-jacents, qui seront étudiés en détail dans les sections suivantes. Pour l'instant, nous présenterons brièvement deux techniques qui permettent d'établir le type de modèle sous-jacent approprié. La première technique est celle de l'observation visuelle. Comme nous le verrons ci-après, les trois types de modèles sous-jacents se distinguent clairement les uns des autres, et souvent l'observation

d'un graphique représentant l'évolution des données passées dans le temps suffit pour rattacher infailliblement les données à l'un des trois types de base. Parfois cependant, cette technique ne permet pas d'obtenir le degré de certitude désiré ; c'est le cas surtout lorsque les données n'obéissent pas à un modèle de base pur, mais à une combinaison de plusieurs types. On peut alors recourir à une deuxième technique, de nature statistique : l'analyse de l'autocorrélation des données. Sans vouloir présenter ici un exposé complet de la nature de cette technique, mentionnons qu'elle permet de mesurer l'importance du degré de relation des observations entre elles. Selon que ce degré est significatif ou non, ou selon le décalage entre les périodes où il existe, le choix du modèle sous-jacent pertinent peut se faire avec beaucoup de certitude, même dans les situations complexes. Nous aurons l'occasion d'y revenir dans l'exposé des méthodes propres à chaque type de modèle.

3. Le **choix de la meilleure méthode de prévision** : pour chaque type de modèle sous-jacent, plusieurs méthodes de prévision sont proposées. Le choix de la meilleure méthode implique le test systématique des méthodes appartenant au modèle sous-jacent choisi, et l'étude des résultats obtenus à l'aide d'une des techniques présentées dans les sections 11.10 à 11.12 du présent chapitre.

4. L'**obtention des prévisions** : cette dernière étape est la plus simple si les étapes précédentes ont été accomplies correctement. Il s'agit de donner à la variable qui représente l'écoulement du temps, dans les équations de la méthode retenue à l'étape 3, les valeurs correspondant à la dénomination des périodes futures pour obtenir, par calculs manuels ou à l'aide d'un logiciel, une série de prévisions aussi longue que désirée.

## 11.7 Le modèle avec niveau

Ce modèle signifie que les données observées évoluent au hasard autour d'une valeur centrale stable appelée « niveau ». Les forces qui déterminent l'évolution de la demande semblent agir de concert pour ramener celle-ci vers cette valeur centrale dès qu'elle s'en éloigne. La figure 11.2 présente une demande obéissant bien à ce modèle. Pour un cas moins évident, le recours à l'analyse de l'autocorrélation des données permet d'établir l'appartenance à un modèle avec niveau : cela se produit lorsque toutes les valeurs calculées d'autocorrélation demeurent sous le seuil de signification.

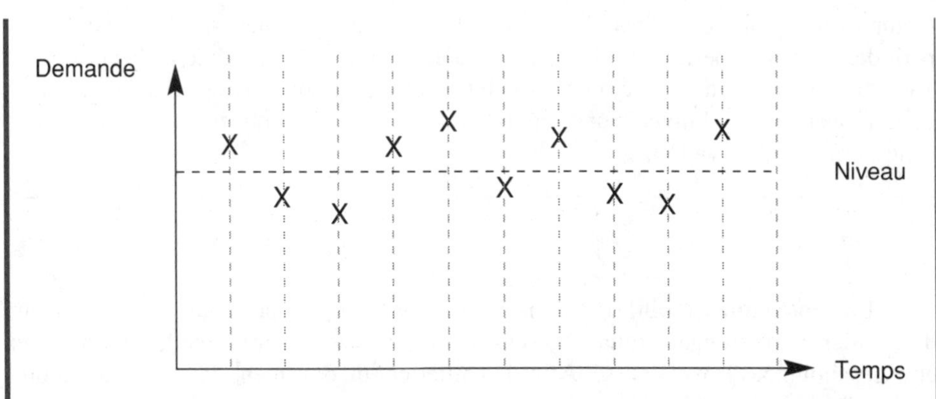


◄ **FIGURE 11.2**
**Le modèle avec niveau**

Nous présentons maintenant trois méthodes de prévision convenant à des demandes qui obéissent à un modèle avec niveau.

**La moyenne statistique.** Dans cette méthode, la valeur du niveau est calculée en faisant la moyenne de toutes les observations retenues selon la formule suivante :

$$\overline{X}_t = \frac{\sum_{1}^{n} X_i}{n}$$

où $X_t$ = moyenne statistique au temps $t$,

$X_i$ = valeur observée au temps $i$,

$n$ = nombre d'observations.

La prévision pour toute période future devient alors égale à cette moyenne :

$$P_{t+j} = \overline{X}_t$$

où $P_{t+j}$ = prévision pour toute période future.

**Exemple**

La demande mensuelle d'un type de papier fin a pris les valeurs suivantes au cours des 12 derniers mois (en tonnes métriques) :

| | | | | | |
|---|---|---|---|---|---|
| Janvier | 33 | Février | 36 | Mars | 29 |
| Avril | 37 | Mai | 34 | Juin | 28 |
| Juillet | 26 | Août | 38 | Septembre | 34 |
| Octobre | 35 | Novembre | 28 | Décembre | 30 |

Un rapide examen de ces données convainc le planificateur de la production que la demande de ce produit répond à un modèle avec niveau. S'il désire obtenir une prévision de la demande pour le prochain mois, à l'aide de la moyenne statistique, il doit effectuer le calcul suivant :

$$P_{13} = \overline{X}_{12} = \frac{X_1 + X_2 + \ldots + X_{12}}{12} = \frac{388}{12} = 32{,}33.$$

Notons que, pour le moment, cette prévision vaut également pour toutes les périodes suivant la période 13. Lorsque la valeur réelle de la demande de la période 13 sera connue, on devra l'ajouter aux autres observations et recalculer la valeur de la moyenne afin d'obtenir une prévision pour le mois 14 qui tienne compte de cette dernière observation.

**La moyenne mobile.** La moyenne statistique présente l'inconvénient d'accorder un poids égal à toutes les observations passées, même à celles qui peuvent être très éloignées dans le passé. Afin de pallier cet inconvénient, la moyenne mobile ne se calcule qu'à partir d'un nombre restreint d'observations, soit les plus récentes.

On doit donc choisir un nombre fixe de données à retenir dans le calcul de la moyenne mobile. Le calcul s'effectue selon l'équation suivante :

$$P_{t+j} = \overline{X_{M_t}} = \frac{\sum_{t-m+1}^{t} X_i}{m}$$

où $\overline{X_{M_t}}$ = moyenne pondérée calculée au temps $t$,
$m$ = nombre de périodes retenues dans le calcul de la moyenne mobile.

**Exemple** ■

À partir des données de l'exemple précédent, le planificateur de la production peut préférer calculer une moyenne mobile plutôt qu'une moyenne statistique. Supposons qu'il désire retenir six observations dans son calcul. La prévision obtenue à la fin de décembre serait :

$$P_{13} = \overline{X_{M_{12}}} = \frac{X_7 + X_8 + \ldots + X_{12}}{6} = \frac{26 + 38 + \ldots + 30}{6} = \frac{191}{6} = 31{,}83.$$

Faisons l'hypothèse que nous sommes à la fin de janvier (mois 13) et que la demande réelle de cette nouvelle période est maintenant connue et s'élève à 36 tonnes métriques. Si le planificateur veut établir une nouvelle prévision de la demande pour février (mois 14), le calcul devient :

$$P_{14} = \overline{X_{M_{13}}} = \frac{X_8 + X_9 + \ldots + X_{13}}{6} = \frac{38 + 34 + \ldots + 36}{6} = \frac{201}{6} = 33{,}5.$$

On constate donc que d'une prévision à l'autre, le nombre de périodes antérieures choisi demeure le même ; cependant, la période la plus ancienne cède la place à la période la plus récente. Il n'existe pas de règle précise pour choisir le meilleur nombre de périodes à retenir. Dans la pratique, on utilise aussi bien les moyennes mobiles à 3 périodes que celles à 15 périodes. Seule l'expérience pourra enseigner au gestionnaire le nombre idéal de périodes à retenir.

**Le lissage exponentiel simple.** Même si la moyenne mobile permet d'ajuster plus facilement le calcul de la moyenne en fonction des dernières observations obtenues, cette technique comporte l'inconvénient d'accorder un poids constant à une observation tant qu'elle fait partie du groupe retenu. Or, plusieurs experts pensent que l'influence des forces qui ont déterminé l'état de la demande à une certaine période s'estompe graduellement, au fur et à mesure que le temps avance, et que le poids attaché à une observation doit donc également diminuer progressivement. Le lissage exponentiel simple permet de calculer une telle moyenne pondérée. Pour ce faire, on doit utiliser un paramètre $\alpha$, valeur comprise entre 0 et 1. Plus cette valeur est petite, plus le poids accordé à une observation diminue lentement. Par contre, si on a des raisons de croire que les forces du marché évoluent très rapidement, on peut utiliser une valeur de $\alpha$ se situant près de 1. En pratique, on utilise surtout des valeurs de $\alpha$ comprises entre 0 et 0,3.

Le lissage exponentiel permet d'effectuer le calcul de la moyenne pondérée à partir de l'équation suivante :

$$\overline{X_{p_t}} = \alpha X_t + \alpha(1-\alpha)X_{t-1} + \alpha(1-\alpha)^2 X_{t-2} + \dots + \alpha(1-\alpha)^{n-1} X_{t-n+1}$$

où $\overline{X_{p_t}}$ = moyenne pondérée au temps $t$,

$X_t$ = observation au temps $t$,

$n$ = nombre d'observations,

$\alpha$ = facteur de pondération compris entre 0 et 1.

Lorsque la moyenne pondérée a déjà été calculée pour une période, on peut rapidement calculer la moyenne pondérée pour la période suivante à l'aide d'une nouvelle équation :

$$\overline{X_{P_{t+1}}} = \overline{X_{P_t}} + \alpha(X_{t+1} - \overline{X_{P_t}})$$

**Exemple** ■

En utilisant toujours les données de l'exemple précédent et une valeur du paramètre $\alpha$ égale à 0,3 , on obtient la prévision pour janvier (mois 13) de la manière suivante :

$$P_{13} = \overline{X_{P_{12}}}$$

$$= 0{,}3\,(30) + 0{,}3\,[0{,}7\,(28)] + 0{,}3\,[0{,}7^2\,(35)] + \dots + 0{,}3\,[0{,}7^{11}\,(33)]$$

$$P_{13} = 30{,}89$$

Par contre, maintenant que la moyenne pondérée du mois 12 a été obtenue, celle des mois suivants peut se calculer directement à l'aide de la deuxième équation :

$$P_{14} = \overline{X_{P_{13}}} = \overline{X_{P_{12}}} + 0{,}3\,(X_{13} - \overline{X_{P_{12}}}) = 30{,}89 + 0{,}3\,(36 - 30{,}89) = 32{,}42$$

## 11.8 Le modèle avec tendance

À la différence du modèle précédent, la demande, ici, n'oscille plus autour d'un niveau stable, mais tend à croître ou à décroître d'une manière continue. Partie à l'origine d'un certain niveau, la demande augmente (ou diminue) d'une quantité à peu près égale à chaque période. La grandeur de la variation moyenne observée d'une période à l'autre constitue la mesure de la tendance. La figure 11.3 présente des données qui répondent à ce modèle.

**FIGURE 11.3** ▶
**Le modèle avec tendance**

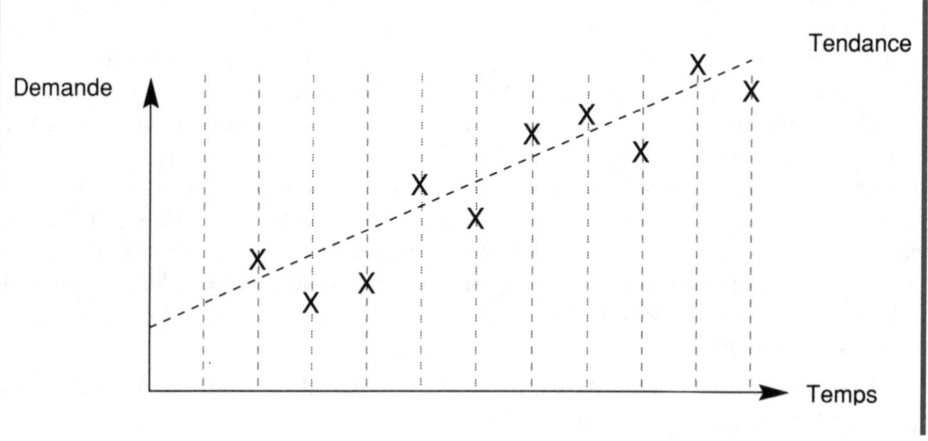

Si un examen visuel ne suffit pas à déterminer une situation où la demande obéit à ce modèle, l'analyse de l'autocorrélation des données, c'est-à-dire la mesure de l'importance du degré de corrélation des observations entre elles, peut nous renseigner. Dans ce cas, l'autocorrélation pour un décalage d'une période est très significative (près de +1 pour une tendance à la hausse, et de −1 pour une tendance à la baisse) et devient de moins en moins significative pour des décalages de plus en plus grands.

Les méthodes de prévision suggérées pour le modèle avec niveau conviennent mal à ce nouveau modèle, car elles ne peuvent tenir compte de l'effet de la tendance qu'avec beaucoup de retard. Aussi des méthodes pertinentes à ce modèle ont-elles été développées. Le lecteur intéressé pourra consulter les ouvrages spécialisés présentés dans les références qui apparaissent à la fin de ce chapitre.

**La double moyenne mobile.** Cette méthode permet d'évaluer la moyenne mobile à l'aide de deux équations, l'une servant à évaluer le niveau de départ, l'autre la grandeur de la tendance. Le même nombre d'observations est retenu dans les deux équations.

**Le double lissage exponentiel.** La moyenne pondérée est calculée ici à l'aide de deux équations. Certains chercheurs (Brown) préconisent l'utilisation d'un seul paramètre ($\alpha$), d'autres (Holt) conseillent d'en utiliser deux ($\alpha$, ß)[6].

**La régression simple.** Nous avons déjà présenté cette méthode parmi celles du groupe des méthodes causales. On peut également l'utiliser en analyse des séries chronologiques en faisant du temps écoulé la seule variable explicative.

## 11.9 Le modèle avec cycle

Dans cette troisième situation, des phénomènes saisonniers ou cycliques influent sur la demande, qui est particulièrement forte à certains moments de l'année et faible à d'autres. On peut penser à de nombreux produits que les gens désirent acheter surtout à des moments précis de l'année : vêtements saisonniers, articles de sport, crème glacée, etc. On parle alors de cycle saisonnier. De même, l'évolution des grands phénomènes économiques peut imprimer un cycle à certaines demandes, cycle dont la longueur dépasse souvent une année.

La présence d'un tel cycle fait osciller la demande autour d'une courbe sinusoïdale, comme l'illustre la figure 11.4*a*. Notons qu'un cycle peut se superposer à une tendance (figure 11.4*b*).

On peut déceler la présence d'un tel cycle soit par un examen visuel des données, soit par l'analyse de leur autocorrélation. Dans ce dernier cas, l'autocorrélation la plus significative apparaît pour une grandeur de décalage correspondant à la longueur du cycle.

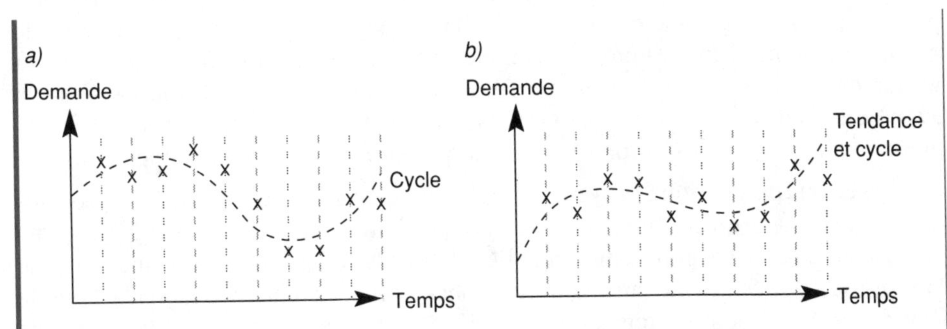


◄ **FIGURE 11.4**
**Le modèle avec cycle**

C'est pour ce dernier modèle que le plus de méthodes de prévision ont été développées. Comme le gestionnaire des opérations requiert en général des prévisions sur un horizon d'au plus un an, il est avant tout concerné par les cycles saisonniers. Nous ne présentons donc brièvement que quelques-unes des méthodes de prévision développées pour répondre à ce besoin.

**Le lissage exponentiel multiple.** Winters (dans Makridakis et Wheelwright[6]) a développé un modèle visant à évaluer l'influence respective du niveau, de la tendance et du cycle sur la demande à l'aide d'équations construites à partir de trois paramètres ($\alpha$, $\beta$ et $\gamma$). La recherche des valeurs optimales de ces paramètres peut se révéler très ardue. Un bon logiciel incorporera donc une procédure automatisée de recherche de ces valeurs.

**La décomposition classique.** Cette méthode permet d'isoler, par des calculs successifs, l'importance du niveau, de la tendance et du cycle dans la valeur des données observées. Le cycle est d'abord évalué, puis sa valeur est soustraite des observations. On mesure ensuite la tendance, qu'on enlève de ce qui restait pour demeurer avec la valeur du seul niveau. Parmi les méthodes de décomposition classique, mentionnons la méthode *Census II*[6] utilisée par le Bureau fédéral de la statistique aux États-Unis.

**La régression multiple.** Il s'agit d'une méthode analogue à celle présentée dans les méthodes causales, mais où seul le temps, sous diverses expressions, est utilisé comme variable explicative.

**La recherche des harmoniques.** Les mathématiciens savent, depuis Fourier, que toute courbe peut être représentée par une somme de courbes sinusoïdales, dont les fréquences sont des multiples entiers et dont les amplitudes peuvent varier. Harrison (dans Makridakis et Wheelwright[6]) a élaboré une méthode de prévision basée sur cette approche.

## LE CHOIX DE LA MEILLEURE TECHNIQUE DE PRÉVISION

Après avoir essayé un certain nombre de méthodes de prévision pertinentes au modèle sous-jacent approprié, le choix de la meilleure technique pourra s'appuyer sur les éléments suivants. La méthode à retenir sera celle qui présentera la combinaison optimale de résultats pour l'ensemble des éléments présentés.

### 11.10 Les principales mesures d'erreur

La meilleure méthode de prévision doit avant tout donner les prévisions les plus précises possible. Comme on ne peut d'avance mesurer l'écart effectif (ou erreur) qui va se produire entre les prévisions issues d'une méthode et la demande réelle qui va survenir, on est forcé de mesurer l'écart qui serait survenu dans le passé si on avait eu recours à cette méthode pour obtenir des prévisions. Parmi les principales mesures d'écart utilisées en prévision, nous présentons les trois plus populaires.

**L'écart quadratique moyen.** Cette mesure d'écart est bien connue des adeptes de la régression. Dans la régression simple (ou linéaire), la théorie statistique enseigne que la meilleure droite pour représenter l'évolution des données est celle qui minimise la moyenne des écarts au carré entre les données et les points correspondants de la droite (ces écarts sont également appelés résidus). À cause de ce résultat, une telle mesure d'écart (certains parlent d'erreur) jouit de la faveur de nombreux spécialistes de la prévision. Dans ce dernier cas, elle se calcule de la façon suivante :

$$EQM_t = \frac{\sum_{1}^{n} (P_i - X_i)^2}{n}$$

où $EQM$ = écart quadratique moyen.

**L'écart absolu moyen.** Cette mesure, ordinairement évaluée sur une base de pourcentage, considère la grandeur des écarts sans tenir compte de leur sens. Il n'y a donc pas de compensation entre les écarts positifs et négatifs. Un écart absolu moyen faible indique donc une méthode donnant des prévisions près des valeurs réelles de la demande. Le calcul s'effectue ainsi :

$$EAM_t = \frac{100 \sum_{1}^{n} \frac{|P_i - X_i|}{X_i}}{n}$$

où $EAM$ = écart absolu moyen.

**Le biais.** Cette mesure diffère de la précédente uniquement en ce qu'elle considère les écarts en fonction non seulement de leur grandeur, mais aussi de leur sens. Les écarts négatifs compensent plus ou moins parfaitement les écarts positifs. Pour un nombre suffisamment grand d'observations, la valeur du biais devrait tendre vers 0 %. Une valeur positive indique que la méthode testée a tendance à fournir des prévisions dépassant les valeurs réelles ; une valeur négative indique le contraire. Le calcul du biais correspond mathématiquement à :

$$BIAIS_t = \frac{100 \sum_{1}^{n} \frac{P_i - X_i}{X_i}}{n}$$

Les mesures d'écart sont utilisées surtout sur une base comparative. Une méthode de prévision qui, pour chacune des mesures présentées, offrirait des valeurs plus faibles que d'autres méthodes testées aurait de fortes chances de fournir les prévisions les plus précises. Souvent cependant, aucune méthode ne prévaut pour l'ensemble des mesures d'écart ; on doit alors recourir à d'autres indices dans le choix de la meilleure méthode.

## 11.11 L'autocorrélation des résidus et l'analyse graphique

Une méthode de prévision idéale permettrait d'expliquer le mieux possible toute la variation des observations. En d'autres mots, les valeurs calculées ne devraient différer des observations que par un résidu non explicable, dû uniquement au hasard. Un indice probant de la répartition au hasard des écarts réside dans le fait que ces écarts ne sont pas interreliés de façon significative. La plupart des logiciels de prévision permettent le calcul du degré d'interrelation (ou autocorrélation) des résidus. Une méthode de prévision sera jugée statistiquement valable s'il n'existe pas d'autocorrélation significative entre les résidus, quelle que soit la grandeur du décalage observé.

Les indices précédemment mentionnés renseignent sur la capacité d'une méthode de prévision de bien refléter, en moyenne, le passé. Mais ce qui intéresse le gestionnaire, lorsqu'il a recours à des prévisions, c'est avant tout l'avenir. Souvent, une méthode qui présente de bons résultats en matière d'indices d'écart réussit mal à évaluer la demande lors de périodes particulièrement importantes pour le gestionnaire des opérations, soit celles où la demande est à son plus fort ou à son plus faible. Il conviendra donc de reporter sur un graphique, à la suite des observations passées, les prévisions découlant de chacune des méthodes testées, afin de constater lesquelles paraissent le mieux prolonger l'évolution passée.

## LA GESTION DES PRÉVISIONS

### 11.12 Les besoins en données et les coûts des diverses techniques

Plus une méthode de prévision est complexe, plus elle exige un grand nombre d'observations pour donner de bons résultats. Par exemple, alors qu'une moyenne peut se calculer avec seulement deux ou trois observations, une méthode cyclique requerra au minimum un nombre de données représentant deux évolutions complètes du cycle. Pour un cycle annuel, basé sur des observations mensuelles, cela veut dire 24 données. Les méthodes les plus complexes, comme la décomposition classique, sont déconseillées lorsqu'on dispose de moins de 60 à 72 observations. En certaines circonstances (produits relativement nouveaux, perte d'observations anciennes, présence d'un phénomène perturbateur), cette exigence réduit l'éventail des méthodes de prévision disponibles.

Pour ce qui est des coûts reliés à l'utilisation des diverses méthodes de prévision, ils englobent les coûts de collecte et de conservation des données, d'élaboration des modèles et de calcul des résultats. Étant donné la disponibilité, sur le marché, de nombreux logiciels de prévision peu coûteux à l'acquisition, qui peuvent fonctionner sur des ordinateurs personnels et fournir des résultats en une fraction de seconde, seul le coût de la collecte des données est aujourd'hui déterminant dans le choix d'une méthode de prévision.

### 11.13 L'apport de l'informatique

L'informatique a transformé totalement le monde de la prévision, surtout depuis l'apparition et la large diffusion des ordinateurs personnels. Non seulement ces derniers facilitent-ils la collecte et la conservation des données, mais encore accélèrent-ils les calculs à un point tel, que même les méthodes les plus complexes peuvent être utilisées par les gestionnaires. Aujourd'hui, il n'est plus question de calculer une moyenne quand la demande présente un fort caractère cyclique, par exemple. Les méthodes du modèle cyclique ont été développées depuis plus de 20 ans ; cependant, avant l'avènement de l'informatique, les gestionnaires les utilisaient très peu à cause du temps requis pour effectuer les calculs manuellement. Ils étaient prêts à sacrifier la précision des prévisions au profit de la rapidité.

Trois principaux types de logiciels permettent d'établir des prévisions assistées par ordinateur. Mentionnons d'abord les logiciels spécialisés en prévision. Plus ou moins élaborés, ils offrent ordinairement un certain nombre de méthodes pour chacun des trois modèles. Plusieurs ajoutent des procédures de calculs d'écarts moyens et d'autocorrélation des données ou des résidus, en plus des programmes de base de traitement des données : entrée, sauvegarde, modification ou visualisation. Le logiciel *Sibyl/Runner*[6] constitue un excellent exemple dans cette catégorie. Viennent ensuite les logiciels de statistiques qui, par leur capacité à analyser des données chiffrées, peuvent aider à la prévision. Enfin, les logiciels de type tableurs, tels *Lotus 1-2-3* ou *Excel*, permettent d'élaborer les procédures requises pour l'utilisation des méthodes les plus simples.

## 11.14 Les approches nouvelles

La prévision et la gestion de la demande constituent des secteurs en constante évolution. Ainsi, des progrès sont réalisés en matière d'élaboration de nouvelles méthodes de prévision et de conception de systèmes plus efficaces, qui permettront aux gestionnaires d'utiliser ces méthodes. Actuellement, un des axes de développement les plus intéressants en prévision concerne les systèmes de prévision destinés à des utilisateurs ayant des besoins particuliers. Ainsi, Bernard T. Smith[9] propose une approche de prévision systématique spécialement conçue pour les gestionnaires qui doivent obtenir, de façon répétitive, des prévisions concernant la demande d'une très grande variété de produits. Il cite en exemples l'industrie pharmaceutique et celle de la quincaillerie.

Ces progrès, combinés aux développements dans le domaine de l'informatique (ordinateurs et logiciels), devraient faire disparaître les derniers obstacles qui empêchent parfois l'utilisation courante, par les gestionnaires, de méthodes scientifiques de prévision.

## CONCLUSION

La prévision et la gestion de la demande peuvent rendre d'énormes services au gestionnaire désireux de préciser une variable essentielle à sa prise de décisions. Même s'il doit agir dans un contexte où la demande future ne peut être parfaitement précisée, il pourra diminuer son degré d'incertitude et les risques d'engager des coûts supplémentaires découlant d'une mauvaise décision, en procédant d'une manière rationnelle au choix de la meilleure méthode de prévision, soit celle qui convient le mieux à sa situation. Il devra tout de même se rappeler qu'une prévision ne demeure qu'un regard sur l'avenir et qu'elle ne garantit d'aucune façon les événements futurs.

Les progrès de l'informatique dans ce domaine offrent au gestionnaire l'occasion d'utiliser aisément et à peu de frais des méthodes de prévision complexes et inabordables dans un passé encore récent. À lui de savoir en tirer le plus grand profit.

## QUESTIONS DE RÉVISION

1. Quelle est la distinction entre une prévision et une prédiction ?
2. En quoi la gestion de la demande dépasse-t-elle le strict cadre de la prévision ?
3. Quels sont les principaux besoins de prévisions en gestion des opérations ?
4. En quoi les techniques qualitatives et les techniques quantitatives de prévision diffèrent-elles ?
5. Quelles sont les principales étapes à suivre dans l'utilisation des techniques des séries chronologiques ?
6. Décrivez brièvement les trois types de modèles sous-jacents en analyse des séries chronologiques.
7. Sur quels critères principaux peut-on se baser pour procéder au choix de la meilleure technique de prévision ?
8. Quels sont les principaux types de coûts reliés à la prévision ?

## QUESTIONS DE DISCUSSION

1. « Une prévision devrait donner un meilleur aperçu de l'avenir qu'une prédiction. » Commentez cette affirmation.
2. Discutez de l'apport potentiel de la gestion de la demande au bon fonctionnement de l'entreprise. Quels problèmes organisationnels la mise en place d'un groupe responsable de la gestion de la demande peut-elle causer ?
3. Les techniques de prévision qualitatives peuvent-elles être aussi rigoureuses que les techniques quantitatives ? En quelles circonstances devrait-on utiliser l'un ou l'autre de ces groupes de techniques ?
4. Dans quelles circonstances doit-on recourir à l'analyse de l'autocorrélation des données lors de la détermination du modèle sous-jacent ?
5. Discutez de l'influence du nombre de périodes retenues dans le calcul de la moyenne mobile et de la grandeur du paramètre $\alpha$ en lissage exponentiel.
6. Comment déterminer la prévision à retenir pour une période donnée, lorsque plusieurs méthodes de prévisions ont été testées ?
7. Pourquoi recourir à l'analyse graphique dans le choix de la meilleure technique de prévision, alors qu'il existe des outils plus scientifiques, comme les mesures d'écart et l'autocorrélation des résidus ?
8. Discutez de l'apport de l'informatique à la démarche d'obtention des prévisions.

## PROBLÈMES ET MISES EN SITUATION

1. M. Brisson, responsable du service de la planification des opérations d'une entreprise de taille moyenne, fait le point sur la méthode de prévision présentement utilisée, soit un calcul de moyenne mobile à 6 périodes. Quelques erreurs de prévision relatives au plus important produit fabriqué par l'entreprise ont causé, dans le passé, des problèmes majeurs en planification et contrôle de la production. M. Brisson se demande si la technique de prévision actuelle demeure la plus appropriée. La demande du produit au cours de la dernière année a été la suivante :

| **Mois** | **Demande (en unités)** |
|---|---|
| Janvier | 4 500 |
| Février | 6 000 |
| Mars | 6 500 |
| Avril | 5 200 |
| Mai | 5 300 |
| Juin | 4 100 |
| Juillet | 3 200 |
| Août | 3 800 |
| Septembre | 5 500 |
| Octobre | 6 300 |
| Novembre | 5 800 |
| Décembre | 5 400 |

*a*) À quel modèle sous-jacent semblent appartenir ces données ?

*b*) Calculez les prévisions obtenues pour les 6 derniers mois à l'aide de la méthode de prévision utilisée.

*c*) Calculez, pour les mêmes mois, les prévisions qui auraient été obtenues à l'aide :
- de la moyenne statistique ;
- d'une moyenne mobile à 3 périodes ;
- d'un lissage exponentiel avec un paramètre $\alpha = 0{,}1$ ;
- d'un lissage exponentiel avec un paramètre $\alpha = 0{,}3$ ;
- d'un lissage exponentiel avec un paramètre $\alpha = 0{,}7$.

*d*) Calculez les trois mesures standard d'écart (l'écart quadratique moyen, l'écart absolu moyen et le biais) pour chacune des techniques de prévision testées.

*e*) Quelle technique de prévision M. Brisson devrait-il adopter ?

2. La compagnie Delorme-Rioux fabrique de l'équipement de sport pour les adeptes du hockey et du baseball. La demande pour ces produits présente un caractère saisonnier, mais on persiste dans l'entreprise à utiliser des

méthodes de prévision simples, comme les moyennes mobiles ou le lissage exponentiel. La demande globale pour les gants de hockey (tous modèles réunis) a été évaluée, pour la dernière année, aux quantités suivantes :

| Mois | Demande (en nombre de paires) |
|---|---|
| Janvier | 5 200 |
| Février | 4 100 |
| Mars | 6 500 |
| Avril | 3 100 |
| Mai | 900 |
| Juin | 600 |
| Juillet | 400 |
| Août | 1 200 |
| Septembre | 4 400 |
| Octobre | 6 700 |
| Novembre | 3 200 |
| Décembre | 8 300 |

*a*) Calculez, à l'aide d'une moyenne mobile de 3 périodes et d'un lissage exponentiel avec $\alpha = 0{,}2$ , les prévisions qu'on aurait pu obtenir pour les 9 derniers mois de l'année précédente. Calculez également les valeurs des trois mesures d'erreur.

*b*) Pour chacune des méthodes indiquées en *a*), calculez la prévision pour le mois de janvier de la présente année.

*c*) Les dirigeants de l'entreprise devraient-ils conserver ces méthodes de prévision ?

## RÉFÉRENCES


1. CHAMBERS, J.C., S.K. MULLICK et D.D. SMITH, *An Executive Guide to Forecasting*, New York, John Wiley & Sons, 1974.
2. COUTROT, B. et J.-J. DROESBEKE, *Les méthodes de prévision*, 2e éd., Paris, P.U.F., 1990.
3. FOGARTY, D.W., J.H. BLACKSTONE et T.R. HOFFMANN, *Production & Inventory Management*, 2e éd., Cincinnati, South-Western Publishing Co., 1991, p. 18.
4. GROSS, C.W. et R.T. PETERSON, *Business Forecasting*, 2e éd., Boston, Houghton Mifflin, 1983.
5. MAKRIDAKIS, S. et S.C. WHEELWRIGHT (dir.), *The Handbook of Forecasting : A Manager's Guide*, 2e éd., New York, John Wiley & Sons, 1987.
6. MAKRIDAKIS, S. et S.C. WHEELWRIGHT, *Interactive Forecasting*, 2e éd., San Francisco, Holden-Day Inc., 1978.
7. NEWBOLD, P. et T. BOS, *Introductory Business Forecasting*, Cincinnati, South-Western Publishing Co., 1990.
8. PLOSSL, G.W., « Getting the Most from Forecasts », *Production and Inventory Management*, 1er semestre, 1973, p. 1-15.
9. SMITH, B.T., *Focus Forecasting, Computer Techniques for Inventory Control*, Oliver Wight Publications Ltd., 1984.
10. SMITH, S.B., *Computer Based Production and Inventory Control*, Englewood Cliffs, New Jersey, Prentice-Hall, 1989, p. 21.
11. VOLLMANN, T.E., W.L. BERRY et D.C. WHYBARK, *Manufacturing Planning and Control Systems*, 2e éd., Homewood, Illinois, Dow-Jones Irwin, 1988, p. 405-447.
12. WHEELWRIGHT, S.C. et S. MAKRIDAKIS, *Méthodes de prévision pour la gestion*, Paris, Éditions d'Organisation, 1983.

13. WHEELWRIGHT, S.C. et S. MAKRIDAKIS, *Forecasting Methods for Management*, 5e éd., New York, John Wiley & Sons, 1989.
14. WILLIS, P.E., *A Guide to Forecasting for Planners and Managers*, Englewood Cliffs, New Jersey, Prentice-Hall, 1987.
15. WILSON, J.H. et B. KEATING, *Business Forecasting*, Homewood, Illinois, Richard D. Irwin, 1990.

CHAPITRE 12

# La planification des opérations et de la production

ROGER HANDFIELD *auteur principal*
MATTIO O. DIORIO *collaborateur*

# LA PLANIFICATION DES OPÉRATIONS

## 12.1 Les objectifs de la planification des opérations

La planification des opérations vise la répartition des ressources de l'entreprise en fonction de ses objectifs stratégiques, des contraintes existantes et de la demande prévue. Depuis longtemps, les gestionnaires des entreprises reconnaissent l'importance de planifier tant à long terme qu'à moyen et à court terme, et de fournir les efforts nécessaires à l'élaboration de plans d'opérations permettant une utilisation optimale des ressources disponibles. Il ne faut donc pas se surprendre de la place essentielle qu'occupe la planification des opérations en GOP. Les responsables de la GOP tentent de répondre aux attentes des clients perçues par le service du marketing en matière de qualité, de volume, de lieu, de temps et de coûts, compte tenu des contraintes financières, humaines, technologiques ou autres qui délimitent le champ d'action de l'entreprise. En raison de ces contraintes, une coordination interfonctionnelle constante et efficace est essentielle à la bonne marche de toute entreprise.

La nécessité de planifier les opérations selon des horizons divers entraîne des démarches de gestion distinctes, auxquelles sont appelés à participer les gestionnaires des différents niveaux hiérarchiques. En planification à long terme, on cherche à déterminer les objectifs de croissance, de développement et de rentabilité de l'entreprise dans son ensemble sur un horizon pouvant aller jusqu'à 10 ou 20 ans, selon le secteur économique où œuvre l'entreprise. La responsabilité première de la recherche d'une stratégie globale permettant d'atteindre les objectifs à long terme de l'entreprise appartient à la haute direction. Celle-ci fera appel aux directeurs de chaque fonction principale de gestion afin de l'aider dans ses efforts pour déterminer une stratégie optimale qui tient compte des besoins et des ressources de chacun. Chaque fonction aura par la suite à définir ses propres objectifs à long terme, en concordance avec ceux de l'entreprise, et à élaborer une planification à long terme appropriée. En GOP, ces efforts de planification à long terme se concrétisent de plus en plus par des approches comme la planification des ressources de production (*MRP II – Manufacturing Resources Planning*). Le chapitre 19 développe plus à fond les diverses facettes de la gestion stratégique des opérations.

À l'intérieur du système de pilotage, la planification des opérations concerne plutôt le moyen et le court terme. Alors que dans la planification à long terme on peut, et souvent on doit, envisager des modifications substantielles aux capacités de production (par la construction de nouvelles unités de production ou par l'adoption de nouvelles technologies, par exemple), la planification des opérations suppose ici que la capacité des installations ne pourra varier significativement au cours de la période de planification. Les seuls moyens qui s'offriront au gestionnaire pour faire varier le volume de la production résident dans la modulation de l'utilisation des ressources existantes de production (heures supplémentaires, par exemple), la variation des quantités de ressources à l'intérieur de limites souvent étroites pourvu qu'elle puisse s'effectuer assez rapidement (embauche ou mise à pied temporaire d'ouvriers ou location à court terme de pièces d'équipement), ou le recours à des capacités externes (sous-traitance occasionnelle).

Les **objectifs** de la planification des opérations au sein du pilotage consistent donc à déterminer les quantités de produits à réaliser à l'intérieur d'un horizon à moyen ou à court terme (**planification des priorités**) et à préciser les quantités de ressources à utiliser (**planification des capacités**) afin de répondre le mieux possible aux objectifs opérationnels visés en matière de qualité, de volume, de lieu, de temps et de coûts.

## 12.2 Les étapes de la planification des opérations

En ce qui concerne la planification des opérations, les auteurs des principaux ouvrages dans le domaine[6, 16, 20] ainsi que les organismes œuvrant dans ce secteur (telle l'ACGPS – Association canadienne pour la gestion de la production et des stocks, elle-même associée à l'APICS – *American Production and Inventory Control Society*) préconisent une approche comportant quatre étapes. Ces étapes permettent d'obtenir successivement des plans ou des programmes portant sur des horizons progressivement plus restreints, mais qui présentent des éléments de planification de plus en plus détaillés.

La figure 12.1 illustre ces quatre étapes, leurs interrelations (l'extrant de chaque étape servant d'intrant à l'étape suivante) ainsi que les éléments propres à chacune d'elles : objectif, intrants, type d'unité de produits, horizon, unité de temps et extrant. Le processus de transformation des intrants (essentiellement des informations de natures diverses) en extrants (un plan ou un programme selon une désignation particulière) sera expliqué en détail aux sections 12.9 à 12.11 et aux chapitres 13 et 14. Nous allons maintenant préciser les éléments autres que le processus de transformation pour chacune des quatre étapes.

### *Étape 1 : La planification de la production (aussi appelée programmation intégrée ou globale de la production)*

**Objectif** La détermination, sous une unité de mesure commune, des **quantités globales de produits finis à réaliser** au cours de chacune des unités de temps (période ou intervalle) constituant l'horizon de planification, et la détermination des volumes des principales ressources à utiliser selon divers modes disponibles, afin de satisfaire l'ensemble de la demande prévue pour la période.

**Intrants** Ce sont des éléments d'information concernant la demande à satisfaire (ordinairement sous forme de prévisions), les aspects techniques pertinents (quantités de ressources disponibles, temps standard et coûts standard de production, volumes globaux des stocks de produits finis) ainsi que les politiques générales de l'entreprise dont le planificateur doit tenir compte dans ses choix (politiques concernant la variation de la main-d'œuvre, les heures supplémentaires, la sous-traitance, le stockage ou la pénurie, par exemple).

**Type d'unité de produits** On doit utiliser une unité de mesure commune à l'ensemble des produits réalisés par l'entreprise. Nommée **unité équivalente**, cette unité permet de ramener à un même dénominateur (l'un des produits fabriqués, l'un des intrants de la production ou l'une des ressources selon le cas) toute la gamme des produits. La détermination de l'unité équivalente la plus appropriée dans un cas précis est expliquée à la section 12.5.

**Horizon** Cette étape porte sur le plus long horizon de planification utilisé en pilotage. Même si l'horizon d'**une année** semble le plus populaire dans les entreprises, on trouve parfois des plans de production pour des périodes allant de six mois à deux ans. Un horizon de plus de deux ans permet d'apporter des modifications majeures au système opérationnel et ne concerne donc pas le pilotage, mais plutôt la conception et l'amélioration des systèmes de production.

▼ **FIGURE 12.1**
**La planification des priorités**

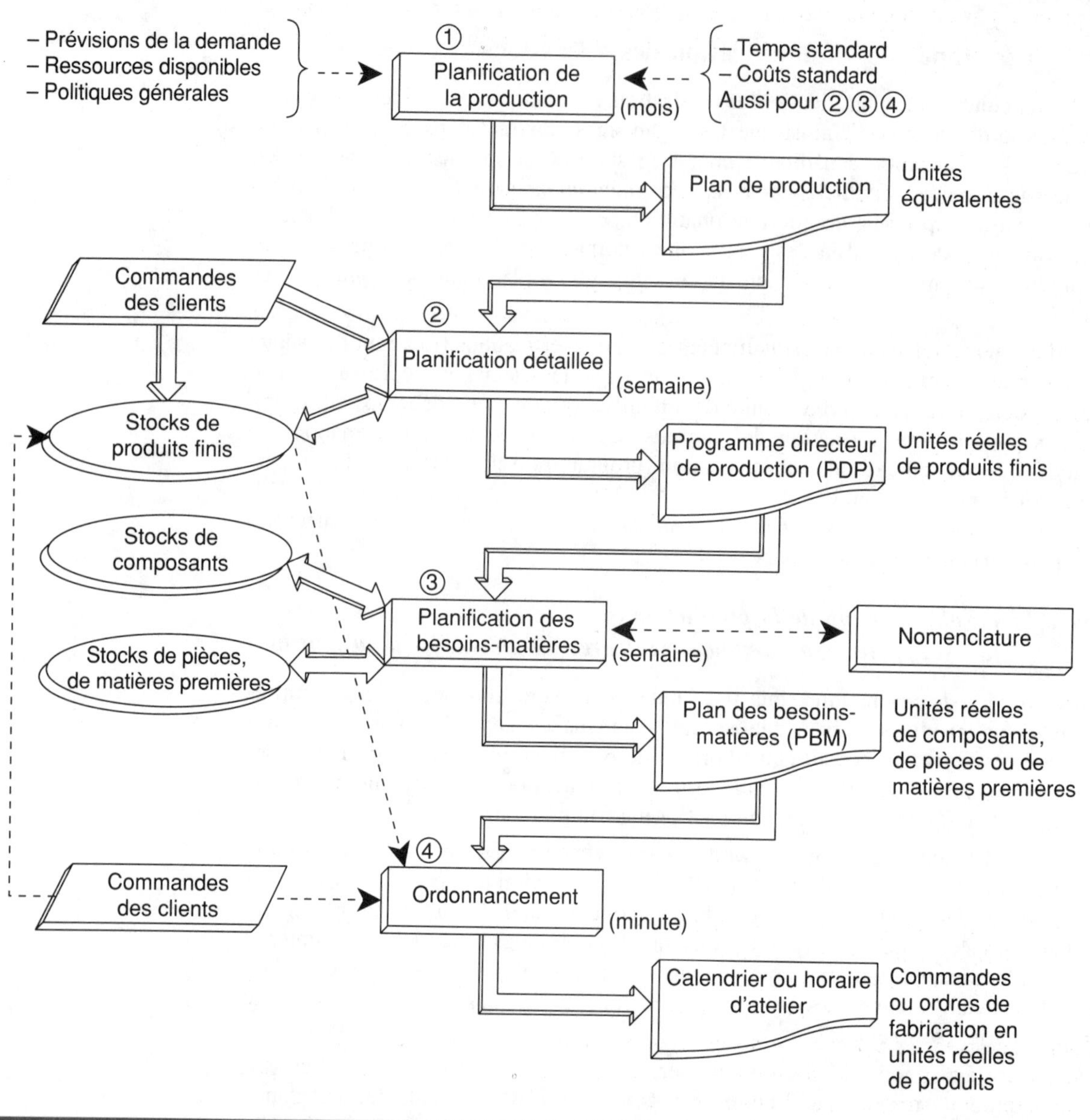


**Unité de temps** En général, on utilise le **mois** comme période ou intervalle unitaire de temps.

**Extrant** Le résultat du processus de traitement des informations pertinentes à cette première étape (intrants) se concrétise dans un document appelé **plan (ou programme) de production**, selon la terminologie préconisée par l'ACGPS, terminologie que nous nous efforçons de respecter autant que possible dans les chapitres de ce volume touchant la planification et le contrôle de la production et des stocks. Dans certains milieux, on utilise encore les termes « plan intégré » ou « plan global de production ».

### *Étape 2 : La planification détaillée*

**Objectif** La détermination des quantités de chaque **type de produits finis à lancer en production** à chaque période afin de satisfaire les demandes des clients en matière de volume et de temps, et de respecter les contraintes établies dans le plan de production. À cette étape, les demandes des clients sont établies à partir de prévisions de la demande (portant maintenant sur chaque type précis de produits finis), de commandes fermes ou d'une combinaison des deux. Les commandes fermes comportant ordinairement des dates fixes de livraison, le respect des délais devient l'objectif majeur de cette deuxième étape, au même titre que l'objectif des quantités à réaliser à la première étape.

**Intrants** Les principaux intrants de cette étape sont : les contraintes établies dans le plan de production (quantités globales à produire et ressources disponibles), les commandes fermes des clients ou, à défaut, les prévisions de la demande, les aspects techniques mentionnés à l'étape 1 (mais maintenant de façon plus détaillée) ainsi que le niveau des stocks de produits finis si l'entreprise en détient.

**Type d'unité de produits** Les divers produits finis doivent être comptés en **unités réelles** applicables à chaque produit (tant d'unités de chaque modèle de meuble, tant de litres de chaque type de peinture, tant de mètres de chaque espèce de fil de métal, par exemple).

**Horizon** À cette étape, l'horizon de planification devrait être d'une durée réduite par rapport à celui de l'étape précédente. Sauf quelques exceptions (des produits dont la réalisation exige une longue période, tels des navires par exemple), l'horizon utilisé en planification détaillée ne devrait pas dépasser six mois, la durée la plus populaire étant **un trimestre**.

**Unité de temps** En général, on utilise la **semaine**. On préfère parfois des unités de temps variables, plus courtes au début de l'horizon (la journée par exemple) et plus longues vers la fin (la semaine).

**Extrant** Le document issu de cette étape s'appelle le **programme directeur de production** (souvent désigné sous le sigle **PDP**).

### *Étape 3 : La planification des besoins-matières*

**Objectif** La détermination de la **date** et des **quantités de chaque matière première, pièce ou composant à commander** (auprès de fournisseurs externes ou du système de production interne selon le cas) afin de pouvoir réaliser le programme directeur de production élaboré à l'étape précédente. Cette troisième étape n'est requise que pour les entreprises qui utilisent des systèmes de production à plusieurs échelons (ou modulaires), dans lesquels la réalisation des produits s'exécute selon l'une ou l'autre variation du processus général suivant : fabrication de pièces, assemblage de composants, montage final. Cependant, plusieurs entreprises dont les systèmes de production sont plus directs (on passe de la matière première au produit fini en une seule étape, par exemple) ont tout de même recours à la planification des besoins-matières afin de déterminer les dates et les volumes des commandes de matières premières à passer auprès des fournisseurs.

**Intrants** Le programme directeur de production, la nomenclature du produit (qui indique, pour chaque unité ou lot de produits finis, les quantités nécessaires de composants, de pièces ou de matières premières), le niveau des stocks de composants, de pièces et de matières premières ainsi que le tableau des délais de livraison ou de fabrication des composants, des pièces ou des matières premières.

**Type d'unité de produits** Les **unités réelles** de chaque composant, pièce ou matière première.

**Horizon** En général, la planification des besoins-matières porte sur le même horizon que celui de la planification détaillée, soit **un trimestre**.

**Unité de temps** On utilise la même unité de temps qu'en planification détaillée, soit généralement la **semaine**.

**Extrant** Le document issu de cette étape se nomme le **plan des besoins-matières** (pour lequel on utilise souvent le sigle **PBM**).

### *Étape 4 : L'ordonnancement*

**Objectif** L'objectif de cette dernière étape consiste à déterminer **à la réalisation de quel produit doit se consacrer chaque élément constitutif du système opérationnel** de production (poste de travail, ouvrier, pièce d'équipement) afin que les divers plans ou programmes établis aux étapes précédentes puissent se réaliser. En d'autres termes, il s'agit d'établir par quel élément du système opérationnel et à quel moment chaque opération de transformation nécessaire à la réalisation d'un produit devra s'exécuter. En plus de cet objectif premier, on poursuit souvent, en ordonnancement, d'autres objectifs, telles l'utilisation maximale des ressources de production, la minimisation des temps moyens de traitement des commandes ou la réduction du nombre de commandes en retard.

**Intrants** Ce sont d'abord le programme directeur de production et le plan des besoins-matières. On a également recours à un document appelé la gamme d'opérations qui précise, pour chaque produit à réaliser, la suite des opérations à accomplir et les quantités de ressources de production nécessaires. Enfin, on doit se référer aux temps et aux coûts standard de fabrication pour tous les éléments à réaliser.

**Type d'unité de produits** Les unités réelles de produits (produits finis, composants ou pièces) sont regroupées, pour cette dernière étape, en **commandes** ou **ordres de production**. Ce sont ces commandes de production qui doivent, à l'étape de l'ordonnancement, être attribuées selon une séquence précise à chaque unité de ressource.

**Horizon** De longueur variable, il est en général plus court que celui des étapes précédentes. Sauf exception, on utilise des horizons allant d'une semaine à un mois.

**Unité de temps** Elle doit être aussi courte que l'exigent les caractéristiques d'opération des ressources de production : la **journée**, l'**heure**, la **minute** ou la **fraction de minute**.

**Extrant** Le document issu de cette dernière étape, destiné à servir de guide immédiat au déroulement des opérations, porte diverses appellations : **calendrier**, **horaire** ou **programme de production** ou **d'atelier**.

Les entreprises qui désirent procéder à une planification rationnelle des opérations devraient accomplir l'ensemble de ces quatre étapes. Cependant, certaines entreprises, par manque de ressources ou de temps ou à cause du petit nombre de commandes à traiter, choisissent de court-circuiter le processus recommandé et de le réduire à la simple étape de l'ordonnancement, où le calendrier de production sera établi directement à partir des commandes des clients. La figure 12.1 illustre également cette situation.

Au contraire, d'autres entreprises, à cause de la complexité de leur système de production, ajoutent des étapes intermédiaires à celles indiquées ci-dessus. Ainsi, les entreprises où les opérations d'assemblage final sont complexes et requièrent un long délai (et sont souvent accomplies dans des unités de production distinctes) séparent l'étape de la planification détaillée en deux sous-étapes : celle de la planification de l'assemblage final (qui tient compte des opérations de montage du produit fini) et celle de la planification détaillée des composants principaux, qui remplacent alors les produits finis dans le programme directeur de production. Un nouveau document vient alors s'ajouter pour servir d'extrant à la première sous-étape : le **programme de montage final**.

Avant de terminer cette section, il convient de souligner que la démarche de planification des opérations implique l'accomplissement des étapes indiquées selon un ordre chronologique. Cependant, s'il s'avère impossible, au cours de cette démarche, d'en arriver à un plan ou à un programme permettant d'atteindre les objectifs visés, à cause des contraintes imposées par un plan ou un programme issu d'une étape précédente, un retour vers les étapes antérieures s'imposera alors afin de modifier les données des plans précédents. Le processus décrit ci-dessus sous forme séquentielle sera souvent utilisé dans la pratique selon un mode itératif.

## 12.3 La planification des priorités et des capacités

Comme mentionné à la fin de la section 12.1, les objectifs de la planification des opérations portent tout autant sur l'estimation des ressources nécessaires à la production que sur la détermination des quantités à réaliser. Dans la mesure du possible, on s'efforce d'accomplir simultanément ces deux facettes de la démarche de planification. Cependant, il s'avère que pour l'étape 2 (la planification détaillée) et l'étape 3 (la planification des besoins-matières), la détermination des plans ou des programmes requis exige la manipulation d'une telle multitude de données, qu'il est préférable de mener séparément, mais en parallèle, les deux types d'effort.

Comme l'illustre la figure 12.2, les étapes 1 et 4 du processus de planification demeurent uniques. Les préoccupations portent simultanément sur les priorités (quantités à produire) et sur les capacités. Par contre, les étapes 2 et 3 se dédoublent. On réserve les appellations « planification détaillée » et « planification des besoins-matières » à la planification des priorités, et l'on crée, aux niveaux appropriés, les étapes de la planification sommaire des capacités et de la planification des besoins en capacité.

Les objectifs et les méthodes propres à ces deux étapes de planification des capacités sont présentés au chapitre 13. Pour le moment, nous soulignerons la nécessité d'un échange continu d'informations entre les responsables de la planification des priorités et ceux de la planification des capacités afin que les plans et les programmes établis soient compatibles.

## 12.4 L'apport de l'informatique à la planification des opérations

L'élaboration des plans ou des programmes prévus à la planification des opérations requiert la collecte, la conservation et le traitement de multiples données numériques appartenant aux familles suivantes :

- la **famille technique**, qui regroupe toutes les informations relatives aux caractéristiques des produits fabriqués et des ressources de production disponibles (main-d'œuvre, équipement, sources d'énergie, technologies) ;
- la **famille quantités**, qui contient tous les renseignements relatifs au nombre d'unités requises, de produits ou de ressources, individuellement (nomenclature de produits ou de capacités) ou globalement (commandes de clients, commandes d'achat ou commandes de fabrication) ;

**FIGURE 12.2 La planification des priorités et la planification des capacités**

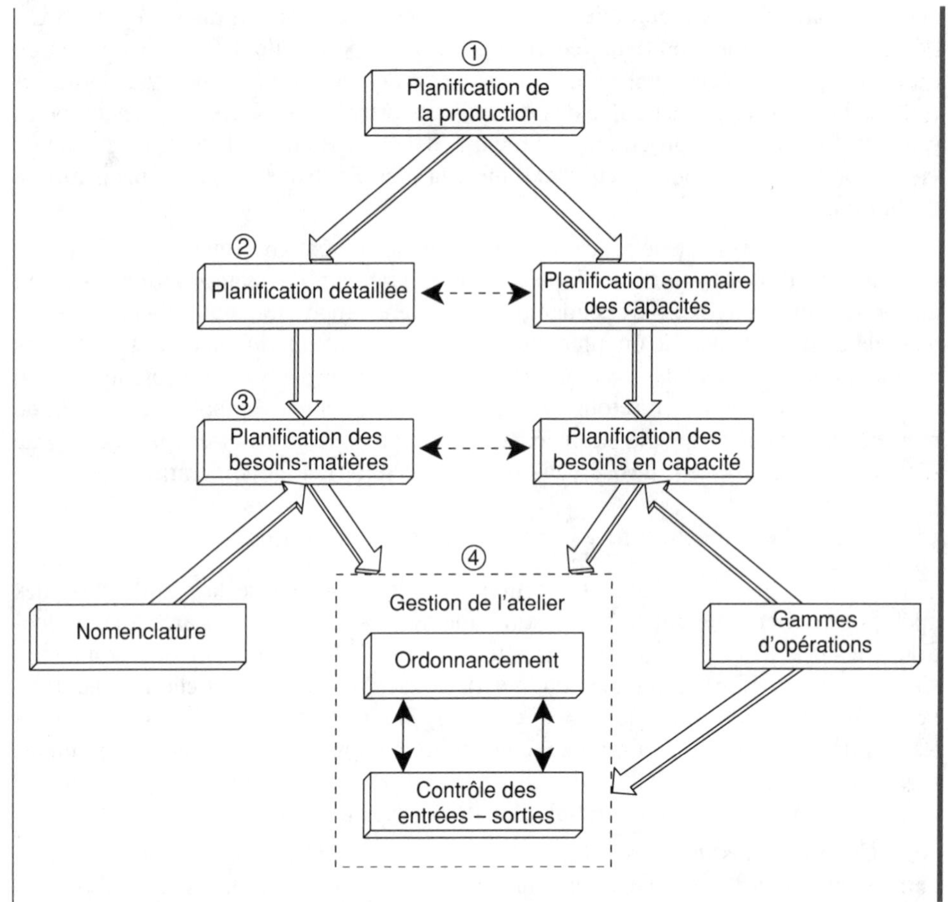


- la **famille temps**, qui rassemble toutes les données temporelles pertinentes (dates convenues, délais, temps standard ou réels) ;
- la **famille coûts**, où se retrouvent toutes les données monétaires pertinentes (prix, coûts unitaires ou totaux, standard ou réels, coûts de revient).

De plus, dans leur effort pour arriver aux meilleurs plans possible, les planificateurs des opérations doivent recourir à des méthodes quantitatives d'optimisation sous contrainte ou de simulation. Depuis longtemps, les méthodes et les modèles de résolution appropriés ont été développés au sein de la recherche opérationnelle. Peu de praticiens de la GOP y avaient recours jusqu'à ces récentes années, à cause de la complexité des calculs nécessaires et des délais requis avant d'obtenir les résultats désirés à l'aide de calculs manuels. L'arrivée des ordinateurs et la disponibilité de logiciels conviviaux adaptés à la résolution des problèmes mathématiques posés en planification des opérations ont transformé la démarche des planificateurs.

Ceux-ci disposent aujourd'hui de logiciels, en versions adaptées aux ordinateurs personnels, qui permettent de résoudre rapidement la plupart des problèmes d'optimisation sous contrainte qui surviennent aux différentes étapes de la planification. Nous aurons l'occasion d'en présenter l'utilisation en planification de la production dans la section 12.10 de ce chapitre. L'utilisation des logiciels de type tableurs (*Lotus 1-2-3*, *Excel* ou autres) offre la possibilité de tester aisément plusieurs solutions possibles dans une approche de simulation (section 12.9). Enfin, les logiciels commerciaux de gestion des opérations (il en existe des dizaines sur le marché, dans des versions plus ou moins élaborées : *Myte Myke*, *Inmass*, *Copics*, *Mac Pac*, pour n'en nommer que quelques-uns) contiennent tous des modules permettant de recueillir, de conserver et de traiter les données nécessaires à la prise de décisions pour chacune des étapes de la planification des opérations.

# LA PLANIFICATION DE LA PRODUCTION

## 12.5 Les conditions d'application et les contraintes de la planification de la production

L'étape de la planification de la production (aussi appelée programmation intégrée ou globale) permet de répondre à bon nombre de questions importantes pour le gestionnaire des opérations : Est-il possible de résorber les fluctuations de la demande en variant l'utilisation de l'effectif ouvrier ? Est-il préférable de stocker des produits finis, d'avoir recours à la sous-traitance ou encore de combiner ces deux moyens avec d'autres pour répondre à la demande ? Quel est le coût et quelles sont les conséquences des différentes options considérées ?

En planification de la production, on cherche aussi à établir différentes combinaisons d'utilisation des ressources internes (stocks, main-d'œuvre et équipement) et externes (sous-traitance) afin de répondre à la demande des clients tout en respectant la stratégie concurrentielle de l'entreprise. Aux variations saisonnières et cycliques de la demande, les gestionnaires répliquent par différents moyens d'action, dont certains ont un effet sur le plan de production.

La préparation du plan de production suppose que les objectifs stratégiques et les politiques de l'entreprise sont fixés et connus. À ce stade de la planification, les installations physiques sont considérées par convention comme étant fixes, mais les gestionnaires peuvent en faire varier le taux d'utilisation selon les besoins de la production.

Peu d'auteurs traitent du choix de l'**horizon de planification** à l'étape de la planification de la production. Pourtant, il s'agit là d'une décision déterminante pour les opérations de l'entreprise. L'horizon de planification est significatif s'il est assez long pour permettre au gestionnaire tout d'abord de déceler les variations et les tendances de la demande globale, et ensuite de prévoir puis d'implanter les moyens de répondre à ces variations. Cet horizon peut donc différer pour chaque entreprise selon sa façon de gérer la demande et selon sa technologie de production. C'est ce qui explique que les utilisateurs recourent à des horizons variant de six mois à deux ans. La période choisie doit permettre une transition souple d'un plan de production à un autre, au cas où le contrôle du déroulement des opérations ou quelque événement imprévisible rendraient certaines modifications nécessaires ; si ce n'est pas le cas, il est préférable d'allonger la période sur laquelle porte ce plan.

Le choix de l'**unité équivalente** constitue une autre des conditions essentielles d'application de la planification de la production. On doit choisir une unité de mesure à laquelle il est possible de ramener l'ensemble des produits réalisés par l'entreprise. Un premier type d'unité équivalente semble s'imposer : il s'agit de choisir un **produit fini** typique en guise de dénominateur commun, à partir duquel tous les autres peuvent se mesurer. Prenons comme exemple une entreprise qui se spécialise dans la fabrication de fauteuils. Il s'agit pour elle de choisir un modèle type de fauteuil (le plus vendu, par exemple) et d'en faire son standard d'unité équivalente. Chaque unité demandée ou produite de ce modèle de fauteuil représentera une unité équivalente. Une unité d'un modèle plus complexe ou plus coûteux représenterait plus d'une unité équivalente, tandis qu'une unité d'un modèle plus simple en vaudrait moins. L'utilisation d'un tel choix d'unité équivalente exige la confection préalable d'une table de conversion des unités de chaque modèle en unités équivalentes.

Ce type d'unité équivalente n'est cependant pas à conseiller à toute entreprise. La caractéristique la plus importante à considérer dans le choix d'une unité équivalente est en effet sa facilité d'utilisation. Pour une entreprise dont l'éventail de produits est vaste et hétérogène (par exemple : fauteuils, tables, lits, armoires), il peut devenir impossible de déterminer un modèle type de produit auquel tous les autres peuvent facilement se ramener.

Dans ce cas, deux possibilités s'offrent au planificateur des opérations. Si les intrants utilisés dans la production sont homogènes ou si l'un de ces intrants se retrouve comme constituant important dans tous les produits fabriqués, une unité de cet **intrant important** peut être choisie comme unité équivalente. Pensons ici à toutes les entreprises de raffinage qui, bien souvent, transforment une matière première unique (pétrole ou sucre bruts) en une gamme plus ou moins vaste de produits finis. Il est alors préférable pour elles de mesurer leurs produits finis à partir d'une unité de cette matière première. Dans le cas où ni les intrants, ni les produits de l'entreprise ne présentent un caractère d'homogénéité suffisant, un dernier choix demeure possible. Il faut alors choisir une ressource ayant un effet majeur sur la capacité de production et utiliser une unité de mesure de cette **ressource essentielle** comme unité équivalente. Ainsi, dans un système de production où la disponibilité de la main-d'œuvre directe détermine la capacité de production, l'unité équivalente appropriée peut être l'heure-personne, chaque unité de produit étant évaluée selon le nombre d'heures-personne requises pour sa réalisation. Notons qu'en général, il faut choisir la même unité équivalente pour la planification de la production que celle utilisée pour la détermination de la capacité du système opérationnel.

Les possibilités laissées par les politiques générales de l'entreprise quant aux **variations du taux d'utilisation** des ressources de production constituent une dernière contrainte à la planification de la production. Ainsi, il n'est pas toujours possible, pour le gestionnaire des opérations, d'embaucher ou de mettre à pied autant d'ouvriers que requis et de procéder à ces variations de l'effectif aussi souvent que désiré afin d'en arriver à un plan de production minimisant les coûts totaux, par exemple. De même, les entreprises ont souvent des politiques très claires en ce qui concerne les heures supplémentaires, politiques parfois inscrites dans la convention collective de travail. Enfin, le planificateur de la production peut voir son choix d'options restreint par les politiques de l'entreprise concernant les stocks, la pénurie ou la sous-traitance. C'est l'habileté même des gestionnaires à bien combiner les différentes façons permises de faire varier le taux de production qui importe avant tout. Il s'agit là d'un défi de taille.

Une dernière contrainte à respecter en planification de la production réside dans la nécessité de satisfaire la **totalité de la demande** sur l'horizon de planification, y compris la différence entre les quantités globales stockées en début et en fin de période. Même si les politiques de l'entreprise permettent la désynchronisation entre la demande et la production en cours de période, entraînant ainsi l'apparition de stocks ou de pénuries, la production totale sur l'horizon doit égaler la demande totale, plus ou moins les ajustements de stocks.

## 12.6 Les éléments de stratégie et leurs coûts

Dans sa recherche d'un plan optimal de production, le planificateur des opérations peut recourir à divers moyens afin d'ajuster le taux de production du système opérationnel aux fluctuations prévues de la demande. L'ensemble des décisions qu'il prendra sur l'horizon entier de planification constitue sa stratégie de production au niveau du pilotage. Ces moyens sont reliés à des éléments de stratégie de divers types. Le recours, d'une manière plus ou moins intensive, à l'un ou l'autre de ces éléments de stratégie entraîne des coûts dont le planificateur doit tenir compte. Le tableau 12.1 présente les éléments de stratégie possibles en planification de la production et établit les types de coûts qui y sont associés. Les coûts mentionnés viennent s'ajouter à ceux attachés à la production d'une unité équivalente en temps régulier.

Quelques précisions s'imposent quant à certains éléments de stratégie mentionnés au tableau 12.1 et à leurs coûts.

- Tous les éléments de stratégie indiqués ne sont pas nécessairement disponibles à toute entreprise en tout temps ; en effet, les politiques générales de l'entreprise peuvent, par exemple, limiter ou interdire le recours à certains d'entre eux.
- Le tableau ne contient que les coûts supplémentaires le plus facilement mesurables ; la plupart des éléments de stratégie indiqués entraînent d'autres coûts indirects (par exemple, baisse d'efficacité reliée aux nombreuses variations de la main-d'œuvre ou à un trop grand nombre d'heures supplémentaires, baisse de la qualité des produits accompagnant une augmentation de la vitesse de fonctionnement des machines).

**Tableau 12.1**

**Les éléments de stratégie en planification de la production**

| Éléments de stratégie | Coûts afférents |
|---|---|
| **Main-d'œuvre** | |
| – Variation de l'effectif | – Embauche (recrutement, formation), mise à pied (prime de départ) |
| – Heures supplémentaires | – Versement d'une prime |
| – Équipe supplémentaire | – Frais d'organisation, prime, augmentation des frais fixes |
| **Équipement** | |
| – Variation de la vitesse de fonctionnement | – Baisse de la fiabilité, augmentation des coûts d'entretien |
| – Location temporaire | – Location, efficacité moindre |
| **Désynchronisation** | |
| – Stocks | – Coûts d'opportunité, d'entreposage, de possession |
| – Pénurie | – Perte d'achalandage, compensation pour les retards, perte de profits |
| **Ressources externes** | |
| – Sous-traitance | – Coûts supplémentaires |

– Les coûts supplémentaires découlant du recours à la sous-traitance s'expliquent par son caractère occasionnel, puisqu'on n'y fait appel qu'en période de très forte demande. Il ne s'agit donc pas ici de sous-traitance structurelle, qui consiste, pour une entreprise, à accorder de façon régulière une partie ou la totalité de sa production à des sous-traitants afin de bénéficier, entre autres, de baisses de coûts.

## 12.7 Les étapes de la détermination du plan de production optimal

La détermination d'un plan de production optimal exige l'accomplissement minutieux des étapes suivantes.

### *Étape 1 : La collecte des informations requises*

Qu'elles soient fournies par les divers services de l'entreprise ou qu'il ait à les recueillir lui-même, le planificateur des opérations doit absolument rassembler les informations suivantes avant de procéder aux autres étapes de l'élaboration d'un plan de production optimal :

- les prévisions de demande globale pour chaque unité de temps de l'horizon de planification ;
- les quantités globales de produits finis en stock au début de l'horizon de planification, et les quantités désirées pour le stock final ;
- les disponibilités actuelles ou potentielles de chaque ressource majeure de production (main-d'œuvre, équipement) ;
- les temps standard de production d'une unité équivalente pour chaque ressource majeure (par simple calcul on pourra alors déterminer le nombre d'unités équivalentes de produits pouvant être réalisées par une unité de chaque ressource) ;
- les coûts standard d'utilisation des ressources ;
- les valeurs quantifiées (lorsque c'est possible) des conséquences des éléments de politique générale pertinents.

### *Étape 2 : L'analyse des coûts unitaires des éléments de stratégie*

La section précédente énumérait les principaux éléments de stratégie auxquels le planificateur de la production peut recourir dans sa recherche d'un plan de production optimal. Il s'agit ici de ramener ces coûts à une base d'unité équivalente et de comparer les éléments de stratégie entre eux afin de déterminer un seuil de préférence. Cette opération permettra de répondre à des questions telles que : Vaut-il mieux produire d'avance et stocker ou attendre au dernier instant pour produire, quitte à devoir recourir aux heures supplémentaires ? Est-il moins coûteux d'assurer une croissance temporaire de la capacité de la main-d'œuvre par les heures supplémentaires ou par l'embauche et la mise à pied ? Face à un besoin temporaire d'un surplus de capacité d'équipement, est-il préférable de louer l'équipement supplémentaire ou d'augmenter la vitesse de fonctionnement de l'équipement actuel ? Comment la sous-traitance temporaire se compare-t-elle, en matière de coûts, aux autres éléments de stratégie ?

Cette analyse servira de guide dans les étapes ultérieures de l'approche. Des exemples précis de calculs sont donnés à la section 12.9.

### *Étape 3 : L'élaboration de plans correspondant à diverses stratégies et l'évaluation économique de ces plans*

À partir d'un examen de l'allure de la demande globale (telle que représentée par les prévisions de la demande sur l'horizon de planification) et des résultats obtenus à l'étape précédente, il s'agit maintenant de concevoir divers plans de production correspondant à un certain nombre de stratégies possibles (section 12.8), et d'en évaluer le coût total afin de mesurer les avantages économiques de chacun de ces plans. Les sections 12.9 et 12.10 donnent des exemples d'application de cette étape.

C'est à cette étape qu'interviennent les méthodes quantitatives d'optimisation ou de simulation, et que le recours à l'ordinateur s'avère avantageux pour obtenir rapidement soit les plans les moins coûteux (optimisation), soit l'écart précis de coût total entre un large éventail de plans (simulation). Selon l'approche choisie, cette étape peut s'accomplir d'une manière assez directe (optimisation) ou à l'aide d'un processus itératif (simulation).

### *Étape 4 : L'intégration des variables et des contraintes non quantifiées*

L'avantage économique d'un plan de production constitue un élément essentiel à considérer dans le choix d'un plan optimal. Cependant, plusieurs variables importantes (souvent celles touchées par les politiques générales de l'entreprise) et certaines contraintes ne peuvent être prises en considération par les modèles mathématiques, soit qu'elles ne conviennent pas au type de modèle utilisé (modèle linéaire par exemple), soit que certaines contraintes sont exclues du modèle afin de conserver à ce dernier une taille raisonnable. Le planificateur doit posséder une connaissance poussée de l'organisation et de la culture de son entreprise pour pouvoir accomplir correctement cette étape. Il devra faire appel à son expérience et savoir faire preuve d'intuition en cas de besoin.

### *Étape 5 : Le choix du plan optimal*

Parmi les plans testés, c'est celui qui présentera la combinaison la plus désirable d'avantages et d'inconvénients (qu'il faut souhaiter mineurs) qui sera retenu et implanté. Il deviendra l'intrant des étapes subséquentes de la planification des opérations.

## 12.8 Les types de stratégies en planification de la production

Afin d'aider le planificateur dans sa démarche, les stratégies ont été classifiées selon deux axes distincts : d'une part, la fréquence et la grandeur des variations du volume de production au cours de l'horizon de planification ; d'autre part, le nombre d'éléments de stratégie utilisés.

Selon le premier axe, on distingue les **stratégies extrêmes** et les **stratégies modérées**. Deux stratégies peuvent être qualifiées d'**extrêmes** : la stratégie de nivellement et la stratégie synchrone.

Dans la **stratégie de nivellement**, on adopte un taux constant de production pour l'ensemble de l'horizon, même si les prévisions indiquent des variations de la demande d'une période à l'autre. Le taux utilisé correspond à la demande moyenne par période, corrigée pour tenir compte de la différence entre le stock initial et le stock final désiré. Les irrégularités de la demande sont aplanies par l'accumulation de stocks durant les périodes creuses et par l'utilisation de ces stocks (avec une possibilité de pénurie) pendant les périodes de forte demande. Évidemment, cette stratégie facilite la planification et la gestion générale de la production puisqu'elle ne requiert pas de modifications au taux de ressources utilisées, mais elle risque d'être plus coûteuse que d'autres à cause de son manque de flexibilité face à la demande. Elle peut cependant s'avérer la meilleure dans le cas d'une demande stable.

La **stratégie synchrone** consiste au contraire à laisser le taux de production suivre parfaitement les variations de la demande. Ainsi, le taux de production doit toujours correspondre à la demande pour une période donnée. Bien que cette stratégie extrême élimine virtuellement les stocks, elle occasionne généralement de fortes variations de l'effectif, de nombreuses heures supplémentaires et, souvent, le recours à la sous-traitance. Elle peut donc se révéler très coûteuse et causer de multiples problèmes d'implantation.

Les **stratégies modérées** s'inscrivent entre les deux types de stratégies extrêmes mentionnés. On peut y observer des variations dans le taux de production, mais ces dernières sont d'une fréquence et d'une amplitude moins grandes que celles de la demande. Souvent, la stratégie la moins coûteuse et qui sera retenue comme optimale, tous facteurs considérés, appartiendra à cette catégorie.

Selon le deuxième axe, le nombre d'éléments de stratégie utilisés permet de regrouper les stratégies en stratégies pures et en stratégies mixtes. Les **stratégies pures** ne misent que sur un élément de stratégie pour absorber les fluctuations, tandis que les **stratégies mixtes** requièrent une combinaison d'éléments disponibles. Une stratégie peut tenter d'assurer les modifications requises du taux de production à l'aide des seules variations de la main-d'œuvre : il s'agit alors d'une stratégie pure. Si elle recourt à une combinaison de variations d'effectif et d'heures supplémentaires pour parvenir aux mêmes fins, on parle de stratégie mixte. Une stratégie pure peut se révéler optimale si l'un des éléments de stratégie disponibles est beaucoup moins coûteux que tous les autres. Le plus souvent, toutefois, la stratégie optimale appartiendra au groupe des stratégies mixtes.

# LES MODÈLES ET LES APPROCHES EN PLANIFICATION DE LA PRODUCTION

## 12.9 La méthode heuristique ou graphique

Cette méthode itérative permet, à partir de plans de production simples à élaborer, de concevoir une série de plans de moins en moins coûteux et répondant de mieux en mieux aux exigences posées par les politiques générales de l'entreprise et aux autres contraintes de production. Elle est souvent appelée méthode graphique parce qu'on y utilise des graphiques unitaires ou cumulés (figures 12.3 et 12.4) pour se guider dans l'élaboration des divers plans requis. Elle présente plusieurs **avantages** : elle est facile de compréhension, elle ne pose pas de contraintes quant à la forme des coûts, elle peut inclure autant d'éléments de stratégie que désiré, elle permet la comparaison économique de plusieurs plans, et, à l'intérieur de certaines limites, les calculs requis peuvent s'effectuer manuellement, quoique l'utilisation de logiciels de type tableurs contribue grandement à réduire les efforts de calcul requis. Les principaux **inconvénients** de la méthode résident dans le nombre souvent élevé d'essais nécessaires à l'obtention de plans acceptables et dans le fait qu'elle ne permet pas de connaître l'écart entre les coûts totaux des plans testés et le minimum possible.

L'utilisation de la méthode requiert l'accomplissement des étapes décrites à la section 12.7, avec les précisions suivantes concernant l'étape 3 (élaboration de plans correspondant à diverses stratégies et évaluation économique de ces plans) et l'étape 4 (intégration des variables non quantifiées).

1. Les premiers plans élaborés doivent correspondre à des stratégies extrêmes. On confectionne ordinairement deux plans : le premier correspond à une stratégie de nivellement, le second à une stratégie synchrone.
2. Chacun de ces deux plans est examiné afin de déterminer si l'un d'eux ne s'avère pas déjà satisfaisant sous l'angle économique. Si oui, on passe à l'étape 4. Sinon, on continue l'étape 3 selon le point suivant.
3. À partir de l'examen des plans déjà élaborés, de l'étude de l'allure de la demande prévue et des résultats de l'analyse des coûts unitaires des éléments de stratégie (étape 2), on procède à l'élaboration de nouveaux plans qui correspondent, sauf exception, à une stratégie modérée, pure ou mixte, et on évalue les avantages et les inconvénients comparatifs de ces plans quant aux coûts totaux et aux autres variables quantifiées avant de passer à l'étape 4.

L'exemple suivant illustre le déroulement de la méthode heuristique ainsi que les calculs nécessaires à l'établissement et à la comparaison de différents plans de production.

**Exemple** ■

La compagnie DDH, un fabricant d'appareils ménagers, fait face, pour l'année qui débute, à la demande prévue suivante, exprimée en unités équivalentes :

| | | | | | |
|---|---|---|---|---|---|
| Janvier | 16 000 | Mai | 15 000 | Septembre | 30 000 |
| Février | 14 000 | Juin | 22 000 | Octobre | 30 000 |
| Mars | 12 000 | Juillet | 25 000 | Novembre | 25 000 |
| Avril | 10 000 | Août | 25 000 | Décembre | 22 000 |

Les coûts unitaires pertinents sont les suivants :

- coût de la main-d'œuvre en temps régulier : 2 000 $ par employé par mois ;
- coût de la main-d'œuvre en heures supplémentaires : 1,5 fois le coût du temps régulier ;
- coût d'embauche : 2 400 $ par employé ;
- coût de mise à pied : 3 200 $ par employé ;
- coût de stockage : 4 $ l'unité par mois ;
- coût de pénurie : 12 $ l'unité par mois.

Les informations suivantes découlent des politiques générales de l'entreprise ou d'autres éléments de contrainte à la production :

- le stock de produits finis en début d'année s'élève à 2 000 unités, et les dirigeants désirent l'augmenter à 4 400 unités pour la fin de l'année ;
- l'effectif ouvrier est actuellement de 180 personnes ;
- les variations de l'effectif sont permises, mais elles ne doivent jamais porter sur plus de 30 % de l'effectif à la fois ni se produire plus de 4 fois par année ;

*(suite)*

**Exemple**
*(suite)*

- les heures supplémentaires ne peuvent excéder 20 % des heures normales de travail, sur une base mensuelle ;
- le taux de production en temps régulier se chiffre à 100 unités par employé ;
- la capacité maximale de stockage est de 30 000 unités ;
- les dirigeants préfèrent qu'il n'y ait pas de pénurie mais ils sont prêts à l'accepter si elle ne dépasse pas 2 000 unités et si elle ne survient pas au cours de deux mois consécutifs ;
- les politiques de l'entreprise s'opposent au recours à la sous-traitance ou à une deuxième équipe d'employés ;
- la capacité de production dépend exclusivement de la variable main-d'œuvre et n'est pas subordonnée à la capacité de l'équipement ;
- tous les coûts et toutes les capacités sont de type linéaire et varient directement en fonction de la quantité de ressources utilisées.

***Solution selon la méthode heuristique***

*Étape 1 : La collecte des informations requises*

Les données du problème présentent toutes les informations utiles.

*Étape 2 : L'analyse des coûts unitaires des éléments de stratégie*

Les données du problème indiquent que le planificateur de la production dispose de quatre éléments de stratégie à partir desquels il peut élaborer différents plans : les heures supplémentaires, la variation de la main-d'œuvre, le stockage et la pénurie. Il doit d'abord calculer le coût unitaire (par unité équivalente) de chacun de ces éléments.

**Les heures supplémentaires**

Il s'agit de calculer la valeur de la prime accordée pour les heures supplémentaires sur une base d'unité équivalente. On sait qu'un employé coûte 2 000 $ par mois en temps régulier et qu'il peut alors produire 100 unités équivalentes. Le coût unitaire en temps régulier sera donc de 2 000 $ ÷ 100 unités équivalentes = 20 $. Comme la prime pour les heures supplémentaires s'élève à 50 % du salaire en temps régulier, elle se chiffre donc à 20 $ × 0,5 = 10 $.

(Note : pour la suite, nous utiliserons le sigle u.é. comme abréviation du terme unité équivalente.)

**La variation de la main-d'œuvre**

Le calcul est ici plus complexe, car la variation de la main-d'œuvre peut s'effectuer selon trois modes :

- une personne peut être embauchée en cours de période et demeurer au service de l'entreprise jusqu'à la fin de la période ;
- une personne qui travaille pour l'entreprise en début de période peut être mise à pied au cours de la période ;
- une personne peut être embauchée et mise à pied au cours de la période ou, au contraire, son renvoi peut être suivi d'une nouvelle embauche.

**Exemple** *(suite)*

Pour chacune de ces possibilités, le coût unitaire de variation différera. De plus, ce coût unitaire doit tenir compte de la durée d'emploi pendant la période, puisqu'il diminue au fur et à mesure que la durée s'allonge. Le tableau 12.2 présente le calcul de ce coût unitaire, compte tenu des coûts d'embauche et de mise à pied s'élevant respectivement à 2 400 $ et à 3 200 $, et de la durée d'emploi. Le calcul s'étend jusqu'à une durée maximale de six mois, mais il pourrait être prolongé s'il le fallait.

**Tableau 12.2**

**Les coûts unitaires de la variation de la main-d'œuvre**

| Durée d'emploi | Coûts unitaires des diverses possibilités | | |
|---|---|---|---|
| | **Embauche seulement** | **Mise à pied seulement** | **Embauche et mise à pied combinées** |
| 1 mois | 2 400 $ ÷ 100 u.é. = 24 $ | 3 200 $ ÷ 100 u.é. = 32 $ | 24 $ + 32 $ = 56 $ |
| 2 mois | 2 400 $ ÷ 200 u.é. = 12 $ | 3 200 $ ÷ 200 u.é. = 16 $ | 12 $ + 16 $ = 28 $ |
| 3 mois | 2 400 $ ÷ 300 u.é. = 8 $ | 3 200 $ ÷ 300 u.é. = 10,67 $ | 8 $ + 10,67 $ = 18,67 $ |
| 4 mois | 2 400 $ ÷ 400 u.é. = 6 $ | 3 200 $ ÷ 400 u.é. = 8 $ | 6 $ + 8 $ = 14 $ |
| 5 mois | 2 400 $ ÷ 500 u.é. = 4,80 $ | 3 200 $ ÷ 500 u.é. = 6,40 $ | 4,80 $ + 6,40 $ = 11,20 $ |
| 6 mois | 2 400 $ ÷ 600 u.é. = 4 $ | 3 200 $ ÷ 600 u.é. = 5,33 $ | 4 $ + 5,33 $ = 9,33 $ |

## Le stockage et la pénurie

Ces deux coûts unitaires constituent des données du problème. Ils s'élèvent respectivement à 4 $ et à 12 $ par unité équivalente par mois.

Il reste maintenant, avant de terminer cette étape, à établir où se situent les seuils de préférence entre les divers éléments de stratégie et à faire les arbitrages requis. Cinq comparaisons sont possibles.

### Les heures supplémentaires et la variation de la main-d'œuvre

En se basant sur les coûts unitaires précédemment calculés, on peut établir :

- qu'il vaut mieux produire des unités en recourant aux heures supplémentaires plutôt qu'en embauchant des employés supplémentaires si la période d'embauche est de deux mois ou moins ;
- qu'en cas d'embauche suivie de mise à pied au cours de la même période, il est moins coûteux de recourir aux heures supplémentaires si la période d'embauche se révèle inférieure à six mois.

**Exemple** *(suite)*

**Les heures supplémentaires et le stockage**

Comme il en coûte 10 $ de plus pour réaliser une unité en recourant aux heures supplémentaires et que les coûts mensuels unitaires de stockage sont de 4 $, le seuil de préférence entre ces deux éléments de stratégie se situe à 2,5 mois (10 $ ÷ 4 $ = 2,5). Cela signifie :

- qu'il vaut mieux attendre et produire en heures supplémentaires des unités qui pourraient être produites d'avance en temps régulier, mais qui devraient être stockées pendant trois mois ou plus avant leur utilisation ;
- que si la période de stockage est de deux mois ou moins, la conclusion inverse s'impose.

**Les heures supplémentaires et la pénurie**

Le seuil de préférence s'établit ici à 0,8 mois (10 $ ÷ 12 $). On en conclut donc qu'il est préférable de travailler en heures supplémentaires (à l'intérieur des limites allouées) plutôt que d'accepter une pénurie.

**Le stockage et la variation de la main-d'œuvre**

La comparaison devient ici plus complexe parce que les deux éléments de stratégie considérés présentent des coûts unitaires qui varient en fonction de la durée d'utilisation de ces éléments. Chaque durée d'utilisation de l'un de ces éléments entraînera un seuil de préférence différent face à l'autre. Pour établir ces seuils de préférence, nous nous contenterons ici de l'option embauche suivie de la mise à pied pour les variations de la main-d'œuvre.

| Durée de la variation de la main-d'œuvre | Coût unitaire | Seuil de préférence face au stockage |
|---|---|---|
| 1 mois | 56,00 $ | 56,00 $ ÷ 4 $ = 14 mois |
| 2 mois | 28,00 | 28,00 $ ÷ 4 $ = 7 mois |
| 3 mois | 18,67 | 18,67 $ ÷ 4 $ = 4,7 mois |
| 4 mois | 14,00 | 14,00 $ ÷ 4 $ = 3,5 mois |
| 5 mois | 11,20 | 11,20 $ ÷ 4 $ = 2,8 mois |
| 6 mois | 9,33 | 9,33 $ ÷ 4 $ = 2,3 mois |

On en conclut :

- qu'il vaut mieux produire d'avance et stocker pour moins de 14 mois plutôt que d'être obligé d'embaucher de la main-d'œuvre au dernier moment pour seulement un mois ;
- que l'option de la variation de la main-d'œuvre l'emporte si elle permet d'éviter le stockage pour une période de plus de 14 mois.

Le raisonnement serait analogue, avec des valeurs différentes, pour des périodes d'embauche de plus d'un mois.

**La variation de la main-d'œuvre et la pénurie**

On recourt au même raisonnement qu'au point précédent.

**Exemple**
*(suite)*

| Durée de la variation de la main-d'œuvre | Coût unitaire | Seuil de préférence face à la pénurie |
|---|---|---|
| 1 mois | 56,00 $ | 56,00 $ ÷ 12 $ = 4,7 mois |
| 2 mois | 28,00 | 28,00 $ ÷ 12 $ = 2,3 mois |
| 3 mois | 18,67 | 18,67 $ ÷ 12 $ = 1,6 mois |
| 4 mois | 14,00 | 14,00 $ ÷ 12 $ = 1,2 mois |
| 5 mois | 11,20 | 11,20 $ ÷ 12 $ = 0,9 mois |
| 6 mois | 9,33 | 9,33 $ ÷ 12 $ = 0,8 mois |

On constate donc :

– qu'il vaut mieux faire varier la main-d'œuvre même pour un seul mois, si cela permet d'éviter une pénurie qui durera cinq mois ou plus ;
– que la pénurie est préférable à une variation de la main-d'œuvre pour un mois, si la pénurie dure quatre mois ou moins.

*Étape 3 : L'élaboration de plans correspondant à diverses stratégies et l'évaluation économique de ces plans*

Comme on l'a vu au début de cette section, la méthode heuristique demande l'élaboration de deux plans correspondant l'un à une stratégie de nivellement, l'autre à une stratégie synchrone. Voyons rapidement les principes qui doivent nous guider dans la confection de ces plans.

**La stratégie de nivellement**

La **quantité à produire** chaque mois s'obtient à partir de la moyenne mathématique des prévisions mensuelles de demande, ajustée pour tenir compte de la différence entre le stock initial et le stock final. On a donc :

$$P_t = \frac{\sum_{1}^{12} D_t - S_I + S_F}{12}$$

où $P_t$ = quantité à produire au mois $t$,
$D_t$ = prévision de la demande pour le mois $t$,
$S_I$ = stock initial,
$S_F$ = stock final désiré.

Dans cet exemple, le calcul donne :

$$P_t = \frac{16\,000 + 14\,000 + \ldots + 25\,000 + 22\,000 - 2\,000 + 4\,400}{12} = 20\,700.$$

La compagnie DDH devra donc réaliser, chaque mois, une production égale à 20 700 unités équivalentes.

Comme la production demeure constante durant toute la période, il apparaît raisonnable de fonctionner avec un effectif stable. La **taille de l'effectif** se calcule selon l'équation suivante :

$$E_t = \frac{P_t}{C_t}$$

**Exemple**
*(suite)*

où $E_t$ = effectif requis au mois $t$,

$C_t$ = capacité mensuelle de production en temps régulier, par personne.

Par conséquent, la compagnie DDH devra recourir à un effectif de 207 personnes (20 700 ÷ 100). Il reste à calculer les autres données du plan (stockage ou pénurie, embauche ou mise à pied, heures supplémentaires) et à en évaluer les coûts selon les principes économiques habituels.

Stockage ou pénurie (si $S_t < 0$) :

$$S_t = S_{t-1} + P_t - D_t .$$

Embauche ($V_t$) ou mise à pied (si $V_t < 0$) :

$$V_t = E_t - E_{t-1} .$$

Heures supplémentaires ($O_t$) (si $P_t > E_t \times C_t$) :

$$O_t = \frac{P_t - (E_t \times C_t)}{C_t}$$

où $O_t$ = nombre de personnes travaillant en temps régulier nécessaire pour accomplir les heures supplémentaires du mois $t$.

Coût annuel de stockage :

$$\sum_{1}^{12} S_t \times CS_t$$

pour tout $S_t > 0$ et où $CS_t$ = coût unitaire de stockage au mois $t$.

Coût annuel de pénurie :

$$\sum_{1}^{12} (-S_t) \times CP_t$$

pour tout $S_t < 0$ et où $CP_t$ = coût unitaire de pénurie au mois $t$.

Coût annuel d'embauche :

$$\sum_{1}^{12} V_t \times CE_t$$

pour tout $V_t > 0$ et où $CE_t$ = coût pour embaucher une personne au mois $t$.

Coût annuel de mise à pied :

$$\sum_{1}^{12} (-V_t) \times CR_t$$

pour tout $V_t < 0$ et où $CR_t$ = coût pour mettre à pied une personne au mois $t$.

Coût annuel de main-d'œuvre en temps régulier :

$$\sum_{1}^{12} E_t \times CTR_t$$

où $CTR_t$ = coût mensuel d'une personne en temps régulier.

**Exemple** *(suite)*

Coût annuel d'heures supplémentaires :

$$\sum_{1}^{12} O_t \times CO_t$$

où $CO_t$ = coût d'une personne travaillant au mois $t$ un nombre d'heures supplémentaires équivalant au temps régulier.

**Tableau 12.3**

**Le plan de production de la compagnie DDH – Stratégie de nivellement**

DDH
Plan de production 1
Stratégie de nivellement
Effectif stable

| | État initial | Janvier | Février | Mars | Avril | Mai | Juin | Juillet | Août | Septembre | Octobre | Novembre | Décembre |
|---|---|---|---|---|---|---|---|---|---|---|---|---|---|
| Demande et expéditions | | 16 000 | 14 000 | 12 000 | 10 000 | 15 000 | 22 000 | 25 000 | 25 000 | 30 000 | 30 000 | 25 000 | 22 000 |
| Plan de production | | 20 700 | 20 700 | 20 700 | 20 700 | 20 700 | 20 700 | 20 700 | 20 700 | 20 700 | 20 700 | 20 700 | 20 700 |
| Stocks (– = pénurie) | 2 000 | 6 700 | 13 400 | 22 100 | 32 800 | 38 500 | 37 200 | 32 900 | 28 600 | 19 300 | 10 000 | 5 700 | 4 400 |
| Nombre de travailleurs | 180 | 207 | 207 | 207 | 207 | 207 | 207 | 207 | 207 | 207 | 207 | 207 | 207 |
| Embauche | | 27 | 0 | 0 | 0 | 0 | 0 | 0 | 0 | 0 | 0 | 0 | 0 |
| Mise à pied | | 0 | 0 | 0 | 0 | 0 | 0 | 0 | 0 | 0 | 0 | 0 | 0 |
| Heures supplémentaires (mois/travailleur) | | 0 | 0 | 0 | 0 | 0 | 0 | 0 | 0 | 0 | 0 | 0 | 0 |

| **Coût du plan 1** | | |
|---|---|---|
| | Coût de stockage | 1 006 400 $ |
| | Coût de pénurie | 0 |
| | Coût d'embauche | 64 800 |
| | Coût de mise à pied | 0 |
| | Coût de la main-d'œuvre | |
| | Temps régulier | 4 968 000 |
| | Heures supplémentaires | 0 |
| | Coût total | 6 039 200 |

Compte tenu du caractère répétitif de ces calculs, il est fortement recommandé de les effectuer à l'aide d'un logiciel de type tableur ou d'un autre logiciel adéquat. Le tableau 12.3 présente le plan auquel parvient l'entreprise DDH.

Exemple *(suite)*

## La stratégie synchrone

Dans le plan correspondant à la stratégie synchrone, la **quantité à produire** chaque mois sera égale à la demande prévue pour le mois, sauf pour le premier mois où le stock initial doit être soustrait de la demande prévue à moins d'indication contraire, et pour le dernier mois où il faut ajouter le stock final à la demande prévue.

**Tableau 12.4**

**Le plan de production de la compagnie DDH – Stratégie synchrone**

DDH
Plan de production 2
Stratégie synchrone
Effectif variable

| | État initial | Janvier | Février | Mars | Avril | Mai | Juin | Juillet | Août | Septembre | Octobre | Novembre | Décembre |
|---|---|---|---|---|---|---|---|---|---|---|---|---|---|
| Demande et expéditions | | 16 000 | 14 000 | 12 000 | 10 000 | 15 000 | 22 000 | 25 000 | 25 000 | 30 000 | 30 000 | 25 000 | 22 000 |
| Plan de production | | 14 000 | 14 000 | 12 000 | 10 000 | 15 000 | 22 000 | 25 000 | 25 000 | 30 000 | 30 000 | 25 000 | 26 400 |
| Stocks (− = pénurie) | 2 000 | 0 | 0 | 0 | 0 | 0 | 0 | 0 | 0 | 0 | 0 | 0 | 4 400 |
| Nombre de travailleurs | 180 | 140 | 140 | 120 | 100 | 150 | 220 | 250 | 250 | 300 | 300 | 250 | 264 |
| Embauche | | 0 | 0 | 0 | 0 | 50 | 70 | 30 | 0 | 50 | 0 | 0 | 14 |
| Mise à pied | | 40 | 0 | 20 | 20 | 0 | 0 | 0 | 0 | 0 | 0 | 50 | 0 |
| Heures supplémentaires (mois/travailleur) | | 0 | 0 | 0 | 0 | 0 | 0 | 0 | 0 | 0 | 0 | 0 | 0 |

| **Coût du plan 2** | | |
|---|---|---|
| | Coût de stockage | 17 600 $ |
| | Coût de pénurie | 0 |
| | Coût d'embauche | 513 600 |
| | Coût de mise à pied | 416 000 |
| | Coût de la main-d'œuvre | |
| | Temps régulier | 4 968 000 |
| | Heures supplémentaires | 0 |
| | Coût total | 5 915 200 |

La **taille de l'effectif** se calcule comme pour la stratégie de nivellement, sauf qu'il peut varier d'un mois à l'autre. On choisit d'absorber les fluctuations de la demande par des variations de main-d'œuvre afin de faciliter l'élaboration du plan synchrone. Le tableau 12.4 présente le plan obtenu pour cette deuxième stratégie.

**Exemple** *(suite)*

L'examen des deux plans obtenus nous amène aux constatations suivantes :

- le plan nivelé entraîne des coûts totaux supérieurs de 124 000 $ à ceux du plan synchrone ;
- le plan nivelé contrevient à la capacité maximale de stockage (30 000 u.é.) pour la période allant d'avril à juillet ;
- le plan synchrone ne respecte pas les contraintes relatives aux variations de l'effectif : celui-ci varie 9 fois (au lieu de 4 au maximum) ; de plus, deux de ces variations, celles de mai et de juin, dépassent le maximum permis de 30 % ;
- les autres contraintes sont respectées.

On doit donc en conclure qu'il faut tester au moins un autre plan émanant d'une stratégie modérée. C'est ici que les graphiques dont la méthode tire son appellation alternative peuvent révéler leur utilité. Comme on l'a mentionné au début de cette section, ces graphiques peuvent être de deux types : unitaires ou cumulés. La figure 12.3 présente un graphique illustrant la demande et la production unitaires, tandis que la figure 12.4 montre un graphique cumulé.

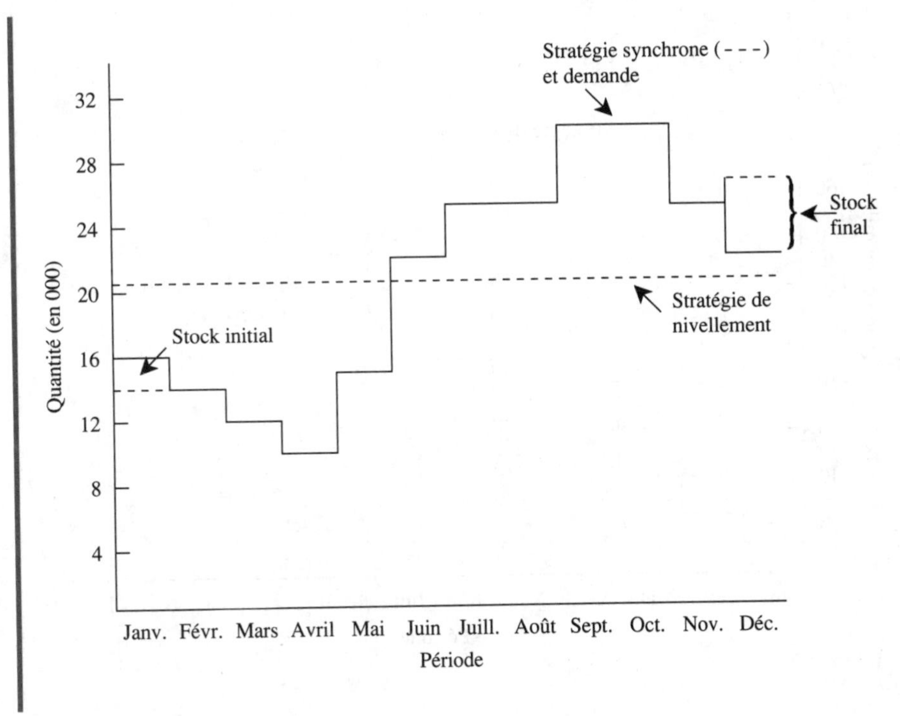


**FIGURE 12.3** **La demande et la production mensuelles de la compagnie DDH**

## La stratégie modérée

L'étude de la figure 12.3 en particulier, conjuguée à l'examen de certains résultats de l'analyse des coûts unitaires effectuée à l'étape 2, permet de concevoir un plan correspondant à une stratégie modérée :

**Exemple**
*(suite)*

– l'examen de la courbe de demande à la figure 12.3 montre que l'année semble se diviser en deux saisons : une saison de faible demande pour les cinq premiers mois de l'année, et une saison de forte demande pour les sept derniers mois ; cela nous amène à conclure qu'une bonne stratégie modérée pourrait présenter deux taux différents de production durant l'année, l'un pour les mois de faible demande et l'autre pour la saison de forte demande ;

– pour absorber la hausse du volume de production, nécessaire dans cette nouvelle stratégie au moment de la variation du taux de production, on peut avoir recours soit à une variation de l'effectif, soit aux heures supplémentaires, soit à une combinaison des deux ; comme l'augmentation du taux de production doit avoir cours pour au moins six mois, l'analyse des coûts unitaires effectuée à l'étape 2 indique qu'il est préférable de procéder à l'embauche de main-d'œuvre.

**FIGURE 12.4 ▶ La demande et la production cumulatives de la compagnie DDH**

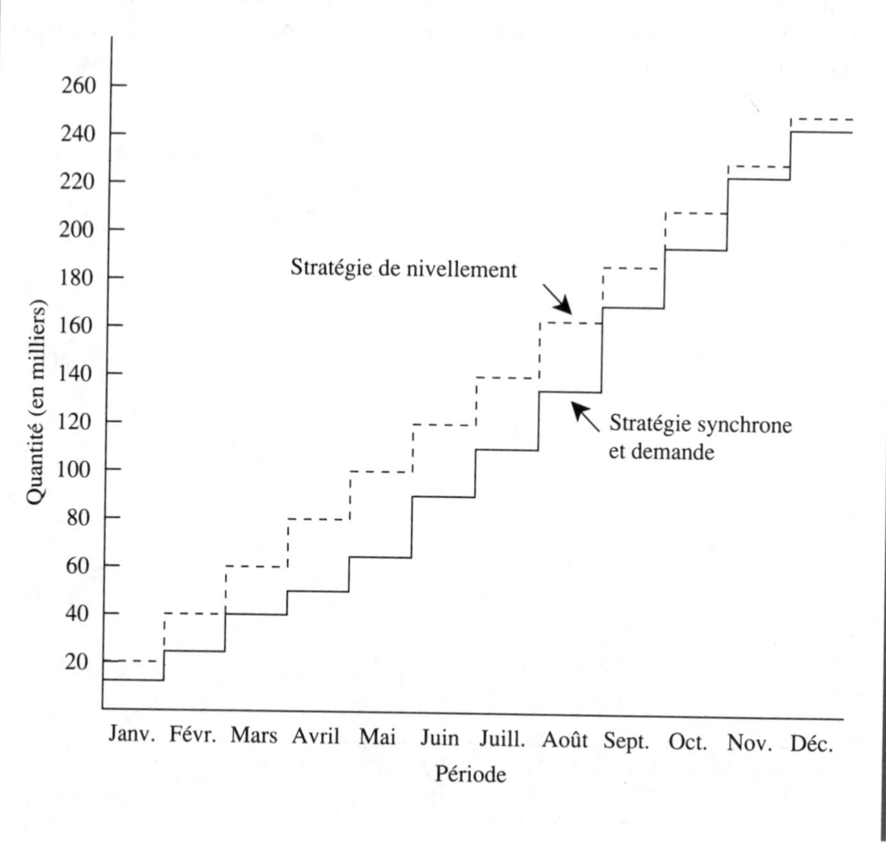


Il reste à déterminer les taux de production voulus ainsi que l'ampleur de la variation d'effectif nécessaire. Afin de limiter le nombre de variations, on peut conserver l'effectif de 180 personnes en début d'année et le faire travailler en temps régulier, ce qui signifie un taux de production mensuel de 18 000 u.é. Un examen de la demande des cinq premiers mois de l'année indique que cette production dépasse la demande prévue et que les stocks auront tendance à s'accroître. Ce surplus accumulé (figure 12.4) permettra de produire au même taux durant le mois de juin, même si on y observe un accroissement de la demande prévue, et de repousser l'augmentation de l'effectif au début de juillet.

**Exemple** *(suite)*

**Tableau 12.5**

**Le plan de production de la compagnie DDH – Stratégie modérée avec variation de la main-d'œuvre**

DDH
Plan de production 3
Stratégie modérée
Effectif variable

| | État initial | Janvier | Février | Mars | Avril | Mai | Juin | Juillet | Août | Septembre | Octobre | Novembre | Décembre |
|---|---|---|---|---|---|---|---|---|---|---|---|---|---|
| Demande et expéditions | | 16 000 | 14 000 | 12 000 | 10 000 | 15 000 | 22 000 | 25 000 | 25 000 | 30 000 | 30 000 | 25 000 | 22 000 |
| Plan de production | | 18 000 | 18 000 | 18 000 | 18 000 | 18 000 | 18 000 | 23 400 | 23 400 | 23 400 | 23 400 | 23 400 | 23 400 |
| Stocks (– = pénurie) | 2 000 | 4 000 | 8 000 | 14 000 | 22 000 | 25 000 | 21 000 | 19 400 | 17 800 | 11 200 | 4 600 | 3 000 | 4 400 |
| Nombre de travailleurs | 180 | 180 | 180 | 180 | 180 | 180 | 180 | 234 | 234 | 234 | 234 | 234 | 234 |
| Embauche | | 0 | 0 | 0 | 0 | 0 | 0 | 54 | 0 | 0 | 0 | 0 | 0 |
| Mise à pied | | 0 | 0 | 0 | 0 | 0 | 0 | 0 | 0 | 0 | 0 | 0 | 0 |
| Heures supplémentaires (mois/travailleur) | | 0 | 0 | 0 | 0 | 0 | 0 | 0 | 0 | 0 | 0 | 0 | 0 |

| **Coût du plan 3** | | |
|---|---|---|
| | Coût de stockage | 617 600 $ |
| | Coût de pénurie | 0 |
| | Coût d'embauche | 129 600 |
| | Coût de mise à pied | 0 |
| | Coût de la main-d'œuvre | |
| | Temps régulier | 4 968 000 |
| | Heures supplémentaires | 0 |
| | Coût total | 5 715 200 |

Si on fonctionne ainsi pour la première moitié de l'année, le stock accumulé à la fin de juin s'élèvera à 21 000 u.é., et il faudra produire à un taux mensuel moyen de 23 400 u.é. pendant les six derniers mois de l'année pour répondre à la demande prévue et obtenir le stock final désiré de 4 400 u.é. En temps régulier, ce taux de production exige un effectif de 234 personnes, soit l'embauche de 54 personnes (égale au maximum permis de 30 %) au début de juillet. Le tableau 12.5 présente

**Exemple**
*(suite)*

ce troisième plan. On y constate une baisse du coût total de 200 000 $ par rapport au plan précédent et on remarque que toutes les contraintes quantifiées sont respectées.

Il est sans doute possible d'élaborer d'autres plans correspondant à des stratégies modérées mixtes, qui seraient moins coûteux que ce dernier plan et qui satisferaient toutes les contraintes quantifiées. Une étude plus poussée des graphiques et des résultats de l'analyse des coûts unitaires peut nous y aider. Mais on risque alors de se heurter aux deux faiblesses majeures de la méthode :

– elle ne permet pas de savoir si on est parvenu au plan, acceptable eu égard aux contraintes quantifiées, qui présente le coût total le plus bas possible ;
– étant une méthode d'approximations successives, elle n'offre aucun moyen d'évaluer facilement, à priori, les conséquences quant au coût total et au respect des contraintes de modifications portant simultanément sur plusieurs éléments de stratégie.

Nous allons donc nous en tenir à ce troisième plan pour le moment.

*Étape 4 : L'intégration des variables et des contraintes non quantifiées*

Il s'agit maintenant de tenir compte d'éléments exclus du modèle économique (comme certaines considérations relatives aux politiques générales de l'entreprise ou à d'autres préoccupations de gestion), tel le degré de difficulté à implanter et à réaliser les plans considérés. Le plan de production correspondant à une stratégie modérée, n'exigeant qu'une variation de la main-d'œuvre et du taux de production au cours de l'année, ne paraît causer aucun problème particulier à cet égard ; le plan nivelé en pose encore moins, alors que le plan synchrone en comporte beaucoup plus.

*Étape 5 : Le choix du plan optimal*

Compte tenu de la valeur économique des plans élaborés, du respect des contraintes quantifiées et des autres éléments à considérer, le plan correspondant à une stratégie modérée (tableau 12.5) apparaît comme le plan de production à retenir.

## 12.10 La programmation linéaire

La programmation linéaire, une des principales méthodes d'optimisation de la recherche opérationnelle, permet d'obtenir directement la solution optimale à une foule de problèmes où l'on doit trouver l'optimum d'une fonction économique linéaire sous des contraintes, elles aussi, linéaires. Dans le contexte de la planification de la production, cette méthode permet de déterminer la stratégie qui minimise les coûts totaux. C'est là son principal avantage, avec la connaissance très répandue qu'en possède toute personne ayant étudié la recherche opérationnelle, la puissance reconnue des algorithmes de solution élaborés (méthode du simplexe par exemple) et la grande disponibilité des logiciels conçus en fonction de cette méthode.

Le principal inconvénient de la programmation linéaire découle de sa nature même. Méthode d'optimisation, elle ne fournit qu'une solution, soit celle qui optimise la fonction économique (quoique l'analyse de sensibilité rattachée à la méthode permet d'évaluer les conséquences économiques de certains types de modifications, et que les logiciels conçus spécialement pour l'utilisation de la méthode en planification de la production offrent la possibilité d'évaluer rapidement le coût total de plans autres que celui de la solution optimale). Elle exige également que toutes les contraintes et tous les coûts pertinents au problème soient de type linéaire, ce qui souvent ne constitue pas un obstacle incontournable pour le planificateur de la production.

La première formulation du problème de la planification de la production sous forme de modèle de programmation linéaire date de 1960[8]. Depuis, de nombreux chercheurs y sont allés de leurs propres formulations, englobant plus ou moins de contraintes et intégrant des moyens souvent ingénieux pour donner une forme linéaire à des coûts qui n'en présentaient pas au départ. Deux bons exemples se trouvent dans Pantumsinchai[15] et dans Chang[4]. Chacun d'eux propose également un logiciel approprié, *AGG* et *APP* respectivement.

Le plan présenté au tableau 12.6 a été obtenu à l'aide du logiciel *AGG*. On y constate que le coût minimal pour la compagnie DDH se situe à 5 526 800 $, soit un montant inférieur de 188 400 $ à celui obtenu dans le plan retenu lors du recours à la méthode heuristique (tableau 12.5). Ce plan découle d'une stratégie modérée mixte où l'on utilise tous les éléments disponibles. On notera cependant qu'une contrainte n'est pas parfaitement respectée : la variation de l'effectif au début de juillet (embauche de 94 personnes) dépasse le maximum permis de 30 %. Cette situation peut cependant être corrigée au prix d'une faible augmentation du coût total, en échelonnant l'embauche (42 au début de juin, 54 au début de juillet et 28 au début d'août), en stockant la production excédentaire de juin et en recourant aux heures supplémentaires en juin et en juillet pour compenser. Le tableau 12.7 illustre le nouveau plan obtenu. Toutes les contraintes sont maintenant respectées et le coût total se situe à 20 800 $ en deçà de la borne inférieure ; on peut donc adopter ce plan comme plan optimal.

## 12.11 Les autres modèles quantitatifs

Au cours des années, plusieurs autres modèles quantitatifs visant l'élaboration de plans de production optimaux ont été élaborés et ont connu une popularité variable. En général, chacun de ces modèles a poursuivi l'un ou l'autre des objectifs suivants :

- éviter la nécessité d'utiliser des coûts linéaires, ceux-ci représentant parfois mal la forme des coûts réels ;
- contourner le besoin de donner une forme exacte aux coûts ;
- diminuer les efforts et les temps de calcul requis.

Parmi les approches les mieux connues, on peut mentionner :

- la méthode de la règle de décision linéaire de Holt, Modigliani, Muth et Simon[10], qui admet des coûts de forme quadratique ;
- le modèle des coefficients de gestion de Bowman[3], qui part de l'hypothèse que si les planificateurs de la production peuvent parfois errer à court terme, ils ont tendance à prendre en général de bonnes décisions, et qui utilise la régression linéaire multiple pour tenter, à partir de l'expérience passée, de trouver les meilleures valeurs pour les paramètres d'une règle de décision linéaire semblable à celle de la méthode précédente ;

**Tableau 12.6**

**Le plan de production de la compagnie DDH – Coût total minimal**

DDH
Plan de production 4
Stratégie modérée
Coût total minimal

| | État initial | Janvier | Février | Mars | Avril | Mai | Juin | Juillet | Août | Septembre | Octobre | Novembre | Décembre |
|---|---|---|---|---|---|---|---|---|---|---|---|---|---|
| Demande et expéditions | | 16 000 | 14 000 | 12 000 | 10 000 | 15 000 | 22 000 | 25 000 | 25 000 | 30 000 | 30 000 | 25 000 | 22 000 |
| Plan de production | | 14 000 | 14 000 | 14 000 | 14 000 | 14 000 | 17 000 | 26 400 | 26 400 | 27 200 | 28 600 | 26 400 | 26 400 |
| Stocks (– = pénurie) | 2 000 | 0 | 0 | 2 000 | 6 000 | 5 000 | 0 | 1 400 | 2 800 | 0 | –1 400 | 0 | 4 400 |
| Nombre de travailleurs | 180 | 140 | 140 | 140 | 140 | 140 | 170 | 264 | 264 | 264 | 264 | 264 | 264 |
| Embauche | | 0 | 0 | 0 | 0 | 0 | 30 | 94 | 0 | 0 | 0 | 0 | 0 |
| Mise à pied | | 40 | 0 | 0 | 0 | 0 | 0 | 0 | 0 | 0 | 0 | 0 | 0 |
| Heures supplémentaires (mois/travailleur) | | 0 | 0 | 0 | 0 | 0 | 0 | 0 | 0 | 8 | 22 | 0 | 0 |

| **Coût du plan 4** | | |
|---|---|---|
| | Coût de stockage | 86 400 $ |
| | Coût de pénurie | 16 800 |
| | Coût d'embauche | 297 600 |
| | Coût de mise à pied | 128 000 |
| | Coût de la main-d'œuvre | |
| | Temps régulier | 4 908 000 |
| | Heures supplémentaires | 90 000 |
| | Coût total | 5 526 800 |

- la simulation par ordinateur, qui constitue une approche automatisée de la méthode heuristique (Vergin[18]) ;
- les règles de recherche directe, qui utilisent la puissance de calcul des ordinateurs dans une recherche automatisée du minimum d'une fonction de coût total dont la forme est laissée libre (Taubert[17]) ;
- la programmation par objectifs, visant à résoudre des modèles d'optimisation multicritères, appliquée par Lee et Moore[12] à la planification de la production.

Même si la documentation présente les résultats d'un nombre relativement restreint d'applications pratiques de ces approches possibles, la plupart d'entre elles présentent une occasion intéressante pour les entreprises où les hypothèses de linéarité des coûts de production s'appliquent mal et qui désirent obtenir tout de même des plans de production optimaux.

**Tableau 12.7**

**Le plan de production optimal de la compagnie DDH**

DDH
Plan de production 5
Stratégie modérée mixte
Plan optimal

| | État initial | Janvier | Février | Mars | Avril | Mai | Juin | Juillet | Août | Septembre | Octobre | Novembre | Décembre |
|---|---|---|---|---|---|---|---|---|---|---|---|---|---|
| Demande et expéditions | | 16 000 | 14 000 | 12 000 | 10 000 | 15 000 | 22 000 | 25 000 | 25 000 | 30 000 | 30 000 | 25 000 | 22 000 |
| Plan de production | | 14 000 | 14 000 | 14 000 | 14 000 | 14 000 | 19 000 | 24 000 | 26 400 | 27 600 | 28 600 | 26 400 | 26 400 |
| Stocks (– = pénurie) | 2 000 | 0 | 0 | 2 000 | 6 000 | 5 000 | 2 000 | 1 000 | 2 400 | 0 | –1 400 | 0 | 4 400 |
| Nombre de travailleurs | 180 | 140 | 140 | 140 | 140 | 140 | 182 | 236 | 264 | 264 | 264 | 264 | 264 |
| Embauche | | 0 | 0 | 0 | 0 | 0 | 42 | 54 | 28 | 0 | 0 | 0 | 0 |
| Mise à pied | | 40 | 0 | 0 | 0 | 0 | 0 | 0 | 0 | 0 | 0 | 0 | 0 |
| Heures supplémentaires (mois/travailleur) | | 0 | 0 | 0 | 0 | 0 | 8 | 4 | 0 | 12 | 22 | 0 | 0 |

| **Coût du plan 5** | | |
|---|---|---|
| | Coût de stockage | 91 200 $ |
| | Coût de pénurie | 16 800 |
| | Coût d'embauche | 297 600 |
| | Coût de mise à pied | 128 000 |
| | Coût de la main-d'œuvre | |
| | Temps régulier | 4 876 000 |
| | Heures supplémentaires | 138 000 |
| | Coût total | 5 547 600 |

Aujourd'hui, les efforts des chercheurs dans ce domaine sont plus orientés vers la recherche de méthodes permettant de passer facilement de l'étape de la planification de la production à celle de la planification détaillée. Deux axes principaux de recherche sont actuellement explorés :

- celui de la désagrégation du plan de production à l'aide de différentes approches, telles la programmation linéaire (Chang[4]), la programmation entière (Lasdon et Terjung[11], Oliff et Burch[14], Vickery et Markland[19], Chung et Krajewski[5]) et la méthode des coûts de mise en route (Bedworth et Bailey[1], Hax et Candea[9]) ;
- celui de la programmation hiérarchique de la production où l'on doit souligner la contribution de Bitran, Haas et Hax[2], de Gelders et Van Wassenhove[7] et de Meal et Whybark[13].

## CONCLUSION

La planification des opérations représente, pour le gestionnaire des opérations, de nombreux défis d'envergure. L'obtention des meilleurs plans ou programmes possibles aux diverses étapes de cette planification assure un bon fonctionnement du système opérationnel et favorise la rentabilité des opérations. Pour y parvenir, le planificateur doit recourir à diverses méthodes d'analyse, souvent basées sur des approches quantitatives, pour élaborer systématiquement les plans ou les programmes requis respectant les contraintes de différentes natures qui, bien souvent, limitent ses possibilités d'action.

La planification de la production, première étape d'un système rationnel de planification des opérations, détermine les limites globales à l'intérieur desquelles doivent se situer les efforts subséquents de planification. Comme elle porte sur les quantités intégrées de produits à réaliser et sur les volumes globaux de ressources à utiliser, un effort adéquat à cette étape peut se traduire par des économies considérables pour l'entreprise. Son horizon relativement long rend l'implantation de modifications majeures au plan de production souvent difficile et coûteuse. Tout cela justifie que l'entreprise consacre beaucoup d'efforts à cette étape de planification.

Dans ce chapitre, nous avons mis en relief l'importance, pour les gestionnaires, de bien établir leur stratégie à ce niveau de production, qui touche la limite inférieure du moyen terme, avant de passer aux autres étapes qui concernent le plus court terme. Cette façon de procéder est fondée non pas sur la théorie mais sur la pratique, où elle se traduit par une meilleure répartition des ressources.

## QUESTIONS DE RÉVISION

1. Quels sont les principaux objectifs de la planification de la production ?
2. En quoi la planification de la production au sein du pilotage se distingue-t-elle des autres efforts de planification en GOP ?
3. Pour chacune des étapes de la planification des opérations, nommez les objectifs, les unités de produits, les intrants, l'horizon, les unités de temps et l'extrant. Décrivez brièvement chacun d'eux.
4. À quelles étapes de la planification des opérations la planification des priorités et celle des capacités se font-elles dans un même effort ? À quelles étapes se font-elles selon des efforts parallèles ?
5. Quelles sont les principales conditions d'application et les contraintes de la planification de la production ?
6. Pourquoi parle-t-on d'unité équivalente en planification de la production ?
7. Quels sont les principaux éléments de stratégie disponibles et les principaux coûts afférents en planification de la production ?
8. Qu'entend-on par stratégie extrême ? modérée ? pure ? mixte ?
9. Pourquoi donne-t-on à la méthode heuristique l'appellation de « méthode graphique » ?
10. Quels sont les principaux avantages et inconvénients reliés à l'utilisation de la programmation linéaire en planification de la production ?

## QUESTIONS DE DISCUSSION

1. « La détermination de la capacité du système opérationnel et la planification des opérations sont étroitement reliées. » Commentez cette affirmation.
2. Discutez du bien-fondé de procéder par étapes en planification des opérations.
3. Pourquoi doit-on mener en parallèle la planification des priorités et la planification des capacités lors de certaines étapes de la planification des opérations ?
4. « La planification de la production permet de maximiser l'utilisation des ressources. » Commentez cette affirmation.
5. Discutez de l'apport particulier de chacune des étapes indiquées dans la recherche d'un plan de production optimal.
6. Comparez, quant à leurs avantages et à leurs inconvénients propres, la méthode heuristique et la programmation linéaire appliquées à la planification de la production. Quelles circonstances pourraient favoriser le recours à l'une ou l'autre de ces méthodes ?
7. Comment les techniques de planification décrites dans ce chapitre peuvent-elles s'appliquer à une entreprise du secteur des services ? Quels points particuliers faut-il alors surveiller ?
8. Discutez de l'évolution de la recherche dans le secteur de la planification de la production.

## PROBLÈMES ET MISES EN SITUATION

1. Chez XYZ, la demande pour les six prochains mois correspond aux prévisions suivantes :

| Mois | Prévision en unités équivalentes |
|---|---|
| Janvier | 300 |
| Février | 500 |
| Mars | 400 |
| Avril | 100 |
| Mai | 400 |
| Juin | 300 |

On dispose aussi des informations suivantes :
- stock initial : 60 unités équivalentes ;
- coût de stockage : 5 $ par u.é. par mois ;
- coût de pénurie : 20 $ par u.é. par mois ;
- nombre d'heures de travail par mois, en temps régulier : 160 heures par personne ;
- temps requis pour la fabrication d'une u.é. : 5 heures ;
- coût d'embauche : 100 $ par personne ;
- coût de mise à pied : 50 $ par personne ;
- salaire moyen : 8 $ l'heure au taux normal, 25 % de plus au taux majoré ;
- sous-traitance : 250 $ par u.é. ;
- autres coûts de production : 140 $.

Pour répondre à ces prévisions, l'entreprise désire considérer trois plans de production avant de fixer son choix :
- Faire varier le nombre d'employés de façon à satisfaire à la demande totale sans risque de pénurie et sans recours aux heures supplémentaires.
- Maintenir le nombre d'employés constant (ce nombre correspondant à la somme des prévisions pour les six mois, divisée par la capacité moyenne d'un employé durant la période) et satisfaire à la demande totale sans risque de pénurie, avec recours aux heures supplémentaires et à la sous-traitance ; si la capacité de production en temps régulier dépasse la demande au cours d'un mois, arrêter la production au taux de demande et payer les employés pour le temps inoccupé.
- Réaliser la production de la période avec un effectif ouvrier constant qui travaille durant les heures normales prévues, au risque de provoquer des pénuries ou des surplus de stocks.

*a*) Évaluez chacun des plans proposés quant à l'ensemble des coûts qu'ils représentent.
*b*) Dessinez le graphique de la demande cumulée et des plans de production proposés. Quelle conclusion peut-on en tirer ?
*c*) Essayez d'établir un plan de production dont le coût total sera inférieur à celui des plans proposés.
*d*) Compte tenu de tous les éléments de stratégie dont l'entreprise dispose, quel plan pourrait-on recommander ? Justifiez brièvement votre réponse.

**2.** L'entreprise Clair-Québec, spécialisée dans la fabrication de lampes de table et de lampes sur pied, prépare son plan de production pour sa prochaine année d'activité. Le planificateur des opérations dispose des éléments d'information suivants pertinents à sa prise de décisions.

**Prévisions de la demande (en unités équivalentes)**

| | | | |
|---|---|---|---|
| Janvier : | 9 800 | Juillet : | 8 400 |
| Février : | 6 800 | Août : | 16 900 |
| Mars : | 10 400 | Septembre : | 15 300 |
| Avril : | 8 200 | Octobre : | 10 600 |
| Mai : | 17 100 | Novembre : | 22 200 |
| Juin : | 23 300 | Décembre : | 32 000 |

**Coûts unitaires**
(par personne ou par unité équivalente)

- Coût de la main-d'œuvre en temps régulier : 2 650 $ par mois.
- Coût de la main-d'œuvre en heures supplémentaires : 1,5 fois le coût des heures régulières.
- Coût d'embauche : 2 000 $.
- Coût de mise à pied : 2 750 $.
- Coût de stockage : 11 $ par mois.
- Coût de pénurie : 24 $ par mois.

**Autres informations**

- Le stock de produits finis doit être accru d'un niveau initial de 2 000 unités équivalentes à un niveau final de 14 000 unités équivalentes.
- En début d'année, l'effectif ouvrier s'élève à 240 personnes.
- Le taux de production en temps régulier est de 75 unités équivalentes par personne par mois.
- La capacité maximale de stockage est de 3 000 unités équivalentes.
- La capacité de production varie en proportion du nombre de travailleurs. Ce nombre peut fluctuer d'au plus 25 % d'un mois à l'autre.
- L'entreprise a pour politique de satisfaire l'ensemble de la demande pour l'année ; elle peut cependant tolérer une pénurie en cours de période, pourvu qu'elle ne dure pas plus d'un mois à la fois.
- Les heures supplémentaires ne doivent jamais excéder 20 % du temps régulier sur une base mensuelle.
- L'effectif de main-d'œuvre ne doit pas dépasser 320 personnes.

*a*) Effectuez l'analyse des coûts unitaires des divers éléments de stratégie disponibles.
*b*) Élaborez les plans nécessaires à la méthode heuristique, soit :
- un plan nivelé,
- un plan synchrone,
- un plan correspondant à une stratégie modérée.

*c*) Analysez les forces et les faiblesses de chacun de ces plans.
*d*) Trouvez le plan qui minimise les coûts totaux et analysez brièvement ce plan.
*e*) Élaborez un plan de production optimal.

**3.** La compagnie Gopathec œuvre dans un secteur industriel où la demande subit de fortes fluctuations saisonnières. Aussi est-il très important, pour garantir la rentabilité de ses opérations, de choisir un plan optimal de production. Le planificateur de la production dispose des éléments d'information suivants, à partir desquels il doit élaborer divers plans de production pour la prochaine année.

**Prévisions de la demande (en unités équivalentes)**

| | | | |
|---|---|---|---|
| Janvier : | 64 000 | Juillet : | 10 000 |
| Février : | 55 000 | Août : | 12 000 |
| Mars : | 31 500 | Septembre : | 32 000 |
| Avril : | 28 000 | Octobre : | 48 000 |
| Mai : | 28 000 | Novembre : | 73 000 |
| Juin : | 15 000 | Décembre : | 85 000 |

**Coûts unitaires pertinents**

- Coût mensuel de la main-d'œuvre en temps régulier : 2 200 $.
- Coût d'embauche : 3 000 $ par personne.
- Coût de mise à pied : 5 000 $ par personne.
- Prime pour les heures supplémentaires : 50 % du salaire en temps régulier.
- Coût mensuel de stockage : 6 $.
- Coût mensuel de pénurie : 12 $.

**Autres informations**

- L'effectif en début d'année se chiffre à 200 personnes.
- Chaque personne peut produire 180 unités équivalentes par mois en temps régulier.
- Il est possible de recourir aux heures supplémentaires, mais elles ne doivent pas excéder 20 % des heures régulières sur une base mensuelle.
- L'effectif peut varier au besoin, mais les variations ne doivent pas dépasser 40 personnes en plus ou en moins d'un mois à l'autre.
- Le stock initial de produits finis représente 10 000 unités équivalentes, et la direction désire le faire doubler pour la fin de l'année.
- La capacité physique de stockage pour les produits finis s'élève à 60 000 unités équivalentes.
- La pénurie est acceptée, mais elle ne doit jamais dépasser 10 000 unités équivalentes en fin de mois ; de plus, l'entreprise ne tolère pas plus de trois mois de pénurie durant l'année.

*a*) Démontrez, à l'aide d'une analyse chiffrée, comment peut s'établir le seuil de préférence entre le recours aux heures supplémentaires et le recours à la variation de la main-d'œuvre.

*b*) Préparez un plan nivelé et un plan synchrone et analysez-les.

*c*) Préparez un plan qui minimise les coûts totaux de production.

*d*) Élaborez un plan optimal et justifiez votre choix.

## RÉFÉRENCES


1. BEDWORTH, D.D. et J.E. BAILEY, *Integrated Production Control Systems*, 2e éd., New York, John Wiley & Sons, 1987.
2. BITRAN, G.D., E.A. HAAS et A.C. HAX, « Hierarchical Production Planning : A Two-Stage System », *Operations Research*, mars-avril 1982, p. 232-251.
3. BOWMAN, E.H., « Consistency and Optimality in Managerial Decision Making », *Management Science*, janvier 1963, p. 310-321.
4. CHANG, Y.-L., *QSOM, Quantitative Systems for Operations Management*, 2e éd., Englewood Cliffs, New Jersey, Prentice-Hall, 1992, p. 141-163.
5. CHUNG, C. et L.J. KRAJEWSKI, « Planning Horizons for Master Production Scheduling », *Journal of Operations Management*, août 1984, p. 389-406.
6. FOGARTY, D.W., J.H. BLACKSTONE et T.R. HOFFMANN, *Production & Inventory Management*, 2e éd., Cincinnati, South-Western Publishing Co., 1991.
7. GELDERS, L.F. et L.N. VAN WASSENHOVE, « Hierarchical Integration in Production Planning : Theory and Practice », *Journal of Operations Management*, novembre 1982, p. 27-36.
8. HANSSMANN, F. et S.W. HESS, « A Linear Programming Approach to Production and Employment Scheduling », *Management Technology*, vol. 1, no 1, janvier 1960, p. 46-52.
9. HAX, A.C. et D. CANDEA, *Production and Inventory Management*, Englewood Cliffs, New Jersey, Prentice-Hall, 1984.
10. HOLT, C.C., F. MODIGLIANI, J.F. MUTH et H.A. SIMON, *Planning Production, Inventories and Work Force*, Englewood Cliffs, New Jersey, Prentice-Hall, 1960.

11. LASDON, L.S. et R.C. TERJUNG, « An Efficient Algorithm for Multi-Item Scheduling », *Operations Research*, juillet-août 1971, p. 946-969.

12. LEE, S.M. et L.J. MOORE, « A Practical Approach to Production Scheduling », *Production and Inventory Management*, vol. 15, nº 1, 1974, p. 79-92.

13. MEAL, H.L. et D.C. WHYBARK, « Material Requirements Planning in Hierarchical Planning Systems », *International Journal of Production and Operations Management*, vol. 25, nº 7, 1987, p. 947-956.

14. OLIFF, M.D. et E.E. BURCH, « Multiproduct Production Scheduling at Owens-Corning Fiberglas », *Interfaces*, septembre-octobre 1985, p. 582-597.

15. PANTUMSINCHAI, P., M.Z. HASSAN et I.D. GUPTA, *Basic Programs for Production and Operations Management*, Englewood Cliffs, New Jersey, Prentice-Hall, 1983, p. 122-140.

16. SMITH, S.B., *Computer Based Production and Inventory Control*, Englewood Cliffs, New Jersey, Prentice-Hall, 1989.

17. TAUBERT, W., « A Search Decision Rule for the Aggregate Scheduling Problem », *Management Science*, février 1968, p. B343-B359.

18. VERGIN, R.C., « Production Scheduling Under Seasonal Demand », *Journal of Industrial Engineering*, mai 1966, p. 260-266.

19. VICKERY, S.K. et R.E. MARKLAND, « Integer Goal Programming for Multistage Lot Sizing : Experimentation and Implementation », *Journal of Operations Management*, vol. 5, nº 2, 1985.

20. VOLLMAN, T.E., W.L. BERRY et D.C. WHYBARK, *Manufacturing Planning and Control Systems*, 2e éd., Homewood, Illinois, Dow-Jones Irwin, 1988.

CHAPITRE 13

# La planification détaillée de la production et la planification des besoins-matières

CLAUDE R. DUGUAY *auteur principal*

MATTIO O. DIORIO *collaborateur*

# LE PLAN DIRECTEUR DE PRODUCTION (PDP)

## 13.1 La demande dépendante et la demande indépendante

La première partie de ce chapitre porte sur la planification de la production des articles à demande indépendante; on y décrit le plan directeur de production et son rôle dans l'entreprise. La deuxième partie présente quelques aspects techniques sur son élaboration et son utilisation. Dans la troisième partie, nous traitons de façon similaire la planification des besoins-matières, qui concerne la planification des articles à demande dépendante. Il est cependant essentiel, avant d'entrer dans le vif du sujet, de faire la distinction entre « demande dépendante » et « demande indépendante ». Cette distinction a été clairement formulée par Joseph Orlicky[16], l'un des pionniers dans la mise au point de la planification des besoins-matières qui précéda celle de la planification des ressources de production (*MRP II*) sous l'impulsion d'Oliver Wight[22].

Les **articles à demande indépendante** sont les produits ou les composants (pièces de rechange, options, accessoires, etc.) qui sont livrés aux clients ou aux intermédiaires de l'entreprise (grossistes, distributeurs, agents, entrepôts, etc.). La demande indépendante est **estimée** à partir des techniques de prévision et des commandes déjà reçues (figure 13.1).

Les **articles à demande dépendante** sont les sous-ensembles et les composants qui entrent dans la fabrication des produits à demande indépendante. L'évaluation de la demande dépendante est **calculée** à partir des lancements planifiés des produits finis par le plan directeur de production. Ainsi, un lancement planifié de 1 000 vélos, à demande indépendante, entraîne une demande dépendante de 2 000 roues, de 1 000 pédaliers, etc.

**FIGURE 13.1** ▶ **La demande indépendante et la demande dépendante**

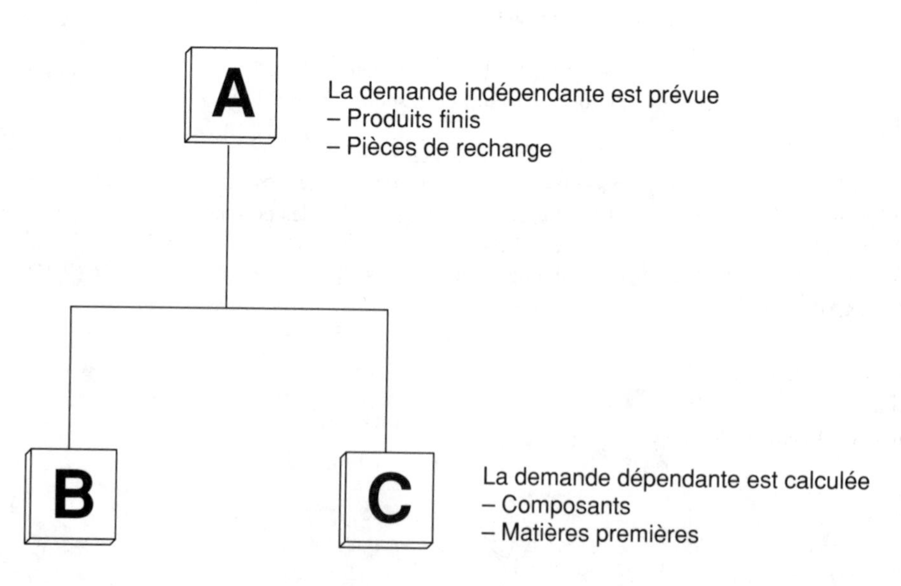

Un même article peut appartenir aux deux catégories, telle une pièce qui sert à la fabrication d'un article et qui est aussi vendue au client comme pièce de rechange. Elle fait alors l'objet du même traitement que les articles à demande indépendante, mais elle est placée à son niveau dans la planification des besoins-matières de façon à cumuler tous les besoins.

## 13.2 La nature et la fonction du PDP

La planification détaillée de la production suit la planification de la production (aussi appelée planification globale, agrégée ou intégrée par certains auteurs). Celle-ci a permis de déterminer le niveau d'utilisation de la capacité de production pour les prochaines périodes agrégées. Pour être plus concrets, nous utilisons le mois comme période* ou intervalle de planification de la production et la semaine pour la planification détaillée. Ces périodes sont les plus fréquemment utilisées par les entreprises, mais elles ne s'imposent pas nécessairement. Chaque entreprise doit choisir ses périodes de planification selon sa situation particulière. La planification détaillée est un processus qui sert à déterminer à quoi servira la capacité de production, c'est-à-dire à la fabrication de quels articles sera allouée cette capacité de production pour chacune des semaines à venir. L'extrant de la planification détaillée est le plan directeur de production (PDP). Ce PDP est un plan établissant pour chaque période quelles sont les quantités des principaux produits qui seront fabriqués.

Dans le cas où l'entreprise fabrique une gamme limitée de produits pour les stocks, le PDP établit les quantités de chaque produit fini qui seront fabriquées chaque semaine. Dans plusieurs cas, les produits finis offerts aux clients sont d'une si grande variété, qu'il est nécessaire de procéder à leur assemblage final à partir d'une commande ferme. Tel est le cas, par exemple, des meubles rembourrés. On recourt alors à un plan d'assemblage final pour planifier leur production. Le PDP, dans ce cas, sert de base pour la fabrication des composants et l'acquisition des matières premières ; il est alors établi par familles de produits finis ou l'équivalent.

Généralement, le PDP sert :

- à établir et à respecter les dates de livraison ;
- à utiliser efficacement les capacités ;
- à atteindre les objectifs du plan de production ;
- à effectuer les arbitrages entre la production et le marketing.

Le PDP joue un rôle fondamental dans le fonctionnement d'un système intégré de planification et de contrôle de la production et des stocks (PCPS). Il est le lieu où doit s'établir, à chaque période, l'équilibre entre les ressources de l'entreprise pour cette période et les demandes à satisfaire. Toutes les difficultés qui n'auront pas été résolues de façon satisfaisante dans le système opérationnel pour éviter le retard d'une commande se traduiront par la non-réalisation d'une partie du PDP. En conséquence, la non-réalisation du PDP se traduit par des commandes en retard. Le PDP se trouve donc au cœur des tensions engendrées par les perturbations susceptibles de survenir dans l'entreprise, tels les retards de production, ou dans son environnement, telles les modifications de la demande.

---

* Nous utilisons généralement les termes français proposés par le *Dictionnaire bilingue de gestion de la production et des stocks*[12]. Toutefois, il nous paraît utile ici d'utiliser également le terme « période », qui est moins lourd dans un texte où le terme revient plusieurs fois.

Le PDP porte sur un horizon qui couvre au moins le délai cumulé de fabrication et d'achat de tous les composants et matières premières nécessaires à la production des produits considérés. Toute modification apportée en deçà de ce délai risque de ne pas laisser assez de temps pour commander et recevoir les composants au moment voulu.

L'objectif premier du responsable du PDP est le service : livrer les commandes à temps dans un délai concurrentiel. Le deuxième objectif est l'utilisation optimale des ressources, soit la possession d'un stock minimal d'une part, et des conditions de fonctionnement favorisant l'efficience du système opérationnel et des achats d'autre part.

## 13.3 La place du PDP dans un système intégré de planification et de contrôle de la production et des stocks (PCPS)

Dans le système intégré de planification des ressources de production, on rattache souvent le plan de production (PP) et le plan directeur de production (PDP) au même sous-système à boucle fermée. Dans un tel contexte, les activités de cette boucle débutent par l'établissement du plan de production, qui détermine globalement le taux d'utilisation de la capacité de production pour chacune des périodes agrégées. Le PDP alloue cette capacité à la fabrication des divers produits ou groupes de produits[12] pour les périodes plus détaillées (mois, semaines). Il doit respecter le niveau de capacité globale et le niveau de stock global prévu au plan de production (figure 13.2).

FIGURE 13.2 ▶
La boucle PP–PDP

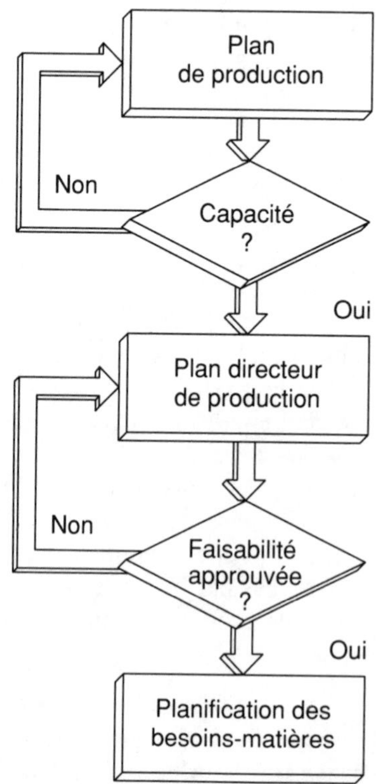

Les informations nécessaires à l'élaboration du PDP proviennent principalement du service du marketing (prévisions de la demande, entrée des commandes) pour établir la demande de chacun des produits ou des groupes de produits, et du service de la gestion des stocks et de la planification globale de la production pour établir l'offre, c'est-à-dire les ressources disponibles pour satisfaire cette demande (stock, production). La figure 13.3 donne une vue globale de ces relations en amont du PDP.

À partir de ces intrants et des politiques de l'entreprise, une première version du PDP est élaborée pour les prochaines périodes. La justesse de cette version doit être testée par rapport à sa faisabilité. Elle doit évidemment respecter les contraintes en matière de capacité globale établie dans le plan de production. L'expérience a démontré qu'outre la capacité globale, il est prudent de s'assurer du réalisme du PDP par rapport aux postes clés du processus de production. C'est l'objet de la planification sommaire des capacités.

Une fois cette vérification faite, le PDP sert d'intrant à la planification des besoins-matières, où il servira de base au calcul des besoins en composants et en matières premières. Le PDP est soit un programme de fabrication des produits finis déjà vendus ou dont la vente est tenue pour assurée, soit un programme de fabrication anticipée des options dans le cas où on prévoit une phase d'assemblage final. Comme intrant à la planification des besoins-matières (PBM), le PDP permet alors de s'assurer que les composants et les matières premières seront disponibles au moment de l'assemblage final.

La gestion de la demande utilisera le PDP article par article pour déterminer la période à laquelle une commande peut être acceptée de façon réaliste, ou bien pour évaluer s'il y a lieu de réviser celui-ci par rapport aux commandes émises par les clients.

**FIGURE 13.3**
**Les relations du plan directeur de production avec les autres activités**

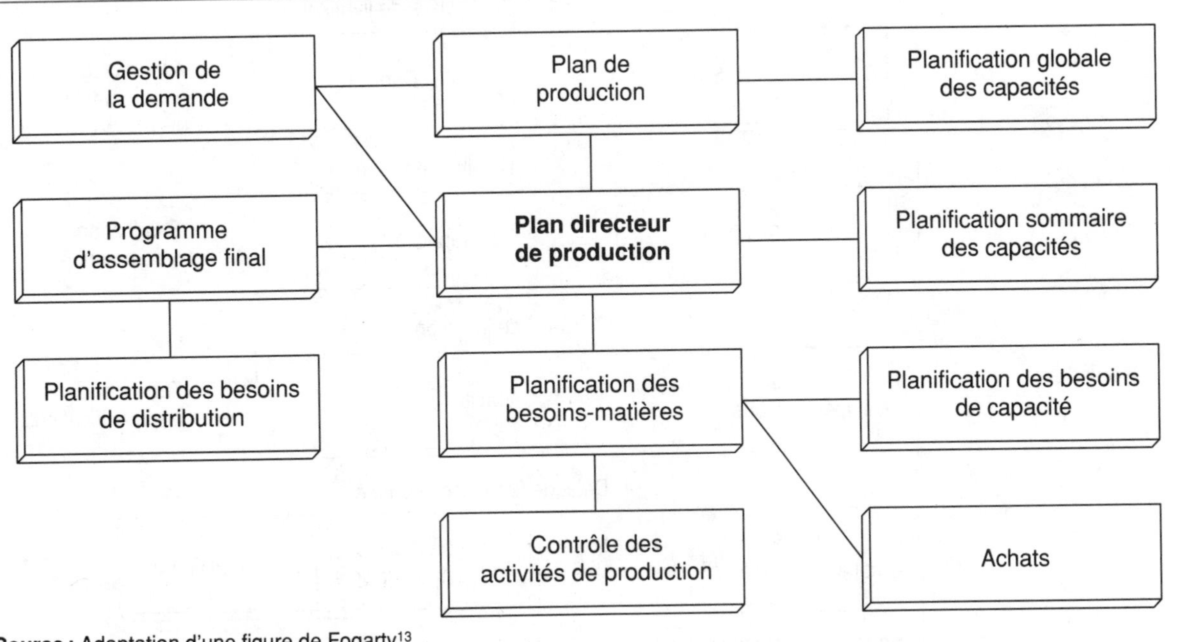


**Source :** Adaptation d'une figure de Fogarty[13].

## 13.4 Les choix stratégiques et l'environnement du PDP

Le délai de livraison est un élément important du positionnement stratégique d'une entreprise sur le marché. Sur cette base, on peut distinguer trois grandes catégories de systèmes de production. Quand le délai de livraison est très court, l'entreprise doit fabriquer ses produits finis pour les stocks. Lorsqu'elle peut imposer un délai de livraison plus long que son propre délai cumulé de production, elle fabrique sur commande. Dans le cas intermédiaire, l'entreprise fabrique une partie de ses composants pour les stocks et complète sur commande la fabrication de ses produits finis. Ce positionnement est appelé « assemblage sur commande ». La figure 13.4 illustre ces trois positionnements[18]. Un quatrième cas est également présenté : celui de la fabrication selon les spécifications.

Le positionnement de l'entreprise dépend beaucoup de la nature de la demande et de la concurrence. Il est évident que peu d'entreprises se classent dans un seul des trois groupes pour tous leurs produits ; néanmoins, un groupe prédomine généralement.

La **première catégorie** regroupe les entreprises qui produisent pour les stocks, c'est-à-dire dont les gestionnaires ont établi des prévisions de la demande pour tous les produits. Ces entreprises produisent alors selon les prévisions, puis elles entreposent les produits finis en espérant vendre les quantités prévues. Ce sont les produits

**FIGURE 13.4** ▶ **Les délais de livraison et de fabrication et les positionnements**

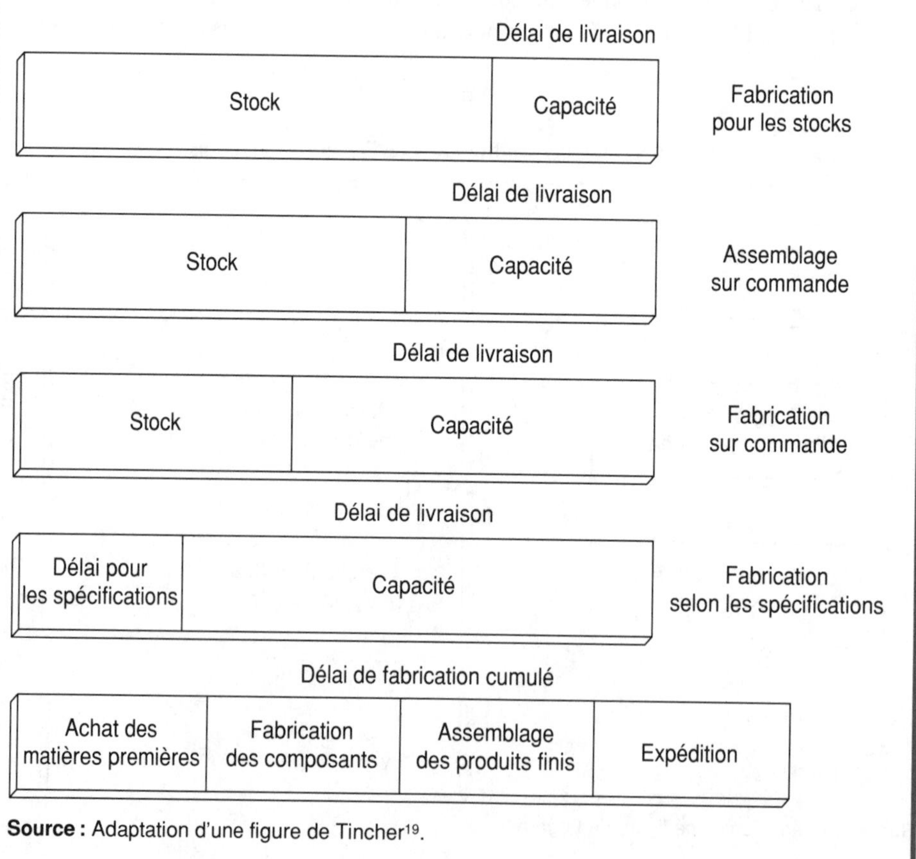


**Source :** Adaptation d'une figure de Tincher[19].

finis que l'on compte stocker qui entrent dans le PDP. On surveille les ventes de près afin de s'assurer qu'il y a cohérence entre les prévisions de la demande, le PDP et les ventes réalisées. Les entreprises pharmaceutiques et les fabricants d'appareils ménagers légers font partie de cette catégorie. On peut également inclure les restaurants McDonald's dans cette catégorie, alors que Burger King se classe plutôt dans la suivante.

La **deuxième catégorie** comprend les entreprises qui assemblent sur commande et qui disposent d'un court délai de livraison. Ces entreprises conservent en stock les sous-ensembles qui composent les produits finis, ce qui leur permet d'assembler le produit fini selon la configuration exigée par le client. Deux plans sont alors requis : le premier est un PDP établi à partir des prévisions de la demande et il sert de guide à la fabrication des composants ; le second est un plan directeur d'assemblage conçu à partir des commandes réelles et limité par la disponibilité des composants déjà fabriqués. Les fabricants de machines industrielles, d'automobiles, d'appareils électroménagers lourds et de maisons usinées possèdent les caractéristiques mentionnées pour ce deuxième groupe. On peut également y inclure les entreprises de restauration haut de gamme.

La **troisième catégorie** correspond aux entreprises qui produisent sur commande et qui disposent d'un long délai de livraison. La plupart du temps, chaque produit commandé est exclusif ; c'est pourquoi ni les composants ni parfois même les matières premières ne sont conservés en stock. Il arrive que le dessin final du produit ne soit complètement terminé que peu de temps avant sa fabrication. Dans ce cas, le PDP peut prendre la forme d'un projet géré selon une approche correspondant à la méthode du chemin critique. Vu l'importance et les particularités de la planification et du contrôle des projets, le chapitre 15 est consacré à cette méthode.

# LES TECHNIQUES UTILISÉES DANS LE PDP

## 13.5 L'élaboration d'un PDP

Comme dans le cas de la planification globale, on trouve, pour l'élaboration du PDP, une gamme de techniques allant des simples grilles de planification aux modèles de simulation. Nous présentons ici quelques outils et pratiques élémentaires les plus couramment utilisés qui permettent de saisir la nature et la portée du plan directeur de production. Après avoir traité un exemple dans le contexte le plus simple de fabrication pour les stocks, nous aborderons les aspects administratifs clés.

Pour élaborer un PDP, on part des données disponibles sur la demande, de la capacité globale disponible selon le plan de production ainsi que des indications sur le niveau global des stocks de fin de période (figure 13.3).

L'enregistrement au PDP décrit à la figure 13.5 constitue en quelque sorte la cellule de base d'un plan directeur de production, qui comporte une grille semblable pour chacun des produits y apparaissant. Cette grille permet de structurer de manière très efficace l'information disponible sur chacun des produits et de projeter, sur les prochaines périodes constituant l'horizon du PDP, l'évolution prévue du stock disponible. De plus, elle est de nature semblable à la grille de planification dans le temps présentée au chapitre 10, mais elle comporte des traits particuliers. Après en avoir décrit les éléments, nous illustrerons son utilisation à l'aide d'un exemple simple. Dans le format couramment proposé par l'American Production and Inventory

**FIGURE 13.5**
**La grille d'enregistrement au plan directeur de production**

| Périodes | 1 | 2 | 3 | 4 | 5 | 6 | 7 | 8 | 9 | 10 |
|---|---|---|---|---|---|---|---|---|---|---|
| Prévisions de la demande | | | | | | | | | | |
| Commandes acceptées | | | | | | | | | | |
| Stock projeté | | | | | | | | | | |
| Stock disponible à la vente | | | | | | | | | | |
| Production planifiée (PDP) | | | | | | | | | | |

Control Society (APICS), cette grille est constituée de cinq rubriques et d'un nombre de colonnes correspondant au nombre de périodes incluses dans l'horizon de planification. La longueur de celui-ci doit être au moins égale au délai cumulé de production. Un horizon de 13 semaines, correspondant à un trimestre (3 mois), est fréquent dans les exercices ; dans les entreprises, on trouve une grande variété de présentations qui comportent souvent une partie prochaine détaillée en semaines et une partie lointaine plus agrégée.

Les deux premières lignes donnent l'information sur la demande du produit : l'une pour les prévisions de la demande pour chacune des périodes de l'horizon, l'autre pour les commandes déjà acceptées pour ces périodes. La troisième ligne indique quel est le stock projeté à la fin de chaque période, compte tenu de la demande et de la production planifiée à chaque période ; celle-ci est indiquée à la cinquième ligne. La production planifiée résulte d'une décision prise auparavant par le responsable du PDP en fonction de ses prévisions, de la capacité disponible, de la politique de lotissement et du délai de fabrication de ce produit et de l'ensemble des autres produits.

Le calcul de $S_i$ est guidé par la relation suivante :

$$S_i = S_{i-1} + P_i - \max\,[F_i, C_i]$$

où $S_i$ = stock disponible à la fin de la période $i$,

$P_i$ = production planifiée pour la période $i$ (disponible au début),

$F_i$ = demande prévue pour la période $i$,

$C_i$ = quantités commandées à livrer au cours de la période $i$.

Quand $F_i > C_i$, prendre $F_i = \max\,[F_i, C_i]$ revient à supposer que la demande prévue pour la période $i$ se réalisera d'ici à ce qu'on atteigne cette période, même si les commandes déjà acceptées sont moindres pour le moment. Quand $F_i < C_i$, prendre $C_i = \max\,[F_i, C_i]$ revient à tenir compte du fait que pour la période $i$, la demande réalisée $C_i$ est plus forte que la demande prévue pour calculer le stock restant. La ligne du stock projeté sert à considérer les problèmes potentiels d'ajustement de la demande prévue et de la production planifiée.

En effet, une quantité négative à la période $i$ sur cette troisième ligne indique que si tout se déroule comme prévu d'ici la période où apparaît la quantité négative, l'entreprise fera alors face à une pénurie. Pour l'éviter, elle devra planifier de produire davantage d'ici la période $i$ ou bien refuser des commandes pour certaines périodes, ce qui empêchera les prévisions de ventes de se réaliser pleinement et alors de dépasser les quantités disponibles. Bref, toute quantité négative inscrite sur cette ligne constitue une indication pour augmenter la production de cet article ou pour refuser une partie des commandes à venir.

La quatrième ligne de l'enregistrement au PDP indique les quantités du produit qui sont encore disponibles à la vente vis-à-vis des clients. Cette ligne sert plutôt à la gestion de la demande après l'approbation du PDP ; nous expliquerons sa signification et son calcul à la section 13.7.

Les lignes 3 et 4 de la grille se calculent à partir des données fournies aux lignes 1 et 2 et des décisions rapportées à la ligne 5. Un tableur constitué de l'ensemble des grilles de planification s'avère très utile pour refléter rapidement les changements survenus à la suite d'événements dans la demande ou la production ou à la suite des décisions du planificateur.

Deux considérations majeures guident l'élaboration du PDP : éviter les pénuries et utiliser toute la capacité disponible sans la dépasser.

Du côté de l'offre, le planificateur peut recourir à diverses méthodes telles que le jalonnement en aval ou en amont pour établir l'utilisation de ses capacités au cours du temps. En période creuse, il peut devancer certaines productions. En période de demande excédentaire, il doit trouver de la capacité additionnelle ou retarder certaines commandes.

Pour déterminer les quantités à produire, le planificateur a recours aux techniques de lotissement, mais il doit adapter ses décisions aux capacités disponibles et tenir compte des délais.

**Exemple***

Les dirigeants de la compagnie DEF, fabricant de trois types d'appareils pour les malentendants, vous demandent de leur suggérer un programme directeur de production pour les 12 prochaines semaines en respectant les décisions prises en matière de planification globale (plan de production).

Voici, comme point de départ, les informations jugées pertinentes à la réalisation de votre tâche.

– La demande prévue pour les 12 prochaines semaines se répartit de la façon suivante entre les trois produits :

| | **1** | **2** | **3** | **4** | **5** | **6** | **7** | **8** | **9** | **10** | **11** | **12** |
|---|---|---|---|---|---|---|---|---|---|---|---|---|
| **D** | 140 | 160 | 158 | 137 | 270 | 138 | 160 | 160 | 145 | 152 | 142 | 125 |
| **E** | 140 | 130 | 177 | 188 | 100 | 175 | 160 | 139 | 160 | 135 | 157 | 147 |
| **F** | 140 | 170 | 195 | 175 | 125 | 157 | 160 | 161 | 160 | 143 | 126 | 128 |
| Total | 420 | 460 | 530 | 500 | 495 | 470 | 480 | 460 | 465 | 430 | 425 | 400 |

– Les commandes reçues sont les suivantes :

Article D : 90, 100 et 50 pour les périodes 1, 2 et 3 ;
Article E : 120, 100 et 80 pour les périodes 1, 2 et 3 ;
Article F : 130, 120, 170 et 100 pour les périodes 1, 2, 3 et 4.

* Préparé par Carole Belazzi, assistante de recherche, 1984.

*(suite)*

**Exemple** *(suite)*

- Le coût de chacun des produits est :
  Article D : 240 $,
  Article E : 168 $,
  Article F : 168 $.
- Le coût de stockage annuel s'élève à 20 % de la valeur de l'article.

De plus, on peut tirer les informations suivantes du plan de production trimestriel.

- La semaine normale de travail, pour le prochain trimestre, est de 40 heures, ce qui correspond à une production de 480 unités par semaine.
- Les quantités en stock au début du trimestre sont respectivement de :
  Article D : 200 unités
  Article E : 280 unités
  Article F : 320 unités
  Total : 800 unités.
- Le plan de production prévoit un stock de 1 000 unités à la fin du trimestre.
- Les heures supplémentaires et la sous-traitance ne seront pas utilisées.
- Les pénuries ne sont pas acceptées.
- Le coût de mise en route est de 4 000 $ et se fait en dehors des heures normales de production.
- On ne peut fabriquer qu'un type d'appareils à la fois.

*Solution*

La première étape de la solution consiste à élaborer un PDP préliminaire sans tenir compte des contraintes de la capacité, et en utilisant des lots de production de 480 unités chaque fois que le stock projeté devient négatif. Le PDP pour l'article D se calcule comme suit :

| Périodes | | 1 | 2 | 3 | 4 | 5 | 6 | 7 | 8 | 9 | 10 | 11 | 12 |
|---|---|---|---|---|---|---|---|---|---|---|---|---|---|
| Prévisions de la demande | $F_i$ | 140 | 160 | 158 | 137 | 270 | 138 | 160 | 160 | 145 | 152 | 142 | 125 |
| Commandes acceptées | $C_i$ | 90 | 100 | 50 | | | | | | | | | |
| Stock projeté (200) | $S_i$ | 60 | 380 | 222 | 85 | 295 | 157 | 477 | 317 | 172 | 20 | 358 | 233 |
| Stock disponible à la vente | $DV_i$ | 110 | 330 | | | 480 | | 480 | | | | 480 | |
| Production planifiée | $P_i$ | | 480 | | | 480 | | 480 | | | | 480 | |

Le calcul commence par la détermination du stock projeté d'après la relation :

$$S_i = S_{i-1} + P_i - \max\ [F_i, C_i].$$

Période 1 : $S_1 = 200 + 0 - 140 = 60$ où $P_i = 0$.

Période 2 : $S_2 = 60 - 160 = -100$ ; puisque $S_2$ est négatif, il faut produire $P_2 = 480$ ; alors $S_2 = 60 + 480 - 160 = 380$.

Période 3 : $S_3 = 380 - 0 - 158 = 222$.

Période 4 : $S_4 = 222 - 0 - 137 = 85$.

**Exemple** *(suite)*

Période 5 : puisque la prévision de 270 est supérieure au stock projeté de 85, il faut produire un lot de 480 ; alors : $S_5 = 85 + 480 - 270 = 295$ et ainsi de suite pour les autres périodes.

La prochaine étape consiste à calculer le stock disponible à la vente $DV_i$, c'est-à-dire le nombre d'unités qu'il est possible de promettre pour livraison à une date donnée. Le $DV_i$ se calcule pour la première période, qu'il y ait ou non une production planifiée, et par la suite seulement pour les périodes où il y a une production planifiée (section 13.7).

Pour la première période, $DV_i = S_0 + P_1 - C_1$.

Or, $DV_1 = 200 + 0 - 90 = 110$.

Pour les autres périodes, le $DV_i$ s'obtient en soustrayant du $P_i$ les $C_i$ des prochaines périodes jusqu'au $C_i$ de la prochaine période où il y a production, mais ne l'incluant pas.

$$DV_2 = 480 - (100 + 50 + 0) = 330$$

$$DV_5 = 480 - (0 + 0) = 480$$

$$DV_7 = 480 - (0 + 0 + 0 + 0) = 480$$

$$DV_{11} = 480 - (0 + 0) = 480$$

En procédant ainsi pour les trois produits, on obtient le plan directeur préliminaire de production (figure 13.6).

▼ **FIGURE 13.6**

**Le PDP préliminaire de la compagnie DEF**

| | Périodes | 1 | 2 | 3 | 4 | 5 | 6 | 7 | 8 | 9 | 10 | 11 | 12 |
|---|---|---|---|---|---|---|---|---|---|---|---|---|---|
| D | Prévisions de la demande | 140 | 160 | 158 | 137 | 270 | 138 | 160 | 160 | 145 | 152 | 142 | 125 |
| | Commandes acceptées | 90 | 100 | 50 | | | | | | | | | |
| | Stock projeté (200) | 60 | 380 | 222 | 85 | 295 | 157 | 477 | 317 | 172 | 20 | 358 | 233 |
| | Stock disponible à la vente | 110 | 330 | | | 480 | | 480 | | | | 480 | |
| | Production planifiée | | 480 | | | 480 | | 480 | | | | 480 | |
| E | Prévisions de la demande | 140 | 130 | 177 | 188 | 100 | 175 | 160 | 139 | 160 | 135 | 157 | 147 |
| | Commandes acceptées | 120 | 100 | 80 | | | | | | | | | |
| | Stock projeté (280) | 140 | 10 | 313 | 125 | 25 | 330 | 170 | 31 | 351 | 216 | 59 | 392 |
| | Stock disponible à la vente | 60 | | 400 | | | 480 | | | 480 | | | 480 |
| | Production planifiée | | | 480 | | | 480 | | | 480 | | | 480 |
| F | Prévisions de la demande | 140 | 170 | 195 | 175 | 125 | 157 | 160 | 161 | 160 | 143 | 126 | 128 |
| | Commandes acceptées | 130 | 120 | 170 | 100 | | | | | | | | |
| | Stock projeté (320) | 180 | 10 | 295 | 120 | 475 | 318 | 158 | 477 | 317 | 174 | 48 | 400 |
| | Stock disponible à la vente | 70 | | 210 | | 480 | | | 480 | | | | 480 |
| | Production planifiée | | | 480 | | 480 | | | 480 | | | | 480 |
| | Mises en route | 0 | 1 | 2 | 0 | 2 | 1 | 1 | 1 | 1 | 0 | 1 | 2 |

**Exemple** *(suite)*

À noter qu'à la dernière ligne de la figure 13.6, il y a des périodes qui comportent 2 mises en route, ce qui ne respecte pas les deux dernières contraintes données dans le problème. Il faut donc modifier la ligne Production planifiée pour n'avoir qu'une mise en route par période tout en respectant l'ensemble des contraintes. La figure 13.7 donne le résultat de cette démarche. Parce qu'il y a eu des changements dans les périodes de production, il y a nécessairement des changements dans les stocks projetés et les stocks disponibles à la vente. Cette solution s'inspire d'abord du souci d'éviter les pénuries, puis du désir de faire les mises en route durant la fin de semaine. Sans être optimale, cette solution est admissible car elle respecte les contraintes du plan de production.

▼ **FIGURE 13.7**
**La grille pour l'élaboration du PDP de la compagnie DEF**

| | Périodes | 1 | 2 | 3 | 4 | 5 | 6 | 7 | 8 | 9 | 10 | 11 | 12 |
|---|---|---|---|---|---|---|---|---|---|---|---|---|---|
| D | Prévisions de la demande | 140 | 160 | 158 | 137 | 270 | 138 | 160 | 160 | 145 | 152 | 142 | 125 |
| | Commandes acceptées | 90 | 100 | 50 | | | | | | | | | |
| | Stock projeté (200) | 540 | 380 | 222 | 565 | 295 | 157 | 477 | 317 | 172 | 20 | 358 | 233 |
| | Stock disponible à la vente | 440 | | | 480 | | | 480 | | | | 480 | |
| | Production planifiée | 480 | | | 480 | | | 480 | | | | 480 | |
| E | Prévisions de la demande | 140 | 130 | 177 | 188 | 100 | 175 | 160 | 139 | 160 | 135 | 157 | 147 |
| | Commandes acceptées | 120 | 100 | 80 | | | | | | | | | |
| | Stock projeté (280) | 140 | 10 | 313 | 125 | 25 | 330 | 170 | 31 | 351 | 696 | 539 | 392 |
| | Stock disponible à la vente | 60 | | 400 | | | 480 | | | 480 | 480 | | |
| | Production planifiée | | | 480 | | | 480 | | | 480 | 480 | | |
| F | Prévisions de la demande | 140 | 170 | 195 | 175 | 125 | 157 | 160 | 161 | 160 | 143 | 126 | 128 |
| | Commandes acceptées | 130 | 120 | 170 | 100 | | | | | | | | |
| | Stock projeté (320) | 180 | 490 | 295 | 120 | 475 | 318 | 158 | 477 | 317 | 174 | 48 | 400 |
| | Stock disponible à la vente | 190 | 90 | | | 480 | | | 480 | | | | 480 |
| | Production planifiée | | 480 | | | 480 | | | 480 | | | | 480 |
| | Mises en route | 1 | 1 | 1 | 1 | 1 | 1 | 1 | 1 | 1 | – | 1 | 1 |
| | Pénuries | – | – | – | – | – | – | – | – | – | – | – | – |
| | Production totale | 480 | 480 | 480 | 480 | 480 | 480 | 480 | 480 | 480 | 480 | 480 | 480 |
| | Production prévue | 480 | 480 | 480 | 480 | 480 | 480 | 480 | 480 | 480 | 480 | 480 | 480 |
| | Écart | 0 | 0 | 0 | 0 | 0 | 0 | 0 | 0 | 0 | 0 | 0 | 0 |

En effet, la capacité disponible est entièrement utilisée et on prévoit que le stock total à la fin s'élèvera à 1 025, soit 25 unités de plus que ce qui avait été établi. Par ailleurs, il n'y a aucune pénurie même si le stock projeté pour certaines périodes est assez bas : stock projeté de l'article E à 10 pour la période 2, à 31 pour la période 8, etc. On doit procéder à 11 mises en route, car pour le produit E, une seule est nécessaire pour les périodes 9 et 10.

En procédant par tâtonnement, on peut espérer trouver une meilleure solution. Une fois que le responsable du PDP considérera avoir un plan valable, il le soumettra pour approbation aux responsables des opérations et du marketing.

## 13.6 L'approbation du PDP

Le PDP constitue, après le plan de production, un second niveau où les différentes fonctions de l'entreprise doivent se mettre d'accord pour agir avec le maximum de cohésion (Tincher[19]). Là encore les objectifs de chaque fonction ne convergent pas toujours (figure 13.8).

D'une part, la Production et les Achats souhaitent un PDP qui utilise toute la capacité disponible de manière assez stable, donc qui requiert un minimum de révisions sinon un gel absolu. Il leur faut également des commandes qui respectent pleinement le délai cumulé de production. D'autre part, la fonction Marketing aimerait avoir un PDP extrêmement souple (*flexible*) et une fiabilité à 100 % sur les dates convenues, à l'entière satisfaction du client. Les vendeurs avertis savent bien que les délais utilisés en planification sont souvent des moyennes, et qu'il est possible de faire mieux. Cela est moins vrai dans les entreprises où la réduction des délais est un objectif stratégique. Le contrôleur-trésorier, quant à lui, cherche à réduire les investissements dans les stocks.

**▼ FIGURE 13.8**
**La boucle du PDP**

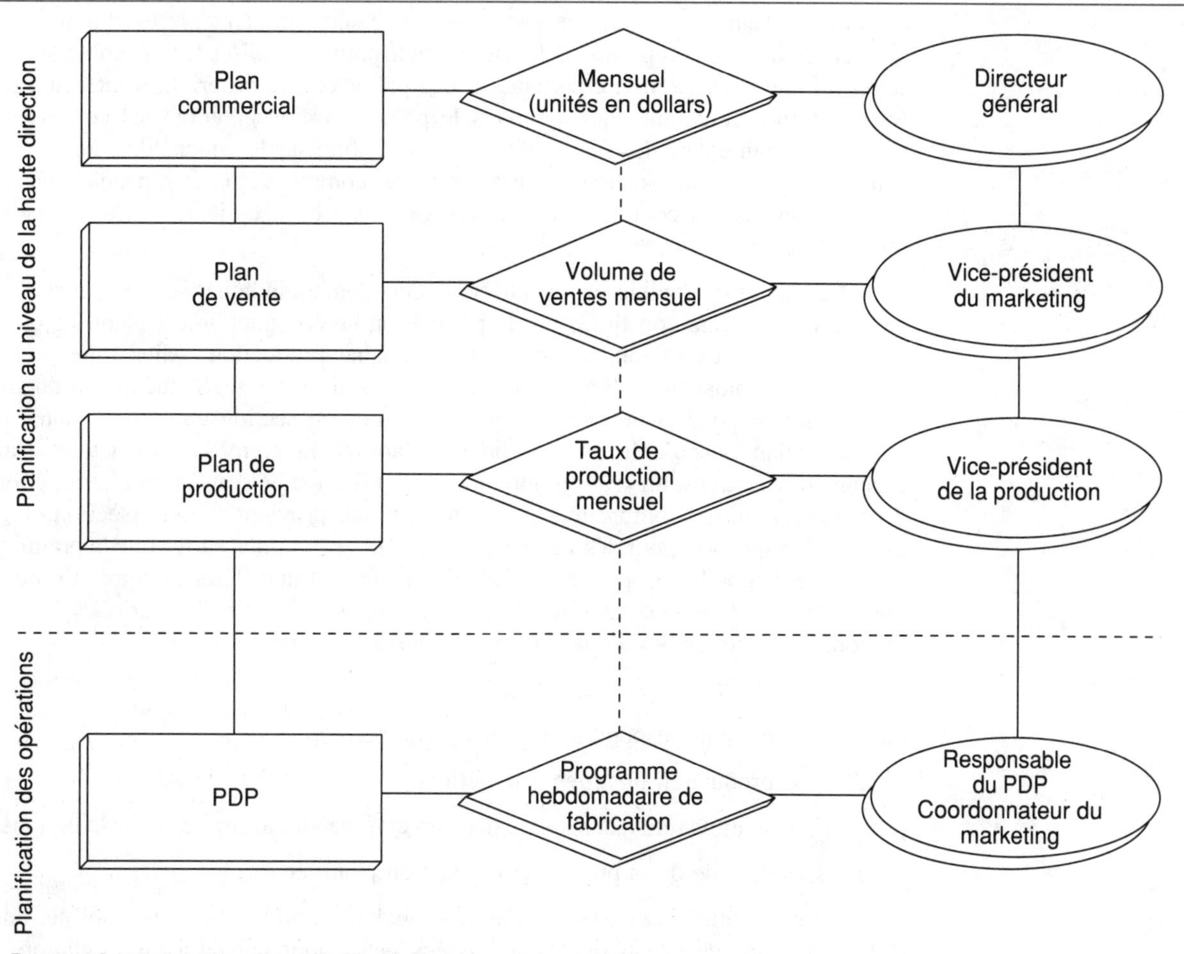


**Source :** Adaptation d'une figure de Tincher[19].

Aucun PDP ne peut satisfaire toutes les parties : souvent, des arbitrages s'imposent. Ces derniers incombent au directeur général et à son équipe de direction et non au responsable du PDP, lequel recueille les données, élabore des solutions possibles et fournit l'analyse pour en évaluer les conséquences.

Il revient à la direction d'établir les politiques relatives au plan directeur de production, au responsable du PDP d'élaborer son plan dans le cadre de ces politiques, et aux différentes fonctions concernées d'établir un consensus chaque semaine sur le PDP des prochaines périodes. Par la suite, ce plan doit être tenu à jour et ajusté avec discipline en fonction des changements qui viennent perturber le cours des activités. Quand une organisation est incapable de respecter ce partage des juridictions et cette discipline, elle ne peut pas recueillir les fruits d'une gestion intégrée des opérations.

## 13.7 L'utilisation et les aspects administratifs du PDP

Une fois que le PDP est approuvé, il sert de base à la planification des besoins-matières, c'est-à-dire à la planification de l'acquisition ou de la production des composants qui entrent dans la fabrication des produits finis de l'entreprise. Dans le cas où l'entreprise fabrique pour les stocks, le PDP indique quand les produits seront disponibles. Dans le cas où l'entreprise assemble sur commande, le PDP indique les sous-ensembles de composants à fabriquer pour pouvoir réaliser les assemblages qui, selon les prévisions, seront commandés. Les prévisions se matérialiseront peu à peu sous la forme de commandes à travers le processus d'acceptation des commandes pour une certaine date. Le PDP, grâce à l'information sur les stocks disponibles à la vente, s'avère un outil précieux pour accepter les commandes et établir une échéance précise dans les cas courants, et pour exercer des arbitrages judicieux dans les cas plus difficiles.

Les stocks disponibles à la vente sont généralement indiqués section par section, chaque section étant constituée par la période où une production est planifiée et par toutes les périodes suivantes jusqu'à la prochaine production. Ainsi, une section occupe une ou plusieurs colonnes (périodes) de la grille du PDP. Si aucune production n'est planifiée pour la première période, la première section comprend toutes les périodes allant jusqu'à la période où est planifiée la première production. Dans chacune des sections, un seul nombre apparaît et il est situé dans la première période de cette section. Ce nombre indique la quantité qui provient de cette section et qui est encore disponible pour des ventes futures. Pour les sections autres que la première, la quantité disponible à la vente est calculée en faisant la différence entre la production de la période et la somme des commandes reçues au cours des périodes de cette section. Le calcul est guidé par la formule suivante :

$$DV_i = P_i - C_i - C_{i+1} - \ldots - C_{i+k-1}$$

où $DV_i$ = quantité disponible à la vente à la période $i$,

$P_i$ = production planifiée à la période $i$,

$C_i$ = quantité totale demandée dans les commandes acceptées pour la période $i$,

$i + k$ = période de la prochaine production planifiée.

Par convention, les cases de la ligne « Stock disponible à la vente » des périodes où il n'y a pas de production sont laissées vides pour alléger la présentation du tableau.

La première section constitue un cas particulier, et la quantité disponible à la vente, $DV_1$, se calcule comme suit :

$$DV_1 = S_0 + P_1 - C_1 - C_2 - \dots - C_{j-1} - \dots C_{k-1}$$

où $S_0$ = stock au début de la période 1,
$P_1$ = production planifiée à la période 1,
$C_j$ = quantité totale demandée dans les commandes acceptées à la période $j$,
$k$ = période de la prochaine production planifiée.

L'exemple suivant illustre l'utilisation de l'enregistrement d'un produit au PDP pour gérer les commandes.

**Exemple** ■

Le produit *MSL* requiert un délai cumulé de fabrication de quatre semaines constitué de :
- une semaine pour l'assemblage final ;
- une semaine pour l'usinage des composants ;
- deux semaines pour l'acquisition des matières premières et des composants provenant de l'extérieur.

À la suite de l'adoption du plan directeur de production pour les sept prochaines périodes, l'enregistrement au PDP pour le produit *MSL* fournit les renseignements suivants.

**Enregistrement au PDP**

**Code : *MSL***

| **Périodes** | 1 | 2 | 3 | 4 | 5 | 6 | 7 |
|---|---|---|---|---|---|---|---|
| Prévisions de la demande | 30 | 45 | 40 | 80 | 20 | 70 | 15 |
| Commandes acceptées | 25 | 60 | 15 | 55 | 25 | 35 | |
| Stock projeté | 10 | 50 | 10 | 30 | 5 | 35 | 20 |
| Stock disponible à la vente | 15 | 25 | | 20 | | 65 | |
| Production planifiée | | 100 | | 100 | | 100 | |

Stock initial : $S_0 = 40$.

À la lumière de ces renseignements, Louise Messier, responsable du PDP, doit répondre aux questions suivantes :

1. Peut-elle accepter la commande nº 10 de 20 unités de *MSL* pour la période 2 ?
2. Peut-elle accepter la commande nº 20 de 30 unités pour la période 3, sachant qu'elle accepte la commande nº 10 en 1. ?
3. Peut-elle accepter la commande nº 30 de 300 unités pour la période 7 ?

***Solution***

1. Oui, car en période 2, la quantité disponible à la vente est de 25 unités.
2. Non, car après acceptation de la commande nº 10, il reste 20 unités disponibles à la vente, soit 5 en période 2 et 15 en période 1.
3. Oui, s'il y a suffisamment de capacité, car elle a le temps de planifier la production à partir de l'acquisition des matières premières.

Chaque fois qu'une période se termine, chaque grille doit être mise à jour d'une part pour tenir compte de l'écoulement du temps, et d'autre part pour enregistrer les événements survenus et les décisions prises.

Grâce à l'informatique, il est maintenant possible de tenir les programmes de production à jour face aux changements qui surviennent. Le problème ne réside plus dans le traitement informatique des changements, mais dans les répercussions de ces changements sur l'efficience des opérations de production.

La plupart des progiciels effectuent la mise à jour en mode régénératif (*regeneration MRP*), c'est-à-dire en recalculant tous les éléments à la fin de chaque période. À l'époque où la capacité des ordinateurs était moindre, l'approche par modifications nettes (*net change MRP*) était davantage utilisée; on ne recalculait alors que les éléments touchés par une transaction, et ce au fur et à mesure des transactions (ces considérations seront reprises à la section 13.16). Ainsi, les grilles sont constamment mises à jour, ce qui est un avantage quand les régénérations sont peu fréquentes.

## 13.8 La politique relative aux changements du PDP

Avant l'avènement des systèmes intégrés de PCPS permettant de maintenir la validité des plans et des programmes de production, ces derniers faisaient souvent l'objet de beaucoup de scepticisme de la part des responsables de leur réalisation. Les changements continuels auxquels sont soumises les entreprises de fabrication rendaient ces plans caducs peu de temps après leur approbation. Malgré cette contrainte, il fallait donc se débrouiller pour essayer de réaliser les plans prévus. Cela se traduisait par le mode de fonctionnement: lancement de commandes–relance (*order launching–expediting*).

Le tableau 13.1 donne une idée de la multitude de changements auxquels est exposée une usine. Comme on peut le constater, tout événement est susceptible de perturber les plans de production.

Face à ces événements perturbateurs, quand et jusqu'à quel point doit-on modifier les programmes de production? Trois types de réponses s'offrent: le gel du PDP pour un certain nombre de périodes, une politique basée sur les limites de période et les commandes planifiées fermes.

Une commande planifiée ferme ne peut être changée automatiquement par le progiciel; seul le planificateur peut la modifier. Quand celui-ci refait les calculs pour

**Tableau 13.1**

**Dix éléments perturbateurs des plans de production**

| | |
|---|---|
| 1. Retard d'un fournisseur de composants | 6. Arrêt de travail |
| 2. Commande urgente d'un bon client | 7. Réusinage |
| 3. Outillage défectueux | 8. Absentéisme |
| 4. Nouveau produit | 9. Rebuts |
| 5. Modification apportée par les ingénieurs | 10. Panne |

**Source :** Éléments tirés du texte de Buffa et Miller[7].

tenir compte des changements survenus, il considère les commandes planifiées fermes comme des données qu'il prend en considération pour établir les autres commandes planifiées.

La politique des limites de période représente un progrès majeur dans les connaissances en PCPS, progrès qui s'est réalisé au cours des années 70[19]. Ces limites définissent des zones de temps à l'intérieur desquelles les changements vont en difficulté croissante.

L'idée de base des limites de période est que plus un changement dans le PDP survient dans une période rapprochée, plus ce changement est difficile (ou coûteux) à réaliser. Une politique des limites de période ne vise pas toujours à refuser les modifications au PDP demandées par le service du marketing face aux changements qui surviennent sur le marché ; elle vise plutôt à gérer les changements apportés en introduisant une discipline en fonction des coûts et des conséquences de ces changements, et à amener les services du marketing et de la production à se mettre d'accord sur les politiques et les mesures retenues.

Les éléments constitutifs du délai cumulatif de fabrication d'un article permettent de préciser la politique de limites de périodes pour cet article. On décompose généralement le délai de fabrication en trois périodes :

- le délai d'assemblage ;
- le délai de fabrication des composants ;
- le délai d'acquisition des matières premières ou des composants achetés (figure 13.9*a*).

À ces trois périodes correspondent trois limites de périodes qui définissent le degré de difficulté pour la réalisation des changements (figure 13.9*b*).

- **Limite de période ferme** (*firm time fence*) : à l'intérieur de cette limite, seuls les changements d'urgence sont permis et ils requièrent l'approbation de la haute direction, ou bien on privilégie un client aux dépens d'un autre, ou bien on engage des coûts supplémentaires pour contourner les contraintes imposées par les délais normaux.

| Aujourd'hui | Limite de période ferme | Limite de période de produits | Limite de période de capacité | | Futur |
|---|---|---|---|---|---|
| Changements urgents seulement | Vérification de la disponibilité des capacités | Vérification de la disponibilité des matières | ↑ ↓ → | | |
| Assemblage | Fabrication des composants | Achat des matières | PDP | Plan de production | |
| ← Délai cumulatif de fabrication → | | | ← Délai pour la planification → | | |

◄ FIGURE 13.9*a*
La politique des limites de période

FIGURE 13.9*b* ▶ Les limites de période et de changements

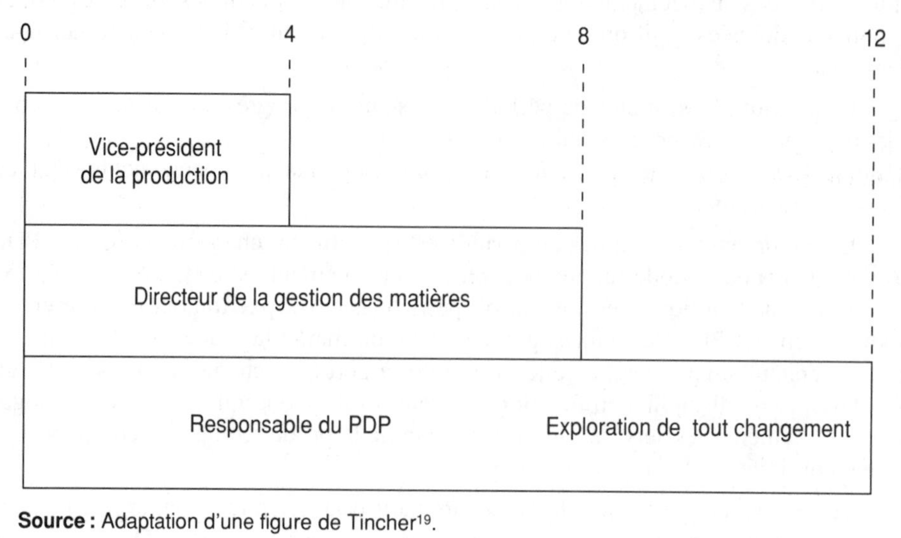


**Source :** Adaptation d'une figure de Tincher[19].

- **Limite de période de produits** (*mix time fence*) : en deçà de cette limite, des changements à l'intérieur des possibilités définies par les matières déjà en mains et les capacités disponibles peuvent être acceptés. Ils restent passablement difficiles et requièrent l'accord du directeur de la gestion des matières.
- **Limite de période de capacité** (*rate time fence*) : au-delà de cette limite, le responsable du PDP peut refaire son plan sous les seules contraintes imposées normalement par la capacité allouée par le plan de production (PP). En deçà de cette limite, les matières achetées requérant un long délai de livraison contraignent les possibilités. Les changements sont relativement aisés au-delà de cette limite, pourvu qu'ils respectent les contraintes de capacité globale (figure 13.9*b*).

## 13.9 L'assemblage final et les nomenclatures de planification

Le choix des unités à inscrire au PDP constitue une importante décision dans la gestion de ce dernier. Selon Vollmann[20], c'est l'une des interfaces majeures entre les fonctions Marketing et Production. Ce choix dépend principalement de deux facteurs interreliés : l'ampleur de la gamme des produits finis et le délai de livraison. Nous avons indiqué, à la section 13.4, le lien entre le délai de production cumulé, le délai de livraison et le positionnement de l'entreprise en matière de fabrication pour les stocks ou sur commande, et d'assemblage sur commande. Dans ce dernier cas, la production des produits finis est déterminée peu de temps à l'avance à partir des commandes acceptées. Le PDP est alors établi en fonction des groupes de produits pour le calcul des besoins en composants.

L'ampleur de la gamme de produits finis peut imposer le même choix d'unités à inscrire au PDP à cause des difficultés de prévisions. En effet, quand une entreprise offre une vaste gamme de produits finis, la demande pour chacun d'eux risque d'être relativement faible et très difficile, sinon impossible, à prévoir. Ainsi, Orlicky[16] donne l'exemple d'un tracteur de ferme qui présente un ensemble de 6 912 possibilités découlant de 25 options sur 11 caractères différents : arrangement des roues, alimentation en carburant, etc. On imagine facilement les difficultés du service du marketing à fournir des prévisions valables face à une telle diversité ! Généralement, il est plus facile de prévoir les ventes d'un groupe de produits que celles de chacun des produits, car les écarts se compensent les uns les autres.

Lorsque la production doit être déterminée à partir des prévisions de ventes à cause du délai de livraison, et que les prévisions sont difficiles à établir à cause de l'ampleur de la gamme des produits finis, on regroupe les produits en familles ou en sous-ensembles, qui sont plus faciles à prévoir, et on détermine les unités à inscrire au PDP à l'aide de nomenclatures de planification. Pour la planification des besoins-matières, les nomenclatures de produits sont remplacées par des nomenclatures de planification. Par ailleurs, on utilise, dans le PDP, des unités agrégées (ou superproduits). Il faut donc effectuer deux opérations de planification concernant :

- la fabrication des composants et des sous-ensembles surtout à partir des **prévisions**, à l'aide de la nomenclature de planification ;
- l'assemblage final surtout en fonction des commandes reçues, à partir de **nomenclatures** du produit tronqué aux niveaux des composants et des sous-ensembles. Cela se fait à l'aide d'une nomenclature à un seul niveau.

L'approfondissement de ces considérations dépasse le cadre de cet ouvrage, mais il paraît utile de signaler les possibilités qu'elles offrent de relier les aspects stratégiques et opérationnels grâce au développement de la technologie de l'information, combiné à la maîtrise du processus de production.

## 13.10 Les tâches du responsable du PDP

Le responsable du PDP joue un rôle majeur dans la réalisation des plans de l'entreprise. Selon Wight[22], il est le pivot entre les services du marketing et de la production. Vollmann[20] fournit la description suivante de sa tâche dans le contexte d'un système intégré de planification et de contrôle de la production.

1. Voir à l'entretien du système d'information, c'est-à-dire ajouter des enregistrements ou mettre à jour les fichiers contenant les informations à inclure dans le PDP (nomenclature des produits, état des stocks, etc.).
2. Désagréger le plan de production en un programme directeur de production (en unités réelles) de façon que les décisions découlant du PDP soient en relation avec le PP et les autres plans.
3. Analyser les problèmes et soumettre à la haute direction ceux qui ne relèvent pas de sa fonction.
4. Suivre les ventes et la production réalisées et comparer celles-ci avec ce qui a été planifié afin d'y apporter les corrections si c'est nécessaire (prévoir le fonctionnement s'il y a des retards).
5. Expliquer les effets sur le PDP lors de l'analyse de problèmes dans l'entreprise.
6. Collaborer avec le service d'entrée des commandes et de prévision des ventes.
7. Collaborer avec le service du contrôle de la production pour évaluer la faisabilité des changements de capacité.
8. Procéder à la révision constante des plans afin de maintenir l'efficacité jusqu'à la fin de la période en tenant compte des contraintes de capacité.
9. Collaborer étroitement avec le responsable du marketing, le responsable de la production et le planificateur, qui apporteront les données et la diversité des points de vue nécessaires à l'élaboration du PDP.

# LA PLANIFICATION DES BESOINS-MATIÈRES (PBM)

## 13.11 Le rôle de la planification des besoins-matières

La planification des besoins-matières (PBM) se situe à l'interface de la planification détaillée des opérations et de l'ordonnancement (figure 13.10). Le rôle de la PBM est de déterminer les quantités et les dates de fabrication, d'assemblage et de commande des articles à demande dépendante, c'est-à-dire des matières premières et des composants, afin de produire à temps les quantités prévues au plan directeur de production. Elle assure la coordination entre ce que l'entreprise s'est engagée à livrer sur le marché et la mise en branle des opérations de production devant être réalisées pour pouvoir terminer les commandes à temps. Dans nombre d'entreprises offrant des produits complexes (téléviseur, ordinateur, voiture, laveuse, etc.), cette activité est un élément essentiel pour la coordination des activités.

Bien que le principe de la PBM soit simple, il a fallu attendre les développements de l'informatique pour pouvoir l'appliquer efficacement aux opérations. On attribue à Joseph Orlicky la mise au point des connaissances qui ont permis l'essor de la PBM[16], et aux consultants Oliver Wight et George Plossl l'impulsion formatrice à la base de la diffusion de la PBM grâce au soutien de l'American Production and Inventory Control Society (APICS). L'introduction de l'informatique dans les usines

▼ **FIGURE 13.10**
**La planification des besoins-matières à l'interface de la planification des opérations et de l'ordonnancement**

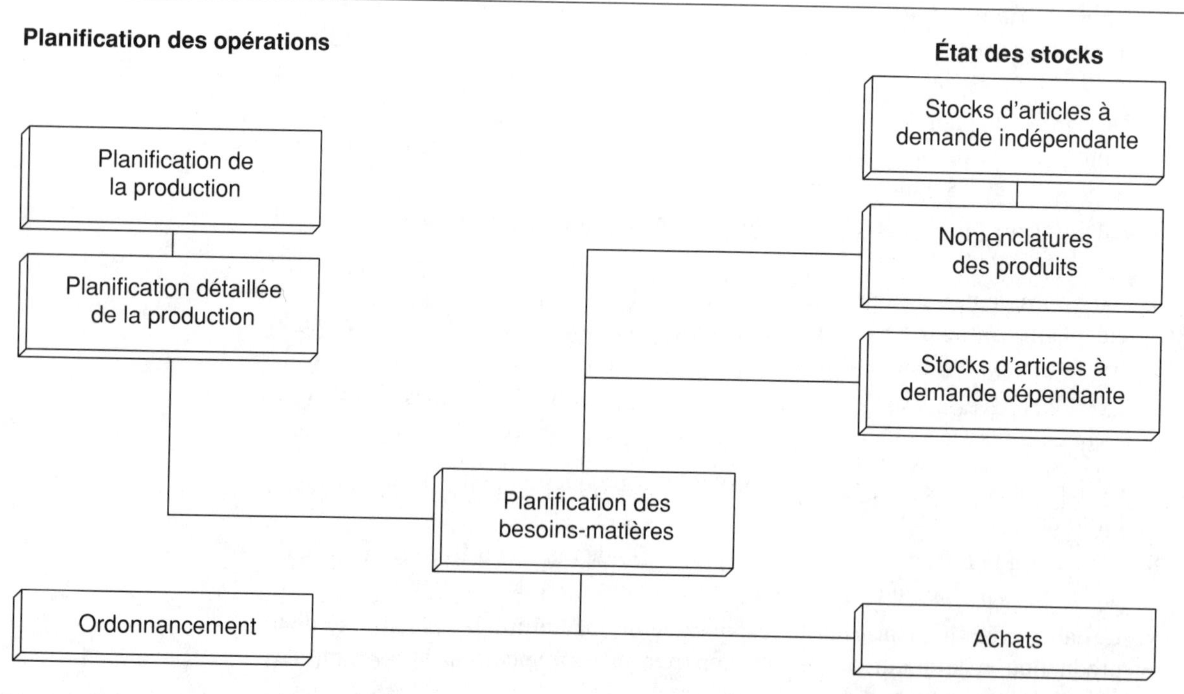

a entraîné un bouleversement des méthodes de production et a nécessité un effort d'éducation considérable pour obtenir le succès escompté.

À l'origine, l'informatique n'était utilisée que pour réaliser le calcul des besoins nets en composants et en matières premières, à partir des besoins engendrés par les quantités planifiées de produits finis au PDP et compte tenu des stocks disponibles. À cette époque, le sigle *MRP*, désignant le système de planification des besoins-matières, correspondait à *Material Requirements Planning*.

On se rendit vite compte que le système pouvait faire bien plus que cette simple comptabilité des matières : il pouvait également servir à planifier les lancements de commandes des composants et à procéder aux ajustements rendus nécessaires par les divers événements venus perturber la situation au cours d'une période donnée, c'est-à-dire replanifier les lancements. Ainsi, si un composant n'est pas disponible à la date d'assemblage du produit fini, on peut, grâce à la rapidité du système, réviser les priorités et replanifier les productions de l'ensemble des composants nécessaires pour ce produit dont l'assemblage est retardé à cause d'une pénurie.

L'idée de base de cette replanification des priorités est de maintenir la justesse des plans de production. On passe ainsi au système *MRP* à boucles fermées (*closed loop MRP*). Une autre extension a été de rattacher la planification des priorités à celle des ressources et à la planification des affaires de toute l'entreprise. Le système s'étend ainsi à la planification des ressources de production, désignée couramment par le sigle *MRP II*, où les lettres *MRP* correspondent à *Manufacturing Resources Planning*[3].

La PBM sert donc maintenant à la planification autant qu'au contrôle. Il y a contrôle quand on peut assurer le suivi des étapes et des détails. Dans ce contexte, le contrôle vise également à remédier à tout écart défavorable (souvent un retard) jugé important, surtout si cet écart risque d'entraîner des modifications au PDP. La PBM permet également de « diriger » les ressources ; en effet, une fois les quantités et les dates de fabrication et de commande connues, il est alors possible de passer à l'étape de l'ordonnancement.

En somme, la PBM vise à répondre aux trois questions suivantes :

1. De quels composants ou matières premières doit-on disposer pour réaliser le PDP ?
2. Combien d'unités de chaque article doit-on acheter et fabriquer, compte tenu des niveaux de stock ?
3. Quand passer la commande d'achat et quand démarrer la fabrication ?

On répond à ces questions au moyen de l'éclatement de chaque produit du PDP et par l'établissement des calendriers de fabrication et d'achat, en prenant soin de décaler les délais respectifs prévus pour chaque opération de livraison, de fabrication et d'assemblage de ces articles. Les quantités déterminées selon la PBM dépendent directement des décisions inscrites au PDP. Le degré d'exactitude dans la détermination du PDP influence donc la justesse des quantités à produire selon la PBM. Cette dépendance étroite de la PBM envers le PDP caractérise la demande dépendante de composants et de matières premières. Ces réponses sont revues périodiquement à la lumière des événements survenus en cours de réalisation des plans.

L'informatique, grâce à sa vitesse d'exécution, permet de telles révisions. Un autre progrès technologique important pour le succès de la PBM est l'amélioration des organes de saisie et de transmission des données : terminaux périphériques, codes barres, etc., qui réduisent à la fois les délais et les erreurs d'enregistrement des données. L'information fournie par le système est ainsi plus à jour et plus exacte.

## 13.12 La demande par bloc

Une demande dépendante peut être relativement stable. En effet, si la demande hebdomadaire selon le PDP est stable pour un article donné, on suppose que cela vaut également pour la demande dérivée de ses composants et de ses matières premières. Une instabilité peut survenir dans la synchronisation des différentes demandes. Par exemple, la production d'un type d'article peut n'être prévue qu'une fois toutes les quatre semaines ; dans ce cas, la demande dérivée n'est plus stable. Il s'agit alors d'une demande par bloc. Une **demande par bloc** consiste en une demande dont les variations sont brusques. La figure 13.11 illustre la distinction entre une demande hebdomadaire stable et une demande par bloc. Dans ce dernier cas, il y a trois semaines durant lesquelles il n'y a aucune demande et une semaine avec demande. Signalons que si le graphique représentait le temps en périodes de quatre semaines plutôt que d'une semaine à la fois, la demande par bloc paraîtrait alors relativement stable.

Une **demande** par bloc peut être **dépendante** ou **indépendante**, **stable** ou **instable**, **régulière** dans le temps ou **irrégulière**. Elle est stable lorsqu'il y a peu de variations d'une période à l'autre, et elle est régulière lorsque l'intervalle entre les commandes est fixe ou presque fixe. Pour le gestionnaire, les conséquences que cela entraîne sont différentes. Une demande par bloc qui est dépendante, stable et régulière permet de planifier facilement l'utilisation des ressources productives. Par ailleurs, on doit également prévoir une demande indépendante, ce qui est encore plus complexe si elle est grandement instable. L'arrivée irrégulière de commandes importantes occasionne une planification plus difficile. Ce genre de commandes correspond, dans le secteur secondaire particulièrement, à une demande par bloc dépendante qui découle directement de la demande par bloc indépendante (commandes).

**FIGURE 13.11** ▶
**La demande stable et la demande par bloc**

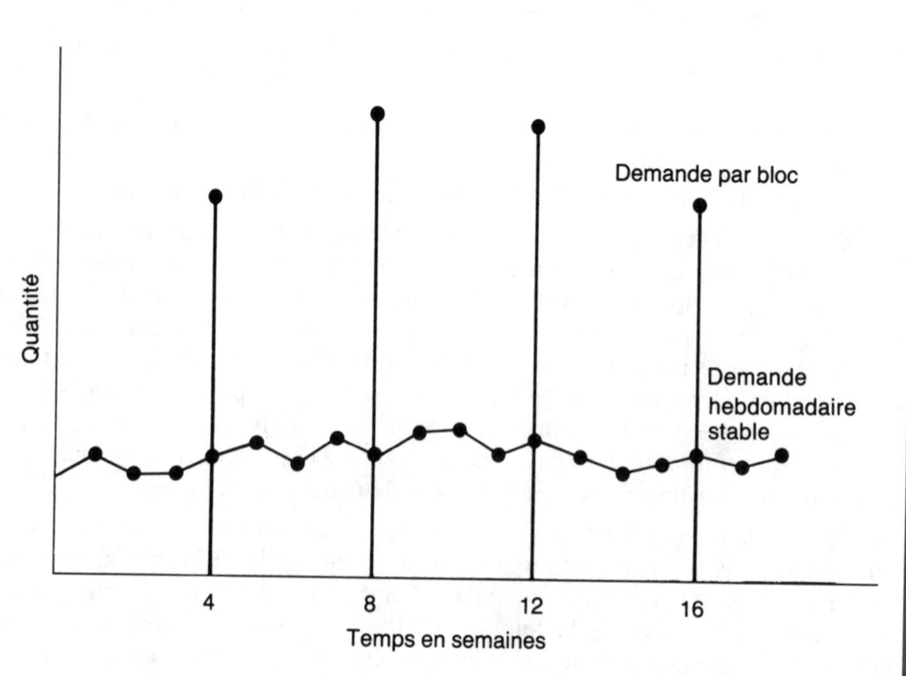

# LE FONCTIONNEMENT DU SYSTÈME DE PBM

## 13.13 Les intrants du système

Dans un système de PBM, **trois intrants principaux** sont nécessaires pour élaborer un plan des besoins-matières : le **plan directeur de production**, la **nomenclature des produits** et les **quantités en stock**. Les délais de fabrication des produits, de leur assemblage et de livraison des matières premières constituent également des renseignements fondamentaux que l'on consigne pour chaque article dans le fichier principal des stocks. La figure 13.12 indique les informations nécessaires à l'élaboration d'un plan des besoins-matières. Il est impossible de préparer un plan des besoins-matières valable lorsque l'un des trois intrants est manquant ou n'est pas à jour. Voyons brièvement en quoi consistent ces intrants.

Le premier intrant, le **plan directeur de production** (PDP), spécifie les quantités de produits finis qui doivent être fabriqués ou assemblés pour répondre à la demande prévue. Auparavant, on vérifie l'adéquation du PDP à la capacité de production. La quantité de produits finis planifiée engendre la demande brute de composants, qu'il s'agit de calculer à l'aide des nomenclatures de produits.

Le deuxième intrant est le **fichier des nomenclatures de produits**. Les éléments constituants de tous les produits fabriqués ou assemblés dans l'entreprise y

▼ **FIGURE 13.12**
**Les principaux intrants du système de PBM**

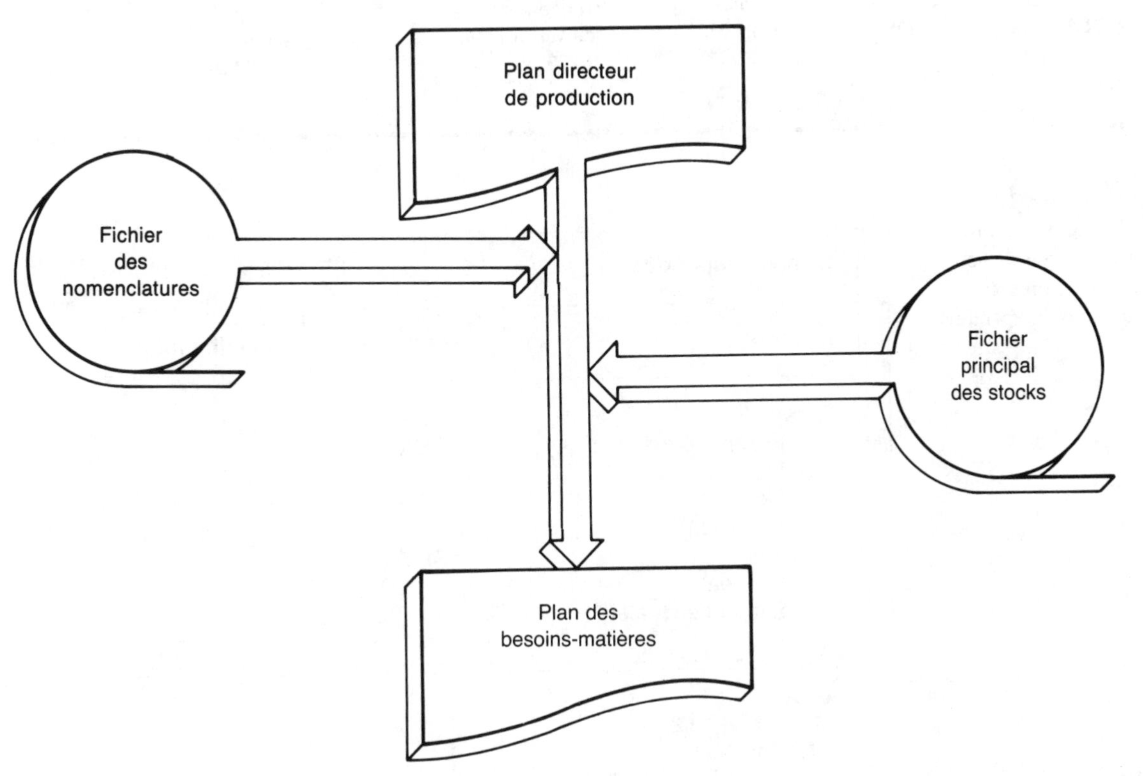

sont énumérés et décrits. Un article A constitué de l'assemblage d'un ou de plusieurs composants est appelé « article parent » ; ce peut être un ensemble constituant un produit fini, telle une table, ou encore un sous-ensemble entrant lui-même dans un autre article, tel un moteur d'avion. La nomenclature présente la structure du produit sous forme d'arbre ou de liste. Elle détaille les liens de dépendance entre les matières premières, les composants et les ensembles qui forment un produit fini.

À titre d'exemple, la figure 13.13 illustre sous forme d'arbre la nomenclature d'un modèle de lampe suspendue, et la figure 13.14 la nomenclature sous forme de liste du même produit. Six composants sont requis pour l'assemblage du produit fini.

**▼ FIGURE 13.13**
**La nomenclature sous forme d'arbre d'un modèle de lampe suspendue**

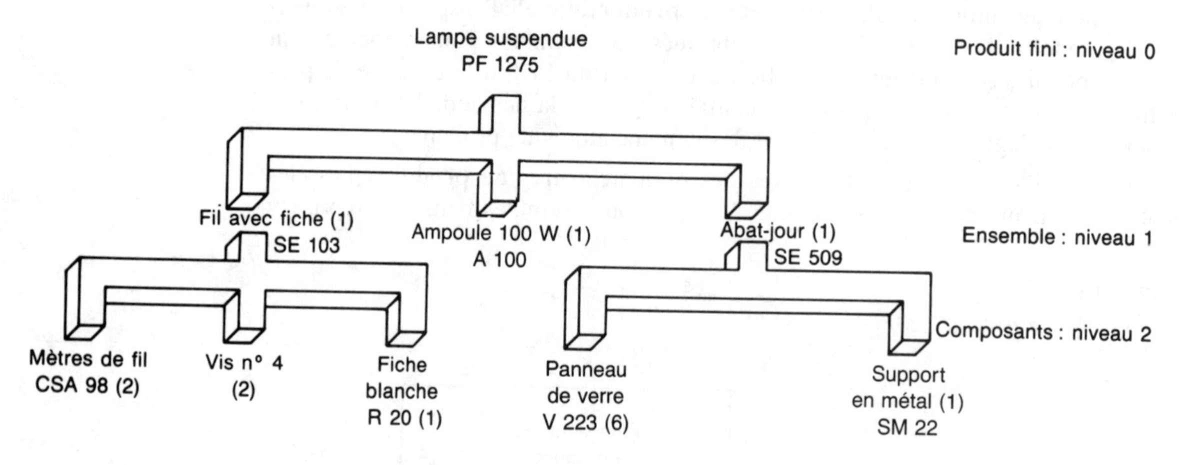


**FIGURE 13.14 ▶**
**La nomenclature sous forme de liste d'un modèle de lampe suspendue**

| Lampe suspendue | PF 1275 | |
|---|---|---|
| **Description** | **Numéro** | **Quantité totale** |
| Fil avec fiche | SE 103 | 1 |
| Fil (en mètres) | CSA 98 | 2 |
| Vis | 4 | 2 |
| Fiche | R 20 | 1 |
| Ampoule 100 W | A 100 | 1 |
| Abat-jour | SE 509 | 1 |
| Panneau | V 223 | 6 |
| Support en métal | SM 22 | 1 |

Niveau 0
Niveau 2
Niveau 1

Le type et les numéros de code de ces composants doivent être clairement mentionnés. Il y a également un niveau intermédiaire qui correspond à l'assemblage de l'abat-jour et à celui du fil muni d'une fiche. Par exemple, l'abat-jour est assemblé à partir de six panneaux de verre V 223 et d'un support en métal SM 22. Les articles entrant directement dans les produits finis se situent au niveau 1. Les articles qui entrent directement dans la composition des articles de niveau 1 se situent au niveau 2, et ainsi de suite. Un article qui entre à la fois dans l'assemblage d'un produit fini et d'un composant se situe au plus bas des deux niveaux qu'il pourrait avoir.

Il y a une nomenclature détaillée pour chacun des produits finis. La mise à jour de la nomenclature de ces produits est essentielle afin d'éviter de commander ou de fabriquer des composants non requis ou désuets. Ces mises à jour régulières ne visent aucunement à regrouper les mêmes composants nécessaires à la fabrication ou à l'assemblage de divers produits. Ces regroupements ne sont effectués qu'au stade du plan de production de la PBM dont la nomenclature n'est qu'un intrant. L'exemple détaillé qui sera fourni ultérieurement illustrera ce point.

L'ordinateur est indispensable pour la mise à jour des nomenclatures et pour l'élaboration des calculs des besoins du plan directeur de production lorsqu'il y a une grande variété ou complexité des structures de certains produits finis. L'utilisation de l'ordinateur nécessite des numéros d'identification pour chacun des composants et des sous-ensembles et requiert la codification de tous les articles.

Le troisième intrant, le **fichier principal des stocks**, fournit les renseignements relatifs à chacun des articles, des composants et des sous-ensembles : quantités en stock, quantités de composants commandées mais non livrées, délais d'acquisition, taille des lots, stock de sécurité, etc. L'intégrité des données du fichier principal est primordiale si on veut déterminer la demande nette pour chacun des articles. La **demande nette** est calculée à partir de la demande brute, de laquelle on soustrait les articles en stock. Si on surestime ou sous-estime la quantité en stock, c'est la demande nette qui absorbe le contrecoup, et les erreurs qui en découlent réduisent l'effet favorable des efforts de préparation de la PBM. Lors de cette étape, l'objectif poursuivi étant la détermination des dates de commande et de début de fabrication ou d'assemblage, de même que la détermination des quantités requises d'intrants pour réaliser le plan directeur de production, on doit nécessairement connaître les différents délais. Ce sont d'ailleurs ces délais qui entraînent le décalage des demandes nettes.

Parfois, il est difficile de déterminer les délais avec exactitude même si le système de planification exige qu'on lui fournisse un nombre d'heures, de jours ou de semaines. Plus les délais réels sont stables, plus ces nombres sont faciles à déterminer. Par contre, s'il y a beaucoup de variations d'une fois à l'autre, quel délai doit-on accorder ? Un délai supérieur au délai prévu entraîne une période de stockage plus longue et plus coûteuse. Par ailleurs, un délai trop court peut occasionner d'éventuelles pénuries et des retards dans les opérations de fabrication et d'assemblage de même que dans la livraison du produit. Dans un cas comme dans l'autre, l'objectif de synchronisation des efforts de production et d'approvisionnement de l'approche PBM fait défaut. La fiabilité des fournisseurs externes et internes est alors fondamentale.

Somme toute, c'est la valeur des intrants du système de planification qui est garante de la valeur des extrants de ce système. Il ne faut pas craindre de mettre tous les efforts jugés nécessaires pour s'assurer de l'intégrité des intrants. La figure 13.15 donne une vue d'ensemble de la PBM.

**FIGURE 13.15** ▶
**Une vue d'ensemble d'un système de PBM**

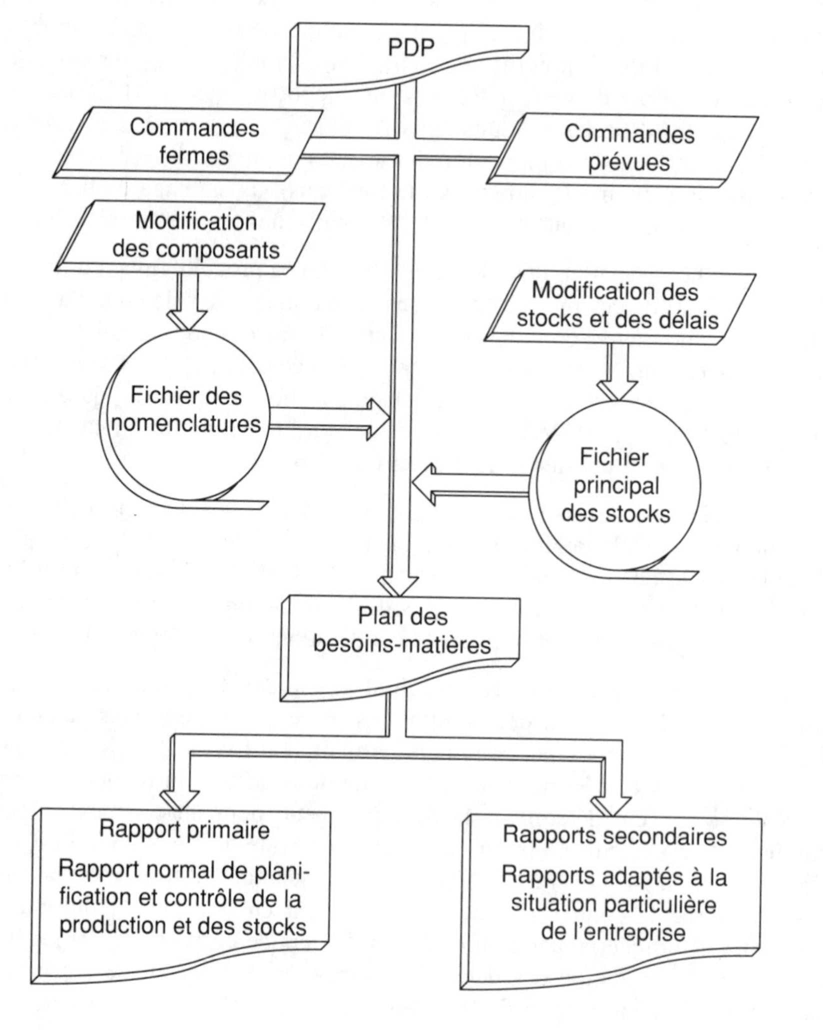


## 13.14 L'élaboration d'une PBM

L'approbation du PDP et la mise à jour des fichiers des intrants à la PBM constituent une étape préliminaire indispensable à la planification des besoins-matières. Celle-ci se réalise par niveaux successifs en partant des articles de niveau 1, c'est-à-dire des composants entrant directement dans un produit fini. Comme nous l'avons signalé à la figure 13.13, il est convenu d'attribuer le niveau 0 au produit fini.

Pour chacun des articles d'un niveau donné, on utilise la grille apparaissant ci-après (figure 13.16), qui constitue l'enregistrement au plan des besoins-matières. Il y a autant de grilles d'enregistrement que d'articles à demande dépendante. Parfois, pour simplifier la présentation de la PBM, on remplit également une grille d'enregistrement pour les articles de niveau 0, ce qui facilite l'analyse en cas de reprogrammation des commandes à la suite d'un événement perturbateur incontrôlable. Cependant, les lancements de niveau 0 ne sont pas calculés par ce système ; ils proviennent du PDP.

| Périodes | 1 | 2 | 3 | 4 | 5 | 6 | 7 | 8 |
|---|---|---|---|---|---|---|---|---|
| Besoin brut | | | | | | | | |
| Réception prévue | | | | | | | | |
| Stock disponible projeté | | | | | | | | |
| Besoin net | | | | | | | | |
| Réception planifiée | | | | | | | | |
| Lancement planifié | | | | | | | | |

**FIGURE 13.16 La grille d'enregistrement à la planification des besoins-matières**

La première ligne de l'enregistrement d'un article indique le **besoin brut** de cet article pour chacune des périodes de l'horizon, besoin engendré par les décisions de production de tous les articles parents de niveau supérieur. Ce besoin brut est calculé à l'aide de la nomenclature de produits de chacun des articles parents et des lancements planifiés de ces articles. La deuxième ligne, **Réception prévue**, indique les quantités de cet article qui font l'objet de commandes déjà lancées, mais qui ne seront terminées qu'à la période où la quantité apparaît. Les quatre autres lignes font l'objet d'un calcul ou d'une décision.

La ligne **Stock disponible projeté** indique, pour une période donnée, la quantité de stock disponible à la fin de cette période pour répondre aux besoins bruts des périodes ultérieures. Cette quantité se calcule suivant deux formules différentes, selon que le besoin net *BN* est positif ou nul. Le besoin net se calcule comme suit :

$$BN_i = \max\,[(BB_i - RU_i - D_{i-1}),\ 0]$$

où $BN_i$ = besoin net calculé pour la période $i$,

$D_i$ = stock disponible à la fin de la période $i$,

$RU_i$ = réception dont l'arrivée est prévue au début de la période $i$,

$BB_i$ = besoin brut calculé pour la période $i$,

$RP_i$ = réception planifiée arrivant au début de la période $i$.

**Premier cas :** $BN_i = 0$, on a $D_i = D_{i-1} + RU_i - BB_i$.

**Deuxième cas :** $BN_i > 0$, c'est-à-dire quand on a $D_{i-1} + RU_i < BB_i$, le besoin brut d'une période dépasse la somme du stock de la période antérieure et de la quantité dont la réception est prévue pour la période $i$ ; il y a alors un **besoin net** pour cette période. Ce besoin net indique une pénurie potentielle. Si aucune production n'est planifiée pour arriver à cette période, la pénurie sera réelle. Normalement, on planifie de couvrir ce besoin net en lançant une production qui arrivera à cette période ou avant cette période, compte tenu du décalage correspondant au délai. Les deux dernières lignes indiquent les **lancements planifiés** et les **réceptions planifiées** correspondantes. On a alors :

$$\begin{aligned} D_i &= RP_i - BN_i \\ &= RP_i - BB_i + RU_i + D_{i-1} \end{aligned}$$

Chacun des enregistrements du niveau considéré doit être ainsi rempli avant de passer au niveau suivant. Pour passer au niveau suivant, on partira des quantités de la ligne **Lancement planifié** pour calculer les besoins bruts du niveau suivant en procédant à l'éclatement des nomenclatures. L'exemple ci-dessous illustre ces calculs.

À proprement parler, la PBM n'est constituée que des lignes **Lancement planifié** de chacun des enregistrements. En effet, cette ligne indique à quel moment et en quelle quantité on doit lancer les commandes d'achat ou de fabrication de chacun des articles. Cependant, il est souvent utile d'avoir un portrait plus global de la situation, comme celui que fournissent les enregistrements complets. Analysons maintenant un exemple détaillé, mais en nous limitant cependant à deux articles vendus par une entreprise spécialisée dans l'éclairage et à quelques périodes de l'horizon de planification.

**Exemple**
■

Le plan directeur de production de la compagnie Éclair-Âge inc., une petite entreprise, spécifie que 30 lampes de chaque type (PF 1275 et PF 1380) doivent être livrées à la semaine 6, en plus de 20 lampes PF 1275 pour la semaine 4, et de 15 lampes PF 1380 à la semaine 5. Le responsable de la production doit établir son plan de besoins-matières. Il décide d'élaborer ce plan manuellement puisqu'il ne s'agit que de deux produits : les lampes suspendues PF 1275 et PF 1380.

Le personnel de l'entreprise fabrique le support en métal des lampes et assemble toutes les lampes, car plusieurs clients n'aiment pas faire eux-mêmes l'assemblage des lampes. Le niveau des stocks et les délais de livraison et de fabrication apparaissent à la figure 13.17. La nomenclature des produits est décrite à la figure 13.18. À compter de maintenant, il a été décidé de produire les abat-jour et

**FIGURE 13.17** ▶ **Les fiches des stocks et des délais de livraison et de fabrication**

| | En stock | Délais de livraison et de fabrication (en semaines) |
|---|---|---|
| Produits finis | | |
| Lampe PF 1275 | 10 | 1 |
| Lampe PF 1380 | – | 1 |
| Sous-ensembles | | |
| Fil avec fiche SE 103 | 30 | 2 |
| Fil avec fiche SE 104 | 3 | 2 |
| Abat-jour SE 509 | 52 | 1 |
| Abat-jour SE 540 | 3 | 1 |
| Ampoule 100 W A 100 | 200 | – |
| Composants | | |
| Mètres de fil CSA 98 | 1 000 | – |
| Vis n° 4 | 1 000 | 1 |
| Fiche blanche R 20 | 60 | 1 |
| Fiche blanche R 24 | 20 | 1 |
| Panneau de verre V 223 | 23 | 3 |
| Panneau de verre V 323 | 12 | 3 |
| Support en métal SM 22 | 7 | 2 |
| Support en métal SM 29 | 3 | 1 |

*(suite)*

**Exemple** *(suite)*

leurs composants lot pour lot (section 13.16), puisqu'ils ne sont requis que pour ces deux produits finis. Enfin, il y a une réception planifiée de 100 unités de V 323 à la période 3.

▼ **FIGURE 13.18**
**La nomenclature des lampes**

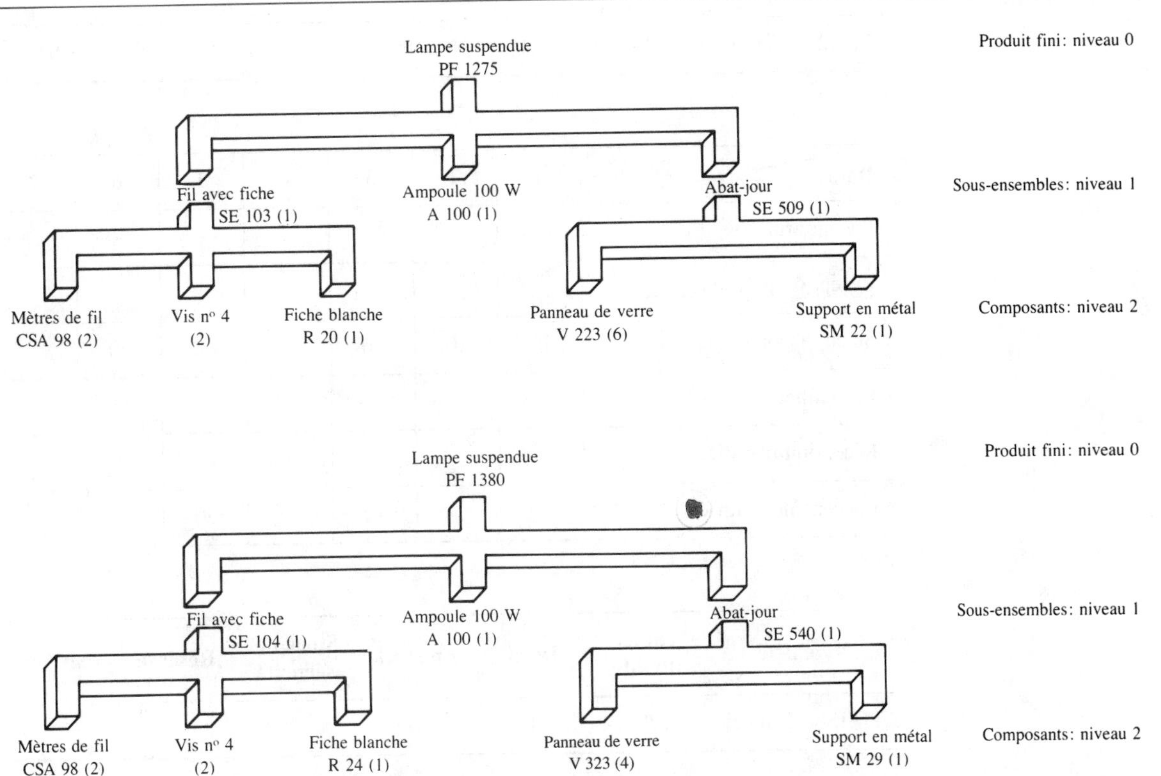


*Solution*

Le niveau 0 est constitué de deux articles, soit les lampes PF 1275 et PF 1380. Pour ce niveau, seule la ligne **Lancement planifié** compte et elle est donnée par le PDP.

Au niveau 1, on compte cinq articles, soit les fils avec fiche SE 103 et SE 104, les abat-jour SE 509 et SE 540 et l'ampoule A 100. On peut remplir l'enregistrement de ces articles à partir des renseignements fournis ci-dessus. Ainsi, pour le fil avec fiche SE 104, des **Besoins bruts** apparaissent aux périodes 4 et 5. Ils correspondent aux lancements planifiés au niveau supérieur pour la lampe PF 1380 pour ces deux périodes. Le besoin brut de SE 104 à la période 4 est de 15, puisque la nomenclature de produit indique que chaque lampe PF 1380 requiert un seul fil avec fiche SE 104. Le besoin brut de SE 104 à la période 5 est de 30 pour les mêmes raisons. Ainsi, c'est la nomenclature de produit qui permet de faire le lien

**Exemple** *(suite)*

entre les lancements planifiés d'un article parent à un niveau, et les besoins bruts en composants qu'il engendre au niveau suivant. Il est suggéré au lecteur de placer les enregistrements les uns sous les autres pour visualiser les liens entre les niveaux établis par les nomenclatures.

**FIGURE 13.19** ▶
**La feuille de planification des besoins-matières**

| Nº article | Taille du lot | Délai | En stock | Stock de sécurité | Réservé | Niveau |
|---|---|---|---|---|---|---|
| PF 1275 Lampe | L/L | 1 | 10 | – | – | 0* |

| Date : / Périodes | 1 | 2 | 3 | 4 | 5 | 6 | 7 |
|---|---|---|---|---|---|---|---|
| Besoin brut | | | | 20 | | 30 | |
| Réception prévue | | | | | | | |
| Stock disponible projeté | 10 | 10 | 10 | 0 | 0 | 0 | |
| Besoin net | | | | 10 | | 30 | |
| Réception planifiée | | | | 10 | | 30 | |
| Lancement planifié | | | 10 | | 30 | | |

| Nº article | Taille du lot | Délai | En stock | Stock de sécurité | Réservé | Niveau |
|---|---|---|---|---|---|---|
| PF 1380 Lampe | L/L | 1 | 0 | – | – | 0* |

| Date : / Périodes | 1 | 2 | 3 | 4 | 5 | 6 | 7 |
|---|---|---|---|---|---|---|---|
| Besoin brut | | | | | 15 | 30 | |
| Réception prévue | | | | | | | |
| Stock disponible projeté | 0 | 0 | 0 | 0 | 0 | 0 | |
| Besoin net | | | | | 15 | 30 | |
| Réception planifiée | | | | | 15 | 30 | |
| Lancement planifié | | | | 15 | 30 | | |

* Le niveau 0 est celui des articles à demande indépendante dont la planification relève du PDP. Ces grilles n'ont qu'un caractère informatif.

**Exemple** *(suite)*

| Nº article | Taille du lot | Délai | En stock | Stock de sécurité | Réservé | Niveau |
|---|---|---|---|---|---|---|
| SE 103<br>Fil avec fiche | L/L | 2 | 30 | – | – | 1 |

| Date : / Périodes | 1 | 2 | 3 | 4 | 5 | 6 | 7 |
|---|---|---|---|---|---|---|---|
| Besoin brut | | | 10 | | 30 | | |
| Réception prévue | | | | | | | |
| Stock disponible projeté | 30 | 30 | 20 | 20 | 0 | | |
| Besoin net | | | | | 10 | | |
| Réception planifiée | | | | | 10 | | |
| Lancement planifié | | | 10 | | | | |

| Nº article | Taille du lot | Délai | En stock | Stock de sécurité | Réservé | Niveau |
|---|---|---|---|---|---|---|
| SE 104<br>Fil avec fiche | L/L | 2 | 3 | – | – | 1 |

| Date : / Périodes | 1 | 2 | 3 | 4 | 5 | 6 | 7 |
|---|---|---|---|---|---|---|---|
| Besoin brut | | | | 15 | 30 | | |
| Réception prévue | | | | | | | |
| Stock disponible projeté | 3 | 3 | 3 | 0 | 0 | | |
| Besoin net | | | | 12 | 30 | | |
| Réception planifiée | | | | 12 | 30 | | |
| Lancement planifié | | 12 | 30 | | | | |

**Exemple**
*(suite)*

| Nº article | Taille du lot | Délai | En stock | Stock de sécurité | Réservé | Niveau |
|---|---|---|---|---|---|---|
| SE 509 Abat-jour | L/L | 1 | 52 | – | – | 1 |

| Date : / Périodes | 1 | 2 | 3 | 4 | 5 | 6 | 7 |
|---|---|---|---|---|---|---|---|
| Besoin brut | | | 10 | | 30 | | |
| Réception prévue | | | | | | | |
| Stock disponible projeté | 52 | 52 | 42 | 42 | 12 | | |
| Besoin net | | | | | | | |
| Réception planifiée | | | | | | | |
| Lancement planifié | | | | | | | |

| Nº article | Taille du lot | Délai | En stock | Stock de sécurité | Réservé | Niveau |
|---|---|---|---|---|---|---|
| SE 540 Abat-jour | L/L | 1 | 3 | – | – | 1 |

| Date : / Périodes | 1 | 2 | 3 | 4 | 5 | 6 | 7 |
|---|---|---|---|---|---|---|---|
| Besoin brut | | | | 15 | 30 | | |
| Réception prévue | | | | | | | |
| Stock disponible projeté | 3 | 3 | 3 | 0 | 0 | | |
| Besoin net | | | | 12 | 30 | | |
| Réception planifiée | | | | 12 | 30 | | |
| Lancement planifié | | | 12 | 30 | | | |

**Exemple** *(suite)*

| Nº article | Taille du lot | Délai | En stock | Stock de sécurité | Réservé | Niveau |
|---|---|---|---|---|---|---|
| A 100<br>Ampoule 100 W | L/L | – | 200 | – | – | 1 |

| Date : / Périodes | 1 | 2 | 3 | 4 | 5 | 6 | 7 |
|---|---|---|---|---|---|---|---|
| Besoin brut | | | 10 | 15 | 60 | | |
| Réception prévue | | | | | | | |
| Stock disponible projeté | 200 | 200 | 190 | 175 | 115 | | |
| Besoin net | | | | | | | |
| Réception planifiée | | | | | | | |
| Lancement planifié | | | | | | | |

| Nº article | Taille du lot | Délai | En stock | Stock de sécurité | Réservé | Niveau |
|---|---|---|---|---|---|---|
| CSA 98<br>Mètres de fil | L/L | – | 1 000 | – | – | 2 |

| Date : / Périodes | 1 | 2 | 3 | 4 | 5 | 6 | 7 |
|---|---|---|---|---|---|---|---|
| Besoin brut | | 24 | 80 | | | | |
| Réception prévue | | | | | | | |
| Stock disponible projeté | 1 000 | 976 | 896 | | | | |
| Besoin net | | | | | | | |
| Réception planifiée | | | | | | | |
| Lancement planifié | | | | | | | |

**Exemple**
***(suite)***

| Nº article | Taille du lot | Délai | En stock | Stock de sécurité | Réservé | Niveau |
|---|---|---|---|---|---|---|
| Vis nº 4 | L/L | 1 | 1 000 | – | – | 2 |

| Date : Périodes | 1 | 2 | 3 | 4 | 5 | 6 | 7 |
|---|---|---|---|---|---|---|---|
| Besoin brut | | 24 | 80 | | | | |
| Réception prévue | | | | | | | |
| Stock disponible projeté | 1 000 | 976 | 896 | 896 | | | |
| Besoin net | | | | | | | |
| Réception planifiée | | | | | | | |
| Lancement planifié | | | | | | | |

| Nº article | Taille du lot | Délai | En stock | Stock de sécurité | Réservé | Niveau |
|---|---|---|---|---|---|---|
| R 20<br>Fiche blanche | L/L | 1 | 60 | – | – | 2 |

| Date : Périodes | 1 | 2 | 3 | 4 | 5 | 6 | 7 |
|---|---|---|---|---|---|---|---|
| Besoin brut | | | 10 | | | | |
| Réception prévue | | | | | | | |
| Stock disponible projeté | 60 | 60 | 50 | | | | |
| Besoin net | | | | | | | |
| Réception planifiée | | | | | | | |
| Lancement planifié | | | | | | | |

**Exemple** *(suite)*

| Nº article | Taille du lot | Délai | En stock | Stock de sécurité | Réservé | Niveau |
|---|---|---|---|---|---|---|
| R 24<br>Fiche blanche | L/L | 1 | 20 | – | – | 2 |

| Date : Périodes | 1 | 2 | 3 | 4 | 5 | 6 | 7 |
|---|---|---|---|---|---|---|---|
| Besoin brut | | 12 | 30 | | | | |
| Réception prévue | | | | | | | |
| Stock disponible projeté | 20 | 8 | 0 | | | | |
| Besoin net | | | 22 | | | | |
| Réception planifiée | | | 22 | | | | |
| Lancement planifié | | 22 | | | | | |

| Nº article | Taille du lot | Délai | En stock | Stock de sécurité | Réservé | Niveau |
|---|---|---|---|---|---|---|
| V 223<br>Panneau de verre | L/L | 3 | 23 | – | – | 2 |

| Date : Périodes | 1 | 2 | 3 | 4 | 5 | 6 | 7 |
|---|---|---|---|---|---|---|---|
| Besoin brut* | | | | | | | |
| Réception prévue | | | | | | | |
| Stock disponible projeté | | | | | | | |
| Besoin net | | | | | | | |
| Réception planifiée | | | | | | | |
| Lancement planifié | | | | | | | |

* Aucun besoin brut car il reste des abat-jour SE 509 en stock.

**Exemple**
*(suite)*

| Nº article | Taille du lot | Délai | En stock | Stock de sécurité | Réservé | Niveau |
|---|---|---|---|---|---|---|
| V 323<br>Panneau de verre | L/L | 3 | 12 | – | – | 2 |

| Date : / Périodes | 1 | 2 | 3 | 4 | 5 | 6 | 7 |
|---|---|---|---|---|---|---|---|
| Besoin brut | | | 48 | 120 | | | |
| Réception prévue | | | 100* | | | | |
| Stock disponible projeté | 12 | 12 | 64 | 0 | | | |
| Besoin net | | | | 56 | | | |
| Réception planifiée | | | | 56 | | | |
| Lancement planifié | 56 | | | | | | |

* Il y a un réapprovisionnement lancé de 100 dont la réception est prévue à la période 3.

| Nº article | Taille du lot | Délai | En stock | Stock de sécurité | Réservé | Niveau |
|---|---|---|---|---|---|---|
| SM 22<br>Support en métal | L/L | 2 | 7 | – | – | 2 |

| Date : / Périodes | 1 | 2 | 3 | 4 | 5 | 6 | 7 |
|---|---|---|---|---|---|---|---|
| Besoin brut* | | | | | | | |
| Réception prévue | | | | | | | |
| Stock disponible projeté | | | | | | | |
| Besoin net | | | | | | | |
| Réception planifiée | | | | | | | |
| Lancement planifié | | | | | | | |

* Aucun besoin brut car il reste des abat-jour SE 509 en stock.

Exemple
*(suite)*

| Nº article | Taille du lot | Délai | En stock | Stock de sécurité | Réservé | Niveau |
|---|---|---|---|---|---|---|
| SM 29<br>Support en métal | L/L | 1 | 3 | – | – | 2 |

| Date : Périodes | 1 | 2 | 3 | 4 | 5 | 6 | 7 |
|---|---|---|---|---|---|---|---|
| Besoin brut | | | 12 | 30 | | | |
| Réception prévue | | | | | | | |
| Stock disponible projeté | 3 | 3 | 0 | 0 | | | |
| Besoin net | | | 9 | 30 | | | |
| Réception planifiée | | | 9 | 30 | | | |
| Lancement planifié | | 9 | 30 | | | | |

Une fois les besoins bruts établis pour le SE 104, le calcul des autres éléments de l'enregistrement peut se faire en utilisant les données sur les stocks et les commandes en cours et les facteurs de planification indiqués dans l'exemple. Ainsi, le stock de SE 104 aux périodes 1, 2 et 3 se maintient à 3 unités. À la période 4, le besoin brut de 15 absorbe le stock de 3 unités et crée un besoin net de 12 unités. Pour éviter la pénurie, celui-ci doit être couvert par une réception planifiée d'au moins 12. Pour avoir une réception planifiée à la période 4, il faut planifier un lancement de commande de fabrication deux semaines auparavant, puisque le délai de fabrication du SE 104 est de 2 semaines. Comme nous avons adopté une politique de lot pour lot pour cet article, la quantité planifiée pour ce lancement est exactement 12. Avec un tel lancement planifié à la période 2, le stock projeté à la fin de la période 4 est de 0. C'est donc avec un stock projeté de 0 qu'on affronte le besoin brut de 30 de la période 5. Celui-ci crée donc un besoin net de 30 pour la même période. Ce besoin net doit être couvert par une réception planifiée de 30 à la période 5. Pour avoir une telle réception, il faut planifier un lancement d'au moins 30 unités à la période 3. Avec la politique de lot pour lot, le lancement sera exactement de 30. Comme il n'y a pas d'autre besoin brut de SE 104 après la période 5, la planification est terminée pour cet article.

On procède ainsi pour chacun des articles de niveau 1, puis on passe au niveau 2, et ainsi de suite jusqu'au niveau le plus bas. La planification des besoins-matières repose donc sur un ensemble de calculs simples et systématiques, qui se prêtent bien à l'utilisation de l'informatique. Étant donné la multitude d'articles et la fréquence d'événements qui nécessitent de revoir la situation, un système informatique est même nécessaire pour réaliser ces calculs sur une base opérationnelle.

L'exemple des lampes illustre les concepts de base du fonctionnement de la PBM : d'une part, la demande nette d'un niveau devient la demande brute du niveau suivant, une fois les ajustements effectués afin de tenir compte des quantités selon la nomenclature des produits ; d'autre part, la date à laquelle débutent les opérations d'un niveau correspond à la date de la fin des opérations du niveau précédent.

Il est intéressant de constater l'effet des stocks de niveau supérieur sur les quantités à commander, à assembler ou à fabriquer des niveaux inférieurs : l'existence de stocks peut réduire de façon appréciable les efforts de planification. Par exemple, la demande de 50 lampes PF 1275 aurait pu se traduire par une commande de 300 panneaux de verre V 223. Pourtant, aucun n'a été requis, puisqu'il n'y a aucun besoin net pour l'abat-jour SE 509 qui, lui, entre dans le PF 1275.

## 13.15 Les extrants du système

Les extrants d'un système de PBM résultent des calculs de dates et de quantités. Ils sont présentés sous forme de plan des besoins-matières et de rapports divers. L'efficacité de la PBM dépendra de la façon dont le planificateur utilisera ces rapports pour orienter son action.

Le plan des besoins-matières constitue l'extrant majeur de la PBM. Il consiste en l'ensemble des enregistrements à la PBM effectués pour chacun des articles. Il sert d'intrant principal à la planification des besoins en capacités pour déterminer sa faisabilité. Il sert également à créer les rapports d'action pour commandes de fabrication ou d'achat. Tout lancement planifié doit être transformé en commande au moment où il arrive à la période 1 dans la grille de planification.

L'immense capacité de mémoire et la rapidité de l'ordinateur permettent au système de maintenir la validité des priorités en émettant des rapports d'exception et des rapports de détermination de l'origine des besoins. Le rapport d'exception vise à concentrer l'attention du planificateur sur les articles qui nécessitent une attention immédiate, et il recommande les mesures appropriées.

Le rapport de détermination de l'origine des besoins permet à tout moment de trouver l'origine du besoin brut. Comme le signale Orlicky[16], la connaissance de l'origine du besoin brut s'avère extrêmement utile pour les décisions de planification, par exemple pour choisir les livraisons de produits finis que l'on retardera en cas de pénurie, ou encore pour rééchelonner l'arrivée de composants dont l'assemblage est retardé.

Une autre utilisation de la détermination de l'origine des besoins est l'établissement du lot de production d'un article aux fins de contrôle de la qualité ou de la réalisation, notamment dans les domaines militaire, pharmaceutique, nucléaire et aérospatial.

Cette possibilité de planifier et de replanifier pour tenir compte de perturbations internes ou externes a fait de la PBM un outil dynamique, qui explique l'extension de son application au-delà de la simple comptabilité des matières qui était à son origine[16]. La PBM est un module clé d'un système dynamique qui permet d'intégrer une multitude de données et de décisions en un tout cohérent et à jour. La mise à jour du système est l'une des décisions importantes que nous considérons dans la section suivante.

# LES ASPECTS TECHNIQUES DE LA PBM

## 13.16 La fréquence des mises à jour et la détermination de la taille des lots

La **mise à jour** des fichiers est indispensable à la validité des extrants du système de PBM. Quand doit-on préférablement modifier ces fichiers ? Chaque fois qu'une nouvelle information surgit ? que des changements de conditions se manifestent ? ou encore à intervalles réguliers ?

Deux méthodes sont utilisées : la **planification partielle** (ou PBM à variations nettes) et la **planification totale** (ou PBM en mode régénératif). Dans le premier cas, seules les fiches qui comportent un changement d'information sont mises à jour, et les modifications apportées le sont dès qu'un changement est connu. Dans le second cas, toutes les modifications sont apportées selon une périodicité préétablie, souvent hebdomadaire. Il y a donc un arbitrage important à effectuer entre ce qu'exige et ce que donne cette mise à jour.

La planification partielle, contrairement à la planification totale, fournit une information à jour en permanence, mais coûteuse. La réduction dans le coût du traitement des données constitue un avantage considérable de la planification partielle.

Pourtant, selon Vollmann[20], la pratique courante la plus commune est la planification totale hebdomadaire. Cela s'explique sans doute par l'existence d'un coût sous-estimé en théorie, et parfois en pratique, à savoir le coût de l'excès d'information. Ce coût ainsi que ceux de mise à jour et d'erreurs décisionnelles dues à des fichiers qui ne sont pas à jour doivent être évalués par chacune des entreprises selon leur situation respective. L'abaissement des coûts informatiques compte beaucoup pour la planification totale.

La **détermination de la taille des lots** à produire est un problème d'importance moyenne, comme celui de la fréquence des mises à jour. Orlicky[16] explique les différentes méthodes qui sont encore utilisées de nos jours. Depuis lors, les recherches effectuées sur le sujet ont souvent porté sur des cas précis à partir desquels on a tenté de généraliser certaines conditions qui rendent une méthode plus valable que les autres.

Le plan des besoins-matières spécifie le moment opportun de rendre disponible une certaine quantité d'articles afin de satisfaire la demande du niveau immédiatement supérieur. Dans le cas d'une commande, doit-on passer une commande pour une quantité égale au besoin de chacune des périodes ou doit-on la regrouper pour certaines de ces périodes ? On doit prendre en considération le coût de stockage, le coût de commande, la variabilité de la demande et l'horizon de planification.

La technique la plus simple de détermination de la taille des lots est la méthode **lot pour lot**. Elle consiste à n'acheter ou à ne fabriquer des lots que pour les quantités suffisant à la demande de la période. Le tableau 13.2 illustre d'ailleurs la méthode lot pour lot, ainsi que les deux autres méthodes traitées dans cette section. La méthode lot pour lot réduit le coût de stockage, mais néglige le coût de commande, puisqu'une commande est effectuée à chaque période où il y a un besoin net. Cette méthode est souvent utilisée pour des articles de production de masse, ou encore en production continue. De même, elle s'applique particulièrement bien lorsque la demande est

**Tableau 13.2**

**Quelques techniques de détermination de la taille des lots**

| Périodes | 1 | 2 | 3 | 4 | 5 | 6 | 7 | 8 | 9 | Total |
|---|---|---|---|---|---|---|---|---|---|---|
| Demande nette | 50 | 30 | – | 10 | 20 | 5 | – | 35 | 30 | 180 |
| Commande planifiée | | | | | | | | | | |
| 1. Lot pour lot | 50 | 30 | – | 10 | 20 | 5 | – | 35 | 30 | 180 |
| 2. Lot économique | 80 | – | – | 80 | – | – | – | – | 80 | 240 |
| 3. Période économique | 90 | – | – | – | 60 | – | – | – | 30 | 180 |

vraiment discontinue. Un prix d'achat élevé justifie également l'emploi de cette méthode, puisque l'objectif concerne alors des lots de petite taille. À la limite, on peut commander plus d'une fois par période, lorsque les coûts de commande ou de mise en route ont été réduits à des niveaux très faibles, ce qui est fréquent avec le juste-à-temps.

La technique du **lot économique** équilibre les coûts de commande et de stockage, ce qui donne une quantité optimale à commander. Cette quantité minimise les deux coûts mentionnés. L'approche du lot économique, vue dans le chapitre 10, repose sur de nombreuses hypothèses, dont celle d'une demande continue à un taux d'utilisation constant. Cette technique peut donner d'excellents résultats lorsque les conditions réelles se rapprochent suffisamment des hypothèses. L'exemple n'est fourni qu'à titre illustratif du fonctionnement de la méthode. Cependant, la demande nette semble loin de respecter les conditions d'utilisation du modèle. Notons que la demande échelonnée sur neuf périodes correspond environ à 9/52 de la demande annuelle de 960 unités : la demande est-elle discontinue au point de ne pas pouvoir utiliser le modèle ?

Dans le cas d'une demande annuelle de 960 unités, d'un coût de commande de 40 $ et d'un coût de stockage de 1 $ par mois par unité, le lot économique est le suivant :

$$\sqrt{\frac{2 \times 960 \times 40}{12}} = 80 \text{ unités.}$$

La quantité commandée est plus grande que les diverses quantités commandées selon la méthode précédente. Il y a réduction du coût total de commande, mais accroissement du coût de stockage, puisqu'il y a des unités en stock à la fin de la plupart des périodes.

La **période économique** est la dernière technique dont nous traiterons ici. Elle est surtout utilisée lorsque la demande est instable, mais répartie tout au long de l'année. La période économique (PE) s'appuie sur un intervalle entre les commandes ; celui-ci est déterminé à l'aide du modèle du lot économique. Elle correspond au nombre de périodes que pourra couvrir en moyenne un stock égal au lot économique. Elle se calcule par la formule :

$$PE = \frac{\text{Lot économique}}{\text{Demande annuelle}} \times \text{Nombre de périodes dans l'année.}$$

Ainsi, dans l'exemple précédent, on a :

$$\frac{80}{960} \times 52 \text{ semaines} = 4{,}33 \text{ semaines, ou environ 4 semaines.}$$

Cela ne veut pas dire de commander toutes les quatre semaines, mais plutôt de planifier une commande dont la taille satisfait les demandes nettes de quatre semaines. La technique de la période économique donne habituellement de meilleurs coûts que celle du lot économique à cause de cet équilibre de la demande nette et des commandes à périodicité fixe mensuelle : on ne commande alors que ce dont on a besoin durant les périodes, jusqu'à la commande suivante.

À partir d'un exemple, le tableau 13.3 donne le détail des coûts se rattachant à chacune des méthodes. Aux fins de calcul des coûts, seules les neuf périodes sont incluses ici. Un horizon de planification plus long et des données différentes pourraient modifier non seulement les coûts totaux, mais aussi la position relative des trois méthodes.

L'exemple précédent ne fait pas intervenir le décalage de la demande. Il y aurait lieu de modifier les dates de commande pour tenir compte des délais de livraison. Les délais, s'ils sont fixes, ne modifient que les dates de commande et non les coûts.

Au moins six autres techniques de détermination de la taille des lots ont été élaborées. Parmi ces **techniques**, nous retiendrons les trois plus connues, soit celles **du coût minimal unitaire**, **du coût minimal total** et **de l'algorithme Wagner-Within**. Ces techniques permettent de varier à la fois la taille des lots et la période

**Tableau 13.3**

**Les coûts de commande et de stockage selon les méthodes de détermination de la taille des lots**

| | Coût de commande | Coût de stokage | Coût total |
|---|---|---|---|
| Lot pour lot | | | |
| 7 @ 40 $ | 280 $ | | |
| 0 @ 0,25 $ | | – | 280,00 $ |
| Lot économique (QEC) | | | |
| 3 @ 40 $ | 120 | | |
| 310* @ 0,25 $ | | 77,50 $ | 197,50 |
| Période économique (PE) | | | |
| 3 @ 40 $ | 120 | | |
| 170* @ 0,25 $ | | 42,50 | 162,50 |

Hypothèses : 1. Le coût de stockage de 1 $ par mois est environ 0,25 $ par période.
2. Seules les unités en stock à la fin de la période entraînent des frais de stockage.

| *Périodes | 1 | 2 | 3 | 4 | 5 | 6 | 7 | 8 | 9 | Total |
|---|---|---|---|---|---|---|---|---|---|---|
| Quantité en stock selon QEC | 30 | – | – | 70 | 50 | 45 | 45 | 10 | 60 | 310 |
| Quantité en stock selon PE | 40 | 10 | 10 | – | 40 | 35 | 35 | – | – | 170 |

de planification. Buffa et Miller[7] et Orlicky[16] fournissent de plus amples détails à ce sujet. Selon Orlicky, du point de vue des coûts, une méthode est presque aussi valable que l'autre, compte tenu de l'incertitude de la demande future (même si elle est dépendante, on ne la connaît pas d'avance) et des particularités propres à chaque entreprise. Cependant, du point de vue administratif, les méthodes à quantités fixes ont un avantage : en cas de modifications d'une commande, seule la date change, et non la quantité. Cela crée un système moins « nerveux ».

Cependant, le gestionnaire doit reconnaître qu'en évaluant bien le contexte de l'entreprise où il œuvre, seules deux ou trois méthodes justifient un examen plus approfondi. On doute qu'une méthode soit nettement supérieure aux autres durant de nombreuses années ; le gestionnaire doit donc être attentif aux conditions d'application des techniques.

## 13.17 L'importance des stocks de sécurité

Les stocks de sécurité servent à pallier les incertitudes reliées à la demande indépendante. En principe, ils ne sont pas nécessaires dans un contexte de demande dépendante. En effet, une fois la demande indépendante estimée, la demande dépendante qui en découle est connue. Pourtant, en pratique, on a souvent des stocks de sécurité même dans un contexte de PBM. Comment expliquer cette situation ?

Des composants difficiles ou longs à se procurer sont parfois commandés en quantités supérieures à ce qui est requis selon la méthode utilisée pour la détermination de la taille du lot. En effet, malgré les efforts de planification des produits de niveau 0, certains utilisateurs doutent de la validité des prévisions ou de la logique du système. Pourtant, ces raisons ne sont pas valables.

En fait, peu de raisons paraissent valables pour justifier des stocks de sécurité dans un contexte de demande dépendante : un certain pourcentage des composants est refusé en raison de non-conformité, ou encore il y a variation dans les délais de livraison. Commander les composants en quantités suffisantes pour combler la demande du niveau supérieur devient alors essentiel. Le problème est encore plus complexe lorsqu'il y a un taux de non-conformité ou de pertes à de nombreuses étapes dans la fabrication du produit fini. La simulation constitue alors une technique intéressante pour déterminer la probabilité de pénurie reliée à différentes quantités commandées. Le choix du niveau de pénurie est fonction des coûts en cause. Le coût de pénurie étant élevé, la majorité des gestionnaires préfère garder des stocks de sécurité plus élevés que pas assez.

Plus une pénurie survient à un niveau élevé de la structure d'un produit, plus elle est coûteuse. En effet, la valeur des produits en cours inclut non seulement le coût des matières premières et des composants, mais aussi ceux de la main-d'œuvre et de certains frais généraux. Pour cette raison, on s'attend normalement à ce que les stocks de sécurité soient augmentés à un niveau élevé.

La philosophie des stocks de sécurité et le fait de produire des lots suffisants pour satisfaire la demande de plusieurs jours vont à l'encontre de la philosophie du juste-à-temps exposée dans le chapitre 18, philosophie qui vise à réduire les stocks à zéro.

N'allant pas aussi loin, l'approche de PBM vise à réduire le plus possible les stocks non requis pour les articles dont la demande est dépendante. Concilier, d'une part, un objectif semblable et, d'autre part, l'existence de stocks trop élevés semble difficile. L'utilisation de la PBM peut améliorer le taux de rotation des stocks, surtout si on prend soin de ne pas incorporer aux stocks des quantités excessives non justifiées par les calculs des besoins-matières.

# L'EXTENSION ET LA SUITE DE LA PBM

## 13.18 La PBM et le secteur tertiaire

On a longtemps cru que la mise en application de la PBM était réservée au secteur industriel, avec ses produits tangibles et stockables. Cependant, des études récentes démontrent qu'une extension de la PBM est non seulement possible mais aussi valable dans le secteur tertiaire.

La planification des ressources pour une année universitaire est complexe. Cox et Jesse[10] ont appliqué la PBM à l'enseignement supérieur. Ces chercheurs croient qu'à court terme, cette méthode permet de mieux planifier le nombre de cours requis et l'affectation des étudiants à ces cours, afin d'accroître le taux d'utilisation du corps professoral. À plus long terme, il devient possible de planifier et de contrôler les ressources à l'aide des prévisions de choix de cours. La figure 13.20 indique les activités de planification et de contrôle des différentes étapes.

Il y a d'abord la prévision d'une demande indépendante, soit le nombre de diplômés par semestre. Par la suite, diverses approches sont élaborées pour créer un plan de production réalisable. Celui-ci donne naissance au plan directeur du programme, en considérant les concentrations choisies par programme pour chaque semestre. On exécute alors une planification préliminaire des besoins en cours (PBM) en tenant compte de la nomenclature des cours du fichier des nomenclatures et du dossier scolaire des étudiants. Ce plan est alors comparé à la capacité disponible en ressources professorales et en locaux. Cette itération est répétée jusqu'à ce qu'on obtienne des résultats satisfaisants.

La PBM a également été utilisée dans un milieu de soins de santé. Steinberg *et al.*[18] ont étudié la PBM dans le contexte des besoins en chirurgie dans un hôpital. Le tableau 13.4 résume l'analogie des trois intrants principaux au système PBM dans un contexte hospitalier par rapport au contexte manufacturier.

Le **premier intrant** est le calendrier hebdomadaire de chirurgie. Ce n'est pas une liste de produits qui apparaît sur ce calendrier, mais bien une liste de chirurgiens spécialisés exécutant chacun des interventions chirurgicales particulières. Par contre, deux chirurgiens qui exécutent une intervention identique peuvent exiger des trousses

**Tableau 13.4**

**La comparaison des intrants de la PBM dans un hôpital et dans un système industriel**

| Hôpital | Système industriel |
|---|---|
| Calendrier hebdomadaire de chirurgie | Plan directeur de production réparti par période |
| Fiche des exigences chirurgicales en matières et en fournitures | Fiche de nomenclature du produit incluant les composants |
| Fiche des articles en stock incluant les instruments | Fiche des articles en stock |

**FIGURE 13.20 ▶**
**L'application de la PBM dans un milieu universitaire**

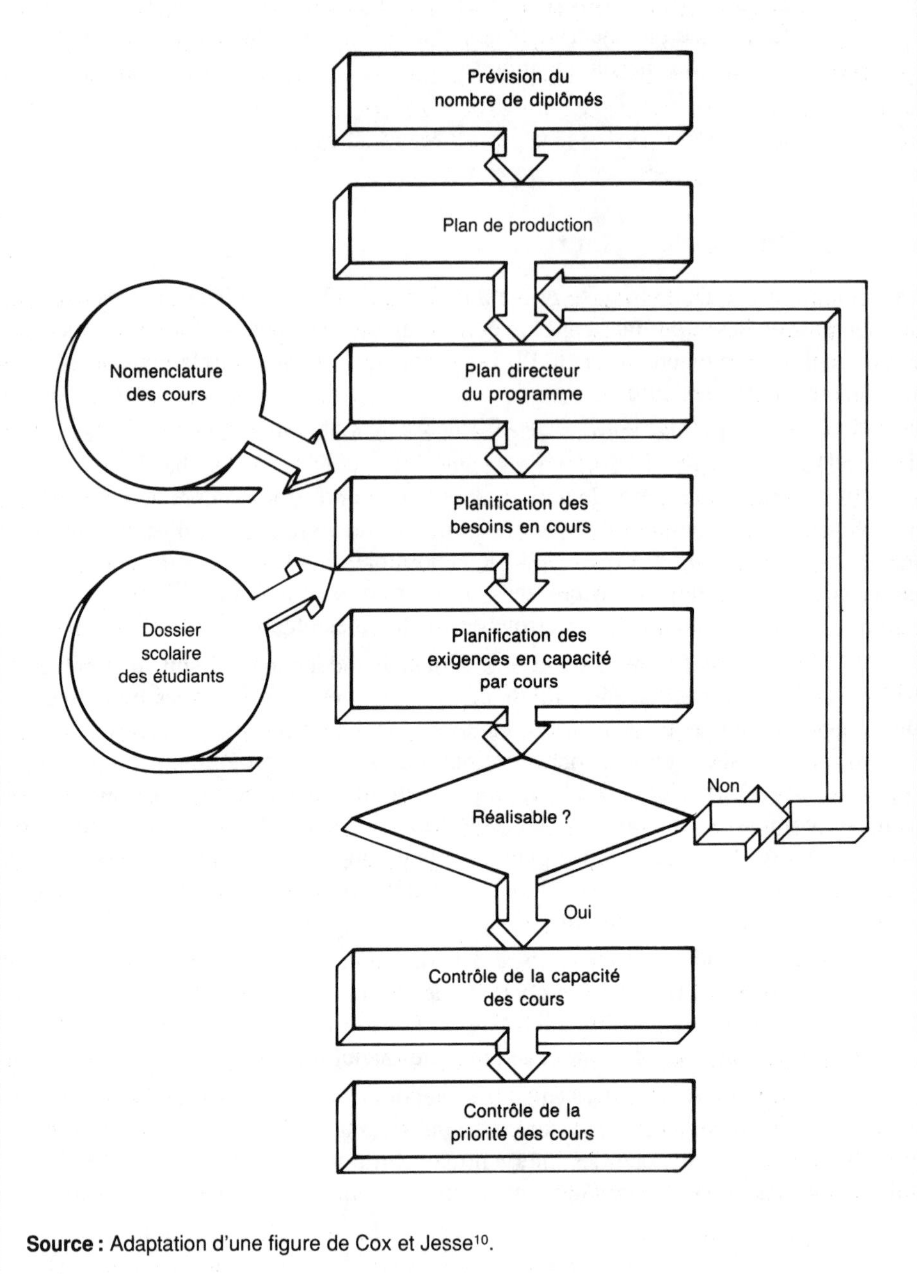


**Source :** Adaptation d'une figure de Cox et Jesse[10].

chirurgicales différentes. En conséquence, la PBM tient compte du fait qu'il s'agit de deux « produits » différents. Le **deuxième intrant**, la fiche des exigences chirurgicales, énumère les matières et les fournitures requises pour chacune des interventions choisies par un chirurgien. Le **troisième intrant** est la fiche des articles en stock, qui se répartissent ainsi : les articles jetables, les instruments réutilisables et un petit nombre d'instruments sophistiqués de haute technologie. Ce sont les interventions chirurgicales et leurs particularités qui déterminent la nature de la fiche des articles en stock.

Les applications de la PBM dans le secteur tertiaire sont prometteuses. Elles concourront fort probablement à l'amélioration du service et à la réduction des coûts. La PBM peut contribuer grandement à une approche coordonnée de planification et de contrôle dans le secteur tertiaire. Une telle approche démontre encore une fois qu'une attitude ouverte permet des applications intéressantes.

## 13.19 La faisabilité de la PBM et la planification des besoins en capacités

Une condition essentielle pour que la PBM soit utile est d'être réalisable, c'est-à-dire que les productions planifiées puissent être réalisées aux périodes où elles sont prévues. Dans l'élaboration de la PBM, le système établit les lancements planifiés en considérant seulement les besoins nets des composants, le délai d'acquisition interne ou externe et la taille des lots. Il ne tient pas compte des capacités disponibles ni dans l'usine ni chez les fournisseurs. Il planifie en supposant la capacité illimitée.

La planification des besoins en capacités établit le profil de la charge de travail de chaque centre de charge et permet ainsi de repérer les postes où la charge de travail dépasse la capacité disponible. Le calcul des besoins en capacités se réalise par un processus d'éclatement des lancements à la PBM à l'aide des gammes d'opération des articles, semblable à l'éclatement des lancements au PDP à l'aide des nomenclatures de produits. En tenant compte des règles d'opération de l'usine, on jalonne les diverses opérations requises à chaque centre de charge.

Une fois le profil de charge établi en capacité illimitée, la planification des capacités se complète en recherchant les solutions aux difficultés déterminées soit pour les périodes de surcharge, soit pour les périodes de charge insuffisante. On pourra alors déplacer certaines commandes pour régulariser le flux de travail, ou prévoir diverses mesures comme les heures supplémentaires, l'affectation d'un plus grand nombre de travailleurs, etc. Si les mesures correctives ne peuvent venir à bout des difficultés, il est alors nécessaire de revoir ce plan directeur de production ou d'allouer des ressources de production dépassant ce que prévoyait le plan de production. Ces mesures extraordinaires sont parfois nécessaires pour conserver le réalisme du plan. Le détail de la planification et du contrôle des capacités dépasse le cadre de cet ouvrage.

Une fois établi le réalisme du plan des besoins-matières, le planificateur peut procéder à sa réalisation en lançant les commandes d'achat ou de fabrication indiquées à la période d'action (période 1) et faisant l'objet de messages appropriés par le système. On passe alors aux phases de contrôle des capacités et des priorités, ce qui nous amène à l'ordonnancement.

Le planificateur doit également veiller au maintien du système et assurer son amélioration en repérant et en analysant les causes d'erreur pour les éliminer.

## CONCLUSION

Deux grands thèmes ont été traités dans ce chapitre. Le premier est l'élaboration du plan directeur de production (PDP), dont l'objectif primordial est généralement le service à la clientèle pour la livraison des commandes à temps et dans un délai concurrentiel; l'autre objectif porte sur l'utilisation optimale de toutes les ressources par la réduction des stocks et l'instauration de conditions favorisant l'efficience et l'efficacité du système opérationnel. Le second thème porte sur la planification des besoins-matières (PBM), qui vise la détermination des quantités et des dates de commande, de fabrication et d'assemblage des articles à demande dépendante à partir des données du PDP. Elle assure la coordination entre les promesses faites aux clients et la réalisation de ces promesses. Ces notions sont au cœur de la planification intégrée des ressources de production que vise le *MRP II*. L'application de ces idées dans l'entreprise, qui ne se fait pas sans heurts, apporte des avantages concurrentiels importants : l'amélioration du service à la clientèle, la réduction des délais de livraison, la réduction des coûts et la réduction des stocks.

## QUESTIONS DE RÉVISION

1. À quoi sert la PBM ?
2. Où se situe la PBM dans l'ensemble des activités de planification et de contrôle de la production et des stocks ?
3. Quels sont les éléments d'information nécessaires à l'élaboration de la PBM ?
4. En quoi la PBM se distingue-t-elle du plan directeur de production ?
5. Pourquoi faire une différence entre la demande dépendante et la demande indépendante ?
6. Quelles sont les fonctions principales de la PBM ?
7. Comment peut-on tirer avantage de la PBM dans le secteur tertiaire ?

## QUESTIONS DE DISCUSSION

1. En quoi la planification des besoins-matières facilite-t-elle la planification des priorités de capacité et d'ordonnancement ?
2. Pourquoi suggérer de n'avoir des stocks de sécurité que pour la demande indépendante ?
3. Est-ce vrai que l'horizon de planification de la PBM doit être égal ou supérieur à la somme des délais de livraison et de fabrication ? Pourquoi ?
4. Dans le contexte d'une entreprise informatisée, pourquoi la PBM ne donne-t-elle pas toujours les résultats escomptés ?
5. Est-ce que la PBM constitue un avantage pour toute entreprise ?
6. L'arrivée, sur le marché, d'ordinateurs de plus en plus rapides et la baisse des coûts du traitement de l'information menacent-elles de faire disparaître la planification d'affaires ?

## PROBLÈMES ET MISES EN SITUATION

1. Une entreprise fabrique le produit B dont la nomenclature est la suivante :

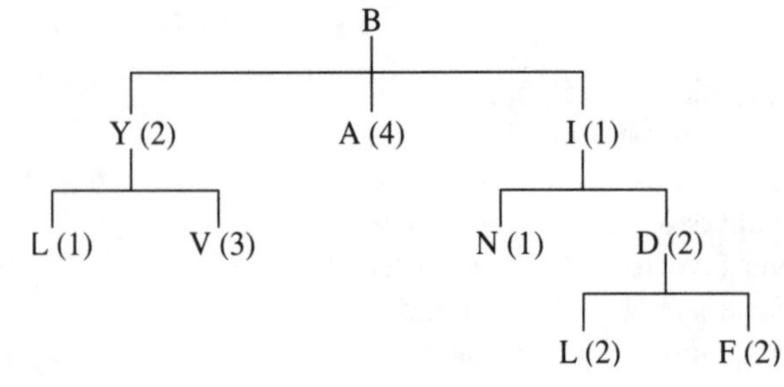


*a)* Selon la nomenclature de produit ci-contre, quels sont les besoins nets du composant L, si on prévoit des ventes de 1 000 B et si les stocks disponibles à tous les niveaux sont nuls ?

*b)* Pourquoi les besoins bruts n'égalent-ils pas toujours les besoins nets ?

*c)* Est-ce qu'une telle nomenclature est suffisante pour permettre l'éclatement des besoins-matières ? Justifiez votre réponse.

**2.** La compagnie A.R. Tisse ltée se spécialise, entre autres, dans l'assemblage des produits A, B et C. Ces produits sont fabriqués à partir des composants 1, 2, 3 et des matières premières 4, 5, 6.

- Le produit A requiert une unité nº 2 et deux unités nº 3.
- Le produit B requiert deux unités nº 1 et cinq unités nº 5.
- Le produit C requiert deux unités nº 1, une unité nº 2 et deux unités nº 3.
- Chacun des composants requiert les quantités suivantes de matières premières :

| Composants | Matières premières | | |
|---|---|---|---|
| | **4** | **5** | **6** |
| 1 | 0 | 1 | 2 |
| 2 | 1 | 0 | 2 |
| 3 | 3 | 2 | 1 |

- Les stocks se répartissent comme suit :

| Produit | Quantité | Composant | Quantité | Matière première | Quantité |
|---|---|---|---|---|---|
| A | 0 | 1 | 10 | 4 | 40 |
| B | 20 | 2 | 20 | 5 | 0 |
| C | 40 | 3 | 30 | 6 | 50 |

- Il n'y a aucun délai de livraison ni délai d'assemblage.
- Les prévisions de la demande pour les quatre prochaines semaines sont :

| Semaines | Produits finis | | |
|---|---|---|---|
| | **A** | **B** | **C** |
| 1 | 10 | 20 | 20 |
| 2 | 10 | 20 | 0 |
| 3 | 0 | 10 | 20 |
| 4 | 10 | 0 | 10 |

*a)* Faites l'éclatement des besoins-matières en tenant compte des renseignements fournis.

*b)* Donnez la nomenclature pour les produits A, B et C.

**3.** La gamme de produits d'un fabricant de plateaux d'appareils stéréophoniques est composée de trois modèles de plateaux différents. Voici le plan directeur de production pour les quatre prochaines semaines (mois d'octobre).

| Plateaux | Semaines | | | |
|---|---|---|---|---|
| | **1** | **2** | **3** | **4** |
| Do | 160 | 220 | 280 | 110 |
| Ré | 120 | 180 | 130 | 90 |
| Mi | 110 | 140 | 220 | 170 |

L'entreprise fabrique tous les composants et tous les produits finis, et s'approvisionne en matières premières à l'extérieur. Cependant, à la suite d'un surplus de production non prévu et d'un surplus d'achat de matières premières justifié par les bas prix temporaires sur le marché, les stocks projetés pour la fin du mois de septembre sont les suivants :

| | | Stocks (unités) |
|---|---|---|
| Produits finis | Do | 40 |
| | Ré | 37 |
| | Mi | 12 |
| Composants | 1 | 15 |
| | 2 | 30 |
| | 3 | 120 |
| | 4 | 25 |
| Matières premières | A | 400 |
| | B | 250 |
| | C | 390 |

Le délai de livraison des matières premières est d'une semaine, sauf pour l'unité B pour laquelle le délai est de deux semaines. Généralement, les fournisseurs sont fiables. Une fois les intrants reçus, les composants sont assemblés en une semaine.

*a)* En utilisant une nomenclature à spécifier et en supposant que le plan directeur de production commence dans trois semaines, établissez le plan des besoins-matières de façon à respecter le plan directeur de production, tout en maintenant le niveau des stocks au plus bas.

*b)* Si le plan directeur de production entrait en vigueur dès maintenant, à quel genre de problème l'entreprise devrait-elle faire face ?

4. Une entreprise qui fabrique deux produits éprouve de sérieuses difficultés de planification. Elle vous demande de l'aider à établir sa planification des besoins-matières à partir du plan directeur de production qu'elle vient d'établir pour les huit prochaines semaines.

| Périodes | **1** | **2** | **3** | **4** | **5** | **6** | **7** | **8** |
|---|---|---|---|---|---|---|---|---|
| Produit A | 0 | 0 | 10 | 20 | 80 | 100 | 100 | 0 |
| Produit B | 0 | 0 | 0 | 75 | 75 | 0 | 50 | 50 |
| Composant X | 10 | 5 | 10 | 5 | 10 | 5 | 10 | 5 |
| Composant Y | 0 | 0 | 50 | 50 | 0 | 0 | 50 | 50 |

De plus, les informations suivantes vous sont fournies :

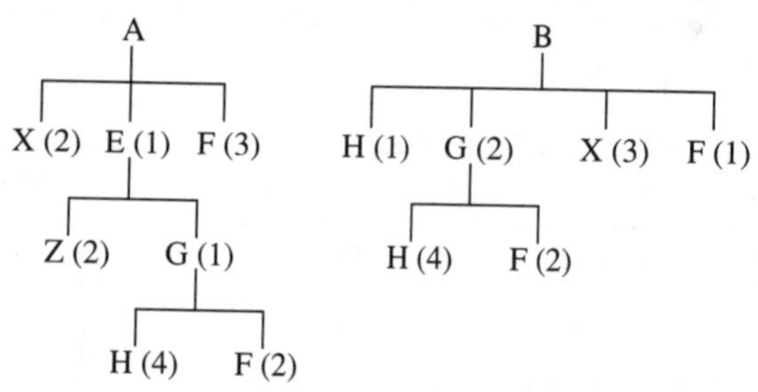


| | **Délai (semaines)** | **Stock disponible** | **Taille des lots** |
|---|---|---|---|
| A | 1 | 0 | Lot pour lot |
| B | 1 | 0 | Lot pour lot |
| E | 1 | 120 | 125 |
| F | 1 | 40 | 50 |
| G | 1 | 200 | 250 |
| H | 2 | 100 | 200 |
| X | 2 | 150 | 200 |
| Z | 2 | 0 | Lot pour lot |

*a*) Faites l'éclatement des besoins-matières.

*b*) Quel produit est touché par une demande dépendante ? Par une demande indépendante ?

*c*) Pourquoi est-il préférable d'utiliser la méthode de PBM pour établir le plan des besoins-matières ?

*d*) La méthode du lot économique s'applique-t-elle dans ce contexte ? Expliquez votre réponse.

---

5. Vous trouverez ci-après la grille de planification de la compagnie Rhéo ltée pour les 10 prochaines semaines en ce qui concerne les produits A et B. À titre de directeur de la planification, répondez aux questions suivantes.

*a*) Quelle est la nomenclature du produit A et celle du produit B ?

*b*) Selon cette nomenclature, combien de X et de Y sont requis pour fabriquer 100 A et 100 B ?

*c*) L'entreprise a décalé de deux semaines la demande nette de la matière première X, et de trois semaines celle de Y. Quelle information est nécessaire pour déterminer les temps de décalage ?

| Semaines | **1** | **2** | **3** | **4** | **5** | **6** | **7** | **8** | **9** | **10** |
|---|---|---|---|---|---|---|---|---|---|---|
| Produit A | | | | | | | | | | |
| Demande brute | | | | | | | | 160 | 200 | 100 |
| Stocks | | | | | | | | (160) | (50) | |
| Demande nette | | | | | | | | – | 150 | 100 |
| Demande décalée | | | | | | | 150 | 100 | | |
| Produit B | | | | | | | | | | |
| Demande brute* | | | | | | | 100 | – | 50 | – |
| Demande décalée | | | | | | 100 | | 50 | | |

| **Semaines** | **1** | **2** | **3** | **4** | **5** | **6** | **7** | **8** | **9** | **10** |
|---|---|---|---|---|---|---|---|---|---|---|
| Composant K | | | | | | | | | | |
| Demande brute (A) | | | | | | | 600 | 400 | | |
| Demande brute (B) | | | | | | 200 | | 100 | | |
| Demande brute tot. | | | | | | 200 | 600 | 500 | | |
| Stocks | | | | | | (100) | | | | |
| Demande nette | | | | | | 100 | 600 | 500 | | |
| Demande décalée | | | | 100 | 600 | 500 | | | | |
| Composant L | | | | | | | | | | |
| Demande brute (B)* | | | | | | 100 | | 50 | | |
| Demande décalée | | | | | | 100 | | 50 | | |
| Composant M | | | | | | | | | | |
| Demande brute (A) | | | | | | | 300 | 200 | | |
| Demande brute (B) | | | | | | 300 | | 150 | | |
| Demande brute tot.* | | | | | | 300 | 300 | 350 | | |
| Demande décalée | | | | | 300 | 300 | 350 | | | |
| Matière première X | | | | | | | | | | |
| Demande brute (K) | | | | 300 | 1 800 | 1 500 | | | | |
| Demande brute (L) | | | | | | 200 | | 100 | | |
| Demande brute (M) | | | | | 300 | 300 | 350 | | | |
| Demande brute tot. | | | | 300 | 2 100 | 2 000 | 350 | 100 | | |
| Stocks | | | | (300) | (1 600) | | | | | |
| Demande nette | | | | – | 500 | 2 000 | 350 | 100 | | |
| Demande décalée | | | 500 | 2 000 | 350 | 100 | | | | |
| Matière première Y | | | | | | | | | | |
| Demande brute (L) | | | | | | 300 | | 150 | | |
| Demande brute (M) | | | | | 600 | 600 | 700 | | | |
| Demande brute tot.* | | | | | 600 | 900 | 700 | 150 | | |
| Demande décalée | | 600 | 900 | 700 | 150 | | | | | |

* Un décalage de la demande brute (plutôt que de la demande nette) indique qu'il n'y a pas de stocks disponibles.

**6.** Vous trouverez ci-après le tableau représentant les besoins nets d'un composant pour les 12 prochaines périodes. Il en coûte 100 $ pour fabriquer ce composant. Chaque mise en route coûte 50 $. Le coût de stockage représente 5 % du coût de fabrication.

*a*) Présentement, l'entreprise utilise la méthode lot pour lot pour déterminer la taille du lot. Est-ce recommandé pour ce genre d'entreprise ? Pourquoi ?

*b*) Quelles autres méthodes pourrait utiliser l'entreprise pour déterminer la taille des lots ? Pourquoi ?

*c*) Appliquez ces différentes méthodes de détermination des lots. Quelle méthode privilégieriez-vous ?

| **Périodes** | **1** | **2** | **3** | **4** | **5** | **6** | **7** | **8** | **9** | **10** | **11** | **12** |
|---|---|---|---|---|---|---|---|---|---|---|---|---|
| Composant X | 60 | 40 | 0 | 80 | 35 | 0 | 30 | 100 | 0 | 25 | 100 | 30 |

7. Une entreprise de réfrigérateurs commerciaux fabrique cinq modèles différents. Chaque modèle requiert un temps de production différent.

Par ailleurs, la demande prévue est constante à chaque trimestre. Le tableau ci-après résume la situation.

Au 1er janvier, l'entreprise dispose de 40 travailleurs et les heures de travail sont de 8 heures par jour ouvrable.

*a*) Quelle unité équivalente devrait-on choisir pour avoir le plus petit écart cumulé, pour l'année, entre la capacité disponible et les besoins exprimés ?

*b*) Selon vous, dispose-t-on de suffisamment de personnel ? Justifiez votre réponse.

| **Modèle** | **Janvier-mars** | **Avril-juin** | **Juillet-septembre** | **Octobre-décembre** | **Total** | **Heures par personne par unité** |
|---|---|---|---|---|---|---|
| A | 150 | 750 | 600 | 300 | 1 800 | 8 |
| B | 150 | 180 | 270 | 300 | 900 | 20 |
| C | 300 | 300 | 300 | 300 | 1 200 | 12 |
| D | 600 | 300 | 225 | 225 | 1 350 | 14 |
| E | 150 | 150 | 300 | 450 | 1 050 | 10 |

8. La compagnie GOP inc. fabrique deux modèles de tournevis. Les nomenclatures illustrées ci-dessous représentent ces deux modèles. De plus, les tableaux présentent les informations pertinentes à l'analyse.

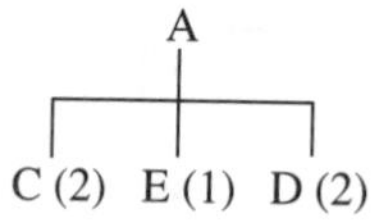

A
C (2) E (1) D (2)

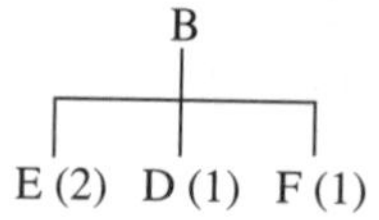

B
E (2) D (1) F (1)

| **Produit/pièce** | **Stock en main** | **Délai de fabrication/d'assemblage** | **Délai d'acquisition** |
|---|---|---|---|
| A | 0 | 1,0 | 1 |
| B | 200 | 0,2 | 2 |
| C | 50 | 1,0 | 1 |
| D | 100 | 0,3 | 3 |
| E | 300 | 0,4 | 3 |
| F | 50 | 0,2 | 2 |

*a*) Quels sont les besoins nets du composant D pour les six dernières périodes ?

*b*) Quel sera le nombre de lancements ?

*c*) Quels facteurs amènent parfois les besoins bruts à être différents des besoins nets ?

| **Besoins** | **1** | **2** | **3** | **4** | **5** | **6** | **7** | **8** | **9** | **10** | **11** | **12** |
|---|---|---|---|---|---|---|---|---|---|---|---|---|
| A | | | | 35 | | 95 | 60 | 75 | 20 | 50 | 10 | 50 |
| B | | 20 | 30 | 10 | | 65 | | | 45 | | 35 | 105 |

## RÉFÉRENCES


1. APICS, *Materials Requirements Planning Reprints*, APICS Falls Church, 1986.
2. AQUILANO, N.J. et D.E. SMITH, « A Formal Set of Algorithms for Project Scheduling with Critical Path Scheduling/Material Requirements Planning », *Journal of Operations Management*, novembre 1980, p. 57-67.
3. BELT, B., *Cinq étapes pour la planification des capacités avec MRP*, Paris, Cabinet Bill Belt S.A., 1987.
4. BERRY, W.L. et D.C. WHYBARK, « Research Perspectives for Material Requirements Planning Systems », *Production and Inventory Management*, 2e trimestre, 1975, p. 19-26.
5. BERRY, W.L., T.G. SCHMITT et T.E. VOLLMANN, « Capacity Planning Techniques for Manufacturing Control Systems : Information Requirements and Operational Features », *Journal of Operations Management*, novembre 1982, p. 13-25.
6. BIGGS, J.R., C.K. HAHN et P.A. PINTO, « Performance of Lot-Sizing Rules in an MRP System with Different Operating Conditions », *Academy of Management Review*, vol. 5, no 1, 1980, p. 89-96.
7. BUFFA, E.S. et J.G. MILLER, *Production-Inventory Systems, Planning and Control*, Homewood, Illinois, Richard D. Irwin, 1979.
8. CHASE, R.B. et N.J. AQUILANO, *Production and Operations Management*, 6e éd., Homewood, Illinois, Richard D. Irwin, 1992.
9. CHASSANG, G. et H. TRON, *Gérer la production avec l'ordinateur*, Paris, Dunod, 1983.
10. COX, J.F. et R.R. JESSE Jr., « An Application of Material Requirements Planning for Higher Education », *Decision Science*, avril 1981, p. 240-260.
11. CROUHY, M. et M. GRIEF, *Gérer simplement les flux de production*, Paris, Éditions du Moniteur, 1991.
12. DEVILLERS, M.-É., *Dictionnaire bilingue de gestion de la production et des stocks*, Montréal, Éditions Québec/Amérique, 1993.
13. FOGARTY, D.W., J.H. BLACKSTONE et T.R. HOFFMANN, *Production and Inventory Management*, 2e éd., South Western Publishing, 1991.
14. GRAY, C., *The Right Choice*, Prentice Hall, 1987.
15. MESTOUDJIAN, J. et J. DE CRESCENZO, *La gestion de production assistée par ordinateur*, Éditions de l'Usine Nouvelle, 1986.
16. ORLICKY, J., *Material Requirements Planning*, McGraw-Hill, 1975.
17. SCHULTZ, T.R., *BRP The Journey to Excellence*, The Forum Ltd., 1984.
18. STEINBERG, E., R.B. KHUMAWALA et R. SCAMELL, « Requirements Planning Systems in the Health Care Environment », *Journal of Operations Management*, août 1982.
19. TINCHER, M.G., « Master Scheduling : The Bridge Between Marketing and Manufacturing », David W. Buker Inc., Illinois, 1980.
20. VOLLMANN, T.E., W.L. BERRY et D.C. WHYBARK, *Manufacturing Planning and Control*, 3e éd., Business One Irwin, 1992.
21. WALLACE, T.F., *MRP II : Making It Happen*, Oliver Wight Ltd. Pub., 1986.
22. WIGHT, O.W., *Réussir sa gestion industrielle par la méthode MRP II*, Paris, CEP Éditions, 1984.

CHAPITRE 14

# L'ordonnancement

CLAUDE R. DUGUAY
JEAN NOLLET *auteurs*

# LE CONTEXTE DE L'ORDONNANCEMENT

## 14.1 Définition et objectifs généraux

L'**ordonnancement** est la planification de l'exécution de la production à très court terme, qui couvre une période pouvant varier d'une semaine ou moins pour la production en petites et en moyennes séries à plusieurs mois pour une production unique, comme c'est le cas dans un chantier naval ou dans l'industrie aéronautique. Dans ce dernier cas, on parle plutôt de gestion de projets, que nous couvrons au chapitre 15.

Plus précisément, l'ordonnancement est la détermination de l'**ordre de passage** de l'ensemble des travaux à réaliser pour la production d'un bien ou d'un service ou l'**ordre de traitement des commandes**, en indiquant, pour chaque tâche à exécuter, où et à quel moment elle sera effectuée. L'ordonnancement se traduit par un calendrier détaillé des activités du système opérationnel pour les prochaines périodes.

L'ordonnancement, dans le contexte d'un atelier de service tel qu'une clinique ou un garage, se compose d'un ensemble d'activités qui ne sont pas intégrées à un système de planification et de contrôle global, alors que dans le contexte manufacturier (atelier industriel), l'ordonnancement est l'une des composantes clés du contrôle des activités de production (CAP), qui fait partie de l'ensemble des activités de planification et de contrôle de la production et des stocks (PCPS).

Les principaux **objectifs de l'ordonnancement** consistent :

- à améliorer le service aux clients en matière de quantités à livrer, de respect des délais de livraison et de qualité des produits ;
- à réaliser les commandes au moindre coût en maintenant les stocks au minimum, en réduisant les stocks de produits en cours de fabrication, en contrôlant les priorités et en optimisant l'utilisation des ressources disponibles ;
- à tenir compte en tout temps des besoins et du bien-être du personnel de l'entreprise.

L'ordonnancement vise le traitement des commandes en fonction d'un objectif principal et parfois d'objectifs secondaires auxquels sont rattachés des critères de performance servant à mesurer le degré d'atteinte de ces objectifs. Tous les objectifs ne peuvent être atteints simultanément, car certains sont en opposition avec d'autres. Il en résulte donc des arbitrages importants, qui sont effectués à partir de la stratégie des opérations et de la stratégie globale de l'entreprise (chapitre 19).

À titre d'exemple, on vise habituellement un certain équilibre entre des stocks faibles, une efficacité et une efficience élevées et un service adéquat à la clientèle. Des stocks faibles réduisent les investissements en matières premières, en produits en cours de fabrication, en produits finis et en surfaces occupées et, par conséquent, ils permettent d'abaisser les coûts de production et le prix pour le client ; cependant, ils peuvent diminuer l'efficience et le service au client à cause des risques de pénurie. En effet, une pénurie de matières premières ou de produits en cours peut provoquer un arrêt de production (donc réduire l'efficience) et détériorer le service au client (retards de livraison), tout comme une pénurie de produits finis peut aussi réduire le service au client. D'autre part, une efficience élevée fera diminuer les stocks et améliorera le service au client (livraison à temps). Somme toute, l'objectif clé peut être la rapidité de livraison, un faible prix ou autre, et ce sera en fonction de ce dernier que se résoudront les arbitrages.

# LE CONTRÔLE DES ACTIVITÉS DE PRODUCTION (CAP)

## 14.2 La place du CAP dans le système de PCPS

Le contrôle des activités de production (CAP), aussi appelé *shop floor control* dans le cas de la production intermittente, comprend les différents principes, approches et techniques utilisés par les gestionnaires dans la planification, la programmation, le contrôle et l'évaluation de l'efficacité des opérations de production. En bref, c'est la gestion de l'exécution ou le contrôle des activités manufacturières précédemment planifiées par le programme directeur de production (PDP), par la planification des besoins-matières (PBM) et par la planification des besoins en capacités (PBC).

Le CAP constitue la phase d'exécution ou de contrôle du système de planification et de contrôle de la production et des stocks. Le bon fonctionnement du CAP, qui permet d'atteindre les objectifs visés, repose sur les informations adéquates provenant des modules de la phase de planification (PDP, PBM, PBC), qui constituent alors ses intrants. En effet, la planification des besoins-matières fournit les informations nécessaires à l'exécution des commandes (quoi produire, en quelle quantité et à quel moment, où produire et comment), mais elle ne tient aucunement compte de la capacité du système. C'est pourquoi on doit faire appel au module de la planification des besoins en capacités, qui détermine le réalisme de la PBM.

Une fois établie la capacité requise, le contrôle des activités de production peut débuter. Ses trois phases principales sont :

- le **lancement des commandes** (ordres de production) selon la PBM, qui requiert au préalable la vérification de la disponibilité des ressources utilisées (matières, main-d'œuvre, heures-machine et outils) ;
- l'**ordonnancement des commandes**, qui comprend la répartition du travail aux différents postes de travail, la rédaction de rapports sur les activités de production et la prise de mesures correctives ;
- la **fermeture des commandes**.

De façon plus détaillée, le **lancement d'une commande** (ordre de production) nécessite au départ l'émission d'un bon de fabrication et le rassemblement de divers documents (gamme d'opérations, consignes pour les mises en route, dessins...), qui accompagnent la fiche de suivi. Au préalable, le responsable de l'atelier doit s'assurer que la commande pourra être achevée à temps, entre autres en vérifiant la disponibilité des matières, de la main-d'œuvre, des heures-machine et des outils.

Une fois la commande lancée, le responsable de l'atelier suit la progression de celle-ci ; il rapporte toutes les informations pertinentes au jalonnement des opérations. Cette progression est évaluée par rapport aux échéances fixées par la PBM et est représentée sur la liste des travaux à effectuer par chaque poste de travail. Cette liste indique l'**ordonnancement des commandes** en file d'attente par ordre de priorité, selon certaines règles d'ordonnancement telles que le ratio critique, la date d'échéance, etc. (section 14.8). La liste de lancement des commandes prévues pour la période en cours s'avère un instrument de contrôle des priorités planifiées initialement par la PBM. Le responsable du contrôle des activités doit d'abord s'efforcer de corriger tout écart dans la progression prévue d'une commande. S'il n'y arrive pas, il doit le signaler dans son état des retards prévus qui pourra entraîner soit la mise en œuvre de plus de ressources pour rattraper l'écart, soit la modification des échéances ; cette façon de procéder est cependant une mesure de dernier recours.

Une fois la commande terminée, elle est alors acheminée aux clients ou aux stocks. On doit recueillir les données sur la quantité de produits réalisés et de produits défectueux ainsi que sur les délais de fabrication réels par rapport aux standards, ce qui sert à évaluer la performance juste avant la **fermeture de la commande**. Les écarts trop considérables devront être étudiés en profondeur pour en déterminer les causes.

Un bon contrôle des activités de production repose sur l'exactitude des données obtenues dans les phases de planification qui soutiennent l'exécution. L'exactitude est influencée par le recours à divers moyens de collecte des données (section 14.11), mais aussi par leur conservation adéquate, dans une base de données par exemple.

La base de données peut consister principalement en deux ensembles de fichiers : un de planification et un de contrôle ; chacun est détaillé au tableau 14.1[16]. Les informations recueillies dans la base de données varient selon que l'entreprise veut s'en servir ou non pour assurer le suivi des commandes spéciales, ou pour connaître en tout temps l'état de la production, ou encore pour répondre à des questions du genre « Qu'est-ce qui arriverait si on acceptait une commande particulière ? »[39].

**Tableau 14.1**

**Les types de fichiers de la base de données**

| Fichier de planification | Fichier de contrôle |
|---|---|
| **Pièces** | **Commandes en cours** |
| – numéro de la pièce | – numéro du bon de commande |
| – description de la pièce | – quantité de produits commandés |
| – délai de fabrication | – quantité de produits terminés |
| – quantité en stock | – quantité de produits réservée |
| – quantité allouée pour une commande | – date de livraison minimale |
| – quantité en commande | – degré de priorité de la commande |
| – taille du lot à commander | – quantité à produire |
| **Gammes d'opérations** | **Détail des commandes en cours** |
| – numéro d'opération | – numéro d'opération |
| – description de l'opération | – temps de mise en route rapporté |
| – temps de mise en route | – délai de fabrication rapporté |
| – délai de fabrication | – quantité de pièces terminées |
| – codes spéciaux pour différencier les types d'opérations | – date requise ou temps d'opération disponible |
| **Postes de travail** | |
| – numéro du poste de travail | |
| – capacité de chaque poste | |
| – poste de travail substitut | |
| – efficience | |
| – utilisation | |
| – temps d'attente | |

## 14.3 Les principales activités de l'ordonnancement

L'ordonnancement est la dernière étape du processus de planification de la production et il en constitue parfois la seule étape dans certaines PME. L'ordonnancement est contraint non seulement par l'ensemble des décisions relatives au système opérationnel, mais aussi par les étapes préalables de la planification. En effet, on ne peut pas modifier l'aménagement ou la capacité de production de façon significative à l'intérieur des délais relatifs à l'ordonnancement.

Les commandes ou les tâches à réaliser se composent d'opérations exécutées dans des centres de production (usine, service, machine, cabinet de médecin ou de dentiste, fauteuils dans un salon de coiffure, atelier de réparation de voitures...). L'ordonnancement de la production est effectué en tenant compte de toutes les commandes connues et probables.

Dans une approche **statique** en univers certain, l'ordonnancement se fait une seule fois par période (jour, semaine) pour toutes les commandes reçues. Toute nouvelle commande nécessite le changement de l'ordonnancement, d'où la nécessité d'une prévision juste (*voir le chapitre 11*) aux stades de la programmation intégrée et de la préparation du plan directeur de production. Dans un ordonnancement **dynamique**, on prend en considération toutes les commandes, quel que soit le moment de leur arrivée, mais l'ordonnancement devient alors une activité très complexe faisant appel à des techniques mathématiques et de recherche opérationnelle avancées, comme la théorie des files d'attente et la simulation.

Dans le cas de commandes fermes, la demande est parfaitement connue et le facteur de prévision ne joue aucun rôle en ordonnancement. Cependant, si par inadvertance des erreurs importantes se sont glissées lors du calcul de la demande, elles ressortent lors de l'ordonnancement, et le coût de correction risque alors d'être très élevé. Dans le cas de commandes probables, une bonne prévision réduit les coûts de modification du calendrier de fabrication. Néanmoins, malgré les développements impressionnants réalisés en recherche opérationnelle, les décisions d'ordonnancement comportent encore, dans bien des cas, une part de jugement[42].

L'ordonnancement comprend six étapes principales, qu'on peut regrouper en trois phases : la **planification**, l'**exécution** et le **contrôle** (figure 14.1). Ces étapes ne peuvent être effectuées qu'après avoir obtenu les données des phases de planification du système de PCPS et en recourant aux gammes d'opérations qui énumèrent, dans un ordre technique, les opérations nécessaires à la réalisation d'un produit ; ces gammes d'opérations sont à la base du cheminement du travail.

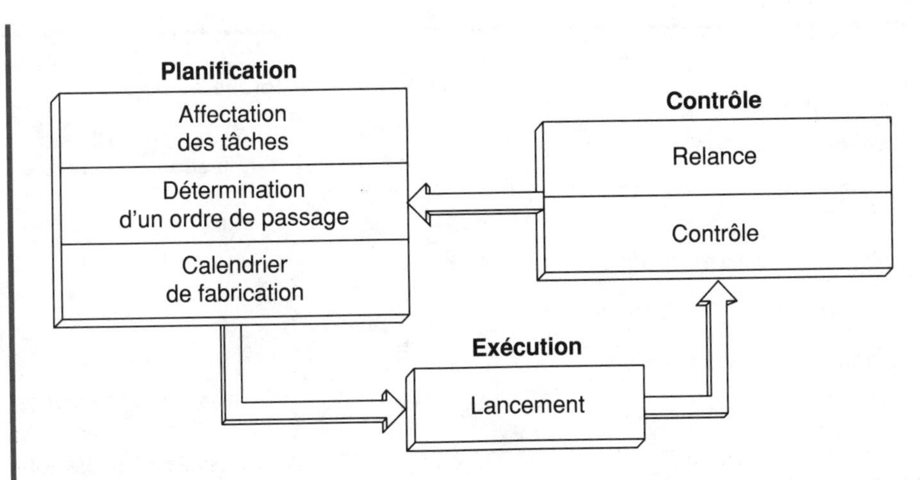


**FIGURE 14.1**
**Les étapes de l'ordonnancement**

La première étape de l'ordonnancement est l'**affectation des tâches** que requiert la réalisation de chacune des commandes. Elle consiste à répartir les commandes aux divers postes de travail, en fonction de leur efficience relative. Une entreprise peut accepter des commandes au point d'excéder à certains moments la capacité du système de production, ou ne pas dépasser sa capacité théorique d'opération et planifier en conséquence. Cette alternative se retrouve aussi dans l'ordonnancement des postes de travail.

L'**affectation à capacité limitée** permet de déterminer facilement la somme de travail futur à exécuter à un poste de travail donné. L'**affectation à capacité illimitée** facilite la détermination des goulots d'étranglement, puisqu'elle permet de connaître la charge réelle de chacun des postes de travail selon la demande réelle. Par conséquent, on peut trouver des moyens pour réduire l'impact de cette charge excessive. Cependant, l'utilisation de cette seconde méthode d'affectation rend moins réaliste l'étape ultérieure d'ordonnancement, soit l'établissement de l'ordre de passage des commandes. En effet, l'ordre établi devra fort probablement être modifié, puisqu'on sait à l'avance qu'on ne pourra le réaliser comme prévu.

On se sert habituellement d'un temps standard de fabrication pour déterminer le temps de traitement alloué à un poste de travail. C'est également le principe adopté pour la technique de recherche opérationnelle appelée « méthode d'affectation », qui consiste à attribuer un certain nombre de clients ou de commandes à un nombre correspondant de postes de travail. Chaque poste se voit confier une commande en fonction de son efficience relative à l'exécuter. Cette technique est simple et donne un résultat optimal.

La deuxième étape est la **détermination d'un ordre de passage** (ou séquence), qui consiste à établir l'ordre dans lequel les différentes commandes seront exécutées ou passeront à chaque poste de travail. Pour ce faire, on doit connaître la gamme complète et la durée des opérations propres à chacune des commandes.

L'évaluation de l'ordre de passage repose sur plusieurs critères. Ces derniers accordent de l'importance à au moins une des variables suivantes : le coût, le niveau des stocks, le taux d'utilisation des postes de travail ou le niveau de service à la clientèle. Le tableau 14.2 présente quelques critères de performance et les variables importantes qui justifient l'utilisation de ces critères. Une règle de priorité permet d'établir un ordre de passage de façon systématique et simple (section 14.8).

**Tableau 14.2**

**L'évaluation des principaux objectifs de la production selon quelques critères de performance**

| Critère de performance choisi | Importance accordée à l'objectif | | | |
|---|---|---|---|---|
| | Coût | Niveau des stocks | Taux d'utilisation | Niveau de service |
| Coût de mise en route | X | | X | |
| Quantité de produits en cours | X | X | | |
| Taux d'utilisation de l'équipement | | | X | |
| Retard moyen des commandes | | | | X |
| Pourcentage de commandes en retard | | | | X |

L'ordonnancement s'applique tout aussi bien au secteur tertiaire. Les critères de performance seraient alors le nombre de clients ou de transactions par heure et le taux d'utilisation des points de service.

De nombreux chercheurs ont tenté d'établir une méthode de jalonnement optimale pour les commandes internes (pour les stocks) ou les commandes externes (pour les clients). Pour atteindre l'optimalité d'un critère de performance, on a souvent dû poser des hypothèses restrictives qui rendaient l'optimalité beaucoup moins significative. La majorité des modèles élaborés l'étaient dans un cadre déterministe et statique, c'est-à-dire où toutes les commandes à traiter étaient connues. Pourtant, le contexte réel est dynamique et en partie aléatoire : de nouvelles commandes peuvent s'ajouter à celles existantes et peuvent obliger le responsable à repenser l'ordre de passage établi. Récemment, certains efforts ont été faits pour évaluer des situations d'ordonnancement dans un contexte dynamique théorique, mais peu de ces efforts touchent à des situations concrètes[15].

Les conditions réelles d'opération montrent d'ailleurs que des ordres de passage considérés comme optimaux le sont de façon éphémère. Souvent, il est préférable que l'étape de l'établissement de l'ordre de passage permette de déterminer un ordre qui entraîne des résultats satisfaisants dans des conditions réalistes, plutôt qu'un ordre qui donne des résultats théoriques optimaux, mais selon des hypothèses trop éloignées de la réalité.

Afin de pallier les problèmes créés par l'utilisation d'un seul critère de performance, de nombreuses approches multicritères ont été suggérées pour l'établissement d'un ordre de passage. Bien que ces approches soient généralement complexes, certaines sont étonnamment simples et efficaces. Ainsi, la simulation par ordinateur est une technique qui facilite l'établissement de l'ordre de passage, puisqu'elle permet de représenter une situation réelle. Elle vérifie rapidement les ordres de passage en utilisant certains critères de performance, comme le nombre moyen de commandes en retard. On peut donc effectuer des arbitrages sans avoir à faire des essais directement sur le système de production. Malgré l'apport de l'expérience et de l'intuition en ordonnancement, on ne doit pas négliger les techniques existantes et le rôle que peut jouer l'informatique pour faire de l'ordonnancement un système qui s'adapte aux caractéristiques et aux priorités souvent changeantes d'une entreprise.

Une fois réalisées l'affectation des commandes à chaque poste de travail et la détermination de l'ordre de passage, on peut alors passer à la troisième étape, qui consiste à établir le **calendrier de fabrication**. Ce dernier donne une date et même une heure pour le lancement de chaque opération à chaque poste de travail. Toute variation dans la gamme et la durée des opérations modifie le calendrier de fabrication et peut même conduire à une révision des deux premières étapes.

L'expérience du responsable de l'ordonnancement quant à la nature des opérations de production accélère les choix et les arbitrages à effectuer en vue d'établir un calendrier de fabrication satisfaisant, pour atteindre un niveau de service adéquat et une utilisation efficace de l'appareil de production en prenant en considération l'effet physique et psychologique d'un ordre de passage sur le personnel.

La quatrième étape de l'ordonnancement est le **lancement de la production**, soit l'exécution du calendrier, qui consiste à démarrer les opérations relatives à une commande.

Finalement, la phase de contrôle de l'ordonnancement, qui est en fait une activité continue plutôt qu'une étape récursive, comprend les cinquième et sixième étapes, soit le **contrôle** et la **relance**, qui permettent le suivi de l'exécution du travail par le biais de la collecte de données sur les commandes en cours (quantité de produits terminés, temps disponible, temps de mise en route, quantité de produits défectueux...). Ces données peuvent être colligées dans une multitude de rapports, selon les besoins de contrôle, tels le rapport d'efficience du système et le rapport d'exception (commandes en retard, pièces défectueuses à retravailler...), et ce dans le but d'apporter des mesures correctives[36]. Par exemple, tout retard dans la production des commandes est enregistré dans un état des retards prévus, qui sera utilisé dans la phase de planification de l'ordonnancement pour revoir les priorités de production.

Le rapport des intrants-extrants (en heures) est utile pour le contrôle des activités de production. Il présente les résultats actuels par rapport aux résultats planifiés, les déviations par rapport à la planification et l'étendue des variations. Il permet d'évaluer la performance et d'apporter des corrections dans l'usine (exécution) ou à la phase de planification du système de PCPS.

L'importance de cette troisième étape de l'ordonnancement est rapportée par Brucker *et al.*[3], dans une expérience d'utilisation de rapports des activités de production qui s'est soldée par de nombreux bénéfices dont :

- la révision des erreurs de la gamme d'opérations ;
- la mise en lumière des problèmes aux postes de travail ;
- un meilleur ordonnancement et un contrôle plus efficace du flux de production ;
- une liste à jour de priorité des commandes à exécuter ;
- l'élimination des listes manuelles et informelles d'articles en retard ou requis de toute urgence ;
- les dates de livraison exactes.

Toute modification à l'une des caractéristiques du système d'ordonnancement peut obliger à revoir tout le système. Par exemple, qu'arriverait-il si le directeur d'un établissement bancaire annonçait aux clients formant une longue file d'attente qu'il fera passer tout d'abord les clients dont le temps de transaction est le plus court ?

L'élaboration d'un ordonnancement valable est relativement facile lorsque le système de production n'est pas utilisé à sa pleine capacité, contrairement à une situation où la capacité maximale est presque atteinte. Dans ce cas, même une commande nécessitant peu de temps peut être difficile à exécuter en respectant les délais prévus. Le niveau de capacité atteint et prévu, les temps de mise en route et de traitement d'une commande (ou d'un client), la longueur des files d'attente et le temps disponible jusqu'à la date où le traitement doit être effectué sont autant de facteurs qui déterminent la facilité de l'ordonnancement.

Dans cette section, tout ce qui a été présenté jusqu'ici s'applique aux quatre catégories de systèmes de production : continu, de masse (répétitif), intermittent et par projet. À l'étape de l'ordonnancement, ces catégories de systèmes de production présentent des défis différents. La figure 14.2 représente des aspects clés pour chacun des types de systèmes. Les paragraphes qui suivent fournissent les explications relatives à cette figure.

Dans un **système de production continu**, l'ordonnancement vise avant tout à maintenir une production ininterrompue et de faibles stocks de produits en cours de fabrication. Les systèmes de production continus, comme le raffinage du pétrole, sont conçus en plusieurs étapes successives, chacune étant dépendante de l'étape précédente. La première étape détermine directement ce qui est traité subséquemment : habituellement, il y a donc peu de problèmes de coordination entre les étapes. Parfois,

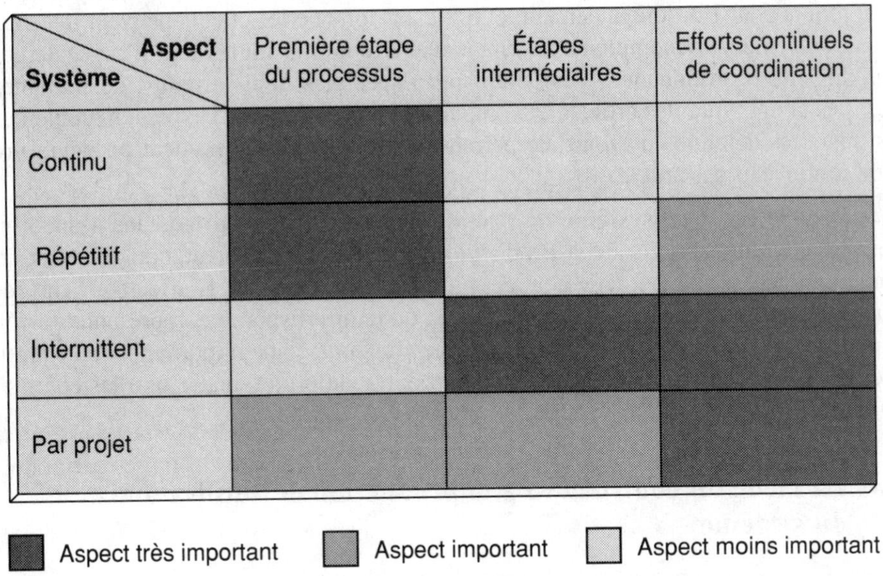

| Système \ Aspect | Première étape du processus | Étapes intermédiaires | Efforts continuels de coordination |
|---|---|---|---|
| Continu | | | |
| Répétitif | | | |
| Intermittent | | | |
| Par projet | | | |

Aspect très important · Aspect important · Aspect moins important

**FIGURE 14.2**
**L'importance à accorder à certains aspects des systèmes de production pour obtenir un ordonnancement approprié**

cela n'empêche pas certains problèmes d'équilibrage des étapes du processus de survenir lorsque des difficultés se présentent à une étape donnée.

Un problème à l'une des étapes influe presque immédiatement sur toutes les étapes du système. En effet, l'accumulation de stocks intermédiaires entre les étapes n'est pas toujours possible ou pratique. Le processus de transformation de l'aluminium illustre clairement ce phénomène. Le métal en fusion passe d'une étape à l'autre et il ne peut être stocké, puisque la transformation exige qu'une fois le processus commencé, il ne peut s'arrêter qu'avec le produit fini.

Les **systèmes de production de masse** comprennent les chaînes de montage et d'autres processus où les produits passent par les mêmes étapes principales. Une fois la fabrication commencée, la nature même des opérations rend souvent difficile l'accumulation de produits en cours. De plus, puisqu'il ne s'agit pas de systèmes de production continus, la coordination entre les différents services peut s'avérer difficile. Ces observations justifient le choix des motifs retenus dans la figure 14.2 pour cette catégorie de système.

Les **systèmes de production intermittents** correspondent surtout aux systèmes de type ateliers spécialisés. On peut aisément se représenter un système de production intermittent par des postes de travail devant lesquels on trouve des files d'attente constituées de commandes ou de clients qui doivent passer par des étapes qui diffèrent selon les commandes. Les goulots d'étranglement doivent donc être particulièrement surveillés. Des petites séries de production entraînent un pourcentage d'utilisation restreint à cause du nombre élevé de réglages nécessaires pour préparer la machinerie pour la commande suivante. Comme on l'a démontré au chapitre 11, l'arbitrage principal se fait en tenant compte de la quantité et de la valeur des stocks détenus. Cette valeur peut être substantielle quand on considère que la plupart des commandes ou des clients dans de tels systèmes passent souvent plus de 90 % de leur temps total en attente !

Certaines circonstances rendent plus difficile l'estimation du temps de traitement requis pour l'ordonnancement. C'est le cas lorsque les clients peuvent interférer avec le système, par exemple en discutant avec le commis qui les sert. Il est également plus difficile d'ordonnancer des commandes spéciales dont le temps de traitement n'est pas connu, que des articles qui ont été souvent fabriqués. De plus, l'écoulement des quantités détenues d'un article permet de prévoir à quel moment on devra produire à nouveau cet article.

Dans le cas d'un **système de production par projet**, on fait face à une série d'étapes coordonnées visant la production d'un bien ou la prestation d'un service unique qui nécessite habituellement de nombreuses ressources. L'affectation des ressources humaines et matérielles, compte tenu du temps disponible, représente souvent un défi de taille. L'ordonnancement constitue alors une étape importante ; toute erreur à cette étape peut accroître non seulement la durée du projet, mais aussi les coûts s'y rattachant.

## 14.4 La tâche du contrôleur de la production et l'utilisation du système

Habituellement, le contrôle des activités de production relève du directeur des opérations. Les subordonnés qui le secondent dans cette tâche se situent à l'interface de la gestion des matières et de la supervision des opérations. D'une part, le gestionnaire des matières et son contrôleur de la production sont plus informés sur les priorités d'ensemble. Ils doivent être en constante communication et collaborer avec le gestionnaire de l'usine et ses contremaîtres. D'autre part, ces derniers connaissent mieux les possibilités et les contraintes de chaque poste de travail pour réaliser chacun des éléments du PDP. Ils sont donc mieux placés pour réagir rapidement aux événements qui surviennent dans l'usine[16].

Plus l'entreprise est de petite taille, plus le contrôle des activités de production est décentralisé ; dans le cas inverse, le contrôle est centralisé au niveau de la gestion des matières. De nos jours, le CAP a tendance à être hybride. Les gestionnaires des matières et du contrôle de la production déterminent l'ordre de passage des commandes et le calendrier de fabrication, alors que le contrôleur ou le contremaître affecte chaque commande à un poste de travail selon la séquence et l'horaire déterminés. Aussi, le contrôleur est responsable du déplacement des commandes d'un service à l'autre à mesure que les opérations sont achevées[36].

Dans ce dernier cas, l'affectation de chaque commande peut être effectuée par un employé à temps plein (contrôleur qui relève du gestionnaire des matières) ou constituer l'une des tâches du contremaître, ce qui lui laisse moins de temps pour vaquer à ses autres occupations.

Comme on l'a vu précédemment (section 14.2), le responsable du contrôle des activités de production doit suivre la progression prévue d'une commande, s'efforcer de respecter ce qui a été planifié et effectuer son travail en accord avec les objectifs de l'entreprise. S'il n'y arrive pas, il doit en informer les responsables de la planification afin d'apporter les correctifs nécessaires.

Young[42] souligne l'importance du travail du responsable du CAP en énumérant les conséquences négatives possibles d'un mauvais contrôle : augmentation des coûts due au ralentissement de la production dans les autres services où des pièces défectueuses ont été acheminées et ont occasionné une pénurie de pièces ; augmentation des coûts en raison des heures supplémentaires requises pour corriger les pièces et terminer les commandes ; insatisfaction des clients qui peut entraîner leur départ et la sous-utilisation de l'équipement et des ressources humaines.

L'entreprise peut éviter ces conséquences coûteuses en offrant au responsable du CAP une formation qui lui permettra d'effectuer efficacement son travail (utilisation des règles de priorité) et d'acquérir une vision globale du système, en lui procurant une description écrite des tâches à accomplir, en recourant à des mesures incitatives (évaluation du rendement...) et en s'assurant qu'il possède toutes les informations requises pour bien effectuer son travail. De plus, le responsable du CAP devra pouvoir recourir à son jugement et à son expérience lorsqu'il le jugera nécessaire[42].

Aussi, l'utilisation accrue de nouveaux outils, tels les logiciels (*Lotus 1, 2, 3* et *a* ...), permet au contrôleur de réduire le temps nécessaire à la collecte des données et à la vérification des disponibilités des intrants, tâches qui, selon Suri[37], occupent 80 % de son temps actuellement. Cette réduction devrait se faire au profit de l'augmentation du temps de réflexion sur les coûts et les conséquences des arbitrages à effectuer entre diverses options en matière d'ordonnancement, tâche qui occupe seulement 20 % de son temps. Éventuellement, on vise une inversion de cette proportion, soit 20 % pour la collecte des données et 80 % pour la réflexion.

Néanmoins, un bon contrôle des activités de production ne rend pas le système infaillible. Une des difficultés auxquelles doit souvent faire face le responsable du contrôle est l'augmentation du nombre de commandes en retard, symptôme de divers autres problèmes. C'est là le sujet d'étude de la prochaine section.

## 14.5 Un problème particulier du CAP : l'augmentation du nombre de commandes en retard

Il arrive que l'entreprise se retrouve avec des commandes en retard. Il peut être tentant alors de déjouer le système formel en ayant recours à la relance. Toutefois, dans l'immédiat, il ne suffit pas de pallier cette conséquence, car les résultats à long terme peuvent s'en ressentir. En tout temps on doit trouver les causes et tenter d'y remédier ; on ne devra recourir à cette solution qu'en situation exceptionnelle.

Plossl et Wight[33] suggèrent trois raisons qui expliquent les files d'attente et les délais de fabrication incontrôlables qui peuvent provoquer le retard des commandes :

- une capacité inadéquate ;
- un lancement des commandes mal géré (ordonnancement inefficace et inefficient) ;
- des délais de fabrication exagérément longs.

Une capacité inadéquate et un lancement des commandes mal géré peuvent occasionner une accumulation de commandes, qui augmentent ainsi fréquemment les délais de livraison. Pour mieux contrôler le délai de livraison et améliorer le service aux clients, les fournisseurs et les détaillants peuvent être tentés de créer des stocks ; toutefois, garder des stocks est coûteux[37].

Malgré les facteurs qui justifient l'existence de stocks, les fournisseurs et les détaillants essaient d'en garder de moins en moins pour réaliser des économies parfois substantielles. Une réduction des stocks crée évidemment une forte pression sur l'ordonnancement, sur le personnel et sur le système de production afin de respecter malgré tout les délais exigés par les clients. Une gestion améliorée de l'ordonnancement peut remplacer adéquatement les stocks supplémentaires. L'utilisation d'un équipement plus flexible peut donner le même résultat.

Si malgré cela le problème persiste, il faudra examiner les coûts et les bénéfices d'une augmentation de la capacité actuelle par l'ajout d'une machine ou d'un quart de travail, si le volume de commandes semble vouloir se maintenir. Aussi, il faudra s'assurer que l'échéance promise aux clients est réaliste, compte tenu de la capacité et du délai de fabrication réels.

Le délai de fabrication est constitué de la somme des temps de traitement, d'attente, de manipulation et de préparation d'une commande. Toute réduction de temps permet de diminuer d'autant le délai de fabrication et d'améliorer le niveau de service. Cette minimisation du délai de fabrication est d'autant plus importante que, dans les années 90, la concurrence ne porte plus seulement sur la qualité mais aussi sur le temps. Aussi, Suri[37] rapporte que les organisations dont le délai de fabrication est moindre que celui de la concurrence sont les chefs de file les plus profitables de leur industrie.

Souvent, on se fie au temps de fabrication total requis pour les commandes récemment terminées, auquel on ajoute ou retranche un temps pour compenser l'accroissement ou la réduction du nombre total de commandes. Il s'agit là d'une méthode heuristique qui ne tient compte ni des règles de priorité ni des dates auxquelles ces commandes doivent être expédiées. Pour réduire les délais, on doit s'attaquer de préférence au temps d'attente plutôt qu'au temps de traitement. Vollmann *et al.*[39] observent que le temps de traitement représente habituellement 10 % au maximum du temps total qu'une commande passe en usine. On doit donc tout d'abord chercher à réduire le temps d'attente des commandes. L'approche japonaise du juste-à-temps (*voir chapitre 18*) correspond d'ailleurs à cette philosophie.

De plus, il n'est pas nécessaire d'attendre qu'une opération soit terminée sur tous les articles d'une commande avant de les transférer à l'étape suivante, comme c'est le cas selon la méthode de Johnson (section 14.9). La figure 14.3 illustre le cas de deux opérations successives pour une commande de 20 articles pour lesquels le temps de fabrication est d'une heure à chaque étape, et ce pour chaque article. Dans le premier cas, les produits ne sont acheminés à la deuxième étape seulement lorsqu'ils sont tous terminés. Pourtant, on devrait pouvoir faire le transfert à mesure qu'un article

▼ **FIGURE 14.3**
**L'effet sur le délai de fabrication d'un transfert immédiat à l'étape subséquente**

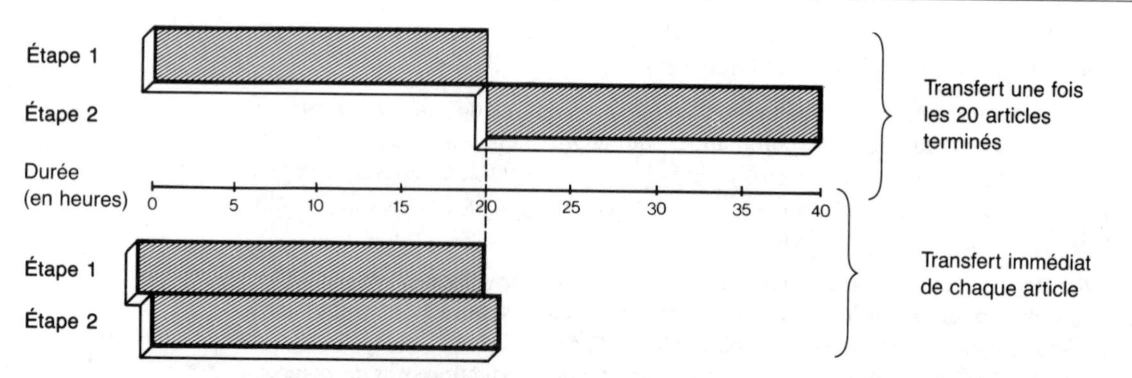

est terminé, et non pas attendre l'ensemble des articles. Cette seconde façon de faire est plus simple et plus expéditive que la première, puisqu'en réduisant le temps d'attente, elle réduit par le fait même le délai de fabrication. L'effet de cette double réduction entraîne également la diminution des stocks de produits en cours. Cependant, une condition est préalable pour l'obtention d'un tel résultat : les temps de fabrication aux différentes étapes doivent être de même durée ou presque. Autrement, on court le risque d'avoir des temps morts trop longs à l'un ou l'autre des postes de travail.

De même, on peut traiter une même opération sur plusieurs machines. La quantité à fabriquer est alors divisée en petits lots qui sont produits simultanément sur plusieurs machines. Encore faut-il posséder des machines qui peuvent effectuer plus d'un type d'opérations ou avoir plusieurs machines pour une même opération (figure 14.4). On peut également diviser une commande en sous-commandes qu'on fabrique successivement. Ainsi, on peut fournir en temps voulu la partie de la commande requise et poursuivre plus tard la production de l'autre partie[36].

**▼ FIGURE 14.4**
**L'effet sur le délai de fabrication d'une division des opérations ou de la commande**

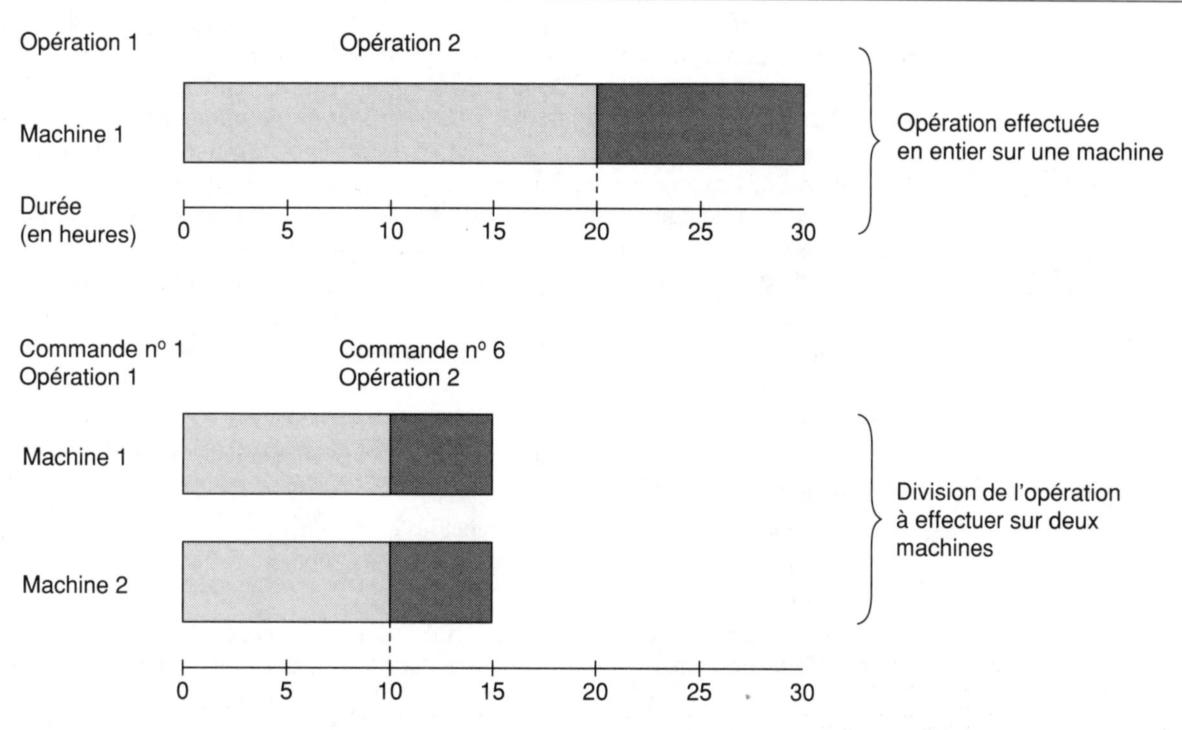


Puisque le délai de fabrication sert à calculer le délai de livraison promis aux clients, la prolongation arbitraire des délais de fabrication nuit à un ordonnancement bien fait, à une utilisation accrue des ressources et au service aux clients. Il est alors tentant d'ajouter quelques commandes au calendrier de fabrication en se disant que, de toute manière, les délais prévus sont plus longs que les délais réels. La conséquence sera alors le manque de confiance dans les délais prévus, tant du point de vue interne qu'externe. Les délais prévus ne peuvent plus être utilisés cumulativement pour déterminer la date réelle à laquelle une commande sera prête. Ainsi, il est difficile de savoir si on peut intercaler une commande supplémentaire. De plus, le nombre de commandes en retard s'accroît vraisemblablement.

Aux prises avec une telle situation, les gestionnaires de production sont fortement tentés d'accroître les délais de fabrication mentionnés aux clients. Ces derniers envisageront alors de placer leurs commandes encore plus à l'avance qu'ils ne l'auraient fait autrement, ou bien ils changeront de fournisseur. Il s'agit là d'un cercle vicieux d'où il est préférable de sortir en surveillant le nombre de commandes émises au service de production. La figure 14.5 montre qu'en appliquant cette politique, les délais de fabrication estimés et réels sont inférieurs à ce qu'ils seraient sans un contrôle des commandes.

Des délais de fabrication trop longs entraînent des stocks de produits en cours plus élevés. Il est bien connu qu'un nombre élevé de commandes et de produits en cours réduit la quantité d'extrants du système de production et accroît les délais[33]. Donc, le contrôle des commandes ne se limite pas au seul flux des commandes : il s'étend aussi au volume des commandes qui doivent être produites. Cela devrait alors améliorer le niveau de service à la clientèle.

La problématique des commandes en retard dans les entreprises manufacturières a son équivalent dans les entreprises de services, soit la création de files d'attente lorsque l'entreprise n'est pas en mesure d'adapter immédiatement ses ressources (offre de service) à une demande imprévue causée par une surcharge de travail ou autre. Par exemple, les compagnies de téléphone font face à un nombre d'appels qui varie selon la période de l'année, les jours de la semaine et les heures de la journée. Les horaires de travail des téléphonistes et, à plus long terme, la capacité d'opération du système téléphonique doivent être adaptés au volume des appels. L'instauration de moyens efficaces de prévision de la demande demeure essentielle pour assurer la disponibilité des ressources de production, d'autant plus qu'il est presque impossible de stocker pour satisfaire la demande.

Nollet et Haywood-Farmer[31] suggèrent d'autres moyens de gérer l'équilibre de l'offre et de la demande de services afin de réduire, ou à tout le moins de minimiser, l'attente des clients :

- l'utilisation simultanée de deux équipes de travail, pendant quelque temps, en période de pointe ;
- l'embauche de surnuméraires aux heures d'affluence ou le recours à une équipe volante, comme on le fait dans les hôpitaux, pour faire face à une demande imprévue ;
- l'utilisation de rendez-vous qui permet un ordonnancement planifié, quoique cette méthode nécessite de prendre en considération divers autres facteurs tels que les urgences, les annulations ou les clients qui se présentent sans rendez-vous.

D'autres facteurs peuvent être à la source de la création des files d'attente. L'utilisation de la règle de priorité « premier arrivé, premier servi » fait en sorte qu'on obtient un temps de service supérieur, et par conséquent un temps d'attente supérieur. Cependant, cette règle est celle que préfère la clientèle[7].

Enfin, un service à contact élevé entre le fournisseur et le client est un autre facteur qui cause des files d'attente. En effet, le contact avec le client résulte en une incertitude plus grande relativement au temps requis pour le service. On doit donc en tenir compte dans l'ordonnancement du système, qui se doit d'être suffisamment flexible pour permettre des temps de traitement différents[31].

▼ **FIGURE 14.5**
**L'effet sur les délais de fabrication du contrôle des commandes émises au service de production**

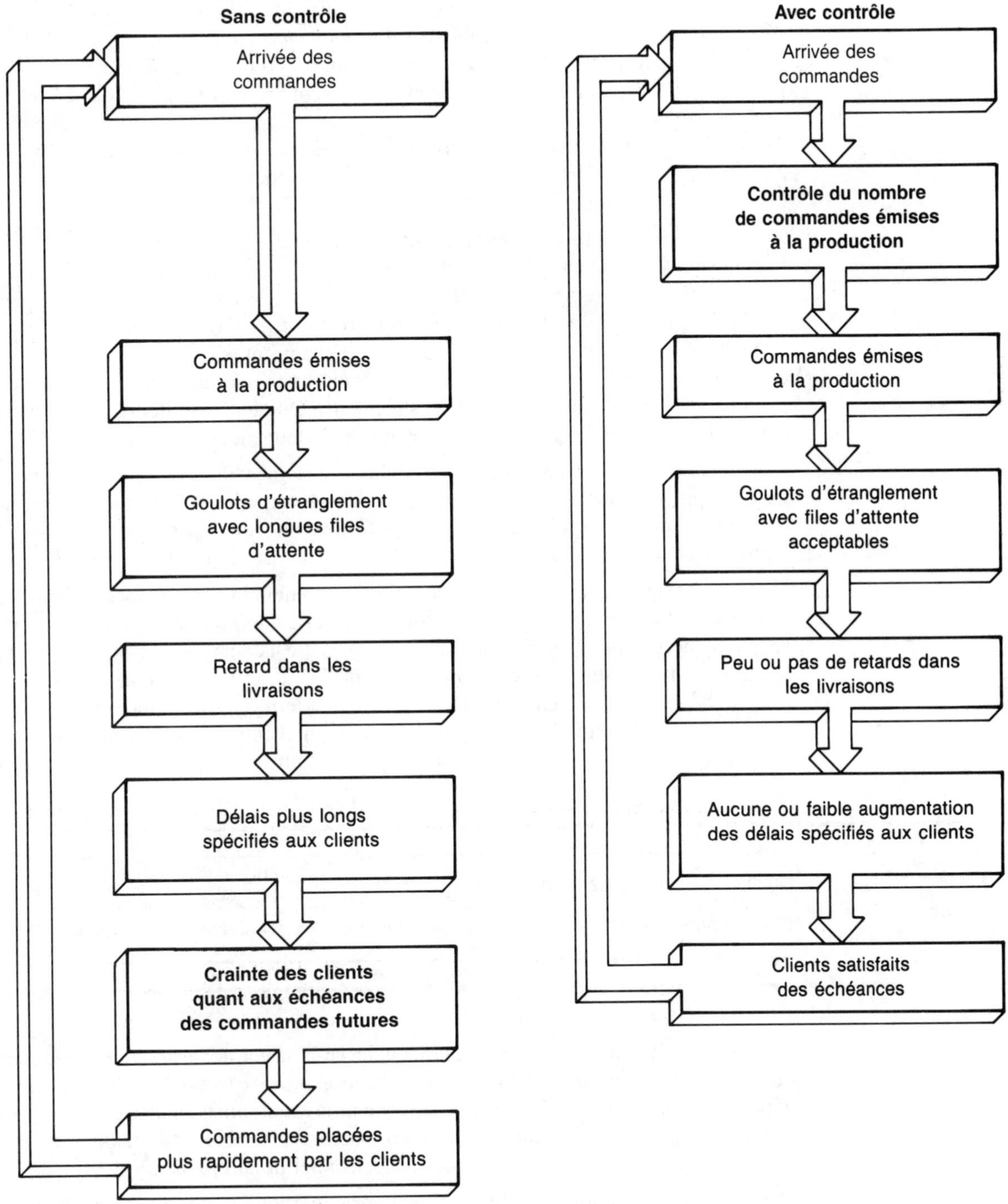

Sans contrôle
Arrivée des commandes
Commandes émises à la production
Goulots d'étranglement avec longues files d'attente
Retard dans les livraisons
Délais plus longs spécifiés aux clients
Crainte des clients quant aux échéances des commandes futures
Commandes placées plus rapidement par les clients
Avec contrôle
Arrivée des commandes
Contrôle du nombre de commandes émises à la production
Commandes émises à la production
Goulots d'étranglement avec files d'attente acceptables
Peu ou pas de retards dans les livraisons
Aucune ou faible augmentation des délais spécifiés aux clients
Clients satisfaits des échéances

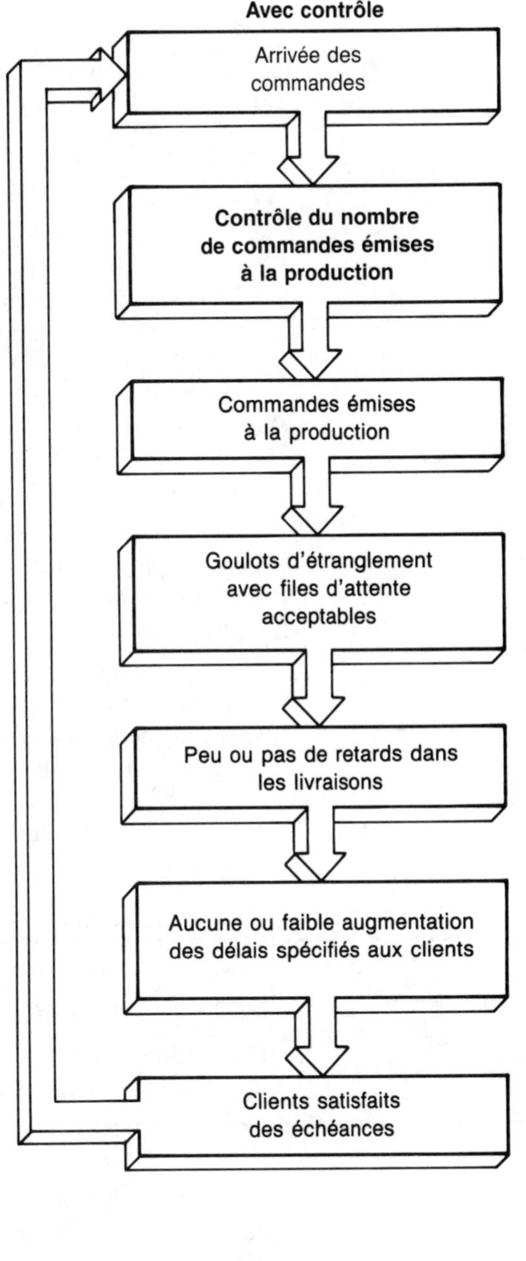

## 14.6 Le réordonnancement

L'accélération de certaines commandes qui ne progressent pas selon le calendrier de fabrication prévu constitue un autre moyen facile de résoudre le problème des commandes en retard. Pourtant, la relance de quelques-unes des commandes en cours ne résout pas nécessairement les problèmes d'ordonnancement. Certaines dates de livraison sont alors respectées, mais au détriment d'autres commandes. Ce recours ne serait pas toujours nécessaire si on réexaminait l'ensemble du calendrier de fabrication. Fort probablement, certaines commandes pourraient être retardées sans problème. Par exemple, la justification de la fabrication immédiate d'une pièce quelconque peut être remise en question si les autres pièces requises pour le produit fini ne sont pas disponibles au moment prévu.

La notion de **réordonnancement** sous-entend que l'ordonnancement est un système qui s'adapte aux modifications autant dans l'environnement interne que dans l'environnement externe de l'entreprise. Cependant, l'effet favorable d'une planification appropriée sur l'allocation des ressources est perturbé par un réordonnancement. Si des changements trop fréquents se produisent, cela peut engendrer de la confusion, une réduction du volume des extrants et même un nombre plus élevé de pénuries que s'il n'y avait pas eu de changements. On ne peut éviter que des pénuries surviennent, malgré les efforts pour obtenir un ordonnancement approprié.

La notion de réordonnancement s'applique également dans le secteur des services. Par exemple, bien que le temps moyen requis avant le traitement d'un patient à l'urgence d'un hôpital puisse parfois être de quelques heures, un patient dans un état critique est traité immédiatement. En conséquence, d'autres patients ont un délai prolongé.

La consigne à suivre est donc de limiter le nombre et l'importance des réordonnancements tout en acceptant de rendre le calendrier de fabrication de plus en plus souple à mesure qu'on s'éloigne dans le temps. Le tableau 14.3 correspond à une situation plausible illustrant ce choix inspiré du même principe que celui des limites de période présenté au chapitre 13. À très court terme, aucune modification n'est permise. L'une des conséquences directes est qu'en aucun temps on n'interrompt une commande en cours de fabrication pour en produire une autre qui semble plus urgente.

**Tableau 14.3**

**La souplesse d'un calendrier de fabrication**

| Nombre de jours dans le futur | 0–3 | 4–7 | 8 ou plus |
|---|---|---|---|
| Changements permis | Aucun | Quelques-uns | Plusieurs |

Malgré le manque de souplesse incontestable d'une telle pratique, le principe qui la sous-tend est important. En conséquence, une réduction de la durée de la période au cours de laquelle aucun changement n'est autorisé ajoute de la souplesse à cette approche ; cela plaît évidemment aux responsables du marketing, mais accentue habituellement les problèmes du personnel de la production.

Campbell[6] mentionne que la plupart des réordonnancements engendrent des problèmes de coûts supplémentaires, de mauvaise utilisation de la capacité de production et de confusion probable. Selon l'expérience de cet auteur, six causes majeures occasionnent des réordonnancements :

- la non-disponibilité des matières premières requises;
- la non-disponibilité des outils adéquats;
- les bris d'équipement;
- les changements des spécifications de certains clients;
- le nombre de commandes acceptées et en cours de fabrication est supérieur à la capacité de production de l'usine ou d'une opération, ce qui provoque un goulot d'étranglement;
- l'utilisation inadéquate des règles de priorité appropriées.

Conséquemment à ce qui a été dit jusqu'à maintenant, on constate que les délais de fabrication sont beaucoup plus souples qu'ils le paraissent. Cependant, on ne peut s'attendre à accélérer simultanément un grand nombre de commandes sans faire fi des arbitrages qui s'imposent.

Dans les sections suivantes, nous présenterons certaines techniques de base qui facilitent l'élaboration de l'ordonnancement: le graphique de Gantt, les règles de priorité, la méthode de Johnson et la méthode d'épuisement des stocks.

## LES TECHNIQUES DE BASE EN ORDONNANCEMENT

La section suivante présente une méthode qui s'applique une fois l'ordonnancement déterminé et la production lancée; elle permet d'en visualiser l'évolution dans le temps.

### 14.7 Le graphique de Gantt

La technique initialement élaborée par Gantt permet de visualiser facilement un ordre de passage donné et le temps qui lui correspond. Le graphique de Gantt n'est pas en soi une méthode d'établissement de l'ordre; il en facilite cependant la planification et le contrôle puisqu'il permet de visualiser la situation. Cet instrument rigoureux permet aux gestionnaires une meilleure utilisation des ressources humaines et matérielles. Cependant, la mise à jour régulière du graphique de Gantt est nécessaire pour qu'il soit encore utile. Il se construit en portant en abscisse, le temps, et en ordonnée, les postes de travail. Pour chaque poste de travail, on trace un trait correspondant aux heures requises à ce poste par chaque commande. La figure 14.6 représente le graphique de Gantt appliqué au problème du tailleur. On y constate que le temps total d'exécution est supérieur à 14 heures, soit du lundi 7 h au mardi entre 14 h et 15 h. Cette durée est plus longue que la somme des temps d'exécution pour la première opération, car pour chaque complet, il faut attendre que la coupe et la couture soient terminées avant d'entreprendre les ajustements et la finition. C'est ce qui explique également les temps morts entre les commandes de la deuxième étape.

Bien que la technique du graphique de Gantt soit très souvent utilisée en pratique, sous une forme ou sous une autre, elle ne traduit une réalité qu'à un moment donné. Que fait-on avec les nouvelles commandes qui arrivent? Quel temps de traitement assigne-t-on aux opérations de chacune des commandes? On doit comprendre que ces préoccupations soulèvent des questions chez les gestionnaires des opérations et que la méthode du graphique de Gantt ne vient que mettre les faits en évidence.

La ligne de mise à jour permet d'établir une comparaison rapide entre le degré d'exécution prévu de certains travaux et le degré d'exécution atteint. La figure 14.6 représente le travail prévu comme étant effectué le lundi à 16 h et celui effectivement

**FIGURE 14.6** ▶
**Une illustration du graphique de Gantt**

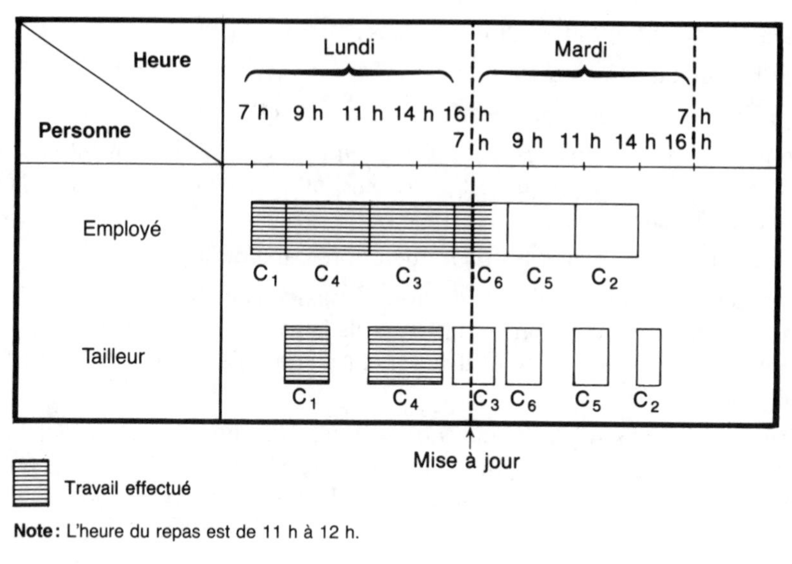


achevé. La ligne de mise à jour doit être atteinte pour que le degré d'exécution visé le soit également. Sur le graphique, on note qu'après huit heures de travail, l'employé est plus avancé que prévu, alors que le tailleur accuse un léger retard.

La technique du graphique de Gantt n'est utile que si elle est suivie des mesures correctives qui s'imposent. La nécessité de ces mesures ne devient évidente que lorsqu'il y a mise à jour. D'ailleurs, la ligne de mise à jour est particulièrement utile quand des dates de livraison précises doivent être respectées, ou encore quand le processus comprend de nombreuses étapes. On peut utiliser cette technique avantageusement dans la gestion de projets.

La prochaine section aborde différentes règles de priorité auxquelles on peut recourir dans la détermination d'un ordre de passage des commandes à traiter.

## 14.8 Les règles de priorité

Une **règle de priorité** est simplement une façon d'établir un ordre de passage des commandes en attribuant une valeur relative à chacune de ces commandes, afin de les classer par ordre croissant ou décroissant de valeur. Cette évaluation permet de choisir l'ordre de traitement des commandes qui est le meilleur selon le critère de performance retenu. Un grand nombre de recherches et surtout de simulations ont été effectuées pour déterminer quelles règles de priorité sont les meilleures, par rapport aux différents critères de performance choisis. Par contre, certaines règles sont basées uniquement sur l'expérience.

Une règle de priorité peut donner un excellent résultat pour un poste de travail donné, mais pas forcément pour d'autres postes. La raison est attribuable au temps de traitement des commandes, qui est différent d'un poste à l'autre. À moins qu'il n'y ait que quelques postes clés, mieux vaut évaluer, si possible, l'effet de cette règle sur l'ensemble des opérations. Cependant, rien n'oblige l'utilisation de la même règle de priorité à tous les postes, encore moins dans le cas d'ateliers spécialisés. Afin de déterminer l'ordre de traitement à un poste de travail donné, on peut utiliser une combinaison de règles de priorité pondérées selon leur importance. Ce qui importe, c'est le résultat de la règle de priorité sur les critères de performance choisis.

Cependant, certaines caractéristiques du système de production influent sur les résultats obtenus lors de l'étude de l'effet des règles de priorité sur les critères de performance importants. Ces caractéristiques sont les suivantes :

- les conditions de départ du système de production (le nombre et la durée des commandes en cours, etc.) ;
- les critères de mesure de la performance utilisés pour évaluer l'ordonnancement proposé ;
- les règles de priorité choisies en fonction des critères de performance ;
- le nombre de postes de travail disponibles ;
- le taux d'utilisation de la capacité de chacun des postes de travail et de celle de l'entreprise dans son ensemble.

De plus, toute méthode d'établissement de l'ordre de passage des commandes doit d'abord faire partie intégrante du système de production d'une organisation et doit prendre également en considération les facteurs de coût et de facilité d'utilisation.

La dernière considération préalable relative aux règles de priorité a trait aux temps de mise en route. On pose comme hypothèse que le temps de mise en route est le même pour tout ordre de passage des commandes. Cette hypothèse ne s'applique pas dans le cas d'un fabricant de peinture qui passe de la peinture noire à la peinture blanche plutôt qu'inversement. Si les temps de mise en route sont importants et passablement différents selon l'ordre choisi, on doit en tenir compte. Dans certaines situations, la recherche de minimisation des temps de mise en route peut devenir un objectif important, à condition de pouvoir satisfaire à la fois la demande interne et la demande externe.

On ne peut négliger de considérer les facteurs susmentionnés pour toute étude relative à l'établissement d'un ordre de passage des commandes. Cependant, le nombre élevé d'études sur le sujet permet des observations intéressantes, dont les plus importantes sont rapportées ci-après.

La règle le plus fréquemment utilisée pour l'établissement de l'ordre de passage des commandes est sans nul doute celle du « changement de règle ». Cette règle consiste à utiliser surtout une ou des règles données, mais à modifier l'ordre établi si de nouvelles priorités surviennent. Examinons tout d'abord quelques définitions.

- Le temps opératoire TO pour une **opération** donnée comprend le temps de mise en route et le temps de traitement par unité. Généralement, ce temps opératoire est établi en fonction d'une taille de lot donnée.
- Le temps d'exécution TE d'une **commande** est l'intervalle de temps entre le moment où la commande est lancée et celui où elle est achevée. Il comprend le temps opératoire et le temps d'attente pour chacune des opérations par lesquelles doit passer cette commande. Le temps d'exécution pour une commande d'une quantité standard correspond généralement au délai de fabrication du produit.

Le tableau 14.4 relève quelques-unes des règles les plus utilisées avec leurs abréviations respectives en français et en anglais. Chaque règle comporte des avantages et des inconvénients.

**Tableau 14.4**

**Quelques règles de priorité souvent utilisées**

| Abréviation française | Signification : priorité à la commande | Équivalent anglais |
|---|---|---|
| PODA | **P**ar **o**rdre **d'a**rrivée | *First come, first served (FCFS)* |
| TOC | Dont le **t**emps d'**o**pération est le plus **c**ourt (pour un poste particulier ou pour tous les postes) | *Shortest processing time (SPT)* |
| MLM | **M**arge **l**ibre **m**inimale (nombre de jours jusqu'à la date d'exigibilité moins le temps opératoire d'une commande) | *Dynamic slack per remaining operation (DS/RO)* |
| DLR | Dont la **d**ate de **l**ivraison exigible est la plus **r**approchée | *Due date (DD)* |
| ALE | Prise de manière **alé**atoire | *Random (RAND)* |
| RC | Ayant le **r**atio **c**ritique le plus faible : le nombre de jours jusqu'à la date d'exigibilité divisé par le nombre de jours de traitement | *Critical ratio (CR)* |
| MTO | Nécessitant le **m**oins de **t**emps d'**o**pération pour être terminée | *Least work remaining (LWR)* |
| FDAC | Dont la **f**ile **d'a**ttente pour l'opération subséquente est la plus **c**ourte | *Next queue (NQ)* |
| COTE | Dont le ratio suivant est le plus élevé pour une opération donnée : le **co**ût du délai divisé par le **te**mps requis | *Cost over time (COVERT)* |

Prenons l'exemple suivant où quatre commandes sont lancées simultanément.

**Exemple**

| Commande numéro | 1 | 2 | 3 | 4 |
|---|---|---|---|---|
| Ordre de passage PODA | 1 | 2 | 3 | 4 |
| Temps d'opération TO | 8 | 21 | 15 | 3 |
| Temps d'attente | 0 | 8 | 29 | 44 |
| Temps d'exécution TE | 8 | 29 | 44 | 47 |

Temps d'exécution moyen TEM :

$$TEM = \frac{8 + 29 + 44 + 47}{4} = \frac{128}{4} = 32 \text{ heures}$$

Temps d'attente maximal = 44 et temps d'attente moyen = 81 ÷ 4 = 20,25 heures.

Pour minimiser le TEM, on applique la règle d'ordonnancement TOC qui consiste à exécuter les commandes par ordre croissant du temps opératoire de chacune des commandes. Dans le présent exemple, cet ordre serait alors :

*(suite)*

**Exemple** *(suite)*

| Commande numéro | 1 | 2 | 3 | 4 |
|---|---|---|---|---|
| Ordre de passage TOC | 4 | 1 | 3 | 2 |
| Temps opératoire TO | 3 | 8 | 15 | 21 |
| Temps d'attente | 0 | 3 | 11 | 26 |
| Temps d'exécution TE | 3 | 11 | 26 | 47 |

Le temps d'exécution total demeure le même, mais le temps d'exécution moyen TEM est à son minimum :

$$TEM = \frac{3 + 11 + 26 + 47}{4} = \frac{87}{4} = 21{,}75 \text{ heures}$$

Le temps d'attente maximal égale 26, et le temps d'attente moyen égale 40 ÷ 4 = 10 heures.

L'application de la règle TOC permet de réduire le temps d'attente et le temps d'attente moyen.

La règle PODA permet, en apparence, une discipline équitable. Elle est fréquemment utilisée dans les entreprises ou les points de service de tout ordre, tels les établissements bancaires ou les arrêts d'autobus. Pourtant, c'est l'une des pires règles, quel que soit le critère de performance utilisé. Les résultats obtenus par la mise en application de cette règle ne sont pas supérieurs à ceux de la règle ALE. La raison en est simple : les commandes ou les clients qui exigent un temps de traitement plus long retardent les autres, surtout si le nombre de files d'attente est égal au nombre de points de service. La simplicité de la règle PODA et le fait qu'elle soit démocratique sont des aspects attrayants. De plus, cette règle ne requiert pas l'estimation du temps de traitement pour chacun des clients.

L'exemple des établissements bancaires est particulièrement intéressant. Les gestionnaires ont vite constaté que la règle PODA semblait la plus équitable aux yeux des clients, mais que, par ailleurs, ceux qui effectuent de longues transactions rendaient les autres clients impatients. La file unique avec points de service multiples a permis de résoudre partiellement ce problème. Lorsqu'un guichet est accaparé durant 10 ou 15 minutes, les clients disposent de nombreux autres points de service. Cette file unique n'oblige pas les gestionnaires à déterminer une durée de transaction approximative afin de privilégier les clients dont les transactions requièrent le moins de temps. À la suite de ces observations sur les établissements bancaires, on s'étonne que peu de supermarchés aient adopté la file unique.

Certaines études s'accordent pour dire que la règle TOC est la meilleure pour la presque totalité des critères de performance. L'utilisation de cette règle ne requiert de connaître que le temps de traitement estimé de chacune des commandes. Outre sa simplicité, la règle TOC offre trois avantages majeurs. Premièrement, c'est la méthode qui accuse le plus faible retard moyen des commandes, ce qui est fondamental quand on considère comme important le niveau de service à la clientèle. Deuxièmement, elle donne le plus faible nombre moyen de commandes en attente dans le système (figure 14.7). Comme on l'a déjà mentionné, des commandes moins nombreuses en attente permettent un meilleur contrôle. Finalement, à la règle TOC correspond le temps d'exécution total le plus faible de toutes les règles de priorité.

Dans le secteur tertiaire, cette règle permet de réaliser les mêmes performances que celles mentionnées ci-dessus, en autant qu'elle puisse être employée. Ce n'est pas le cas lorsque ce sont des clients plutôt que des commandes qui constituent les intrants du système, puisque les clients n'acceptent habituellement pas d'être traités selon cette règle. Par exemple, un client ayant le panier de provisions le plus rempli devrait attendre que tous les autres clients soient passés avant lui !

Notons que la règle TOC ne tient aucunement compte de la date de livraison promise. Pourtant, elle donne de meilleurs résultats en matière de niveau de service que les règles qui en tiennent compte. En effet, puisqu'elle traite d'abord les commandes les plus courtes, un pourcentage élevé de commandes est alors prêt à temps, les plus longues étant retardées.

**FIGURE 14.7 ▶ L'effet de la règle TOC sur le nombre moyen de commandes**

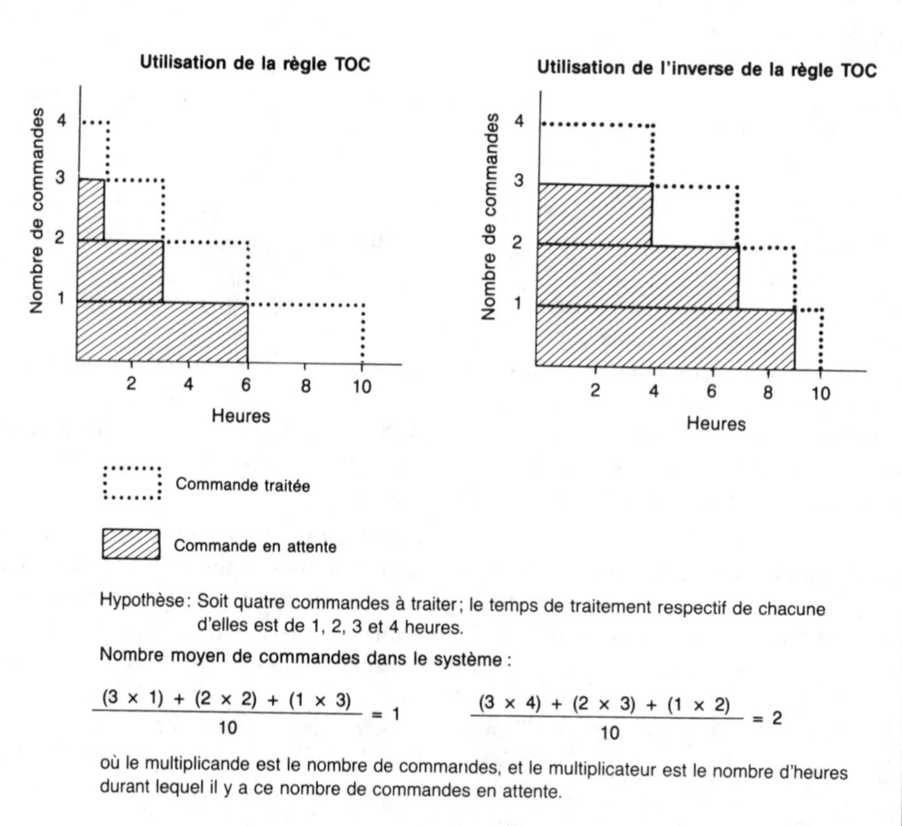


L'inconvénient majeur de cette règle est d'ailleurs ce qui lui permet de si bien réussir : elle néglige les commandes les plus longues. À la limite, certaines commandes pourraient être retardées indéfiniment si on ne la combinait pas à une autre règle, comme la règle RC. La règle TOC fournirait des résultats moins bons si on prenait en considération le temps de préparation requis dans la majorité des entreprises du secteur industriel. En effet, cet aspect devient très important si l'établissement d'un ordre de passage de commandes touche un poste de travail déjà largement utilisé.

Certains auteurs suggèrent d'établir une séquence à chaque poste de travail, en se basant avant tout sur la date à laquelle une commande est requise (DLR)[33]. Cette approche va à l'encontre de la pratique le plus couramment utilisée, soit la pratique qui consiste à émettre des commandes, dans l'usine ou l'atelier, dès que possible. L'approche suggérée par ces auteurs permet de prévoir qu'un retard dans une étape risque de repousser la date de livraison de la commande entière. De même, elle réduit les stocks de produits en cours, puisque moins d'articles sont commencés, donc moins susceptibles d'être en attente par la suite. Cette approche est sans conteste très apparentée à la philosophie du zéro-stock (*voir chapitre 18*) et à la méthode de la PBM.

L'utilisation des règles de priorité est aussi de mise pour les entreprises du secteur tertiaire. La détermination de la séquence des patients à traiter à l'urgence d'un hôpital en est un exemple. Dans ce cas, on tente d'accorder la priorité aux patients nécessitant les soins les plus urgents.

Une expérience intéressante menée dans le secteur tertiaire mérite qu'on s'y attarde. Pour cette expérience, Kwak *et al.*[19] ont eu recours à une règle de priorité contraire à la règle TOC. Ils ont effectué une simulation portant sur l'utilisation des salles de réveil d'un hôpital, et l'effet d'une telle utilisation sur le personnel concerné. L'article traitant du sujet demeure un classique dans le domaine. L'objectif principal visé était la détermination du nombre adéquat de lits requis dans la salle de réveil. On ne veut pas en manquer, mais toute surcapacité est coûteuse. De plus, la direction espérait que les chercheurs trouvent une méthode pour établir la séquence des interventions chirurgicales planifiées permettant de réduire la période totale d'utilisation quotidienne de la salle de réveil. Une telle réduction permettrait d'utiliser une équipe de travail en diminuant considérablement le recours aux heures supplémentaires.

De plus, les auteurs ont pris en considération la relation étroite entre le type d'intervention chirurgicale et le temps moyen de séjour dans la salle de réveil. Différentes méthodes ont été expérimentées pour établir une séquence des interventions chirurgicales. La meilleure méthode mise à l'épreuve fonctionnait en utilisant d'abord les salles d'opération pour les interventions les plus longues et en terminant par les opérations les plus courtes qui ne nécessitent pas l'utilisation de la salle de réveil. En conséquence, le personnel de la salle de réveil n'était requis que plus tard dans la matinée, puisque le premier patient dans chaque salle d'opération n'était transféré à la salle de réveil que plusieurs heures plus tard.

Le personnel de la salle de réveil pouvait également terminer plus tôt en soirée, vu que les derniers patients ne requéraient pas l'utilisation de la salle de réveil. Cette méthode a permis de réduire en moyenne de 2,4 heures par jour l'utilisation de la salle de réveil et de diminuer du même coup le temps total de surveillance nécessaire. Graphiquement, la réduction du temps d'utilisation peut se représenter comme à la figure 14.8.

Une autre règle présentée au tableau 14.4 est la règle COTE, qui suscite actuellement beaucoup d'intérêt dans les études qui traitent de cette règle. Elle s'apparente à la règle TOC, mais elle considère en plus le coût estimé de retarder chacune des commandes. Cette règle donne priorité aux commandes dont le retard comporte le coût le plus élevé, compte tenu du temps de traitement requis. Bien que théoriquement attrayante, il n'est pas toujours facile de rattacher un coût au retard d'une commande.

▼ **FIGURE 14.8**
**L'effet de la modification de la méthode d'ordonnancement utilisée sur la durée d'utilisation de la salle de réveil**

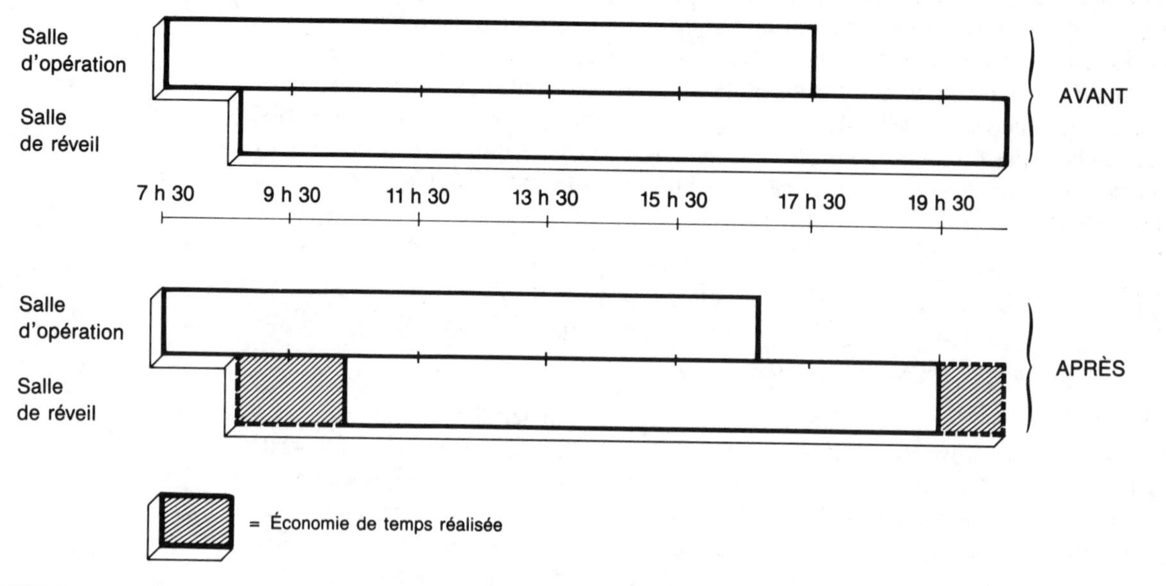


Une foule d'autres règles de priorité peuvent également donner les moyens à une organisation de mettre au point une méthode d'ordonnancement qui lui permette d'atteindre ses objectifs. Ces méthodes peuvent varier grandement selon la nature des opérations et selon la typologie des systèmes de production. Cependant, on doit se méfier des règles heuristiques qui n'ont pas réellement été testées même si, parfois, elles fournissent de meilleurs résultats. Une combinaison de quelques règles simples est un idéal à atteindre, car l'optimalité n'a pas tellement d'importance dans la pratique ; la compréhension des utilisateurs vaut souvent plus, en autant que les résultats se rapprochent suffisamment de la solution optimale. En ordonnancement, comme ailleurs, l'utilisation d'une règle de priorité ne doit pas faire fi du jugement.

À la section suivante, on présente une autre méthode d'ordonnancement, basée sur une des règles de priorité précédemment abordées (TOC), et ce dans le cas de deux postes de travail consécutifs.

## 14.9 La méthode de Johnson

La **méthode de Johnson** sert à établir l'ordre de passage des commandes qui doivent être traitées par deux postes de travail successifs. Chaque commande doit d'abord être traitée par le premier poste, puis par le second, et non inversement. Le critère de performance optimisé par la méthode de Johnson est d'obtenir le temps d'achèvement le plus court possible pour un ensemble de commandes. Cet objectif requiert l'utilisation de la règle de priorité TOC, mais comme il y a deux postes de travail, cette règle ne donne pas toujours le résultat optimal. La méthode de Johnson est basée sur un principe fort simple, qui relève précisément de cette règle. Comme le deuxième poste de travail doit attendre que le premier poste ait traité une commande, il est préférable que les premières commandes à traiter au premier poste soient les plus courtes. Afin que la deuxième étape ne retarde pas trop le temps total d'exécution des commandes, les dernières commandes exécutées au second poste de travail doivent également être courtes.

Lorsque les hypothèses d'utilisation mentionnées dans le paragraphe précédent sont satisfaites, la méthode de Johnson, en plus d'être simple à comprendre, assure à l'utilisateur l'optimalité de la solution obtenue. Cependant, il est possible que d'autres ordres de passage permettent d'obtenir également la séquence optimale. Avant d'utiliser cette méthode, on doit s'assurer que les temps de traitement des commandes sont indépendants des ordres de passage possibles. L'hypothèse la plus restrictive pour les entreprises du secteur secondaire est que les temps de mise en route doivent être les mêmes, indépendamment de l'ordre des commandes. En définitive, c'est le jugement et l'expérience qui déterminent si la méthode peut être applicable ou non. Un fait à préciser : la méthode de Johnson peut être utilisée pour plus de deux postes, mais dans ce cas elle n'assure pas l'optimalité ; de plus, le processus devient laborieux, particulièrement lorsqu'il y a plus de quatre postes de travail. Dans ce cas, le recours à l'informatique devient presque indispensable. Les étapes de la méthode de Johnson sont énumérées au tableau 14.5, qui est suivi d'un exemple.

On peut représenter graphiquement l'ordre de passage obtenu à l'aide d'un graphique de Gantt. La section suivante développe une autre méthode d'ordonnancement. On l'utilise lorsqu'on dispose des mêmes ressources de production pour un groupe de produits.

**Tableau 14.5**

**Les étapes de la méthode de Johnson appliquée à deux postes de travail**

1. Parmi l'ensemble des commandes, choisir la commande ayant le temps opératoire le plus court. Si le temps choisi appartient au premier poste de travail, placer la commande en tête de séquence, sinon la placer à la fin.
2. Parmi les commandes qui restent, choisir celle ayant le temps le plus court. Si ce temps correspond au premier poste de travail, placer la commande derrière la commande en tête de séquence, s'il y en a une. Sinon, la placer antérieurement à la commande en fin de séquence, s'il y a déjà une commande.
3. Répéter l'étape 2 en prenant soin de ne jamais devancer les commandes en tête de séquence, ni de placer de commandes après celles qui sont déjà en fin de séquence.

**Exemple**

Un tailleur doit confectionner six complets dans le plus bref délai. Le tailleur se bute à une difficulté, à savoir qu'il a un urgent besoin d'argent et qu'il ne sera payé que lorsque la confection des six complets sera terminée.

Le nombre d'heures requis pour les différentes opérations est :

| Étapes | Commandes | | | | | |
|---|---|---|---|---|---|---|
| | $C_1$ | $C_2$ | $C_3$ | $C_4$ | $C_5$ | $C_6$ |
| Coupe et couture | 1,3 | 2,2 | 3,1 | 3,0 | 2,5 | 1,9 |
| Ajustements et finition | 1,6 | 0,9 | 1,4 | 2,7 | 1,2 | 1,3 |

La distribution du travail se présente comme suit : le tailleur s'occupe de la seconde étape, tandis qu'un employé est responsable de la coupe et de la couture.

Quelle séquence permet de minimiser le temps total d'exécution ?

*(suite)*

**Exemple** *(suite)*

| | Séquence d'exécution |
|---|---|
| Le temps le plus court est 0,9 heure et il appartient à la 2e étape ; il va donc en fin de séquence. | → $C_2$ |
| Le temps le plus court restant est 1,2 (2e étape) et va donc précéder $C_2$. | $C_5$ → $C_2$ |
| Les temps de 1,3 ($C_1$ et $C_6$) peuvent être choisis indifféremment. Choisissons tout d'abord $C_1$. | $C_1$ → $C_5$ → $C_2$ |
| Puis vient $C_6$. | $C_1$ → $C_6$ → $C_5$ → $C_2$ |
| De la même façon, on obtient d'abord $C_3$ en fin de séquence, puis $C_4$, immédiatement avant. | $C_1$ → $C_4$ → $C_3$ → $C_6$ → $C_5$ → $C_2$ |

## 14.10 La méthode d'épuisement des stocks

La **méthode d'épuisement des stocks** est une méthode heuristique de planification qui vise à distribuer la production d'articles de telle sorte qu'on donne priorité aux articles dont le stock couvre la plus courte période de temps. Elle correspond à la règle DLR pour les commandes. Cette méthode tient compte des stocks actuels de chacun des produits qui seront fabriqués. Les produits dont le risque de pénurie est supérieur aux autres sont fabriqués en premier. C'est une technique utilisée dans la pratique, en particulier à cause du peu de pénuries qui semble en découler. Elle indique la priorité des commandes. Il faut s'assurer que l'utilisation de cette technique ne mène pas à un épuisement simultané de tous les stocks.

Le temps d'épuisement s'obtient par la formule suivante, dans laquelle tous les éléments sont ramenés en heures-machine :

$$\frac{\text{Temps équivalent de production des stocks actuels + Temps de fabrication alloué}}{\text{Demande prévue durant la période}}$$

Ce calcul a pour effet de faire des séries de production telles que la quantité en stock et la quantité fabriquée suffisent à satisfaire la demande durant le temps d'épuisement, qui devient le même pour chacun des produits. Cette observation se clarifiera à la lecture d'un exemple ultérieur dans cette section.

Il est préférable d'utiliser la méthode d'épuisement des stocks lorsqu'il y a : une **gamme restreinte de produits** se partageant le même équipement, une **demande relativement stable** et une **capacité suffisante**. Puisqu'on vise à épuiser en même temps tous les produits qui requièrent le même équipement, il est probable que quelques produits ayant une demande plus élevée ou un délai de fabrication plus long accaparent la majeure partie du temps disponible à la fabrication. La méthode d'épuisement sert à la production pour les stocks et non à la production sur commande. Elle est surtout utilisée pour les ateliers à façon (système intermittent), quoiqu'elle puisse également être utilisée pour d'autres types de systèmes de production. Elle ne tient compte ni des coûts afférents aux stocks, ni des variations pouvant survenir dans la demande.

L'exemple qui suit illustre le fonctionnement de la méthode d'épuisement. On s'aperçoit qu'on ne tient aucunement compte des lots économiques. Dans la pratique, on peut effectuer des arbitrages entre la demande fluctuante pour les différents produits et les lots économiques.

**Exemple** ■

Un fabricant de biscuits utilise sa principale chaîne de production pour quatre sortes de biscuits différents. Ce fabricant frôle souvent la pénurie, particulièrement à cause de la demande plus fluctuante pour une sorte de biscuits et de la fabrication des biscuits pour de longues séries, selon le calendrier de fabrication établi la semaine précédente. Ce fabricant désire trouver une méthode lui permettant de mieux s'adapter à la demande, car, dans quelques semaines, on prévoit une période de ventes durant laquelle la demande excédera un peu la capacité hebdomadaire. Il dispose de 100 heures de production hebdomadairement, ce qui exclut l'entretien. Comment peut-il réduire le risque de pénurie, compte tenu des données suivantes ?

| Sorte de biscuits | Stocks actuels en milliers de kg (1) | Demande hebdomadaire en milliers de kg (2) | Temps de fabrication par 1 000 kg (3) | Stocks actuels en heures-machine (1) × (3) = (4) | Demande hebdomadaire en heures-machine (2) × (3) = (5) |
|---|---|---|---|---|---|
| Crémeux | 7,0 | 7,5 | 6 h | 42 h | 45 h |
| Plats | 12,0 | 6,0 | 2 | 24 | 12 |
| Ronds | 2,0 | 1,0 | 4 | 8 | 4 |
| Épais | 10,0 | 6,0 | 5 | 50 | 30 |
| Total | | | | 124 h | 91 h |

*Solution*

$$\text{Temps d'épuisement global} = \frac{124 + 100}{91}$$

$$= 2{,}461 \text{ semaines} = 2{,}46 \text{ semaines}$$

Il reste présentement l'équivalent de 1,36 semaine de production en stock (124/91). De plus, une semaine de production représente 1,10 semaine de demande (100/91). L'objectif de la méthode d'épuisement étant de viser un niveau de stock tel que si la demande prévue se réalisait, les stocks de tous les produits seraient épuisés simultanément, alors il s'agit de déterminer ce niveau de stock requis qui équivaut à 2,46 semaines de demande.

| Sorte de biscuits | Demande pour la période 2,46 × (2) = (6) | Quantité à fabriquer (6) − (1) = (7) | Heures de fabrication (7) × (3) = (8) |
|---|---|---|---|
| Crémeux | 18,45 | 11,45 | 68,70 |
| Plats | 14,76 | 2,76 | 5,52 |
| Ronds | 2,46 | 0,46 | 1,84 |
| Épais | 14,76 | 4,76 | 23,80 |
| Total | | | 99,86 h* ≃ 100 h |

* Différence causée par l'arrondissement de 2,4615 à 2,46 semaines.

*(suite)*

**Exemple**
*(suite)*

On doit produire les quatre sortes de biscuits durant le nombre d'heures indiqué afin d'avoir en stock des quantités permettant de satisfaire la demande prévue pendant une même période pour chaque sorte de biscuits. Le choix de la séquence dans laquelle il est préférable de les fabriquer dépend des quantités en stock et de la demande hebdomadaire. Ces deux données permettent de calculer le temps d'épuisement individuel des stocks de produits.

| Sorte de biscuits | Quantité en stock | Demande hebdomadaire prévue | Temps d'épuisement (semaines) |
|---|---|---|---|
| Crémeux | 7,0 | 7,5 | 0,93 |
| Plats | 12,0 | 6,0 | 2,00 |
| Ronds | 2,0 | 1,0 | 2,00 |
| Épais | 10,0 | 6,0 | 1,67 |

La séquence de fabrication serait : les biscuits crémeux, les biscuits épais, puis indifféremment, les biscuits plats et les biscuits ronds.

Vraisemblablement, on pourrait produire des quantités égales ou semblables au lot économique, lorsque le seuil de réapprovisionnement préétabli serait atteint. Dans un tel cas, on doit s'assurer de ne manquer d'aucun autre produit durant le temps de production. D'une façon générale, on utilise peu le lot économique avec la méthode d'épuisement. En effet, on peut difficilement fabriquer successivement les lots économiques requis puisque cela entraînerait des conflits probables entre les périodes optimales de production pour chacun des produits.

Une entreprise qui dispose d'un système de production passablement flexible et qui engage des frais de mise en route peu élevés peut choisir plus tardivement les produits à fabriquer qu'elle ne le ferait avec un système moins flexible. En effet, puisque la demande fluctue, on peut déterminer, même vers la fin d'une série, quel sera le prochain produit fabriqué. La méthode d'épuisement est alors très simplifiée et ne consiste plus qu'à déterminer, par le calcul du temps d'épuisement, le produit dont la pénurie surviendrait en premier, si on ne produisait pas cet article. Cette approche simplifiée permet, entre autres, de ne pas fabriquer de produits à chaque cycle quand on a une quantité suffisante en stock. L'inconvénient de cette méthode est la tendance à produire en quantités assez élevées pour utiliser pleinement les installations de production, malgré la flexibilité de ce système. On pourrait d'ailleurs s'attendre à ce que la flexibilité du système soit davantage utilisée par un emploi approprié de l'informatique. Cependant, des problèmes pratiques sont reliés à cette utilisation ; ils sont discutés dans la section 14.12.

Les sections suivantes présentent l'évolution des techniques d'ordonnancement, qui font appel à la technologie informatique ou à la nouvelle approche japonaise de gestion.

# QUELQUES TECHNIQUES ADDITIONNELLES EN ORDONNANCEMENT

## 14.11 La saisie de données informatisée

À la phase de contrôle de l'ordonnancement, nous avons souligné l'importance de recueillir des données et de bien les conserver dans une base de données (fichiers Planification et Contrôle). Celle-ci sert à maintenir à jour les données de contrôle de la production, à établir les rapports d'activités et à produire la paie et les états financiers. Une fois qu'on a décidé du mode de collecte et du type de données nécessaires, encore faut-il recueillir des données exactes et en temps voulu. C'est là une question importante en ordonnancement, les méthodes étant nombreuses et allant du système le plus simple au plus sophistiqué et au plus coûteux.

Au cours des 20 dernières années, l'évolution des méthodes de saisie des données a été fortement marquée par les progrès technologiques[36]. Initialement, la collecte de données était manuelle : elle se faisait par le biais d'un formulaire de contrôle de la production (fiche suiveuse ou autre) rempli au fur et à mesure que la commande progressait. Par la suite, on a procédé à l'entrée des données de production sur des cartes poinçonnées. Ces méthodes étaient toutefois lentes, coûteuses et les inexactitudes de données étaient fréquentes.

Avec le développement de la technologie informatique, on a placé un terminal en quelques points de la chaîne de production. Les employés devaient se déplacer pour entrer les données. Cette perte de temps a été réduite par l'installation d'un terminal à chaque poste de travail. Il demeurait toutefois que beaucoup de temps était requis pour l'entrée des données, en plus du coût des erreurs possibles. Les effets ont été réduits avec l'utilisation de moyens automatiques de collecte, tel le lecteur de codes optique (sous la forme d'un crayon ou d'un rayon au laser). Lafeir[22] affirme qu'il y a une erreur de code pour trois millions de caractères avec le lecteur optique, contre une erreur pour 100 entrées avec le système manuel.

Certaines entreprises sont allées plus loin en effectuant un suivi informatique du système de production par l'utilisation de moyens de collecte directs ne nécessitant plus d'intervention humaine. Ainsi, on installe divers appareils sur les machines qui recueillent des données plus exactes, à jour en tout temps, sur la production en cours (nombre de pièces produites, vitesse...) et sur les machines (température...) ; il est même possible d'incorporer un système d'alarme qui signale toute situation anormale. Le but ultime recherché par l'utilisation de tous ces moyens demeure « l'usine sans paperasse ».

Les données ainsi recueillies peuvent être entreposées à leur état brut ou être utilisées pour mettre à jour la base de données de façon périodique. Aussi, les données saisies peuvent servir à alimenter et à mettre à jour directement la base de données, ce qui permet de connaître en tout temps le déroulement de la production[36].

Toutefois, lors de la saisie de données informatisée, le système ne peut pas tout faire par lui-même. Dans la majorité des cas, il repose sur la participation des employés à l'entrée des données, sur leur discipline à entrer les bonnes données en temps voulu et à fournir les données exactes (produits défectueux...) pour obtenir des données à jour, exactes et utiles. Il importe pour toute organisation d'analyser à la lumière de ses besoins la rentabilité d'utiliser des méthodes de saisie moins coûteuses, qui comportent un potentiel d'erreurs plus élevé comparativement à l'utilisation d'un système informatisé de saisie beaucoup plus coûteux mais visant l'élimination de ces erreurs.

Dans les deux prochaines sections, nous verrons des façons différentes d'envisager le contrôle des activités de production, soit par l'utilisation de logiciels, soit par la méthode Kanban.

## 14.12 Les systèmes d'ordonnancement informatisés

Meridith et Gibbs[30] mentionnent qu'environ 80 % des tentatives d'implantation d'un système d'ordonnancement informatisé constituent des échecs. Cela peut paraître surprenant à première vue. Cependant, implanter avec succès un système informatisé est chose difficile. Souvent, on pense que la mise sur pied d'un système d'ordonnancement informatisé est beaucoup plus simple et moins coûteuse qu'elle ne l'est en réalité. Toutefois, cette observation ne veut pas dire qu'un système d'ordonnancement doive nécessairement être complexe et coûteux pour bien fonctionner et que cela soit une tâche impossible à réussir.

Aussi, ces auteurs soulignent que le haut taux d'échec mentionné est attribuable à trois types de facteurs. En conséquence, la figure 14.9 illustre les facteurs principaux à considérer pour réussir l'implantation d'un système d'ordonnancement informatisé.

**▼ FIGURE 14.9**
**Les facteurs importants à considérer lors de l'implantation d'un système d'ordonnancement informatisé**

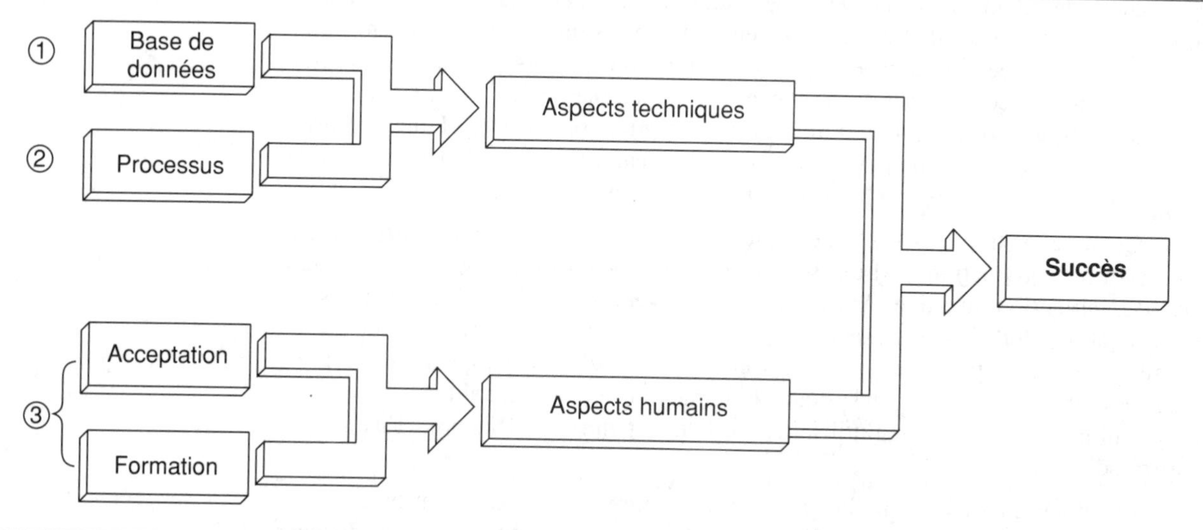


Tout d'abord, il arrive que certains aspects techniques propres à toute implantation soient négligés. Le premier problème est l'**exactitude des données**. Cette exactitude ne vient pas toute seule ; elle requiert des efforts et des contrôles constants. Les facteurs inhérents au **processus** lui-même constituent une deuxième contrainte importante quant aux caractéristiques du système à implanter ; ils doivent donc être soigneusement étudiés pour tenir compte de leurs effets. Le cas déjà évoqué (section 14.8) concernant l'établissement d'une séquence pour la fabrication des peintures, de la plus pâle à la plus foncée, illustre ce point. Finalement, la troisième cause d'échec a trait au **milieu de travail** lui-même. L'acceptation de changements dans l'organisation et les efforts d'adaptation en ce sens doivent être présents. On suggère souvent de mettre sur pied une équipe de gestion de projets représentative des services concernés, mais cette approche ne garantit pas nécessairement le succès du projet d'implantation. De plus, la formation du personnel doit être prise en considération.

L'utilisation d'un système informatisé soulève la question du degré de centralisation souhaitable. Il est important que les utilisateurs en usine comprennent le fonctionnement du système et, en particulier, les règles de priorité ainsi que les critères de performance utilisés. Cette mission est beaucoup plus difficile à réaliser qu'elle ne le semble à première vue.

Certes, la simulation facilite l'établissement d'une séquence des commandes. On peut ainsi prévoir à l'avance les goulots d'étranglement, de même que les postes de travail qui sont sous-utilisés ou qui risquent de manquer de travail.

Ritzman *et al.*[34] font état de l'utilisation d'un système d'ordonnancement sophistiqué élaboré aux États-Unis, le système *MASS* (*Manufacturing Simulation System*). Cet outil permet aux gestionnaires de déterminer les facteurs primordiaux de succès dans l'établissement de l'ordonnancement pour une usine, quelle qu'elle soit. Ce système prend en considération les conditions particulières d'une entreprise, comme les règles de priorité, le nombre de machines disponibles, etc. Le système *MASS* permet donc une focalisation des efforts en vue d'améliorer l'ordonnancement et, par le fait même, les systèmes qui lui sont reliés tel l'entretien.

Un autre logiciel d'ordonnancement utilisé est le système *OPT* (*Optimised Production Technology*), qui fait partie de la phase d'exécution dans le système de PCPS. Ce système gagne en popularité aux États-Unis et en Europe[20]. Le système fait en priorité l'ordonnancement des postes de travail ayant une capacité critique. Son utilisation permet d'augmenter les extrants produits, tout en minimisant les stocks et les dépenses par le biais de ses deux programmes : un pour la simulation de la production et un autre pour la gestion de l'atelier, par l'application de certaines règles.

Au Canada, Shell vient d'acquérir le logiciel d'ordonnancement *OPT 21* par le biais d'une entente avec la Scheduling Technology Corporation (Massachusetts). Elle se joint ainsi aux autres clients de cette firme : Cadbury et Schweppes. Smith[36] énumère d'autres entreprises qui ont aussi recours à ce logiciel : Allied Signal, Bendix, Ford, GE, GM et Westinghouse.

Ce logiciel a été conçu par E. Goldratt. Le volume et la durée de la production sont limités par les opérations aux goulots d'étranglement. L'augmentation des extrants vient seulement d'une meilleure utilisation des ressources et de la capacité aux goulots. Le logiciel tient alors compte des goulots d'étranglement dans l'ordonnancement des activités manufacturières, afin de maximiser la production. Ils deviennent les points critiques de l'ordonnancement[20]. On trouve au tableau 14.6 les neuf principes du logiciel.

Le logiciel *OPT* permet de procéder à une analyse informatisée de la rétroaction de l'exécution à la planification afin d'obtenir un PDP valable qui a de bonnes chances d'être réalisé, c'est-à-dire un ordonnancement basé sur les paramètres réels de la capacité. Il a recours à la logique du PBM dans l'ordonnancement, il réduit la taille des lots pour diminuer les stocks en cours de production (zéro-stock en production), il augmente la vélocité du matériel et il réduit le délai de fabrication. La capacité est limitée pour seulement une petite fraction du travail à chacun des postes.

**Tableau 14.6**

**Les principes du logiciel *OPT***

1. Le flux de production au goulot doit être équilibré plutôt que l'utilisation de la capacité totale.
2. Le niveau d'utilisation à une opération qui n'a pas de goulot n'est pas déterminé par son propre potentiel, mais par les autres contraintes du système.
3. L'utilisation et l'activation d'une ressource ne sont pas synonymes.
4. Une heure perdue au goulot d'étranglement est une heure perdue à jamais.
5. Une heure épargnée à une opération où il n'y a pas de goulot d'étranglement est un mirage.
6. Le goulot d'étranglement détermine le nombre d'extrants produits et le stock de produits en cours dans le système.
7. Le lot de transfert à d'autres opérations ne doit pas égaler le lot de production à une opération.
8. Le lot de production doit être variable et non pas fixe.
9. L'ordonnancement devrait être établi en considérant toutes les contraintes simultanément. Les délais de fabrication sont le résultat de la production et ne peuvent être déteminés exactement à l'avance.

Sous certains aspects, le logiciel *OPT* est similaire au juste-à-temps. Les deux ont comme principe de base de produire avec un goulot d'étranglement à 100 % de la capacité pour augmenter la productivité et réduire les stocks au plus bas niveau. Les deux philosophies ignorent les ressources inoccupées ; selon elles, il est préférable d'avoir une machine ou un employé oisif plutôt que d'empiler des stocks inutilisés. Cette philosophie, encore difficile à accepter par plusieurs gestionnaires et employés, a été la plus grande source de ralentissement de l'adoption d'*OPT* par les entreprises. La différence majeure entre les deux réside dans le fait que *OPT* permet de déterminer à l'avance les problèmes et les goulots d'étranglement, ce que le juste-à-temps ne permet pas ; on peut donc être proactif avec le logiciel *OPT* plutôt que de subir les problèmes du juste-à-temps. De plus, *OPT* convient autant à la production intermittente que continue.

Le principal reproche adressé à ce logiciel est son manque de transparence (boîte noire avec un algorithme inconnu) qui occasionne diverses difficultés lors de l'utilisation du système *OPT*, ce qui en complique la compréhension par les employés et les gestionnaires, qui ne savent pas si les résultats obtenus sont optimaux.

Un troisième logiciel d'ordonnancement utilisé est le *MOOPI* (Méthode d'optimisation d'ordonnancement de production industrielle). Plusieurs entreprises québécoises obtiennent du succès avec ce logiciel québécois de gestion manufacturière synchronisée, créé par le Groupe Berclain de Québec qui réalise une bonne partie de son chiffre d'affaires en exportations[1, 23]. Ce logiciel a permis à Alcan (produits de bâtiment) de réduire des deux tiers ses délais de livraison (soit de 30 à 8 jours) pour 98 % des commandes, d'augmenter l'efficience de production, d'offrir une flexibilité accrue des horaires de production, de prendre en considération simultanément plusieurs contraintes réelles de l'usine telles que l'absentéisme ou la pénurie[23]. Chez Westra, *MOOPI* a permis d'augmenter le service à la clientèle et de réduire le stress chez le personnel de production[2]. En janvier 1993, 65 logiciels étaient installés, dont plus de la moitié dans des PME telles que Les Poulies Maska et les Industries Mailhot, et ce avec succès[38].

Ce logiciel bilingue intègre tous les procédés de production utilisés et est en mesure de fournir un ordonnancement des commandes en tenant compte de l'utilisation de la machinerie, de la main-d'œuvre, de l'outillage et de la matière première, de manière à livrer les commandes dans un délai minimal. Aussi, advenant une commande urgente, le logiciel permet de prévoir les conséquences sur les commandes en cours de réalisation et s'il y a lieu de recourir aux heures supplémentaires pour y arriver. Le système informatique reprogramme automatiquement et continuellement la production et il établit l'horaire de production en tenant compte à la fois des besoins des clients et des employés. Toutefois, sa bonne marche nécessite l'intégration de toutes les méthodes employées, et il faut s'assurer de leur exactitude (vitesse de production de chaque machine, savoir-faire des employés...) si on ne veut pas informatiser de mauvaises habitudes et des données erronées[12].

Comme il faut alimenter le logiciel continuellement pour connaître l'état courant de la production, l'entrée manuelle des données ne suffit plus[24]. En utilisant des détecteurs ou des codes barres qui permettent de suivre à la trace la progression de la production, on accède à l'ordonnancement dynamique.

Le Groupe Berclain a un autre logiciel d'ordonnancement en cours d'élaboration, soit le *TASCAM* (Technologie avancée de synchronisation et de connectivité des activités manufacturières). Ce logiciel n'a pas encore de concurrent aux États-Unis. Il a l'avantage d'améliorer la formule du juste-à-temps, car à ce système de planification de la qualité et de livraison au moment opportun s'ajoute l'affectation de toutes les ressources d'une entreprise et de ses fournisseurs. Ce logiciel est basé sur le principe de *MOOPI* en s'attaquant aux mêmes problèmes, mais à l'échelle d'un tissu industriel complet[21].

Le système permet de lier l'élaboration des échéanciers de production des manufacturiers à ceux des fournisseurs par l'utilisation de la technologie de maillage électronique interentreprises ou l'échange électronique de documents informatisés (EDI). L'amélioration du temps de réaction des manufacturiers leur permet de faire face plus énergiquement à la concurrence des grands conglomérats industriels japonais. Aussi, ce logiciel s'inscrit dans la tendance marquée d'un partenariat plus étroit entre les clients et les fournisseurs, qui a commencé à changer la façon de traiter des affaires. Les donneurs d'ordres réduisent le nombre de sous-traitants et exigent beaucoup plus de souplesse de ceux qu'ils conservent[25]. Il semblerait que ce ne soit pas seulement l'utilisation des logiciels qui permet des améliorations (bénéfices), mais la confiance que le logiciel procure aux gestionnaires et aux employés.

Malgré certains résultats décevants jusqu'à maintenant, l'ordinateur peut faciliter la souplesse de l'ordonnancement et du système de production. L'ensemble des recherches menées à ce jour permet de conclure que les gestionnaires requièrent des logiciels comme ceux étudiés précédemment, qui rendent l'ordonnancement beaucoup plus souple. Cependant, trop de logiciels sont complexes au point de ne pouvoir être facilement utilisés ni suffisamment bien compris par la plupart des utilisateurs. En effet, les logiciels sont avant tout orientés vers la situation à améliorer plutôt que sur les utilisateurs. Pourtant, ce sont ces derniers qui évaluent les résultats fournis par l'ordinateur. Ce sont encore leur expérience et leur jugement qui prévalent, puisque dans la pratique beaucoup d'événements influent sur l'ordonnancement. C'est le système qui doit s'adapter aux situations, et non l'inverse. C'est là un défi de taille que peu d'entreprises semblent avoir résolu efficacement.

## 14.13 Le contrôle visuel des activités de production (Kanban)

Le système Kanban et l'approche juste-à-temps sont souvent confondus. Le juste-à-temps est une approche globale de production alors que le système Kanban (qui signifie en japonais « document » ou « carte visible ») est un outil de contrôle des activités de production, qui permet l'ordonnancement des mouvements de l'atelier par un contrôle visuel. En fait, c'est un système d'information qui permet de tirer par l'aval les pièces nécessaires de chaque opération, et ce selon les besoins, ce qui a pour effet de déclencher la production aux opérations où ont été soustraits les articles. La carte kanban est semblable à la fiche suiveuse et à l'ordre de fabrication d'un lot de pièces. Le fonctionnement du kanban est expliqué au chapitre 18.

Bombardier est une des entreprises québécoises qui utilisent cette méthode depuis quelques années pour la production de grandes séries de modèles de motoneiges, alors que Northern Telecom l'utilise pour la production de petits lots. Northern Telecom a même apporté des améliorations au système ; certains contenants de pièces ont été remplacés par des chariots qui circulent entre les installations du fournisseur R & M Métal et celles de Northern[17]. Notons que le kanban peut prendre différentes formes selon les entreprises (carte, contenant, aire de travail marquée...), ce qui importe peu. Ce qui compte, c'est de trouver la meilleure manière de transmettre correctement l'information requise d'une opération à une autre, afin d'effectuer un bon contrôle des activités de production.

Selon Ritzman *et al.*[34], l'utilisation du kanban est excellente pour la production de petits lots standard, mais beaucoup moins utile pour une production sur commande. En effet, la technique Kanban rend difficile les fréquentes modifications au plan directeur de production. Mentionnons simplement que l'une des caractéristiques principales du système Kanban est l'absence ou la très faible quantité de produits en cours, qui permet quand même le fonctionnement ininterrompu du système de production.

Le plus grand problème qu'occasionne la méthode Kanban est d'ordre psychologique. En effet, le fait que les employés ne voient plus de stocks près d'eux engendre l'insécurité, puisqu'une montagne de pièces à leurs côtés signifie qu'ils ne risquent pas de manquer de travail. Les gestionnaires doivent donc montrer que tout est bien planifié, et que les pièces arriveront à temps et selon les besoins.

## CONCLUSION

Ce chapitre avait pour but d'étudier l'ordonnancement, une des composantes clés du contrôle des activités de production (CAP), sous l'angle de ses principales activités, des méthodes de base et des méthodes additionnelles, dont les systèmes informatisés et la technique Kanban. L'ordinateur facilite l'ordonnancement, mais il ne remplace pas le jugement. Il en est de même des différentes méthodes employées, qui ne constituent en somme que des outils. Par ailleurs, ces outils favorisent l'efficience, mais le jugement peut améliorer autant l'efficacité que l'efficience.

Aussi, les notions d'ordonnancement, illustrées par quelques exemples dans ce chapitre, peuvent être profitables à la gestion des opérations dans les divers secteurs d'activité, y compris dans le secteur tertiaire.

Tout ce travail, ce temps, cette énergie et cet argent consacrés à l'ordonnancement en valent-ils vraiment la peine ? À cette question, Donovan[11] répond par l'affirmative tout en précisant que de grands progrès peuvent être accomplis sur une période de temps relativement courte lorsqu'on améliore l'ordonnancement.

## QUESTIONS DE RÉVISION

1. Qu'est-ce que l'ordonnancement ? Comment s'intègre-t-il dans l'ensemble du processus de planification globale ?
2. Quelles sont les principales étapes de l'ordonnancement ? À quoi sert chacune des étapes ?
3. Quels sont les principaux arbitrages qu'un gestionnaire doit effectuer lors de l'ordonnancement ?
4. Est-ce plus facile d'ordonnancer une production orientée pour les stocks ou une production sur commande ? Justifiez votre réponse.
5. Quels liens existe-t-il entre des délais de fabrication prolongés et des commandes en retard ?
6. Dans quelles conditions peut-on utiliser la méthode de Johnson ?
7. Quelles sont les particularités de l'ordonnancement dans le secteur tertiaire ?

## QUESTIONS DE DISCUSSION

1. Jusqu'à quel point l'arbitrage présumé entre les stocks, l'efficience et la qualité du service est-il vraiment un arbitrage ?
2. Devrait-on modifier une séquence une fois qu'elle est planifiée ? Si oui, dans quelles circonstances ?
3. Jusqu'à quel point peut-on se permettre d'accélérer fréquemment certaines commandes ? Quels sont les facteurs qui justifient cette décision ?
4. Y a-t-il des circonstances dans lesquelles on peut suggérer d'émettre les commandes au service de production le plus tôt possible ? Lesquelles ?
5. La règle TOC fournit d'excellents résultats selon certains critères de performance. Mentionnez trois exemples où l'utilisation d'une règle de priorité autre que la règle TOC semble préférable.
6. À l'aide d'un exemple tiré du secteur tertiaire, démontrez l'effet sur l'ordonnancement d'un système centré sur la clientèle.
7. Quelle méthode, autre que celle du rendez-vous, peut-on utiliser dans les cabinets de dentistes et de médecins ?

## PROBLÈMES ET MISES EN SITUATION

1. La Clinique médicale pour cadres inc. est une clinique dont la principale activité est l'examen de santé annuel de cadres d'entreprise. Le renom de la clinique est attribuable à la rapidité avec laquelle le personnel fait passer aux clients les examens requis. La règle de priorité utilisée jusqu'à maintenant a toujours été celle du « premier arrivé, premier servi ». La direction de la clinique s'est cependant rendu compte de deux problèmes majeurs qui découlent de cette façon de faire :

   – le temps d'attente des médecins est long ;

   – certains cadres supérieurs, arrivant quelques minutes plus tard que des collègues de niveau inférieur, doivent souvent attendre longtemps avant de passer les tests.

   Le 2 mars, une situation typique se présente : six cadres de la compagnie M. Tonpersonnel ont rendez-vous à 8 h pour passer des tests, puis être examinés par un médecin. Le matin, il n'y a qu'un infirmier pour les tests et un médecin pour l'examen, puisque beaucoup de cadres préfèrent ne se présenter à la clinique qu'en fin d'après-midi.

Voici d'autres détails relatifs à cette situation caractéristique.

| Cadre* | Temps requis (en minutes) | | |
|---|---|---|---|
| | Tests | Examens | Heure d'arrivée |
| $C_1$ | 20 | 10 | 7 h 46 |
| $C_6$ | 5 | 25 | 7 h 50 |
| $C_3$ | 25 | 30 | 7 h 51 |
| $C_5$ | 35 | 15 | 7 h 57 |
| $C_4$ | 10 | 10 | 8 h 00 |
| $C_2$ | 40 | 5 | 8 h 05 |

* L'indice indique le niveau du cadre : $C_1$ est le plus important, etc.

*a*) Quelle séquence permettrait au médecin de terminer le plus tôt l'examen du dernier patient ? À quel critère de performance une telle séquence répond-elle ? À quelle heure l'examen de chaque cadre se terminerait-il ?

*b*) À l'aide d'un graphique de Gantt, déterminez l'heure à laquelle le médecin aurait terminé l'examen du dernier patient, si la règle de priorité utilisée avait été de faire passer les tests aux cadres en ordre décroissant selon le niveau hiérarchique.

*c*) Quel critère de performance ou quelle règle de priorité satisferait davantage :
- la direction de la clinique ?
- les cadres ?

Justifiez brièvement le choix proposé.

*d*) Quelles suggestions peut-on apporter à la direction de la clinique pour résoudre les problèmes d'ordonnancement auxquels elle fait face ?

2. Pour planifier la fabrication du mois à venir, le directeur des opérations reçoit les renseignements suivants des responsables des différents services.

**Service du marketing :** « Pour le prochain mois, nous prévoyons que la demande du produit A descendra à environ 1 700 unités, et celle du produit B à environ 1 300 unités. Cette projection est basée, entre autres, sur nos nouveaux prix de vente nets qui sont portés à 405 $ l'unité pour le produit A et à 360 $ l'unité pour le produit B. »

**Service de l'ordonnancement :** « Les services I, II, III et IV disposeront de capacités respectives de 17 500 heures-personne (hp), 21 000 hp, 8 000 hp et 9 000 hp. Le produit A requiert 7 hp dans les services I et II, 4 hp dans le service III et ne nécessite pas l'utilisation du service IV. Le produit B requiert 5 hp dans le service I, 10 hp dans le service II, aucune transformation dans le service III, et 3 hp dans le service IV. »

**Service de la comptabilité :** « Nos prévisions, pour l'ensemble des coûts de fabrication, sont les suivantes :

15 $ par hp pour l'utilisation du service I,
18 $ par hp pour l'utilisation du service II,
21 $ par hp pour l'utilisation du service III,
15 $ par hp pour l'utilisation du service IV.

**Service du personnel :** « Étant donné la situation tendue entre l'entreprise et le syndicat, il est préférable, afin de faciliter la préparation de la prochaine négociation de la convention collective, de ne procéder à aucune mise à pied temporaire et d'utiliser au maximum la main-d'œuvre en place. »

**Service des finances :** « Un prêt majeur sera négocié dans deux mois avec la banque, en vue de notre expansion future. Un des critères que celle-ci utilise pour juger de nos états financiers est le rapport marge / ventes. Il faudra donc, si c'est nécessaire, répartir la production afin d'optimiser ce rapport. »

Après avoir pris connaissance de ces renseignements, le directeur de la production se rend vite compte qu'il devra demander l'avis du président de l'entreprise avant de prendre une décision finale sur la répartition de la production entre les produits A et B. Puisque le président pose toujours des questions pertinentes, le directeur de la production veut donc savoir au préalable :

*a*) Quel est l'ordonnancement de la production qui utilise le maximum de main-d'œuvre ?

*b*) Quel est celui qui assure le plus fort rapport marge / ventes ?

*c*) Est-ce que les projections du service des ventes se réaliseront ?

*d*) Quel nombre total d'heures-personne d'opérations reste inutilisé en *a* et en *b* ?

*e*) Comment lui conseilleriez-vous de répartir la production entre les produits A et B ?

3. Dans la matinée du 1er septembre, un promoteur immobilier désire réviser son échéancier afin de vérifier s'il respectera les dates promises à ses huit clients. Dans le contrat de vente, le promoteur garantit que ses maisons de ville seront livrées dans les délais convenus, sinon il subira une pénalité égale à un versement hypothécaire mensuel par jour de retard (hypothèque moyenne de 600 $ par mois). Il lui reste huit unités à terminer, et les deux dernières étapes sont la finition des planchers et la peinture. Les temps d'opération (en jours) sont indiqués ci-dessous.

| Étapes | $C_1$ | $C_2$ | $C_3$ | $C_4$ | $C_5$ | $C_6$ | $C_7$ | $C_8$ |
|---|---|---|---|---|---|---|---|---|
| **Plancher** | 2,1 | 1,5 | 2,9 | 2,4 | 1,9 | 2,0 | 2,7 | 2,9 |
| **Peinture** | 1,6 | 2,0 | 2,15 | 1,85 | 1,6 | 2,1 | 1,4 | 1,6 |
| **Date promise** | 09-09 | 03-09 | 08-09 | 09-09 | 14-09 | 03-09 | 22-09 | 14-09 |

*a*) Quelle séquence permet de minimiser le temps total d'exécution ?

*b*) Le promoteur subira-t-il des pénalités ? Si oui, pour quel(s) client(s) et combien devra-t-il débourser au total ?

*c*) Quelles suggestions lui feriez-vous face à cette situation ?

4. L'entreprise Lettrespresse inc., une petite imprimerie de la région métropolitaine, a su, au cours des 30 dernières années, se créer une place enviable sur le marché grâce à son service personnalisé et au respect rigoureux des délais de livraison. La plupart des clients de l'imprimerie lui sont fidèles et placent des commandes de façon relativement régulière. Le système opérationnel de l'imprimerie comporte deux services. Dans le premier service, on prépare et on imprime les ouvrages, tandis que dans le second, on s'affaire à la finition des travaux (coupage, pliage, agrafage, etc.). À cause de certaines contraintes techniques, on ne peut traiter qu'une commande à la fois dans le même service.

Les heures d'ouverture de l'imprimerie Lettrespresse inc. sont du lundi au vendredi de 8 h à 17 h. Toutefois, de 12 h à 13 h, c'est l'heure du repas durant laquelle aucun travail ne se fait. On peut, au besoin, travailler deux heures supplémentaires chaque jour dans le service de préparation et d'impression. Cependant, à cause de contraintes syndicales, aucune heure supplémentaire n'est possible dans le service de finition. L'entreprise est fermée en tout temps la fin de semaine. Généralement, on n'a recours aux heures supplémentaires que pour pallier les imprévus.

L'entreprise a comme politique générale de donner priorité à ses clients réguliers. Le type de clients (réguliers ou occasionnels) est évalué en fonction du montant de commandes annuelles et de la fréquence des commandes. Cette politique ne vaut que pour l'attribution des dates promises. Une fois qu'une commande est acceptée, on promet une date de livraison bien précise au client. Par la suite, on ne fait plus la distinction entre un client régulier et un client occasionnel. M. Bériault, le responsable des opérations, après 30 ans de loyaux services à l'imprimerie, connaît pratiquement tous les clients réguliers et est en mesure de fixer rapidement les dates de livraison.

Cependant, dans les faits, le responsable des opérations et ses deux contremaîtres jouissent d'une certaine latitude quant à l'organisation efficace de la production. Leur objectif est de respecter les dates de livraison, tout en utilisant le mieux possible l'équipement dans chaque service.

Le directeur des ventes, M. Lafleur, a formulé certaines critiques concernant cette pratique dans l'entreprise. Selon ses dires, l'attribution de délais de livraison plus courts aux clients réguliers, politique très valable pour maintenir de bonnes relations avec eux, nuit à l'accroissement des ventes de l'entreprise. M. Lafleur cite, par exemple, le nombre considérable de nouveaux clients potentiels qui, après estimation des dates promises, préfèrent passer leurs commandes chez des concurrents où les délais de livraison sont souvent moindres.

Aujourd'hui, mardi, l'entreprise Cie Financière inc., une importante société de financement, place pour la première fois une commande à l'imprimerie Lettrespresse inc. Cette commande est conditionnelle : elle doit absolument être terminée au plus tard jeudi à 17 h. Selon le directeur des ventes, ce nouveau client pourrait, s'il est satisfait du travail, négocier un contrat d'imprimés avec Lettrespresse inc. pour l'année qui vient. Si le contrat est obtenu, il représentera une augmentation d'environ 10 % du chiffre d'affaires annuel, ce qui est loin d'être négligeable.

Cette nouvelle commande est divisée en trois sous-commandes (trois impressions et finitions différentes). M. Bériault a évalué comme suit le travail à effectuer :

| Sous-commande | Service de préparation et d'impression ($S_1$) | Service de finition ($S_2$) |
|---|---|---|
| **A** | 6 h | 3 h 00 |
| **B** | 3 h | 1 h 30 |
| **C** | 3 h | 2 h 00 |

Le directeur de l'imprimerie doit donner sa réponse aujourd'hui avant 17 h, à savoir s'il accepte ou s'il refuse la commande.

M. Bériault a demandé à ses deux contremaîtres de faire le diagnostic de la situation afin de prendre une décision relative à ce contrat et à l'organisation du travail pour le reste de la semaine. Il ne reste jusqu'ici que cinq commandes à exécuter, pour lesquelles des dates de livraison ont été fixées. Les caractéristiques de ces commandes apparaissent dans le tableau ci-après.

| Commande | Service ($S_1$) | Service ($S_2$) | Date promise | |
|---|---|---|---|---|
| $P_1$ | 2 h | 1 h 45 | Jeudi | 12 h |
| $P_2$ | 3 h | – | Mardi | 16 h |
| $P_3$ | 3 h | 2 h 30 | Mercredi | 17 h |
| $P_4$ | 4 h | 1 h 00 | Jeudi | 12 h |
| $P_5$ | – | 2 h 00 | Vendredi | 17 h |

*a*) Quel est le temps minimal nécessaire à l'imprimerie Lettrespresse inc. pour effectuer la commande de C^ie^ Financière inc. considérée isolément ?

Pourrait-on satisfaire les exigences de C^ie^ Financière inc. si on faisait passer les trois sous-commandes de celle-ci après les commandes déjà acceptées ? Justifiez votre réponse.

*b*) Quel est le temps minimal requis pour achever toutes les commandes ? (Soit les cinq commandes déjà acceptées et les trois sous-commandes proposées par C^ie^ Financière inc.)

Avec l'ordonnancement qui permet d'obtenir ce temps minimal, peut-on respecter toutes les dates promises ? Justifiez votre réponse.

*c*) Quels sont les principaux avantages et inconvénients reliés à l'acceptation du contrat de C^ie^ Financière inc. ? Quelle serait la recommandation à formuler ? Justifiez votre réponse.

Suggérez un ordonnancement qui paraît correspondre adéquatement à la recommandation faite.

## RÉFÉRENCES


1. BÉRARD, D., « Les ordinateurs entrent dans l'usine », *Revue Commerce*, n° 10, octobre 1992, p. 78-84.
2. BÉRARD, D. et C. BELLAZI, « Westra, la production sans le stress », *PME*, mai 1992.
3. BRUCKER, H.D., G.A. FLOWERS et R.D. PECK, « MRP Shop-Floor Control in a Job Shop Definitely Works », *Production and Inventory Management Journal*, 2e trimestre, vol. 33, n° 2, 1992, p. 43-46.
4. BUFFA, E.S., M.J. COSGROVE et B.J. LUCE, « An Integrated Work Shift Scheduling System », *Decision Sciences*, octobre 1976, p. 620-630.

5. BUFFA, E.S. et J.G. MILLER, *Production – Inventory Systems : Planning and Control*, 3e éd., Homewood, Illinois, Richard D. Irwin, 1979.
6. CAMPBELL, K.L., « Scheduling Is Not the Problem », *Production & Inventory Management*, 3e trimestre, 1971, p. 53-59.
7. CHASE, R.B. et N.J. AQUILANO, *Production and Operations Management*, 6e éd., Homewood, Illinois, Richard D. Irwin, 1992.
8. COOK, T.M. et R.A. RUSSELL, « A Simulation and Statistical Analysis of Stochastic Vehicle Routing with Timing Constraints », *Decision Sciences*, octobre 1978, p. 673-687.
9. COSMETATOS, G.P., « Increasing Productivity in Exponential Queues by Server-Sharing », *Omega*, vol. 11, no 2, 1983, p. 187-193.
10. DEUTSCH, H. et V.A. MABERT, « Queuing Theory and Teller Staffing : A Successful Application », *Interfaces*, octobre 1980, p. 63-67.
11. DONOVAN, R.M., « Enhanced Production Scheduling and Capacity Management », *APICS*, vol. 2, no 6, juin 1992, p. 42-46.
12. DUMAIS, N., « L'usine à l'heure de l'ALENA : Juste à temps avec MOOPI », *Informatique & Bureautique*, vol. 14, no 2, février 1993, p. 27-30.
13. GLOBERSON, S., « Manpower Planning for a Telephone Service Department », *Interfaces*, novembre 1979, p. 105-111.
14. GODDARD, W.E., « Shop-Floor Control : Its Role in Manufacturing », *Modern Materials Handling*, 7 septembre 1984.
15. GRAVES, S.C., « A Review of Production Scheduling », *Operations Research*, vol. 29, no 4, 1981, p. 646-675.
16. HABLEWITZ, M.J. *et al.*, *APICS Training Aids, Shop Floor Control*, Milwaukee APICS Chapter, 1979.
17. HERRY, B., « Ouvriers aux commandes », *Revue Commerce*, no 3, mars 1992, p. 69-73.
18. HUGE, E.C., « Managing Manufacturing Lead Times », *Harvard Business Review*, septembre-octobre 1979, p. 116-123.
19. KWAK, N.K., P.J. KUZDRALL et H.H. SCHMITZ, « The GPSS Simulation of Scheduling Policies for Surgical Patients », *Management Science*, mai 1976, p. 982-989.
20. L'ABBE WU, N., « Understanding Production Systems Through Human Simulation : Experiencing JIC, JIT and OPT Production Systems », *International Journal of Operations and Production Management*, vol. 9, no 1, 1989, p. 27-34.
21. LABERGE, R., « Groupe Berclain investit 3 millions $ à Sainte-Foy », *Le Soleil*, 9 septembre 1992.
22. LAFEIR, J., « Everything You've Needed to Know About Bar Coding... but Just Haven't Asked », *APICS*, vol. 2, no 5, mai 1992, p. 26-29.
23. LAPIERRE, V., « Les produits de bâtiment Alcan réduisent les délais de livraison des deux tiers avec MOOPI », *Les Affaires*, 29 août 1992, p. C-6 et C-7.
24. LAPIERRE, V., « Les spécialistes de la production sont conviés à repenser leurs approches », *Les Affaires*, 29 août 1992, p. C-3.
25. LAPIERRE, V., « Berclain veut synchroniser électroniquement fournisseurs et donneurs d'ordres », *Les Affaires*, 29 août 1992, p. C-2.
26. LAPORTE, G. et Y. NOBERT, « La construction d'horaires rotatifs pour des entreprises à feu continu », *Revue Gestion*, novembre 1977, p. 61-68.
27. LAPORTE, G., Y. NOBERT et J. BIRON, « Rotating Schedules », *European Journal of Operational Research*, janvier 1980, p. 24-30.
28. MABERT, V.A. et A.R. RAEDELS, « The Detail Scheduling of a Part-Time Work Force : A Case Study of Teller Staffing », *Decision Sciences*, 1977, p. 109-120.
29. MELNYK, S.A. et P.L. CARTER, *Shop Floor Control Principles and Practices and Case Studies*, The Library of American Production, 1987.
30. MEREDITH, J.R. et T.E. GIBBS, *The Management of Operations*, 2e éd., New York, John Wiley & Sons, 1984.

31. NOLLET, J. et J. HAYWOOD-FARMER, *Les entreprises de services*, Gaëtan Morin Éditeur, 3e trimestre, 1992.

32. PANWALKAR, S.S. et W. ISKANDER, « A Survey of Scheduling Rules », *Operations Research*, janvier-février 1977, p. 45-61.

33. PLOSSL, G.W. et O.W. WIGHT, « Capacity Planning and Control », *Production & Inventory Management*, 3e trimestre, 1973, p. 31-67.

34. RITZMAN, L.P., B.E. KING et L.J. KRAJEWSKI, « Manufacturing Performance – Pulling the Right Levers », *Harvard Business Review*, mars-avril 1984, p. 143-152.

35. SEN, T. et S.K. GUY, « A State-of-Art Survey of Static Scheduling Research Involving Due Dates », *Omega*, 1984, vol. 12, nº 1, p. 63-76.

36. SMITH, S.B., *Computer Based Production and Inventory Control*, Prentice Hall, 1989.

37. SURI, A.H., « Change Brought About by Time : What's the Impact on Planners and Schedulers ? », *APICS*, vol. 3, nº 1, janvier 1993, p. 33-35.

38. THIBAULT, E., « Après avoir mis au point le logiciel MOOPI, Berclain s'attaque à TASCAM », *Les Affaires*, 23 janvier 1993, p. T-4.

39. VOLLMANN, T.E., W.L. BERRY et D.C. WHYBARK, *Manufacturing Planning and Control System*, 3e éd., Homewood, Illinois, Richard D. Irwin, 1992.

40. WARREN Jr., E.H., « Estimating Waiting Time in a Queuing System », *Decision Sciences*, janvier 1981, p. 112-117.

41. WOOLSEY, G., « The Fifth Column : Production Scheduling as It Really Is », *Interfaces*, décembre 1982, p. 115-118.

42. YOUNG, J.B., « Practical Dispatching », *American Production and Inventory Control Society, 1981 Conference Proceedings*, p. 175-177.

CHAPITRE 15

# La gestion de projets

ROGER HANDFIELD *auteur principal*

MATTIO O. DIORIO *collaborateur*

# LA GESTION DE PROJETS ET LA GESTION DES OPÉRATIONS

## 15.1 La nature des projets

Certains systèmes opérationnels sont conçus pour réaliser un grand nombre d'unités d'un même produit ou d'une même famille de produits. À l'extrême, un système opérationnel sera consacré durant toute sa durée à la réalisation, en énormes quantités, d'un seul produit ou d'une seule famille de produits. On parle alors de système à production de masse en continu ou de type *process*. C'est le cas, par exemple, des chaînes d'assemblage de produits standardisés, des hauts-fourneaux de l'industrie sidérurgique, ou de l'équipement complexe des raffineries de pétrole. Plus souvent, les systèmes opérationnels servent à réaliser plusieurs produits différents, en quantités plus ou moins grandes, sur une base cyclique ou non. Ces systèmes appartiennent au type atelier ou de production de masse par lots. L'appareil de production des conserveries alimentaires ou ceux des ateliers de fabrication de vis, de boulons et d'écrous pourraient ici servir d'exemples. Enfin, des systèmes opérationnels sont mis sur pied pour la réalisation d'un produit, d'un bien ou d'un service en un seul ou en un nombre très restreint d'exemplaires, notamment lorsqu'on veut construire une centrale hydro-électrique ou qu'on se propose d'envoyer un homme sur la Lune.

Le type de réalisation auquel sont consacrés ces derniers systèmes se nomme un projet. Plus précisément, un **projet** se définit comme une suite d'activités présentant les caractéristiques suivantes.

1. Le début de l'une (ou de certaines) de ces activités et la fin d'une autre (ou de certaines autres) constituent respectivement le point de départ (début) et le point de terminaison (fin) du projet (ce qui exclut les processus dits continus).
2. Chaque activité doit avoir un début et une fin parfaitement déterminés (ce qui élimine certains processus pour lesquels les activités se fondent les unes dans les autres, sans qu'on puisse nettement établir le moment où l'une se termine ni où commence la suivante).
3. Certaines activités du projet peuvent être accomplies indépendamment les unes des autres, alors que d'autres présentent des **relations de succession** dans le temps, une activité ne pouvant débuter, par exemple, tant qu'une ou plusieurs autres activités ne sont pas terminées.
4. Chaque activité exige un certain intervalle de temps pour son accomplissement ; cet intervalle est appelé **durée**.
5. L'accomplissement d'une activité exige le plus souvent l'utilisation d'une ou de plusieurs **ressources de production** (main-d'œuvre, équipement, énergie, etc.), et sa durée ne peut être réduite sans un accroissement de cette utilisation, donc des coûts qui s'y rattachent.

La **gestion de projets** implique que les décisions administratives sont différentes de celles exigées par la gestion des autres types de systèmes de production, ou, à tout le moins, que la prise de décisions administratives se fait dans un contexte différent. La conception du système opérationnel d'un projet et son pilotage prennent de nouvelles dimensions en raison de sa durée limitée (il disparaîtra à la fin de sa réalisation) et du caractère unique du produit réalisé. Souvent, le système opérationnel mis en place pour un projet devra fonctionner, dans une même entreprise, en parallèle avec un système opérationnel voué à la production courante, celui-ci portant sur des quantités plus ou moins grandes d'unités de produits. La planification et le contrôle des opérations ne peuvent, dans le cas des projets, s'exécuter à partir des techniques décrites aux chapitres 12 à 14 de ce volume. Des techniques particulières ont donc été conçues pour permettre de planifier et de contrôler le déroulement des projets. Nous en présenterons brièvement quelques-unes aux sections 15.10 à 15.14.

Même si la gestion de projets exige un système différent de celui de la gestion des activités courantes de l'entreprise, elle ne peut s'accomplir indépendamment de celle-ci. Des liens fondamentaux subsistent entre les deux types de gestion, et les décisions relatives à l'un auront des répercussions sur l'autre. Pour réaliser un projet, il se peut qu'on doive recourir à la main-d'œuvre ou à l'équipement utilisés ordinairement pour assurer une production intermittente ou continue. Le retrait de ces ressources modifiera les contraintes habituelles imposées aux étapes de la planification des opérations (*voir le chapitre 12*). D'autre part, l'exécution de certaines activités dans le cadre d'un projet peut créer une demande pour des quantités de produits issus des systèmes continus ou intermittents de production de l'entreprise. Par exemple, la fabrication d'une turbine à vapeur peut entraîner la production de certaines pièces en grande quantité. Ces pièces peuvent être fabriquées par l'entreprise à l'aide d'un équipement spécial qui fonctionne de façon continue ou intermittente, afin de satisfaire la demande interne ou externe pour ce type de pièces. Ce serait le cas si l'entreprise qui fabrique les turbines possédait un atelier pour produire, de façon continue, les rivets requis en grand nombre pour ces turbines ou pour d'autres produits similaires.

Ainsi, il existe des liens entre tous les aspects de la gestion de projets et les sous-systèmes correspondants de la gestion habituelle des opérations. L'exécution d'un projet requiert souvent la fourniture de matières premières ou de pièces d'équipement achetées ou louées à l'extérieur de l'entreprise. Sauf dans le cas de projets de très grande envergure (Stade olympique, développement de la Baie James ou projet international de type clés en main), la création d'un service d'approvisionnement distinct consacré aux besoins exclusifs d'un projet n'est pas justifiée. En règle générale, c'est le service central de l'approvisionnement de l'entreprise qui achète ou loue tout ce qui est requis pour le projet. Cependant, avant de décider que toutes les acquisitions nécessaires au projet doivent se faire par ce service central d'approvisionnement, il faut considérer les avantages et les inconvénients respectifs de la centralisation et de la décentralisation des approvisionnements. Si un projet doit s'accomplir en un lieu éloigné du siège social de l'entreprise, il peut être plus avantageux de confier la responsabilité de certaines acquisitions à des gestionnaires sur place concernés directement par le projet.

Cette problématique se pose également pour les autres aspects de la gestion des opérations : gestion des stocks, de l'entretien de l'équipement ou de la qualité du produit. Nous reviendrons sur cette question à la section 15.7, où nous exposerons certaines voies pour résoudre ces problèmes d'organisation et de gestion.

## 15.2 Les objectifs de la gestion de projets

L'**objectif principal** de la gestion de projets consiste à assurer la réalisation des projets de l'entreprise tout en respectant les budgets de temps et de coûts qui leur sont alloués, et en atteignant le degré de qualité désiré pour le produit fini. Cet objectif est souvent très difficile à atteindre à cause du conflit qu'engendre la triade temps – coûts – qualité. Par exemple, un projet ne sera réalisable à l'intérieur des délais fixés qu'à la condition d'excéder les budgets accordés (exemple typique : les installations olympiques de Montréal). Dans d'autres cas, le respect des délais exigera qu'on sacrifie la qualité. Il faudra alors procéder à un arbitrage, l'objectif ne pouvant être atteint à la perfection dans toutes ses dimensions. Idéalement, cet arbitrage visera à optimiser la réalisation du projet en fonction conjointe des critères temps, coûts et qualité.

Pour parvenir le plus facilement possible à un arbitrage satisfaisant, on peut fixer des objectifs particuliers à la gestion de projets.

1. Mettre sur pied une organisation adéquate, de façon que chaque responsabilité soit attribuée à une personne précise dans l'entreprise.
2. Assurer la coordination du travail de chaque membre de l'organisation, surtout lorsque les lignes d'autorité se croisent.
3. Planifier le déroulement des opérations, établir un calendrier pour les principales activités du projet et pour les activités auxiliaires (approvisionnement, embauche de la main-d'œuvre, obtention des permis requis, etc.).
4. Faire en sorte que le contrôle du déroulement des opérations s'effectue d'une manière continue, afin que l'information concernant les retards, les dépassements de coûts éventuels ou les problèmes de qualité parvienne le plus rapidement possible aux responsables de l'application de mesures correctives.

Chacun de ces objectifs particuliers doit être atteint dans un ordre chronologique. L'incapacité de réaliser l'un de ceux-ci empêchera l'atteinte des objectifs subséquents.

## 15.3 Les projets en gestion des opérations

Au début de ce chapitre, nous avons expliqué comment la nature particulière de certains produits réalisés par une entreprise pouvait exiger qu'on ait recours aux concepts et aux techniques de la gestion de projets. Ces derniers peuvent également s'appliquer à la gestion de nombreuses autres tâches que le gestionnaire des opérations est appelé à accomplir dans le cadre de ses activités. Souvent, ces tâches sont complexes, exigent un long processus de décisions, requièrent la participation de nombreux décideurs et doivent respecter des budgets et des échéanciers. Toute prise de décision stratégique présente en général ces caractéristiques.

Comme exemples de tâches pour lesquelles il est recommandé au gestionnaire des opérations d'utiliser l'approche de la gestion de projets, on peut mentionner :

- le choix et la mise en place d'un nouveau processus de production ou d'une nouvelle technologie ;
- l'implantation de l'automatisation flexible et de la robotique ;
- la réalisation de tout plan visant à assurer une augmentation de la capacité de l'appareil de production ;
- le réaménagement des unités de production ;
- la mise en œuvre systématique des techniques d'organisation et des méthodes ;
- l'introduction de systèmes informatisés d'aide à la prise de décisions en GOP ;
- la conception et la mise au point de modifications majeures au système de pilotage existant ;
- le passage d'une production par lots à une production de type juste-à-temps ;

- l'adoption et l'implantation d'une approche de qualité totale ;
- l'établissement d'un programme d'entretien préventif de l'équipement ;
- la conception d'un plan de mesure systématique de la productivité ;
- l'implantation des mesures requises pour doter l'entreprise d'une production de classe mondiale.

# LES ÉTAPES DE LA GESTION DE PROJETS

## 15.4 L'établissement des principales activités et de leur ordre de succession

Cette première étape peut sembler aller de soi ; de ce fait, on a souvent tendance à ne pas y apporter toute l'attention requise. Pourtant, un travail bien fait à cette étape facilitera grandement l'accomplissement des étapes subséquentes et permettra d'éviter de nombreux écueils. C'est à cette étape que le gestionnaire des opérations éprouvera sans doute le plus grand besoin de recourir à différents experts (ingénieurs, architectes ou techniciens) bien au fait de toutes les exigences techniques liées aux activités à accomplir.

Chaque activité constitutive d'un projet doit former un tout homogène, avec un début et une fin bien établis, et dont on peut estimer la durée et les besoins en ressources. Un des principaux problèmes que pose l'établissement des activités d'un projet consiste à définir le degré de détail jusqu'où il convient d'aller. Par exemple si l'on décrit un projet d'agrandissement d'usine par les activités suivantes : préparation des plans, obtention des permis requis, préparation de l'emplacement, excavation, construction du bâtiment, aménagement des nouveaux espaces, le fait de s'en tenir à énumérer des activités principales de premier niveau offre l'avantage de définir un projet qui, de prime abord, paraît simple à gérer parce que constitué de peu d'activités. Cependant, cette simplicité s'obtient aux dépens de la précision de la définition de chacune de ces activités (chaque activité donnée en exemple constitue en fait une activité synthèse qui peut se décomposer en plusieurs activités individuelles ; ainsi, la préparation des plans englobe la définition du besoin en nouvel espace, l'élaboration du concept, le choix de la firme d'architecte, l'étude des contraintes, l'exécution des esquisses et des plans préliminaires, la mise au propre des plans, etc.). Il peut devenir très difficile, sinon impossible, d'estimer avec réalisme la durée des activités, les quantités de ressources requises et les coûts à budgétiser, si on demeure à un niveau de définition trop général. Par contre, une définition exagérément détaillée des activités risque d'exiger trop d'efforts en matière de planification et de contrôle du projet.

Face à ce dilemme, la règle généralement adoptée en gestion de projets consiste à définir les activités à un niveau de détail suffisant pour faire apparaître l'individualité de chacune d'elles malgré leurs liens avec certaines autres, et pour refléter l'homogénéité voulue dans l'utilisation des ressources. Ainsi, les activités d'un projet seront bien définies si chacune constitue un tout devant s'accomplir d'un seul trait, sans interruption, et exigeant l'utilisation de la même quantité de chaque ressource tout au long de son accomplissement. Il faudra continuer à décomposer les activités tant que cette règle ne sera pas respectée.

La détermination de l'**ordre de succession** des activités exige l'établissement des séquences entre les activités. Longtemps, cette tâche s'est résumée à indiquer, pour chaque activité d'un projet, les activités constituant ses **prédécesseurs immédiats**, c'est-à-dire celles qui doivent être absolument terminées avant que l'activité en question puisse débuter. Certains préfèrent utiliser les **successeurs immédiats** (les activités pouvant commencer dès que l'activité en cause est terminée) pour arriver au même résultat. Aujourd'hui, le recours aux logiciels pertinents offre beaucoup plus de souplesse au gestionnaire dans ses efforts de détermination de l'ordre de succession. Plusieurs de ces logiciels offrent, en plus de l'ordre traditionnel (appelé souvent **fin-début**), des liens possibles tels que **début-début** (une activité ne peut débuter qu'au moment où une autre activité a elle-même démarré), **fin-fin** (une activité ne peut se terminer avant qu'une autre ne soit finie), **recoupement partiel** (une activité peut commencer dès qu'un pourcentage fixé d'une autre activité est accompli) ou **attente** (une activité ne peut débuter qu'un certain temps après la fin d'une autre, pour permettre au béton de sécher, par exemple). Dans la suite de ce chapitre, nous nous en tiendrons à l'ordre traditionnel.

## 15.5 La détermination des durées, des ressources, des coûts directs et des coûts indirects

La gestion de projets requiert la détermination, à l'aide de prévisions et de budgets à l'étape de la planification et grâce aux observations appropriées à l'étape du contrôle, des durées des activités, des ressources nécessaires à leur accomplissement et des coûts directs et indirects qu'elles devraient engendrer. Encore ici, l'aide d'experts de divers domaines s'avérera précieuse au gestionnaire des opérations.

À l'étape de la planification, la détermination des **durées** peut se faire selon deux approches qui correspondent aux deux techniques majeures de la gestion de projets. Dans l'**approche *CPM*** (*Critical Path Method*, ou méthode du chemin critique), la durée de chaque activité est indiquée par une valeur précise, selon un mode déterministe (l'activité A doit durer 20 jours, par exemple). Cette approche, élaborée à la fin des années 50 par la compagnie DuPont à l'occasion de la planification et du contrôle d'un projet d'entretien pour ses usines de produits chimiques[16], s'applique particulièrement bien à des projets constitués d'activités dans l'accomplissement desquelles une bonne expérience passée a été accumulée et qui doivent se dérouler dans des conditions prévisibles ou contrôlables, et pour lesquelles il est donc réaliste d'utiliser une valeur déterministe de la durée.

Dans d'autres cas, soit à cause de la nature expérimentale du projet ou du fait que la durée des activités peut être fortement influencée par les conditions (température, humidité, résistance des sols, etc.) dans lesquelles leur exécution s'effectuera, il est préférable d'utiliser une estimation probabiliste des durées. L'**approche *PERT*** (*Project Evaluation and Review Technique*, ou technique d'évaluation et de suivi de projets), élaborée en 1958 par le département de la Marine américaine pour le projet de développement des missiles sous-marins *Polaris*[16], répond à ce besoin. Dans cette approche, la durée de chaque activité peut être définie par une distribution de probabilité quelconque, bien que la plupart des utilisateurs s'en tiennent à un type précis de distribution statistique appelée « distribution bêta » (ß). Cette distribution est unimodale (elle ne présente qu'une seule valeur maximale), elle est bornée par des valeurs finies et non négatives, et elle n'est pas nécessairement symétrique. Elle convient particulièrement bien à la planification des projets constitués d'activités à durée probabiliste, car la détermination de trois durées suffit à la définir. La **durée**

**optimiste** indique le temps requis par chaque activité si toutes les conditions pouvant influer sur son déroulement se révèlent favorables. La **durée normale ou réaliste** correspond au temps nécessaire en présence d'une combinaison normale de conditions favorables et défavorables. La **durée pessimiste** survient lorsqu'une activité se déroule dans des conditions entièrement adverses. L'expérience démontre que l'écart entre la durée optimiste et la durée normale se révèle, dans la plupart des cas, inférieur à celui qui sépare la durée normale de la durée pessimiste. Dans cette distribution, l'espérance mathématique de la durée se situe un peu au-dessus de la durée normale.

Nous reviendrons sur l'approche *PERT* à la section 15.13. Tout le reste du chapitre portera sur l'approche *CPM*.

L'estimation de la durée de chaque activité d'un projet constitue une tâche déterminante pour sa gestion. En effet, l'estimation des coûts, la répartition des ressources et les efforts de planification et de contrôle sont orientés en fonction des diverses durées prévues. S'il se glisse beaucoup d'erreurs importantes dans cette estimation, la planification résultante sera en bonne partie inutile.

Il est habituel pour les responsables des diverses étapes d'un projet de gonfler quelque peu les estimations de temps, afin de se laisser une certaine marge de manœuvre en cas de difficultés imprévues. Ces estimations, gonflées volontairement ou non, induisent les gestionnaires et les travailleurs à prendre tout le temps alloué pour effectuer la plupart des tâches, ce qui peut entraîner des conséquences néfastes quant au respect des délais et des budgets. À l'inverse, une durée sous-estimée peut causer de nombreux problèmes lors du déroulement du projet : impossibilité de respecter les délais et les budgets alloués, nécessité de recourir aux transferts de main-d'œuvre et d'équipement, aux heures supplémentaires ou à la sous-traitance.

La détermination des besoins en **ressources** de production pour chaque activité du projet doit être aussi précise que possible dès l'étape de la planification. On se sert en général des taux d'utilisation des ressources (par exemple, telle activité exige, pour chaque jour ouvrable de son déroulement, un contremaître, trois ouvriers, deux grues, un camion, etc.) pour toutes les ressources directes. Pour les ressources indirectes, on peut procéder à une estimation du coût quotidien du déroulement du projet, indépendamment des activités accomplies, ou à une évaluation globale pour l'ensemble du projet.

À cette étape, il est également essentiel d'établir les activités dont la durée dépend du taux de ressources utilisées. Certaines activités peuvent être raccourcies en utilisant plus de ressources simultanément ; par exemple, six ouvriers peuvent parfois accomplir en huit jours ce que trois ouvriers mettraient seize jours à réaliser. Toutefois, ce n'est pas toujours le cas ; certaines activités ont une durée indépendante du taux de ressources employées, et on ne peut en accélérer l'accomplissement en y consacrant plus de ressources. Cette distinction aura une influence déterminante sur les étapes subséquentes de la gestion de projets.

Pour la détermination des **coûts directs** et des **coûts indirects** des projets, on aura recours, à l'étape de la planification, à diverses sources d'information : les données comptables internes établissant des coûts standard d'utilisation des ressources, les échelles de salaire, les valeurs indiquées dans les catalogues ou les soumissions des fournisseurs. Il ne faudra pas oublier d'inclure dans les coûts indirects les pénalités à payer pour le dépassement de la date fixée de fin du projet. À l'inverse, les primes offertes pour des travaux terminés avant la date limite viendront se soustraire du total des coûts indirects.

À l'étape du contrôle du déroulement du projet, il s'avère essentiel de disposer d'un système d'information permettant de connaître très rapidement l'état d'avancement réel des travaux, les quantités de ressources utilisées et les coûts réels engagés. Un bon système comptable et le recours à l'informatique se révèlent ici des aides précieux.

## 15.6 La planification des projets

La planification des projets doit porter simultanément sur les quatre variables principales : temps, quantités de ressources, coûts et qualité. Rappelons que les arbitrages à effectuer peuvent être nombreux entre celles-ci. Nous allons maintenant décrire brièvement les principaux éléments des trois premières variables de la planification des projets. Quant à la qualité, les principes et les techniques présentés au chapitre 17 s'appliquent parfaitement à la planification des projets.

### *La planification dans le temps*

La première tâche en planification des projets réside dans l'établissement du déroulement prévu des activités dans le temps. Pour l'accomplir, il faudra :

- déterminer avec précision toutes les activités nécessaires, leur durée et leurs relations de succession ;
- calculer un certain nombre de variables pour chaque activité :
  - les dates de début et de fin au plus tôt,
  - les dates de début et de fin au plus tard lorsqu'une échéance existe pour la fin du projet,
  - le nombre de jours dont le début et la fin d'une activité peuvent être repoussés sans modifier la date prévue de fin du projet (ce qui constitue la **marge totale** pour chaque activité) ou le début de toute activité subséquente (la **marge libre**) ;
- déterminer les activités critiques, celles pour lesquelles la marge totale est égale à la différence entre la date d'échéance fixée pour le projet et la date minimale de la fin de la dernière activité du projet ; un ensemble de ces activités critiques, allant du début à la fin du projet, constitue un chemin critique, d'où le nom de l'approche *CPM* ;
- s'il est impossible de planifier la réalisation du projet à l'intérieur des délais prévus, réexaminer la structure du projet pour y apporter, si possible, les modifications requises.

### *La planification des ressources*

L'accomplissement de chaque activité exige, sauf exception, l'utilisation d'une ou de plusieurs ressources de production. Dans un projet complexe, les activités qui exigent l'emploi des mêmes ressources peuvent être appelées à se dérouler simultanément. Si les quantités globales disponibles de certaines ressources sont limitées, le problème de l'allocation des ressources aux activités va se poser. Même en l'absence de limites précises, les gestionnaires de projets préfèrent une planification qui présente un usage aussi équilibré que possible des ressources, car de fortes variations dans le degré d'utilisation d'une ressource peuvent entraîner des coûts supplémentaires : main-d'œuvre inoccupée ou mise à pied puis réengagée au besoin, équipement inutilisé, etc.

La planification des ressources comprendra les sous-étapes suivantes :

- pour les besoins en ressources, la compilation découlant de la planification dans le temps précédemment établie ;
- pour les ressources dont le besoin dépasse la limite imposée, la prise des mesures nécessaires pour ramener le besoin à la limite (ce qui peut entraîner des modifications à la planification dans le temps originale) ;
- pour toutes les ressources, la recherche d'un équilibre aussi parfait que possible dans leur utilisation (ce qui ici encore peut exiger des modifications à la planification originale).

Les techniques qui permettent de résoudre les problèmes posés par la planification des ressources en gestion de projets sont souvent complexes, et certaines se révèlent difficiles à utiliser. Nous en donnerons un bref aperçu à la section 15.11.

### *La planification des coûts*

La première tâche en planification des coûts consiste à compiler tous les coûts, directs et indirects, requis par la réalisation du projet selon la planification retenue aux étapes précédentes, afin d'établir des budgets de dépenses échelonnés dans le temps.

La seconde tâche comporte la détermination du coût total du projet selon les diverses durées possibles. Nous avons déjà souligné que la durée de certaines activités pouvait être réduite grâce à l'intensification de l'utilisation des ressources nécessaires, avec un accroissement correspondant des coûts directs, puisque le coût marginal des ressources supplémentaires risque de dépasser le coût unitaire moyen de ces ressources. Cependant, en diminuant ainsi la durée de certaines activités, on peut réussir à réduire celle du projet dans son ensemble, à abaisser ainsi certains coûts indirects ou certaines pénalités pour le dépassement de l'échéance, ou encore à accroître une prime prévue en cas d'achèvement hâtif du projet. La planification des coûts doit donc déterminer les activités dont la réduction de la durée est la plus profitable en coûts totaux, et établir une courbe de coût total du projet en fonction de sa durée. Celle-ci indiquera généralement une durée dite optimale pour le projet, soit celle qui correspond à un coût total minimal. Un exposé des techniques disponibles pour l'établissement de la courbe de coût total d'un projet et un exemple d'application sont présentés à la section 15.12.

Rappelons, en terminant cette section, les liens étroits qui existent entre les quatre variables (temps, ressources, coûts et qualité) de la planification de projets. Toute modification apportée à l'une d'elles risque de créer le besoin de modifier en conséquence les trois autres. La planification de projets doit donc être considérée comme une seule tâche administrative devant être menée simultanément selon ses multiples variables.

## 15.7 L'organisation et la direction des projets

Selon l'importance que prennent les projets dans le volume global des activités de l'entreprise, il conviendra ou non d'apporter des modifications à sa forme d'organisation. Nous avons souligné au début du chapitre le caractère distinctif des projets, et nous avons mentionné qu'ils étaient souvent appelés à se dérouler en parallèle avec les activités courantes de l'entreprise. Si les projets ne surviennent qu'occasionnellement, l'organisation habituelle (de type fonctionnel, par exemple) sera très peu modifiée. Chaque responsable fonctionnel assume au besoin la responsabilité de l'aspect du projet relié à son poste à l'intérieur de ses activités normales. Par exemple, le directeur de l'approvisionnement s'occupe des achats requis par le projet.

Par contre, si une part considérable de la production de l'entreprise s'applique aux projets, il est avantageux de recourir à un type particulier d'organisation, soit l'**organisation matricielle**. La responsabilité de l'exécution de chacun des projets relève alors d'un directeur de projets distinct. Les différents directeurs de projets se rapportent à un directeur général des projets, qui dépend directement du président-directeur général de l'entreprise. Parallèlement à cette direction de projets, on maintient l'organisation fonctionnelle de l'entreprise. La figure 15.1 présente un organigramme correspondant à une organisation matricielle.

▼ **FIGURE 15.1**
**L'organisation matricielle pour les projets**

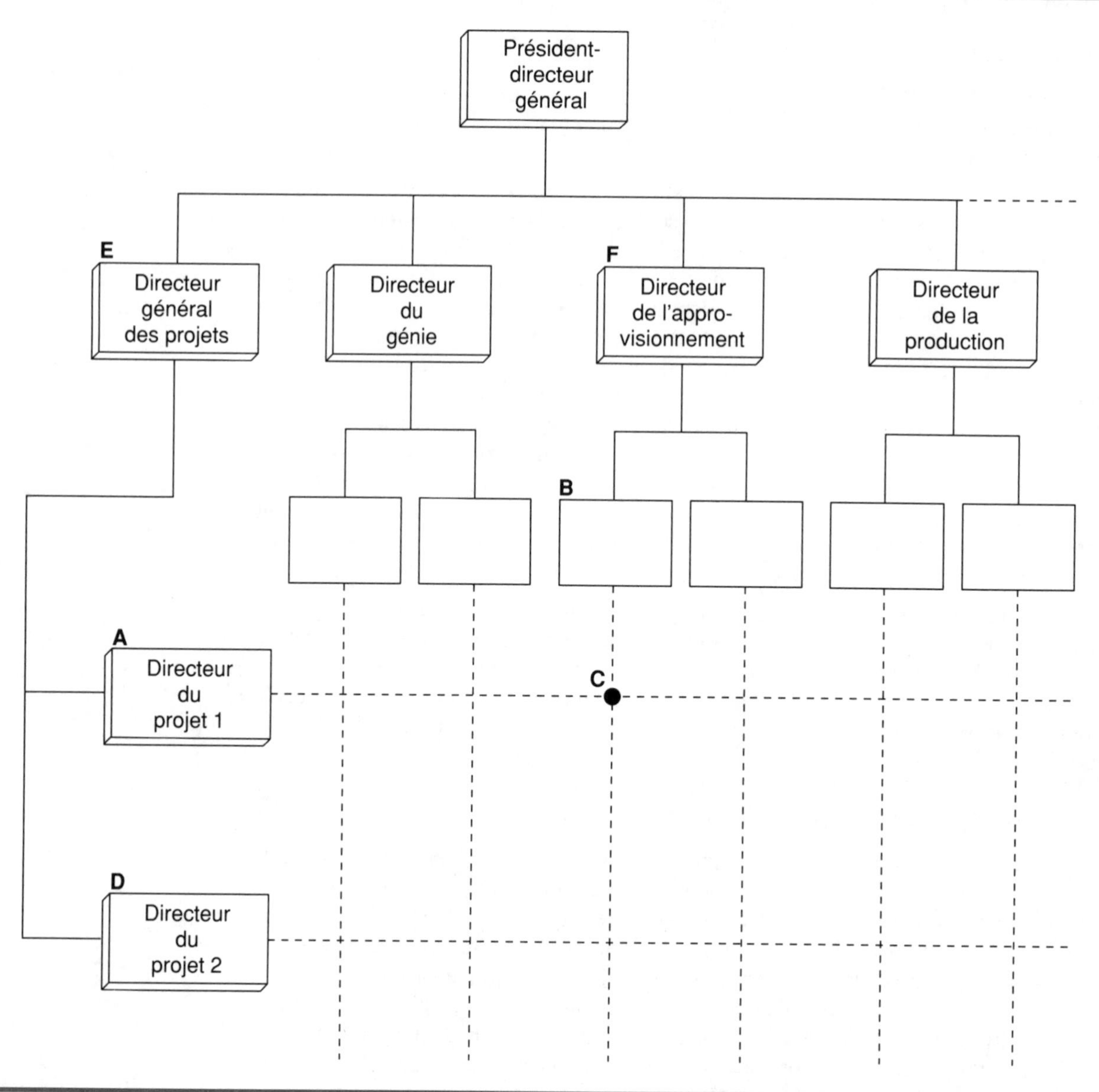

Cet organigramme présente, de façon rudimentaire, une des diverses formes d'organisation matricielle possible. Si l'entreprise poursuit d'autres activités de production parallèlement à ses projets, la responsabilité de ces activités incombe en entier aux directeurs de fonction (génie, approvisionnement, production, etc.). Par contre, toutes les activités qui découlent des projets sont sous la double responsabilité des directeurs de projets et des directeurs de fonction. La réussite de ce type d'organisation dépend d'une définition claire de la part de responsabilité qui incombe à chaque type de directeurs pour chaque décision, et du degré de collaboration qui existe entre eux.

Pour illustrer ce partage des responsabilités, on peut recourir à un exemple pris dans le domaine de l'approvisionnement. Une matière première importante, le ciment, est requise pour l'exécution du projet 1. Le directeur de ce projet assume la responsabilité de l'approvisionnement en ciment, du point de vue de la quantité et des délais de livraison. Pour sa part, le directeur de l'approvisionnement assume la responsabilité en matière de qualité, de choix du fournisseur, de prix à payer et d'exécution de la commande. Il apparaît clairement qu'une étroite collaboration est nécessaire entre les deux directeurs pour que cet achat se fasse de façon que chacun atteigne ses objectifs propres (achever le projet 1 dans les délais prévus et à l'intérieur des contraintes établies, pour le directeur de projet ; gérer un service d'approvisionnement efficace en respectant les normes budgétaires, pour le directeur de l'approvisionnement). Les tableaux 15.1 et 15.2 résument les avantages et les inconvénients respectifs de l'organisation fonctionnelle et de l'organisation matricielle dans un contexte de gestion de projets.

Une planification adéquate et une organisation appropriée ne suffisent pas à assurer le succès du déroulement d'un projet. Toutes les autres fonctions de la gestion (direction, coordination et contrôle) ont un rôle important à jouer dans l'atteinte des objectifs assignés aux responsables de chaque projet. Nous allons revenir sur le contrôle de projets à la section suivante. En ce qui a trait aux autres fonctions de la gestion, le lecteur intéressé consultera les nombreux ouvrages et articles traitant de la gestion de projets cités en références à la fin de ce chapitre, qui reflètent l'intérêt particulier des chercheurs pour la problématique qu'on y trouve.

**Tableau 15.1**

**L'organisation fonctionnelle**

| Avantages | Inconvénients |
|---|---|
| – Liens d'autorité clairement établis. L'employé a un seul patron.<br>– Facilité de planification de la main-d'œuvre au sein de chaque service.<br>– Motivation de l'employé due aux relations stables avec les autres membres de son service.<br>– Facilité d'évaluation du personnel d'un service, de sa gestion (formation, perfectionnement).<br>– Responsabilité entière du chef de service en ce qui concerne le rendement du service.<br>– Amélioration des compétences dans les différentes spécialités (ou fonctions). | – Suivi de chaque aspect du projet par le service responsable. Personne n'est responsable de l'ensemble du projet. En cas de problème, difficulté de retracer rapidement la cause, donc de prendre les mesures correctives appropriées.<br>– Tendance du responsable fonctionnel à favoriser les objectifs de son service aux dépens d'un projet particulier.<br>– Problèmes de coordination interservices.<br>– Tendance des spécialistes à favoriser la qualité à n'importe quel coût. |

**Tableau 15.2**

**L'organisation matricielle**

| Avantages | Inconvénients |
|---|---|
| – Nomination d'un seul responsable par projet. Toute l'information concernant un projet est disponible à un seul endroit. Suivi grandement simplifié, problèmes et causes rapidement déterminés, mesures correctives prises sans retard.<br>– Affectation à chaque projet des ressources les plus adéquates de l'entreprise.<br>– Motivation plus grande de l'employé, qui a l'occasion d'effectuer, avec des employés d'autres services, des tâches diversifiées.<br>– Relations horizontales formelles (figure 15.1) :<br>conflit A/C : recours à B ;<br>conflit A/B : recours à E/F ;<br>conflit E/F : recours au PDG.<br>– Utilisation optimale des techniques de gestion de projets.<br>– Amélioration des compétences. | – Absence d'autorité directe du responsable du projet sur l'ensemble des employés qui y travaillent. En cas de conflit, possibilité que le responsable fonctionnel cherche à protéger l'un des siens.<br>– Difficulté, pour le responsable de projet, de faire effectuer des changements techniques pour abaisser les coûts et les délais. Source majeure de conflits entre le responsable du projet et le responsable fonctionnel.<br>– Partage de l'autorité mal défini entre le responsable du projet et le responsable fonctionnel.<br>– Insécurité possible des employés affectés à des projets particuliers pour des périodes relativement longues, en marge de leur service régulier.<br>– Difficulté possible de gestion. |

## 15.8 Le contrôle des projets

Une fois le projet mis en marche, on doit en contrôler le déroulement. Ce contrôle porte sur les quatre variables de la planification : temps, ressources, coûts et qualité. Comme lors de la présentation de la planification de projets, le lecteur est invité à consulter le chapitre 17 pour une présentation des principes et des techniques du contrôle de la qualité.

En ce qui a trait au **temps**, on doit surveiller le déroulement des activités, en assurer le suivi pour que tout concorde avec le déroulement prévu à l'étape de la planification, et mesurer les écarts qui peuvent survenir. Si ces retards entraînent des écarts supérieurs aux marges allouées, il faudra refaire la planification pour la partie non encore terminée du projet, émettre des rapports sur les conséquences de ces retards ou appliquer des mesures correctives pour rattraper le temps perdu. Le déroulement des activités qui font partie d'un chemin critique doit être étroitement contrôlé. En effet, tout retard survenant au début de ces activités ou toute prolongation de leur durée risque de retarder la fin prévue du projet. Il faut donc déplacer des ressources de production vers les activités du chemin critique dès que tout retard y est décelé.

Le contrôle des **ressources** porte sur la comparaison des quantités de ressources effectivement utilisées par rapport à celles prévues. Toutes sortes d'événements peuvent survenir lors du déroulement du projet, qui créent des écarts entre l'utilisation planifiée et l'utilisation réelle des ressources : non-disponibilité des ressources prévues, pannes d'équipement, arrêt de travail de la main-d'œuvre (causé par le mauvais temps ou un mouvement de grève), manque de matières premières nécessaires à l'avancement des travaux. Dans certains cas, le maximum de ressources prévu lors de la planification n'est pas disponible lors de la réalisation du projet. Le gestionnaire de projets devra en être informé le plus tôt possible afin d'apporter les corrections appropriées.

En matière de **coûts**, il faut s'assurer que les montants effectivement dépensés ne dépassent pas les montants alloués. Le contrôle des coûts exige une comptabilisation rapide et précise des sommes engagées. Le recours à des logiciels propres à la gestion de projets permet la collecte rapide des données et la répartition précise des coûts réels. Les principes de la comptabilité de gestion permettent, quant à eux, d'établir les écarts et d'en cerner la cause. Afin de pouvoir porter un jugement éclairé sur l'adéquation des coûts réels et des coûts budgétés, il faut tenir compte du déroulement effectif du projet. Si, à une date donnée, on a dépensé 10 % de plus que prévu à la planification des coûts, mais que le déroulement réel des activités indique une avance de 20 % dans l'exécution des travaux, la valeur des travaux accomplis avant la date prévue expliquera sans doute facilement le supplément des coûts engagés. Par contre, un retard de 20 % du temps prévu à l'exécution des travaux associé à un dépassement de 10 % des dépenses révèle au contraire une situation alarmante. Dès qu'un tel dépassement des coûts est décelé, il appartient au gestionnaire de projets d'en déterminer les causes, d'entreprendre des mesures correctives et de prévoir le dépassement éventuel des coûts pour l'ensemble du projet.

Le contrôle de projets pose donc un défi de taille au gestionnaire, puisqu'il exige un examen systématique et simultané des résultats obtenus selon les variables temps, ressources et coûts. Nous présentons un bref aperçu des techniques disponibles dans ce domaine à la section 15.14.

## 15.9 L'apport de l'informatique en gestion de projets

La gestion de projets inclut la collecte, le traitement et la conservation de nombreuses données portant sur des variables multiples. Le traitement des informations repose souvent sur une foule de calculs, le plus souvent répétitifs. De plus, il est impérieux que les résultats soient obtenus rapidement et que l'information soit acheminée sans retard à toutes les instances concernées. Ces exigences justifient le recours à des logiciels propres à la gestion de projets. La demande pressante pour ces logiciels et la popularité des micro-ordinateurs (y compris les ordinateurs portatifs de type *note books*) a incité les entreprises conceptrices à offrir une vaste gamme de logiciels spécialisés.

La gestion de projets constitue aujourd'hui le secteur de la gestion des opérations où l'on utilise le plus volontiers des logiciels spécialisés. Ceux-ci vont des plus simples, où seuls les calculs élémentaires de la planification dans le temps peuvent être effectués, jusqu'aux plus complexes, qui peuvent assister le gestionnaire dans ses efforts concernant tous les aspects de la gestion des projets.

Les logiciels plus sophistiqués offrent de nombreux avantages. Ils permettent :

- de conserver, de mettre à jour et de trouver les informations utiles à la gestion de projets, en particulier les projets d'envergure qui peuvent comporter des centaines d'activités et s'étendre sur plusieurs années ;
- d'effectuer tous les calculs de dates, de coûts et de quantités de ressources nécessaires à la planification des projets ;
- de visualiser sur écran ou d'imprimer sur papier tous les schémas, tous les tableaux et tous les rapports désirés (réseaux, graphes de Gantt, histogrammes de ressources, etc.) ;
- d'appliquer des algorithmes ou des méthodes heuristiques d'équilibrage des ressources ou de calcul des durées optimales ;

- d'entrer les données du suivi et d'effectuer rapidement les comparaisons exigées à l'étape du contrôle ;
- de réaliser des tris utiles à la gestion : tri des activités selon leur condition (critiques ou non, terminées ou non), ou selon leurs dates de début ou de fin, ou selon la taille de leurs marges, ou encore selon les resources utilisées ; tri des ressources selon le calendrier d'utilisation ou selon le respect des quantités maximales allouées, etc. ;
- de subdiviser les projets d'envergure en plusieurs parties (ce qui est particulièrement utile en cas de sous-traitance partielle) ou de relier entre eux des projets devant être réalisés en interdépendance ;
- de mener à bien les analyses croisées entre les variables essentielles au contrôle des projets.

Parmi les logiciels de gestion de projets les plus populaires actuellement sur le marché, on peut mentionner *Microsoft Project* pour *Windows*, *Harvard Project Manager*, *Primavera*, *Project Planner*, *Quicknet*, *Super Project Plus*, *Time Line*, *Project Scheduler 4*, *Project Workbench* et *MacProject*. Les logiciels conçus pour un environnement *Windows* ou l'équivalent offrent des possibilités particulièrement intéressantes de modifications directes à l'écran à l'aide d'une souris. L'article de Wood[22] contient un excellent résumé des divers aspects de l'utilisation de l'informatique en gestion de projets.

## LES TECHNIQUES DE PLANIFICATION ET DE CONTRÔLE DES PROJETS

Comme nous l'avons indiqué précédemment, les techniques de planification présentées dans ce chapitre se rapportent à une approche *CPM*, sauf la section 15.13 qui est consacrée à l'approche *PERT*.

### 15.10 La planification dans le temps

Les deux étapes préalables (celle de l'établissement des principales activités et de leur ordre de succession et celle de la détermination des durées, des ressources, des coûts directs et des coûts indirects) ayant été menées à bien, les principales étapes de la planification seront les suivantes :

- l'établissement du graphe du projet ;
- le calcul des dates et des marges ;
- la détermination des chemins critiques.

#### *L'établissement du graphe du projet*

Trois principaux **types de graphes** sont utilisés en gestion de projets : celui de Kelley et Walker[12], où les activités du projet constituent les arcs du graphe et où les événements (débuts ou fins d'activités) forment les nœuds ; celui de Levy, Thompson et Wiest[15], qui inverse les attributions (activités = nœuds, événements = arcs) ; enfin, celui de Gantt, où chaque activité est représentée par une ligne distincte plus ou moins longue, selon la durée de l'activité. Le graphe de Gantt, bien que permettant une excellente visualisation du déroulement des activités (ce qui explique que la plupart des logiciels de gestion de projets l'offrent comme option), se prête peu au traitement manuel des calculs dans le cas d'un projet un peu complexe. Celui de Levy, Thompson et Wiest, bien que présentant l'avantage d'éviter le recours à des activités fictives (*voir la méthode de Kelley et Walker ci-dessous*), a vu son utilisation perdre de sa popularité depuis l'apparition des logiciels de gestion de projets, qui optent plutôt pour le graphe de Kelley et Walker. C'est donc ce dernier que nous utiliserons dans notre présentation.

La méthode de Kelley et Walker, lorsqu'elle est utilisée pour des calculs manuels, comporte les points suivants :

- les **activités** sont représentées par des **flèches** (ou **arcs**) dirigées dans le sens de l'écoulement du temps ;
- les **événements** sont représentés par les **nœuds** (points de départ ou d'arrivée des arcs) du graphe ;
- on détermine chaque **événement** (nœud) par un **entier successif** et chaque **activité** par le **couple d'entiers** reliés aux événements constituant le début et la fin de l'activité (il faut respecter la règle de numérotation suivante pour les nœuds : pour toute activité, le nœud de départ doit toujours être relié à un entier inférieur à celui du nœud d'arrivée ; pour respecter cette règle, il suffit de ne jamais attribuer un numéro à un nœud, tant que le nœud de départ de toute activité constituant un préalable n'a pas déjà été numéroté) ;
- quand deux activités ou plus présentent certains **prédécesseurs immédiats** qui leur sont communs (c'est-à-dire qui doivent se terminer juste avant qu'elles-mêmes ne puissent débuter) et d'autres qui leur sont propres, on doit introduire des **activités fictives** (de durée nulle) dans l'élaboration du graphe, afin de représenter correctement les relations de succession ;
- de même, lorsque deux activités ou plus débutent lors d'un même événement et se terminent lors d'un autre événement commun, il faut également introduire des **activités fictives**.

### *Le calcul des dates et des marges*

Le **calcul des temps et des marges** doit s'effectuer selon les règles suivantes.

1. La détermination de la **date du début du projet**, représentée par le sigle ***DP*** (on peut utiliser une date de calendrier ou 0 si on calcule en fonction du nombre cumulatif de périodes de travail requises, option que nous allons retenir dans la présentation de notre exemple de calcul).
2. La détermination de la **date de début au plus tôt** de chaque activité (***DH***), celle à laquelle tous les prédécesseurs immédiats, ayant eux-mêmes débuté à leur *DH* respective, viennent juste de se terminer. On fonctionne ici avec la règle de début au plus tôt (ou *ASAP* selon le sigle anglais).
3. La détermination de la **date de fin au plus tôt** pour chaque **activité** (***FH***) quand elle commence à sa date au plus tôt (si la durée d'une activité = $T$, alors $FH = DH + T$).
4. La détermination de la **date de fin au plus tôt** pour le **projet** (***FPH***), étant égale au *FH* de la dernière activité à se terminer dans le projet.
5. La détermination de la **date de fin au plus tard** pour chaque activité (***FT***), permettant au projet de se terminer au plus tôt (*FPH*) ou à toute autre date d'échéance fixée (*FPE*) si $FPH \leq FPE$, sinon le projet ne peut se réaliser à l'intérieur du délai alloué (*FT* étant égale à la plus petite des dates de fin au plus tard des successeurs immédiats).

6. La détermination de la **date de début au plus tard** pour chaque activité (*DT*), pour qu'elle respecte la *FT*, donc $DT = FT - D$.
7. La détermination de la **marge totale** (***MT***), pour chaque activité, égale au temps maximal pendant lequel on peut retarder le début de cette activité à partir de son *DH*, sans retarder la fin prévue du projet ($MT = DT - DH = FT - FH$ pour chaque activité).
8. La détermination de la **marge libre** (***ML***), pour chaque activité, égale à la période maximale durant laquelle une activité peut être retardée sans que la *DH* de toute activité subséquente soit repoussée ($ML = \min$ [*DH* des successeurs immédiats] – *FH*, et $ML \leq MT$ nécessairement).

Notons que le calcul des dates au plus tôt doit s'effectuer à partir du début du projet, alors que celui des dates au plus tard s'exécute à rebours, en partant de la fin. Pour chacune des activités et par convention, les six valeurs de temps calculées doivent s'inscrire sur l'arc pertinent du graphe du projet sous la forme suivante :

$$\frac{ML\ \text{(code de l'activité ; durée)}\ MT}{DH,\ DT\ ;\ FH,\ FT}$$

### *La détermination des chemins critiques*

Pour un projet donné, un chemin critique est constitué d'un ensemble d'activités allant du début à la fin du projet, chacune de ces activités présentant une marge totale de valeur minimale. Il peut exister un seul chemin critique pour un projet donné, comme il peut y en avoir plusieurs (dans ce dernier cas, ils présenteront tous la même durée). Dans tous les cas où la fin la plus hâtive du projet correspond à l'échéance fixée ($FPH = FPE$), hypothèse en fonction de laquelle on travaille souvent en gestion de projets, la marge totale (et donc la marge libre) des activités du chemin critique est égale à 0.

**Exemple** ■

Le conseil de direction d'une entreprise de courtage envisage de déménager ses bureaux sur un emplacement plus rapproché du centre-ville. Si la décision est prise, vous serez nommé responsable du projet. Les huit activités nécessaires à l'accomplissement du projet de même que leur durée, leur ordre de succession et la quantité de main-d'oeuvre requise sont indiqués au tableau 15.3.

**Tableau 15.3**

**Un projet de déménagement**

| Activité | Description | Durée | Préalables | Main-d'œuvre |
|---|---|---|---|---|
| A | Prévision de l'aménagement | 14 j | – | 1 |
| B | Choix d'une compagnie de transport | 7 | – | 1 |
| C | Empaquetage de documents secondaires | 4 | A, B | 7 |
| D | Installations électriques et autres | 18 | A, B | 8 |
| E | Empaquetage de documents utilisés fréquemment | 3 | C | 6 |
| F | Entreposage de documents peu utilisés | 2 | C | 1 |
| G | Vérification | 1 | D | 1 |
| H | Déménagement | 2 | E, F, G | 8 |

*(suite)*

On vous demande de préparer la planification du projet. Vous vous attaquez d'abord à sa planification dans le temps.

*Solution*

La première étape réside dans l'élaboration du graphe requis (figure 15.2). Notons comment toutes les règles mentionnées ont été respectées :

- chaque activité correspond à un arc du graphe, allant d'un nœud représenté par un entier à un autre de valeur supérieure ;
- le besoin de distinguer les activités ayant les mêmes prédécesseurs (A et B d'une part, E et F d'autre part) a amené la création de deux activités fictives de durée nulle (2, 3 et 6, 7).

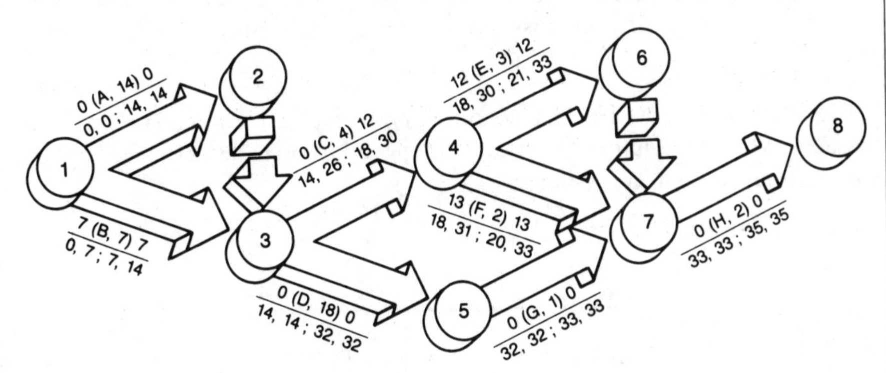


**FIGURE 15.2**
**Le graphe du projet de déménagement**

Le calcul des temps s'est aussi fait selon les indications données. Prenons comme exemple l'activité C, qui doit durer 4 jours :

- sa date de début au plus tôt (*DH*) correspond à la date de fin au plus tôt (*FH*) de la dernière des activités préalables (A et B) à se terminer, soit 14 jours (pour A) ;
- sa date de fin au plus tôt (*FH*) est égale à $DH + D$ (14 + 4 = 18) ;
- sa date de fin au plus tard (*FT*) correspond à la plus petite des *DT* des successeurs, soit 30 jours pour l'activité E ;
- sa date de début au plus tard (*DT*) est égale à $FT - D$ (30 – 4 = 26) ;
- sa marge totale s'obtient par $DT - DH = FT - FH$, soit 26 – 14 = 30 – 18 = 12 ;
- sa marge libre est donnée par la différence entre la plus petite des *DH* des successeurs immédiats et sa propre *FH*, soit 18 (pour E ou F) – 18 = 0.

Le chemin critique du projet est constitué des activités présentant une *MT* de 0, soit A, D, G et H. La fin au plus tôt pour l'ensemble du projet surviendra dans 35 jours, date de *FH* de l'activité H.

## 15.11 La planification des ressources

Les techniques qui permettent d'équilibrer l'utilisation des ressources pour la durée entière d'un projet ou de respecter des maximums établis sont encore aujourd'hui relativement rudimentaires et s'avèrent singulièrement peu efficaces lorsqu'il s'agit de planifier en fonction de plusieurs ressources différentes utilisées conjointement dans la réalisation simultanée de plusieurs activités. Si les approches d'optimisation ont connu d'abord la faveur des chercheurs[17, 20], on a depuis constaté leurs limites dans la recherche de solutions à ces problèmes pour des projets complexes.

Aujourd'hui, les approches heuristiques priment et sont souvent incorporées aux logiciels spécialisés. Ces approches sont en général basées sur un ensemble de règles de priorité simples. En cas de conflit entre plusieurs activités dans l'utilisation d'une même ressource disponible en quantité limitée, on donne préférence aux activités critiques. Ensuite, la priorité revient aux activités présentant soit la durée la plus courte, soit le plus fort taux d'utilisation de ressources, soit la marge libre la plus faible, soit le plus grand nombre de successeurs critiques ou soit le plus de successeurs de toute nature. D'habitude, ces méthodes fonctionnent à deux niveaux, avec une première règle de choix suivie d'une deuxième pour briser les égalités. D'autres approches plus complexes, utilisant les principes des méthodes de branchements et de contraintes successifs, ont aussi été proposées, mais elles ont été peu utilisées en pratique.

S'il n'est pas possible de résoudre le problème en retardant certaines activités, une autre voie de solution consiste à allonger la durée de certaines des activités compétitionnant pour la ressource.

**FIGURE 15.3 ▶ L'histogramme original d'utilisation de la main-d'œuvre**

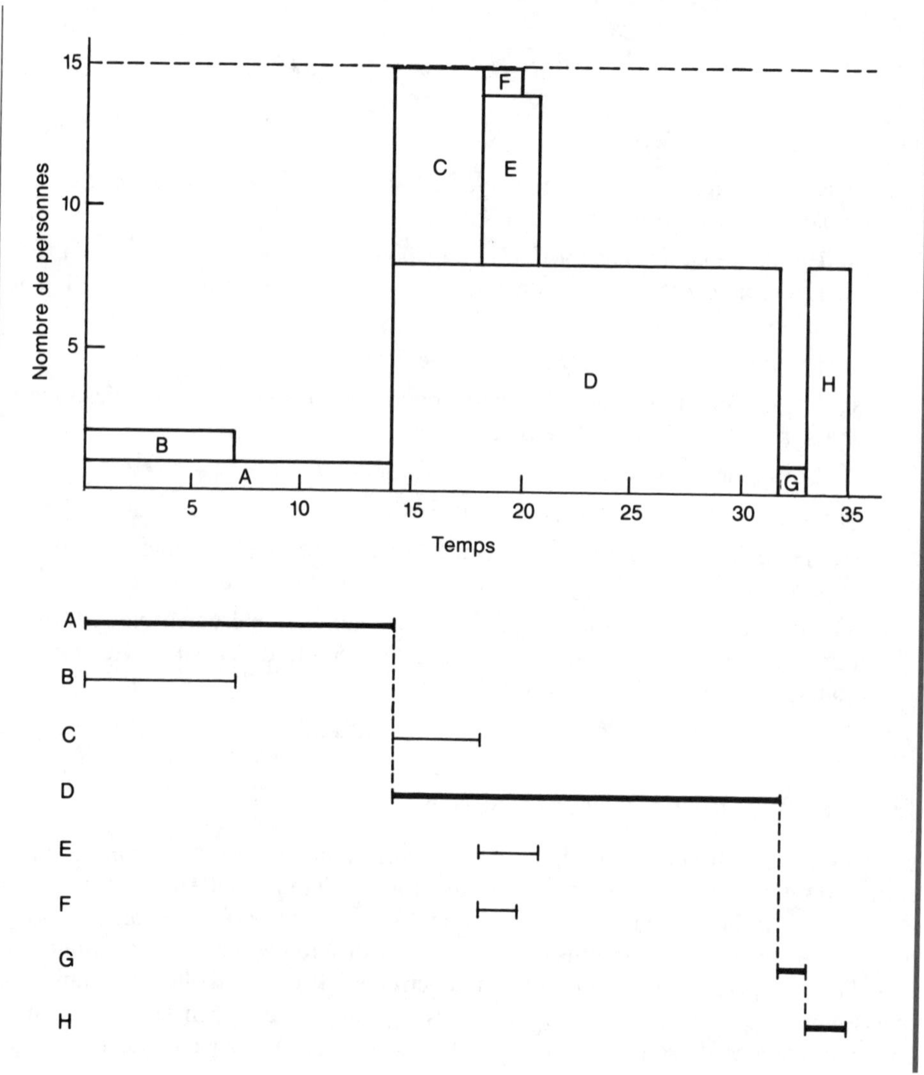

En effet, une activité peut souvent s'accomplir avec moins de ressources, à la condition de présenter une durée plus longue. C'est ainsi qu'une activité exigeant quotidiennement 10 personnes pour une durée de 12 jours pourrait tout aussi bien se réaliser en 20 jours, à l'aide de 6 personnes par jour seulement. Le gestionnaire ayant recours à cette dernière approche devra s'assurer de ne pas compliquer la planification du temps en cherchant à résoudre son problème de planification des ressources.

Si l'on revient à l'exemple de la section précédente, le tableau de charge en main-d'œuvre (ou histogramme) ainsi que le graphe de Gantt du déroulement prévu du projet, selon la planification originale, peuvent se présenter sous la forme illustrée à la figure 15.3.

Si le maximum disponible de main-d'œuvre se situe à 14 personnes, on constate que la planification originale ne pourrait être adoptée telle quelle. Le problème posé aux jours 18 et 19 par l'accomplissement simultané des activités D, E et F, qui exigent un total de 15 personnes, peut se résoudre facilement en différant le début

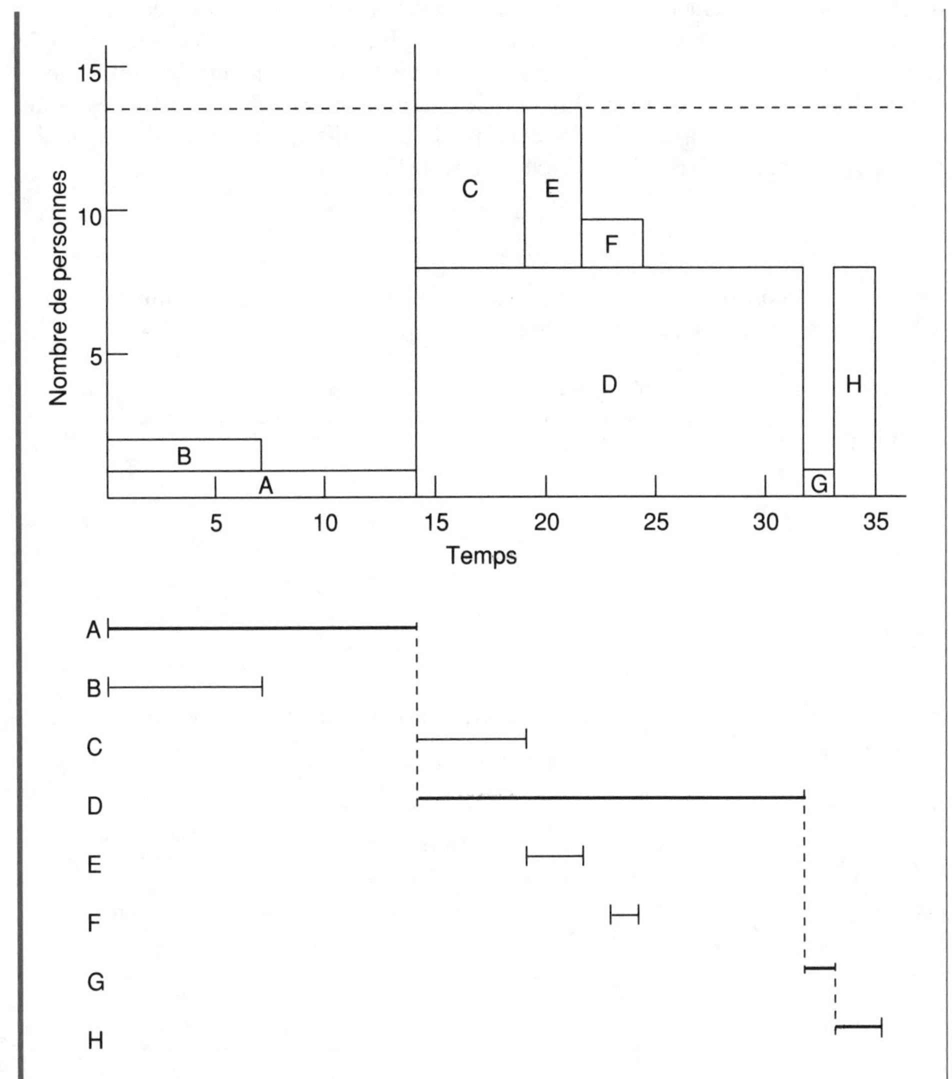


**FIGURE 15.4**
**L'histogramme corrigé d'utilisation de la main-d'œuvre**

de E ou de F du nombre de jours requis. Cette solution peut se réaliser aisément à l'intérieur de leur marge respective de 12 et de 13 jours. Il est plus difficile de résoudre le problème pour les jours 14 à 17. L'activité D se révèle une activité du chemin critique, qu'on ne peut retarder sans repousser la fin prévue du projet. L'activité C présente une marge libre nulle et une marge totale de 12 jours. De toute façon, il faudrait repousser l'activité d'au moins 18 jours pour qu'elle ne soit plus en conflit avec D. Par contre, si on indique que l'activité C peut se réaliser à l'aide de seulement 6 personnes, mais qu'elle durera alors une journée de plus, la difficulté posée peut se résoudre en allongeant C, ce qui demeure à l'intérieur des marges allouées et ne modifie donc pas la date prévue de fin du projet. La figure 15.4 illustre le nouvel histogramme d'utilisation de la main-d'œuvre et le graphe de Gantt modifié.

## 15.12 La planification des coûts

Les techniques de planification des coûts permettent de calculer la durée optimale d'un projet lorsque la durée de certaines activités peut être diminuée, à la condition de subir un accroissement des coûts directs reliés aux activités ainsi raccourcies. Il peut s'avérer intéressant d'accepter une telle augmentation des coûts directs si elle entraîne une réduction de la durée du projet, qui engendre alors une économie supérieure dans les coûts indirects. En fait, les techniques de planification des coûts permettent d'obtenir la courbe du coût total du projet en fonction de sa durée. L'exemple suivant illustre l'utilisation de ces techniques.

**Exemple** ■

Un projet est constitué de quatre activités correspondant au graphe suivant, les valeurs de temps ayant déjà été calculées :

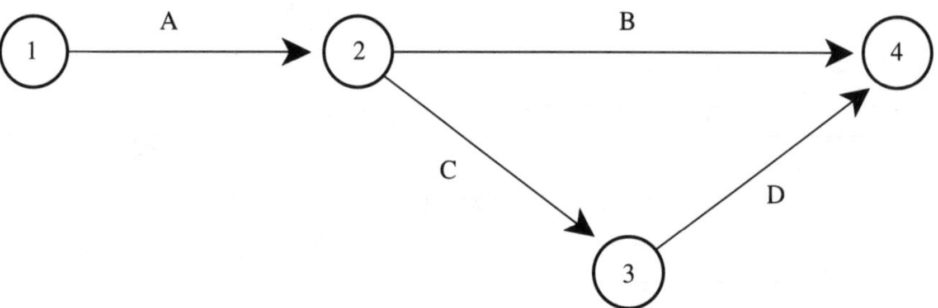


Il est possible de réduire la durée de chaque activité selon les modalités et les coûts suivants :

| Activité | Durée normale (en jours) | Durée minimale (en jours) | Coût pour réduire la durée de l'activité d'une journée |
|---|---|---|---|
| A | 3 | 1 | 800 $ |
| B | 7 | 3 | 200 |
| C | 4 | 2 | 800 |
| D | 5 | 2 | 400 |

*(suite)*

Exemple
*(suite)*

On a attribué une durée minimale à chaque activité parce qu'il est généralement impossible de réduire la durée sous un seuil minimal fixé par des considérations techniques, quel que soit le supplément de coûts directs que l'on est prêt à assumer. Les coûts indirects se chiffrent à 900 $ pour chaque jour de la durée du projet. Les coûts présentent des variations linéaires.

Si l'on prend toutes les activités à leur durée normale, le graphe du projet montre que le chemin critique comprend les activités A, C et D, et que la durée du projet est de 12 jours. Les coûts indirects s'élèvent alors à 10 800 $.

Pour réduire la durée du projet de 12 à 11 jours, il faut réduire la durée d'une des activités (A, C ou D) du chemin critique. On choisit la moins dispendieuse en coûts directs supplémentaires, soit D, et on la réduit à 4 jours, ce qui entraîne un accroissement des coûts directs de 400 $. Comme la diminution des coûts indirects se chiffre à 900 $, l'opération permet une économie de 500 $ sur le coût total.

De même, pour passer de 11 à 10 jours, une autre réduction de la durée de l'activité D engendre encore une épargne de 500 $. On doit noter, cependant, qu'avec cette réduction de la durée de D à 3 jours, les deux chemins du projet A-B et A-C-D deviennent également critiques.

Pour ramener le projet de 10 à 9 jours, il faut réduire à la fois la durée sur les deux chemins critiques. Cela peut s'accomplir en réduisant seulement A (accroissement des coûts directs de 800 $), ou B et C simultanément (accroissement combiné des coûts directs de 1 000 $), ou B et D à la fois (accroissement combiné des coûts directs de 600 $). On choisit la réduction la moins coûteuse (B et D) et, compte tenu de la réduction de 900 $ des coûts indirects, on économise 300 $ de plus.

En procédant systématiquement de cette façon, on peut établir le tableau que voici :

| Durée du projet (en jours) | Activités réduites | Gain net (ou perte nette) |
|---|---|---|
| 12 | Aucune | 0 $ |
| 11 | D | 500 |
| 10 | D | 500 |
| 9 | B et D | 300 |
| 8 | A | 100 |
| 7 | A | 100 |
| 6 | B et C | −100 |
| 5 | B et C | −100 |

On ne peut réduire le projet à moins de 5 jours, puisque toutes les activités auront alors atteint leur durée minimale. Le tableau des gains (ou pertes) nets indique que la durée optimale du projet, celle qui minimise les coûts totaux, est de 7 jours, puisque le gain net se transforme en perte nette pour une durée moindre. La courbe de coût total (coûts indirects plus augmentation des coûts directs) présentée à la figure 15.5 confirme cette assertion.

**Exemple**
***(suite)***

Pour un projet relativement complexe, l'approche proposée ici se révèle inefficace. Des algorithmes de solution, tel celui de Fulkerson9, ont été élaborés et s'avèrent très efficaces lorsqu'ils sont utilisés sur ordinateur.

**FIGURE 15.5** ▶
**Le coût total du projet**

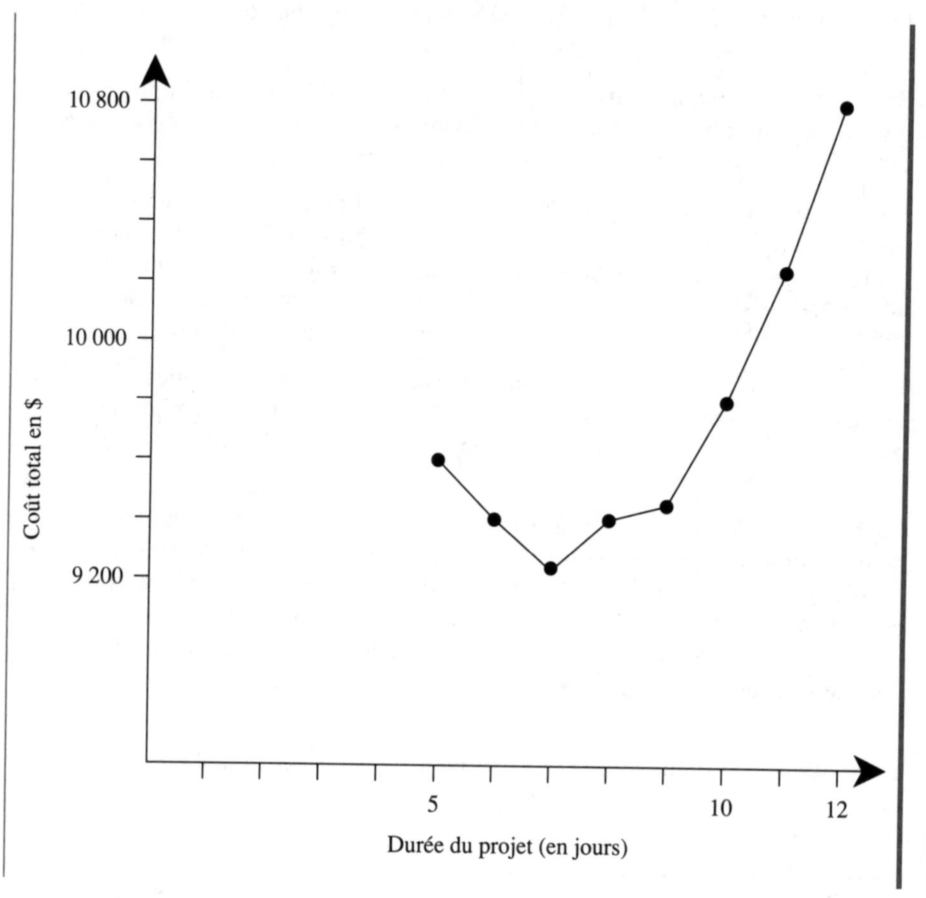


## 15.13 La méthode *PERT*

Nous avons mentionné, à la section 15.5, que la méthode *PERT* constitue une approche à la gestion de projets particulièrement indiquée lorsque les activités d'un projet présentent une durée difficile à prévoir, et qu'il est préférable de définir par une distribution de probabilité. Plutôt que d'en arriver à des résultats précis quant à la durée du projet et à la valeur des variables pertinentes, la méthode *PERT* permet la détermination de données statistiques relatives à ces valeurs (espérance mathématique, écart type, intervalle de confiance, etc.).

La plupart des études basées sur cette méthode supposent que la durée individuelle de chaque activité du projet se répartit selon une distribution continue de type ß, caractérisée par trois paramètres (figure 15.6) :

$t_o$ = temps optimiste, soit la durée prévue de l'activité si toutes les circonstances de son déroulement s'avèrent particulièrement favorables ;

$t_n$ = temps normal, soit la durée prévue de l'activité en cas de répartition partagée entre les circonstances favorables et les circonstances défavorables (durée la plus probable) ;

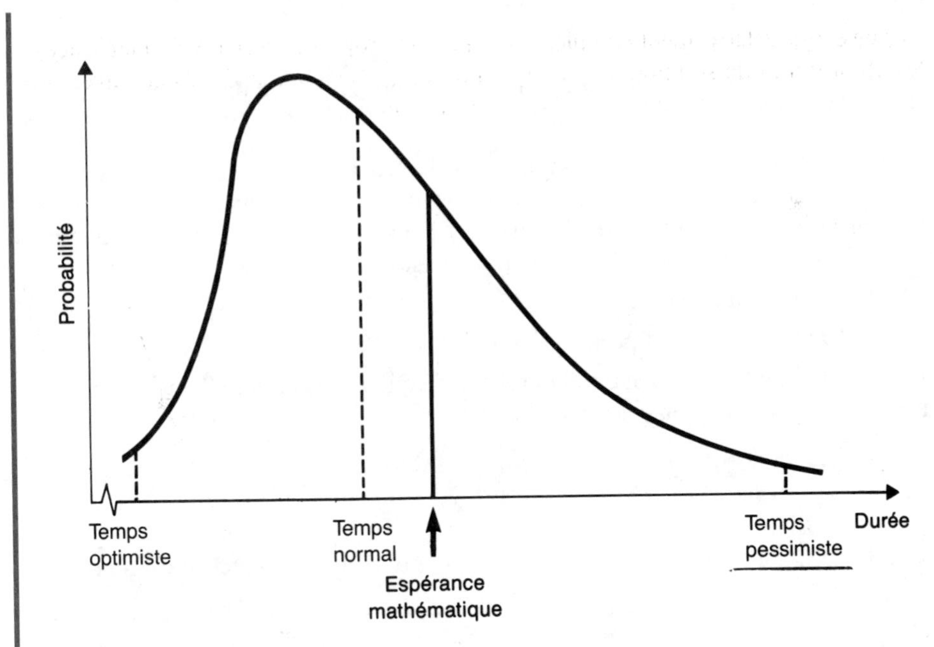


**FIGURE 15.6**
**Un exemple d'une distribution bêta**

$t_p$ = temps pessimiste, soit la durée prévue de l'activité si les circonstances se révèlent particulièrement favorables.

On peut alors estimer approximativement l'espérance mathématique et l'écart type de la durée de chaque activité à l'aide des formules suivantes :

$$E(t_i) = \frac{t_{o_i} + 4t_{n_i} + t_{p_i}}{6}$$

où $E(t_i)$ = espérance mathématique de la durée de l'activité $i$.

$$\sigma_i = \frac{t_{p_i} - t_{o_i}}{6}$$

où $\sigma_i$ = écart type de la durée de l'activité $i$.

On peut alors procéder à une analyse *PERT* selon deux approches.

Dans la première, chaque activité du projet est considérée comme étant dotée d'une durée déterministe égale à $E(t_i)$. On peut alors trouver les valeurs de temps du projet ainsi que le chemin critique à l'aide de la méthode du *CPM*, présentée aux sections précédentes. Une fois le chemin critique établi, on estime la durée du projet par la somme des $E(t_i)$ des activités qui font partie de ce chemin. L'hypothèse de l'indépendance de la distribution des durées de chaque activité individuelle permet de considérer l'écart type de la durée du projet comme étant égal à la racine carrée de la somme des variances des durées de chaque activité du chemin critique. Enfin, le théorème central limite permet de considérer que la durée du projet suit une loi de distribution normale de moyenne et d'écart type calculés comme ci-dessus. On peut alors calculer des intervalles de confiance pour la durée du projet à l'aide de la table de la loi normale, ou encore la probabilité qu'un projet se termine à l'intérieur d'un délai fixé.

**Exemple**
■

Soit un projet pour lequel on a calculé :

$T_e$ = espérance mathématique de la durée du projet = 20 mois,

$S_T$ = écart type de la durée du projet = 3 mois.

La théorie statistique nous apprend qu'alors, la probabilité que la durée effective du projet se situe à l'intérieur de ± un écart type de la moyenne est égale à 0,68 et qu'elle équivaut à 0,95 de se retrouver à l'intérieur de ± deux écarts types. On obtient donc les deux intervalles de confiance suivants :

$$\Pr\{17 \text{ mois} \leq \text{durée du projet} \leq 23 \text{ mois}\} = 0{,}68$$

$$\Pr\{14 \text{ mois} \leq \text{durée du projet} \leq 26 \text{ mois}\} = 0{,}95$$

Si l'on veut maintenant connaître la probabilité que le projet dure 2 ans (24 mois) ou moins, on peut effectuer le calcul suivant :

$$Z = \frac{24 - T_e}{S_T} = \frac{24 - 20}{3} = 1{,}33.$$

La table de la loi normale indique alors que la probabilité recherchée est de 0,91.

L'approche *PERT* peut cependant produire des résultats erronés, puisqu'elle ne tient pas compte des chemins quasi critiques, c'est-à-dire des chemins d'une longueur un peu moindre que celle du chemin critique, lorsqu'on attribue à toutes les activités leur durée moyenne, mais qui pourraient devenir critiques si certaines des activités qui les constituent revêtaient leur durée pessimiste.

À cause de ce phénomène, une deuxième approche du *PERT*, celle de la simulation, peut apporter des résultats plus valables que la précédente. Il s'agit alors de choisir, à chaque itération de la simulation et en fonction de la distribution de la durée de chaque activité, une durée précise et d'appliquer la technique *CPM* au projet obtenu. Ainsi, pour chaque itération, on obtient un projet se constituant d'activités dont la durée présente une probabilité respective de 1/6 d'équivaloir à la durée optimiste ou pessimiste, et de 4/6 d'être égale à la durée normale. Après un nombre suffisant d'itérations (un ordinateur personnel adéquatement programmé pourra en effectuer des milliers en quelques secondes), on pourra calculer des estimations très valables de la moyenne, de l'écart type et des intervalles de confiance de la durée du projet, ainsi que de la probabilité pour chaque activité de se retrouver sur le chemin critique (probabilité appelée « indice critique »).

## 15.14 Le contrôle des projets

Le contrôle des projets exige en premier lieu un suivi simultané de l'avancement des travaux, des quantités de ressources utilisées et des coûts réellement engagés. À cette étape du contrôle, les techniques reposent sur la confection de graphiques (conçus par Wiest et Levy[21]) présentant à la fois : les coûts prévus et les coûts réels du projet pour la période écoulée de sa réalisation, la valeur de la quantité de travail effectivement accomplie à une date donnée, le pourcentage de dépassement des coûts (négatif si les coûts réels < coûts prévus) et l'importance du retard ou de l'avance du déroulement actuel des activités face au déroulement prévu. La figure 15.7 présente un exemple typique d'un tel graphique pour un projet ayant débuté en janvier 1993 et devant se terminer à la fin de mars 1994, selon la planification établie.

▼ **FIGURE 15.7**
**Un graphique de contrôle de projet**

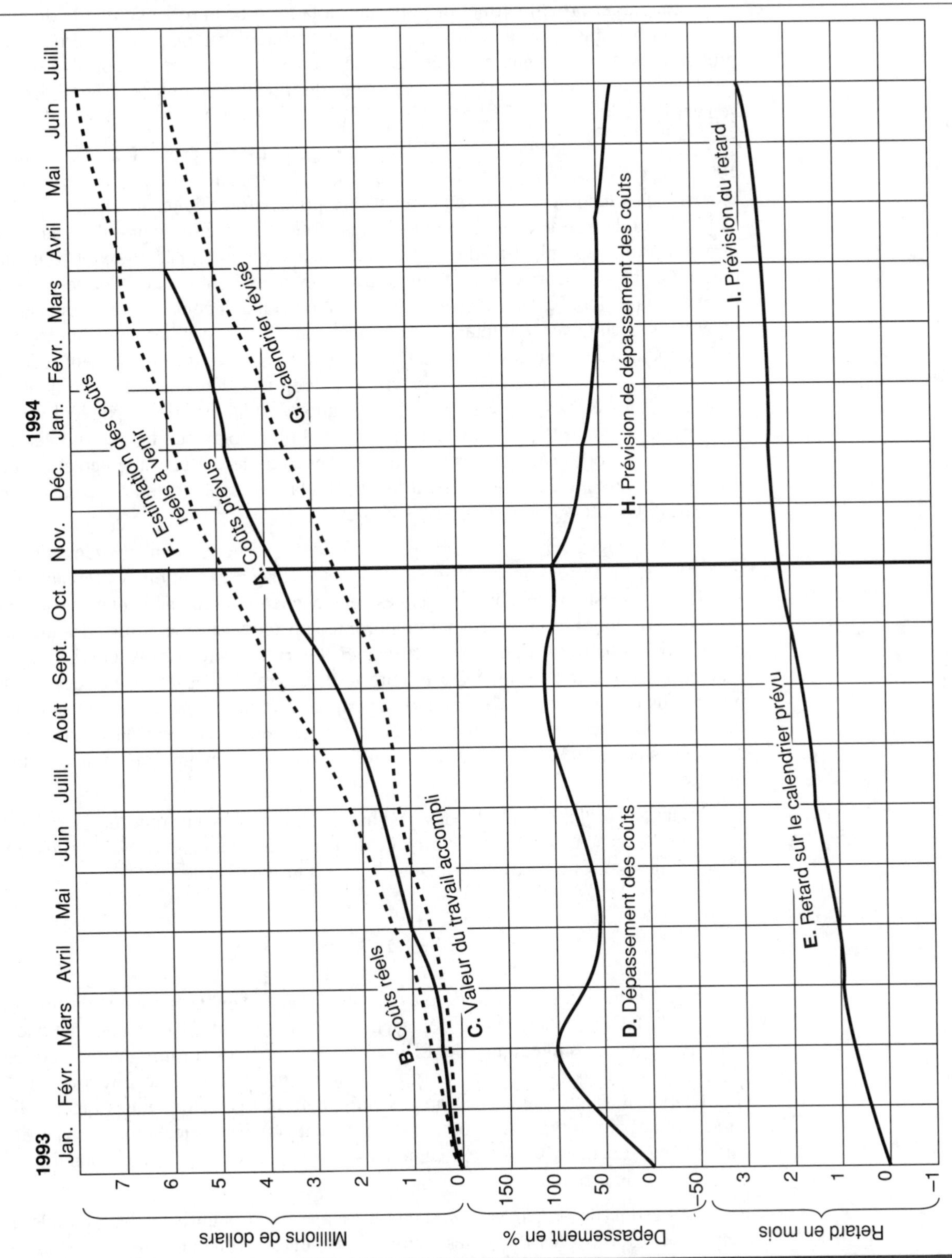

Une comparaison de la courbe A (Coûts prévus) et de la courbe B (Coûts réels) ainsi que des courbes C (Valeur du travail accompli) et E (Nombre de mois en retard sur le calendrier prévu) permet de constater, à la fin d'octobre 1993, que le déroulement réel des travaux a pris progressivement du retard par rapport au déroulement prévu, alors que les coûts engagés dépassent considérablement les coûts prévus et qu'ils sont équivalents au double de la valeur du travail accompli (courbe D, Dépassement des coûts).

L'analyse de ce graphique indique que la gestion de ce projet, à la fin d'octobre 1993, s'est révélée totalement inefficace et que des mesures énergiques destinées à redresser la situation doivent rapidement être prises afin d'éviter un désastre. C'est l'objet de la deuxième étape du contrôle des projets : la détermination des causes de non conformité à la planification. La dernière étape repose sur le choix et l'implantation des mesures correctives requises. Pour ces deux dernières étapes, le gestionnaire doit faire appel à son expérience de la gestion et il doit consulter tous les experts, ingénieurs, architectes, comptables ou autres, aptes à le conseiller. Il n'est pas possible d'indiquer ici tous les types de mesures correctives auxquelles on peut recourir pour le contrôle des projets. Les corrections appropriées dépendent du type de difficultés, de leurs causes et des éléments de solution disponibles. Elles peuvent revêtir la forme d'un contrôle plus serré des dépenses, d'un recours aux heures supplémentaires, d'une modification dans la structure des activités, d'une augmentation des quantités de ressources disponibles, d'un appel à la sous-traitance ou de négociations avec des fournisseurs ou des autorités civiles.

Si l'on revient à notre exemple, on constate que deux éléments demandent à être corrigés : le dépassement des coûts et le retard dans l'exécution des travaux. Les situations où il est possible de corriger ces deux éléments simultanément se présentent rarement. Il faudra en arriver à un compromis, ou alors sacrifier l'un à l'autre. La figure 15.7 illustre (à l'aide des courbes F, G, H et I) les effets prévisibles de l'adoption de mesures destinées à réduire le dépassement des coûts aux dépens du retard dans le déroulement des travaux. Si tout se déroule normalement pour la suite du projet, les mesures adoptées devraient ramener le pourcentage du dépassement des coûts à environ 30 % d'ici la fin du projet, fin qui surviendra trois mois plus tard que prévu.

Dans un projet complexe, des graphiques semblables aux précédents peuvent être utilisés non seulement pour le projet dans son ensemble, mais aussi pour chacune de ses composantes ou parties principales, afin d'en faciliter le contrôle.

## CONCLUSION

Les projets occupent une place de plus en plus grande dans les activités du responsable de la GOP. Ses efforts se déplacent progressivement du domaine tactique à celui des décisions stratégiques dont l'implantation requiert, sur une longue période, des activités multiples exigeant de gros efforts d'organisation, de direction et de coordination. Par leur nature, les projets présentent des caractéristiques qui les différencient des autres types de production, et ils font appel à des techniques de gestion particulières. La maîtrise de ces techniques s'avère donc, pour le gestionnaire, un outil désormais essentiel.

La gestion de projets englobe, tant à l'étape de la planification qu'à celle du contrôle, trois variables distinctes (temps, ressources et coûts) pour lesquelles les décisions doivent se prendre selon une approche systémique. Elle se fonde sur l'examen de multiples données, dont le traitement est grandement facilité par le recours à des logiciels appropriés, disponibles dans une grande variété de tailles et de coûts.

## QUESTIONS DE RÉVISION

1. En quoi les projets se distinguent-ils des systèmes de production intermittents ou continus ?
2. Nommez trois types d'activités opérationnelles revêtant la forme de projets.
3. Quelles sont les principales étapes de la gestion de projets ?
4. Qu'appelle-t-on « successeurs » ou « prédécesseurs » immédiats d'activités en gestion de projets ?
5. Nommez les trois variables essentielles de la planification de projets.
6. Quel type d'organisation se prête particulièrement bien à la gestion de projets multiples ?
7. Nommez les principales activités du contrôle des projets.
8. Qu'est-ce qui distingue les méthodes *CPM* et *PERT* ?
9. Comment calcule-t-on chacune des valeurs de temps des activités en planification de projets ?
10. De quoi se compose un chemin critique ? Pourquoi sa détermination revêt-elle tant d'importance pour le gestionnaire de projets ?
11. Quelle est la différence entre la marge totale et la marge libre ?
12. Qu'entend-on par « coûts directs » et « coûts indirects » en gestion de projets ?
13. Quelles sont les options disponibles pour assurer le respect des maximums alloués en planification des ressources ?
14. Énumérez les principales étapes du contrôle des projets.

## QUESTIONS DE DISCUSSION

1. « Le gestionnaire des opérations est appelé à recourir de plus en plus à l'approche et aux techniques de la gestion de projets. » Commentez cette affirmation.
2. Discutez du rôle du responsable de la GOP dans la détermination des activités constitutives d'un projet.
3. Expliquez pourquoi les coûts directs et les coûts indirects varient d'une manière inverse par rapport à la durée d'un projet.
4. Comparez les avantages et les inconvénients de l'organisation fonctionnelle et de l'organisation matricielle dans un contexte de gestion de projets.
5. Discutez de l'apport de l'informatique à la gestion de projets.
6. « La gestion de projets peut s'avérer particulièrement utile pour les entreprises du secteur des services. » Commentez cette affirmation.
7. Est-il vraiment utile de disposer de deux méthodes différentes (le *CPM* et le *PERT*) en gestion de projets ? L'une d'elles ne devrait-elle pas prévaloir ?
8. Comment une approche systémique peut-elle faciliter l'accomplissement des projets selon la planification établie ?

## PROBLÈMES ET MISES EN SITUATION

**1.** Un directeur de production désire mettre au point un programme d'entretien préventif qui, avant de devenir effectif, doit être précédé des activités suivantes :

| Activité | Activité préalable | Durée (en jours) |
|---|---|---|
| A | – | 16 |
| B | – | 22 |
| C | – | 37 |
| D | A | 36 |
| E | B | 28 |
| F | B | 45 |
| G | B | 52 |
| H | C | 22 |
| I | D, E | 25 |
| J | G, H | 35 |

*a*) Dessinez le graphe du projet, calculez les dates et les marges et établissez le chemin critique.

*b*) Expliquez brièvement la signification des valeurs de dates et de marges pour l'activité E.

*c*) Si, après quelques jours, on apprend que le temps nécessaire pour effectuer l'activité H n'est plus de 22 jours mais bien de 30 jours, cet allongement retardera-t-il la fin prévue du projet ? Qu'en serait-il si la durée de l'activité H se prolongeait à 40 jours ? Justifiez vos réponses.

**2.** Un consultant vient de terminer la liste des activités importantes pour la réalisation de son premier projet. Les informations nécessaires sont reproduites dans le tableau suivant.

| Activité | Activité préalable | Durée normale | | Durée accélérée | |
|---|---|---|---|---|---|
| | | Nombre de jours | Coûts directs | Nombre de jours | Coûts directs |
| A | – | 30 | 1 500 $ | 25 | 2 100 $ |
| B | A | 50 | 900 | 40 | 2 100 |
| C | A | 40 | 2 400 | 25 | 2 800 |
| D | A | 50 | 1 700 | 40 | 2 700 |
| E | B | 30 | 1 200 | 10 | 4 400 |
| F | C | 35 | 3 100 | 15 | 5 200 |
| G | D | 60 | 4 300 | 40 | 3 700 |
| H | E, F | 45 | 800 | 20 | 2 900 |

*a*) Tracez le graphe qui convient à ce projet et effectuez les calculs de temps requis à partir des durées normales.

*b*) Trouvez le chemin critique et la durée prévue du projet selon les durées normales.

*c*) Si on demandait à ce consultant de réduire la durée totale du projet à 125 jours tout en minimisant le plus possible les coûts supplémentaires, comment devrait-il procéder ? Quel serait le nouveau coût total du projet ?

**3.** L'Hôpital général pour enfants désire agrandir ses installations actuelles pour ajouter une nouvelle aile destinée aux séjours de courte durée. On vous nomme responsable du projet et vous devez soumettre à la direction un rapport de planification du projet. À cause de l'impossibilité de prévoir précisément la durée des activités, vous décidez de recourir à la méthode *PERT*. Les informations du tableau ci-après ont déjà été recueillies.

*a*) Tracez le graphe du projet.

*b*) En supposant que les estimations des durées optimiste, normale et pessimiste de chaque activité se répartissent selon une distribution de type ß, calculez la durée moyenne de chaque activité et établissez la planification du projet à l'aide de celle-ci.

*c*) Déterminez les activités du chemin critique et établissez la durée moyenne prévue du projet, ainsi que des intervalles de confiance à 90 % et à 95 %.

*d*) À partir de la planification établie en *b*, tracez l'histogramme d'utilisation des personnes pour le projet. Apportez les modifications nécessaires à la planification afin de respecter un maximum disponible de 15 personnes.

| Activité | Description | Durée en semaines | | | Prédécesseur immédiat | Nombre de personnes |
|---|---|---|---|---|---|---|
| | | Optimiste | Normale | Pessimiste | | |
| A | Élaboration du projet | 3 | 4 | 5 | Aucun | 2 |
| B | Recherche de fonds | 3 | 3,5 | 7 | Aucun | 3 |
| C | Recherche de fournisseurs | 4 | 5 | 6 | B | 5 |
| D | Approbation de l'équipement | 2 | 3 | 4 | A, C | 4 |
| E | Construction de la nouvelle aile | 6 | 10 | 14 | B | 7 |
| F | Réévaluation financière | 7,5 | 8,5 | 12,5 | B | 6 |
| G | Achat et livraison de l'équipement | 4,5 | 6 | 7,5 | E | 3 |
| H | Électricité, tuyauterie, câblage | 5 | 6 | 13 | E | 3 |
| I | Installation de l'équipement | 2 | 2,5 | 6 | D, G | 3 |
| J | Aménagement intérieur | 4 | 5 | 6 | F, H | 2 |

## RÉFÉRENCES


1. BERGEN, S.A., *Project Management*, Oxford, Basil Blackwell, 1986.
2. CHAMBERS, G.J., « The Individual in a Matrix Organization », *Project Management Journal*, vol. 20, n° 4, 1989, p. 37-42, et 50.
3. CLELAND, D.I., « Strategic Issues in Project Management », *Project Management Journal*, vol. 20, n° 1, 1989, p. 31-39.
4. CLELAND, D.I. et W.R. KING, *Project Management Handbook*, New York, Van Norstrand Rheinhold, 1988.
5. CLELAND, D.I. et W.R. KING, *Systems Analysis and Project Management*, 3e éd., New York, McGraw-Hill, 1983.
6. DAVIS, E.W., *Project Management : Techniques, Applications and Managerial Issues*, 2e éd., Atlanta, Industrial Engineering & Management Press, 1983.
7. DIMARCO, N., J.R. GOODSON et H.F. HOUSER, « Situational Leadership in Project/Matrix Environment », *Project Management Journal*, vol. 20, n° 1, 1989, p. 11-18.
8. EGOL, L., « The Evolution of Project Management », *Chemical Engineering*, vol. 97, n° 11, 1990, p. 199-206.
9. FULKERSON, D., « A Network Flow Computation for Project Cost Curves », *Management Science*, vol. 7, n° 2, janvier 1961, p. 167-178.
10. HARRISON, F.L., *Advanced Project Management*, Hants, England, Gower Publishing Co., 1981.
11. JACKMAN, H., « State-of-the-Art Project Management Methodologies : A Survey », *Optimum*, vol. 20, n° 4, 1990, p. 24-47.
12. KELLEY, J.E. et M.R. WALKER, « Critical Path Planning and Scheduling », *Proceedings of the Eastern Joint Computer Conference*, Boston, 1959, p. 160-173.
13. KERZNER, H., *Project Management : A Systems Approach to Planning, Scheduling and Controlling*, New York, Van Norstrand Reinhold, 1984.
14. LEVINE, H.A., *Project Management Using Microcomputers*, Berkeley, Californie, Osborne McGraw-Hill, 1986.

15. LEVY, F.K., G.L. THOMPSON et J.D. WIEST, « The ABCs of the Critical Path Method », *Harvard Business Review*, septembre-octobre 1963, p. 98-108.
16. MEREDITH, J.R. et S.J. MANTEL, *Project Management : A Managerial Approach*, New York, John Wiley & Sons, 1985.
17. MOHRING, R.H., « Minimizing Costs of Resource Requirements in Project Networks Subject to a Fixed Completion Time », *Operations Research*, janvier-février 1984, p. 89-120.
18. POSNER, B.Z., « What It Takes to Be a Good Project Manager », *Project Management Journal*, vol. 28, nº 1, 1987, p. 51-54.
19. STEPHANOU, S.E. et M.M. OBRADOVITCH, *Project Management, Systems Development and Productivity*, Malibu, Californie, Daniel Spencer Publishers, 1985.
20. STINSON, J.P., E.W. DAVIS et B.M. KHUMAWALA, « Multiple Resource-Constrained Scheduling Using Branch and Bound », *AIIE Transactions*, septembre 1978.
21. WIEST, J.D. et F.K. LEVY, *A Management Guide to PERT/CPM*, 2e éd., Englewood Cliffs, New Jersey, Prentice-Hall, 1977.
22. WOOD, L., « A Manager's Guide to Computerized Project Management », *Manufacturing Systems*, vol. 7, nº 8, 1989, p. 18-24.

CHAPITRE 16

# La gestion des approvisionnements

JOSEPH KÉLADA *auteur principal*
JEAN NOLLET *collaborateur*

# LA FONCTION APPROVISIONNEMENT

## 16.1 L'importance stratégique et économique de la fonction Approvisionnement

On a longtemps considéré que le rôle du service des approvisionnements était de répondre de façon adéquate et rapide aux demandes d'acquisition de biens et de services provenant de divers demandeurs au sein de l'entreprise. Traditionnellement, ces demandeurs exigeaient surtout le respect des délais d'approvisionnement, en général courts, au meilleur coût possible ; la direction générale était pleinement satisfaite des responsables de ce service s'ils ne dépassaient pas leur budget et s'ils entretenaient de cordiales relations avec les différents demandeurs.

Jusqu'au début des années 70, dans plusieurs entreprises, l'acheteur se contentait souvent de passer des commandes pour des articles spécifiés par un demandeur, à des fournisseurs choisis par ce dernier. L'acheteur voyait son rôle limité à un processus administratif d'achat (préparation des bons de commande, suivi des commandes, relance, réception). Dans certaines entreprises, c'est encore le cas, excepté pour les achats importants, qui sont alors pris en charge par un cadre supérieur du service des finances ou de la comptabilité, ou par le président lui-même.

De nombreux dirigeants ont maintenant pris conscience de l'importance grandissante de la fonction Approvisionnement, et de son rôle stratégique en tant qu'arme concurrentielle puissante, dans la rentabilité et la compétitivité potentielles de l'entreprise. L'évolution des contextes économique et technologique, les changements des conditions du marché où l'on observe de temps en temps des pénuries, la concurrence agressive et la mondialisation de l'approvisionnement sont autant de facteurs à la source de ce changement d'attitude. D'autre part, les entreprises ont réalisé le rôle important que peut jouer le fournisseur dans leur succès, et sa contribution directe à l'atteinte de leurs objectifs.

Dans ce chapitre, nous traiterons globalement de la fonction Approvisionnement, mais nous mettrons l'accent en particulier sur la gestion des achats, qui en est la principale activité. Nous aborderons en premier lieu l'importance économique et stratégique de cette fonction, puis nous déterminerons ses diverses activités de pilotage et opérationnelles (figure 16.1). Nous terminerons par les particularités de l'acquisition des services et l'évaluation d'un service de l'approvisionnement.

L'**aspect stratégique** comprend la contribution des responsables à la mise en pratique des concepts de qualité totale (*voir le chapitre 17*) et de juste-à-temps (*voir le chapitre 18*) et le rôle de première importance qu'ils doivent jouer lors de leur implantation dans l'entreprise. Ces approches requièrent en effet des décisions concernant la focalisation sur un ou plusieurs aspects de qualité, de volume (quantités), de délais de livraison à respecter ou de coûts que doit engager le client potentiel. Elles requièrent aussi de prendre en considération, lors de la localisation des diverses unités de production, l'accès aux fournisseurs de biens et de services en amont (fournisseurs de matières premières) et en aval (fournisseurs de services de transport vers le client). De plus, ces approches ont donné naissance à de nouvelles stratégies d'approvisionnement telles que le marketing des achats (*reverse marketing*), qui veut que les responsables des approvisionnements s'occupent activement de rechercher des fournisseurs fiables (tout comme le marketing traditionnel recherche des clients) et d'établir avec ces derniers des relations d'étroite collaboration.

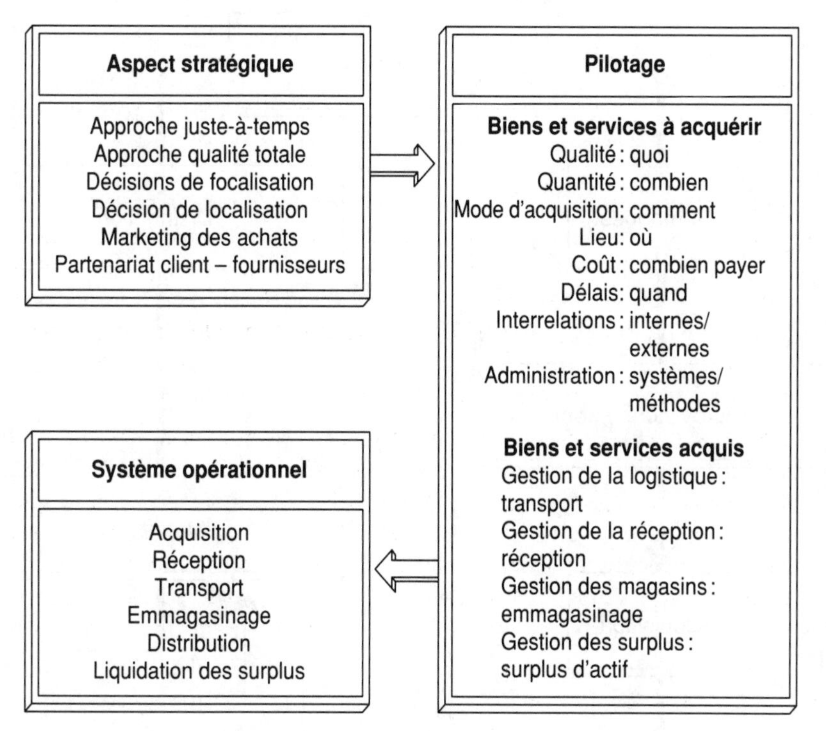


◄ **FIGURE 16.1**
**Les trois aspects de la gestion des approvisionnements**

Le **système de pilotage** comprend les activités suivantes, relatives aux décisions d'acquisition de biens et de services :

- la qualité des biens et des services à acquérir (définition des besoins, description des produits, contrôle et assurance de la qualité) ;
- les quantités à acquérir (gestion des stocks) ;
- le mode d'acquisition, interne (fabrication) ou externe (achat, location, sous-traitance) ;
- le lieu ou la source d'approvisionnement (recherche, évaluation et choix des fournisseurs) ;
- l'optimisation des coûts à payer pour les biens et les services demandés ;
- les délais de livraison des demandeurs à respecter ;
- les interrelations internes (avec les demandeurs et autres décideurs) et externes (avec les fournisseurs en amont et en aval) ;
- le système administratif, qui relie le service des approvisionnements aux demandeurs à l'intérieur, et aux fournisseurs à l'extérieur.

Le système de pilotage inclut également les activités suivantes :

- la gestion du processus de logistique ou du transport : ce processus comprend le flux des matières, de la source des matières premières jusqu'au client final ;
- la gestion de la réception, y compris l'aménagement physique des quais et des aires de réception, l'ordonnancement des commandes reçues qui est souvent établi avec la collaboration des fournisseurs pour éviter les goulots d'étranglement et les pertes de temps inutiles et coûteuses tant pour le client que pour le fournisseur ou le transporteur ;

**FIGURE 16.2** ▶
**Les opérations courantes d'approvisionnement**

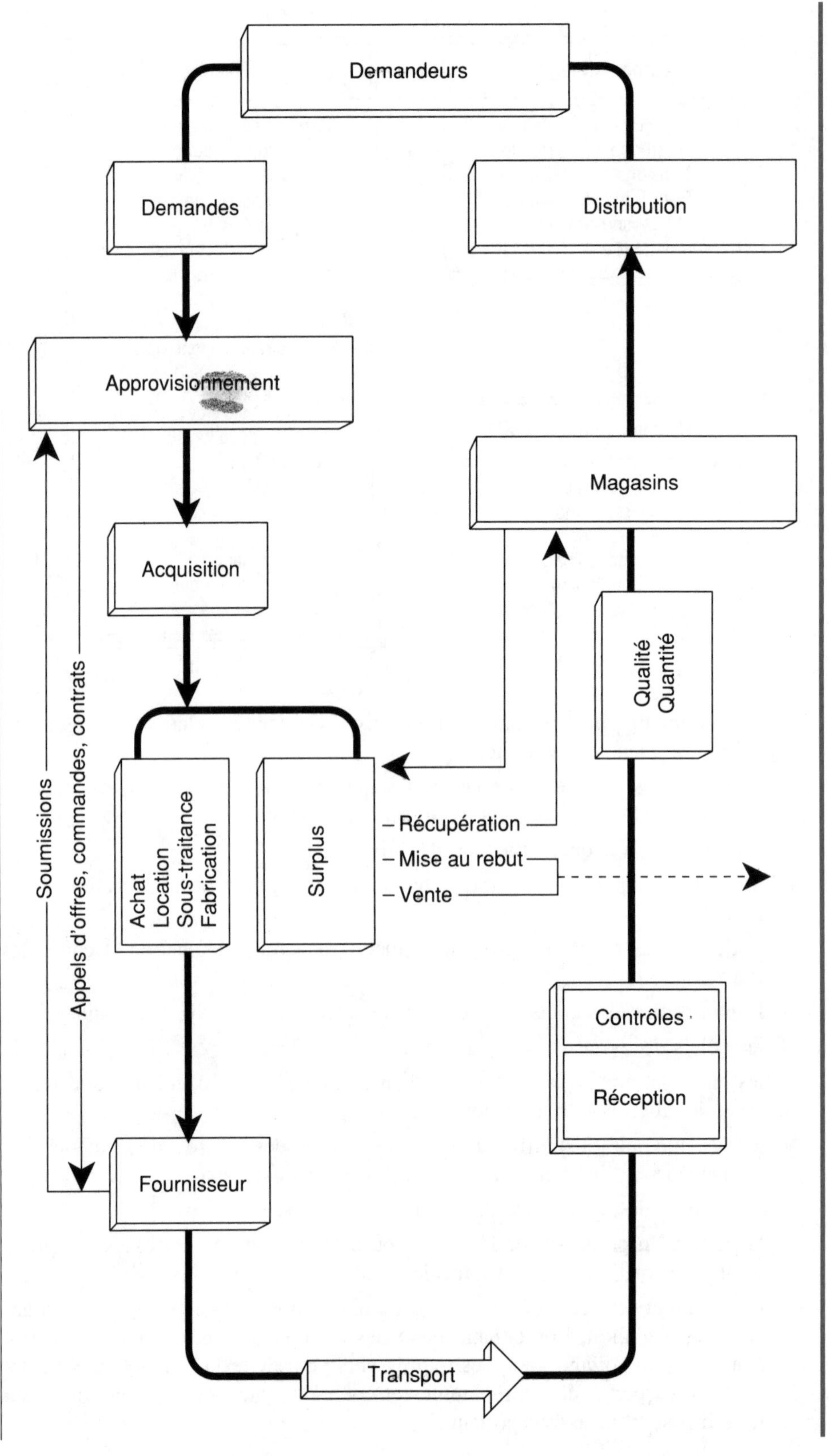

- la gestion des magasins, qui inclut la protection des articles en magasin, le conditionnement, la facilité d'accès et de prise d'inventaire des articles en stock ;
- la gestion des surplus d'actif, dont l'objectif est la liquidation économique de ces surplus.

Les **activités opérationnelles** comprennent l'acquisition proprement dite (émission des commandes d'achat, de location, de sous-traitance ou de fabrication), la manutention, la conservation, le conditionnement et le transport des matières reçues (incluant les matières premières, les pièces et les sous-ensembles achetés ou fabriqués ainsi que les produits finis) de même que la liquidation des surplus d'actif (vente, mise au rebut, récupération...). Ces activités courantes sont illustrées à la figure 16.2.

L'ensemble des activités stratégiques, de pilotage et opérationnelles représente la **fonction Approvisionnement**. L'achat est l'acquisition de la propriété d'un produit tangible (matières premières, équipement) ou intangible (logiciel, brevet d'invention, droit de passage, droits d'auteur). La gestion des achats est donc plus limitée que la gestion des approvisionnements. Par contre, la gestion des matières englobe la gestion des approvisionnements ainsi que la planification et le contrôle de la production. Enfin, la logistique englobe la gestion des matières et la distribution des produits finis (figure 16.3).

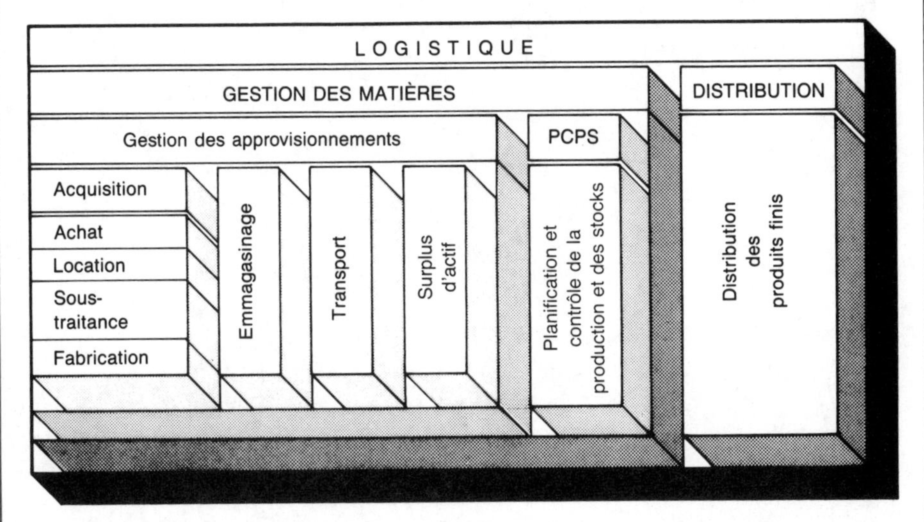


**FIGURE 16.3**
**De l'achat à la logistique**

Dans la nouvelle philosophie qu'est la qualité totale, la satisfaction du client occupe une place prépondérante. D'après Byrne et Markham[2], malgré l'énorme attention qu'on porte actuellement au service à la clientèle et à l'amélioration de la qualité, seuls 10 % des fournisseurs (fabricants industriels, distributeurs et détaillants) réussissent une stratégie basée sur la satisfaction des clients, alors que 90 % souffrent d'une logistique inadéquate. L'amélioration du processus de logistique est un facteur vital pour le succès d'une organisation. Depuis la fin des années 70, les entreprises réalisent de plus en plus que la gestion du flux continu des matières, de la source (fournisseur) au client, est un processus qui gagne énormément à être traité comme tel plutôt que comme un ensemble d'activités individuelles et indépendantes d'approvisionnement, de gestion de matières et de distribution de produits finis. Dans cet ensemble, les activités d'approvisionnement représentent le maillon le plus important. C'est la raison pour laquelle nous lui consacrons ici un chapitre entier.

D'un point de vue stratégique, la gestion des approvisionnements aide les entreprises à atteindre leurs objectifs économiques et commerciaux par la fourniture des biens et des services qui lui permettent de réaliser des produits compétitifs dans les meilleurs délais. Le service de l'approvisionnement de la société Douglas Aircraft Co. a reçu le mandat d'aider l'entreprise à redevenir un membre rentable dans la course féroce que se livrent les fabricants d'avions commerciaux. Cette entreprise se tourne en effet vers ce service pour réduire ses coûts et pour offrir des prix compétitifs[10].

Examinons l'aspect économique de l'approvisionnement. Dans une entreprise industrielle, les dépenses en approvisionnement (en biens et en services) représentent un pourcentage élevé du total de ses revenus, allant de 39 % (industries de fabrication d'instruments divers) à 68 % (industrie de produits alimentaires) ; dans l'industrie du raffinage des produits pétroliers, ce pourcentage se situe exceptionnellement à environ 92 %. Une entreprise industrielle dépense en moyenne 56 % de ses revenus en acquisition de biens et de services ; ce pourcentage s'élève à 60 % si on y inclut les achats d'équipement[8]. Les frais relatifs à la main-d'œuvre constituent le tiers de ce chiffre ; le reste représente les taxes et les impôts divers, les dividendes versés aux actionnaires et les profits nets (figure 16.4). Dans les institutions publiques et parapubliques, le budget alloué pour l'approvisionnement représente un pourcentage élevé (de 10 % à 20 %) de l'ensemble des dépenses.

**FIGURE 16.4** ▶ **Les pourcentages des dépenses par dollar de revenu**

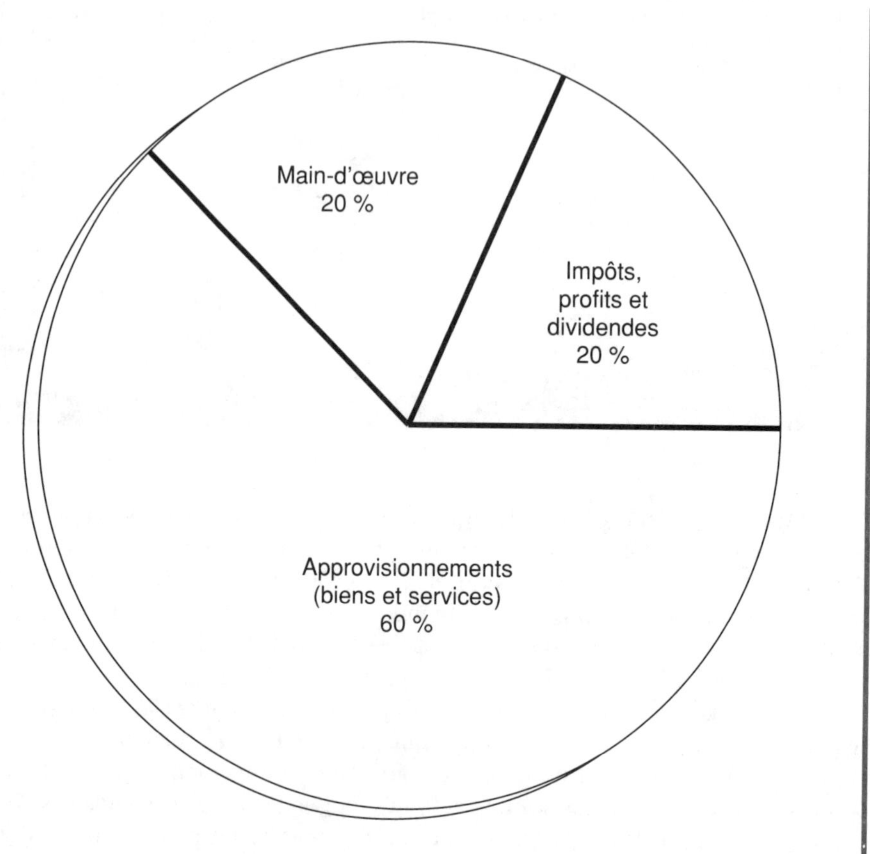

La gestion des approvisionnements a donc un effet direct sur l'efficacité d'une institution au service du public et sur les profits d'une entreprise commerciale ou industrielle. En effet, si une entreprise a une marge de profit de 10 % de ses revenus et que ses dépenses en approvisionnement représentent 60 % de son chiffre d'affaires, une économie de 10 % sur ces dépenses, évaluée en moyenne à 6 % de ses revenus, augmenterait ses profits de 60 % ! Plusieurs spécialistes en approvisionnement suggèrent d'ailleurs de considérer cette fonction comme une source de profits, et non comme la principale responsable des dépenses de l'entreprise.

Nous pouvons dire qu'au niveau de la direction générale, les responsables du service de l'approvisionnement peuvent influencer la stratégie globale et la stratégie des opérations (ou industrielle) de l'entreprise. Au niveau opérationnel, ils ont à satisfaire les besoins en biens et en services des divers demandeurs au sein de l'entreprise. Les politiques de l'entreprise orientent les activités d'approvisionnement, qui sont influencées par un ensemble de fournisseurs, de sous-traitants et de transporteurs, mais aussi par le degré d'utilisation de la capacité interne de production et de stockage (figure 16.5).

## 16.2 La fonction Approvisionnement : objectifs et activités

D'une façon générale, la gestion des approvisionnements vise à satisfaire les besoins en biens et en services des demandeurs au sein de l'entreprise, selon le niveau de qualité exigé (Q), la quantité ou le volume (V) requis, le délai ou le temps (T) fixé, l'endroit ou le lieu (L) voulu, le tout le plus économiquement (E) possible. Pour atteindre ces objectifs (QVTLE), les responsables de la fonction Approvisionnement tentent de réduire les prix, d'augmenter le taux de rotation des stocks, de minimiser les coûts de manutention, d'assurer un approvisionnement continu sans pénurie, d'assurer une qualité régulière, puis d'établir et de maintenir de bonnes relations avec les fournisseurs.

La fonction Approvisionnement contribue en outre à la planification stratégique de l'entreprise. Cette planification est basée d'abord sur une analyse des forces et des faiblesses de l'organisation, puis sur la mise au point de stratégies qui lui assurent une croissance optimale et une sécurité financière. Les contrats d'approvisionnement à long terme, le stockage de matières essentielles, un réseau de fournisseurs fiables et qualifiés, de même qu'une gestion efficace des approvisionnements par des responsables compétents sont quelques exemples des forces stratégiques qui donnent à une entreprise un avantage compétitif.

La détermination des objectifs stratégiques de l'entreprise comporte des décisions relatives aux produits qu'elle met sur le marché ou au champ d'activité qu'elle occupera dans cinq ans, ainsi que des objectifs financiers. Étant donné que plus de la moitié des revenus de l'entreprise industrielle passe à ses fournisseurs, on peut supposer que la gestion des approvisionnements a un effet significatif sur la réalisation de ses objectifs. À titre d'exemple, l'un des principaux aspects de la stratégie d'entreprise dans l'industrie japonaise est l'approche juste-à-temps, que nous présentons au chapitre 18 ; la gestion des approvisionnements en est un élément déterminant.

Dans la philosophie du juste-à-temps, la relation préconisée entre le client et ses fournisseurs est le partenariat plutôt que la compétitivité, comme c'est le cas dans l'approche traditionnelle. Les deux parties ne se limitent plus à une transaction unique : elles se lient pour des relations à long terme et collaborent à la réalisation d'objectifs communs en travaillant sur des projets conjoints tels que la conception de nouveaux produits ou de processus de fabrication. Les principaux fournisseurs sont même invités à s'installer ou à déménager leurs installations à proximité du client. Cela évite les pertes de temps dues au transport, réduit significativement ou

▼ **FIGURE 16.5**
**La demande et les contraintes du service de l'approvisionnement**

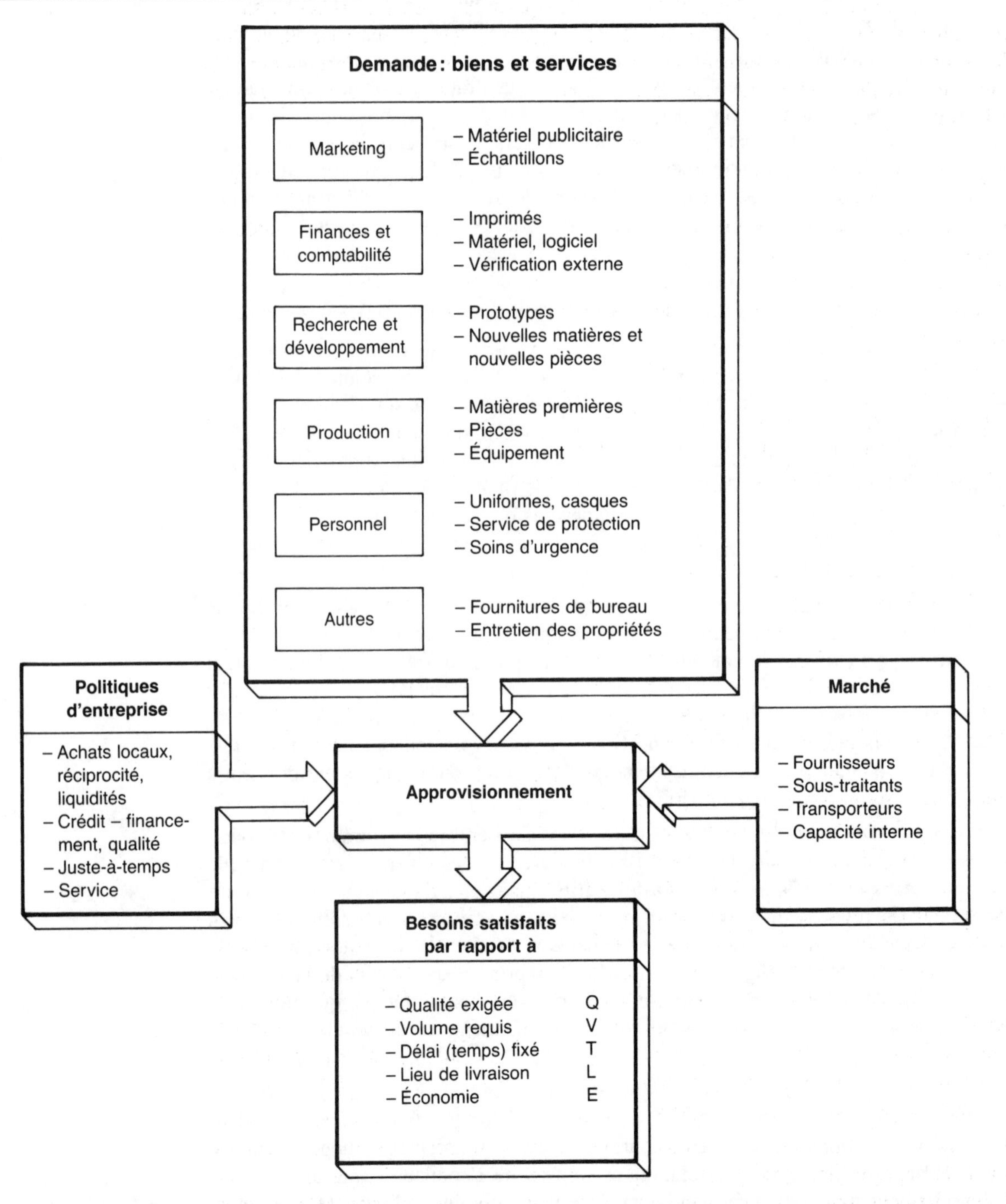

élimine les coûts de transport et accroît la flexibilité des relations client–fournisseurs grâce à une amélioration considérable des communications entre eux. Par exemple, un fabricant de boîtes de conserve s'installe à proximité d'une conserverie, à laquelle sa chaîne de fabrication est raccordée physiquement. Grâce à l'évolution rapide de l'informatique, les méthodes administratives sont significativement réduites, ce qui augmente l'efficience et, dans plusieurs cas, l'efficacité.

Pour atteindre les objectifs de la fonction Approvisionnement, les responsables des achats prennent certaines décisions importantes de pilotage concernant la qualité, les sources d'approvisionnement, le juste prix à payer, les modes d'acquisition, les quantités à acheter et le moment de les acquérir. Ce sont ces décisions que nous développerons dans le reste du chapitre.

## 16.3 L'organisation de la fonction Approvisionnement

Dans plusieurs entreprises, on observe deux courants : la centralisation et la décentralisation des activités de gestion des approvisionnements. Dans le cas de la décentralisation, on délègue le pouvoir de décision aux centres qui sont le plus près du lieu d'exécution. Pour une entreprise qui compte plusieurs unités de production, un service central peut entreprendre toutes les activités de gestion des approvisionnements (centralisation). Mais son rôle peut aussi se limiter à l'élaboration de politiques générales, dans ce domaine, à l'intention de services d'approvisionnement autonomes relevant de chacune des unités de production (décentralisation). La centralisation et la décentralisation de l'approvisionnement ont chacune des avantages et des désavantages, selon le contexte du marché et de l'entreprise. Nous y reviendrons dans la section traitant, entre autres, des achats groupés. Notons que, dans certains cas, on peut avoir simultanément certaines activités centralisées et d'autres décentralisées.

On observe une nette tendance à la centralisation de certaines activités de la fonction Approvisionnement dans les grandes entreprises, souvent pour faire face à des pénuries mondiales de matières premières, pour contrer la fluctuation continuelle des prix sur les marchés internationaux, pour réduire les prix (remises sur quantité), pour éviter la concurrence entre unités d'une même entreprise, et à cause des grandes compétences requises pour la négociation avec les fournisseurs, surtout étrangers, dans un marché qui se mondialise de plus en plus.

Chez Hewlett-Packard, dont le chiffre d'affaires atteint quatre milliards de dollars, 49 divisions sont décentralisées[10]. Cette entreprise transige avec 12 000 fournisseurs, bien qu'elle effectue la moitié de ses achats chez environ 400 fournisseurs. Le siège social ne s'intéresse qu'aux fournisseurs qui font affaire avec toutes les divisions, laissant à celles-ci la responsabilité des relations avec les fournisseurs qui desservent une ou quelques-unes de ces divisions. Chez Control Data, dont le chiffre d'affaires est similaire à celui de Hewlett-Packard et qui, elle aussi, a opté pour la décentralisation, le service central de l'approvisionnement se réserve la négociation des contrats sur les marchés internationaux pour les composants utilisés par toutes les divisions. Ce service met l'accent sur la coordination des activités entre l'ingénierie et les achats, procède aux entrevues, prépare et met à jour des manuels de procédés et, enfin, favorise l'échange d'informations entre les acheteurs dans tous les services des achats de l'entreprise[9].

Dans les grandes entreprises industrielles, où le pourcentage des revenus consacré à l'approvisionnement est élevé, le service de l'approvisionnement se situe habituellement tout près du sommet de l'organigramme. Son responsable est alors un membre de la direction générale qui participe aux décisions stratégiques de l'entreprise. Dans le cas où l'approvisionnement est moins important et où il se limite à des produits plutôt standard généralement disponibles en grande quantité sur le marché local, le service de l'approvisionnement peut relever d'un autre service, tel celui de la production ou celui des finances. Dans une petite entreprise, le président se réserve souvent la responsabilité des achats et des contrats importants.

Dans les petites et les moyennes entreprises, l'accès à des ressources spécialisées en approvisionnement est très limité. Souvent, on confie à un commis le soin de prendre contact avec les fournisseurs et de passer les commandes. Dans certaines entreprises, chaque usager peut lui-même s'occuper de satisfaire ses propres besoins. Généralement, un cadre supérieur doit approuver les commandes importantes. Plusieurs de ces entreprises gagneraient à gérer adéquatement leurs approvisionnements, soit en engageant des personnes qualifiées, soit en ayant recours à des organismes d'achats groupés qui le font pour les entreprises dont les besoins de matières ou de services sont similaires, ou encore en faisant appel à des consultants externes spécialisés.

Les pharmacies et les supermarchés indépendants, par exemple, qui sont souvent des petites entreprises à propriétaire unique, se donnent une raison sociale commune (Pharmaprix, Métro-Richelieu, etc.) qui leur permet, entre autres, de mettre en commun leurs activités d'approvisionnement. Cette entente les fait profiter d'un personnel qualifié chargé de ces activités pour l'ensemble du groupe, et du pouvoir d'achat et de négociation qui en découle, tout comme dans les grandes entreprises.

## LA GESTION DE LA FONCTION APPROVISIONNEMENT

### 16.4 Le besoin à satisfaire et la qualité à acquérir

La gestion des approvisionnements débute par la définition du besoin ; suivent la description du produit apte à satisfaire ce besoin, et la recherche d'une assurance que le produit livré sera conforme à cette description et satisfera effectivement ce besoin.

On définit concrètement le besoin en déterminant les caractéristiques du produit qui devraient le satisfaire : convenance à l'usage, durabilité, fiabilité, etc. On établit ensuite la qualité technique de ce produit. Cette définition est du ressort du demandeur. Par contre, le choix du produit capable de satisfaire ce besoin concerne déjà les responsables de l'approvisionnement. Ils peuvent en effet renseigner le demandeur sur divers produits existants que ce dernier pourrait ignorer (par exemple, pour couper du métal on peut utiliser une scie ou un chalumeau, pour transporter du matériel on peut utiliser un camion ou un pont roulant...).

Un besoin ainsi défini ne peut toutefois servir à préparer un appel d'offres ou faire l'objet d'une commande à un fournisseur. En effet, toute relation avec les fournisseurs est basée sur la description des caractéristiques d'un produit, lequel peut être représenté par une marque de commerce, des spécifications physiques ou chimiques, des spécifications de rendement, des spécifications du processus et des matières premières, un devis technique, des plans et des dessins, une classification du marché, des normes ou des standards du marché, ou encore par un échantillon. Le responsable de l'approvisionnement décide de l'approche à adopter pour chaque situation. En pratique, on utilise une combinaison de ces moyens pour décrire clairement un produit commandé ; par exemple, on peut remettre au fournisseur un dessin accompagné d'un échantillon.

Les besoins précis et clairement définis des demandeurs au sein de l'entreprise seront satisfaits par des produits dont le niveau de qualité conviendra à l'usage requis. La question est de savoir qui doit décider de la qualité d'un article à acquérir. Est-ce le responsable de l'approvisionnement ou bien le demandeur ? La réponse n'est pas aisée et représente une source potentielle de conflits. En principe, la qualité technique de l'article à commander est du ressort exclusif du demandeur ; on verra plus loin comment définir cette qualité. Par contre, la qualité économique est du ressort des responsables de l'approvisionnement ; elle est définie comme étant d'un niveau égal ou supérieur à la qualité technique requise, acquise au moindre coût possible, soit celle qui présente le meilleur rapport qualité–prix.

La description précise du produit ne garantit pas pour autant une qualité adéquate des unités qui seront livrées. Pour s'assurer qu'aucun produit défectueux n'est introduit dans l'entreprise, on peut procéder à des activités d'assurance et de contrôle de la qualité. Ces activités, comme nous l'expliquerons au chapitre 17, comprennent chacune un volet préventif et un volet correctif, et elles font l'objet d'une négociation entre le fournisseur et l'acheteur avant que ce dernier passe une commande ou accorde un contrat.

## 16.5 Les sources d'approvisionnement

Pour éviter tout risque de perturbation, voire d'interruption des opérations courantes de l'organisation, l'entreprise doit pouvoir se fier à des fournisseurs capables de satisfaire pleinement et régulièrement ses besoins. Les responsables de l'approvisionnement tentent par conséquent de trouver des fournisseurs fiables, sur lesquels ils pourront compter à long terme pour atteindre les objectifs que l'organisation leur a confiés.

L'organisation espère aussi pouvoir compter sur plusieurs sources d'approvisionnement au cas où un fournisseur ferait trop souvent défaut. De plus, le fait qu'elle approche plusieurs fournisseurs crée chez ceux-ci un esprit de concurrence qui les pousse à offrir de meilleurs prix et de meilleures conditions. Ces conditions peuvent comprendre une qualité supérieure, de courts délais de livraison, un bon service avant même de recevoir une commande, lors de son exécution et après la livraison des articles commandés.

Bien que cette approche soit parfois valable, soulignons que depuis l'avènement du juste-à-temps, plusieurs responsables de l'approvisionnement préfèrent de plus en plus transiger avec un petit nombre de fournisseurs. Cette décision est attribuable au besoin de synchronisation des systèmes de production, chez l'acheteur et chez le fournisseur, synchronisation qui permet de réduire presque à zéro le niveau des stocks de matières ou de pièces achetées.

En général, les responsables de l'approvisionnement cherchent continuellement de nouvelles sources d'approvisionnement qu'ils incluent dans un répertoire de fournisseurs tenu à jour. Ils peuvent recourir à plusieurs moyens pour trouver des fournisseurs, parmi lesquels : les pages jaunes de l'annuaire du téléphone, les divers salons organisés par les fournisseurs, les représentants de commerce, les dépliants et les catalogues publiés par les fournisseurs. Les responsables évaluent ensuite les fournisseurs potentiels afin de juger de leur fiabilité et de la qualité de leur service. Cette évaluation revêt trois aspects : un aspect économique, un aspect technique et un aspect administratif (figure 16.6).

La sélection d'un fournisseur est l'une des plus importantes décisions que doit prendre le responsable des achats. En effet, cette décision engage des ressources et touche des activités telles que la gestion des stocks, la planification et le contrôle de

**FIGURE 16.6**
**L'évaluation des fournisseurs**

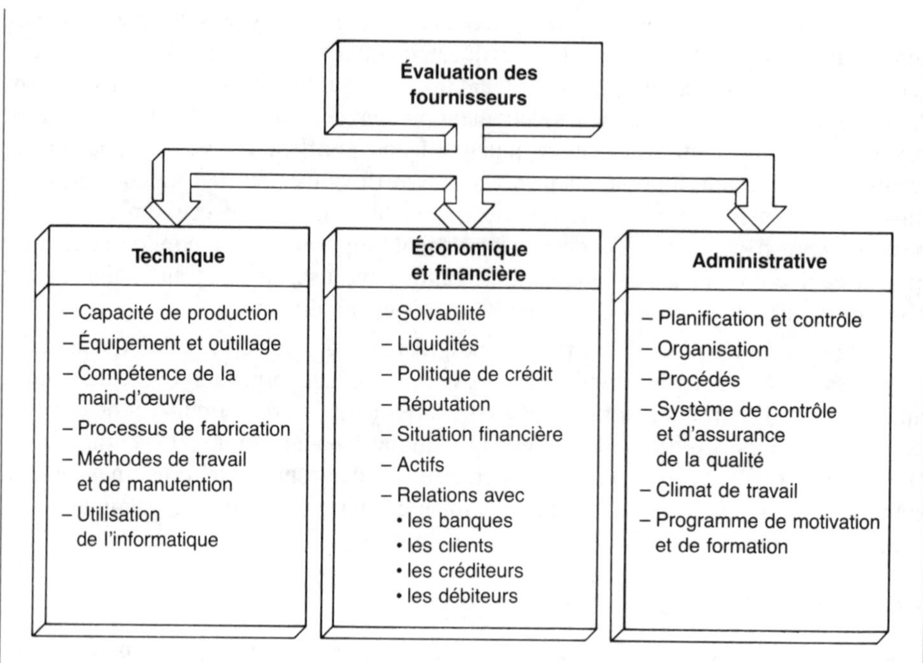


la production, le niveau des liquidités requis ainsi que la qualité des produits. C'est un problème typique de gestion, qui nécessite un certain nombre d'arbitrages basés sur plusieurs critères souvent qualitatifs.

L'évaluation des fournisseurs doit cependant se poursuivre au-delà de l'étape de la sélection. Périodiquement et lors de problèmes, on doit réévaluer les fournisseurs pour s'assurer qu'ils maintiennent un bon niveau de service. Pour une commande donnée, on choisit un fournisseur inscrit au répertoire, soit directement, soit par appel d'offres sur invitation. À des conditions en tous points semblables, plusieurs choix sont alors possibles : un fournisseur local ou éloigné, un petit ou un grand fournisseur, un fournisseur-client, un distributeur ou un fabricant (on parle alors d'achat indirect ou direct), un fournisseur récent ou ancien.

À cause du rôle de partenaire[11] que joue de plus en plus le fournisseur, les responsables de l'approvisionnement changent de stratégie quant à la recherche et au choix des fournisseurs[4]. En effet, plutôt que choisir les fournisseurs parmi ceux qui se présentent chez des clients potentiels, les responsables de l'approvisionnement vont à la recherche de fournisseurs fiables en pratiquant le marketing des achats ou à rebours (*reverse marketing*)[5]. Cela est surtout vrai pour les biens et les services d'importance stratégique et pour ceux pour lesquels on ne trouve pas de fournisseur. Tout comme les représentants de commerce qui n'attendent pas qu'un client vienne à eux mais qui vont à sa recherche et le convainquent de faire affaire avec l'entreprise, les responsables de l'approvisionnement essaient de découvrir et d'attirer des fournisseurs qui seront des partenaires fiables et des collaborateurs dans les efforts de réalisation des objectifs de l'entreprise et dans la satisfaction des clients.

L'un des aspects à considérer dans les relations entre l'acheteur et le fournisseur est la **réciprocité**. Il y a réciprocité quand le fournisseur est en même temps un client, actuel ou potentiel, de l'entreprise qui achète chez lui. Il y a là, logiquement, un avantage économique pour les deux parties.

En favorisant ce fournisseur, l'entreprise peut augmenter ses ventes et, par conséquent, ses profits. Plusieurs responsables des achats manifestent toutefois une certaine réticence à accepter la réciprocité. Ils craignent de se faire imposer un fournisseur par la direction ou par le service du marketing, ce qui réduirait leur choix de fournisseurs éventuels de même que leur pouvoir de négociation et de mise en concurrence de plusieurs fournisseurs. En outre, ils peuvent éprouver relativement plus de difficulté à négocier avec un fournisseur-client qu'avec les autres fournisseurs. De plus, les autres fournisseurs ne prennent plus cette entreprise au sérieux, l'accusant de favoritisme envers ses fournisseurs-clients. Les objectifs de la gestion des approvisionnements pourraient alors en souffrir. La direction de l'entreprise doit donc traiter ce sujet avec beaucoup d'attention. Il est en effet dangereux de déléguer cette décision aux responsables du marketing ou aux responsables des achats. Comme il s'agit d'une décision stratégique qui peut ajouter aux profits de l'entreprise, mais qui peut accroître ses coûts d'approvisionnement, elle revient de plein droit à la direction générale, et elle doit être basée sur les avantages que peut en tirer l'entreprise à long terme.

La réciprocité pose aussi des problèmes qui peuvent avoir une incidence juridique. Ainsi, un donneur d'ordres très important peut, par son pouvoir d'achat, imposer à ses fournisseurs (de moindre taille) d'acheter chez lui. Aux États-Unis, la division antitrust du ministère de la Justice a réussi à obliger certaines entreprises, telles U.S. Steel et Uniroyal, à cesser d'utiliser leur pouvoir d'achat pour passer des commandes conditionnelles à des fournisseurs qui étaient alors obligés de s'approvisionner auprès de ces mêmes entreprises. Dans d'autres cas, la loi est moins efficace car la preuve de tels agissements n'est pas toujours facile à faire, comme ce fut le cas pour la société General Motors qui vendait des locomotives à une société de chemins de fer transportant ses produits.

## 16.6 Les modes d'acquisition

On peut acquérir un produit (bien ou service) de l'intérieur ou de l'extérieur de l'entreprise. L'acquisition externe comprend l'achat, individuel ou groupé, la location et la sous-traitance. L'acquisition interne consiste en la réalisation du produit requis au moyen des ressources internes (figure 16.7).

La forme la plus courante d'**acquisition externe** est l'**achat**. Il présente en effet plusieurs avantages : ainsi, un équipement acheté peut être modifié à la guise de son propriétaire, ce qui n'est pas le cas pour un équipement loué ; de plus, un équipement acheté a généralement une valeur de revente, contrairement à un équipement loué. Dans le cas des matières premières et des fournitures, on ne peut évidemment qu'acheter. Dans le cas de l'acquisition d'un équipement, on peut l'acheter ou le louer. De même, pour des services tels que l'informatique, la sécurité ou l'entretien, on peut les confier à des unités internes ou à des entreprises spécialisées dans ces services.

La **location** n'est pas aussi populaire que l'achat, bien que dans plusieurs cas elle mérite d'être envisagée sérieusement. Tout d'abord, elle a le grand avantage de ne pas exiger de gros investissements. Parmi les nombreux autres avantages, mentionnons la possibilité, pour l'utilisateur, de changer plus facilement de produit ou de service, et, pour l'équipement, d'être assorti d'un service d'entretien qui accompagne les contrats de location. En outre, dans l'entreprise privée, les frais de location constituent des dépenses qui réduisent les revenus et, par conséquent, les impôts à payer, tandis qu'un investissement doit être amorti sur plusieurs années. De plus, en louant un équipement, on peut profiter à peu de frais des modifications qui découlent d'innovations apportées par le fabricant.

**FIGURE 16.7 ▶**
**Les modes d'acquisition**

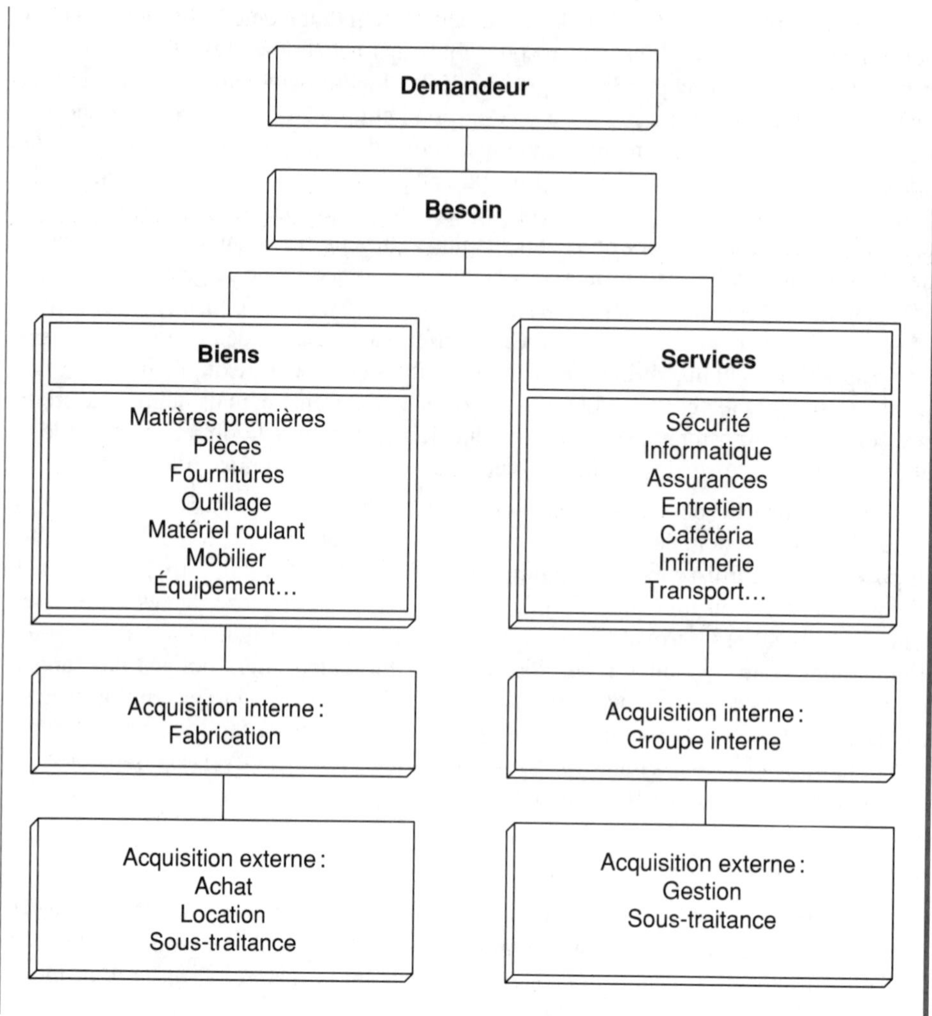


Dans certains cas, on peut tout d'abord choisir la location si on n'est pas très sûr du rendement d'un équipement qu'on désire acheter. Après en avoir fait l'essai, on est en mesure de décider de son achat si l'équipement donne une entière satisfaction. Plusieurs contrats de location comportent d'ailleurs une clause d'option d'achat.

Dans le domaine des services tels que l'informatique ou l'entretien, l'organisation qui recourt à la location s'évite l'obligation d'embaucher du personnel spécialisé qu'elle doit payer, former, diriger, mettre à pied à l'occasion, et avec qui elle doit négocier des salaires et des conditions de travail. Elle se dispense aussi d'embaucher le personnel qui serait responsable de toutes les activités de surveillance, de formation et de négociation.

Le troisième type d'acquisition externe est la **sous-traitance**. Elle est **conjoncturelle** (ou occasionnelle) quand on y recourt en raison d'un manque de capacité de production ; elle est **structurelle** quand on y recourt systématiquement pour un certain nombre de pièces ou de sous-ensembles. Elle fait partie de la structure de production choisie par l'entreprise, et l'attention qu'on lui réserve est assez importante. En effet, elle devient une décision stratégique tant du point de vue économique et financier que du point de vue technique et technologique.

Les Japonais ont su exploiter ce facteur stratégique pour réduire significativement leurs coûts de production. Ainsi, l'industrie japonaise de l'automobile sous-traite jusqu'à 70 % de ses besoins, tandis que les Américains utilisent moins cette forme d'acquisition.

On doit établir une distinction entre l'achat et la sous-traitance : acheter, c'est acquérir simultanément une idée, une technique et un travail ; sous-traiter, c'est acquérir une technique et un travail. Ce qui distingue donc l'achat de la sous-traitance, c'est l'auteur de la conception de l'objet fabriqué (figure 16.8).

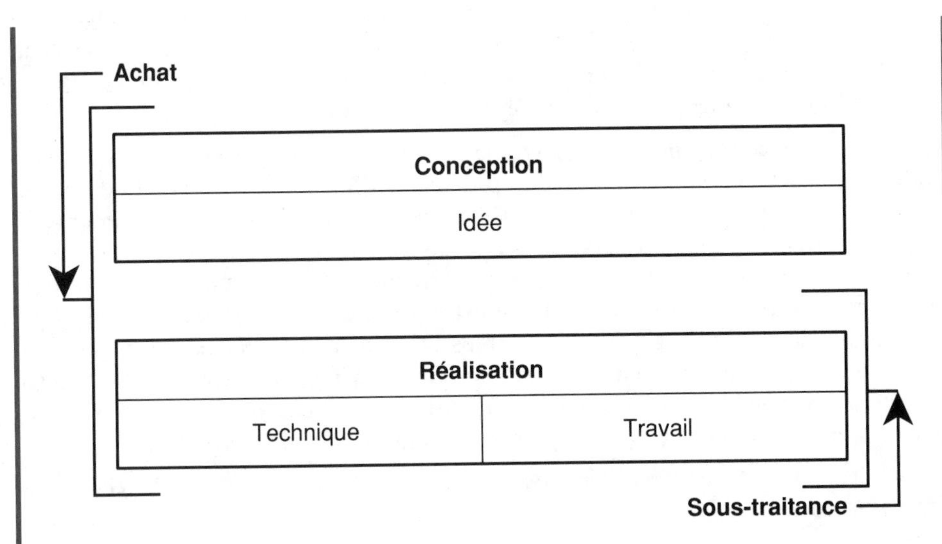


**FIGURE 16.8**
**L'achat et la sous-traitance**

Sans être une recette miracle, la sous-traitance représente pour l'entreprise un moyen extrêmement puissant d'améliorer ou de conserver sa compétitivité vis-à-vis de la concurrence. Premièrement, elle permet aux dirigeants de l'entreprise de concentrer leurs efforts sur ce qui est essentiel pour eux à un moment donné. Deuxièmement, elle leur permet de bénéficier de la compétitivité des fournisseurs dans les autres secteurs. Troisièmement, elle est un facteur de souplesse ; en tant que tel, elle fait donc partie de la stratégie industrielle de l'entreprise.

En effet, une entreprise qui ne sous-traite pas peut difficilement suivre les variations de la demande. Si sa capacité de production correspond à la demande de pointe, elle essaie de maintenir son taux de production à peu près constant. Elle accumule alors un stock important, coûteux et inutile. Par contre, si sa capacité est inférieure à la demande maximale, elle doit refuser certaines commandes et elle perd ainsi des clients au profit de la concurrence.

Devant l'importance économique et stratégique de la sous-traitance, les responsables de la gestion des approvisionnements doivent aborder ce sujet avec une extrême attention, en accordant un intérêt particulier à la recherche et à l'évaluation des sous-traitants. Les sous-traitants recherchés sont fiables, solides et solvables financièrement, capables de réaliser économiquement des articles de qualité tout en respectant les délais requis. Dans certains cas, l'entreprise aide à la mise sur pied d'entreprises capables de réaliser efficacement des contrats de sous-traitance, tant sur le plan financier que sur le plan technique.

On parle d'**acquisition interne** quand, plutôt que d'acheter (ou de louer) un produit, l'entreprise **fabrique** ce produit à partir de ses ressources internes. Cette forme d'acquisition peut s'avérer très avantageuse pour des articles fabriqués par un service interne, tel celui de l'entretien, si le besoin de ces articles est limité à de petites quantités ou s'il permet d'utiliser des surplus de capacité. De même, on peut confier la mise sur pied et le fonctionnement d'un système informatique à une unité administrative compétente en la matière, plutôt que recourir à des firmes de consultants.

Le choix entre l'acquisition interne et l'acquisition externe doit être basé sur une évaluation précise de chaque situation, évaluation où l'on doit prendre en considération des facteurs de rentabilité ainsi que des facteurs de sécurité et d'efficacité à long terme. À titre d'exemple, la mise sur pied d'un service informatique peut s'avérer très coûteuse à court terme, mais à long terme ce service pourra facilement justifier l'investissement en personnel et en équipement.

L'acquisition interne a l'avantage de permettre à l'organisation qui la met en pratique de contrôler la réalisation d'un produit ou d'un service, du point de vue de la qualité des matières premières utilisées ainsi que des processus de fabrication employés. Dans le cas des services, le personnel de l'organisation est motivé à protéger les intérêts de celle-ci tandis que le personnel externe reste loyal à son propre employeur. De plus, le personnel interne est plus au courant des besoins de l'organisation que le personnel externe, et il a plus facilement accès à des informations, à un équipement et à des installations dont on refuse généralement l'accès au personnel externe. C'est pourquoi, dans certaines circonstances, le personnel interne s'acquitte mieux d'une nouvelle tâche que le personnel dont on a loué les services.

Plusieurs motifs peuvent inciter la direction d'une entreprise à recourir à l'acquisition interne :

- la capacité de production excédentaire ;
- la protection d'un secret industriel breveté ;
- l'absence de fournisseurs pour l'approvisionner ;
- le manque de fiabilité des fournisseurs ;
- la recherche d'une diversification des produits, l'acquisition interne prenant alors la forme d'une intégration verticale.

L'acquisition interne n'est cependant pas toujours possible et, quand elle l'est, elle ne s'avère pas toujours rentable. Si l'entreprise se mettait à fabriquer tout ce dont elle a besoin, elle ne tarderait pas à manquer de capacité, à se doter de tous genres de spécialistes, à accroître le nombre de ses cadres et de ses surveillants. La société Ford s'était lancée à un moment donné dans la fabrication de pneus. Elle cessa cependant cette activité quand elle remarqua que Goodyear fabriquait de meilleurs pneus à des prix moindres. Les exemples d'entreprises qui ont pu réaliser une intégration verticale totale ne sont pas nombreux. Toute entreprise, quelle que soit son envergure, aura donc recours à l'acquisition externe.

Bien que le choix entre une acquisition interne et une acquisition externe soit reconnu par plusieurs comme ayant une importance stratégique pour une organisation, il a été présenté, dans la plupart des cas, comme étant un choix entre deux possibilités opposées : l'entreprise fait ou fait faire. Il existe pourtant une zone grise entre ces deux extrêmes. En effet, une entreprise peut sous-traiter la fabrication de composants, qu'elle assemble ensuite elle-même en produit fini. Théoriquement, la proportion de composants sous-traités peut aller de 0 % à 100 %[7].

À titre d'exemple, dans le cas de la vérification comptable, le vérificateur externe peut se voir confier par un client tout le processus de vérification. Par contre, ce client peut effectuer certaines activités de préparation dans ce processus (particulièrement celle des feuilles de travail). Ces activités représentent ici la zone grise se situant entre le fait, pour le client, de confier au vérificateur externe toute la vérification, ce qui inclut la préparation des feuilles de travail et certaines écritures comptables, et le fait de ne lui en confier que le minimum. Fait à noter : la vérification comporte une série d'activités que seul le vérificateur a le droit d'exécuter. Les grandes entreprises ayant le personnel requis tentent de parvenir le plus possible à une acquisition interne de 100 %. Par contre, l'acquisition externe des petites entreprises atteint très souvent les 100 %, ce qui ne les empêche pas d'évoluer vers une plus grande acquisition interne.

Un autre aspect d'intérêt dans le domaine de l'approvisionnement est celui des **achats groupés**. Pour un certain nombre de petites entreprises, la centralisation des demandes de faible volume en achats groupés leur permet généralement de réaliser des économies substantielles grâce à un pouvoir d'achat (donc de négociation) accru, à des remises sur quantité offertes par les fournisseurs, à des conditions avantageuses de leur part, telle la livraison sur demande qui évite de multiplier les stocks un peu partout. Ce type d'achats permet aussi une meilleure planification des besoins, une standardisation qui présente de nombreux avantages techniques et économiques, un meilleur contrôle et une meilleure gestion des stocks.

Les achats groupés permettent aussi à l'entreprise de recourir plus facilement à l'acquisition interne, puisque les volumes deviennent alors considérables. Par exemple, certains hôpitaux qui ont décidé de grouper leurs achats ont pu mettre sur pied une buanderie commune, ce qu'aucun hôpital n'aurait pu acquérir seul. De plus, avant le groupement des achats, les besoins de chaque hôpital se restreignaient à de petites quantités d'articles divers. Le travail de l'acheteur se limitait à passer des commandes chez un fournisseur. Le volume des achats était faible et on ne pouvait s'attendre à un bon service de la part des fournisseurs. Depuis l'introduction des achats groupés, ces acheteurs se réunissent pour préparer l'acquisition et le stockage de grandes quantités d'articles. Leur travail a changé radicalement. Il comprend maintenant la planification des besoins, la recherche et l'évaluation de fournisseurs, la négociation, la préparation d'appels d'offres, l'évaluation des soumissions, l'évaluation des produits et la recherche de substituts. Il s'ensuit un développement significatif des compétences de ce personnel, une amélioration de la qualité des produits et une réduction appréciable des coûts.

Ce type d'achats présente toutefois certains désavantages. Il peut éliminer de nombreux petits fournisseurs, incapables de livrer en très grandes quantités. À part l'effet négatif de ces disparitions sur l'économie locale, voire nationale, le service aux clients peut en souffrir ; en effet, dans les grandes entreprises, il est souvent moins personnalisé, parfois moins efficace, surtout si les fournisseurs choisis sont géographiquement éloignés des clients. Les achats groupés peuvent aussi engendrer un accroissement de la bureaucratie et la complication des méthodes d'achats, car ils impliquent la présence d'un intermédiaire entre le fournisseur et le client. De plus, ils risquent d'entraîner la démotivation du personnel interne, auquel on retire un certain pouvoir de décision concernant les produits à acheter ou le choix des fournisseurs.

Par conséquent, doit-on recourir à ce genre d'achats ou l'éviter ? La réponse n'est pas simple. Les critères sur lesquels on se base pour prendre cette décision ne doivent pas se borner à des aspects de rentabilité à court terme, ni exclure les conséquences d'une telle décision sur la motivation du personnel. Dans les organismes du secteur public, on ne doit pas se limiter à un secteur particulier ; il faut prendre en considération l'effet global d'une telle décision sur l'économie locale, sur la perte et la création d'emplois qui en découleraient. Par ailleurs, un groupement sélectif de certains achats doit être étudié. Plutôt que d'appliquer ce concept à tous les produits et à tous les services ainsi qu'à toutes les unités opérationnelles concernées, on aura avantage à sélectionner attentivement les cas et les endroits où son application est favorable.

## 16.7 Le prix à payer et la négociation

La détermination du prix à payer pour les produits achetés, sous-traités ou loués est une activité importante de la gestion des approvisionnements. Pour gérer rationnellement le système Approvisionnement, ses responsables doivent être capables d'évaluer le prix des articles ou des services à acquérir. En effet, l'un des objectifs de ce système est d'obtenir ces articles et ces services au meilleur coût possible pour l'entreprise, et la détermination du prix à payer est un facteur important dans la réalisation de cet objectif.

La notion du **prix à payer** comporte deux volets : le vrai prix et le juste prix. Le **vrai prix** est le prix qui garantit au fournisseur une marge de profit acceptable, laquelle lui permet de fonctionner normalement et assure à l'acheteur un approvisionnement régulier à long terme. Le prix offert par le fournisseur peut dépasser le vrai prix dans plusieurs cas et pour diverses raisons. À titre d'exemple, quand le fournisseur prévoit une forte demande pour l'un de ses produits, il peut être tenté d'en hausser le prix en vue d'accroître ses profits.

**Exemple**

| | | | |
|---|---|---|---|
| A | Matières | 18 $ | |
| B | Main-d'œuvre directe | 34 | |
| C | Main-d'œuvre indirecte* | 51 | (150 % de B) |
| D | Frais généraux | 103 | (100 % de A+B+C) |
| E | Profits | 31 | (15 % de A+B+C+D) |
| Total | | 237 $ | |

* Ou frais généraux de production.

Dans cet exemple, le **vrai prix** est donc 237 $. Dans le cas d'une forte demande, le fournisseur peut hausser son prix, augmentant ainsi sa marge de profit. Le **juste prix** est le prix le plus bas qu'un acheteur peut payer sans causer de tort au fournisseur. N'oublions pas que le fournisseur est en réalité un collaborateur de l'entreprise cliente et non un ennemi à vaincre, qu'on essaie d'exploiter ou d'acculer à la faillite. Cette observation s'applique particulièrement à l'acheteur dont le pouvoir d'achat est tel, qu'il peut parfois forcer le fournisseur à baisser ses prix en deçà d'un niveau acceptable. La règle à suivre par l'acheteur n'est donc pas de trouver des moyens pour payer le moins possible, mais de payer un prix juste et équitable.

En général, le **juste prix** à payer n'est autre que le vrai prix, ni plus ni moins, sauf dans certaines circonstances où le juste prix peut être inférieur au vrai prix. Par exemple, le fournisseur profite d'un achat de matières premières à prix réduit, ou bien il a temporairement un excès de capacité et une main-d'œuvre inoccupée qu'il doit payer de toute façon. Ou encore, il veut percer un nouveau marché ou attirer un nouveau client. Il peut alors accepter de baisser son prix pour ne couvrir, à la limite, que ses frais variables. Dans l'exemple précédent, le juste prix peut être exceptionnellement aussi bas que 52 $ pour une commande donnée. Sa main-d'œuvre indirecte et ses frais généraux devant être payés en tout cas et, pour une commande précise, s'il peut se passer de profits, le fournisseur se contente de se faire rembourser les dépenses directes relatives à cette commande.

La connaissance du vrai prix est l'élément de base dans l'évaluation du prix à payer. Elle permet l'estimation des sommes requises pour effectuer l'achat des biens et des services demandés. Elle sert aussi à l'évaluation des soumissions et aux diverses négociations avec un fournisseur. Le service de l'approvisionnement doit être au courant des diverses méthodes de détermination des prix par les fournisseurs, connaître dans quels cas elles sont applicables et utiliser ses compétences pour déterminer le prix à payer.

Dans le cas des produits non différenciés, le prix suit la loi de l'offre et de la demande. Le fournisseur ne peut influer sur ce prix et ne peut consentir à l'acheteur que des remises (telles les remises sur quantité) qu'il accorde à tous ses clients. Ces derniers ont cependant à surveiller les fluctuations et les tendances des prix du marché. Ils peuvent alors retarder ou anticiper l'achat de ces produits s'ils prévoient une baisse ou une hausse de leur prix. On appelle cette activité un **achat préventif**, qu'il ne faut pas confondre avec l'**achat spéculatif**, qui est pratiqué pour profiter des fluctuations des prix dans le seul but de « faire de l'argent » et non dans le cadre de la gestion des approvisionnements.

On estime que les produits non différenciés ne représentent qu'environ 30 % de l'ensemble des produits achetés. On achète donc, dans 70 % des cas, des articles différenciés soit par leur marque de commerce, soit par leur fabrication « sur mesure », suivant les spécifications du client. Il est donc nécessaire de savoir comment le prix de ces produits est établi.

Les fabricants établissent le prix de leurs produits en considérant trois facteurs principaux : les coûts engagés pour réaliser ces produits, l'état et l'évolution de la demande (importance et régularité), et la concurrence. Les coûts et les profits (et par conséquent le prix de vente du produit) sont déterminés par le taux d'utilisation de la capacité de production du fabricant. Le pourcentage des profits est en effet établi à partir des coûts et dépend des quantités produites : il diminue si ces quantités baissent et augmente si elles s'accroissent.

On passe une commande quand le produit demandé est standard ou qu'il est disponible chez plusieurs fournisseurs. Ce produit est habituellement acheté à prix ferme (mentionné dans le bon de commande), qui est un prix de base (ou prix de catalogue) auquel on applique des réductions telles que : les remises sur quantité, les escomptes de caisse si on paie comptant ou à l'intérieur d'une période donnée (par exemple : 2/10, soit 2 % d'escompte sur la facture si elle est payée dans les 10 jours suivant sa réception), ou un certain pourcentage sur ce prix, accordé en tout cas par le fournisseur.

Quand le bien ou le service demandé est réalisé selon des spécifications propres à l'acheteur, on procède par contrat. Les types de contrats les plus courants sont les contrats à prix forfaitaire (global ou unitaire), à prix indexé, à bénéfice et à prix cible. Brièvement, dans un contrat à prix forfaitaire, on fixe le prix à l'avance. Dans un contrat à prix indexé, on établit un prix de base qui, tout au long de l'exécution du contrat, sera indexé, par exemple, aux taux d'inflation courants. Dans un contrat à bénéfice, le prix payé est basé sur les coûts engagés auxquels on ajoute une marge de bénéfice fixe, indexée ou en pourcentage des coûts, déterminée d'avance. Le contrat à prix cible est un genre de contrat à bénéfice, sauf qu'on y prend en considération le rendement de l'entrepreneur qui le réalise. En effet, on fixe un prix basé sur des coûts estimés. Si ces coûts sont dépassés, la marge de profit allouée sera inférieure à la marge convenue ; si les coûts réels sont inférieurs aux coûts estimés, l'entrepreneur est récompensé par une marge de profit supérieure.

Parmi les approches utilisées qui assurent le meilleur prix à payer, mentionnons la négociation de gré à gré ou par appel de propositions et l'appel d'offres, qui peut être public, sur invitation écrite ou verbale.

L'un des principaux moyens dont disposent les responsables de l'approvisionnement pour réduire les coûts des acquisitions est la **négociation**. Le négociateur doit tout d'abord établir une fourchette à l'intérieur de laquelle devra se trouver le prix à payer. Il ne s'agit pas de bluffer ou de marchander à l'aveuglette. En général, pour les produits différenciés, ce processus commence par une évaluation du vrai prix, comme nous l'avons fait dans l'exemple précédent. Le vrai prix doit être le plafond ou la limite supérieure de la fourchette de négociation. Pour une commande donnée, on peut considérer les frais variables comme étant la limite inférieure de cette fourchette, en sachant que le prix à payer, le juste prix, se situe généralement plus près de la limite supérieure. Dans l'exemple précédent, la fourchette s'étend entre 237 $ et 51 $.

Ayant établi la fourchette de négociation, le négociateur, avant d'entamer le processus, doit respecter certaines règles.

1. S'assurer de négocier avec une personne autorisée à le faire, donc qui peut décider du prix de vente.
2. Ne pas négocier pour négocier. Au préalable, il doit établir les cas où la négociation serait utile (commande importante, achats répétitifs...).
3. Comprendre lui-même, expliquer à son interlocuteur éventuel et le convaincre que la négociation doit être à l'avantage des deux parties.
4. Préparer des arguments convaincants (promesse d'accorder des commandes à long terme, de conférer à un fournisseur coopératif un statut particulier et privilégié, d'offrir une aide technique ou financière, de recommander le fournisseur à d'autres acheteurs au sein de l'entreprise et en dehors de celle-ci...).
5. Présenter les aspects négatifs si on n'arrive pas à une entente qui satisfait les deux parties (recherche d'un autre fournisseur, recours à l'acquisition interne, recherche de produits substituts...).
6. Rechercher, lors de la négociation, un équilibre entre les aspects négatifs et les aspects positifs. La négociation est un exercice où deux partenaires font des concessions et non un duel où deux adversaires essaient de remporter la victoire en écrasant l'ennemi. À l'issue de la négociation, il n'y a ni perdant ni gagnant : il n'y a que des gagnants.
7. Ne pas bluffer ou mentir (on me l'a offert à moitié prix, nous en avons encore en stock...).
8. Ne pas profiter de la précarité de la situation d'un fournisseur pour l'obliger à baisser ses prix ; la négociation n'a pas pour but d'acculer un fournisseur à la faillite. Il faut toujours garder à l'esprit que rien ne vaut une relation de confiance et à long terme avec un fournisseur.

La négociation avec les fournisseurs est une activité qui prend de plus en plus d'importance dans la gestion des approvisionnements. Elle fait l'objet d'un intérêt particulier dans la formation des acheteurs et des vendeurs. C'est souvent par la négociation que les responsables de l'approvisionnement peuvent améliorer les résultats de leurs interventions afin d'atteindre les objectifs de la fonction.

On peut généralement tout négocier : la qualité, le volume, le délai de livraison, le lieu et le prix. Le fournisseur peut alors faire des arbitrages entre le prix et les conditions de paiement, la qualité et le volume requis, et ce évidemment avec l'accord explicite du demandeur.

Comme indiqué plus haut, il est recommandé à l'acheteur de ne pas négocier pour le principe de négocier. La négociation est valable si l'acheteur transige avec un nouveau fournisseur, s'il veut passer une importante commande, s'il n'a qu'un seul fournisseur, si les prix soumis semblent excessifs ainsi que dans le cas de l'achat d'articles à usage régulier. Si l'acheteur considère que le prix soumis par le fournisseur est raisonnable, s'il doit passer une petite commande et qu'en plus elle est occasionnelle, s'il fait affaire avec un fournisseur qui a déjà démontré sa fiabilité en tous points, il n'a alors aucune raison de s'engager dans la négociation.

En vue de réduire les coûts d'approvisionnement, on peut appliquer la technique de l'**analyse de la valeur**, qui consiste à comparer la valeur d'un article acheté avec le coût de cet article en vue de minimiser ce coût. Cette analyse, souvent entreprise par un groupe composé de représentants du service de l'approvisionnement et du service de l'ingénierie, du demandeur et parfois du fournisseur, comprend quatre étapes :

- le choix d'un article coûteux qu'on achète en grande quantité ;
- la détermination précise de la fonction qu'il doit remplir ;
- l'analyse de cet article, à savoir s'il remplit bien cette fonction, s'il ne possède pas de caractéristiques superflues, s'il peut être remplacé par un substitut moins cher ou s'il peut être standardisé lorsque les tolérances indiquées sont trop importantes ;
- le remplacement de cet article par un article de même valeur (capable de remplir la même fonction) mais d'un coût inférieur.

Lors d'une importante commande, le demandeur a généralement avantage à faire appel à plusieurs fournisseurs en vue de choisir le meilleur (bien que, comme nous l'indiquions plus haut, la tendance actuelle est à transiger avec un plus petit nombre de fournisseurs, comme c'est le cas pour les entreprises qui adoptent des approches telles que le juste-à-temps). Dans le secteur public, les responsables veulent offrir à plusieurs fournisseurs la possibilité de décrocher un contrat. Pour ce faire, l'**appel d'offres** est l'outil généralement employé. Plusieurs organisations ont d'ailleurs des règlements qui exigent le recours à l'appel d'offres pour toute commande qui entraîne des coûts supérieurs à un certain montant. Chacun des fournisseurs intéressés à obtenir la commande, ne sachant pas ce que ses concurrents peuvent offrir, essaie de réduire ses prix à un minimum acceptable et d'offrir les meilleures conditions possibles.

L'appel d'offres peut être public ou sur invitation. Ce dernier est utilisé pour des commandes de moindre importance que dans le cas de l'appel d'offres public. Seuls les fournisseurs connus, choisis dans un répertoire dressé par l'organisation, sont alors invités à présenter une soumission pour les produits ou les services faisant l'objet de l'appel d'offres en question. Les fournisseurs retenus sont ceux qui peuvent remplir convenablement la commande. Si le répertoire contient un grand nombre de fournisseurs, on peut procéder par rotation et donner ainsi l'occasion à chaque fournisseur d'obtenir une commande. Certains organismes publics procèdent par tirage au sort, pour éviter de favoriser l'un ou l'autre de leurs fournisseurs agréés.

On doit rédiger un appel d'offres avec attention, en décrivant avec le plus de précision possible les conditions d'acquisition et les produits ou les services demandés. Cette règle s'applique surtout à l'appel d'offres public, où tout fournisseur qui pense pouvoir offrir ces produits dans les conditions décrites présente une soumission. Si les conditions ne sont pas clairement présentées dans l'appel d'offres, les responsables de l'approvisionnement auront beaucoup de difficulté à évaluer correctement les soumissions qu'ils reçoivent et à justifier le rejet de certaines offres qu'ils jugent irrecevables ou inadéquates. Pour cette raison, le secteur public est soumis à des procédés très rigoureux, qui ont pour but de protéger et les fournisseurs et les deniers publics.

Par ailleurs, on doit lancer l'appel d'offres assez longtemps d'avance pour donner le temps aux fournisseurs de préparer leur soumission, et aux responsables d'évaluer ces soumissions. Il est recommandé d'établir à l'avance une date d'ouverture et une date d'évaluation des soumissions. Ces dates sont communiquées aux fournisseurs dans le cadre de l'appel d'offres. Soulignons que le processus de préparation et de lancement d'un appel d'offres et de l'évaluation subséquente des soumissions reçues s'avère souvent coûteux et difficile, surtout dans le cas d'un appel d'offres public.

L'évaluation d'une soumission a pour but de s'assurer que l'objet de cette soumission correspond en tous points à l'appel d'offres émis. Bien que le prix soit important, il n'est pas le seul critère d'évaluation à considérer. La qualité est souvent le principal élément à surveiller. On étudie ensuite les coûts réels attribuables à chaque soumission, et non les prix offerts. Les délais, les conditions financières et les autres conditions requises dans l'appel d'offres ou stipulées par les fournisseurs font aussi partie de l'évaluation.

L'appel d'offres n'est pas utilisé pour toutes les acquisitions. Seules les demandes importantes font l'objet d'une telle procédure. Le tableau 16.1 illustre l'application de cette procédure utilisée par la société Hydro-Québec.

## 16.8 L'échange de données informatiques – EDI

L'évolution technologique a entraîné des changements majeurs dans le secteur de l'approvisionnement. Un des facteurs importants de ces changements est l'EDI, ou échange de données informatiques (*Electronic Data Interchange*). L'EDI constitue une entrée dans le XXIe siècle. L'échange traditionnel de documents tels que les bons de commande, les factures et les notes de crédit, les chèques et les avis de paiement, les bordereaux de transport... représente environ 7 % des échanges entre les clients et leurs fournisseurs. Vers la fin des années 70, l'EDI s'est implanté dans le domaine du transport, ferroviaire d'abord, routier ensuite. Au début des années 80, l'EDI faisait son apparition dans le secteur de l'alimentation et dans le commerce de détail. Depuis le début des années 90, il se généralise entre les clients et les fournisseurs à un rythme grandissant. En 1985 naissait le Conseil canadien de l'EDI à Toronto. Aujourd'hui, il existe l'Institut EDI à Montréal[6].

Plusieurs entreprises (telle Provigo au Québec, un géant dans la distribution et la vente de produits alimentaires) exigent de leurs fournisseurs de s'équiper d'un

**Tableau 16.1**

**L'application d'une procédure d'appel d'offres et de négociation**

| **Appel d'offres** | |
|---|---|
| **Coût estimé** | **Type d'appel d'offres** |
| Plus de 100 000 $ | Appel d'offres ou de propositions restreint ou ouvert, nombre illimité de fournisseurs |
| De 25 001 $ à 100 000 $ | Appel d'offres ou de propositions restreint, six fournisseurs invités |
| De 5 001 $ à 25 000 $ | Appel d'offres ou de propositions restreint, trois fournisseurs invités |
| De 2 001 $ à 5 000 $ | Appel d'offres ou de propositions restreint accéléré, trois fournisseurs contactés |
| Moins de 2 000 $ | Acquisition par le requérant |
| **Négociation** | |
| **De gré à gré** | **Par appel de propositions** |
| Les deux parties négocient directement. | On demande au fournisseur de faire une proposition qui sert de base à la négociation. |

L'appel d'offres peut être remplacé par la négociation dans les cas suivants :
- s'il n'y a qu'un seul ou qu'un nombre limité de fournisseurs ;
- lors de l'acquisition de prototypes ;
- lors de la modification d'une commande ou d'un contrat en cours.

**Source :** Hydro-Québec.

système informatique par lequel passe la majorité des transactions entre un client et ses fournisseurs. Provigo offre à ses fournisseurs de les aider à s'équiper d'un tel système. Toutes les commandes passées aux fournisseurs se font sur ordinateur. À cause du problème de compatibilité des systèmes informatiques existants, clients et fournisseurs passent par un intermédiaire (appelé souvent « boîte postale ») qui résout ce problème en traduisant les entrées et les sorties en un format compatible avec l'équipement et les systèmes en usage chez les différentes parties (figure 16.9).

L'EDI réduit significativement les coûts de transaction entre client et fournisseur, les risques d'erreur de retranscription des données sur les bons de commande et l'interprétation de ces données, ainsi que les délais de transmission des commandes.

Pour Provigo, l'EDI « permet à des partenaires commerciaux d'échanger électroniquement des transactions d'affaires routinières dans un format standard, par le biais d'un réseau de communication indépendant ». Ces transactions ne se limitent pas aux bons de commande ou de réception, mais s'étendent au transfert électronique de fonds. Elles comprennent donc : les bons de commande, les factures et les notes de crédit, les changements de prix et les promotions, le transport, le paiement électronique et les livraisons directes qui ne passent pas par un entrepôt. En plus de l'avantage d'informatiser les transactions, l'EDI fournit à l'entreprise une banque de données qui constitue un système d'information de gestion d'une grande utilité. Ce système tient à jour l'inventaire des articles achetés, facilitant ainsi la gestion des stocks, il comprend le calendrier des articles à être livrés, il permet la planification de la réception de ces articles, il donne le mouvement des ventes... Provigo a choisi le réseau de communication de la société General Electric, et elle offre à ses petits fournisseurs un logiciel et un micro-ordinateur au coût d'environ 4 000 $.

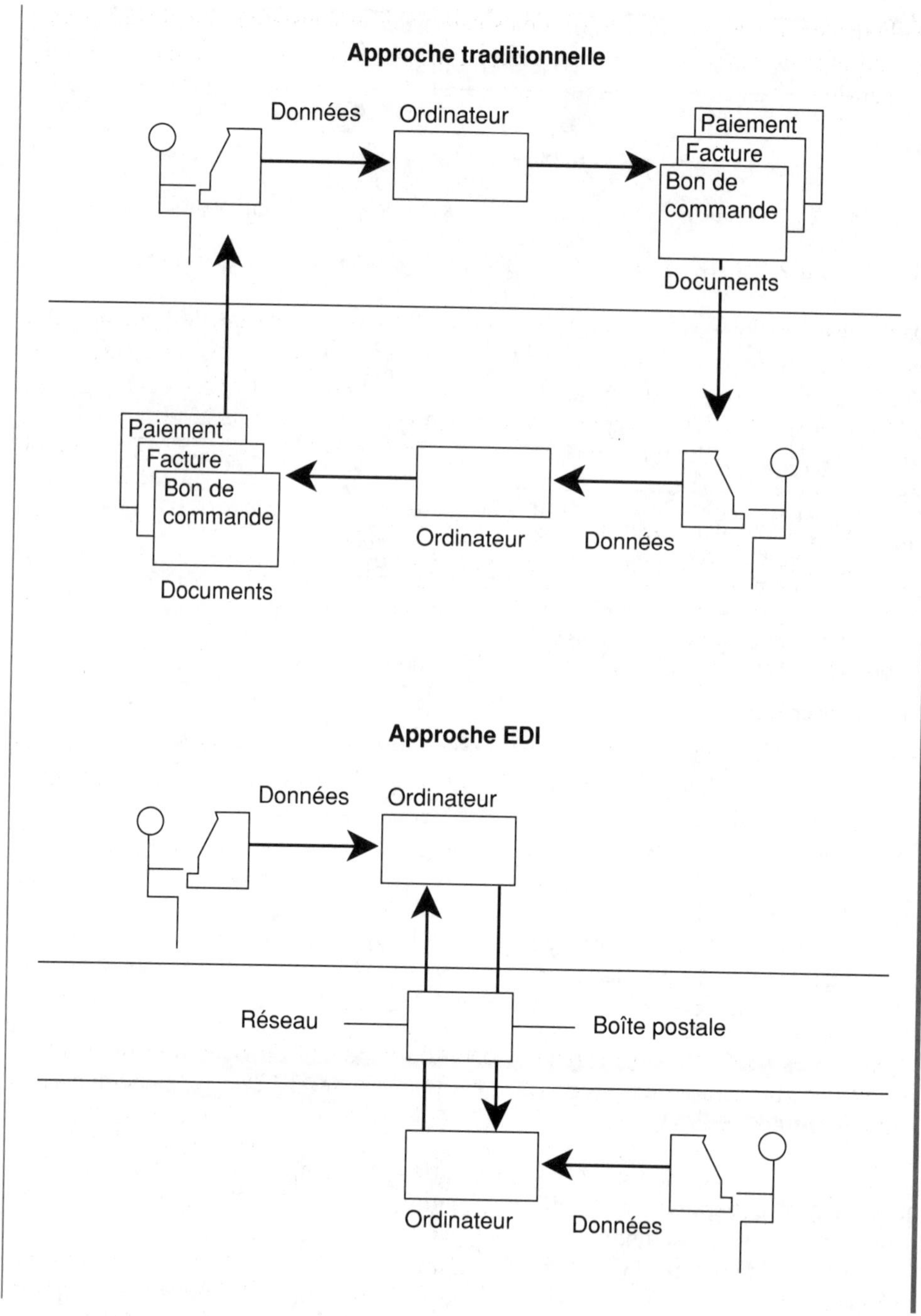


**FIGURE 16.9** ▶ **L'échange de données informatiques**

Pour faciliter l'usage de l'EDI, il a fallu établir des normes (telle la norme X.12) pour que l'échange de documents informatiques puisse se faire de façon structurée. Un organisme américain a été créé pour contrôler ces normes (*DISA – Data Interchange Standards Association*)[3]. Les changements internationaux actuels et la mondialisation des échanges qui en découle font que l'EDI prend rapidement de l'ampleur mais représente un défi considérable. En effet, à cause de la prolifération et de la diversité du matériel informatique et des logiciels, en raison des nombreuses méthodes de travail, des diverses normes nationales et législations de chaque pays et des différentes langues de travail, l'EDI présente une complexité qui en ralentit l'expansion. Mais ce n'est qu'une question de temps.

## LES PARTICULARITÉS ET L'ÉVALUATION

### 16.9 L'acquisition de services

Dans plusieurs entreprises, l'acquisition de services représente une importante partie du budget de l'approvisionnement. Par exemple, certaines entreprises confient l'ingénierie de leurs projets à des bureaux d'ingénieurs-conseils ; d'autres confient à des entreprises spécialisées l'entretien de leur équipement informatique, leur service de protection, la vérification de leur système comptable ou leurs activités de promotion et de publicité.

Les services acquis par une entreprise peuvent être regroupés en trois catégories[1] :

– les services de spécialistes : ingénieurs, architectes, avocats, comptables, informaticiens, personnel médical, personnel de secrétariat, dessinateurs industriels, agents de formation ;
– les services relatifs aux installations et à l'équipement : protection, entretien, aspect sanitaire, assurances ;
– les services offerts au personnel : cafétéria, stationnement, nettoyage d'uniformes, distributeurs divers, conditionnement physique, bibliothèque, reprographie.

Tout comme les biens, les services font l'objet d'une acquisition interne ou externe. On se trouve donc devant un choix qu'on doit évaluer attentivement avant de prendre une décision définitive.

L'acquisition de services présente des particularités qui la différencient de l'acquisition de biens tangibles. En effet, un bien tangible peut être inspecté et vérifié avant son acquisition et, dans certains cas (pour les projets de construction par exemple), il peut être objectivement contrôlé en cours de réalisation à partir de normes, de spécifications et de standards facilement mesurables. La situation est tout à fait différente quand on engage un expert-comptable pour faire une vérification, un informaticien pour mettre en place un système, ou un consultant pour réorganiser une entreprise. Dans le cas d'un bien tangible, on achète quelque chose qu'on peut voir, sentir et toucher ; dans le cas d'un service, on n'achète qu'une promesse.

L'acquisition externe d'un service fait habituellement l'objet d'un contrat. Cette autre particularité de l'acquisition de services requiert une bonne connaissance de certains aspects juridiques relatifs à la négociation et à la rédaction des contrats.

La description d'un service et l'évaluation de ses résultats peuvent présenter une difficulté majeure. Prenons le cas de l'engagement d'un consultant externe. Ses honoraires peuvent être fonction du temps qu'il consacre à une étude qu'on lui confie, ou du nombre de personnes auxquelles il fait passer des entrevues, et ce quel que soit l'aboutissement de son intervention. Même dans le cas d'un rendement inacceptable ou de l'absence de résultats concrets, le consultant est payé intégralement. Cette obligation est due au fait qu'on a souvent négligé de préciser clairement les résultats attendus.

Avant d'entamer la procédure à suivre pour l'acquisition d'un service, il est donc nécessaire de définir le plus précisément possible le besoin à satisfaire. À titre d'exemple, avant d'engager un expert-comptable, il importe de savoir si l'on a besoin d'une tenue de livres ou d'une planification fiscale. Dans le premier cas, on fait appel à un bureau de comptabilité informatisée, tandis que dans le second cas on s'adresse à un fiscaliste.

Comme pour l'acquisition de biens, les activités de recherche et de choix d'un fournisseur de services sont très utiles. Rappelons qu'il est difficile d'évaluer objectivement la qualité d'un service rendu. L'estimation du fournisseur de ce service permet de prévoir cette qualité. On peut évaluer un fournisseur à partir des références qu'il présente ou en analysant, auprès de ses clients, les résultats obtenus lors de services passés ou en cours. On peut aussi enquêter sur le taux de rotation du personnel et sur ses compétences. Il est recommandé de faire affaire avec un fournisseur avec lequel on a déjà travaillé et qui a donné des services satisfaisants. La taille du fournisseur peut aussi être prise en considération. Un gros bureau qui fait affaire avec de très grandes entreprises peut être moins efficace quand il traite avec une petite ou une moyenne entreprise. De même, un petit fournisseur habitué à de modestes projets peut être incapable de réaliser un projet d'envergure.

Plusieurs entreprises évaluent concrètement un fournisseur en lui confiant un projet pilote ou un contrat d'essai. Par cette approche, le demandeur a l'avantage de voir le fournisseur à l'œuvre. Celui-ci peut cependant faire preuve de diligence lors de cet essai en vue d'obtenir un plus gros contrat. Dans le cas de services qui ne demandent aucun investissement en équipement, tels l'exploitation d'une cafétéria ou les services de gardiens de nuit ou d'une équipe de nettoyage, le risque est minime, et une clause dans le contrat peut permettre au client de le résilier sans que le fournisseur ait quelque droit de recours.

De ce qui précède, on constate que l'acquisition de services diffère de celle de biens tangibles. Elle requiert souvent de la part du personnel de l'approvisionnement des connaissances spéciales et elle demande une collaboration plus étroite entre le demandeur et le fournisseur. Souvent, les demandeurs veulent choisir eux-mêmes le fournisseur, tel le contrôleur dans le cas d'une demande de services comptables, ou le responsable du marketing dans le cas d'une campagne de publicité. De plus, la difficulté à évaluer les résultats d'un service acquis nécessite qu'on accorde une attention spéciale à la définition et à la description du service requis de même qu'à la recherche et au choix du fournisseur éventuel du service.

## 16.10 L'évaluation du service de l'approvisionnement

Les entreprises se rendent de plus en plus compte du rôle que peut jouer la fonction Approvisionnement comme source potentielle de profits. Elles ignorent cependant comment évaluer la capacité de leur service de l'approvisionnement à réaliser ce potentiel et à matérialiser cette augmentation de profits. De plus, l'accès à l'informatique devenant de plus en plus facile, on risque de voir apparaître des systèmes inadéquats d'évaluation du rendement de ce service, c'est-à-dire des systèmes qui n'utilisent pas les bons critères.

On a observé que les dirigeants d'entreprise ne perçoivent pas tous le rôle du service de l'approvisionnement de la même façon. Certains l'envisagent comme un rôle administratif, d'autres le considèrent comme responsable d'une activité commerciale importante, d'autres encore lui attribuent un rôle stratégique pour l'entreprise.

Dans les deux premiers cas on recherche l'efficience, tandis que dans le dernier cas on met l'accent sur l'efficacité. On peut mesurer l'efficacité du service (degré d'atteinte des objectifs) et son efficience (quantité de ressources utilisées pour réaliser ces objectifs). Les principaux objectifs à atteindre sont exprimés par un niveau de qualité à maintenir pour les acquisitions, par des coûts à minimiser et par des délais à respecter. L'efficience a trait au respect des procédés relatifs, entre autres, aux niveaux hiérarchiques d'autorisation, aux ressources utilisées (effectif du service, etc.), à la charge de travail accompli (nombre de commandes, de soumissions traitées).

Cependant, il n'est pas aisé d'évaluer objectivement les activités d'un service de l'approvisionnement. Dans cette évaluation, on doit considérer des éléments tels que les coûts d'achat, la rédaction des contrats, l'étude du marché de l'offre, la qualité de la négociation, le prix d'achat des produits et le marketing d'approvisionnement, c'est-à-dire la recherche de produits et de fournisseurs.

Parmi les facteurs utilisés pour évaluer le rendement d'un service de l'approvisionnement, mentionnons le respect du budget d'exploitation du service, la qualité des articles reçus et le pourcentage des commandes livrées à temps. En effet, le respect des délais de livraison contribue à réduire le niveau des stocks, à éviter des pénuries qui peuvent causer un arrêt de production et à accroître la satisfaction du client. Bien que ce pourcentage soit une mesure objective et facilement calculable, il faut bien distinguer les retards imputables au service de l'approvisionnement de ceux qui relèvent d'une autre source (erreur de spécifications, demande d'achat soumise en retard, délai requis trop court). Un dernier facteur à considérer est la comparaison entre les coûts réels et les coûts standard ; des pourcentages sont calculés, qui peuvent être un indicateur du rendement du service de l'approvisionnement.

L'évaluation du rendement du service de l'approvisionnement est aussi fonction de la philosophie et du processus de gestion. En effet, une entreprise qui choisit une approche juste-à-temps ne peut pas mettre l'accent exclusivement sur l'objectif « coût des acquisitions », car cette approche est basée principalement sur le respect des délais de livraison et du niveau de qualité exigés par le client, et sur la réduction de tout stock de sécurité. Elle requiert des livraisons fréquentes et en petites quantités des articles commandés, ce qui peut augmenter les frais de transport (par exemple, dix livraisons de 5 tonnes plutôt qu'une livraison de 50 tonnes). Notons que ces coûts sont compensés, entre autres, par la réduction ou la disparition des stocks et des coûts qui en découlent.

## CONCLUSION

En général, l'approvisionnement d'une entreprise industrielle engage au-delà de la moitié de ses revenus. Une gestion efficace de cette fonction peut permettre d'accroître significativement les profits de l'entreprise et d'améliorer sa performance et sa compétitivité.

Le responsable du service de l'approvisionnement fait beaucoup plus que passer les commandes requises par les demandeurs. Il doit être présent lors du choix et de la conception des produits que l'entreprise compte réaliser ou lancer sur le marché, et s'assurer de la possibilité d'obtenir des matières et des pièces de qualité acceptable, à des coûts raisonnables et en quantités voulues, de façon continue et régulière. Il a aussi à s'assurer que le processus d'approvisionnement contribue à la réalisation des objectifs de l'entreprise et au respect des politiques qu'elle s'est données. Il recherche des sources d'approvisionnement fiables et s'assure de la qualité des articles à acquérir pour satisfaire adéquatement les besoins des divers demandeurs au sein de l'entreprise.

Les responsables de cette fonction ne peuvent participer à l'atteinte de ces objectifs que par une étroite collaboration avec la direction, qui définit les politiques générales et la stratégie globale, et avec les divers demandeurs dont ils doivent satisfaire les besoins en biens et en services. D'autre part, ils doivent collaborer constamment et entretenir des relations harmonieuses et à long terme avec les fournisseurs. En effet, la fonction Approvisionnement prend actuellement une importance grandissante comme composante d'une stratégie d'entreprise. Avec les nouvelles philosophies et approches de gestion telles que le juste-à-temps, les responsables de cette fonction doivent établir des relations de partenariat avec des fournisseurs fiables sur lesquels ils pourront compter pour réaliser les objectifs de l'entreprise. Pour ce faire, ils doivent adopter une nouvelle philosophie de gestion et appliquer de nouvelles approches, comme le marketing des achats.

## QUESTIONS DE RÉVISION

1. On confond souvent achats et approvisionnements. Expliquez la différence entre ces deux termes.
2. « La réciprocité influe sur l'efficacité du service de l'approvisionnement. » Commentez brièvement cette affirmation.
3. Comment peut-on évaluer le rendement d'un service de l'approvisionnement ?
4. « La sous-traitance structurelle est un élément stratégique de la gestion des opérations. » Commentez cette affirmation.
5. Pourquoi et comment peut-on évaluer un fournisseur ?

## QUESTIONS DE DISCUSSION

1. « Vu l'importance stratégique de l'approvisionnement dans une entreprise, sa gestion doit être centralisée et confiée à un responsable au niveau de la direction générale. » Commentez cette affirmation.
2. « Les relations entre le client et le fournisseur sont à la base de l'efficacité des activités de gestion des approvisionnements. » Commentez cette affirmation.
3. La gestion des approvisionnements revêt-elle la même importance dans les PME que dans les grandes entreprises ?
4. Comment doit-on former un gestionnaire en approvisionnement ?
5. « Dans une société de libre concurrence, un acheteur doit toujours essayer de payer le prix le plus bas, même si cela doit acculer un fournisseur à la faillite. » Commentez cette affirmation.

## PROBLÈMES ET MISES EN SITUATION

1. La société Roy, spécialisée dans la fabrication d'appareils de climatisation, projette de construire une usine à Saint-Jérôme. M. Dulac, directeur du marketing, essaie depuis longtemps de vendre ses appareils à Climat-Lecompte, le plus gros entrepreneur de climatisation industrielle de la région. Il profite de l'occasion pour le relancer et lui promet le contrat de climatisation de la nouvelle usine s'il accepte de s'approvisionner exclusivement chez Roy pour une période de trois ans.

   M. Achard, directeur du service de l'approvisionnement, s'oppose à cette façon de faire. Il prépare donc un appel d'offres en bonne et due forme, qu'il s'apprête à lancer.

   M. Roy, président de la société, est mis au courant de la situation. À son avis, ses deux directeurs semblent avoir raison.

   Évaluez la situation et faites quelques recommandations à M. Roy.

2. Lectrobo, un fabricant de petits appareils électriques tels que rasoirs, séchoirs à cheveux et rouleaux chauffants, pratique la sous-traitance conjoncturelle. En effet, avec l'approche du temps des fêtes, l'usine fonctionne à plein rendement. Voulant lancer sur le marché un nouveau modèle de séchoir « de poche » qu'il a mis au point, le *Mini-sèchevite* ou *MSV*, Lectrobo rédige un appel d'offres pour la fabrication du boîtier en plastique et l'assemblage complet de 50 000 unités. Il fournira au sous-traitant toutes les autres pièces à assembler. L'usine a déjà fabriqué un lot d'essai de 1 000 unités, et l'appareil a passé avec succès tous les tests auxquels on l'a soumis.

   L'appel d'offres est envoyé à des sous-traitants avec lesquels Lectrobo fait occasionnellement affaire. Goodlap, un fabricant d'appareils et d'accessoires électriques industriels, ayant appris par un de ses représentants le besoin de Lectrobo, entre en contact avec l'acheteur chargé de l'appel d'offres. Celui-ci lui fait parvenir une copie de l'appel d'offres et des devis techniques relatifs à l'assemblage du *MSV*. À la réception des soumissions, celle de Goodlap est d'environ 20 % inférieure à la plus basse des autres soumissions.

   M. Hince, le président de Lectrobo, demande à son acheteur d'aller visiter l'usine de Goodlap, car il s'agit d'un nouveau fournisseur. À son retour, le délégué informe M. Hince que l'usine semble très bien équipée et que les clients de ce fournisseur, avec qui il a pris contact, sont tous satisfaits de ses services. Pour plus d'assurance, M. Hince téléphone à M. Joly, président de Goodlap, et insiste sur l'importance de ce contrat pour Lectrobo. M. Joly le rassure : même s'il n'a jamais fabriqué ce genre de produit, il est confiant de remplir le contrat sans problème et à la satisfaction de son client.

   Le contrat est accordé et un lot de pièces à assembler est envoyé à Goodlap. Le premier lot de *MSV* reçu à temps est refusé par les inspecteurs de Lectrobo. On le renvoie avec un rapport mentionnant les défauts détectés. Ce sont surtout des défauts de finition et d'apparence : les *MSV* présentent des égratignures sur le boîtier ; les vis utilisées pour l'assemblage, fournies et installées par Goodlap, n'ont pas toutes le même fini, et la différence, au dire des inspecteurs de Lectrobo, saute aux yeux.

   Goodlap apporte des modifications aux *MSV* retournés et les renvoie à Lectrobo. Les inspecteurs en refusent la moitié, qu'ils retournent au sous-traitant. M. Hince informe M. Joly que le contrat est suspendu en attendant que les unités défectueuses soient corrigées à la satisfaction de ses inspecteurs. M. Joly affirme que ces unités ne sont nullement défectueuses et qu'il n'y a, par le fait même, aucune raison de suspendre le contrat.

   M. Hince ne peut ni briser unilatéralement le contrat, ni s'adresser à un autre sous-traitant, ni accepter la qualité produite par Goodlap. Les fêtes approchent et M. Hince ne sait plus que faire.

   Comment aurait-on pu, chez Lectrobo, éviter une telle situation ?

## RÉFÉRENCES

1. ALJIAN, G.W., *Purchasing Handbook*, New York, McGraw-Hill, 1978.
2. BYRNE, P.M. et W.F. MARKHAM, « How the Flow of Materials Can Lead to Customer Satisfaction : A Study Points the Way », *National Productivity Review*, printemps 1992, p. 169-180.
3. FELDMAN, R.G., « The Magic of Electronic Data Interchange », *P&IM Review*, avril 1990, p. 41-49.
4. HUTCHINS, G., « Partnering : A Path to Total Quality in Purchasing », *National Productivity Review*, printemps 1992, p. 213-230.
5. KIENTZ, B., « Le marketing au service des achats », *Acheteur*, avril 1987, p. 20-21.
6. LALONDE, R., directeur de l'Institut EDI de Montréal, Direction informatique, entrevue accordée en avril 1991.
7. LEENDERS, M.R. et J. NOLLET, « The Gray Zone in Make or Buy », *Journal of Purchasing and Materials Management*, automne 1984, p. 10-15.
8. LEENDERS, M.R., H.E. FEARON et W.B. ENGLAND, *Purchasing and Materials Management*, Illinois, Richard D. Irwin, 1989.
9. NELSON, M., « How to Add Structure Without Stifling Vigor », *Purchasing*, 11 août 1983, p. 46B4-46B11.
10. TEMIN, T.R., « Turning to Purchasing as a Source of Profits », *Purchasing*, juin 1983, p. 48-52.
11. VAGNON, P., « Partenariat client–fournisseur, politique fidélité–service », *Acheteur*, juin 1989, p. 11-15.

CHAPITRE 17

# La gestion de la qualité*

JOSEPH KÉLADA *auteur principal*



* La majeure partie du contenu de ce chapitre est extraite des livres *Comprendre et réaliser la qualité totale* (1992) et *Qualité, contrôle statistique et métrologie* (1990) écrits par Joseph Kélada et publiés aux Éditions Quafec.

# LA QUALITÉ: DÉFINITION ET ÉVOLUTION

## 17.1 La qualité et la qualité totale

De plus en plus, la qualité prend une importance capitale et stratégique dans les entreprises industrielles et de services des secteurs privé, public et parapublic. Les récessions, les dépressions et les crises économiques que nous avons vécues ont rendu les clients (entreprises et individus) plus exigeants. En outre, la mondialisation de la concurrence leur offre un grand choix de produits, rendant de plus en plus difficile la possibilité, pour les producteurs, de se retrancher derrière des barrières tarifaires. De plus, la notion de qualité s'est élargie : on ne parle plus seulement de qualité, mais aussi de **qualité totale**. Gilks[8] cite des entreprises qui ont adopté cette approche, telles Motorola, Mitel, Milliken Industries, la chaîne hôtelière Quatre Saisons, American Express, Heinz… ; il affirme que « la qualité totale est une idée profonde et puissante qui est en train de changer le monde des affaires ». Dans ce chapitre, nous nous limiterons à la gestion de la qualité après l'avoir brièvement située dans le contexte plus global de la qualité totale.

C'est vers le début des années 80 qu'est apparue la notion de « qualité totale », qui est plus vaste que la notion de qualité du produit. Comme nous l'indiquions au chapitre 1, le client recherche non seulement la **qualité (Q)** du produit (bien ou service) et des services qui l'accompagnent avant, pendant et après son acquisition, mais aussi la livraison du **volume (V)** requis (taille, diversité, quantité, nombre de clients à servir…). De plus, il subit un système **administratif (A)**, allant de la passation d'une commande au paiement de la facture en passant par des procédés de confirmation ou de modification de la commande, par une demande de renseignements techniques ou commerciaux, par un processus de traitement des plaintes…, système que le client souhaite léger et exempt d'erreurs. Le client recherche aussi la disponibilité du produit au **lieu (L)** voulu, des **interrelations (I)** agréables et efficaces avec le personnel de l'entreprise ou ses représentants, la livraison **à temps (T)** et **économique (E)** des produits commandés. La notion d'économie dépasse le coût ou le prix à payer ; elle inclut les bénéfices escomptés (souvent à long terme) pour le client.

Cette définition en sept points de la qualité totale a été adoptée par plusieurs entreprises et organismes tels que l'hôpital Sacré-Cœur de Cartierville, en banlieue de Montréal, les aéroports de Montréal comme l'indique Hornblower[9], et la société Armstrong Canada, un fabricant international de couvre-planchers.

Pour le client, la qualité totale consiste donc à combler ses besoins en matière de **QVALITE**. Les entreprises à succès essaient de dépasser ses attentes ; elles tentent de le surprendre agréablement, de le ravir, d'aller au-delà de sa simple satisfaction. Le client doit être enthousiasmé par un produit, enchanté d'un service. Il doit être plus que satisfait : il doit être séduit ! Comme l'indique Altany[1], les grandes entreprises attirent la clientèle en lui offrant beaucoup plus qu'un bon produit. Il ajoute que les clients sont avides d'attention personnalisée.

La qualité totale va cependant au-delà de la satisfaction ou de la **séduction du client**. En effet, ce n'est là qu'une des trois dimensions de la qualité totale. Pour le propriétaire–actionnaire–entrepreneur, la qualité totale représente une **qualité de rendement** sur le capital qu'il investit dans une entreprise. L'expression « qualité de rendement » signifie un rendement supérieur à celui qu'il pourrait obtenir d'autres sources (épargne, actions, obligations…). C'est la deuxième dimension de la qualité totale. Finalement, l'employé recherche, par son travail, une **qualité de vie** qui inclut une rémunération satisfaisante, des défis, de la reconnaissance, des récompenses, un sentiment d'appartenance à une équipe gagnante ainsi qu'un bien-être dans sa vie personnelle, familiale… C'est la troisième dimension de la qualité totale.

Au centre de cette **triade de la qualité totale**, soit la triade actionnaire–client–employé (figure 17.1), les dirigeants de l'entreprise ont la responsabilité de satisfaire simultanément les besoins de ces trois parties. La réalisation de la qualité totale s'appuie aussi sur la participation constante des partenaires externes de l'entreprise, en amont et en aval (PAM et PAV : fournisseurs de matières premières, de ressources humaines, de services financiers, distributeurs, transporteurs...). Dans le secteur public, le contribuable (payeur d'impôts et de taxes) remplace l'actionnaire ; la contrainte économique de faire des profits est alors remplacée par celle d'alléger ou de stabiliser le fardeau fiscal du contribuable, en faisant plus avec moins. Enfin, les dirigeants doivent respecter l'environnement physique de l'entreprise (réduction de la pollution, protection de la nature...). Pour ce faire, ils appliquent un nouveau mode de gestion : la **gestion intégrale de la qualité** (GIQ), ou *Total Quality Management* (*TQM*).

En GIQ, les responsables de toutes les fonctions de l'entreprise participent à la réalisation de la qualité totale pour que l'organisation atteigne ses objectifs stratégiques : la rentabilité dans le secteur privé, et la satisfaction des besoins du bénéfi-

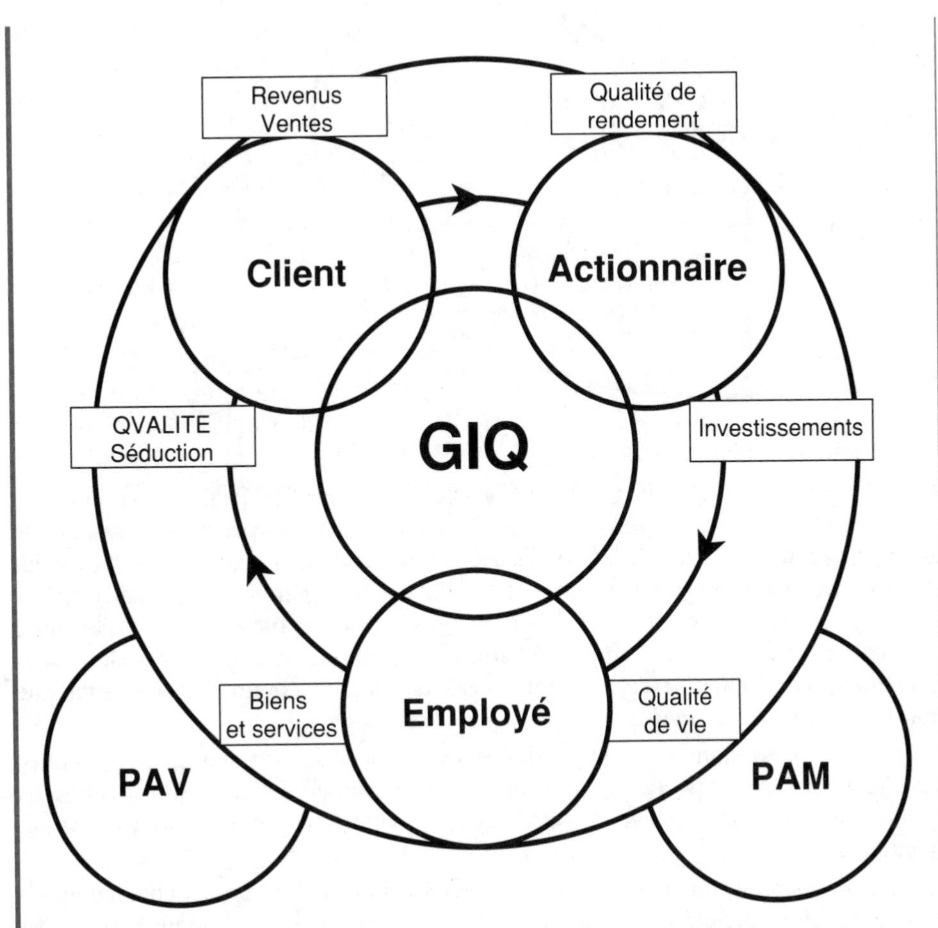


**FIGURE 17.1**
**La triade de la qualité totale**

ciaire dans les services publics. Par conséquent, la gestion intégrale de la qualité est l'affaire de la direction générale et des responsables de toutes les fonctions dans l'entreprise. Elle ne doit pas être considérée comme un aspect purement technique qu'on laisse à des techniciens, quelles que soient leurs compétences.

En quoi consiste la GIQ ? Basée sur la philosophie de l'approche de qualité totale, la GIQ comprend **trois dimensions** (figure 17.2) :

- une dimension **humaine**, psychologique et politique ;
- une dimension **logique**, rationnelle et systémique ;
- une dimension **technologique**, ou technique, mécanique et systématique.

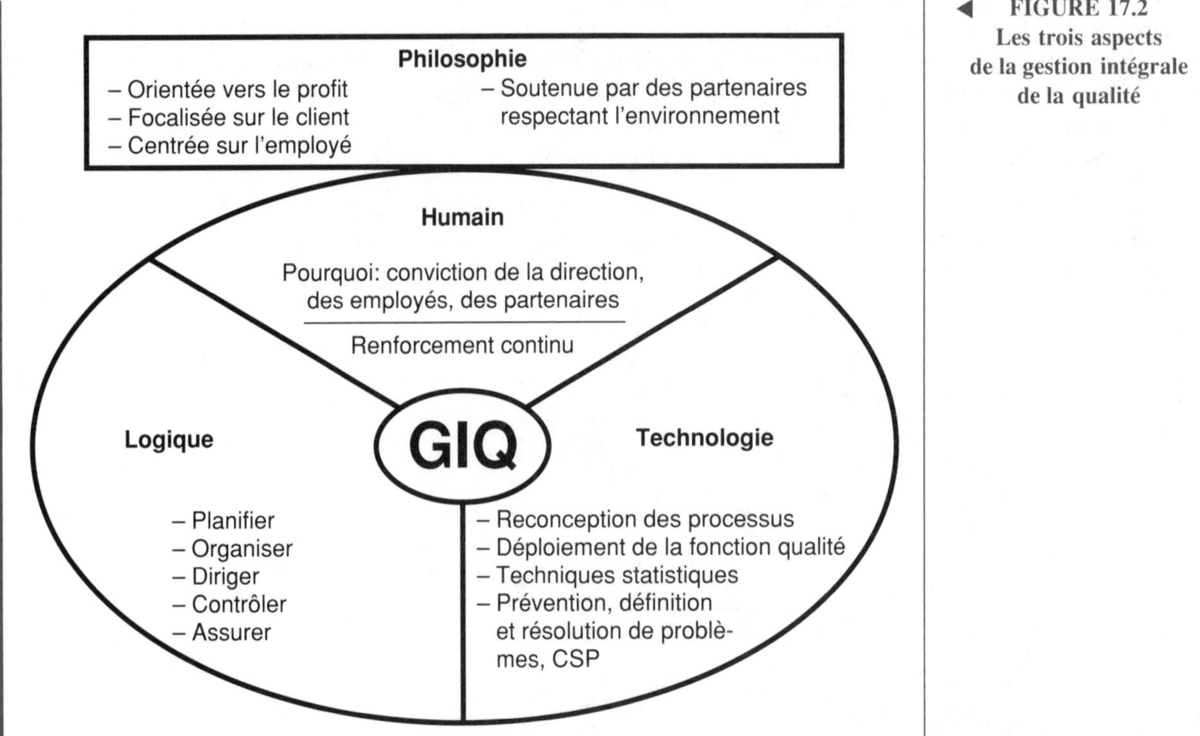


**FIGURE 17.2**
**Les trois aspects de la gestion intégrale de la qualité**

La **philosophie de la GIQ** est orientée vers le profit, focalisée sur le client, centrée sur l'employé et appuyée par des partenaires externes ; enfin, elle respecte et protège l'environnement (pollution, déchets, bruit, couche d'ozone…). Tout le monde travaille en équipe, et, à la tête de cette équipe, le président prend la responsabilité de l'objectif de qualité totale qu'il communique, ou « déploie », à tout le personnel de l'entreprise et à ses partenaires externes en amont et en aval. Les gestionnaires travaillent en équipe **avec** les employés, considérés comme des « partenaires internes » ou des « associés ».

La première dimension de la GIQ est donc son **aspect humain**. La satisfaction du client passe par la participation authentique de tout le personnel dans l'entreprise (cadres et non-cadres, dirigeants et dirigés) ainsi que des partenaires externes de l'entreprise.

La deuxième dimension est son **aspect logique**. Il faut tout d'abord cibler le client, définir la qualité totale ainsi que le rôle de chacun dans sa réalisation. Il faut la gérer et appliquer des démarches et des approches globales, rationnelles, logiques, organisées, ordonnées. Il faut élaborer et mettre en place des mécanismes de travail en équipe, repenser le processus d'affaires, revoir les processus de prise de décisions, adopter un processus de prévention, de définition et de résolution de problèmes (PISP). En bref, la qualité totale n'est pas le fruit du hasard ; elle doit être gérée, donc planifiée, organisée, dirigée, contrôlée et assurée.

La troisième dimension représente la **technologie** de la GIQ. Elle comprend toutes les techniques se rattachant au contrôle et à l'assurance de la qualité, au fonctionnement des équipes d'amélioration de la qualité, à la prévention et à la résolution de problèmes, au contrôle statistique de la qualité, à l'innovation... Ces techniques s'inscrivent dans des démarches logiques qui découlent de la philosophie de la GIQ.

Nous avons d'abord situé le concept de qualité dans le contexte plus global du concept de la qualité totale ; le reste du chapitre sera consacré à la gestion de la qualité. Le lecteur intéressé par le sujet de la qualité totale peut consulter les références placées à la fin du chapitre.

## 17.2 L'intérêt croissant pour la qualité

Le souci de la qualité dans notre société n'est pas récent. De tout temps, l'artisan, le compagnon et l'apprenti ont tiré une grande fierté du travail bien fait. À la suite de la révolution industrielle et de la création d'usines, l'ouvrier a perdu son individualité pour se fondre dans un groupe, souvent exploité par un entrepreneur à la recherche de l'accroissement des profits de son entreprise. L'importance qu'accordait, et qu'accorde souvent encore, la direction aux quantités produites ou à la réduction des coûts de production a amoindri encore davantage l'intérêt pour la qualité.

Dans la société d'abondance qu'a connue l'Amérique du Nord après la Seconde Guerre mondiale, la non-qualité était tolérée. On pouvait même se permettre un certain gaspillage. Dans le secteur industriel, plusieurs entreprises se limitaient à contrôler la qualité en usine. Dans le domaine des services, la situation laissait aussi à désirer. Finkelman et Goland[7] citent le cas d'une entreprise de nettoyage de vêtements où un cadre affirmait que les clients ne valaient pas la peine qu'on les retienne !

Au début des années 70, après la première crise du pétrole, la concurrence internationale se fit sentir, et plusieurs producteurs nord-américains perdirent des marchés qu'ils occupaient depuis fort longtemps, comme ce fut le cas de l'industrie de l'automobile et de celle de l'électronique grand public.

Un peu partout dans le monde, des prix Qualité sont distribués pour encourager la réalisation et la promotion de la qualité dans les diverses organisations. Au Japon, l'un de ces prix est le prestigieux **Prix Deming**. Ce prix porte le nom du D^r^ W. Edwards Deming, célèbre statisticien américain, spécialiste en qualité qui, dans les années 50, avait aidé les Japonais à mettre en place des systèmes de contrôle et d'amélioration de la qualité. Plus près de nous, les États-Unis ont lancé, en 1987, le **Prix Malcolm Baldrige**, devenu depuis l'Oscar de la qualité dans ce pays. Le Canada a son prix d'excellence en matière de qualité, et le Québec tient son concours annuel des Mercuriades, qui offre des Mercures en qualité totale. Tous ces prix s'adressent aux grandes et aux petites entreprises, industrielles et de services.

Des études ont démontré que les entreprises industrielles japonaises qui ont obtenu le prix Deming tant convoité ont un rendement sur capital investi (RCI) d'environ 10 %, soit deux fois plus que la moyenne de l'industrie, qui est de 5 %. Une autre étude a révélé que les entreprises nord-américaines qui offrent des produits de haute qualité et qui occupent une grande part de marché font jusqu'à cinq fois plus de profits que les entreprises produisant une qualité inférieure et ayant une petite part de marché[3]. Cette étude, effectuée par le Strategic Planning Institute, établit le rapport qui existe entre la qualité, la part de marché et le RCI ; ainsi, la qualité relative produite par une entreprise et la part de marché qu'elle occupe influent directement sur le RCI. La qualité relative est la qualité perçue des produits ou des services qu'offre une entreprise, par rapport à la qualité des produits et des services concurrents. On observe que, dans les entreprises qui occupent une faible part de marché, le RCI est de 7 % pour celles produisant une qualité inférieure et de 20 % pour celles qui produisent une qualité supérieure. Ce pourcentage, pour les entreprises ayant une grande part de marché, va respectivement de 21 % à 38 %. Par extrapolation et selon l'hypothèse logique que la qualité accroît la part de marché, on peut dire qu'en misant sur la qualité, le RCI d'une entreprise peut passer de 7 % à 29 %, voire à 38 % (figure 17.3).

**FIGURE 17.3** ▶
**L'effet de la qualité sur les profits**

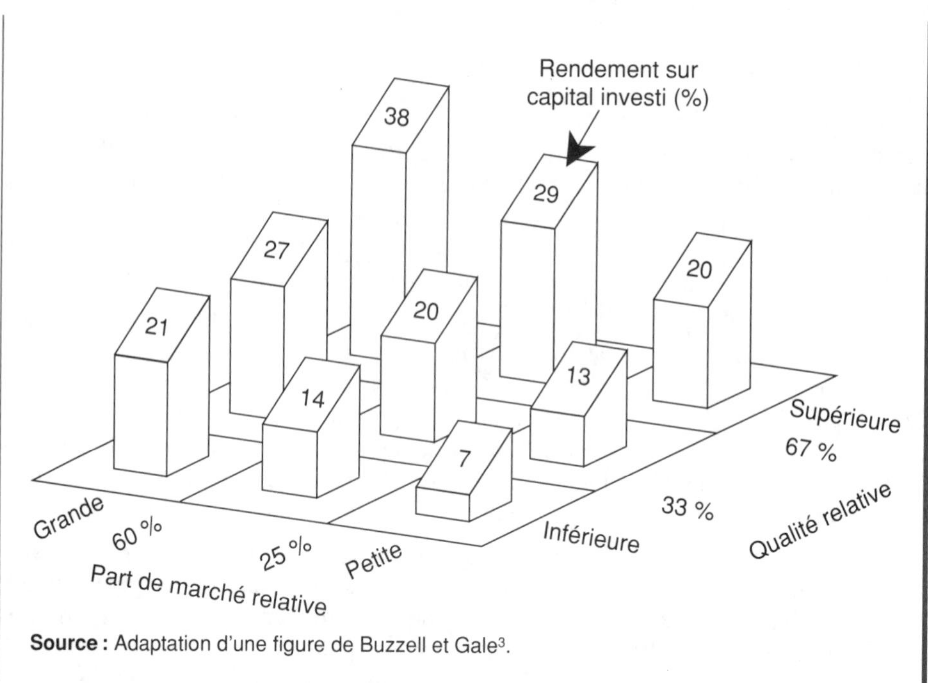


**Source :** Adaptation d'une figure de Buzzell et Gale[3].

D'autre part, plusieurs experts estiment que la non-qualité entraîne des coûts pouvant s'élever jusqu'à 25 % du chiffre d'affaires d'une entreprise industrielle. Compte tenu que la marge de profit d'une telle entreprise se situe entre 5 % et 10 % de ses revenus, ses profits peuvent doubler, tripler ou même quadrupler si elle élimine la non-qualité. Dans les entreprises de services telles que les banques et les compagnies d'assurances, ce pourcentage est estimé à presque 50 % des coûts d'exploitation[4] !

Comment définir la qualité ? La qualité d'un produit (bien ou service) se définit par les caractéristiques qu'il devra posséder afin de satisfaire certains besoins du client.

La première et la plus importante de ces caractéristiques est l'aptitude à l'emploi, ou la **convenance à l'usage**. En d'autres termes, on doit savoir à quoi servira le produit : à transporter, à couper, à peser, à indiquer l'heure ou la température, à mesurer l'épaisseur ou la dureté, à protéger contre des risques ou des dommages possibles (police d'assurance), à guérir un malade, à amuser un public, à faire fructifier un placement… Comme on le voit, la convenance à l'usage est toujours exprimée par un verbe.

Pour qu'un produit soit de qualité satisfaisante, il ne suffit pas qu'il convienne à l'usage : il doit le faire pour une durée raisonnable. On appelle cette caractéristique la **durabilité**. En outre, même si le produit peut tomber en panne, il devrait avoir une certaine **fiabilité** ; cette caractéristique est définie comme étant « la probabilité du fonctionnement sans panne d'un appareil pour une période donnée, dans des conditions d'utilisation normales ».

Pour certains produits, on recherche la **régularité**, soit un niveau constant de qualité d'une unité à l'autre. Certains producteurs de conserves ajoutent des colorants à leurs produits (telles les confitures) pour qu'ils aient toujours la même apparence, car un changement d'apparence pourrait être interprété comme une baisse de qualité, même si ce n'est pas le cas. Dans le secteur des services, on s'attend à recevoir chaque fois la même qualité de service (réparation de voiture, coupe de cheveux, type de repas…).

Il existe plusieurs autres caractéristiques à considérer telles que la toxicité, la stabilité, l'habitabilité, l'étanchéité…, selon le type de produit. À chacune de ces caractéristiques on rattache des paramètres quantifiables, absolus ou relatifs : transporter cinq passagers, couper une épaisseur de deux centimètres d'acier, peser jusqu'à 50 kilos, durer cinq ans, être fiable à 98 %.

## 17.3 Le cycle de la qualité du produit

Pour réaliser un produit de qualité, il faut d'abord établir toutes les activités qui mènent à la satisfaction du client et, souvent, celles qui permettent de la dépasser. L'ensemble de ces activités constitue le cycle de la qualité du produit (figure 17.4), qui comprend **quatre phases** : la **création** de la qualité, la **préparation** de la qualité, la **réalisation** de la qualité et le **maintien** de la qualité du produit fini.

La **création de la qualité** comprend la définition de la clientèle, la détermination de ses besoins ou de ses exigences, la conception et le développement du produit. Cette phase se termine par l'élaboration des spécifications du produit, des limites à respecter, des processus de production et des matières à utiliser pour réaliser le produit. À ce stade, on applique actuellement un nouveau concept, celui de l'ingénierie simultanée (*concurrent engineering*). Ledoux[13] y voit une addition relativement récente à la panoplie d'outils utilisés par les entreprises les plus performantes en ce qui concerne la conception et le développement de leurs produits. Ce concept consiste à intégrer dans le même processus la phase de conception et la phase d'industrialisation d'un produit et de ses éléments constituants, dans le but de réduire les coûts de développement ainsi que le délai de mise à disposition des produits sur le marché. Il requiert un travail d'équipe comprenant les concepteurs des produits et ceux des procédés, les responsables de l'approvisionnement et ceux de la production.

La **préparation de la qualité** concerne la main-d'œuvre, l'équipement, les méthodes de travail, les fournisseurs et les approvisionnements. S'assurer de la qualification de la main-d'œuvre consiste à évaluer la capacité de cette dernière à réaliser les niveaux de qualité requis. L'équipement de production et de manutention, les installations d'entreposage ainsi que les méthodes de travail et les procédés doivent être vérifiés pour s'assurer qu'ils permettent de réaliser et de maintenir les niveaux de qualité requis. Les méthodes de travail doivent être précises, disponibles, acces-

**FIGURE 17.4 ▶**
**Le cycle de la qualité du produit**

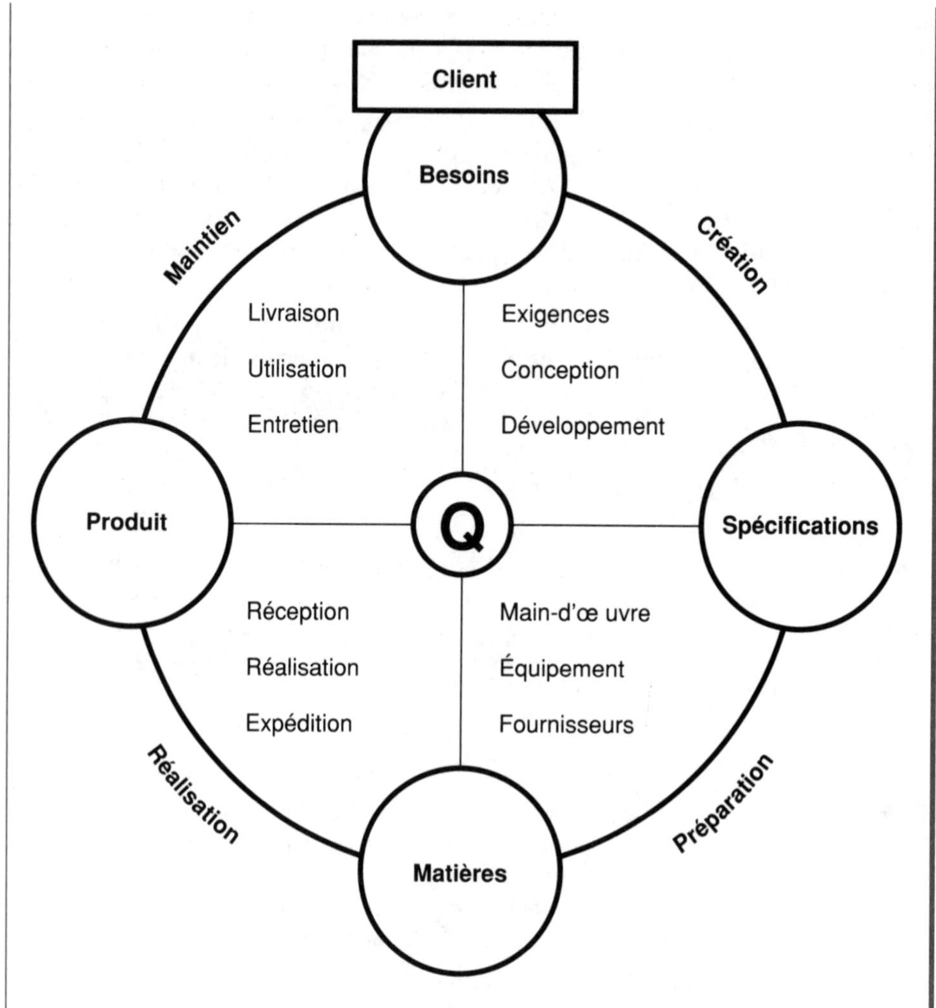


sibles et régulièrement mises à jour. L'approvisionnement en matières, en pièces et en composants divers est de première importance. S'ils sont inadéquats, ils altéreront la qualité du produit fini, et si les défauts de ce dernier ne sont pas détectés avant l'expédition du produit, celui-ci sera transporté, entreposé, installé, souvent à grands frais, et les conséquences de la non-qualité pourraient être catastrophiques. La recherche et l'évaluation des fournisseurs permet de s'assurer qu'on fera affaire avec ceux qui sont fiables. Dans l'approche qualité totale, les fournisseurs sont des partenaires, et non des adversaires comme dans l'approche traditionnelle.

La phase de la **réalisation de la qualité** inclut la réception des matières et des pièces commandées, la transformation de ces matières en produit fini par divers processus, le stockage temporaire des produits en cours de fabrication, l'emballage et l'expédition des produits finis. C'est à cette phase qu'on trouve la plupart des activités formelles et des systèmes de contrôle de la qualité.

L'attention portée à la qualité ne doit pas s'arrêter lors de l'expédition du produit fini. En effet, il faut maintenir la qualité jusqu'à la satisfaction du besoin pour lequel le produit a été réalisé. C'est la phase du **maintien de la qualité**. Dans cette phase, le produit fini est généralement transporté, entreposé, installé et distribué avant d'être utilisé. À tous ces stades, la qualité du produit risque de se détériorer. Il faut donc s'assurer que le moyen de transport employé est adéquat. En outre, l'utilisation faite du produit peut grandement altérer sa qualité, son fonctionnement, sa durée de vie et sa fiabilité. De plus, de nombreux produits doivent être régulièrement entretenus ou occasionnellement réparés. Le fabricant doit offrir un service après-vente adéquat et des instructions précises pour aider l'utilisateur à effectuer lui-même l'entretien de base.

Le cycle de la qualité s'applique aussi au **secteur des services**. Prenons l'exemple d'un système informatique. Dans la phase de création, on doit connaître le client, établir ses exigences (temps de réponse, accessibilité, rapports à produire), concevoir le système et déterminer ses spécifications (structure, fonctions, formats…). À la phase de préparation, on s'assure de la disponibilité et des compétences de la main-d'œuvre requise pour réaliser le système (chef de projet, programmeurs…), de la disponibilité de l'équipement, des méthodes et des procédés requis pour le réaliser. On choisit des fournisseurs fiables et capables de livrer le matériel, les logiciels ou les progiciels nécessaires. À la phase de réalisation, les programmes sont écrits, le système est mis en place (terminaux, périphériques, programmes installés…) et les procédés d'utilisation sont produits. À la phase du maintien de la qualité, le système est livré au client, une formation est offerte aux utilisateurs du système et, finalement, le système est régulièrement mis à jour.

Dans le cas d'un hôpital, la phase de création comporte la détermination des besoins du client-patient (diagnostic) et l'établissement du traitement préventif ou curatif (chirurgie, médicaments, thérapie…). Dans la phase de préparation, le personnel, l'équipement et les fournitures requises pour administrer le traitement sont préparés. À la phase de réalisation, le traitement est administré au patient, et à la phase du maintien, le médecin prescrit au patient une diète, des exercices…

# LA RÉALISATION DE LA QUALITÉ

## 17.4 Les activités de gestion de la qualité

La qualité n'est pas l'effet du hasard ; on doit la gérer. La gestion de la qualité comprend des activités de planification, d'organisation, de direction, de contrôle et d'assurance.

La **planification** a pour but d'établir des objectifs et de déterminer les meilleurs moyens de les atteindre. Le processus de planification de la qualité commence par un diagnostic qualité, qui consiste à évaluer le degré de satisfaction des clients à qui s'adressent les produits (biens ou services) offerts par l'entreprise, à établir les moyens utilisés pour atteindre ce degré de satisfaction et à trouver les causes éventuelles des insatisfactions. La société Xerox a conçu et appliqué une technique intéressante pour établir des indicateurs mesurables de la qualité ; c'est l'étalonnage concurrentiel, mieux connu par le terme *benchmarking*. Il s'agit de comparer la qualité du produit (bien ou service) offert par l'entreprise à ce qui se fait de mieux (*best in class*) un peu partout dans le monde, et de comparer également le processus utilisé pour réaliser ce produit. On établit donc, pour chaque produit et chaque activité dans l'entreprise, un étalon qu'on doit égaler ou dépasser.

Le diagnostic sert à établir les objectifs de qualité à atteindre, qui doivent évidemment s'inscrire dans le cadre des objectifs stratégiques de l'entreprise. À partir des objectifs choisis, certaines stratégies sont définies, parmi lesquelles on choisit celle qu'on estime la plus efficace et la plus adéquate, compte tenu des objectifs stratégiques de l'entreprise et des ressources disponibles. Un plan d'action est alors élaboré pour la mise en œuvre de la stratégie choisie ; ce plan comprend : les activités particulières à entreprendre (formation, contrôle statistique des processus...), la détermination des personnes responsables de chacune des activités prévues, les échéanciers relatifs à ces activités, les budgets nécessaires à chaque activité, projet ou programme qu'on aura décidé d'entreprendre ou de mettre en place, les méthodes et la procédure à suivre pour la réalisation ou la mise en place des activités. Le plan d'action devra indiquer les points de contrôle et d'évaluation qui permettront d'exercer le suivi de sa réalisation à toutes les étapes. On doit prévoir un plan de rechange à mettre en œuvre en cas de difficultés lors de l'application du plan initial.

L'**organisation** de la fonction Qualité consiste à déterminer les structures administratives, l'affectation des ressources ainsi que la mise en place des systèmes et des méthodes qui permettront la réalisation du niveau de qualité requis. À noter que la qualité ne peut relever d'une unité administrative : elle est le fait d'un grand nombre d'individus et de services à l'intérieur de l'entreprise. Au sommet, le président établit une politique en matière de qualité ; le service du marketing étudie les besoins des clients ; le personnel technique conçoit les procédés qui permettront de réaliser les produits qui satisferont les besoins des clients ; le service de la production réalise ces produits à partir de matières et de composants de qualité acquis par le service des achats, et ainsi de suite (figure 17.5).

Quel est le rôle du service de la qualité ? Généralement, il assume soit le contrôle, soit l'assurance de la qualité. Ce service peut se voir attribuer un rôle de commandement *line,* ou un rôle conseil *staff.* Le rôle *line* est un rôle d'autorité, de décision, de pouvoir. Le rôle *staff* est un rôle de soutien, d'aide. Chacun des deux rôles comporte évidemment des avantages et des inconvénients. Un contrôleur de la qualité qui a un rôle *line* peut arrêter une opération de production ou l'expédition d'une commande s'il a des raisons de croire que le produit réalisé lors de l'opération en question ou contenu dans la commande en cause est de qualité inacceptable. Si son rôle est *staff*, il avertit les responsables de la production ou de l'expédition, qui, eux, prendront des mesures correctives s'ils le jugent à propos.

Il est impossible de statuer sur l'efficacité d'une approche par rapport à l'autre, vu que cette efficacité dépend largement du contexte de chaque situation, de la complexité du produit, des relations de travail existantes, de la taille de l'entreprise. On observe parfois que le rôle *line* confère à celui qui l'assume une autorité semblable à celle d'un policier toujours à la recherche d'un coupable, ou du moins d'un suspect. Cette perception engendre de la méfiance vis-à-vis du contrôleur *line*, et le personnel des autres services y voit non pas quelqu'un qui peut les aider à bien faire ou à mieux faire, mais un obstacle à contourner, un danger à éviter. Ce personnel fait donc tout ce qu'il peut non pour améliorer la qualité de sa production, mais pour éviter de se faire prendre en défaut par le contrôleur. De plus, il s'ingénie parfois à créer des moyens astucieux pour arriver à ses fins, comme garder certains produits pour les présenter à un contrôleur plus tolérant, ou essayer de les passer à des moments plus opportuns, par exemple le vendredi vers l'heure de la fermeture, en y apposant une étiquette portant la mention « Urgent ».

Quant au rôle *staff*, il comporte l'inconvénient, du moins apparent, de laisser des décisions concernant la qualité d'un produit à une personne qui doit simultanément produire les quantités planifiées et respecter les délais exigés sans dépasser

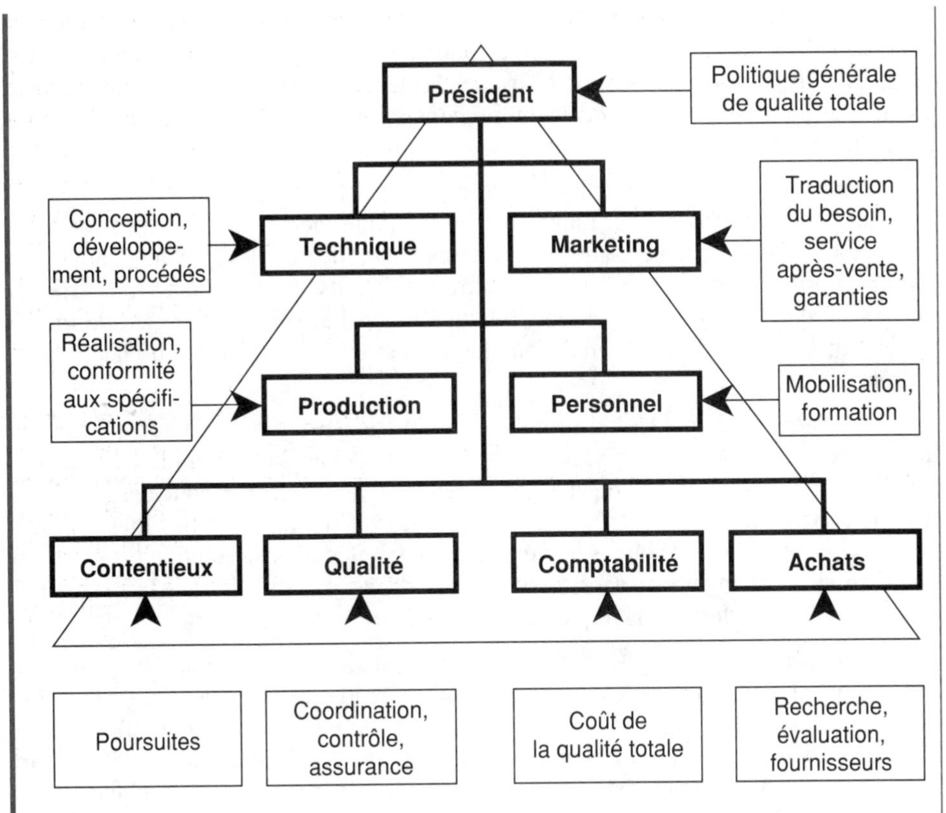


**FIGURE 17.5**
**L'organisation de la fonction Qualité**

les budgets alloués. Cette personne pourrait alors être tentée de sacrifier à ces exigences la qualité du produit réalisé. Cependant, on peut contourner ce danger en demandant au contrôleur *staff*, dans les cas jugés critiques, d'informer la direction de l'entreprise par l'envoi d'une copie du rapport d'anomalies. Ce procédé d'exception incite à ne pas prendre de décisions précipitées concernant le traitement des produits non conformes aux spécifications. Les produits non conformes pourront toujours être expédiés à leur destinataire, mais ils le seront alors en connaissance de cause et avec l'accord du client avec lequel on négocie au préalable des arrangements adéquats. Un service du contrôle ou de l'assurance de la qualité ayant un rôle *staff* jouit généralement de la confiance du personnel des autres secteurs s'il est perçu comme une source potentielle d'aide et de soutien en cas de problème.

La mise en place de structures administratives adéquates pour la fonction Qualité nécessite un partage rationnel et souvent formel des responsabilités des divers services dans la réalisation de la qualité, son amélioration continue et la prévention de la non-qualité. Il s'agit alors de fournir les outils nécessaires à ces services pour réaliser les activités qui leur sont assignées. Ces outils consistent en des méthodes, des systèmes et des procédés.

La **direction** des ressources humaines est l'activité de gestion qui touche aux aspects humains : la motivation, la mobilisation et le renforcement du personnel, l'exercice d'un leadership éclairé, l'adoption d'un style de gestion qui permet d'atteindre les objectifs établis, la résolution des conflits dans le milieu de travail...

Les entreprises qui veulent améliorer la qualité de leurs produits mettent l'accent sur la mobilisation de leur personnel. La mobilisation comprend un programme de sensibilisation destiné à susciter l'intérêt de tous pour la qualité ; elle est suivie d'un processus de renforcement qui consiste en un ensemble d'activités visant à maintenir cet intérêt.

Dans le cadre de la mobilisation du personnel, la communication joue un rôle de toute première importance. Laprade[12] souligne que même l'armée, avec son style de gestion traditionnellement autoritaire, adopte actuellement l'approche qualité. Les militaires utilisent cette arme pour combattre les défauts, comme dans l'industrie. Ils ont réalisé que le moyen de parvenir à la qualité et d'améliorer le milieu de travail est en fait la communication entre tous les paliers de la hiérarchie, où chacun joue un rôle actif.

J.R. Jarett[10] de la NASA affirme que l'industrie aérospatiale est aux prises avec une situation qui menace son succès, voire sa survie. Des budgets réduits, une évolution technologique rapide et une concurrence toujours accrue sont des éléments communs à toutes sortes d'organisations, privées ou publiques, telles que les gouvernements, les industries ou les universités. Un des éléments de solution est le travail d'équipe et un changement dans le style de gestion ; il s'agit de remettre l'autorité et le pouvoir entre les mains du personnel (*employee empowerment* ou *habilitation*).

Le **contrôle** est l'activité la plus connue en gestion de la qualité. Les premières activités formelles de contrôle de la qualité ont vu le jour dans les usines. Le contrôle de la qualité consiste à mesurer les résultats d'une activité ou d'un ensemble d'activités et à les comparer à un objectif visé, en vue de déterminer s'il existe un écart entre les deux. Les caractéristiques à mesurer sont définies lors de la planification de la qualité. Pour contrôler la qualité, on mesure donc les résultats.

On doit vérifier que l'extrant de chaque processus correspond à certaines exigences mesurables (indicateurs) ; c'est là l'objet du contrôle. S'il y a des écarts entre ces exigences et les résultats obtenus par l'un ou l'autre des processus, des mesures correctives sont mises en place. Pour contrôler efficacement, on doit établir tous les processus et, pour chaque processus, déterminer les variables qui influent sur leurs résultats telles que la clarté des exigences, les matières utilisées, les informations disponibles, les méthodes de travail, la formation et la motivation des personnes concernées ainsi que le stress ou la pression qu'elles subissent, les conditions physiques de travail et l'aménagement des lieux, l'équipement en place, les activités de gestion de ces variables, soit la planification et le contrôle du processus, etc.

Le contrôle (comme la qualité d'ailleurs) ne se limite pas, comme on est généralement porté à le croire et souvent à le pratiquer, aux seules activités de fabrication, de construction et d'exécution. Le contrôle doit s'appliquer aux quatre phases du cycle de la qualité, soit la création, la préparation, la réalisation et le maintien, en partant du besoin à satisfaire (B) jusqu'au besoin satisfait, en passant par l'élaboration des spécifications (S), l'acquisition des intrants (I) et la réalisation du produit (P). Pour chacune des activités de contrôle on doit toujours répondre aux questions suivantes : Quoi contrôler ? Quand contrôler ? Combien contrôler ? Où contrôler ? Comment contrôler ? Qui contrôle ?

À titre d'exemple, lors de la mise en place d'un système de contrôle de la qualité de fabrication, on détermine les six aspects suivants (figure 17.6).

1. **Quoi** contrôler ? Généralement, on ne doit pas ou on ne peut pas tout contrôler. On détermine donc les caractéristiques à évaluer ou à mesurer, telles que les

caractéristiques physiques ou chimiques, les dimensions, le poids, le rendement (vitesse, puissance, fiabilité), l'apparence (fini, couleur), le goût, la durabilité.

2. **Quand** contrôler ? On établit si le contrôle se fait de façon sporadique ou régulière, s'il se fait à l'occasion d'une plainte ou d'un incident ou s'il est effectué systématiquement, s'il se fait à la demande d'un client ou selon un plan établi, s'il se fait de façon continue ou à une fréquence prédéterminée.
3. **Combien** contrôler ? On détermine si l'on doit exercer un contrôle unitaire, qualifié aussi d'exhaustif ou à 100 %, un contrôle par échantillonnage ou pas de contrôle du tout. En effet, il ne faut pas contrôler pour le plaisir de le faire, car il est parfois plus avantageux de ne pas contrôler. Par exemple, si un fournisseur fiable contrôle méticuleusement toutes ses expéditions, il n'est pas utile d'effectuer un contrôle aussi rigoureux lors de la réception. Dans plusieurs cas, le contrôle unitaire n'est pas aussi efficace qu'on le pense. Ainsi, après plusieurs heures d'une inspection répétitive d'un grand nombre d'articles similaires, l'efficacité du contrôle peut être réduite à 80 %. C'est d'ailleurs la raison pour laquelle on évite d'appeler ce type de contrôle un contrôle à 100 %, ce qui pourrait laisser croire qu'il est efficace à 100 %. En plus du risque d'inefficacité, le contrôle unitaire comporte d'autres désavantages, spécialement

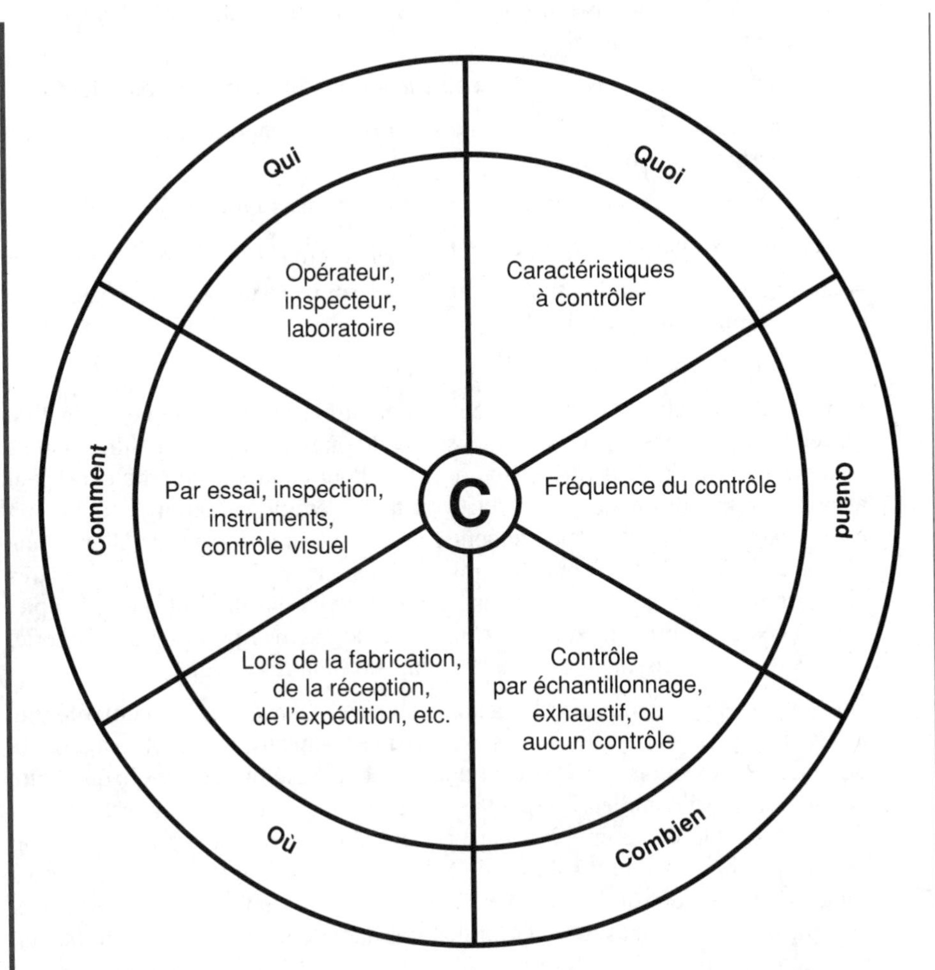


**FIGURE 17.6**
**Le système de contrôle de la qualité**

quand il s'agit d'un contrôle par test destructif ! Certains aspects techniques favorisent plutôt le recours au contrôle par échantillonnage, comme dans le cas d'un manque de personnel ou d'instruments spécialisés. Finalement, le coût de contrôle peut être très élevé ; il est alors plus économique de contrôler par échantillonnage.

4. **Où** contrôler ? On indique les points précis, tout au long du processus de fabrication, où un contrôle doit être effectué. Par exemple, on peut contrôler :
   - à la réception des matières premières, des pièces et des composants ;
   - lors du passage d'une étape du processus à une autre ;
   - avant une opération complexe ou coûteuse ;
   - avant un assemblage qui rendrait difficile l'accès à certains composants ;
   - avant une série d'opérations qu'il serait difficile d'interrompre ;
   - avant des opérations de finition (peinture, émaillage) ;
   - pendant les opérations qui font l'objet de plaintes de la clientèle ;
   - pendant les opérations qui ont fait l'objet d'une récente modification des dessins, des spécifications ;
   - pendant les opérations qui ont subi des changements de méthodes, de procédés ou de processus ;
   - pendant les opérations dont les coûts de correction d'erreur sont élevés ;
   - pendant les opérations simples mais qui ont une importance critique quant à la performance du produit ;
   - pendant les opérations spécifiées par le client dans un contrat ;
   - pendant les opérations qui peuvent menacer la sécurité de l'utilisateur ;
   - avant une opération d'emballage et avant l'emmagasinage, l'entreposage ou l'expédition d'un produit ;
   - avant le transport d'un produit commandé.

5. **Comment** contrôler ? Un article peut être contrôlé par une simple inspection visuelle, ou par une inspection dimensionnelle où une ou plusieurs dimensions sont mesurées à l'aide de divers instruments. Pour contrôler un article, on peut aussi recourir à des essais, destructifs ou non. Comme son nom l'indique, un essai destructif détruit complètement l'article, comme lorsqu'on allume une allumette pour la tester. Pour certains produits, ces essais peuvent coûter très cher ; on a alors recours à des tests non destructifs en utilisant, par exemple, des processus radiographiques, comme dans le cas des produits de fonderie, pour détecter des fissures, des poches d'air ou d'autres anomalies.

   On peut choisir de contrôler par attributs ou par mesures. Dans le **contrôle par attributs**, on choisit un attribut et on constate simplement son absence ou sa présence. Par exemple, on vérifie si une étiquette a été placée sur chaque boîte ou sur chaque bouteille. On peut aussi constater si un produit est bon ou défectueux, telle une ampoule électrique qui s'allume ou ne s'allume pas. On peut aussi **contrôler par mesures**. Dans ce type de contrôle, on mesure les caractéristiques contrôlées. Par exemple, dans le cas d'une ampoule électrique, on peut mesurer l'intensité de la lumière, la durée de vie de l'ampoule ou son taux de consommation d'énergie.

6. **Qui** contrôle ? Il est important de savoir qui a la responsabilité de contrôler. Dans certains cas, l'opérateur s'auto-contrôle lui-même. D'ailleurs, cette tendance se développe de plus en plus, vu son efficacité et son effet motivant sur le personnel d'exécution, qui, à l'occasion, peut être aidé par le personnel du service de l'assurance de la qualité ou par des représentants du client donneur d'ordres ; mais l'opérateur demeure en tout temps responsable du contrôle de son travail. On peut aussi demander à un inspecteur de procéder au contrôle (inspecteur interne, représentant du client ou d'un organisme gouvernemental).

Le contrôle de la qualité a pour objectif la détection de la non-qualité ; l'objectif de l'assurance de la qualité est la prévention de la non-qualité. L'**assurance** de la qualité consiste en un ensemble d'activités préventives dont le but est d'assurer la qualité des résultats, en s'assurant systématiquement que les activités de planification, d'organisation, de direction et de contrôle sont effectuées correctement. Ce concept est le même que celui de la vérification interne et externe utilisé par les comptables. L'assurance de la qualité consiste à examiner périodiquement, par des « auditions », les systèmes et les procédés en place, les processus de fabrication et les processus administratifs de même que les matières et les produits (biens ou services) reçus, finis ou en cours de production.

Avec la mondialisation de l'économie et le mouvement européen d'unification des marchés, l'ISO (*International Organization for Standards* ou Organisation internationale de normalisation) a élaboré une série de normes de gestion et d'assurance de la qualité, connue sous le nom d'ISO 9000. Ces normes sont actuellement appliquées un peu partout dans le monde et remplacent graduellement les normes nationales utilisées dans différents pays.

L'objectif de l'assurance de la qualité, pour le client, consiste à obtenir l'assurance, avant la signature d'un contrat, que la qualité des produits ou des articles commandés sera du niveau requis, lors de la livraison. Si ce produit (ou l'un de ses composants majeurs) s'avérait défectueux lors de la réception par le client, des pertes inestimables pourraient en résulter, des délais irrécupérables pourraient s'ensuivre. C'est le cas, par exemple, de l'équipement générateur d'électricité, qui nécessite parfois un ou deux ans pour sa fabrication. Même si le fournisseur garantit le remplacement de tout équipement défectueux par un autre respectant mieux les spécifications, un projet entraînant des dépenses annuelles de plusieurs millions de dollars serait paralysé par un tel remplacement, sans compter qu'une production d'électricité valant elle aussi plusieurs millions serait alors perdue à jamais !

La notion d'assurance de la qualité concerne tout d'abord les relations entre un donneur d'ordres et son fournisseur. Elle s'étend aussi à la direction de toute entreprise voulant s'assurer que ses produits ont un niveau de qualité optimal. Tandis que le client s'intéresse au produit fini qui lui sera livré, la direction de l'entreprise met l'accent sur le produit réalisé ou en voie de l'être. Ainsi, le client ne se soucie pas des pertes occasionnées par les produits défectueux que l'on doit réusiner ou mettre au rebut, mais le producteur y attache beaucoup d'importance.

L'assurance de la qualité du produit comprend un certain nombre de conditions, dont :

- une organisation officielle qui précise clairement les responsabilités relatives aux diverses tâches concernant la planification et le contrôle de la qualité ;
- des activités assurant la qualité lors de la conception et du développement du produit ;

– une documentation adéquate sur les aspects de la qualité dans les activités d'approvisionnement, et une vérification de tous les intrants ;
– des instructions claires concernant toutes les opérations de fabrication ;
– une méthode adéquate de détermination des pièces et des produits contrôlés, indiquant clairement s'ils sont conformes ou non aux spécifications requises ;
– un étalonnage adéquat et périodique de tous les instruments de mesure servant à la production ou au contrôle de la qualité ;
– un plan détaillé des inspections et des essais à exécuter ;
– une documentation permettant de connaître l'état d'avancement des essais et des contrôles requis ;
– une méthode efficace pour séparer les pièces non conformes des bonnes pièces ;
– un système de classement et des archives permettant de retracer, au besoin, la documentation produite ;
– des auditions (ou audits, enquêtes).

Avec l'importance stratégique que prend la qualité dans les entreprises et l'intérêt accru de la direction pour cet aspect, l'assurance de la qualité devient maintenant un outil de gestion. Grâce au système d'assurance de la qualité, les dirigeants peuvent être alertés de toute déviation importante requérant leur intervention et prendre des mesures correctives immédiates. Ils ont même la possibilité de suivre les activités du personnel concerné par la qualité, s'ils le désirent. De plus, avant d'octroyer des contrats importants pour la fabrication de pièces, d'ensembles ou d'équipement, plusieurs donneurs d'ordres exigent que leurs fournisseurs aient des systèmes adéquats d'assurance de la qualité.

# L'ASPECT TECHNIQUE DE LA QUALITÉ

## 17.5 La technologie de la qualité

Ce chapitre étant une introduction générale à la gestion de la qualité, nous ne traitons pas en détail de la technologie nécessaire à sa réalisation. Cette technologie comprend un grand nombre d'outils (démarches et techniques) que nous ne faisons qu'énumérer. Cependant, nous présentons un peu plus en détail les aspects du contrôle statistique de la qualité (CSQ). Plusieurs outils, dont les suivants, ont été élaborés pour aider à la réalisation et à l'amélioration continue de la qualité.

– Le déploiement de la fonction Qualité.
– Les techniques statistiques de Taguchi, qui incluent des plans d'expérience et qui visent à concevoir et à fabriquer des produits de qualité « robuste » en déterminant les facteurs qui améliorent le rendement de ces produits et ceux qui doivent être améliorés en vue de contrer les effets négatifs de variables non contrôlables tels les effets des conditions climatiques, et ce tant sur le plan de la conception du produit que sur celui de la conception du processus de fabrication.
– Les plans d'expérience, qui, comme le souligne Bhote[2], sont un puissant outil pour l'amélioration de la qualité.
– Le déploiement de la politique qualité. D'après Dale[5], cette approche (du japonais *hoshin planning*) est utilisée par les grandes entreprises japonaises (Toyota, Nissan, Komatsu…), mais aussi par des entreprises américaines (Ford, Hewlett-Packard, Texas Instruments…). Cette approche consiste à déployer

vers tous les niveaux hiérarchiques de l'entreprise le plan de gestion annuel (ou objectifs) du président ou du directeur général (conçu à partir des projets à moyen et à long terme). Ce plan est fourni aux sociétés du groupe au début de l'année fiscale.

- L'étalonnage concurrentiel (*benchmarking*), présenté plus haut.
- Le *poka-yoke*, ou système anti-erreurs.
- Les techniques de prévention, de définition et de résolution de problèmes telles que le remue-méninges, la technique de groupe nominal, l'analyse de Pareto, le diagramme cause-effet d'Ishikawa, les analyses de régression…
- L'AMDEC, ou analyse des modes de défaillances, de leur effet et de leur criticité.
- La schématisation et l'analyse des processus. Kane[11] indique comment cette démarche a largement profité à un grand nombre d'entreprises.
- Les normes de gestion et d'assurance de la qualité, telle la série ISO 9000, qui sont aujourd'hui un préalable au commerce international.
- Le contrôle statistique de la qualité.

## 17.6 Le contrôle statistique de la qualité

Le contrôle statistique de la qualité consiste à appliquer certaines techniques statistiques de contrôle aux stades de la fabrication et de la réception. Au stade de la réception, on applique un contrôle par échantillonnage statistique en vue de déterminer si un lot reçu doit être accepté ou refusé. En cours de fabrication, on applique le contrôle statistique des processus (CSP) en vue de détecter, voire de prévenir, la non-qualité. Le contrôle de réception comprend évidemment la réception des matières premières et autres articles commandés, mais aussi l'expédition des produits finis, étant donné que ceux-ci sont « reçus » au point d'expédition.

Le **contrôle par échantillonnage statistique** est un ensemble de règles qui permettent de décider si l'on doit accepter ou refuser un lot de produits finis ou de matières et de pièces reçues. De façon générale, il comprend les étapes suivantes.

1. Tirer au hasard du lot de taille $N$ un échantillon dont l'effectif est $n$.
2. Déterminer le nombre d'unités défectueuses $d$ dans cet échantillon.
3. Comparer ce nombre ($d$) avec un critère d'acceptation $c$. Ce critère est le nombre maximal d'unités défectueuses dans un échantillon pour que le lot soit accepté.
4. Accepter le lot, si $d$ est égal ou inférieur à $c$.

**Exemple** ■

On reçoit un lot de 10 000 vis. Le plan d'échantillonnage suivant est utilisé : $n = 125$, $c = 10$. Un échantillon de 125 unités doit donc être prélevé du lot reçu. Si 10 unités défectueuses ou moins sont trouvées dans l'échantillon, le lot est accepté. Si ce nombre est égal ou supérieur à 11, le lot est refusé.

Un niveau de qualité est la proportion d'unités défectueuses (représentée par $p$) dans un lot donné ($N$), et il est généralement exprimé en pourcentage, quoique la tendance actuelle soit de l'exprimer en ppm, ou parties par million.

Quelle est l'utilité du contrôle par échantillonnage ? Le contrôle unitaire n'est pas toujours efficace ou économique. Dans certains cas, comme dans le contrôle par test destructif, il est évidemment impossible de l'appliquer. On a alors recours au contrôle par échantillonnage statistique, qui comporte cependant deux risques : le risque du fournisseur-producteur et le risque du client-acheteur.

Le **risque du fournisseur** est la probabilité que son client refuse un bon lot lors d'un contrôle de réception par échantillonnage. Ce risque est représenté par le symbole α. Dans ce cas, le fournisseur risque d'être injustement pénalisé si le bon lot refusé lui est retourné à ses frais, et s'il doit le remplacer. Quelquefois, il doit même assumer les coûts d'une pénalité si la production arrête à cause d'un tel refus. Un niveau de qualité, appelé niveau de qualité acceptable (NQA), est choisi. À ce niveau, le risque du fournisseur est en effet acceptable. Habituellement, le risque α est d'environ 5 %. Cela signifie que le fournisseur accepte que ses bons lots soient refusés par un client dans 5 % des cas ou moins.

Le **risque du client** est représenté par le symbole β. Contrairement à ce que plusieurs pensent, ce n'est pas le risque ou la probabilité d'accepter un mauvais lot, mais celle d'accepter un lot d'un niveau de qualité à peine toléré, dont la probabilité (que ce niveau de qualité se présente) est elle-même très réduite. Ce niveau de qualité toléré (NQT) est le pire niveau de qualité qui serait éventuellement toléré par le client.

Bien qu'il existe actuellement de nombreux logiciels de contrôle statistique de la qualité (CSQ) qui font tous les calculs relatifs au contrôle par échantillonnage et au contrôle statistique des processus (CSP), il est utile de comprendre comment se font ces calculs afin de pouvoir interpréter les résultats issus de l'ordinateur. Examinons ces calculs en soulignant qu'ils utilisent des approximations basées sur une distribution de Poisson. Celle-ci n'est applicable que si la proportion d'unités défectueuses dans les lots contrôlés $p$ est petite et ne dépasse pas en tout cas 10 %, que la taille des échantillons $n$ est relativement grande et dépasse 15, et que le rapport lot/échantillon $N/n$ est aussi relativement grand et dépasse 10.

Une table de Poisson (annexe C, table 4) est utilisée pour calculer la probabilité $Pa$ d'accepter un lot, en se basant sur les valeurs de $n$, de $c$ et de $p$. Dans cette table, les rangées correspondent à différentes valeurs de $np$, et les colonnes à différentes valeurs de $c$. Pour toutes valeurs de $np$ et de $c$, la table donne la valeur correspondant à la probabilité d'acceptation de ce lot $Pa$. Cela permet de calculer le risque du fournisseur et celui du client pour un niveau de qualité acceptable ou toléré ou tout autre niveau donné ($p$), et un plan d'échantillonnage précis dont les caractéristiques sont exprimées en termes de $n$ et de $c$.

---

**Exemple** ■

Si un échantillon de 120 unités est prélevé d'un lot de 1 300 unités, et si la proportion d'unités défectueuses dans ce lot est de 2 % (ou 0,02), quelle est la probabilité d'accepter ce lot si le critère d'acceptation est 4 ? Quelle est la probabilité de refus ? Que signifie le critère d'acceptation ?

***Solution***

En d'autres termes, nous avons : $N = 1\ 300$, $n = 120$, $p = 2\ \%$ et $c = 4$. Nous cherchons $Pa$.

Dans la table de Poisson, $np = 120 \times 0{,}02 = 2{,}4$, et pour $c = 4$, $Pa = 904$, soit 90,4 %. Donc, il y a une probabilité de 90,4 % d'accepter le lot et une probabilité de (100 – 90,4) ou de 9,6 % de le refuser (1 – 0,904 = 0,096 = 9,6 %).

Le critère d'acceptation 4 signifie que si nous trouvons 4 unités défectueuses ou moins dans l'échantillon, le lot est accepté ; si nous en trouvons plus de 4, il est refusé.

Vu que le contrôle par échantillonnage statistique comporte des risques, il est utile et nécessaire d'en mesurer l'efficacité. L'efficacité d'un plan d'échantillonnage ($n$, $c$) est sa capacité à séparer les bons lots des lots défectueux. Plus cette capacité est grande, plus cette efficacité est élevée, et plus les risques sont réduits. Il est évident qu'une efficacité de 100 % correspond à une absence de risques. C'est généralement le cas du contrôle unitaire, où l'on vérifie toutes les unités d'un lot. Il existe des techniques appropriées pour mesurer l'efficacité d'un échantillonnage. Les risques du contrôle par échantillonnage diminuent significativement, tant pour le producteur que pour le client, avec l'amélioration de la qualité produite.

Prenons un cas où tous les lots qui comportent 4 % ou moins d'unités défectueuses sont considérés comme bons et peuvent être acceptés. Pour un contrôle unitaire efficace, la courbe d'efficacité est représentée par une ligne brisée ABCDE, ou courbe idéale en Z. Tous les lots de plus de 4 % sont donc de mauvais lots à refuser. Il n'y a ici aucun risque d'erreur ; la séparation entre bons lots et mauvais lots est parfaite. La courbe d'efficacité d'un plan d'échantillonnage donné ($n$, $c$) est représentée par la courbe ACE (figure 17.7).

Pour une valeur de $p$ donnée, la distance comprise entre la courbe ACE et la courbe idéale ABCDE représente l'erreur ou le risque qui découle de l'utilisation de

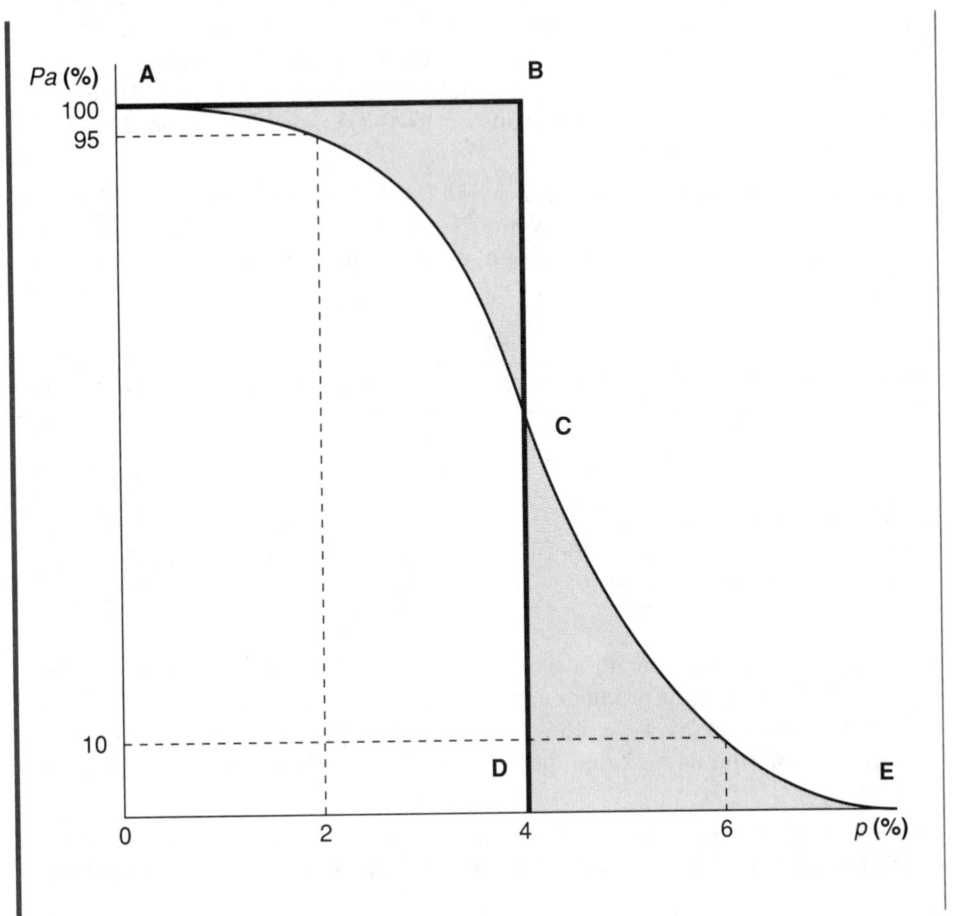


**FIGURE 17.7**
**La courbe d'efficacité**

ce plan d'échantillonnage. À titre d'exemple, pour $p$ = 4 % l'erreur est de 50 %, et pour $p$ = 2 % l'erreur est de (100 – 95), ou 5 %. Les fournisseurs qui veulent réduire leur risque adoptent en effet un niveau de qualité acceptable NQA, qui réduit sensiblement leur risque $\alpha$ de, disons, 50 % à 5 % tout en améliorant la qualité de 4 % à 2 %. Pour le client, le niveau de qualité toléré NQT est choisi (ici 6 %) pour réduire à, disons, 10 % le risque $\beta$ d'accepter une telle qualité.

Pour tracer une courbe d'efficacité, on peut généralement employer la distribution de Poisson comme approximation acceptable de la distribution des unités défectueuses. Dans ces cas, on peut calculer la probabilité d'acceptation d'un lot à un niveau donné de qualité, c'est-à-dire la probabilité que l'échantillon tiré de ce lot contienne un nombre d'unités défectueuses égal ou plus petit que le critère d'acceptation $c$. On peut aussi utiliser des tables ou des abaques qui donnent directement cette probabilité pour différentes valeurs de $np$ (la proportion estimée des unités défectueuses dans le lot multipliée par la taille de l'échantillon utilisé) et de $c$.

**Exemple** ■

Lors de la réception d'un lot de 1 500 pièces, on tire un échantillon de 100 unités. On décide d'accepter le lot si l'échantillon contient 5 unités défectueuses ou moins. Comment évaluer le risque du fournisseur si le niveau de qualité acceptable est de NQA = 2,5 % (pourcentage d'unités défectueuses par lot) ? Si le risque du client est de 10 %, quel est le niveau de qualité toléré NQT ? Si le client ne tolère pas plus de 7,5 % d'unités défectueuses dans un lot (NQT) avec un risque de 10 %, que doit-on faire ?

*Solution*

Le plan d'échantillonnage est ici de $n = 100$, $c = 5$. On peut utiliser les tables de Poisson vu que $p < 10\,\%$, $n > 15$, $N/n > 10$. À partir des valeurs de la table de Poisson (annexe C) et du tableau suivant, on trace alors la courbe d'efficacité $p$, $Pa$ (figure 17.8).

| ***p*** | ***np*** | ***Pa*** | ***p*** | ***np*** | ***Pa*** |
|---|---|---|---|---|---|
| 0,01 | 1 | 0,999 | 0,06 | 6 | 0,446 |
| 0,02 | 2 | 0,983 | 0,07 | 7 | 0,301 |
| 0,03 | 3 | 0,916 | 0,08 | 8 | 0,191 |
| 0,04 | 4 | 0,785 | 0,09 | 9 | 0,116 |
| 0,05 | 5 | 0,616 | 0,10 | 10 | 0,067 |

Sur la courbe, on peut voir qu'à $p$ = 2,5 % la probabilité d'acceptation est de $Pa$ = 95 %. Le risque du producteur est donc de $\alpha = (1 - Pa) = (1 - 0{,}95) = 0{,}05$ ou 5 %. Pour un NQT de 7,5 %, le risque du client, toujours d'après cette courbe, est d'environ 24 %, ce qui dépasse significativement le $\beta$ de 10 % exigé par le client.

Il est donc évident que le plan d'échantillonnage $n = 100$, $c = 5$ répond à l'exigence du producteur mais non à celle du client. On doit alors changer ce plan pour un

*(suite)*

**Exemple** *(suite)*

plan qui passe par les deux points NQA, (1 – α ) et NQT, β. Pour ce faire et pour α = 5 % et β = 10%, on utilise le tableau suivant* :

| $c$ | **Valeurs de $np_2$ / $np_1$ ($p_1$ = NQA et $p_2$ = NQT)** | **Valeurs de $np_1$** |
|---|---|---|
| 0 | 44,890 | 0,052 |
| 1 | 10,946 | 0,355 |
| 2 | 6,509 | 0,818 |
| 3 | 4,890 | 1,366 |
| 4 | 4,057 | 1,970 |
| 5 | 3,549 | 2,613 |
| 6 | 3,206 | 3,286 |
| 7 | 2,957 | 3,981 |
| 8 | 2,768 | 4,695 |
| 9 | 2,618 | 5,426 |
| 10 | 2,497 | 6,169 |

Comme il y a une taille unique d'échantillon $n$, donc $np_2 / np_1 = p_2 / p_1$ = NQT / NQA.

* Ce tableau est tiré d'un tableau plus complet indiquant toutes les valeurs pour différents α et β.

Comme NQA = $p_1$ = 2,5 % et NQT = $p_2$ = 7,5 %, donc $p_2 / p_1$ = 3. Cette valeur correspond, dans la table, à $c$ = 7 ($p_2 / p_1$ = 2,957). On calcule la valeur de $n$ ainsi : comme $np_1$ = 3,981, donc ($n$ × NQA) = 3,981 et $n$ = 3,981 / 0,025 = 159,24, d'où $n$ = 160. Le plan d'échantillonnage qui satisfait tant aux exigences du producteur qu'à celles du client est donc $n$ = 160, $c$ = 7.

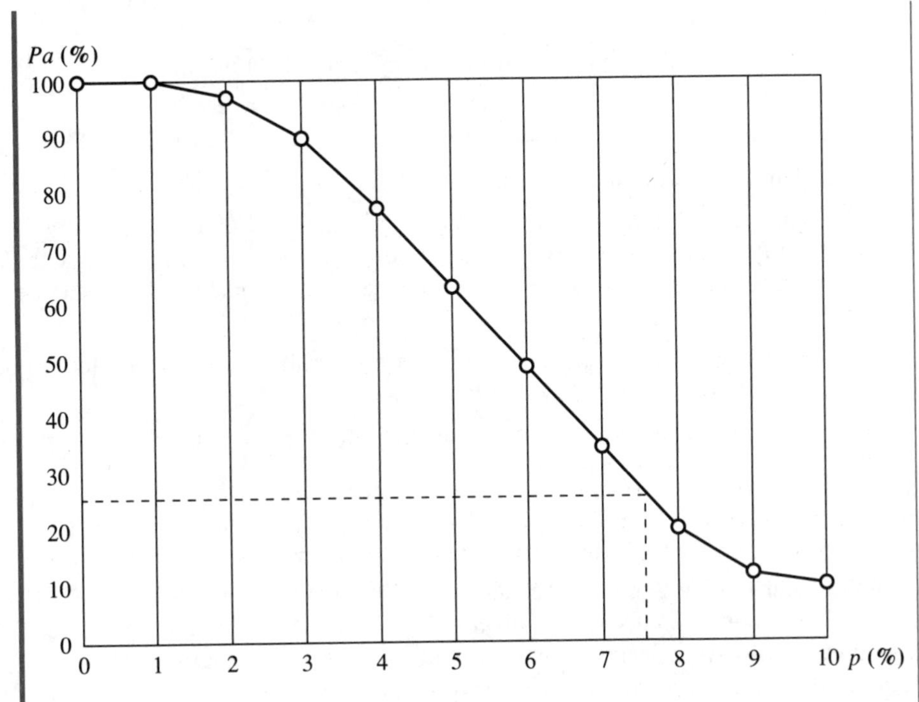


**FIGURE 17.8**
**La courbe d'efficacité**

Afin de faciliter le processus du choix d'un plan d'échantillonnage, plusieurs tables ont été préparées. Parmi les plus utilisées, mentionnons les tables de la norme MIL-STD. 105D. Cette norme présente un certain nombre de tables qui permettent d'établir les valeurs de $n$ et de $c$, pour un lot de taille $N$ et pour un niveau de qualité acceptable NQA donnés. Cette norme comprend principalement une table de lettres-codes (table 5) et neuf tables d'échantillonnage, soit trois types d'échantillonnage : réduit, normal et important, et, pour chaque type, trois catégories d'échantillonnage : simple, double et multiple.

| | **Simple** | **Double** | **Multiple** |
|---|---|---|---|
| **Réduit** | SR | DR | MR |
| **Normal** | SN | DN | MN |
| **Important** | SS | DS | MS |

Nous nous limiterons ici à la table de contrôle simple et normal (SN), soit la table 5 – suite. Cette norme permet de déterminer, pour une taille de lot donné ($N$) et un niveau de contrôle particulier, une valeur de $n$ et de $c$ (ou $Ac$ comme indiqué dans ces tables). À moins d'avis contraire, on doit toujours utiliser, dans la table des lettres-codes, le niveau général de contrôle II. Les valeurs de NQA, dans ces tables, sont exprimées en pourcentage d'unités défectueuses pour les valeurs allant jusqu'à 10, ou en nombre de défauts par 100 unités pour toutes les autres valeurs indiquées. Un produit défectueux peut comporter un ou plusieurs défauts.

Pour utiliser la table MIL–STD. 105D (annexe C, table 5), on doit procéder ainsi :

1. Utiliser la table des lettres-codes pour déterminer la lettre-code qui correspond à la taille du lot ($N$).
2. Utiliser la table d'échantillonnage de contrôle simple et normal et lire la valeur ($n$) correspondant à la lettre trouvée à l'étape 1.
3. Lire la valeur de $c$ (ou $Ac$) sous une valeur donnée ou choisie de NQA.
4. Le plan d'échantillonnage est $n$, $c$.
5. Calculer le risque $\alpha$ du fournisseur comme suit. Multiplier $n$ par NQA : on obtient une valeur de $np$ ; dans la table de Poisson (table 4), lire la valeur $Pa$ correspondant au $np$ calculé, et la colonne correspondant à la valeur de $c$ trouvée à l'étape 3.
6. Calculer $\alpha = (1 - Pa)$, puisque $Pa$ est la probabilité d'accepter un lot et que $\alpha$ est la probabilité de refuser ce lot.
7. Répéter ces calculs pour NQT et calculer $\beta$ qui est égal au $Pa$ correspondant à ($n \times$ NQT) et à la valeur de $c$.

**Exemple** ■

Un fournisseur livre des ampoules électriques à l'un de ses clients, par lots de 400 unités. Ils se sont entendus sur un niveau de qualité acceptable de 1,5 %. Quel plan d'échantillonnage le client devrait-il utiliser d'après la norme MIL-STD. 105D ?

*(suite)*

*Solution*

Aucun niveau général de contrôle n'étant précisé, on prend le niveau général II, dans le tableau des lettres-codes (table 5). Pour un lot de 400 unités, on trouve la lettre H. Dans la table du contrôle simple et normal (table 5 – suite) correspondant à la lettre H on lit : $n = 50$ et, pour un NQA de 1,5 %, $Ac$ (ou $c$) = 2. Le plan d'échantillonnage est donc : $n = 50$, $c = 2$.

Pour un plan d'échantillonnage donné, la qualité moyenne transmise (QMT) est le niveau moyen de la qualité réelle des lots qui entrent dans un système après être passés par un contrôle basé sur ce plan.

Comment peut-on calculer le nombre d'unités défectueuses qui passent par le contrôle ? En émettant l'hypothèse que tout lot refusé est soumis à un contrôle unitaire et que les unités défectueuses sont remplacées, le calcul de la QMT se fait comme suit : pour un lot qui a été accepté, les unités défectueuses découvertes dans l'échantillon $n$ sont remplacées par de bonnes unités. Il reste, dans la portion non contrôlée du lot, une proportion de $p$ unités défectueuses, soit un nombre de $(N - n)p$. La probabilité de cet événement est $Pa$, d'où :

Nombre d'unités défectueuses = $Pa(N - n)p$.

Pour obtenir la qualité moyenne transmise, on divise ce nombre par la taille du lot :

$$\text{QMT} = \frac{Pa\,(N - n)\,p}{N}$$

Il faudrait ajouter à cette valeur le nombre d'unités défectueuses qui passent par le contrôle en cas de refus du lot. Dans l'hypothèse où les unités défectueuses sont remplacées, ce nombre est évidemment égal à zéro.

La courbe QMT est tracée avec, en abscisse, différentes valeurs de $p$ (soit $p_1$, $p_2$, $p_3$, $p_4$, $p_5$, etc.) et, en ordonnée, les valeurs équivalentes des QMT (soit $\text{QMT}_1$, $\text{QMT}_2$, $\text{QMT}_3$, $\text{QMT}_4$, etc.), comme il est illustré dans l'exemple suivant.

**Exemple** ■

Pour un plan d'échantillonnage $n = 100$, $c = 5$ avec des lots de $N = 1\,500$ unités, tracer une courbe QMT.

*Solution*

On n'a qu'à préparer le tableau suivant en calculant, pour diverses valeurs de $p$, les valeurs correspondantes de la QMT.

| *p* | *np* | *Pa* | QMT |
|---|---|---|---|
| 0,01 | 1 | 0,999 | 0,009 32 |
| 0,02 | 2 | 0,983 | 0,018 35 |
| 0,03 | 3 | 0,916 | 0,025 65 |
| 0,04 | 4 | 0,785 | 0,029 31 |
| 0,05 | 5 | 0,616 | 0,028 75 |
| 0,06 | 6 | 0,446 | 0,024 97 |
| 0,07 | 7 | 0,301 | 0,019 66 |
| 0,08 | 8 | 0,191 | 0,014 26 |
| 0,09 | 9 | 0,116 | 0,009 74 |
| 0,10 | 10 | 0,067 | 0,006 25 |

*(suite)*

**FIGURE 17.9** ▶
**La courbe de la qualité moyenne transmise (QMT)**

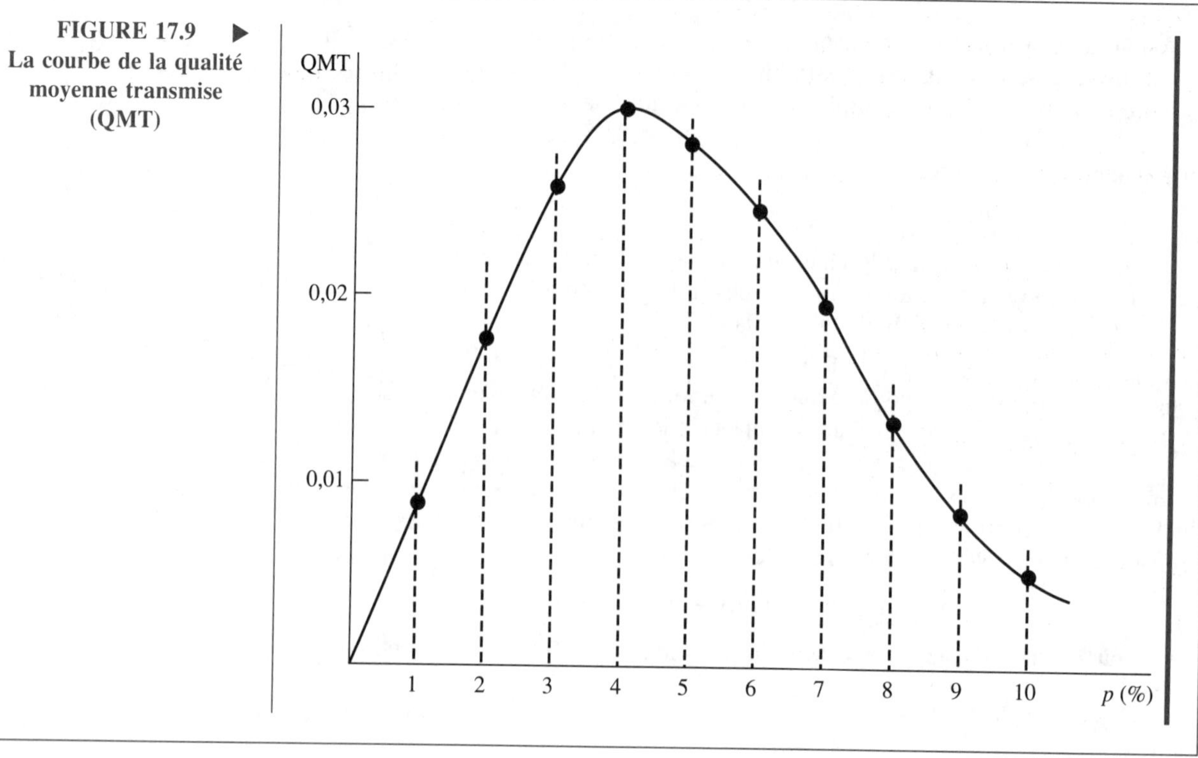


La qualité moyenne transmise limite, ou QMTL, est la pire qualité qui serait acceptée lors de ce contrôle avec ce plan d'échantillonnage. Dans notre exemple, la QMTL est de 2,931 et elle survient si la qualité présentée est d'un niveau $p = 4\ \%$.

On observe que la QMT est relativement bonne si la qualité présentée est soit très bonne, soit très faible (les deux extrémités de la courbe à la figure 17.9). Elle est moins bonne entre ces deux extrêmes, ce qui s'explique comme suit :

- si la qualité présentée est bonne, la qualité transmise est logiquement bonne ;
- si la qualité présentée est très faible (grand nombre d'unités défectueuses), la probabilité d'acceptation est aussi faible et, dans la majorité des cas, le lot est refusé, d'où le petit nombre d'unités défectueuses qui entrent dans le système après le contrôle ;
- entre ces deux cas, la qualité effectivement transmise est la pire, mais elle est toujours meilleure que $p$, soit le niveau de qualité correspondant des lots présentés (par exemple, pour $p = 4\ \%$, QMTL = 2,931).

Moins populaires que les tables d'échantillonnage par attributs, les tables d'échantillonnage par mesures (comme celles de la norme MIL-STD. 414) sont applicables lors du contrôle d'une caractéristique unique mesurable (poids, épaisseur, température, etc.). Pour en savoir plus long sur ce type d'échantillonnage, on pourra se référer à des ouvrages spécialisés, tel celui de Duncan[6] qui demeure un classique dans le domaine.

En plus de l'échantillonnage statistique, le contrôle statistique de la qualité comprend le **contrôle statistique des processus** (CSP). Le concept de base du CSP est que tout processus, quel que soit son degré de précision, produit des variations.

Certaines de ces variations sont inhérentes au processus ; elles sont dues à des causes aléatoires souvent non identifiables (au fait, on inclut dans cette catégorie certaines causes identifiables mais non contrôlables, comme c'est le cas, par exemple, des variations de la température ambiante dues à des changements climatiques). Par contre, d'autres variations sont dues à des causes identifiables et contrôlables, qu'on devrait rechercher et éliminer s'il le faut. Pour surveiller un processus et essayer d'éliminer les variations qui sont dues à des causes identifiables, on utilise des cartes de contrôle. On doit ensuite mesurer la **capacité opérationnelle** d'un processus à respecter les spécifications ou l'intervalle de tolérance requis pour un produit donné.

Un processus qui engendre des variations dues à des causes identifiables est dit hors de contrôle. Ces variations peuvent être causées par l'usure d'un outil, le dérèglement d'une machine, la négligence d'un opérateur, ou être dues à une matière première inadéquate, à une panne d'électricité... Les variations non identifiables et inhérentes au processus sont aléatoires ; elles sont dues au hasard et, comme tout phénomène dû au hasard, elles suivent une distribution normale.

Le contrôle statistique des processus a deux objectifs : 1. vérifier si les variations produites par un processus sont dues à des causes identifiables (processus hors de contrôle) ou non identifiables (processus sous contrôle) ; 2. vérifier si le processus, lorsqu'il est sous contrôle, peut respecter la tolérance établie. Cette vérification se fait simplement en comparant l'étendue des variations produites par le processus (inhérentes au processus) et l'intervalle de tolérance établi. Pour le premier, on utilise les **cartes de contrôle** ; pour le second, on procède à une **étude de capacité opérationnelle**.

Comment peut-on construire une carte de contrôle ? Si on fait pivoter la courbe d'une distribution normale de 90°, la ligne horizontale qui passe par la moyenne de cette distribution est l'axe central de la carte de contrôle. Les lignes s'écartant de trois écarts types au haut et au bas de cet axe sont la limite supérieure de contrôle (LSC) et la limite inférieure de contrôle (LIC) (figure 17.10). De façon générale, les variations qui se trouvent entre ces limites sont considérées comme étant dues à des causes non identifiables si elles suivent une distribution normale. Les variations qui

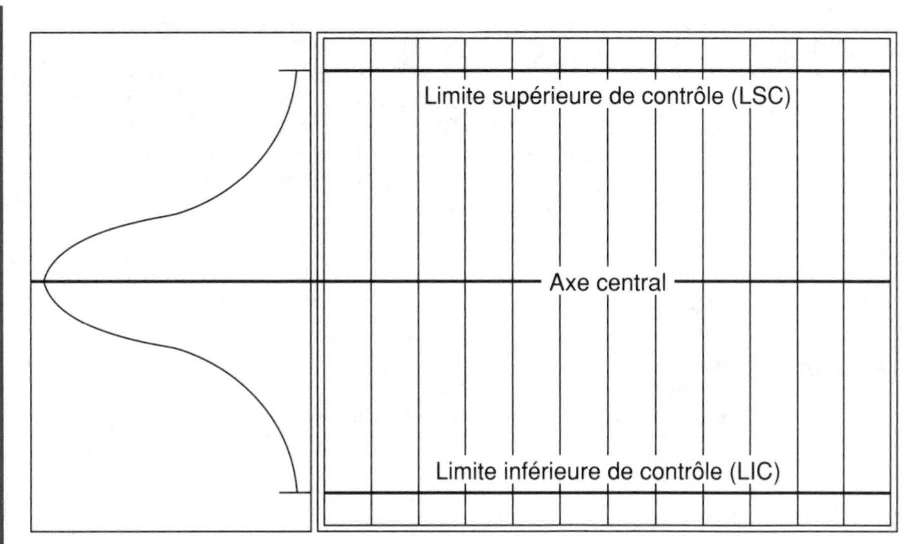


**FIGURE 17.10**
**Une carte de contrôle**

dépassent ces limites ou qui ne suivent pas de distribution normale sont dues à des causes identifiables.

Il existe deux types de cartes de contrôle : les cartes de contrôle par mesures (par variables) et les cartes de contrôle par attributs. Les cartes de contrôle par mesures utilisent des variables mesurables telles que la longueur, le poids, la largeur, le degré de température, la vitesse... Les cartes de contrôle par attributs utilisent une évaluation de type « bon » ou « mauvais ». Par exemple, une ampoule électrique s'allume-t-elle ou non ? Y a-t-il une étiquette sur la bouteille ou non ? Combien d'erreurs de facturation relève-t-on cette semaine ? Combien y a-t-il eu d'accidents sur une autoroute donnée ? Combien d'étudiants ont réussi ou échoué ?

La **carte de contrôle par mesures** le plus utilisée, soit la carte moyennes-étendues ou carte $\overline{X}$-$E$, est constituée de deux cartes : la carte $\overline{X}$, ou **carte des moyennes**, et la carte $E$, ou **carte des étendues**.

Pour construire une carte de contrôle $\overline{X}$-$E$, il faut procéder comme suit :

1. Calculer la moyenne pour chaque échantillon, soit $\overline{X}_1$, $\overline{X}_2$, $\overline{X}_3$, $\overline{X}_4$, ...
2. Additionner toutes les moyennes des échantillons et calculer la moyenne des moyennes $\overline{\overline{X}}$.
3. Calculer l'étendue de chaque échantillon $E_1$, $E_2$, $E_3$, $E_4$, ...
4. Calculer la moyenne des étendues $\overline{E}$.
5. Calculer la limite supérieure de contrôle pour la carte $\overline{X}$ à partir de l'équation suivante : LSC = $\overline{\overline{X}} + A_2\overline{E}$.
6. Calculer la limite inférieure de contrôle pour la carte $\overline{X}$ à partir de l'équation suivante : LIC = $\overline{\overline{X}} - A_2\overline{E}$.
7. Calculer la limite supérieure de contrôle pour la carte $E$ : LSC = $D_4\overline{E}$.
8. Calculer la limite inférieure de contrôle pour la carte $E$ : LIC = $D_3\overline{E}$.

(Les valeurs de $A_2$, de $D_3$ et de $D_4$ sont données à la table 6.)

**Exemple** ■

| **Échantillon** | **1** | **2** | **3** | **4** | **5** | **6** | **7** | **8** | **9** | **10** |
|---|---|---|---|---|---|---|---|---|---|---|
| | 5,8 | 5,5 | 5,6 | 5,3 | 5,4 | 5,8 | 5,5 | 5,3 | 5,5 | 5,9 |
| | 5,0 | 5,3 | 5,2 | 5,4 | 5,6 | 5,4 | 5,2 | 5,5 | 5,1 | 5,3 |
| | 5,5 | 5,4 | 5,4 | 5,6 | 5,7 | 5,3 | 5,6 | 5,6 | 5,3 | 5,1 |
| | 5,6 | 5,7 | 5,2 | 5,5 | 5,5 | 5,5 | 5,4 | 5,7 | 5,4 | 5,4 |
| **Total** | 21,9 | 21,9 | 21,4 | 21,8 | 22,2 | 22,0 | 21,7 | 22,1 | 21,3 | 21,7 |
| **Moyenne** | 5,5 | 5,5 | 5,3 | 5,5 | 5,6 | 5,5 | 5,4 | 5,5 | 5,3 | 5,4 |
| **Étendue** | 0,8 | 0,4 | 0,4 | 0,3 | 0,3 | 0,5 | 0,4 | 0,4 | 0,4 | 0,8 |

Moyenne des moyennes :

$$\overline{\overline{X}} = \frac{5{,}5 + 5{,}5 + 5{,}3 + 5{,}5 + 5{,}6 + 5{,}5 + 5{,}4 + 5{,}5 + 5{,}3 + 5{,}4}{10}$$

$$\overline{\overline{X}} = 5{,}45$$

*(suite)*

**Exemple** *(suite)*

Étendue moyenne pour tous les échantillons :

$$\overline{E} = \frac{0{,}8 + 0{,}4 + 0{,}4 + 0{,}3 + 0{,}3 + 0{,}5 + 0{,}4 + 0{,}4 + 0{,}4 + 0{,}8}{10}$$

$$\overline{E} = 0{,}5$$

Limites de contrôle :

$LSC = \overline{\overline{X}} + A_2\overline{E}$ ; $LIC = \overline{\overline{X}} - A_2\overline{E}$

$LSC = 5{,}45 + (0{,}729 \times 0{,}5) = 5{,}8$ ; $LIC = 5{,}45 - (0{,}729 \times 0{,}5) = 5{,}1$

La valeur $A_2\overline{E}$ est une approximation de trois écarts types ($3\sigma$).

Par la suite, on procède au calcul des limites de contrôle de la carte $E$ :

$LSC = D_4 \times \overline{E}$ ; $LIC = D_3 \times \overline{E}$

Les résultats sont : $LSC = 2{,}282 \times 0{,}5 = 1{,}14$ ; $LIC = 0$.

On peut alors tracer la carte des moyennes et celle des étendues (figures 17.11 et 17.12).

Par la suite, si le processus est sous contrôle et si la distribution des variations (moyennes des échantillons) suit une courbe normale, on mesure la **capacité opérationnelle** du processus à respecter l'intervalle de tolérance spécifié (figure 17.13). Cela veut dire que pour respecter la tolérance de variation spécifiée, l'étendue des variations produites par le processus doit tomber à l'intérieur de l'intervalle de tolérance requis. On calcule le coefficient de capacité opérationnelle ($Cp$) comme suit :

$$Cp = \frac{\text{Intervalle de tolérance}}{\text{Étendue du procédé}}$$

L'intervalle de tolérance est déterminé par le client ou l'ingénieur ; l'étendue des variations* produites par le processus ($6\sigma_X$) est calculée par l'approximation suivante :

$$\text{Étendue du procédé} = \frac{6\overline{E}}{d_2}$$

La valeur de $d_2$ est indiquée à la table 6. L'étendue des variations que produit un processus doit être inférieure à l'intervalle de tolérance ; $Cp$ doit donc être supérieur à 1. Dans l'industrie de l'automobile, on recherche un $Cp = 1{,}33$. Actuellement, plusieurs entreprises visent un $Cp = 2$.

Les **cartes de contrôle par attributs** sont utilisées lors d'un contrôle où une unité est jugée bonne ou défectueuse, ou encore lorsqu'on traite de défauts dans les unités produites, sans être obligé de mesurer. Les cartes de contrôle par attributs sont plus simples à construire que celles par mesures, la collecte des données est plus aisée et le contrôle lui-même est moins complexe. A-t-on percé ou non un trou ? A-t-on percé le nombre exact de trous ? La couleur d'un article est-elle comparable à un échantillon donné ? Cependant, les cartes de contrôle par attributs donnent à l'utilisateur moins de renseignements sur le processus contrôlé.

* Variations des données individuelles $X$ et non des moyennes $\overline{X}$.

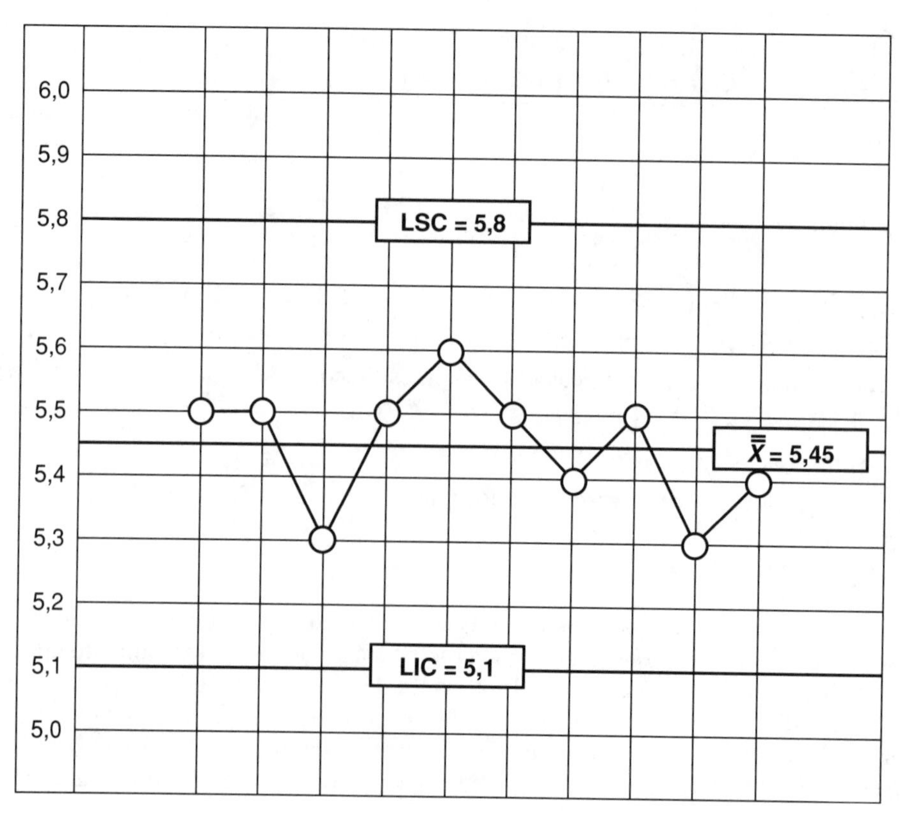


**FIGURE 17.11** ▶ La carte des moyennes des échantillons

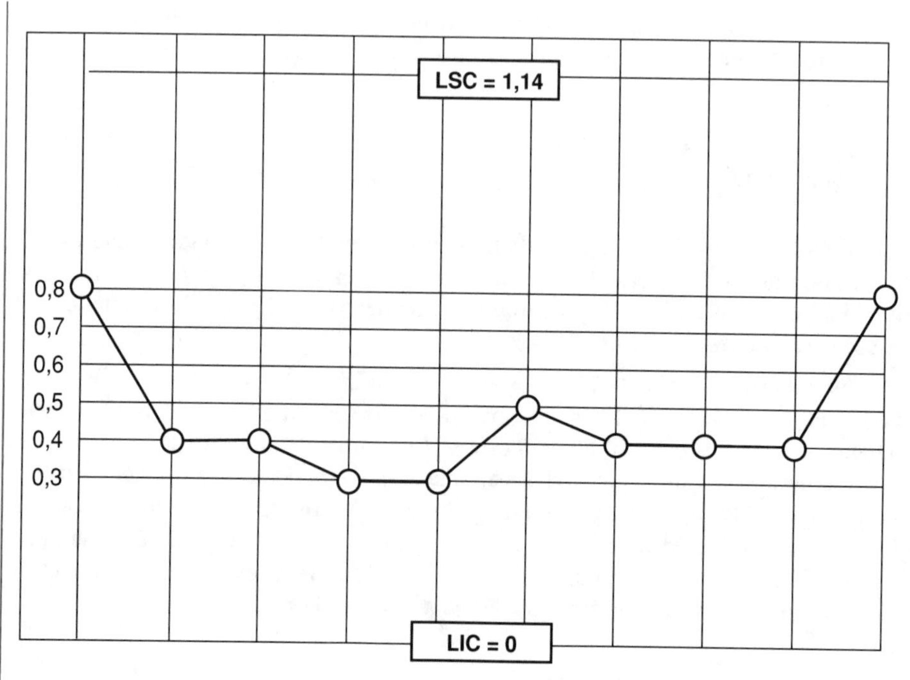


**FIGURE 17.12** ▶ La carte des étendues des échantillons

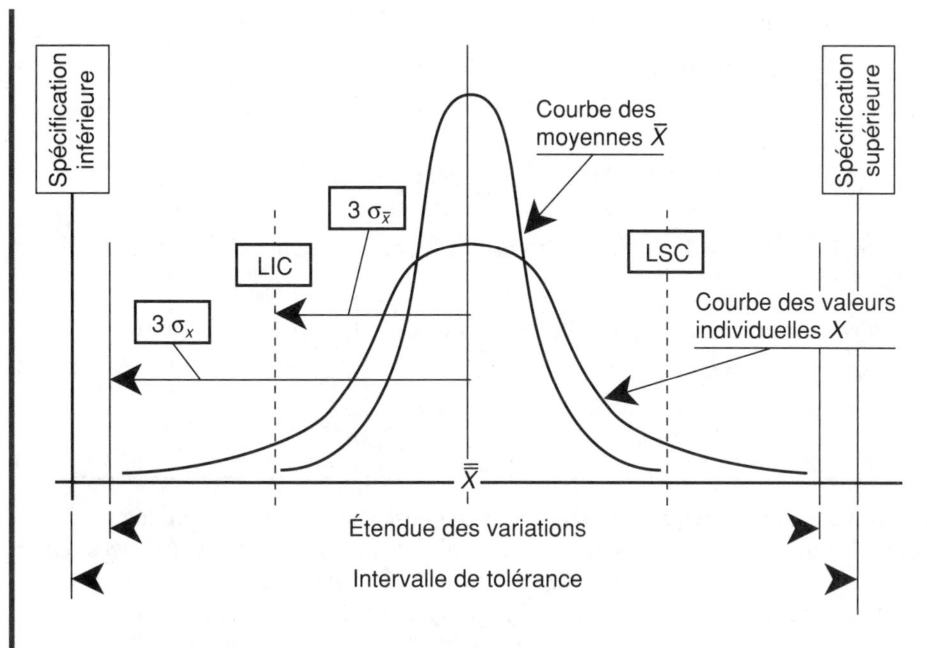


**FIGURE 17.13**
**Le calcul de la capacité opérationnelle**

Tout comme les cartes de contrôle par mesures, les cartes de contrôle par attributs ont un axe central et des limites de contrôle supérieure et inférieure situées à plus ou moins trois écarts types de la moyenne. Cependant, les cartes de contrôle par attributs ne comportent pas de cartes d'étendue. L'utilisation d'une carte de contrôle par attributs ne signifie aucunement qu'on admet qu'un processus produise des unités défectueuses ou qu'on vise à en produire volontairement. Cette utilisation a en fait un double objectif: 1. réduire le taux de défauts; 2. vérifier si ce taux (si petit soit-il) varie d'une façon aléatoire, ce qui indiquerait que ces variations ne sont pas dues à des causes identifiables.

Nous présentons ici un type de carte de contrôle par attributs, soit la carte $p$. Cette carte est utilisée lorsque l'on considère, dans un contrôle, la proportion $p$ d'unités défectueuses produites dans un échantillon donné. Cette carte s'applique généralement dans le cas où on contrôle une production totale, ou une partie de celle-ci, pour une période de temps donnée: un jour, une semaine, ... Dans ce cas, l'échantillon peut être l'ensemble d'une population ou une partie de celle-ci, contrairement aux cartes de contrôle par mesures où l'échantillon se compose généralement de 4 ou 5 unités.

Pour construire une carte $p$, on procède ainsi:

1. Pour l'ensemble des unités contrôlées, on calcule la proportion moyenne d'unités défectueuses: c'est l'axe central.
2. On calcule les limites de contrôle d'après la formule:

$$LC = \bar{p} \pm 3\sqrt{\frac{\bar{p}\,(1-\bar{p})}{n}}$$

où $p$ = proportion moyenne d'unités défectueuses,

$n$ = nombre d'unités par échantillon,

$\sqrt{\frac{\bar{p}(1-\bar{p})}{n}}$ approximation de l'écart type.

Si la valeur de la limite inférieure de contrôle est négative, cette limite est placée à zéro.

Prenons un exemple pour illustrer les calculs relatifs à une carte $p$.

**Exemple**

■

Le tableau suivant indique les données recueillies pour 10 jours de production ; il montre les quantités produites et le nombre d'unités défectueuses *np* détectées par jour (*n* est la quantité produite pour un jour donné, et *p* est la proportion d'unités défectueuses dans cette quantité). Soulignons que le présent exemple sert à illustrer la construction d'une carte de contrôle et que, de ce fait, il se limite à 10 échantillons ou sous-groupes de données. En pratique, cependant, une carte de contrôle doit comporter plus d'une vingtaine de points pour permettre une meilleure interprétation des résultats.

Pour construire une carte *p* (figure 17.14), on détermine en premier le total d'unités produites pour les 10 jours (20 000) ainsi que le nombre total des unités défectueuses (440) détectées durant ces 10 jours. On calcule alors le *p* moyen en divisant 440 par 20 000, ce qui donne 0,22. On passe ensuite au calcul des limites de contrôle.

| Nº | *n* | *np* | *p* | Nº | *n* | *np* | *p* |
|---|---|---|---|---|---|---|---|
| 1 | 2 000 | 32 | 0,016 | 6 | 2 000 | 54 | 0,027 |
| 2 | 2 000 | 38 | 0,019 | 7 | 2 000 | 38 | 0,019 |
| 3 | 2 000 | 72 | 0,036 | 8 | 2 000 | 36 | 0,018 |
| 4 | 2 000 | 34 | 0,017 | 9 | 2 000 | 42 | 0,021 |
| 5 | 2 000 | 38 | 0,019 | 10 | 2 000 | 56 | 0,028 |
| Total 1 | | 214 | | Total 2 | | 226 | |
| TOTAL | | | | | 20 000 | 440 | 0,022 |

*(suite)*

Calcul des limites de contrôle :

$$LC = \bar{p} \pm 3\sqrt{\frac{\bar{p}(1-\bar{p})}{n}}$$

**Exemple**
*(suite)*

$$\text{LC} = 0{,}022 \pm 3\sqrt{\frac{0{,}022 \times 0{,}978}{2\,000}}$$

$$= 0{,}022 \pm 0{,}0098 = 0{,}022 \pm 0{,}01$$

ou LSC = 0,032 et LIC = 0,012.

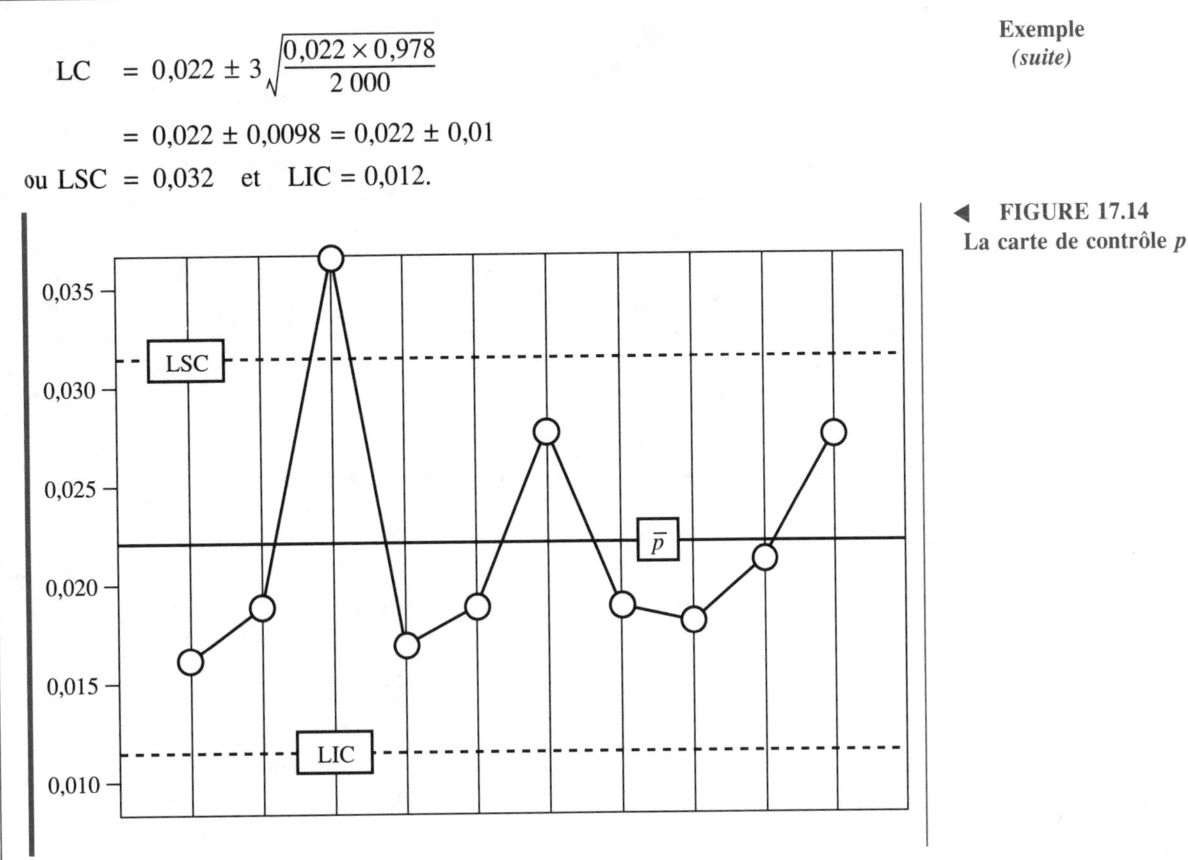


◄ **FIGURE 17.14**
**La carte de contrôle *p***

Notons que le troisième point est une valeur extrême. Si on a un point qui dépasse occasionnellement les limites de contrôle, il faut l'éliminer, recalculer les limites de contrôle et retracer la carte. En effet, ce point extrême peut provoquer une distorsion qui modifie les résultats et qui, par conséquent, peut mener à une interprétation inexacte des performances du processus. Dans notre exemple, en éliminant le point 3, les valeurs de l'axe central et des limites de contrôle demeurent inchangées (les changements sont minimes). Dans la nouvelle carte, le point 3 a disparu.

Bien qu'il soit important de savoir tracer une carte de contrôle, il est encore plus important de pouvoir en interpréter les résultats. L'interprétation d'une carte de contrôle permet de déterminer si le processus est sous contrôle ou hors de contrôle. Il est hors de contrôle si les variations autour de la moyenne ne suivent pas une distribution normale ; elles présentent alors une instabilité, un mouvement cyclique, une tendance à la hausse ou à la baisse, un changement soudain ou graduel, des points extrêmes (qui se détachent complètement du reste des points)…

## CONCLUSION

Actuellement, la mondialisation des marchés et de la concurrence fait que la qualité est considérée comme un facteur essentiel au succès d'une entreprise. L'approche de la qualité totale va même au-delà de la qualité des produits : elle vise la qualité de rendement pour l'actionnaire, la QVALITE pour le client en dépassant ses attentes et en le séduisant, la qualité de vie pour l'employé et la qualité de l'environnement pour la société.

En ce qui concerne la qualité des produits, il est évident qu'elle n'est pas l'effet du hasard ; elle doit être gérée. Les activités qui permettent de réaliser le niveau de qualité requis doivent être adéquatement planifiées et organisées, et le personnel doit être dirigé et sensibilisé à leur importance. Le contrôle de la qualité totale doit aller de la définition du besoin, en passant par la conception et le développement du produit, jusqu'à la liquidation de ce dernier une fois le besoin comblé. Finalement, l'assurance de la qualité garantira aux clients et aux fournisseurs la réalisation d'un niveau optimal de qualité.

La technologie qui permet de réaliser ce niveau de qualité comprend un ensemble intégré de techniques, d'outils, d'approches et de démarches, anciens et nouveaux. Parmi ces outils, l'échantillonnage statistique et le contrôle statistique des processus sont utilisés aux stades de la réception des matières, des produits en cours de fabrication et des produits finis.

## QUESTIONS DE RÉVISION

1. Le concept de la qualité totale inclut et dépasse la simple notion de qualité du produit. Expliquez en illustrant par des exemples. Discutez de l'impact de la qualité totale sur les performances économiques de l'entreprise.
2. Un système d'assurance de la qualité requiert un certain nombre d'auditions pour atteindre ses objectifs. Quels sont ces objectifs et en quoi consistent ces auditions ?
3. Pourquoi utilise-t-on le contrôle par échantillonnage malgré les risques qu'il représente ?
4. La gestion de la qualité n'est pas limitée aux seules activités de fabrication. Elle commence bien avant que le produit existe et demeure après qu'il ait quitté l'usine. Décrivez le cycle des activités concernant la qualité, de la définition du besoin jusqu'à la liquidation du produit.
5. Comment peut-on interpréter les résultats d'une carte de contrôle ?
6. Qu'est-ce qu'une étude de capacité opérationnelle et quel est son but ?
7. En utilisant le « cycle de la qualité », expliquez où et comment la qualité peut et doit être contrôlée.

## QUESTIONS DE DISCUSSION

1. La majorité des approches et des techniques utilisées par les Japonais dans le domaine de la qualité ont été créée aux États-Unis dans les années 20. Aujourd'hui, un nombre grandissant d'entreprises nord-américaines, inspirées par le succès des Japonais, commencent à appliquer ces techniques. Expliquez pourquoi elles ont attendu si longtemps pour appliquer des techniques qu'elles avaient toujours eues à portée de la main.
2. Historiquement, les activités de gestion de la qualité se sont limitées aux opérations de fabrication et d'assemblage, où elles consistaient en inspections et en tests, destructifs ou non. Quoique l'étendue des activités relatives à la qualité soit plus vaste, un grand nombre d'entreprises industrielles restreint encore ses efforts de qualité à un contrôle effectué dans l'usine. Discutez de cette situation.
3. Plusieurs fournisseurs considèrent que les exigences des donneurs d'ordres en matière d'assurance de la qualité sont inutiles, et qu'elles découlent de leur système bureaucratique. Pour les donneurs d'ordres, ces exigences représentent au contraire une garantie de la réalisation des niveaux de qualité requis. Commentez.
4. Quel rapport y a-t-il entre la gestion de la qualité d'une part, et la planification et le contrôle de la production et des stocks d'autre part ?
5. Expliquez à un dirigeant d'entreprise les nuances entre la gestion de la qualité, le contrôle de la qualité et l'assurance de la qualité.

## PROBLÈMES ET MISES EN SITUATION

**1.** La compagnie Dutronic vient d'introduire une carte de contrôle pour les relais TX-934. On a prélevé des échantillons de 300 pièces quotidiennement durant une période d'un mois. Les résultats suivants ont été enregistrés.

| Échantillon | Unités défectueuses | Échantillon | Unités défectueuses | Échantillon | Unités défectueuses |
|---|---|---|---|---|---|
| 1 | 12 | 10 | 11 | 19 | 16 |
| 2 | 3 | 11 | 2 | 20 | 2 |
| 3 | 9 | 12 | 10 | 21 | 5 |
| 4 | 4 | 13 | 9 | 22 | 6 |
| 5 | 0 | 14 | 3 | 23 | 0 |
| 6 | 6 | 15 | 0 | 24 | 3 |
| 7 | 6 | 16 | 5 | 25 | 2 |
| 8 | 1 | 17 | 7 | | |
| 9 | 8 | 18 | 8 | | |

*a*) Tracez une carte de contrôle à partir de ces résultats.

*b*) Commentez cette carte de contrôle.

*c*) Si, au lieu d'unités défectueuses, la deuxième colonne représentait des défauts et que l'échantillon se limitait à un relais, quel type de carte de contrôle utiliserait-on ?

*d*) Quelle est l'utilité d'une carte de contrôle ? Peut-elle servir dans une entreprise de services ? Si oui, donnez un exemple.

**2.** Visex inc. est une entreprise spécialisée dans la production de vis de toutes sortes. Le modèle VS-699 est produit en très grande quantité par une seule machine. L'opérateur est chargé de mesurer la longueur des vis afin de s'assurer que la production est uniforme. Voici le résultat des échantillons prélevés durant la dernière heure.

| Heure | N° de l'échantillon | Longueur |
|---|---|---|
| 13 h 00 | 1 | 22,1 22,9 21,0 21,4 21,6 22,0 |
| 13 h 15 | 2 | 22,2 21,1 21,2 21,8 22,0 21,9 |
| 13 h 30 | 3 | 21,0 21,5 21,4 22,0 22,1 21,7 |
| 13 h 45 | 4 | 21,6 21,1 22,3 21,2 21,0 21,3 |

Utilisez les fichiers sur la disquette fournie dans ce livre.

*a*) Quelle est la moyenne des observations ? des étendues ?

*b*) Quelles sont les limites inférieure et supérieure de la carte $\overline{X}$-$E$ ?

*c*) Tracez la carte de contrôle $\overline{X}$-$E$ relative au processus à l'étude.

*d*) Le processus est-il sous contrôle ou hors de contrôle ?

*e*) Si la spécification pour ce produit est 22±1, calculez le coefficient de capacité opérationnelle du processus.

## RÉFÉRENCES


1. ALTANY, D., « One Step Beyond Customer Satisfaction », *Industry Week*, 3 septembre 1990, p. 11-15.
2. BHOTE, K.R., « Design of Experiments Offers Powerful Tools for Quality Improvement », *National Productivity Review*, printemps 1992, p. 231-246.
3. BUZZELL, R.D. et B.T. GALE, *The PIMS Principles*, The Free Press, 1987.
4. CROSBY, P.B., *Quality Is Free*, New York, McGraw-Hill, 1979.
5. DALE, B.G., « Le déploiement de la politique qualité », *Qualité en mouvement*, n° 3, novembre 1991, p. 25-35.
6. DUNCAN, A.J., *Quality Control and Industrial Statistics*, Homewood, Illinois, Richard D. Irwin, 1974.
7. FINKELMAN, D. et T. GOLAND, « L'aventure du client mécontent », *Harvard-l'Expansion*, printemps, 1991, p. 17-22.

8. GILKS, J.F., « Total Quality : Wave of the Future », *Canadian Business Review*, printemps 1990.
9. HORNBLOWER, R., « La satisfaction du client en sept objectifs », *Nouvel Air*, vol. 1, nº 4, mai 1991, p. 7.
10. JARETT, J.R., « Extending the Boundaries of Total Quality Management », *Journal for Quality and Participation*, janvier-février 1992.
11. KANE, E.J., « Process Management Methodology Brings Uniformity to DBS », *Quality Progress*, juin 1992, p. 41-46.
12. LAPRADE, G., « Communication : Key to Quality », *Quality Digest*, janvier 1992, p. 75-79.
13. LEDOUX, O., « L'ingénierie simultanée : définition et enjeux », *Qualité en mouvement*, nº 3, novembre 1991, p. 41-48.

CHAPITRE 18

# Le juste-à-temps

MATTIO O. DIORIO *auteur principal*

JEAN NOLLET *collaborateur*

# INTRODUCTION

## 18.1 Un historique du juste-à-temps

Certains auteurs prétendent que l'idée du juste-à-temps (JAT) a pris naissance dans l'industrie de la construction navale nipponne, il y a 30 ans[24]. Cependant, la plupart des auteurs s'accordent à dire que c'est chez Toyota, vers 1970, que l'idée de base a été développée en un système de gestion des opérations hautement sophistiqué, qui comprend des caractéristiques très innovatrices. Les idées reliées au JAT ont été fortement popularisées au Japon à partir de 1975, et en Amérique du Nord et en Europe, vers la fin des années 70, sous le vocable trompeur de Kanban, un des éléments du JAT, qui sera étudié plus loin.

Aujourd'hui, le JAT continue à susciter beaucoup d'intérêt et est adopté par un grand nombre d'entreprises, car il permet la fabrication de produits de haute qualité, tout en augmentant la productivité et en éliminant le gaspillage. Ce grand intérêt pour le JAT peut cependant porter à confusion, car divers auteurs lui ont donné des noms différents, ou l'ont associé à d'autres concepts : Kanban, zéro-stock, production sans stock, fabrication de classe mondiale, amélioration continue de la production, zéro-défaut, fabrication par valeur ajoutée, gestion intégrale de la qualité, fabrication flexible, etc. Cependant, ces différents vocables sont des indicateurs des aspects systémiques et stratégiques du JAT car, d'une part, toutes les fonctions de l'entreprise y sont reliées et, d'autre part, son implantation est issue d'une suite de décisions cohérentes qui donnent un avantage concurrentiel à l'entreprise.

## 18.2 La philosophie du juste-à-temps et ses éléments clés

Dans un sens restreint, le JAT peut être décrit comme étant un système qui « fabrique et livre des produits finis juste à temps pour être vendus, des sous-ensembles juste à temps pour être assemblés en produits finis et des matières achetées juste à temps pour être transformées en composants »[24]. Dans un sens plus large, le JAT est un système de gestion construit autour d'une philosophie simple, soutenue par deux principes[31]. La philosophie sous-jacente est l'amélioration continue de la qualité et de la productivité dans la poursuite de l'excellence à toutes les étapes du cycle industriel : la détermination des besoins du client, la conception du produit et sa fabrication jusqu'à sa livraison chez le client. Pour mettre cette philosophie en pratique, deux principes sont appliqués : l'**élimination du gaspillage** et le **respect de la personne**.

Le **gaspillage** est défini comme étant tout ce qui n'est pas absolument nécessaire pour ajouter de la valeur au produit, que ce soit des machines, des matières, des espaces, des activités ou du temps, et ce dans le milieu interne et externe de l'entreprise. Cette idée de l'élimination du gaspillage provient de Henry Ford et fut développée subséquemment par Taiichi Ohno, qui énumère et décrit les sept types de gaspillage les plus courants[7].

1. Le **gaspillage dû à la surproduction** : c'est le cas lorsqu'on fabrique des produits en plus grand nombre que la demande, ce qui entraîne des stocks excédentaires et des besoins supplémentaires de main-d'œuvre, de matières, de machines, d'espace, de manutention, de transactions, etc. Ce type de gaspillage peut être éliminé en ne fabriquant que ce qui est absolument nécessaire, en réduisant les temps de mise en route, en effectuant une planification synchrone des demandes et des machines et en modifiant l'aménagement.

2. Le **gaspillage dû à l'attente** : causé par les pauses et les arrêts non voulus des ressources, de la main-d'œuvre, des machines et des matières, ce type de gaspillage peut être éliminé en le rendant visible. Par exemple, au lieu de produire pour les stocks, la production est arrêtée, les charges de travail sont rééquilibrées par des ressources hommes-machine plus polyvalentes ou plus flexibles.
3. Le **gaspillage lors du transport et de la manutention** : causé par des distances trop longues et des aménagements inadéquats, ce type de gaspillage s'élimine en combinant des manutentions, en en éliminant d'autres, en rationalisant l'aménagement physique et en maintenant l'ordre et la propreté dans l'usine. Ce gaspillage est aussi causé par la division excessive des tâches. Par exemple, le préposé qui reçoit un chargement sur le quai de réception demande au préposé de l'entrepôt de venir chercher la marchandise ; ce dernier demande à un autre préposé de livrer la marchandise au centre des opérations.
4. Le **gaspillage lors de la transformation** : il est généralement lié au processus lui-même ; par exemple, un moule mal ajusté cause des bavures qui doivent éventuellement être éliminées, ou encore les gabarits sont mal ajustés, ou les méthodes de travail sont inappropriées. Ce type de gaspillage se corrige en concevant un processus à l'épreuve des anomalies, en utilisant des gabarits indéréglables et en appliquant les méthodes préconisées au chapitre 9 (L'organisation et les méthodes).
5. Le **gaspillage dû aux stocks** : probablement un des plus grands coupables de l'inefficience et de l'inefficacité. Les stocks augmentent les coûts de production, exigent des espaces, des manutentions et des transactions accrues, entraînent des coûts de possession élevés, s'endommagent, deviennent désuets, etc. En réduisant les stocks, d'autres problèmes camouflés par ces derniers surgissent : planification inadéquate, bris de machines, pièces défectueuses, surcroît de manutention, déséquilibre des chaînes, problèmes reliés aux achats, absentéisme, difficultés de communication, longues périodes de mise en route, désordre et malpropreté, désintéressement. Ce gaspillage peut être contré par la réduction des temps de mise en route et des différents types de délais, par une meilleure gestion de l'offre et de la demande, par l'amélioration des flux et des habiletés techniques et humaines.
6. Le **gaspillage dans les mouvements** : tout mouvement qui n'ajoute pas de la valeur doit être supprimé. Cependant, l'étude des mouvements permet d'en éliminer certains, d'en simplifier d'autres et d'en combiner (*voir le chapitre 9*).
7. Le **gaspillage dû aux défauts de fabrication** : les produits défectueux exigent d'être corrigés, réusinés ou rejetés, en plus de causer des retards de fabrication et des attentes d'un poste à l'autre ; s'ils sont déjà livrés au client, ils occasionnent des coûts de remplacement, de transport et de réparation. Pour éliminer ce type de gaspillage, on appliquera le concept de qualité totale (*voir le chapitre 17*). Toutefois, soulignons que le processus doit être conçu de façon à prévenir ces défauts et à les détecter rapidement s'il y a lieu, et, idéalement, à les éliminer complètement. Plusieurs concepts et méthodes de qualité totale et de juste-à-temps sont similaires et complémentaires[16] : les deux mettent l'accent sur le coût de la qualité et sur la participation du personnel, des clients et des fournisseurs ; les deux invoquent la mobilisation des employés pour la résolution des problèmes ; les deux utilisent des techniques semblables (poka-yoke, analyse de Pareto, etc.) et les deux visent l'amélioration continue. En somme, la qualité totale et le JAT sont les deux faces d'une même pièce de monnaie[22].

Le **respect de la personne**, soit le deuxième principe de la philosophie du JAT, préconise de considérer les employés comme des personnes « entières » par l'utilisation non seulement de leurs habiletés physiques, mais aussi de leurs habiletés mentales, intellectuelles et créatives. Cet accent sur la personne entière va à l'encontre des pratiques traditionnelles de la division et de la spécialisation des tâches, où chacun ne fait qu'une partie d'une activité, sans se soucier des liens et de l'interdépendance avec d'autres activités et où, lorsque survient un problème, chacun prétend que ce n'est pas le sien ! Dans le JAT, le travailleur est formé à devenir polyvalent dans ses tâches, il participe aux décisions, il est très informé des activités de l'entreprise et, lorsqu'un problème surgit, il contribue à le résoudre. Cette façon de faire exige des changements dans la structure et l'organisation de l'entreprise tels que la réduction du nombre de niveaux organisationnels, l'assouplissement de la structure, la restriction de la classification des tâches, l'incorporation d'un mode de gestion plus égalitaire, l'implantation de formes de sécurité d'emploi, l'établissement de communications du haut vers le bas et aussi du bas vers le haut, la création d'un esprit d'équipe.

Cette philosophie du JAT, d'amélioration interne de même que les deux principes d'élimination du gaspillage et du respect de la personne concourent à lier les activités des opérations aux facteurs concurrentiels de qualité, de coûts, de certitude et de fiabilité. Cependant, pour rendre ces idées effectives, il est nécessaire de recourir à un ensemble d'éléments ou de techniques dont certaines sont récentes, quoique la plupart ont déjà été utilisées dans le passé dans des contextes différents et à des niveaux d'approfondissement moindres.

Les auteurs, les chercheurs et les conseillers intéressés au JAT ne s'accordent pas totalement quant au nombre d'éléments clés du juste-à-temps. Ces différences s'expliquent par le fait que certains éléments sont extraits de la revue de documentation d'ouvrages établis[31], que d'autres sont issus d'enquêtes auprès des entreprises[14], que certains sont combinés, que d'autres encore sont inclus ou non, selon que le JAT est défini de façon large ou étroite ; enfin, quelques éléments sont discutés de façon implicite. La figure 18.1 montre les éléments clés du JAT dont il sera question dans les sections qui suivent.

# LES ÉLÉMENTS CLÉS DU JUSTE-À-TEMPS

## 18.3 La réduction de la taille des lots

La réduction de la taille des lots donne plus de fluidité à un système, en plus d'assurer une forme de continuité des opérations. Dans cette section, nous traitons de trois idées interreliées, soit la réduction du temps de mise en route, la fabrication en petits lots et le transport en petits lots.

La **réduction du temps de mise en route** est une technique qui facilite l'adoption de la plupart des autres méthodes. Au lieu d'utiliser les principes des lots économiques ou d'économies d'échelle pour réduire l'effet des temps longs de mise en route, le JAT favorise la réduction de ce temps qui, jusqu'à récemment, était considéré comme un temps fixe ou des frais fixes. Cette réduction du temps, ou du coût, de mise en route réduit la taille du lot à fabriquer et à commander et, par conséquent, diminue la quantité de stocks, les coûts qui y sont reliés ainsi que le coût total de gestion des stocks (figure 18.2).

▼ **FIGURE 18.1**
**Les éléments clés du juste-à-temps**

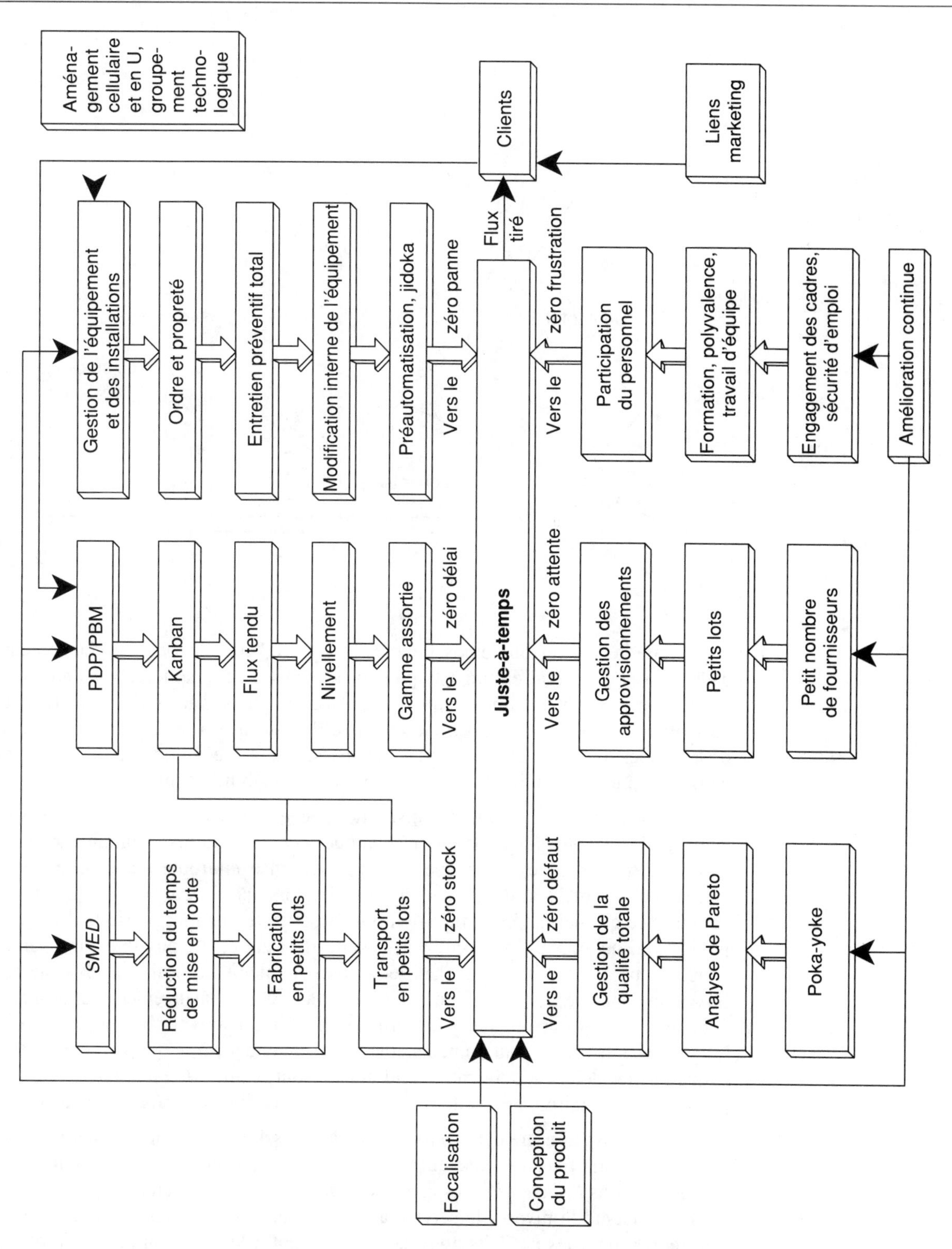

**FIGURE 18.2** ▶
**L'effet de la réduction du coût de mise en route sur la taille du lot**

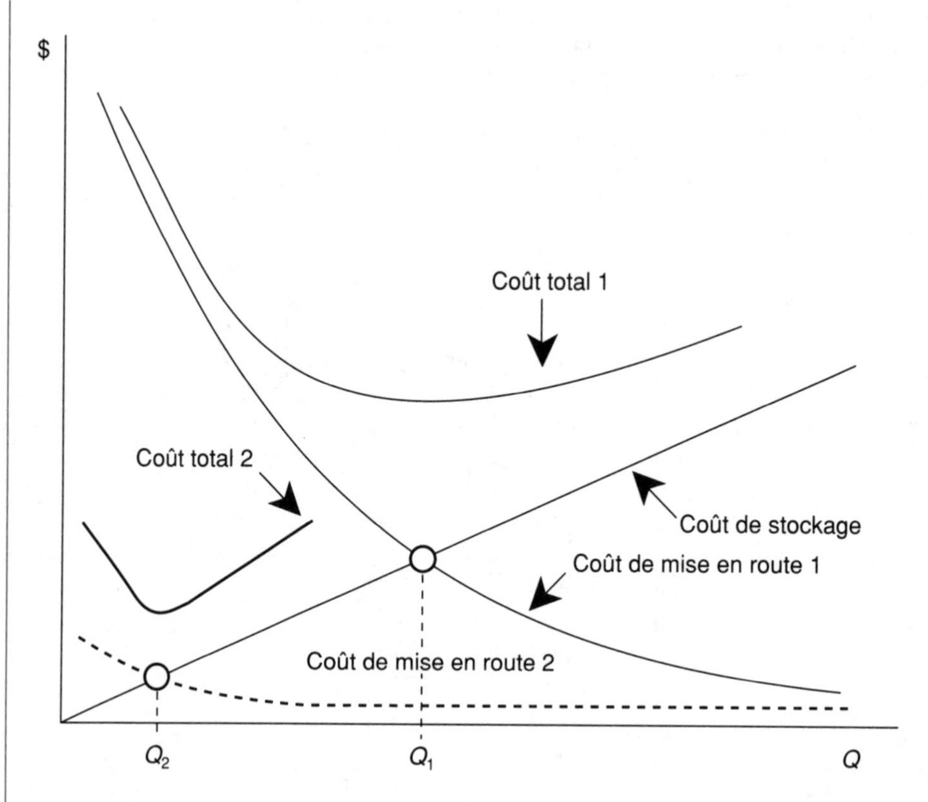


Cette réduction du temps de mise en route, comme on peut facilement le déduire, a pour effet d'éliminer la plupart des causes de gaspillage vues antérieurement. Pour y parvenir, Shingo[25] propose le *SMED*, qui est une approche de réduction du temps de mise en route (*voir le chapitre 9*) ; Suzaki[26] donne l'exemple d'entreprises où les temps de mise en route sont passés de 4 h à 3 min ; de 9,3 h à 9 min ; de 6 h ou plus à 10 min ; de 1,25 h à 3 min ; de 50 min à 2 min.

La réduction du temps de mise en route est fondamentale, car elle met en évidence les gaspillages et permet d'appliquer certaines autres techniques reliées au JAT. À l'hypothèse extrême que le temps de mise en route s'approche de zéro correspond un lot idéal de un ; la capacité est alors accrue, car il n'y a pas de mise en route, ce qui permet une utilisation plus productive des machines ; la diversité de production, un modèle de produit à la suite de l'autre, est possible sans perte de temps ; la production peut être planifiée selon la demande, ce qui crée un système de flux tendu ou tiré ; la flexibilité est accrue face à des changements d'horaire, de volume, de variété, ce qui aide à uniformiser la charge de travail ; le stock étant réduit, les défauts, s'il y en a, sont immédiatement mis en évidence, ce qui permet d'accroître la qualité ; les délais de fabrication et d'attente sont réduits ; la fabrication et le transport peuvent se faire en petits lots, ce qui permet aussi des livraisons fréquentes.

La **fabrication en petits lots** est rendue possible, car il n'est plus nécessaire d'étaler les frais fixes de mise en route sur une grande quantité de produits, ce qui procure certains avantages[20] : les niveaux de stocks de produits en cours et de produits finis diminuent ; le niveau de service à la clientèle s'accroît ; les délais de livraison sont réduits pour les produits nouveaux ou existants ; la détection rapide de produits défectueux restreint la quantité de rejets et de réusinages ; la visibilité globale des opérations et de chaque poste est améliorée ; les besoins en espaces de stockage (tant dans l'usine qu'à l'entrepôt) sont diminués.

Le **transport et** la **manutention en petits lots** sont facilités par la fabrication en petits lots ; ils procurent les mêmes avantages, en plus de permettre une meilleure synchronisation entre les postes en amont et en aval. La réduction de la taille des lots facilite la planification de la production.

## 18.4 La planification de la production

La planification de la production dans un système de juste-à-temps se fait essentiellement, telle qu'elle est décrite aux chapitres 12 et 13, pour des horizons de trois à six mois, moyennant des révisions mensuelles et parfois hebdomadaires, mais avec des variantes propres au JAT. Vu que les délais sont réduits, les plans peuvent tenir compte des commandes fermes plutôt que des commandes prévisionnelles, et l'intervalle de planification peut être réduit. Si la production a lieu après que la demande se soit manifestée, il devient indispensable que la somme des délais d'approvisionnement, d'attente, de fabrication et d'expédition soit inférieure au temps de livraison prévu par le client et que le système opérationnel soit maîtrisé, y compris l'absence de pannes et de défectuosités et la possibilité d'uniformiser la charge.

L'**uniformisation ou** le **nivelage** de la charge de travail est aussi une caractéristique essentielle du JAT, car un de ses objectifs est d'assurer, lorsqu'il y a une **gamme assortie de produits**, un flux constant de matières et de travail dans toute l'usine. Pour y arriver, le plan directeur de production (PDP), révisé et ferme d'un mois, serait divisé par le nombre de jours ouvrables afin d'obtenir cette charge uniforme et constante.

Par exemple, le PDP indique, pour un mois donné de 20 jours, des commandes de 12 000 A, de 9 000 B, de 6 000 C et de 3 000 D, où chaque lettre représente un modèle différent de produit. Dans une fabrication traditionnelle par lot, le plan de production montrerait 8 jours consécutifs de travail pour A, 6 pour B, 4 pour C et 2 pour D, afin de réduire le nombre de mises en route. Dans une fabrication JAT, où le temps de mise en route est négligeable, la charge quotidienne pourrait alors être de 1/20 de chaque modèle, soit 600 A, 450 B, 300 C et 150 D, et cette charge pourrait même se traduire en 50 séries de 12 A, de 9 B, de 6 C et de 3 D. Ce « nivelage » de la production réduit les stocks en cours et finis ; il protège aussi contre une pénurie pour une gamme variée de produits, car chaque série correspond à une proportion de la demande indépendante de chaque produit. De plus, ces séries de produits assortis réduisent la monotonie due à la répétition ainsi que les effets de l'oubli, lorsque le temps qui sépare les fabrications est trop long[5]. Si cette planification uniforme se fait par l'aval (assemblage final), il est possible de créer ce nivelage dans les processus en amont et alors d'instaurer un système à flux tendu.

Le **système à flux tendu** : dans un système traditionnel, les commandes sont affectées au premier poste requis de travail, selon l'ordre technique où la gamme d'opérations et le jalonnement se résolvent par une règle de priorité. Une fois le travail accompli, la commande passe à l'étape suivante de la gamme d'opérations. La file d'attente des commandes est de nouveau résolue par une règle de priorité, et ainsi de suite. Chaque commande est donc poussée à l'étape suivante et traitée selon la disponibilité de la machine : il s'agit là d'un **système poussé par l'amont**.

Dans un système de juste-à-temps, le travail à un poste donné est activé par l'épuisement du stock du poste suivant. Par analogie, il s'agit là d'un système d'approvisionnement à double casier; lorsque le premier casier est vidé de son stock, la commande est placée pour réactiver sa production, et il reste suffisamment de stocks dans le deuxième casier pour satisfaire la fabrication jusqu'à l'arrivée des composants. C'est donc le poste en aval qui donne le signal au poste en amont de travailler sur certains composants; il s'agit là d'un **système tiré par l'aval**.

Puisque c'est l'aval qui tire (et non l'amont qui pousse) à toutes les étapes de fabrication, de la fin jusqu'au début des opérations, le système est qualifié de processus ou de **système à flux tendu**, système qui n'admet que peu ou pas de stocks et où tous les procédés antérieurs au dernier procédé (assemblage final) sont synchronisés au taux de production de ce dernier. Pour faciliter cette synchronisation, un document ou une carte visible (kanban en japonais) est utilisé pour déclencher les opérations.

Le **kanban** est un outil qui aide le sous-système de planification et de contrôle de la production et des stocks dans un contexte de JAT. Par contre, le kanban permet de contrôler les quantités et les délais non seulement au sein des différents segments d'un processus de production, mais aussi avec d'autres entreprises et fournisseurs de la firme[17]; c'est donc un système d'information qui permet de tirer les pièces nécessaires de chaque opération, selon les besoins. Le kanban est semblable à la fiche suiveuse et à l'ordre de fabrication d'un lot de pièces[31].

Le système Kanban peut requérir une ou deux cartes de contrôle. Une brève description du système à deux cartes sera donnée à partir d'un exemple. Il existe plusieurs variantes de ce système.

**Exemple** ■

Pour chaque pièce ou composant, un type de contenant particulier est conçu pour contenir un nombre prédéterminé d'ensembles d'unités. Pour chaque contenant, il y a **deux cartes**, ou kanbans, sur lesquelles sont inscrits le numéro de la pièce, la capacité du contenant et d'autres informations. L'une des cartes, appelée **carte de production (P)**, sert au service qui produit le composant ou la pièce. L'autre, appelée **carte de transfert (T),** sert au service qui utilise le composant ou la pièce en question (figure 18.3).

**FIGURE 18.3** ▶ **Les deux types de kanbans**

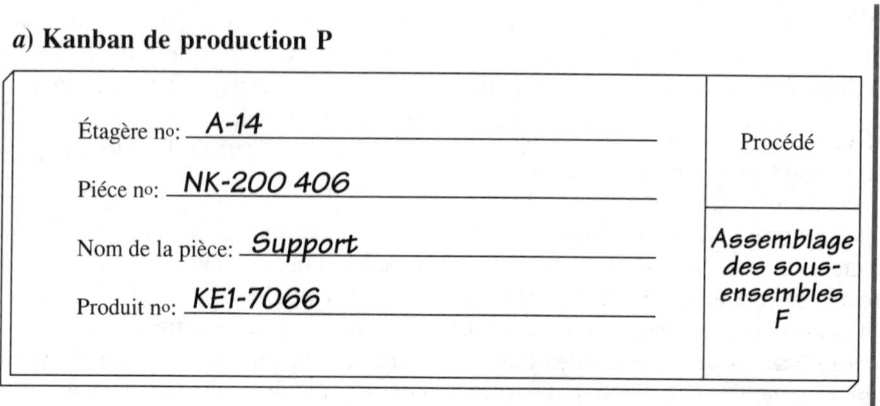


*(suite)*

Exemple
*(suite)*

***b*) Kanban de transfert T**

| Étagère no: B-8 | Procédé précédent |
|---|---|
| Piéce no: KJ-188 508 | Usinage des pièces |
| Nom de la pièce: Fixation | Procédé subséquent |
| Produit no: KE1-7066 | Assemblage des sous-ensembles E |

| Contenant: | | |
|---|---|---|
| Capacité | Type | Numéro |
| 14 | M-1 | 113 412 |

Le système fonctionne comme suit.

**Étape 1**

Le service de l'assemblage A utilise l'ensemble « alternateur » E, qui fait partie du moteur assemblé dans ce service. Il dispose d'un nombre déterminé de contenants spécialement conçus à cet effet, ceux-ci comprennent chacun un nombre donné d'ensembles E. Dans chaque contenant se trouve une carte de transfert.

**Étape 2**

Dès que le service A reçoit une commande (interne ou externe) pour un moteur requérant un ensemble « alternateur », l'un de ces ensembles est retiré du contenant approprié (figure 18.4, étape 1). Une fois le contenant complètement vidé, un préposé du service A le rapporte au service B, où ces ensembles sont produits (étape 2). Le préposé retire alors un contenant plein dans lequel se trouve une carte de production P, et il vérifie si les informations inscrites sur les cartes P et T sont exactes. Il remet ensuite la carte T dans le contenant plein et dépose la carte P au comptoir approprié du service B (étape 3). Puis, il emporte le contenant plein au service A (étape 4).

**Exemple**
*(suite)*

### Étape 3

Au service B, les cartes de production déposées par le préposé du service A ou de tout autre service sont ramassées ; le service B produit des ensembles « alternateur » correspondant aux quantités représentées par le nombre de cartes de production accumulées, multiplié par la capacité de chaque contenant. Une carte P est placée dans chaque contenant rempli au service B, lequel ne peut utiliser que les contenants spécialement conçus pour les ensembles « alternateur ». En outre, il ne peut produire ces ensembles que s'il possède des cartes P, qui lui sont remises chaque fois qu'un contenant de ces ensembles est retiré.

▼ **FIGURE 18.4**
**Le fonctionnement du système Kanban**

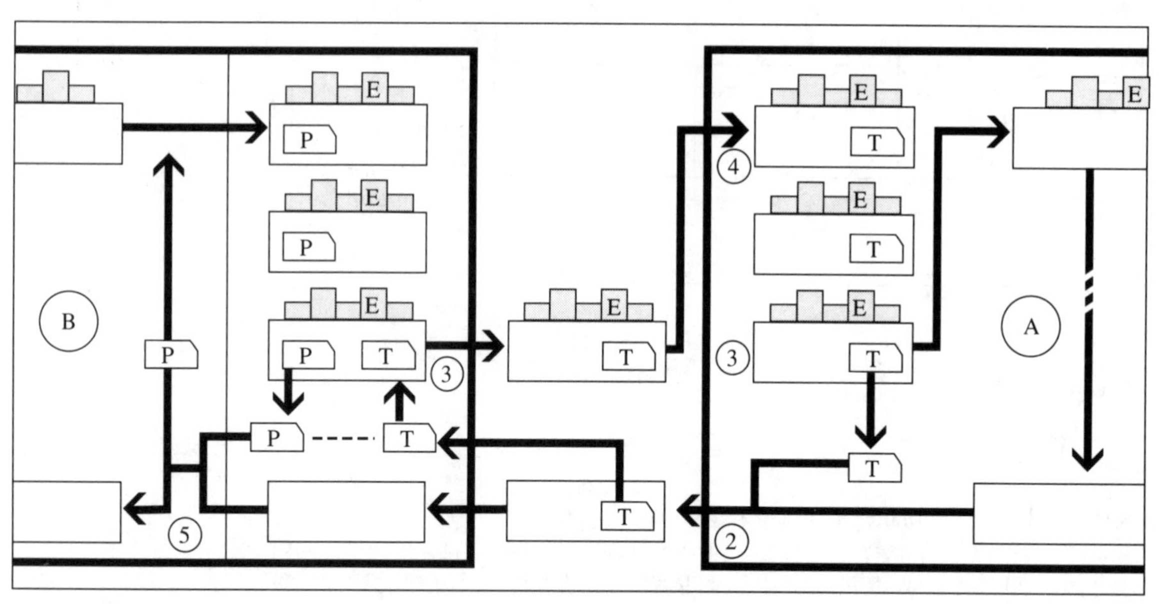


### Étape 4

Le même processus se répète entre le service B et le service C qui le précède, pour les sous-ensembles « bobine » nécessaires à la fabrication des ensembles « alternateur ». Il en est de même entre la première étape et la réception, entre la réception et le fournisseur, entre la dernière étape et l'expédition, et entre l'expédition et le distributeur (figure 18.5).

Exemple
*(suite)*

▼ **FIGURE 18.5**
**Le système Kanban global**

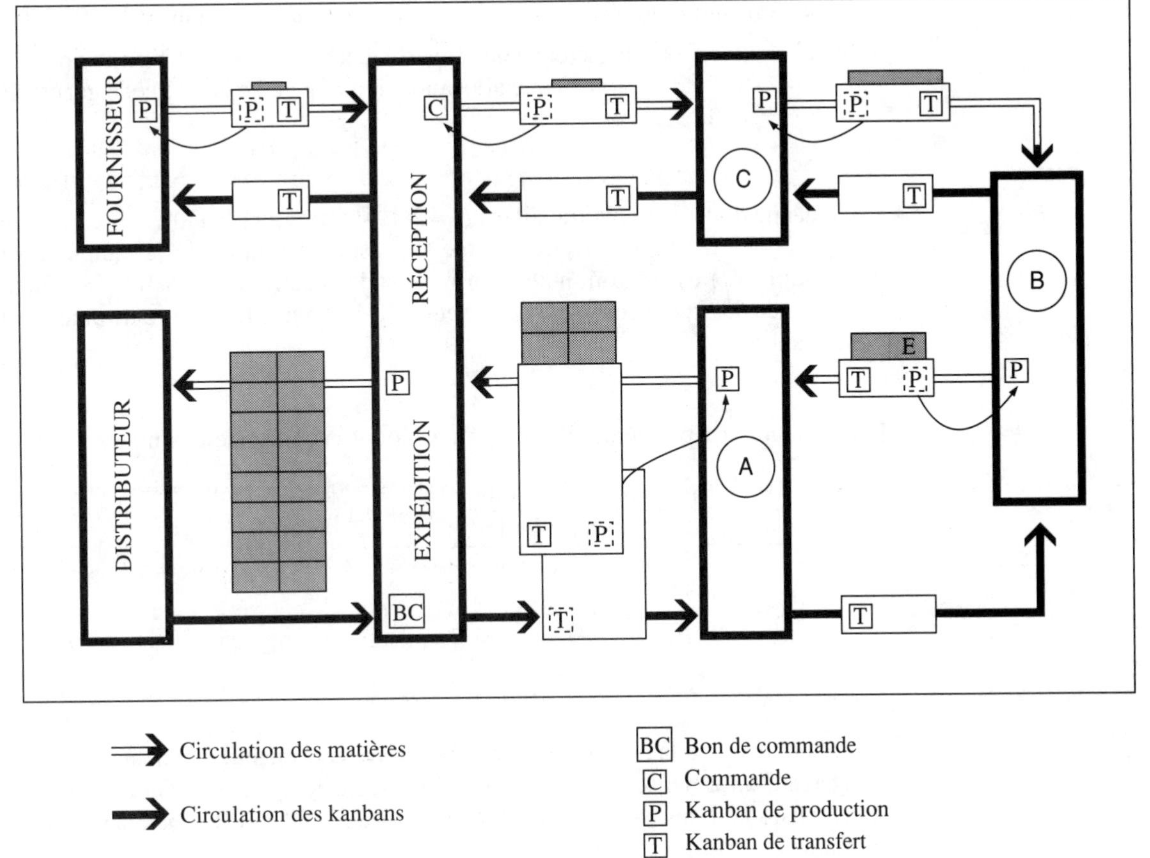


À noter que le nombre de contenants, et par conséquent le nombre de cartes P et T, est établi par les responsables des opérations. Ce nombre détermine le taux de production et de stock requis. Malgré qu'un système zéro-stock soit utilisé ici, le stock n'est pas réellement de zéro, mais plutôt gardé à un minimum s'élevant généralement à 10 % de la production quotidienne.

Pour calculer le nombre de kanbans, la formule suivante est proposée[8] :

$$K = \frac{D\,(T_A + T_P)\,(1 + X)}{Q}$$

où $K$ = nombre de cartes ou de contenants ; la somme des cartes P et T,

$D$ = taux de production par unité de temps,

$T_A$ = temps d'attente moyen du contenant ou temps cyclique de la carte T ; le temps que prend une carte T pour faire un circuit complet entre la source de la pièce et le point d'utilisation de la pièce,

$T_P$ = temps moyen d'opération par contenant ou temps nécessaire pour une carte P pour faire un cycle complet dans le centre de travail où la pièce est fabriquée, incluant le temps de mise en route, le temps de production, d'inspection et de préparation des matières,

$Q$ = quantité de pièces placée dans chaque contenant standard,

$X$ = allocation ou facteur pour l'inefficience : correspond à un temps ou à un stock de sécurité ; cette allocation doit être gérée et n'excède généralement pas 10 %.

---

**Exemple** ■

La demande d'un centre de travail est $D$ = 2 424 $u$ par jour ; la taille des contenants est $Q$ = 20 $u$ ; le temps moyen d'attente ($T_A$) est de 12 minutes ; le temps moyen d'opération ($T_P$) est de 6 minutes ; un facteur de sécurité de 10 % ($X$) est alloué. Une journée de travail correspond à 8 heures. Déterminez le nombre de contenants ou de kanbans.

*Solution*

Pour résoudre ce problème, il faut assurer la correspondance des unités :

$$K = \frac{\dfrac{2\,424 u/\text{j}}{8\text{ h/j}}\left(\dfrac{12\text{ min}}{60\text{ min/h}} + \dfrac{6\text{ min}}{60\text{ min/h}}\right)(1 + 0{,}1)}{20\ u/\text{contenant}}$$

$$K = \frac{303\,(0{,}2 + 0{,}1)\ (1 + 0{,}1)}{20} = 5 \text{ kanbans ou contenants.}$$

---

Certains s'étonnent de la simplicité du système manuel Kanban par rapport à un système informatisé du type PBM ; cependant, le système Kanban peut s'informatiser dans certains cas. De plus, les deux systèmes JAT–PBM peuvent fonctionner ensemble.

Contrairement à un système de planification centralisé, le système à flux tendu avec la visibilité du système Kanban permet au travailleur de commencer et de synchroniser les opérations dans tout le système opérationnel, réduit la quantité de stocks, encourage le travail d'équipe ; cependant, le système est vulnérable[15] : il exige presque du zéro-défaut, du zéro-pénurie et du zéro-panne.

## 18.5 La gestion de l'équipement et des installations

L'équipement et l'ensemble des installations doivent correspondre, selon la stratégie des opérations, aux besoins des travailleurs, de l'organisation, du processus, des produits et du marché. Quatre éléments du juste-à-temps reliés à l'équipement et aux installations sont généralement mis en évidence : l'ordre et la propreté, l'entretien préventif, la modification interne de l'équipement et la préautomatisation.

L'**ordre** et la **propreté**, comme éléments essentiels du juste-à-temps, peuvent en étonner quelques-uns ; pourtant, ils contribuent à l'élimination de toute forme de gaspillage et au respect de la personne. L'ordre et la propreté reflètent l'attitude générale des gestionnaires vis-à-vis du travail et du travailleur, car ces deux éléments influent directement sur le moral des travailleurs, le climat de travail, le niveau de la qualité, le bon fonctionnement des machines, le flux des matières, le niveau des stocks, etc. En somme, comment pourrait-on appliquer le juste-à-temps si l'outil est égaré, la machine crasseuse, les pièces introuvables, les allées encombrées ?

L'**entretien préventif**, fortement lié aux éléments antérieurs, devient indispensable dans un système à flux tendu et continu, car un bris de machine peut causer des goulots d'étranglement vu qu'il n'y a plus de stocks de sécurité. De plus, le niveau de qualité requis n'accepte aucune défectuosité, ni aucune machine mal ajustée. La nouvelle tendance est de créer un programme d'entretien préventif total[23], que certains appellent « programme d'entretien productif total »[3, 14, 31], pour souligner le lien entre la disponibilité de la machine et le volume de production. Les notions reliées à l'entretien préventif ont été étudiées au chapitre 6 ; les notions d'entretien préventif total englobent ces dernières avec une insistance particulière sur les mesures suivantes.

- Former et responsabiliser les opérateurs de machines à exercer certaines tâches d'entretien, telles que le nettoyage et le graissage, et à suggérer des améliorations.
- Incorporer dans le programme le contrôle statistique des procédés, qui fournit les données nécessaires pour déterminer les incidents et les écarts.
- Établir, pour chaque machine, une fiche ou un cahier de suivi permanent qui permet d'indiquer les bris, les pannes, les désajustements ou les problèmes les plus fréquents.
- Éliminer progressivement ces pannes en utilisant une analyse du type Pareto, qui aide à déterminer celles qui surviennent le plus souvent.
- Considérer chaque panne comme une source d'information qui permet non seulement d'éliminer cette panne, mais aussi de la prévenir et d'améliorer la machine.
- Procéder à un entretien proactif ou prédictif, où certaines pièces de l'équipement sont remplacées à une fréquence prédéterminée pour éviter qu'elles brisent ou causent des situations fâcheuses.

Pour une implantation réussie de l'entretien préventif productif total, Nakajima[18] propose, par ordre d'importance, les éléments suivants : le but principal est de maximiser la productivité des machines ; l'entretien préventif doit porter sur la durée de vie entière de chaque machine ; l'implantation doit être accomplie par le personnel d'ingénierie, des opérations et de l'entretien ; le concept de l'entretien préventif total doit être bien compris par tout le personnel ; l'idée du travail d'équipe en petits groupes doit s'étendre jusqu'aux activités d'entretien, à partir des membres concernés par l'amélioration de la qualité.

L'idée de l'**amélioration** et de la **fabrication interne de l'équipement** est intimement liée à la notion d'entretien préventif. Les entreprises nipponnes ont la réputation de consacrer la majorité de leurs dépenses en capital (60 %) à l'amélioration de l'équipement existant, tandis que les Nord-Américains allouent 75 % de leurs investissements au remplacement d'équipement et à l'ajout de capacité[11].

L'amélioration interne de l'équipement coûte moins cher, elle permet de mieux connaître les machines, elle en facilite le fonctionnement et l'entretien, elle permet de les concevoir selon les fonctions propres à l'entreprise, sans artifices inutiles, et d'y incorporer des dispositifs de poka-yoke et de préautomatisation.

Le **poka-yoke** (du japonais « garde-fou ») est un dispositif anti-erreurs qui facilite le travail de l'opérateur en éliminant les oublis et les défaillances de fonctionnement, et qui protège du danger par l'arrêt automatique de la machine lors d'une erreur. Cette notion a été étudiée au chapitre 9 (L'organisation et les méthodes).

La **préautomatisation** (aussi appelée autonomatisation et jidoka) consiste à améliorer et à faire fonctionner une machine aux deux étapes antérieures à l'automatisation. L'alimentation, le positionnement, la transformation et le déchargement des pièces sont automatisés, de même que la mesure de déviation et la détection d'anomalies ; en cas d'erreurs, la machine est automatiquement arrêtée par un dispositif poka-yoke, et de plus un avertisseur lumineux ou sonore (*andon* en japonais) est activé lors d'un imprévu. Le système n'est pas automatisé, car il ne s'autocorrige pas et ne s'autoréactive pas pour reprendre les opérations. La préautomatisation coûte moins cher que l'automatisation ; de plus, la machine exige peu ou pas de surveillance humaine ; elle peut donc fonctionner sans l'aide d'un opérateur, ou encore un seul opérateur peut s'occuper de plusieurs machines à la fois.

Le poka-yoke et la préautomatisation éliminent le gaspillage, car ils réduisent les besoins de surveillance humaine qui n'ajoutent pas à la valeur du produit ; de plus, en détectant, en stoppant et en permettant de corriger les erreurs et les anomalies, ils réduisent davantage le gaspillage et améliorent la qualité.

## 18.6 La gestion des approvisionnements

Dans le secteur industriel, les approvisionnements requièrent environ 60 % du revenu de l'entreprise ; l'importance de cette somme dans un contexte de juste-à-temps en fait une cible privilégiée d'intérêt non seulement à cause de l'envergure des débours, mais aussi pour des raisons de qualité, de délais et de synchronisation des besoins. La gestion des approvisionnements ayant été traitée au chapitre 16, cette section se limitera aux aspects de la gestion liés au JAT.

Au moins huit activités d'approvisionnement dans un contexte de juste-à-temps nécessitent une attention particulière dans l'effort d'amélioration continue de la qualité et de la productivité[1].

1. L'**achat de lots de petite taille**, livrés fréquemment selon les quantités et les délais inscrits au PDP de l'acheteur, permet à ce dernier d'intégrer le fournisseur à ses opérations et de bénéficier d'une stabilité de fonctionnement, d'une réduction du stock moyen, d'une détection rapide des défauts, d'un niveau de qualité élevé et, bien souvent, de coûts moindres. Le principal inconvénient de commander des lots de petite taille pourrait être le coût de transport lié à la fréquence des livraisons. Plusieurs méthodes peuvent y remédier : acheter chez des fournisseurs locaux, encourager le fournisseur à s'établir près de l'usine de l'acheteur, regrouper les achats de plusieurs fournisseurs d'une même zone afin qu'ils puissent partager le même camion, n'inclure dans les achats en petits lots que les articles A ou B de l'analyse ABC ou de l'analyse de Pareto.
2. Le **recours à un petit nombre de fournisseurs**, de préférence un seul pour chaque classe de produits achetés, permet d'instaurer un approvisionnement structurel à long terme au lieu d'un approvisionnement conjoncturel basé sur le court terme. Idéalement, le fournisseur implantera lui aussi un système de juste-à-temps. Dans ce type d'entente, le fournisseur peut aussi contribuer à la conception du produit et suggérer des révisions qui lui permettront de fournir une meilleure qualité à moindre coût.
3. Le **choix** et l'**évaluation des fournisseurs** constituent une décision capitale. Les facteurs à considérer sont la capacité de fournir constamment un produit de haute qualité, la possibilité d'entretenir une relation et une coopération à long terme, la capacité de fournir à temps et continuellement une petite quantité exacte du produit, la proximité et une structure de coût concurrentielle.

4. L'**inspection de la qualité** doit être accomplie à la source, chez le fournisseur, puis, une fois la confiance établie, par le fournisseur lui-même. Bien souvent, l'acheteur peut imposer au fournisseur un programme de certification de la qualité ainsi que des vérifications périodiques.
5. Le **développement du produit et ses spécifications**. Assuré de la continuité du contrat pour un volume de ventes considérable, le fournisseur peut investir dans la recherche et le développement, dans l'amélioration de son processus et dans le perfectionnement du produit pour atteindre une meilleure qualité, un meilleur prix et des caractéristiques supérieures du produit.
6. Le processus concurrentiel de **soumissionner une seconde fois** de nouveaux prix ne se fait plus annuellement, puisqu'il s'agit d'une relation structurelle à long terme. Il ne s'agit plus d'accorder la commande au plus bas soumissionnaire qualifié, même si le contrat est renégociable annuellement.
7. L'**emballage** traditionnel en carton est remplacé par des contenants standard conçus pour des petites quantités précises d'un produit déterminé, ce qui permet une reconnaissance rapide (kanban), facilite les transactions, aide à éviter les erreurs, réduit les coûts, élimine le gaspillage et la paperasserie.
8. La **paperasserie** est grandement réduite, car tout a été éliminé, réduit, standardisé ou synchronisé.

À noter que le fournisseur qui n'adopte pas une forme de JAT pourrait être contraint d'entreposer un stock considérable qui entraîne des coûts élevés, afin de pouvoir fournir son client fréquemment en petite quantité[10].

Une étude exploratoire[19] sur l'approvisionnement juste-à-temps et la **relation marketing** du point de vue du fournisseur ajoutent et confirment plusieurs inférences sur le JAT, même si les conclusions sont provisoires et de portée limitée :

- La **relation à long terme** sur l'entente d'approvisionnement JAT est considérée comme étant plus longue que celle d'un contexte traditionnel, et la **sélection des clients** est plus rigoureuse, car l'investissement, le risque et les coûts de changement sont élevés.
- La **participation** d'un plus grand nombre d'unités fonctionnelles du fournisseur dans sa relation avec le client est aussi confirmée : les services d'assurance de la qualité, la gestion des matières et de la production du fournisseur viennent élargir et soutenir les activités de marketing ; la **fréquence** d'interaction des unités fonctionnelles est plus intense ; le marketing, le service à la clientèle, l'ingénierie du design, l'assurance de la qualité, la gestion des matières et de la production deviennent plus actifs dans le processus d'échange interorganisationnel.
- Les fournisseurs affirment jouir d'une **plus grande ouverture dans leurs communications** avec le client, ce qui permet de mieux connaître ses plans à court et à long terme et de mieux satisfaire ses besoins ; les fournisseurs offrent des services de soutien accrus dans le design du produit, l'assistance technique en matière de qualité, la standardisation et l'analyse de la valeur.

Le juste-à-temps apporte donc des changements majeurs, tant systémiques que stratégiques, dans les activités d'approvisionnement de l'acheteur ainsi que dans les activités de marketing du fournisseur. Le choix de l'un et de l'autre par l'un et l'autre devrait être fortement planifié, car les liens entre les clients et les fournisseurs dans un contexte de juste-à-temps sont plus du type « mariage » que du type « sortie occasionnelle », et l'interdépendance des acteurs porte davantage sur le long terme que sur le court terme.

## 18.7 L'amélioration continue et le facteur humain

L'**amélioration continue** est la philosophie sous-jacente du JAT, tandis que le **facteur humain** combiné à l'élimination du gaspillage convergent vers le respect de la personne.

L'amélioration continue est un processus graduel sans fin (et non un programme temporel) qui vise à raffiner le produit, le processus et chaque activité dans sa conception et sa mise en application, en vue d'atteindre l'idéal de la perfection. Ce processus est dit graduel, car il consiste en de petites améliorations, progressives et continues, par opposition à l'attente d'une innovation majeure du type saute-mouton. L'amélioration continue (*kaïzen* en japonais) s'acquiert, entre autres, avec les mêmes facteurs qui déterminent la courbe d'apprentissage (*voir le chapitre 7*). L'amélioration progressive s'obtient en fixant une cible ou un but donné. Une fois atteinte, une nouvelle cible est fixée ; chaque fois qu'une cible est atteinte, une nouvelle est fixée. Par exemple, dans un effort d'amélioration continue, une entreprise canadienne a progressivement réduit son temps de mise en route, passant de 14 heures à moins de 4 heures en cinq mois[26].

Ce type d'améliorations s'obtient non pas par des investissements massifs, mais par les efforts continus d'individus bien formés et respectés qui en sont la source. Bien que tout le monde soit important, la source potentielle d'amélioration la plus sous-développée est l'effectif ouvrier de l'usine, où 80 % du personnel y passe 99 % du temps ; les cadres supérieurs représentent 2 % du personnel et passent peut-être 1 % de leur temps en usine ; finalement, les cadres intermédiaires et les spécialistes techniques représentent 15 % à 16 % du personnel et passent respectivement 5 % et 25 % du temps seulement en usine[30]. Pour implanter le JAT, il faudra consacrer beaucoup de temps à la formation, susciter des changements d'attitudes et modifier le rôle des divers intervenants.

Le travailleur devient plus polyvalent, car il est appelé à faire fonctionner simultanément plusieurs machines ; il apprend à travailler en équipe, car il doit résoudre les problèmes que ses coéquipiers et lui-même auront détectés ; il s'assure de l'entretien des machines ; il planifie et contrôle la qualité et les quantités, et il participe à l'amélioration continue des activités. Les cadres intermédiaires, les contremaîtres, les spécialistes techniques voient leurs activités et leurs rôles changer, vu la plus grande participation des travailleurs et l'élargissement de leurs tâches : ils assistent les travailleurs dans la résolution de problèmes ; ils aident à former ces derniers pour accomplir leurs nouvelles tâches ; ils deviennent animateurs, motivateurs et coordonnateurs plutôt que vérificateurs, contrôleurs ou agents de discipline. Les cadres supérieurs ont la tâche importante d'implanter ces changements de rôles et d'attitudes, de convaincre les intervenants de la nécessité des changements, de créer un climat participatif et de confiance (*voir le chapitre 2*) et d'inventer de nouvelles politiques, méthodes et procédés qui inciteront les travailleurs à utiliser leur créativité, tout en leur assurant que les améliorations qu'ils apportent n'auront pas éventuellement pour effet de les priver de leur emploi. La confiance et la compréhension mutuelles des intervenants constituent la base du respect de la personne, et c'est à la direction qu'il revient de montrer l'exemple.

## 18.8 D'autres éléments du juste-à-temps

Les chercheurs et les praticiens proposent d'autres éléments du JAT, qui sont implicites dans les éléments déjà vus ou qui sont traités dans d'autres chapitres de ce manuel.

L'**aménagement** a été traité au chapitre 8. Dans le contexte du JAT, l'arrangement physique des installations doit permettre une circulation ou un écoulement continu des composants et des produits dans un effort particulier d'éliminer les stocks, les manutentions, les files d'attente et les trajets trop longs entre les opérations. Autrement dit, minimiser ces gaspillages afin de maximiser les opérations qui ajoutent de la valeur, par des agencements linéaires ou en forme de U. L'aménagement cellulaire, par opposition à un aménagement fonctionnel, consiste à organiser un petit groupe de travailleurs, ou un petit groupe de travailleurs et de machines, pour fabriquer une gamme de composants ou de produits similaires ; le groupement machines–travailleurs est conçu de façon à respecter la gamme d'opérations propre à la gamme de produits. Un aménagement cellulaire dont les opérations et les mises en route sont automatisées devient un système de fabrication flexible. L'aménagement cellulaire, ou cellule manufacturière, fait partie intégrante du groupement technologique, qui est une philosophie de fabrication et d'ingénierie de conception où pièces et composants similaires sont regroupés et codifiés de façon à être reconnus rapidement et à être fabriqués dans les cellules. Bien souvent, seulement une partie de l'usine peut être aménagée en cellules.

L'aménagement cellulaire est aussi une forme d'usine focalisée, concept qui est abordé au chapitre 19. La focalisation vise à réduire toute forme de complexité : complexité d'une gamme trop étendue de produits, complexité d'un trop grand nombre de technologies ou de processus, complexité d'une structure organisationnelle bureaucratique, etc. Ces complexités sont réduites par la simplification, la standardisation, le regroupement, la répétition et l'expérience.

La **conception du produit**, thème développé au chapitre 4, est souvent mentionnée comme un élément essentiel du JAT, non seulement pour la satisfaction du client, mais aussi pour l'amélioration des activités de production et d'approvisionnement. Un produit bien conçu élimine certaines étapes de fabrication et d'assemblage, réduit les temps de mise en route, les délais d'approvisionnement et de production ainsi que le niveau des stocks[23]. Le design d'un produit a aussi un effet marquant sur la qualité : il fixe les paramètres du produit, ses coûts, la facilité du contrôle de la qualité[9].

## 18.9 Les domaines d'application du juste-à-temps

La philosophie d'amélioration continue et progressive de la qualité et de la productivité, ainsi que les deux principes d'élimination du gaspillage et de respect de la personne, s'appliquent dans tout type d'entreprise. Viser le zéro-stock, le zéro-pénurie, le zéro-défaut, le zéro-panne, le zéro-délai sont les aspirations de tout gestionnaire, quelle que soit sa fonction ou son entreprise. Cependant, l'application de certains éléments du JAT, surtout ceux ayant trait à la planification et au contrôle de la production et des stocks (PCPS), est plus difficile lorsqu'il y a une forte variabilité de la demande.

Idéalement, le JAT, avec ou sans le système Kanban, fonctionne très bien avec le PCPS d'une entreprise pour laquelle la demande est relativement stable et répétitive et dont les produits sont assez semblables pour permettre un écoulement ou un flux uniforme, c'est-à-dire dans un système équilibré où la charge de travail est nivelée et synchrone. Cependant, advenant une demande fortement variable, tant dans les délais, les quantités ou les modèles de produits, la réactivité de ce type de système peut être lente et causer des escalades de charges, de stocks ou de délais.

Le système de juste-à-temps est compatible avec un système du type PBM. Quatre aspects du JAT méritent une explication quant à son utilisation avec le PBM.

1. Le JAT étant un système à flux tendu, il réduit et élimine même la partie d'ordonnancement qui est le contrôle de l'atelier utilisé dans un PBM, car cette activité est accomplie par les kanbans qui tirent les besoins-matières vers l'étape suivante.

2. Parce que le JAT assure un flux continu et que les stocks intermédiaires sont réduits ou éliminés, la nomenclature du produit peut être conçue avec un nombre moindre de niveaux, utilisant des nomenclatures fantômes, comme on l'a vu au chapitre 12. À noter cependant que la nomenclature du PBM, même réduite, demeure toujours utile pour déterminer l'ensemble des besoins de composants nécessaires à la réalisation du PDP, et pour établir les dates de lancement des ordres de fabrication ou d'approvisionnement de ces composants.

3. Puisque dans une planification du JAT le cycle de production est plus rapide à cause de l'élimination des délais, il est souvent inutile de décaler les besoins-matières dans un intervalle antérieur.

4. Les stocks étant faibles et la qualité presque parfaite, le calcul pour déterminer les besoins nets à partir des besoins bruts s'avère inutile.

Karmarkar[13] propose des systèmes PCPS hybrides, où le choix de la méthode de contrôle réside dans le type de processus de production (figure 18.6). Dans cette figure, les rangées montrent quatre types de systèmes opérationnels, à partir d'un système à flux continu (donc un système tendu) où il y a une faible variabilité dans les délais de production, jusqu'à un système de production sur mesure (donc un système poussé) dans lequel la variabilité des délais de production est très forte. Les colonnes indiquent trois types d'activités de PCPS : la planification des matières, le contrôle du lancement des commandes et le contrôle d'atelier. Le cœur de la figure correspond aux choix à exercer, et les numéros qui figurent dans chaque case constituent des points de repère pour les explications qui vont suivre.

Un **système à flux continu** fabrique un ou quelques produits similaires ; la production est continue et nivelée, et le délai de fabrication est uniforme et prévisible. Exemple : une chaîne de montage : (1) les matières peuvent être livrées au processus selon le JAT, car le taux de production est uniforme et prévisible ; (2) la production étant nivelée, il s'agit de spécifier le taux de production, puisque l'ordre de fabrication n'est pas nécessaire ; (3) le système étant prévisible, le flux des matières est uniforme et il est contrôlé par le JAT-Kanban.

Un **système répétitif par lot** comportera des parties à flux continu et des parties ayant des produits fabriqués en lots. Les délais sont constants et prévisibles. La gamme de produits est relativement stable, avec une possibilité de variations mensuelles. Exemple : des pièces et des composants pour produits à fort volume tels que des voitures et des appareils électroniques : (4) les pièces et les matières qui sont utilisées uniformément sont livrées par le JAT, et celles qui nécessitent de longs délais requièrent la PBM pour l'approvisionnement, la livraison et la coordination entre les usines ; (5) les délais étant prévisibles, la PBM peut s'appliquer, quoique un système tendu soit plus économique ; la PBM peut être nécessaire pour créer le PDP ; les stocks doivent être gérés et les opérations coordonnées ; (6) le flux étant uniforme, un système tendu peut être utilisé pour le contrôle d'atelier.

| Forte ← Variabilité des délais de production → Faible | | Planification des matières | Contrôle du lancement des commandes | Contrôle d'atelier |
|---|---|---|---|---|
| | **Système à flux continu : système tendu** | JAT 1 | Selon le taux de production 2 | JAT tendu 3 |
| | **Système répétitif par lot : système hybride poussé-tendu** | JAT-PBM 4 | Tendu ou PBM 5 | Tendu 6 |
| | **Système dynamique avec lots : système hybride poussé-tendu** | PBM 7 | PBM 8 | Tendu ou ordonnancement des commandes 9 |
| | **Système sur mesure : système poussé** | PBM 10 | Ordonnancement des commandes 11 | Ordonnancement des opérations 12 |

**Source** : Adaptation d'une figure de Karmarkar[13]. Reproduit avec la permission de The President and Fellows of Harvard College ; copyright 1989, tous droits réservés.

**FIGURE 18.6**
**Le choix entre un système de JAT ou de PBM selon la variabilité des délais**

Un **système dynamique avec lots** est caractérisé par une variation des quantités et des types de produits selon les commandes des clients, ce qui donne de la variabilité au processus, des variations de charges, de goulots, de pénuries et de délais. Exemple : des pièces et des produits pour un grand nombre de clients, une usine fournissant un grand nombre de pièces à des détaillants : (7) la PBM est appropriée pour traiter la grande diversité des pièces et des opérations de même que pour coordonner les divers ateliers ; (8) la PBM, avec sa capacité de prévision et sa possibilité de contrôle de la quantité, des stocks et des besoins, est essentielle ; (9) pour les opérations à fort volume de pièces, un système tendu pourrait être utile ; cependant, des ordres de fabrication sont nécessaires pour créer un PDP avec PBM qui contrôlerait les achats, les pièces, les sous-ensembles et les produits finis avec la commande du client.

La **fabrication sur mesure** de produits complexes à faible volume engendre une grande variabilité dans un système de production. Les charges ou la quantité de travail dans chaque service, les files d'attente, les goulots, les délais sont importants. Exemple : la fabrication de machines-outils et de produits conçus par le client : (10) la PBM est indispensable en tant qu'outil de gestion de l'information, vu la variété des pièces, les délais dans l'obtention des composants, etc.; (11) l'usine fonctionne avec des ordres de fabrication issus d'une PBM, et celle-ci aide à fournir les données sur la disponibilité des matières ainsi qu'à coordonner les divers ateliers. Par contre, les délais et les goulots sont tels, que la PBM n'assure pas des livraisons ponctuelles; (12) ce type de fabrication exige beaucoup de suivis et de relances; des systèmes d'ordonnancement assez sophistiqués, tel l'*OPT* (*Optimised Production Technology*), sont nécessaires mais coûteux.

À noter que le JAT en tant que philosophie de gestion est indispensable pour tout type d'opération; cependant, ses éléments de planification et de contrôle doivent bien correspondre avec le type de fabrication auquel il est appliqué. Bien utilisé, le JAT fournit des avantages très impressionnants.

## 18.10 Les avantages, les inconvénients et l'implantation du juste-à-temps

Plusieurs études confirment les avantages réalisés par diverses entreprises qui ont appliqué un système de juste-à-temps. Il est toutefois difficile de formaliser les succès rapportés à cause des diverses méthodes servant à exprimer les bénéfices, la méthodologie utilisée, le nombre de répondants, le nombre d'années d'implantation et le nombre d'éléments du JAT qui ont été appliqués. Vollmann *et al.*[27] rapportent les avantages du JAT à partir d'une étude de Plossl[21] (tableau 18.1).

Le tableau 18.1 donne le résultat d'un groupe d'entreprises en pourcentage d'amélioration; par ailleurs, le tableau 18.2 montre les avantages du JAT rapportés par 108 entreprises de l'industrie automobile ayant le plus d'expérience avec le juste-à-temps et appartenant à l'Automotive Industry Action Group (AIAG).

Bien qu'ils soient non comparables, les tableaux 18.1 et 18.2 se complètent, et l'ensemble des avantages rapportés correspond, à quelques exceptions près, aux éléments contenus dans le JAT. D'autres résultats de recherches sur les avantages du juste-à-temps ont été publiés. Ainsi, Crawford *et al.*[4] examinent les raisons d'implanter le JAT et énumèrent les avantages qui en découlent, en plus de relever

**Tableau 18.1**

**Un sommaire des avantages du JAT**

| | Amélioration | |
|---|---|---|
| | **Pourcentage agrégé (3 à 5 ans)** | **Pourcentage annuel** |
| Réduction du temps cyclique de production | 80 à 90 | 30 à 40 |
| Réduction des stocks | | |
| – matières premières | 35 à 70 | 10 à 30 |
| – produits en cours | 70 à 90 | 30 à 50 |
| – produits finis | 60 à 90 | 25 à 60 |
| Réduction du coût de la main-d'œuvre | | |
| – directe | 10 à 50 | 3 à 20 |
| – indirecte | 20 à 60 | 3 à 20 |
| Réduction des espaces | 40 à 80 | 25 à 50 |
| Réduction du coût de la qualité | 25 à 60 | 10 à 30 |
| Réduction du coût des matières | 5 à 25 | 2 à 10 |

**Source :** Adaptation d'un tableau de Vollman *et al.*[27].

**Tableau 18.2**

**Les avantages du JAT dans l'industrie de l'automobile selon 108 entreprises**

| | Pourcentage des entreprises |
|---|---|
| Réduction des stocks | 56 |
| Meilleures relations avec les clients | 45 |
| Amélioration de la qualité | 44 |
| Livraisons JAT réussies | 34 |
| Meilleures relations avec les fournisseurs | 30 |
| Amélioration de la productivité | 33 |
| Réduction des coûts de mise en route | 23 |
| Meilleures relations avec les employés | 22 |

**Source :** Adaptation d'un tableau de Celly *et al.*[3].

certains problèmes d'implantation. Voss et Robinson[29] rapportent les résultats d'une recherche faite au Royaume-Uni, tandis que Bartezzaghi *et al.*[2] enquêtent sur l'industrie italienne. Enfin, la recherche de Piper et McLachlin[20] porte sur 13 entreprises qui utilisent le JAT au Québec et en Ontario.

Ces nombreuses recherches sont intéressantes, car elles étudient différentes entreprises de divers pays, selon des critères variés. Malgré ces différences, le juste-à-temps procure des avantages désirés. Cependant, tout n'est pas rose dans le domaine du JAT, et un certain nombre de problèmes ou d'inconvénients sont rapportés.

L'**inconvénient majeur** du JAT est que certains le considèrent comme une philosophie de gestion systémique et stratégique, tandis que d'autres n'y voient qu'une boîte à outils contenant un grand nombre de techniques à utiliser au besoin. Ce problème rend difficile, d'une part, la pleine utilisation du JAT et, d'autre part, l'apport complet de ses bénéfices.

Mis à part les avantages du JAT, certaines entreprises ont découvert une conséquence inattendue : le stress[12]. Plusieurs travailleurs ne sont pas préparés à affronter la pression continuelle engendrée par les quatre aspects suivants de la philosophie JAT.

- La **vitesse de la chaîne** : une cadence ferme doit être maintenue, car il n'y a ni production par anticipation, ni temps morts indésirables. Le travailleur doit s'adapter rapidement à tout changement, ce qui cause du stress. De plus, certains travailleurs appréhendent la responsabilité de pouvoir arrêter la chaîne en cas de problème.
- La **réduction des stocks** : il n'y a plus de stocks tampons pour amortir les imprévus ; de plus, la réduction des stocks est volontaire, car elle permet de rendre les problèmes visibles. Une fois le problème corrigé, une nouvelle cible est fixée en vue de l'amélioration continue, ce qui en fait un système stressant, mais aussi des gens stressés.
- La **réduction du temps de mise en route** : elle augmente la fréquence des changements, et l'amélioration continue force à réduire ce temps, d'où une double source de pression.
- La **polyvalence** : elle permet d'enrichir les tâches, par exemple lorsqu'un opérateur maintient une douzaine de machines en marche au lieu d'une seule ; pour certains, cela constitue un défi à relever ; d'autres la ressentent comme une source de stress.

En somme, chaque avantage peut se changer en inconvénients et en problèmes si l'implantation est mal réussie ou si les attentes sont démesurées. Le tableau 18.3 énumère certains problèmes d'implantation.

Ce tableau révèle que 62 % des répondants ont eu des problèmes de changements de calendrier ou de délai de livraison imposé par le client, et que 5 % des entreprises ont maintenant réglé ce point. La piètre qualité interne et externe, quoique améliorée de 10 % et de 13 %, demeure un problème important. Il est notable de constater que l'engagement des travailleurs et des cadres supérieurs s'est amélioré assez radicalement. Il faut croire que si, effectivement, il y a continuité dans les efforts, il y aura continuité dans l'amélioration.

Les avantages assez spectaculaires du JAT, même si plusieurs problèmes et inconvénients restent à résoudre, indiquent que les adeptes du juste-à-temps vont généralement dans la bonne direction.

Voss et Robinson[29], dans leur recherche sur le JAT en Grande-Bretagne, affirment que parmi les 57 % de répondants ($n$ = 132) qui implantaient ou planifiaient l'implantation de certains aspects du JAT, seulement 16 % établissaient un programme formel. Cette recherche montre aussi que les entreprises adoptent de façon parcellaire les éléments du JAT, sans y voir un effet systémique; par exemple, seulement 3,2 % des répondants ont opté pour le zéro-défaut et 4,1 % pour le Kanban. Cette recherche semble indiquer que si les industriels connaissent le juste-à-temps, ils sont lents à y adhérer et adoptent pour commencer les éléments les plus faciles, mais pas les plus profitables. Cependant, si l'intention d'implanter d'autres éléments se manifeste, cela aura pour effet de confirmer l'aspect d'amélioration continue du JAT.

En ce qui a trait aux aspects généraux du processus d'implantation du JAT, le lecteur se référera à la section 2.5 de ce volume. Toutefois, il n'y a pas de recette ou de guide d'implantation pour le JAT. Cela dépend de l'état de l'entreprise, de ses

**Tableau 18.3**

**Les problèmes d'implantation du JAT**

| | Pourcentage des répondants qui affirment que : | | |
|---|---|---|---|
| | **c'était un problème** | **c'est encore un problème** | **ce n'est plus un problème** |
| Changement de calendrier du client | 62 | 57 | 5 |
| Piètre qualité des produits achetés | 59 | 49 | 10 |
| Piètre qualité de la production | 57 | 44 | 13 |
| Incapacité de diminuer la « paperasse » | 57 | 46 | 11 |
| Manque critique de pièces | 57 | 44 | 13 |
| Incapacité du fournisseur de livrer JAT | 57 | 49 | 8 |
| Absence de participation du travailleur | 49 | 31 | 18 |
| Incapacité de réduire le temps de mise en route | 48 | 36 | 12 |
| Équipement et outillage inadéquats | 45 | 31 | 14 |
| Surplus non critique de pièces | 44 | 33 | 11 |
| Absence d'engagement des cadres supérieurs | 43 | 28 | 15 |
| Problème de convention collective | 35 | 26 | 9 |

**Source :** Adaptation d'un tableau de Celly *et al.*[3].

forces et de ses faiblesses, de ses concurrents, de ses fournisseurs et surtout de son personnel. D'après Voss[28], les gestionnaires nippons utilisent les éléments suivants pour implanter le JAT dans les firmes anglaises :

- établir l'ordre et la propreté dans l'établissement ;
- éliminer le gaspillage évident par la détermination et la correction des méthodes et des procédés qui engendrent des défauts, des rejets ;
- former les gestionnaires sur l'information à gérer et sur la façon de la gérer ;
- encourager le travail d'équipe pour activer l'interaction entre les cadres et les travailleurs ;
- procéder à l'entretien préventif ;
- implanter le contrôle statistique de la qualité ;
- former des travailleurs pour obtenir leur participation ;
- étudier le flux des matières et commencer à réduire les temps de mise en route ;
- simplifier la manutention et ses techniques, y compris le choix des contenants kanbans ;
- établir les objectifs et les critères de performance, rendre les résultats visibles et modifier la cible chaque fois qu'elle est atteinte ;
- modifier l'aménagement, les règles de travail, le type et le mode d'information.

## CONCLUSION

Le juste-à-temps constitue une philosophie de gestion intéressante pour ceux qui désirent en profiter et faire face à la mondialisation de la concurrence. Cependant, l'engagement de la haute direction, le soutien des gestionnaires des différentes fonctions et la participation de tous les travailleurs sont indispensables à son implantation. L'aspect stratégique et systémique du JAT, en tant que philosophie de gestion, permet de tirer parti de tous les talents inutilisés dans chaque fonction de l'entreprise, et de bénéficier des nouvelles habiletés créées par la formation.

En tant que système de gestion, le JAT offre l'avantage de réduire le gaspillage avant d'améliorer ou de renforcer le système. Par exemple, l'automatisation ne serait acceptable dans le JAT qu'une fois le processus amélioré, car il n'est pas désirable d'automatiser ou d'intégrer à une automatisation des aspects non désirables d'un processus. L'automatisation par le biais de la fabrication intégrée par ordinateur (FIO), combinée au JAT-PBM, à la GIQ et à la participation totale du personnel, aide l'entreprise à se qualifier en tant que fabricant de classe mondiale, car elle permet de servir le client au-delà de ses attentes, de satisfaire ses besoins en qualité, en flexibilité, en certitude et en service à la clientèle, tout en comblant les besoins internes de l'entreprise quant à la satisfaction de son personnel, de ses gestionnaires et de ses actionnaires.

Enfin, il n'y a pas de conclusion sur le JAT : il n'y a que changement continu et amélioration. Aussi forte et solide que soit l'entreprise, il y a toujours place à l'amélioration[6].

## QUESTIONS DE RÉVISION

1. En quoi la philosophie et les deux principes du JAT sont-ils si importants en GOP ?
2. Pourquoi la participation du travailleur est-elle indispensable à l'implantation du JAT ?
3. Quelle est la distinction entre un système à flux poussé et un système à flux tendu (tiré) ?
4. Comment fonctionne le système Kanban ?
5. En quoi l'approvisionnement dans un contexte de JAT est-il différent de celui considéré comme traditionnel ?
6. Quelles sont les précautions à prendre pour bien implanter le JAT ?

## QUESTIONS DE DISCUSSION

1. « Si les auteurs et les chercheurs ne s'accordent pas sur le nombre d'éléments reliés au JAT, cela pourrait vouloir dire que le JAT n'est pas encore universellement compris. » Commentez cette affirmation.
2. « Le respect de la personne est un piège habile pour tenter d'en obtenir plus du personnel. » Commentez cette affirmation.
3. En quoi le JAT et la GIQ sont-ils les deux faces d'une même pièce de monnaie ?
4. Quelles exigences sont nécessaires pour obtenir une amélioration progressive et continue ?
5. Quels sont les avantages du JAT pour le client ?
6. Quels sont les avantages du JAT pour l'entreprise ?
7. Quels sont les avantages du JAT pour le fournisseur ?

## RÉFÉRENCES


1. ANSARI, A. et B. MODARRESS, « JIT Purchasing as a Quality and Productivity Center », *International Journal of Production Research*, vol. 26, nº 1, 1988, p. 19-26.
2. BARTEZZAGHI, E., F. TURCO et G. SPINA, « The Impact of the Just in Time Approach on Production System Performance : A Survey of Italian Industry », *International Journal of Production Management*, vol. 12, nº 1, 1991, p. 5-17.
3. CELLY, A.F., W.H. CLEGG, A.W. SMITH et M.A. VONDEREMBSE, « Implementation of JIT in the United States », *Journal of Purchasing and Materials Management*, National Association of Purchasing Management Inc., vol. 22, nº 4, hiver 1986, p. 9-15.
4. CRAWFORD, M.K., J.H. BLACKSTONE et J.F. COX, « Study of JIT Implementation and Operating Problems », *International Journal of Production Research*, vol. 26, nº 9, 1988, p. 1561-1568.
5. CROSBY, L.B., « The Just in Time Manufacturing Process : Control of Quality and Quantity », *Production and Inventory Management*, 4e trimestre, 1984, p. 21-33.
6. GODDARD, W.E., *Just in Time : Surviving by Breaking Tradition*, Oliver Wight Ltd. Publications, Essex Junction, VT, 1986.
7. HALL, R.W., *Attaining Manufacturing Excellence*, Dow Jones Irwin, Homewood, Illinois, 1987, p. 22-27.
8. HALL, R.W., *Zero Inventories*, Dow Jones Irwin, Homewood, Illinois, 1983.
9. HANDFIELD, R., « Quality Management in Japan versus the United States : An Overview », *Production Inventory Management*, 1989, p. 30-32.

10. HARRISON, A. et C.A. VOSS, « Issues in Setting up JIT Supply », *International Journal of Production Management*, vol. 10, nº 2, 1990, p. 84-93.
11. HAYES, R.H. et S.C. WHEELWRIGHT, *Restoring our Competitive Edge : Competing Through Manufacturing*, New York, John Wiley & Sons, 1984.
12. INMAN, R.A. et L.D. BRANDON, « An Undesirable Effect of JIT », *Production Inventory Management Journal*, 1er semestre, 1992, p. 55-58.
13. KARMARKAR, U., « Getting Control of Just in Time », *Harvard Business Review*, septembre-octobre 1989, p. 122-131.
14. KIM, G.C. et S.M. LEE, « Impact of Computer Technology on the Implementation of Just in Time Production Systems », *International Journal of Production Management*, vol. 9, nº 8, 1989, p. 20-39.
15. LEE, L.C., « A Comparative Study of the Push and Pull Production System », *International Journal of Production Management*, vol. 9, nº 4, 1988, p. 5-18.
16. McARTHUR, D., « Implementing TQM and JIT in a Factory Environment », *American Productivity and Quality Center*, cas nº 79, novembre 1990.
17. MONDEN, Y., *Toyota Production System : A Practical Approach to Production Management*, Industrial Engineers and Management Press, Norcross, GA, 1983.
18. NAKAJIMA, S., *Introduction to Total Preventive Maintenance*, Productivity Press, Cambridge, MA, 1988.
19. O'NEAL, C., « JIT Procurement and Relationship Marketing », *Industrial Marketing Management*, nº 18, 1989, p. 55-63.
20. PIPER, C. et R. McLACHLIN, « Just in Time : Eleven Achievable Dimensions », *Operations Management Review*, vol. 7, nº 3-4, 1990, p. 1-8.
21. PLOSSL, G.W., *Just in Time : A Special Roundtable*, Atlanta, Ga, George Plossl Educational Services Inc., 1985.
22. SANDRAS Jr., W.A., « Total Quality Control : The Other Side of JIT Coin », *Just in Time Reprints*, éd. révisée, APICS, 1989.
23. SCHONBERGER, R.J., *World Class Manufacturing : The Lessons of Simplicity Applied*, New York, The Free Press, 1986.
24. SCHONBERGER, J.R., *Japanese Manufacturing Techniques : Nine Hidden Lessons in Simplicity*, New York, The Free Press, 1982.
25. SHINGO, S., *A Revolution in Manufacturing : The SMED System*, Cambridge, MA, Productivity Press, 1985.
26. SUZAKI, K., *The Manufacturing Challenge : Techniques for Continuous Improvement*, New York, The Free Press, 1987.
27. VOLLMANN, T.E., W.L. BERRY et D.C. WHYBARK, *Manufacturing Planning and Control Systems*, 3e éd., Richard D. Irwin, 1992.
28. VOSS, C.A., « International Perspectives on Just in Time Manufacturing », *Symposium at the Annual Meeting of the Academy of Management*, Nouvelle Orléans, août 1987.
29. VOSS, C.A. et S.J. ROBINSON, « Application of Just in Time Manufacturing Techniques in the United Kingdom », *International Journal of Production Management*, vol. 7, nº 4, 1987, p. 46-52.
30. WANTUCK, K.A., *Just in Time for America*, Milwaukee, WI, The Forum Ltd., 1989.
31. WHITE, R.E. et W.A. RUSH, « Composition and Scope of JIT », *Operations Management Review*, vol. 7, nº 3-4, 1990, p. 9-18.

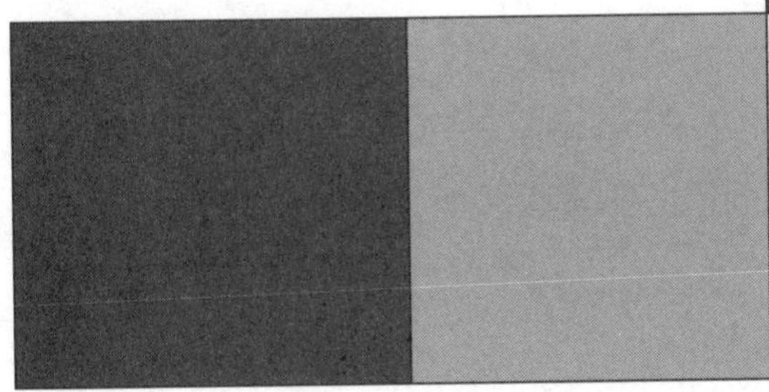

PARTIE IV

# Les stratégies de gestion des opérations et de la production et la productivité

CHAPITRE 19

CHAPITRE 20

Cette dernière partie traite de l'aspect stratégique de la GOP et de la productivité, celle-ci représentant l'un des principaux objectifs de la fonction Opérations-Production.

Le chapitre 19 porte entièrement sur l'aspect stratégique de la GOP, et ce pour deux raisons : tout d'abord, son importance dans le cadre de la gestion de l'entreprise, ensuite sa non moindre importance comme facteur de compétitivité, aspect qu'on a souvent négligé, croyant que le GOP se limitait au seul aspect opérationnel de la gestion courante de l'entreprise. Ce chapitre comporte les étapes à suivre et les facteurs à considérer lors de l'établissement de cette stratégie.

Le chapitre 20, dernier chapitre de l'ouvrage, traite du concept de la productivité, non pas limité à la productivité de la main-d'œuvre ou de l'équipement, mais élargi de façon à englober tous les objectifs de l'entreprise ; il s'agit de la notion de productivité globale ou « concurrentielle ». Le chapitre se poursuit par une synthèse de la GOP et se termine sur quelques perspectives d'avenir concernant ce domaine.

CHAPITRE 19

# La gestion stratégique des opérations

JEAN NOLLET *auteur principal*

# UNE APPROCHE STRATÉGIQUE DE LA GESTION DES OPÉRATIONS

## 19.1 Comment une organisation peut-elle être meilleure que ses concurrents ?

Jusqu'à maintenant, nous avons surtout traité de thèmes qui, de prime abord, pouvaient sembler plutôt opérationnels. Pourtant, chacun des sous-systèmes étudiés dans cet ouvrage comporte un volet stratégique, qui peut et qui doit influer sur la stratégie de l'entreprise tout en étant influencé par cette dernière. Mais le fait de considérer individuellement l'impact stratégique des sous-systèmes a plus de sens lorsqu'il existe une stratégie des opérations cohérente, car chacune des décisions est alors prise en fonction des objectifs que l'organisation désire atteindre.

Le principal objectif des dirigeants d'une entreprise à but lucratif est de faire mieux que leurs concurrents en matière de qualité, de délais, etc. En effet, les clients peuvent de plus en plus facilement évaluer les produits ou les services offerts par des entreprises de niveau national et international. Les objectifs des dirigeants d'autres organisations du même secteur peuvent différer, mais ceux d'une organisation précise doivent néammoins être clairs pour tout le personnel et intégrés de façon cohérente tant aux aspects stratégiques qu'opérationnels.

Le président de General Electric, Jack Welsh, insiste pour que l'entreprise occupe la première ou la deuxième place dans chacun de ses secteurs d'activité[32]. Selon Welsh, il est avantageux de se classer parmi les entreprises de grande taille, sans doute pour des raisons d'économies d'échelle, de visibilité et de développement d'expertise. Mais cela ne signifie pas que l'entreprise est la meilleure dans son domaine. Par exemple, Cooper Tire & Rubber, une entreprise qui œuvre principalement dans la fabrication de pneus, se classe au 9e rang de son secteur quant à sa taille. Pourtant, Cooper présente fréquemment les meilleurs résultats de son secteur industriel. En fait, lorsqu'on classe les entreprises en fonction du rendement total aux investisseurs depuis 1980 (ce qui comprend à la fois les dividendes et l'accroissement de la valeur des actions en Bourse), Cooper Tire & Rubber se situe au 28e rang parmi les 500 plus grandes entreprises industrielles, alors que General Electric se classe au 104e rang.

Contrairement aux autres fabricants de pneus, Cooper refuse de concurrencer pour obtenir un plus grand pourcentage de commandes des fabricants d'automobiles, car la lutte de prix dans ce segment de clientèle est trop acharnée et ne permet pas d'obtenir un taux de rendement satisfaisant sur les actifs. Bien que la durée de vie utile des pneus soit plus longue qu'auparavant, les dirigeants de l'entreprise ont opté pour le marché du pneu de remplacement, marché dont la taille est trois fois plus grande et qui croît encore. En effet, la vie utile des automobiles est plus longue, les propriétaires les conservent plus longtemps et les conduisent plus souvent qu'auparavant.

Dans le domaine de la fabrication des pneus, le processus de fabrication de masse par lot rend nécessaire une utilisation élevée de la capacité, afin d'accroître substantiellement la contribution marginale : Cooper utilise ses usines à 100 %, alors que la moyenne des entreprises du même secteur se situe à environ 80 %[32]. L'addition de capacité se fait par l'acquisition et la rénovation de vieilles usines obtenues à prix avantageux. Il s'agit là d'une approche fort différente de celle de nombreux autres fabricants du même secteur : plus de 40 usines ont fermé leurs portes depuis les années 70 !

Les dirigeants misent sur le développement des ressources humaines à l'interne et sur la fierté des employés de voir leur organisation (tous les employés ont la possibilité d'acheter des actions de la compagnie) faire mieux en matière de rentabilité et de qualité.

Pendant ce temps, General Motors projette d'éliminer 74 000 emplois, de fermer 21 usines et de mettre beaucoup d'espoir dans des projets, tel *Saturn*, qui fournit jusqu'à maintenant des niveaux de satisfaction inégalés auprès de la clientèle nord-américaine pour des véhicules d'origine autre que japonaise. Durant les années 80, les entreprises faisant partie des *Fortune 500* (la liste des 500 entreprises ayant le chiffre d'affaires le plus élevé, selon la revue *Fortune*) ont mis à pied pas moins de 3,5 millions de personnes[10]. Une portion de ces mises à pied a été causée par l'incapacité d'un pourcentage élevé de ces entreprises à être meilleures que leurs concurrents sur le marché international.

En fait, il semble bien que les entreprises efficaces tendent vers une décentralisation accrue, ce qui leur permet alors de responsabiliser davantage le personnel de tous les niveaux et d'être plus près des clients existants et potentiels. Une telle approche permet aux entreprises d'allier les avantages d'avoir une grande taille (disponibilité de capital et attraction des meilleurs gestionnaires) à ceux de focalisation, de flexibilité et de rapidité.

Des organisations comme Johnson & Johnson, Microsoft et Siemens illustrent bien ce qui vient d'être mentionné. Par exemple, à peine 1,5 % des 82 000 employés de Johnson & Johnson (34e parmi les entreprises *Fortune 500* avec des revenus de 12,4 milliards de dollars) travaillent au siège social. Pourtant, cette entreprise possède 166 unités de production décentralisées, toutes axées sur les soins de la santé. U.S. Siemens, avec des revenus annuels de 4,5 milliards, fonctionne de la même façon[10].

Durant les années 80, les dirigeants étaient évalués selon leur capacité à restructurer et à réduire le nombre de strates organisationnelles. Durant les années 90, ils sont évalués d'après leur capacité à déterminer et à exploiter les compétences distinctives de leur entreprise, ce qui les force à remettre en cause de nombreuses facettes de leur organisation, afin de rendre cette dernière plus apte à affronter ses concurrents[22]. C'est pourquoi les entreprises NEC et General Electric, pour ne nommer que celles-là, se définissent en fonction de leurs compétences plutôt qu'en fonction des unités de production qui font partie de ces conglomérats. Cette approche a pour avantage de permettre la considération de plusieurs marchés différents où il est possible de contribuer à la valeur ajoutée telle que perçue par les clients, en plus d'avoir des compétences difficiles à imiter.

Une entreprise comme Chrysler considère les moteurs et les transmissions simplement comme un composant, alors que chez Honda, on ne songerait même pas à laisser faire le design de tels composants à l'externe[22]. Cette différence d'orientation indique clairement que les dirigeants de Chrysler ne désirent pas faire de cette portion de la fabrication une compétence distinctive, réduisant ainsi la probabilité que cet aspect constitue un domaine où l'entreprise soit meilleure que ses concurrents. Par contre, Honda considère que ces composants de l'automobile sont critiques et qu'ils doivent demeurer entièrement sous le contrôle de l'entreprise, tant pour le design que pour la fabrication. L'avenir révélera si Chrysler ou Honda ou les deux ont eu raison de privilégier l'approche choisie.

Les exemples mentionnés dans cette section illustrent certaines façons choisies par des organisations pour être meilleures que leurs concurrents. En fait, chaque aspect de la GOP et des autres fonctions peut aussi y contribuer. La détermination et l'exploitation des compétences distinctives permettent donc aux organisations de se démarquer de leurs concurrents, car elles constituent l'essence même de la stratégie globale de l'entreprise.

## 19.2 La notion de stratégie

La **stratégie globale** est la ligne directrice qui détermine l'orientation des actions de l'ensemble de l'entreprise, de même que l'acquisition et l'allocation des ressources nécessaires à l'atteinte des objectifs visés, particulièrement celui de détenir certains avantages sur la concurrence. Elle relie les ressources d'une entreprise aux possibilités qu'offre le marché. Une stratégie caractérise donc non seulement le type d'entreprise que la direction désire créer et gérer, mais aussi celui qu'elle ne désire pas être. Une fois cette décision prise, on devrait éviter de la modifier souvent en raison des risques élevés de confusion qui en découleraient. Toutefois, les changements fréquents qui caractérisent l'environnement des organisations rendent difficile le choix d'une stratégie qui soit valable pour longtemps.

La figure 19.1 contient les principaux éléments de la détermination d'une stratégie. Somme toute, les dirigeants ayant une stratégie cohérente prennent en considération les forces et les faiblesses de l'entreprise, de même que les possibilités et les menaces que comporte l'environnement externe. On constate que la perception et la connaissance des environnements interne et externe par les dirigeants constituent un facteur important dans la détermination d'une stratégie globale appropriée. Le choix d'une stratégie résulte en partie des décisions prises par les dirigeants antérieurs. Il est donc difficile de modifier très rapidement non seulement la stratégie globale, mais surtout la réalisation de la stratégie choisie, tant au niveau du système opérationnel qu'au niveau du système de pilotage.

Selon Mintzberg[20], une stratégie globale vise à donner une direction, à définir l'organisation, à concentrer les efforts et à donner de la cohérence à une entreprise. Une stratégie permet donc de tracer les grandes lignes et de fournir un cadre de travail aux employés, qui peuvent alors s'occuper des détails d'une façon plus éclairée. D'une certaine façon, une stratégie claire limite la probabilité qu'il y ait des changements profonds, puisque « la stratégie est à l'organisation ce que sont les œillères au cheval : elles permettent d'aller en ligne droite, car elles restreignent la vision périphérique ».

L'acquisition de l'expérience et de connaissances facilite l'exactitude de la perception du gestionnaire par rapport à l'environnement. Lorsque l'expérience est acquise dans une industrie particulière, l'environnement est alors encore plus familier, et les stratégies plus valables, plus faciles à cerner. Pourtant, le président d'une importante entreprise française œuvrant dans le secteur de l'électronique et de la défense, Thompson S.A., va même jusqu'à affirmer que ce ne sont pas toujours les dirigeants d'entreprise qui choisissent de lancer les opérations au niveau international, mais que ce sont souvent les clients qui forcent la main des dirigeants[19].

Hayes[14], un prolifique auteur dans le domaine de la stratégie en gestion des opérations, se dit grandement préoccupé par le fait que plusieurs cadres intermédiaires attribuent les difficultés concurrentielles présentes de leur organisation non pas à un manque de stratégie, mais plutôt aux conséquences négatives du fonctionnement approprié du processus de planification stratégique.

▼ **FIGURE 19.1**
**Les principales considérations dans la détermination d'une stratégie**

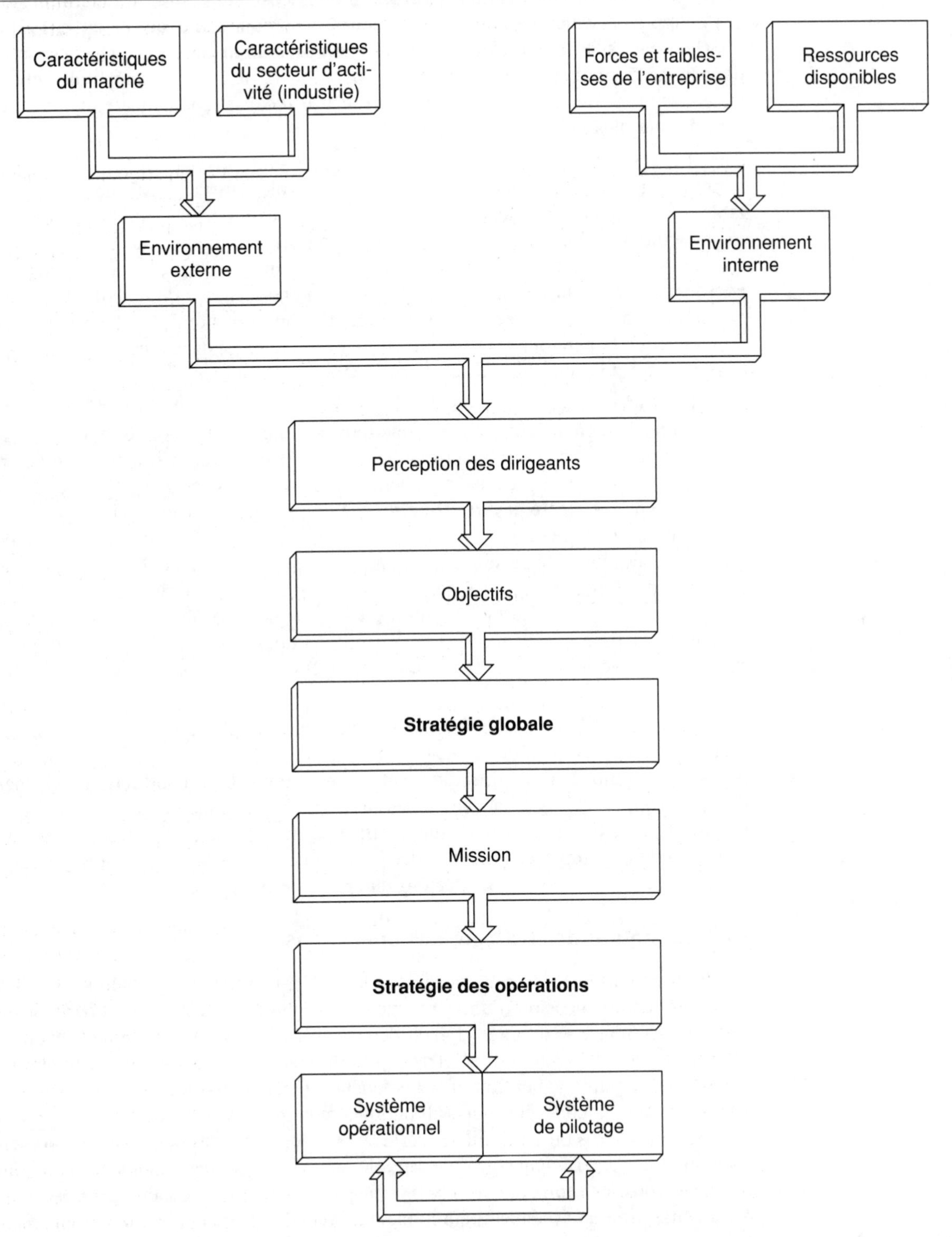

Les stratégies globales américaines sont d'ailleurs loin d'avoir été une réussite, si on se fie à leurs stratégies de diversification. Porter[21] a étudié cet aspect stratégique pour 33 grandes entreprises américaines renommées ; ainsi, il a pu déterminer que ces entreprises avaient revendu plus d'unités de production acquises entre 1950 et 1986 qu'elles n'en avaient conservées. Cette observation est encore plus pertinente dans le cas des unités dont la nature des opérations différait énormément de celle du siège social, ce qui confirme l'importance d'une focalisation adéquate, comme cela sera discuté plus loin dans ce chapitre.

Un secteur industriel ou un grand nombre d'entreprises d'un même pays peuvent opter pour une stratégie semblable. Par exemple, Drucker[8] affirme que la véritable raison pour laquelle le Japon a décidé d'exporter de nombreux emplois manufacturiers à l'extérieur du pays est la conviction grandissante des leaders du monde des affaires et du gouvernement japonais que les Nippons devraient plutôt axer leur stratégie sur les emplois qui relèvent en grande partie du travail intellectuel. Selon lui, le prétendu protectionnisme des États-Unis et de nombreux pays européens de même que la pénurie grandissante de main-d'œuvre japonaise ne constituent que des prétextes pour aller de l'avant avec la stratégie mentionnée.

La stratégie globale constitue le lien principal entre les objectifs d'une organisation et la stratégie de chacune des fonctions de cette organisation. Chaque stratégie fonctionnelle doit être clairement établie et doit découler de la stratégie globale de l'entreprise pour que les décisions soient cohérentes. La stratégie globale constitue donc le pivot des **stratégies des fonctions**. Elle influe fortement sur les autres stratégies qu'elle domine, car c'est elle qui sert de point de référence ultime lors des prises de décisions. Mais elle subit aussi une influence modérée de la part des stratégies des fonctions, car ces dernières possèdent des caractéristiques qui limitent le choix des dirigeants parmi la gamme des stratégies globales possibles. C'est ce qu'illustre la figure 19.2 où, afin de simplifier, nous avons omis, entre autres, la stratégie relative à la recherche et au développement et la stratégie relative au personnel.

Dans les multinationales ou les entreprises à multiples divisions, une stratégie supplémentaire vient habituellement s'intercaler entre la stratégie globale et les stratégies des fonctions : il s'agit de la **stratégie d'une unité de production** (*Strategic Business Unit* ou *SBU*). Chacune de ces divisions a une stratégie globale qui lui est propre et qui influe grandement sur la stratégie des opérations de la division concernée. Afin de simplifier l'analyse dans ce chapitre, nous laisserons presque entièrement de côté la notion de stratégie d'une unité de production.

## 19.3 La notion de stratégie des opérations

Les informations précédentes concernant la notion de stratégie globale sont essentielles à la compréhension d'une stratégie des fonctions en gestion des opérations et de la production. La stratégie globale détermine les biens ou les services à fournir aux clients, compte tenu des caractéristiques du marché, des actions des concurrents et aussi de l'environnement interne. La fonction Opérations-Production joue un rôle important dans la conception et le fonctionnement du système opérationnel servant à produire les biens ou à fournir les services. Or, les stratégies des fonctions doivent soutenir et renforcer l'avantage concurrentiel que vise la stratégie globale. Sur le plan des opérations, ce renforcement est obtenu par des décisions cohérentes prises lors de la conception du système opérationnel, et donc des éléments la composant : technologie et équipement, produit et processus, capacité, organisation et méthodes ainsi

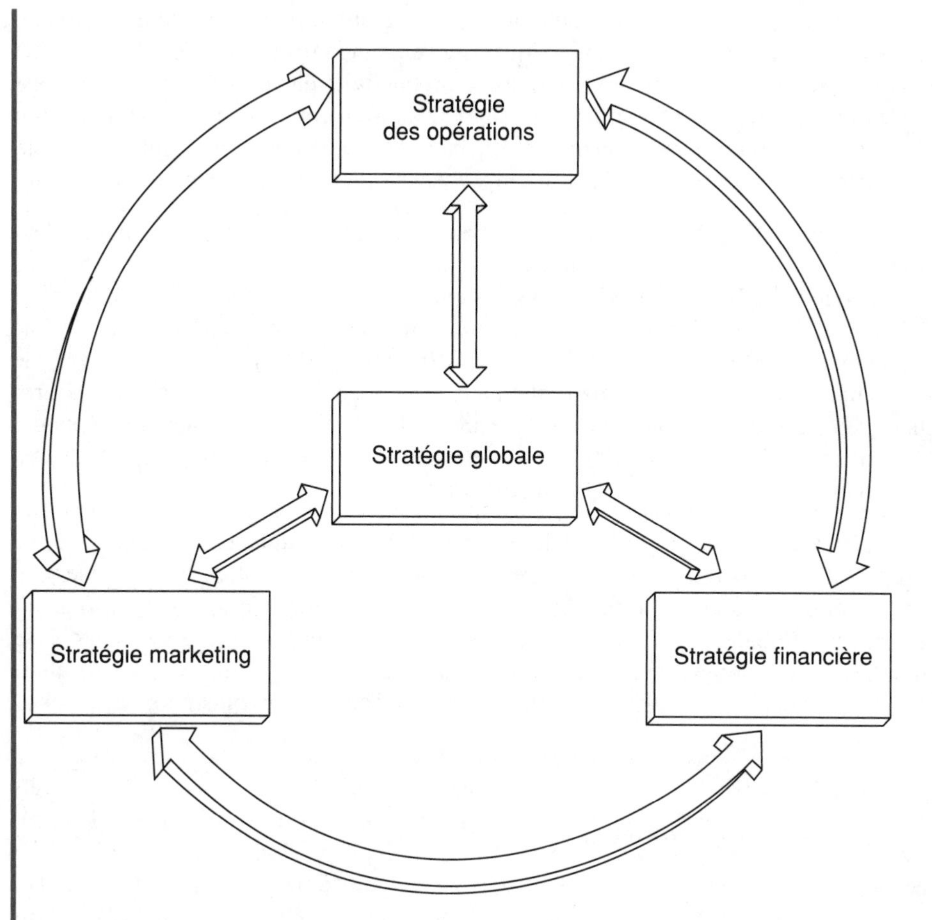


**FIGURE 19.2**
**La relation entre la stratégie globale et les stratégies des fonctions**

que localisation et aménagement. Les décisions passées relatives à la conception du système opérationnel contraignent donc les décisions futures reliées à l'utilisation de ce système.

Une **stratégie des opérations** fournit une ligne directrice quant à la gestion des opérations et tient compte tant des besoins présents que des besoins futurs. Elle correspond à une définition claire des priorités d'une organisation sur le plan des opérations, et des conséquences qui découlent de ces priorités. Une stratégie des opérations claire limite donc les options stratégiques valables qui s'offrent aux dirigeants d'une entreprise. Par exemple, les assurances Desjardins ont mis l'accent sur la disponibilité du service 24 heures par jour (variable temps), ce qui sécurise les assurés existants et potentiels qui, avec d'autres assureurs, devaient attendre jusqu'au lundi matin pour discuter des sinistres survenus durant la fin de semaine.

Les modifications ultérieures apportées à la stratégie globale et à la stratégie des opérations sont restreintes par les choix initiaux exercés lors de la conception et de la mise en place du système opérationnel. Par exemple, si, pour une entreprise, la rapidité de livraison est un facteur clé de réussite, il peut être plus rentable qu'elle soit installée dans une vieille usine située près d'une autoroute que dans une bâtisse neuve qui en est éloignée. En effet, l'éloignement deviendrait immédiatement une contrainte majeure au bon fonctionnement de cette entreprise. Par ailleurs, la localisation et l'aménagement existants peuvent devenir incompatibles avec des objectifs tels qu'un climat de travail favorable à une productivité élevée, ou encore l'accroissement du niveau de service à la clientèle. Par conséquent, certaines multinationales préfèrent parfois fermer des usines et en bâtir de nouvelles ailleurs plutôt que de continuer à subir des contraintes qui empêchent la réalisation de leurs objectifs.

Selon le président de Cypress Semiconductor, une entreprise du domaine électronique parmi les plus performantes du secteur, ce n'est pas la vision stratégique qui manque dans la plupart des organisations, mais bien la capacité de rendre cette vision opérationnelle ; les grandes organisations réussissent bien sur ce plan et s'efforcent constamment de faire mieux[24]. Pour améliorer la performance, il est d'avis que toute allocation de capital humain et financier doit permettre de maximiser la productivité. De plus, il croit que tout président devrait être en mesure de répondre rapidement à des questions telles que : Quel est le niveau de qualité moyen de chacun des produits ou des services ? Quel est le revenu par employé ?

Bien que la gestion des opérations comporte de nombreux aspects à court terme permettant à la stratégie globale d'être opérationnelle, elle est loin d'être seulement tactique et quantitative. Elle possède aussi des aspects stratégiques et elle influe sur la stratégie globale de l'entreprise. Cependant, il est impossible de vérifier si la stratégie des opérations choisie est la meilleure dans les circonstances : les résultats obtenus peuvent s'étendre sur plusieurs années et découler de plusieurs décisions.

L'une des façons les plus précises d'établir la stratégie des opérations d'une organisation consiste à la représenter comme une combinaison de facteurs structurels et infrastructurels. Font partie de la première catégorie : la détermination de la capacité, le degré d'intégration verticale, la technologie et l'aménagement ; dans la seconde catégorie on trouve les politiques et les procédés, l'organisation du travail et les systèmes de contrôle[15]. À peu de choses près, les facteurs structurels correspondent au système opérationnel, et les facteurs infrastructurels se rapportent au système de pilotage. Des facteurs tels que l'approche face aux cercles de qualité, l'approche face aux travailleurs et l'utilisation du contrôle statistique de processus peuvent aussi être utilisés avec succès pour classifier les stratégies des opérations[5].

Dans l'exemple suivant, nous démontrons que la stratégie globale prévaut sur la stratégie des opérations, mais que cette dernière influe sur la première.

**Exemple** ■

La stratégie globale d'une entreprise de meubles de la région de Québec consiste en la fabrication de mobiliers de chambre à coucher en bois teint. Ces mobiliers sont destinés à un segment du marché dont la clientèle désire des meubles de belle apparence mais à un prix inférieur à la moyenne, quelle que soit la qualité du bois utilisé.

La mission de cette entreprise sur le plan des opérations, c'est-à-dire ce qu'elle doit bien faire avant tout dans ce domaine[27], est de minimiser ses coûts. Sa stratégie des opérations consiste à employer une main-d'œuvre non spécialisée et à offrir une gamme de produits restreinte, ce qui entraîne des coûts et des prix inférieurs à ceux de ses concurrents. Le bois choisi, provenant d'espèces peu coûteuses, doit être teint avec grand soin. C'est là une étape cruciale.

*(suite)*

**Exemple** *(suite)*

Une modification de cette stratégie pourrait consister à automatiser de plus en plus le processus et à produire en grandes séries afin de réduire les coûts. Cette stratégie signifierait une forte réduction de la main-d'œuvre non spécialisée et un faible accroissement de la main-d'œuvre spécialisée capable d'utiliser des machines plus sophistiquées et de les maintenir en état de fonctionnement. L'automatisation accrue donnerait lieu à des arbitrages. Par exemple, il serait plus difficile de remplacer les ouvriers spécialisés que les employés non spécialisés. En outre, les salaires de la main-d'œuvre spécialisée seraient plus élevés ; par contre, ce type de main-d'œuvre est souvent nécessaire pour faire fonctionner une machinerie sophistiquée qui permet de réduire les coûts.

C'est la direction qui décide de la stratégie globale et de l'orientation propre à chacune des fonctions. Une fois ces décisions clairement définies, il lui est alors plus facile de déléguer à des cadres intermédiaires les décisions tactiques et les décisions relatives aux opérations courantes. Afin d'illustrer ces concepts, prenons l'exemple d'Air Canada. Le secteur Entretien veille à rendre les appareils disponibles le plus rapidement possible, afin que leur affectation aux différents vols puisse être respectée. L'horaire de l'entretien préventif et des réparations est donc établi en fonction des vols prévus. Les dirigeants ont donné comme ligne directrice aux responsables de ce secteur, de faire en sorte que les avions requis soient disponibles en temps voulu. Cependant, ce n'est pas le rôle des dirigeants de déterminer le moment précis ou encore les moyens à utiliser pour effectuer l'entretien préventif.

Une stratégie des opérations peut être réactive ou proactive ; elle peut également se situer sur un continuum allant d'une contribution négative à une contribution positive face à l'atteinte des objectifs d'une organisation. On peut classifier les approches face à la fonction Opérations dans l'une des catégories suivantes, selon que cette dernière est utilisée pour : 1. réduire les pressions et les problèmes auxquels l'organisation doit faire face ; 2. tenter de réduire l'écart séparant l'organisation de ses meilleurs concurrents ; 3. développer des compétences distinctives dans son secteur qui lui permettront d'obtenir un avantage marqué sur le marché[11]. Une stratégie des opérations proactive permet donc à la fonction Opérations d'acquérir, de façon anticipée, les moyens lui permettant de concurrencer efficacement[17]. Les différentes approches face à la stratégie des opérations sont illustrées à la figure 19.3. On y constate que cette stratégie peut nuire ou contribuer au succès organisationnel, ou encore le soutenir.

La détermination de la stratégie des opérations à adopter étant souvent difficile à effectuer, il existe des questionnaires conçus pour guider les gestionnaires. Ces questionnaires servent à effectuer ce qu'on appelle la **vérification des opérations**. Chase et Aquilano[2] ainsi que Skinner[27] fournissent une liste de questions possibles, dont le tableau 19.1 est une adaptation. Le but de ces questionnaires est d'aider les gestionnaires à déterminer la stratégie des opérations en comparant ce qui est fait avec ce qui devrait être fait.

Plus une personne possède une connaissance approfondie de la gestion des opérations, plus il lui est facile d'élaborer un tel questionnaire. Tout d'abord, elle dresse une liste des différents sous-systèmes du système opérationnel et du système de pilotage, puis elle prépare les questions relatives à ces sous-systèmes qui sont les plus pertinentes au regard de l'entreprise étudiée. Il s'agit d'un processus très simple et efficace.

**FIGURE 19.3**
**Les approches face à la stratégie des opérations**

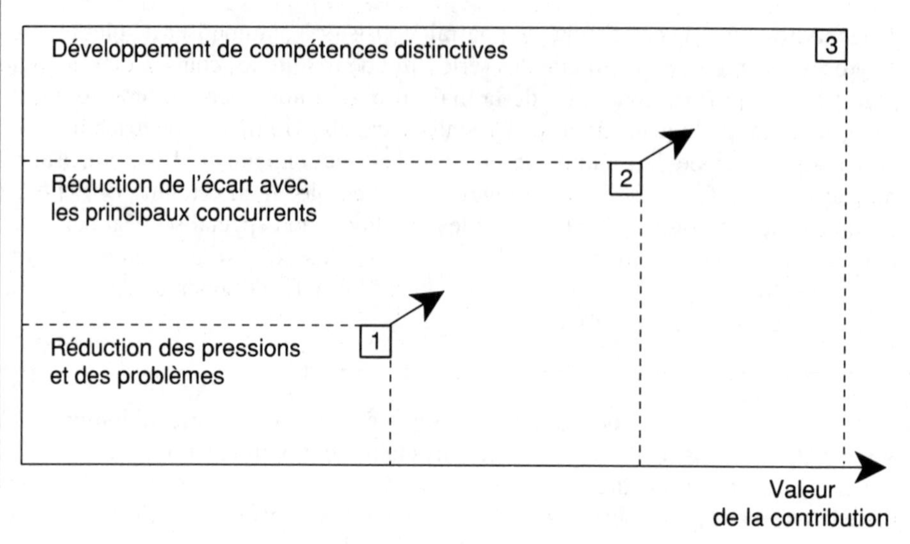


**Tableau 19.1**
**Un questionnaire type d'une vérification des opérations**

Pour chacune des questions, encerclez ce qui décrit le mieux l'entreprise pour laquelle vous travaillez actuellement.

| Question | | | |
|---|---|---|---|
| 1. Gamme des produits fabriqués ou des services offerts : étendue, restreinte, très restreinte. | A | B | C |
| 2. Type de produits ou de services : standard, sur commande, des deux types. | A | B | C |
| 3. Étendue de l'automatisation du processus : faible, moyenne, élevée. | A | B | C |
| 4. Flexibilité de l'équipement : faible, moyenne, élevée. | A | B | C |
| 5. Nombre d'emplacements : un seul, quelques-uns, plusieurs. | A | B | C |
| 6. Recours à la sous-traitance : faible, moyen, élevé. | A | B | C |
| 7. Nombre de niveaux hiérarchiques des opérations : 1 à 3, 4 ou 5, 6 ou plus. | A | B | C |
| 8. Contrôle de la cadence des employés de production : rare, moyen, fréquent. | A | B | C |
| 9. Spécialisation des tâches : faible, moyenne, élevée. | A | B | C |
| 10. Mode de rémunération des employés : taux horaire, salaire hebdomadaire, primes d'encouragement. | A | B | C |

**Commentaires :** Une fois les réponses encerclées pour chacune des questions, il suffit de les comparer avec ce que vous croyez qui devrait être fait. Un pourcentage de correspondance entre les deux réponses supérieur à 70 % signifie que la stratégie actuelle concorde avec celle qui est souhaitée.

**Sources :** Adaptation d'un tableau de Chase et Aquilano[2] et de Skinner[27].

Il est possible que certaines entreprises obtiennent un fort pourcentage de réponses similaires en comparant ce qui est fait avec ce qui devrait être fait, mais qu'elles éprouvent malgré tout de sérieux problèmes. Voici quatre causes possibles d'une telle situation : la mission choisie n'est pas la bonne, ce qui se traduit par de l'inefficacité même s'il y a efficience ; les directives ne sont pas bien suivies par les subordonnés ; le répondant au questionnaire ne sait pas exactement ce qui se fait ou ce qui devrait être fait ; le répondant au questionnaire est involontairement influencé dans les réponses fournies.

On prévoit que la vérification des opérations sera de plus en plus utilisée dans les années à venir. Elle constitue en effet un moyen efficace et relativement peu coûteux d'examiner les opérations d'une organisation et de s'assurer que les opérations reflètent bien la mission de cette dernière.

## 19.4 La définition de la mission d'une organisation

La **mission de l'entreprise** sur le plan des opérations correspond à la compétence distinctive que comptent exploiter les gestionnaires des opérations. Elle est l'équivalent, sur le plan fonctionnel, de ce qu'est la mission globale, qui fait entrer tout particulièrement en ligne de compte la façon dont une entreprise concurrence ses rivaux. Définir cette mission équivaut, pour l'entreprise, à établir la priorité qu'elle se fixe sur le plan des opérations ; elle permet au président d'évaluer plus facilement la performance du secteur Opérations à l'aide de critères appropriés à la mission confiée à ce groupe.

Par exemple, la mission organisationnelle de J.M. Schneider, une entreprise de transformation alimentaire, est la suivante : « Générer une croissance profitable en fournissant des produits alimentaires de haute qualité de valeur supérieure dans des segments de marché clairement identifiés, tout en maintenant notre entreprise solide financièrement, bien gérée et éthique »[7]. Une telle mission permet donc de mettre l'accent sur la qualité comme facteur concurrentiel primordial, alors que le coût joue en apparence un rôle de moindre importance. Afin de faciliter l'identification des employés à l'organisation et une meilleure compréhension du processus, les dirigeants ont d'ailleurs décidé de diviser les travailleurs en petites équipes, plutôt que par fonction.

Skinner[27] suggère l'approche suivante pour cerner cette mission sur le plan des opérations.

1. Spécifier clairement les contraintes relatives aux opérations, y compris les attentes des autres services.
2. Établir les atouts du système de production qui peuvent en faire une arme stratégique.
3. Définir les facteurs de succès reconnus dans le secteur d'activité en question. Par exemple, dans l'industrie du transport aérien, c'est la fréquence des vols et non le nombre de sièges disponibles qui fournit à une entreprise un avantage concurrentiel.
4. Déterminer l'ordre d'importance des priorités établies par les gestionnaires, compte tenu des trois premiers facteurs.
5. Choisir la mission : elle correspond habituellement à la priorité la plus importante.

6. Définir clairement l'effet de cette mission sur les composantes du système de production, y compris les améliorations à y apporter.

La question clé dans la détermination d'une mission est donc : Qu'est-ce que la fonction Opérations-Production doit tout particulièrement « bien faire » pour contribuer à l'atteinte des objectifs de l'organisation ? Une définition claire de cette mission limite les rôles que peut jouer le service des opérations, de même que les stratégies valables qui sont disponibles. Fait à noter, c'est avant tout par la coordination de la main-d'œuvre et des ressources matérielles qu'on s'assure d'un effort productif cohérent permettant de bien remplir la mission.

Une recherche effectuée par des professeurs canadiens révèle que les entreprises de haute technologie possèdent l'une des six missions suivantes : 1. avant-garde technologique ; 2. développement technologique ; 3. service technologique ; 4. fabrication sur commande ; 5. fabrication sur commande avec accent sur les coûts faibles ; 6. minimisation des coûts. Ces missions se différencient en particulier quant à la quantité et à la variété fabriquées, ainsi qu'à l'innovation. On peut également constater le développement de missions cohérentes avec le développement du produit et du processus : une mission axée sur la minimisation des coûts a plus de sens lorsque les caractéristiques du produit ou du service sont plutôt stables. Les entreprises dont la mission globale et la mission relative aux opérations étaient claires se sont révélées plus performantes que les autres[23].

Bien que sur le plan des opérations la plupart des entreprises d'un même secteur se fassent concurrence à partir d'une mission semblable, cela n'empêche pas les gestionnaires de certaines entreprises du même secteur de privilégier une mission différente ; en conséquence, leur stratégie des opérations peut être elle aussi passablement différente. Par exemple, la compagnie aérienne People Express axait ses opérations sur le plus bas coût possible (mission), allant même jusqu'à faire payer les passagers pour faire transporter leurs bagages à bord de l'avion. Ce service était pourtant gratuit dans les autres compagnies, compte tenu que les passagers payaient leur billet plus cher. Or, même si le facteur de succès reconnu dans l'industrie aéronautique demeurait la fréquence des vols, People Express avait su se tailler une place dans cette industrie en adoptant une mission différente, ce qui ne l'empêchait pas d'accroître ses vols. En tentant de s'attaquer à un segment de marché (celui des voyageurs d'affaires) pour lequel elle devait orienter ses ressources différemment de ce qu'elle avait appris à bien faire (servir les voyageurs désireux d'économiser avant tout), elle a déplu aux deux segments et a fait faillite.

Les préférences des clients se modifient aussi avec le temps, à cause des changements technologiques et d'autres transformations majeures dans l'environnement externe de l'entreprise. Il faut donc s'attendre à ce que la mission d'une organisation change, ce qui influe sur la stratégie des opérations de l'entreprise. Il revient aux dirigeants de décider si les conséquences sont suffisamment importantes pour justifier une modification de la stratégie des opérations. Stobaugh et Telesio[30] mentionnent quelques éléments d'une stratégie des opérations qui sont susceptibles de changer lors d'une modification de la mission : le processus utilisé, la localisation et la taille de l'usine de même que le niveau de contrôle exercé sur le système de production. Étant donné que chacun de ces éléments peut être modifié et orienté selon la mission de l'entreprise, ils peuvent devenir des atouts concurrentiels s'ils sont bien coordonnés. Cependant, de telles modifications ne peuvent survenir que si certains mécanismes permettent une réévaluation périodique du niveau d'efficacité du système de production dans la mission qui lui est confiée. Pour ce faire, il est utile de réévaluer également si une organisation évolue encore à l'intérieur de sa zone optimale d'activité.

Une **zone optimale d'activité** est une « fourchette » dans laquelle l'ensemble des décisions stratégiques doit se situer de façon cohérente et efficace, afin que les ressources soient exploitées adéquatement en tenant compte, entre autres facteurs, des conditions particulières du marché et du type d'activité.

Puisque les environnements externe et interne sont en constante évolution, il est peu probable qu'une entreprise puisse se trouver longtemps dans sa zone optimale. Le passage d'une zone non optimale à une zone optimale nécessite des adaptations dans l'utilisation des ressources, et ce compte tenu de facteurs tels que les caractéristiques de l'entreprise, les particularités du marché et la création de nouvelles technologies. Une perception erronée des gestionnaires quant à la localisation de la zone optimale entraîne un retard dans l'allocation des ressources. Il est alors probable qu'une stratégie des opérations inappropriée soit définie et mise en application, entraînant des conséquences financières désastreuses.

Même s'il est inévitable que des erreurs se produisent à une étape ou l'autre de la conception et de la mise en place du système opérationnel et du système de pilotage, c'est toutefois l'effet additif et parfois même multiplicatif de ces erreurs qui entraîne des conséquences graves. Si tous les sous-systèmes du système opérationnel et du système de pilotage sont au point, s'ils utilisent adéquatement les ressources et s'ils répondent aux attentes exprimées à travers la stratégie des opérations, ils sont efficients.

Cependant, si le système de production n'est pas orienté vers la réalisation des objectifs fixés, il survient alors une certaine inefficacité. En effet, comme nous l'avons vu dans un chapitre antérieur, Hayes et Wheelwright[15] ont démontré par leur recherche qu'il est nécessaire qu'une organisation réalise les biens et les services que son système de production lui permet de bien réaliser. Il y a d'ailleurs une relation positive établie entre l'exploitation appropriée de cette compétence et sa performance face aux concurrents[3]. La figure 19.4 démontre qu'une erreur importante dans l'évaluation ou la détermination de tout facteur précédant l'étape de la fabrication proprement dite entraîne l'inefficacité d'un système. Une gestion à la fois efficace et efficiente d'un système opérationnel semble difficile à réaliser à cause des difficultés ou des erreurs potentielles quasi inévitables.

| | | Erreur importante lors de l'analyse de l'environnement et lors de la détermination de la stratégie globale, de la mission ou de la stratégie des opérations ? | |
|---|---|---|---|
| | | NON | OUI |
| Difficulté majeure de fonctionnement du système opérationnel ou du système de pilotage ? | NON | Efficacité et efficience possibles | Efficience possible |
| | OUI | Efficacité possible | ——— |

**FIGURE 19.4**
**L'impact des erreurs commises lors des décisions préalables au fonctionnement proprement dit du système opérationnel**

Les modifications progressives de l'environnement externe sont plus difficiles à déceler que celles qui surviennent abruptement, mais elles permettent aux gestionnaires un temps de réaction plus long. Dans un cas comme dans l'autre, l'inertie organisationnelle, un manque de compréhension quant aux changements requis ou un refus d'allouer les ressources nécessaires peuvent rendre les changements requis difficiles à effectuer.

Les modifications de l'environnement interne peuvent également rendre difficile le fonctionnement à l'intérieur de la zone optimale. Les décisions venant de chacun des services ne sont pas toujours prises en fonction de l'ensemble de l'entreprise. De même, les efforts des spécialistes de différents domaines au sein d'une même organisation manquent parfois de coordination. L'un des principaux dangers possibles est que les arbitrages ne soient pas orientés dans le même sens que la mission de l'entreprise sur le plan des opérations. C'est pourtant la mission qui doit être la clé de voûte de l'orientation des efforts effectués au regard des objectifs et de la stratégie préalablement définis.

## LA DÉTERMINATION DES OBJECTIFS ET L'IMPACT SUR LA FOCALISATION

### 19.5 L'intégration de la stratégie des opérations à l'orientation de la qualité totale

Une stratégie des opérations valable vise avant tout à satisfaire les clients actuels et à attirer de nouveaux clients. Pour ce faire, les dirigeants doivent s'assurer que la philosophie, les opérations et tous les autres aspects de l'organisation constituent un ensemble cohérent permettant d'atteindre la qualité totale. Mais trop d'organisations ne tentent de reproduire que les avantages de coût et de qualité que leurs concurrents les plus forts possèdent déjà[12].

Selon un spécialiste du domaine de l'informatique, cela ne prend plus beaucoup de temps pour qu'une technologie devienne une denrée (*commodity*), ce qui implique que les gagnants et les perdants se différencient de plus en plus par les services qu'ils offrent et par la façon de rendre ces services. Pourtant, même pour une entreprise comme IBM, axée sur la qualité de ses produits et services, les services n'ont engendré que 9 % des revenus de l'entreprise en 1991. Il est donc probable qu'elle ait à accroître ce pourcentage rapidement et de façon satisfaisante pour sa clientèle si elle désire maintenir sa réputation[16]. D'ailleurs, la qualité des produits et des services constituent l'un des principaux attributs de la réputation d'une organisation[35].

Dans les années 80, les entreprises ont mis de l'avant la concurrence sur les délais (variable temps). Dans les années 90, on découvre que le temps ne constitue qu'une des variables qui permettent d'atteindre la qualité totale. En fait, les organisations les plus concurrentielles par la variable temps sont souvent celles qui offrent également la meilleure qualité, qui ont la perception la plus exacte de ce que les clients désirent et qui sont les plus innovatrices. Cependant, certains auteurs sont d'avis que ces caractéristiques ne sont que le reflet d'une caractéristique encore plus fondamentale : une nouvelle conception de la stratégie globale appelée « concurrence appuyée sur les compétences » (*capabilities-based competition*)[29].

Voici d'ailleurs un exemple fourni par ces auteurs pour appuyer leurs dires. En 1979, K-Mart était de loin le plus gros détaillant américain. Cela n'a pas empêché Wal-Mart de s'efforcer continuellement de mieux satisfaire les besoins de sa clientèle. En fait, les objectifs du président-fondateur Sam Walton étaient simples, mais combien difficiles à rendre opérationnels : fournir aux clients des produits de qualité au moment et à l'endroit où ils les voulaient, élaborer une structure de coûts permettant de déterminer avec justesse les prix les plus concurrentiels possible et maintenir une réputation de confiance envers l'entreprise. La pièce maîtresse de la stratégie de l'entreprise a été l'approche utilisée pour la distribution : les 19 centres de distribution de l'entreprise sont desservis par plus de 2 000 camions appartenant à l'organisation, alors que les dirigeants de K-Mart ont opté pour la sous-traitance, car celle-ci était moins coûteuse. Grâce aussi à son système informatique, Wal-Mart peut expédier les marchandises requises en moins de 48 heures, ce qui est quatre fois plus rapide que la norme de l'industrie. De même, Wal-Mart met l'accent sur l'établissement de relations durables avec ses fournisseurs, alors que K-Mart change constamment de fournisseurs, allant vers ceux qui offrent les meilleurs prix.

Cet exemple, dont on peut saisir les répercussions sur la qualité totale, illustre clairement des stratégies d'opération différentes, qui se distinguent entre autres par leur philosophie face à la logistique, y compris l'approvisionnement. Vu qu'une telle approche transcende les fonctions, il est évident que le président en est directement responsable ; de plus, cette orientation stratégique ne s'appuie pas sur des produits et des marchés, mais plutôt sur des processus de gestion visant à satisfaire les clients. D'ailleurs, Drucker[8] est d'avis que l'une des caractéristiques des meilleurs fabricants sera cette habileté croissante à combiner la standardisation et la flexibilité. Cette observation est tout aussi applicable aux entreprises de services.

Pour prétendre être axée sur la qualité totale, une organisation doit bien faire tant sur le plan stratégique qu'opérationnel. En 1983, les dirigeants de Motorola, la compagnie ayant publicisé son approche 6 sigma, soit 3,4 défauts par million d'unités (à titre de comparaison, la sécurité aérienne, telle qu'établie à partir du nombre de décès par million de passagers, se situe à 6,5 sigma[33]), croyaient que 3 jours de formation en qualité étaient suffisants ; aujourd'hui ils en offrent 28.

Une stratégie examinée sous l'angle de la qualité totale peut également permettre de conclure qu'elle se détériore ; en voici un exemple. De nombreux dirigeants japonais ne s'occupent pas de l'allocation précise des coûts, vu que le design d'un produit est fait à partir du coût visé[34]. Une telle approche a le mérite de démontrer, dès le début du processus, une orientation axée sur les désirs des clients (par opposition à l'approche nord-américaine de faire le design d'abord et de le modifier lorsqu'on réalise que le produit est trop dispendieux). Pourtant, dans un contexte de coût en capital élevé, il semble qu'un nombre grandissant de gestionnaires japonais, selon lesquels la notion de taux de rendement minimal acceptable ne permettait pas une stratégie globale valable, l'appliquent maintenant ou envisagent de l'appliquer[4]. Il risque donc d'en découler une mise en place de la stratégie des opérations qui nuira à la réputation de ces entreprises.

## 19.6 Les objectifs et les arbitrages qui en découlent

La gamme d'objectifs de la fonction Opérations donne lieu à des arbitrages importants. Les arbitrages effectués facilitent alors la focalisation des opérations, c'est-à-dire l'orientation des ressources vers un objectif prioritaire clairement établi.

Traditionnellement, la stratégie des opérations a été définie selon les arbitrages, ce qui est normal vu qu'une organisation ne peut exceller dans tous les facteurs de concurrence. Cependant, une telle approche est limitative dans la mesure où les dirigeants et les travailleurs d'une organisation mettent vraisemblablement l'accent sur l'un des facteurs en se contentant éventuellement de résultats moins bons que ce qu'il aurait été possible d'atteindre pour d'autres facteurs. L'une des meilleures façons d'améliorer le rendement est de contourner l'approche traditionnelle, qui accepte trop facilement certains arbitrages tels qu'une qualité accrue, des coûts accrus des quantités supérieures, des coûts plus faibles. Prenons l'exemple de ce dernier arbitrage : en embauchant du personnel dont la formation est plus appropriée aux besoins de l'organisation, il est possible d'atteindre plus rapidement un niveau de coût raisonnable.

À l'époque de Taylor et de la « gestion scientifique du travail », c'était la minimisation des coûts qui importait. De nos jours, beaucoup d'entreprises choisissent encore la réduction des coûts comme objectif principal de la fonction Production. Il s'agit là d'un objectif valable dans certaines circonstances, dans la mesure où l'on tient compte des répercussions sur les autres objectifs délaissés, tels les délais de livraison plus courts ou une qualité supérieure. Le choix de la combinaison appropriée pour une organisation doit évidemment être fait en fonction d'une approche systémique.

Dans certains cas, on a d'ailleurs changé le nom de l'objectif de minimisation des coûts par celui de l'« amélioration de la productivité ». On ne peut toutefois rendre opérationnelle une stratégie des opérations à partir d'un concept aussi général. Les objectifs doivent être plus précis et aussi mesurables, ce qui n'est pas toujours facile. Au chapitre 20, nous traiterons de la notion de mesure de la productivité.

Il existe plusieurs façons de regrouper les arbitrages et les variables à partir desquelles une entreprise peut devenir compétitive dans son secteur d'activité. Chacune des variables est un **facteur de concurrence** et correspond à un objectif possible. Des variables peuvent être combinées, mais il devient alors plus difficile d'établir clairement la mission à exécuter. La relation entre les facteurs de concurrence et ces arbitrages apparaît à la figure 19.5.

Voici un exemple d'arbitrage et de facteur de concurrence. La compagnie Heinz choisit d'effectuer 97 % de ses expéditions dans les 24 heures suivant la réception d'une commande. Le facteur de concurrence, et par conséquent l'objectif, est donc le délai de livraison. La conséquence probable de cet objectif est la création de stocks pour chacun des produits et le maintien d'une capacité de production sous-utilisée. Cette capacité permet, si elle est alliée à une grande flexibilité d'opération, d'atteindre l'objectif fixé avec une probabilité plus grande. De même, cette flexibilité permet à l'entreprise de consacrer moins d'efforts à la prévision et de s'adapter plus rapidement aux variations de la demande.

Bien que la mission relative aux opérations soit dépendante des objectifs de l'entreprise, l'atteinte de ces derniers est aussi liée à la réalisation de la mission choisie. Les choix à effectuer sur le plan de la stratégie des opérations dépendent donc directement de la mission de l'entreprise en ce qui concerne les opérations. Ces choix facilitent une orientation précise quant aux choix à effectuer concernant certains aspects tels que la gamme de produits, les modifications de dernière minute à apporter à l'ordonnancement, etc.

Une orientation claire peut correspondre à une standardisation élevée, ce qui suppose habituellement un facteur de concurrence centré sur des coûts de production faibles. Les produits standard sont fabriqués pour les stocks et comportent un niveau

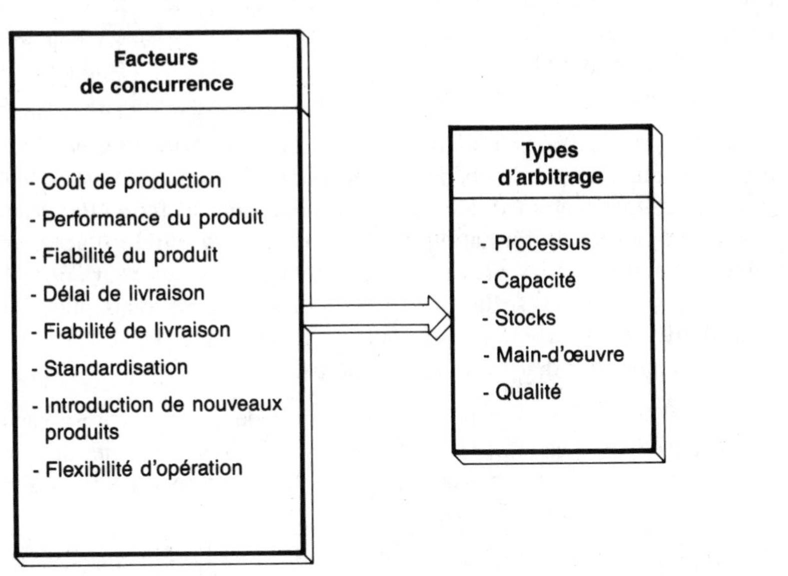


**FIGURE 19.5** La relation entre les facteurs de concurrence et les types d'arbitrage

de qualité satisfaisant, mais pas nécessairement très élevé. C'est le cas, par exemple, des ampoules électriques. Par contre, lorsqu'une entreprise fabrique sur commande, les clients accordent souvent la priorité au délai de livraison et à la performance du produit. Dans ce cas-ci, on constate jusqu'à quel point l'environnement externe (ici le client) détermine l'ordre de priorité des facteurs de concurrence. Diorio[6] élabore ces concepts en mettant l'accent sur la productivité concurrentielle plutôt que sur une approche traditionnelle de la productivité. Il suggère aux entreprises d'être compétitives au moyen de différents facteurs, tout en étant imaginatives quant à ceux qui peuvent leur permettre d'accroître leurs ventes et d'utiliser efficacement leur système de production.

On constate donc qu'il y a de nombreux arbitrages à faire en gestion des opérations. On peut facilement concevoir que des dirigeants, dont certains sont des gestionnaires de production, éprouvent des difficultés à effectuer leurs choix. Ces difficultés sont d'ailleurs accentuées à la fois par la crainte de la technologie et par la méconnaissance de certains dirigeants en ce qui concerne tous les arbitrages possibles à l'intérieur du système de production qu'ils gèrent. C'est ce qui explique pourquoi il y a souvent trop de délégation quant aux prises de décisions, même pour celles qui sont de nature stratégique.

Des facteurs externes, telle l'arrivée d'une nouvelle technologie, peuvent influencer l'entreprise dans ses choix. D'ailleurs, plus les dirigeants s'intéressent au choix d'une technologie (qui est une décision stratégique), plus les chances de succès sont élevées. Ainsi, une recherche[13] révèle que la majorité des entreprises où les dirigeants ont pris part au choix des robots a connu une implantation fructueuse. Il a déjà été démontré précédemment que cette observation est valable également pour d'autres technologies.

L'effort soutenu d'un nombre croissant d'entreprises pour améliorer même les systèmes qui fonctionnent bien constitue la clé de leur réussite. Que ce soit dans le domaine de la qualité, de la robotique, de l'ordonnancement ou pour tout autre aspect du secteur secondaire, on constate un effort permanent d'amélioration, lequel est orienté d'après la stratégie des opérations d'une entreprise. Par conséquent, les décisions à court terme y sont aussi subordonnées, ce qui privilégie une perspective décisionnelle à long terme plutôt qu'à court terme. En apparence, cela paraît très simple ; mais encore faut-il le faire et surtout avoir la ténacité de continuer dans cette voie !

L'effet des décisions à court terme se fait sentir à long terme. Par exemple, si l'on sacrifie quelque peu les bénéfices de l'année courante, il est probable que ces compressions entraîneront des bénéfices accrus dans le futur. Par contre, chez de nombreux fabricants, la formation du personnel, l'acquisition d'actifs et l'entretien préventif sont souvent les premiers postes touchés par les restrictions budgétaires. Généralement, l'effet ne se fait pas sentir l'année même, mais plutôt au cours des années ultérieures. L'arbitrage que font les gestionnaires entre le court terme et le long terme repose sur deux variables principales :

1. Les critères de mesure de la performance des gestionnaires. Par exemple, si l'avancement et la rémunération des gestionnaires sont reliés aux profits immédiats, il est fort possible qu'on remette à plus tard les investissements et les dépenses qui peuvent attendre.
2. La culture organisationnelle et l'ordre de priorité des objectifs. Par exemple, les Japonais accordent généralement la priorité aux objectifs qui favorisent la rentabilité à long terme. Cette façon de faire est déjà ancrée dans la philosophie des entreprises japonaises[1].

Dans les faits, la culture industrielle occidentale est encore basée sur une approche à court terme, étant donné qu'un grand nombre de cadres intermédiaires changent de poste à l'intérieur de la même organisation en moins de trois ans, ou encore qu'ils quittent l'entreprise. Ces gestionnaires n'ont donc pas à assumer le résultat à long terme de leurs décisions. Voilà pourquoi on mise souvent sur la rentabilité à court terme et sur les calculs financiers qui permettent de récupérer en quelques années les investissements effectués. Bien que cette observation ait des retombées importantes sur toutes les fonctions et qu'elle soit moins applicable dans un contexte économique difficile, l'effet est particulièrement marqué en ce qui concerne la fonction Production. En effet, cette dernière est habituellement responsable de la majorité des investissements d'envergure.

Une situation qui nécessite des arbitrages implique que certains objectifs sont conflictuels et qu'ils ne peuvent être tous atteints de façon optimale. Un choix judicieux permet une focalisation des opérations et contribue ainsi à faire de la fonction Production une force stratégique, ce qui correspond bien à l'approche proactive que devraient avoir tous les dirigeants.

## 19.7 La focalisation des opérations

Selon Tarondeau[31], la **focalisation des opérations** correspond avant tout à un processus interne de différenciation et de spécialisation. La focalisation est à la production ce que la segmentation est au marketing. Elle permet une organisation bien définie, basée sur la spécialisation autour d'une gamme restreinte de produits ou de services. Tout ce qui ne fait pas partie de cette gamme est acheté plutôt que fabriqué par l'entreprise.

La focalisation peut également être mise de l'avant en s'appuyant sur des processus semblables ou sur un objectif prioritaire tel que les délais. Cependant, ce concept est surtout rattaché à l'étendue plus ou moins grande de la gamme de produits ou de services.

Les résultats d'une étude sur les entreprises de haute technologie démontrent que plus une entreprise est focalisée, plus elle est performante[18, 23]. Une étude de McKinsey effectuée en Allemagne dans le secteur à succès des machines-outils a permis de confirmer que les entreprises qui réussissaient bien partageaient trois caractéristiques : un siège social de petite taille, peu d'intégration verticale, et une grande focalisation des produits et des clients.

C'est dans le cadre d'une approche axée sur la focalisation que AT&T, General Electric, IBM et Shell sont chacune en voie de se départir d'au moins un des services internes suivants : juridique, relations publiques, facturation et paie[10]. Dans le cas d'entreprises telles que Reebok et Nike, l'avenir déterminera si leur décision stratégique de confier toutes leurs opérations de production à des entreprises asiatiques pour des raisons de coûts inférieurs s'avérera justifiée pour une longue période. Pourtant, ces deux entreprises ont mis l'accent sur ce qu'elles faisaient de mieux, c'est-à-dire le design et le marketing.

Mais il peut très bien arriver que les dirigeants négligent ou ne soient pas en mesure de focaliser les opérations. On peut énoncer plusieurs raisons valables qui expliquent cela ; Schroeder[26] les regroupe en quatre catégories :

1. L'ajout d'un nombre croissant de produits à la gamme des produits fabriqués à la même usine. Certains invoquent les économies d'échelle pour justifier cet ajout !

2. L'absence de définition de la mission de l'organisation sur le plan des opérations. Ainsi, on ignore s'il faut mettre l'accent sur les coûts, sur les délais de livraison ou sur autre chose (absence de focalisation quant à l'objectif primordial).

3. Un changement de focalisation des opérations sans en aviser les autres services.

4. Le trop grand nombre de spécialisations (sous-systèmes) existant en gestion des opérations. Chacune des spécialisations visant l'optimalité de son sous-système, il est alors impossible que le système de production atteigne la zone optimale d'activité.

Par exemple, toute proportion gardée, le nombre de conglomérats américains est beaucoup plus élevé que celui des conglomérats japonais. En effet, à cause d'une formation souvent axée sur la « gestion par les nombres », plusieurs dirigeants américains tentent de minimiser les risques de chute de rendement des sociétés qu'ils dirigent. La gamme des produits fabriqués et celle des différentes technologies utilisées ne permettent tout simplement pas de focaliser les opérations. Heureusement, plusieurs gestionnaires se sont aperçus que les avantages escomptés en matière de synergie et de rendement ne se matérialisaient pas de la façon prévue : en moyenne, les profits des conglomérats sont de 30 % inférieurs à ceux des entreprises plus focalisées. D'ailleurs, de 1985 à 1989, le nombre d'entreprises très diversifiées (œuvrant dans plus de 20 secteurs d'activité) a chuté de 37 %, alors que le nombre de celles œuvrant dans un seul secteur d'activité s'est accru de 54 %[10] !

La notion de focalisation présente beaucoup d'attrait : on définit la mission d'une entreprise à partir de la démarche déjà mentionnée, on s'assure de la cohérence de chaque élément du système de production, et tout devrait bien fonctionner...

Il n'est certes pas souhaitable que toutes les entreprises aient la même mission quant aux opérations, mais quel dirigeant est en mesure de s'assurer d'une bonne coordination interne des différentes missions ? Par ailleurs, une étude de Porter[21] a démontré qu'un transfert d'habiletés entre entreprises d'un même conglomérat modifiait substantiellement la stratégie des opérations de l'entreprise qui recevait le transfert.

Afin de pallier cette faiblesse, les entreprises à vocation ou à technologie semblables sont regroupées en unités de production (*SBU*) à des fins administratives et gestionnelles. Malgré les avantages de ces regroupements, on doit reconnaître la lourdeur administrative des nombreux contrôles exercés par le siège social, de même que la nécessité de répartir les fonds entre les différents groupes. La direction risque alors de se fier surtout au rendement sur investissement de chacun des projets présentés, en négligeant de bien comprendre les interrelations des projets d'un même groupe. Les dirigeants japonais préfèrent limiter l'étendue de leur gestion et prendre part davantage aux décisions stratégiques entourant les opérations de leur entreprise ou d'un groupe restreint de celle-ci. On leur reproche parfois même de se mêler un peu trop des aspects tactiques des opérations.

Est-ce trop demander à une oganisation que de focaliser ses efforts de production ? Pourtant, la segmentation du marché permet au marketing d'effectuer ce type d'allocation. Il n'est pas toujours facile de définir clairement un segment de marché, pas plus qu'il n'est facile de définir avec précision une entreprise dont les opérations sont focalisées. Quelle gamme de produits constitue une trop grande variété au point de mettre en danger la focalisation des opérations ?

Des facteurs autres qu'une gamme restreinte de produits rendent possible la focalisation. Skinner[28] mentionne entre autres une même technologie, un volume de production suffisant pour la plupart des produits, des exigences de qualité semblables entre les produits, et une mission commune définie explicitement ou implicitement. Tous ces facteurs contribuent à faciliter une orientation cohérente des ressources, ce qui constitue l'essence de la focalisation. Le rendement d'une usine peut alors être analysé d'après des critères précis et ordonnés, selon leur importance.

Par ailleurs, la focalisation peut être centrée sur le produit ou sur le processus. On recommande de se focaliser sur le produit surtout dans le cas où la technologie n'est ni complexe ni très coûteuse. Beaucoup d'entreprises du type atelier spécialisé (*job shop*) planifient leurs opérations autour d'une gamme de produits qui peut sembler à première vue variée. En observant de plus près, on constate que ces entreprises sont reconnues pour comporter une ou deux spécialités. C'est le cas notamment des ateliers de soudure à haute pression : la gamme de produits peut sembler variée, mais la focalisation est clairement définie par ce type de soudure. Par contre, la focalisation orientée sur le processus est conseillée dans le cas de technologies complexes et coûteuses. Ce type de focalisation permet habituellement de produire avec efficience, le critère de performance retenu étant celui du coût.

Dans ses travaux, Schmenner[25] soutient l'argument de la focalisation. À son avis, toutes les entreprises ayant bien réussi appliquent deux règles d'or.

1. Limiter la gamme de processus dans une même usine. Cette approche réduit les possibilités de conflits entre des standards de qualité trop différents et d'autres facteurs semblables.

2. Restreindre la taille de la main-d'œuvre d'une usine à un nombre prédéterminé d'employés. Il semble qu'il soit difficile de gérer des usines de plus de 1 000 employés.

Ces deux caractéristiques permettent de contrôler beaucoup plus facilement les opérations en fonction des objectifs établis. Par exemple, ces entreprises n'ajoutent pas un produit à la gamme existante sous le simple prétexte que la capacité de l'usine est suffisante pour qu'on le fasse. En effet, la notion d'économies d'échelle, selon laquelle on peut ainsi répartir les frais fixes sur plus d'unités, comporte certaines restrictions : habituellement, l'ajout de 10 000 unités d'un produit nouveau ne se fait pas à aussi bon compte que l'ajout de 10 000 unités d'un type de produit qu'une organisation a déjà fabriqué.

Malgré l'intérêt qu'elle présente, la notion de focalisation a cependant ses limites. De nos jours, on met l'accent de plus en plus sur l'atelier flexible, utile surtout pour la production de petites séries. Cette plus grande flexibilité permet une gamme de produits plus étendue qu'auparavant, ce qui va à l'encontre de l'objectif visé par la focalisation. Bien que cette dernière entraîne une plus grande rigidité d'opération, elle comporte l'avantage d'orienter les ressources vers un même but. On peut se demander jusqu'à quel point l'atelier flexible est focalisé, puisqu'il est axé sur la variété des produits et sur les petites séries. C'est là une question qui mérite réflexion.

Par ailleurs, l'utilisation de la machinerie n'est habituellement pas aussi poussée pour une gamme restreinte de produits que pour une gamme élargie. Cependant, dans le cas où l'équipement est coûteux, on a alors tendance à l'utiliser davantage, quitte à fabriquer des produits pour lesquels on ne possède pas la compétence. Est-il préférable d'accroître l'utilisation de la machinerie au détriment de la focalisation sur une gamme restreinte de produits ? Il semble que oui dans certains cas, puisqu'il arrive qu'une focalisation soit trop poussée.

Le même type d'interrogations vient à l'esprit pour des entreprises de services, tels les cabinets d'avocats : Qu'est-ce que la focalisation d'une pratique juridique ? Correspond-elle à la seule pratique du droit corporatif dans un cabinet ? Certains répondront par l'affirmative. Cependant, ce champ de compétence est vaste. Peut-être que le droit corporatif peut s'appliquer facilement dans le cas d'un cabinet comptant de 20 à 25 avocats, mais cette possibilité semble beaucoup moins réalisable dans un cabinet formé de quelques avocats seulement.

En poursuivant dans la même voie, prenons le cas d'un hôpital général. Au premier abord, ce type d'organisation ne semble pas très focalisé. En effet, bien qu'il comporte certains secteurs spécialisés, sa mission première est de prodiguer des soins de natures diverses ; les cas les plus graves peuvent toujours être transférés dans les hôpitaux spécialisés. Par ailleurs, l'existence des divers services spécialisés, comme l'obstétrique, la radiologie et la cardiologie, démontre la nature diversifiée des soins et de l'équipement. Une telle diversité de services et de missions rend difficile une gestion cohérente des ressources de l'hôpital entier. Apparemment, il semble que les centres hospitaliers soient plus efficaces lorsque le réseau hospitalier est géré par une même entité, soit le gouvernement.

La société McDonald's apparaît également comme un exemple intéressant. Chacun des restaurants de la chaîne doit se conformer aux mêmes normes de qualité, de service et de propreté. Les produits offerts et la technologie utilisée sont presque identiques d'un endroit à un autre. Cependant, la philosophie de la direction a changé depuis une quinzaine d'années. En effet, seul un menu très limité et centré sur les hamburgers était offert jusqu'à la fin des années 70. À cette époque, on a instauré les petits déjeuners afin de créer de l'achalandage le matin et de rejoindre une clientèle différente. Environ cinq ans plus tard, on a ajouté un mets à base de poulet. Par conséquent, le degré de focalisation (sur les produits) actuel est moindre qu'auparavant. Mais, selon les dirigeants, le contrôle étroit des opérations et la technologie utilisée permettent encore de conclure que McDonald's est une entreprise focalisée (sur les objectifs), puisque sa stratégie des opérations axée sur la qualité et le service (mesurés de plusieurs façons) est demeurée la même.

Aux États-Unis, l'exemple de la déréglementation dans le secteur des valeurs mobilières est également éloquent. Quelques maisons de courtage offrent une gamme très étendue de services. Certains courtiers se sont aperçus que le type de clientèle différait passablement d'un service à l'autre, et qu'ils ne pouvaient fournir toutes les informations requises à cause de l'étendue de la gamme de services à offrir. En conséquence, ils ont quitté leur emploi pour aller travailler dans des firmes plus spécialisées où la mission était clairement définie.

Ces exemples permettent de constater que la focalisation est peut-être davantage une question relative à chaque organisation qu'une question absolue. La focalisation résout certains problèmes reliés à la gestion des opérations, mais ne les règle pas tous pour autant. Il s'agit là d'un arbitrage important entre, d'une part, une orientation précise des ressources alliée à une gamme limitée de produits, et, d'autre part, une gamme plus étendue qui peut plaire à une plus vaste clientèle. Jusqu'à preuve du contraire, la focalisation des opérations semble préférable.

## CONCLUSION

La plupart des situations vécues par les gestionnaires ne sont pas aussi simples qu'elles semblent l'être. Les arbitrages peuvent se révéler non seulement complexes, mais parfois même difficiles à déterminer. Les nombreuses techniques et les outils à la disposition des gestionnaires facilitent habituellement leur prise de décisions sur le plan du fonctionnement efficient des sous-systèmes. Cependant, le concept de stratégie des opérations est classé dans une catégorie à part : une stratégie des opérations bien choisie est en effet essentielle à l'efficacité du système de production. L'efficience est peu utile sans l'efficacité. Une organisation dont les dirigeants connaissent les implications stratégiques de la fonction Opérations, et qui sont en mesure de rendre cette stratégie opérationnelle d'une façon cohérente, jouit d'un énorme avantage face à celles où ce n'est pas le cas.

## QUESTIONS DE RÉVISION

1. Comment la stratégie des opérations est-elle reliée à la stratégie globale de l'entreprise ? Expliquez.
2. Distinguez, avec un exemple à l'appui, une stratégie des opérations et la mission sur le plan des opérations.
3. Comment une entreprise détermine-t-elle sa mission première sur le plan des opérations ?
4. Pourquoi la formation d'importants conglomérats constitue-t-elle souvent une erreur stratégique sur le plan des opérations ?
5. Comment la notion de stratégie des opérations s'applique-t-elle au secteur tertiaire ? Illustrez par un exemple.

## QUESTIONS DE DISCUSSION

1. Par quels moyens concrets une organisation peut-elle espérer avoir une gestion stratégique des opérations qui lui permette d'être efficace ?
2. « Il est impossible pour une entreprise d'atteindre sa zone optimale d'activité. » Commentez cette affirmation.
3. Jusqu'à quel point peut-on affirmer que les principaux problèmes de productivité du monde occidental sont causés par des choix stratégiques à court terme plutôt qu'à long terme ?
4. Une entreprise affligée de nombreux problèmes sur le plan des opérations manque-t-elle habituellement de focalisation ? Expliquez.
5. Est-il illusoire de penser qu'une entreprise puisse être à la fois focalisée et flexible ?
6. Si quelques techniques statistiques ou autres sont mal utilisées, est-il évident qu'une entreprise a tout de même une saine gestion stratégique de ses opérations ?

## RÉFÉRENCES


1. BANKS, R.L. et S.C. WHEELWRIGHT, « Operations vs. Strategy – Trading Tomorrow for Today », *Harvard Business Review*, mai-juin 1979, p. 112-120.
2. CHASE, R.B. et N.J. AQUILANO, *Production and Operations Management*, 4e éd., Homewood, Illinois, Richard D. Irwin, 1985.
3. CLEVELAND, G., R.G. SCHROEDER et J.C. ANDERSON, « A Theory of Production Competence », *Decision Sciences*, vol. 20, 1989, p. 655-668.
4. CURRAN, J.J., « Japan Tries to Cool Money Mania », *Fortune*, 28 janvier 1991, p. 66-73.
5. DE MEYER, A. et K. FERDOWS, « Managerial Focal Points in Manufacturing Strategy », *International Journal of Production Research*, vol. 25, nº 11, 1987, p. 1551-1562.
6. DIORIO, M.O., « De la productivité traditionnelle à la productivité concurrentielle », *L'ingénieur*, mai-juin 1984, p. 3-8.
7. DODDS, D.W., « Making It Better... and Better », *CMA Magazine*, février 1992, p. 16-21.
8. DRUCKER, P.F., « Japan : New Strategies for a New Reality », *The Wall Street Journal*, 2 octobre 1991.
9. DRUCKER, P.F., « The Emerging Theory of Manufacturing », *Harvard Business Review*, mai-juin 1990, p. 94-102.
10. DUMAINE, B., « Is Big Still Good ? », *Fortune*, 20 avril 1992, p. 50-60.
11. EDMONSON, H.E. et S.C. WHEELWRIGHT, « Outstanding Manufacturing in the Coming Decade », *California Management Review*, été 1989, p. 70-89.
12. HAMEL, G. et C.K. PRAHALAD, « Strategic Intent », *Harvard Business Review*, mai-juin 1989, p. 63-76.
13. HANDFIELD, R. et J. NOLLET, « Les gestionnaires canadiens et la robotique : craintes et réalités », *Gestion*, septembre 1985, p. 14-21.
14. HAYES, R.H., « Strategic Planning – Forward in Reverse », *Harvard Business Review*, novembre-décembre 1985, p. 111-119.
15. HAYES, R.H. et S.C. WHEELWRIGHT, *Restoring our Competitive Edge*, New York, John Wiley & Sons, 1984.
16. KIRKPATRICK, D., « Breaking Up IBM », *Fortune*, 27 juillet 1992, p. 44-58.
17. LINDBERG, P., « Strategic Manufacturing Management : A Proactive Approach », *International Journal of Operations and Production Management*, vol. 10, nº 2, p. 94-106.

18. MAIDIQUE, M.A. et R.H. HAYES, « The Art of High-Technology Management », *The McKinsey Quarterly*, été 1985, p. 43-62.
19. McCORMICK, J. et N. STONE, « From National Champion to Global Competitor : An Interview with Thomson's Alain Gomez », *Harvard Business Review*, mai-juin 1990, p. 127-135.
20. MINTZBERG, H., « Les organisations ont-elles besoin d'une stratégie ? Un autre point de vue », *Gestion*, novembre 1987, p. 5-9.
21. PORTER, M.E., « From Competitive Advantage to Corporate Strategy », *Harvard Business Review*, mai-juin 1987, p. 43-59.
22. PRAHALAD, C.K. et G. HAMEL, « The Core Competence of the Corporation », *Harvard Business Review*, mai-juin 1990, p. 79-91.
23. RICHARDSON, P.R., A.J. TAYLOR et J.R.M. GORDON, « A Strategic Approach to Evaluating Manufacturing Performance », *Interfaces*, novembre-décembre 1985, p. 15-27.
24. RODGERS, T.J., « No Excuses Management », *Harvard Business Review*, juillet-août 1990, p. 84-98.
25. SCHMENNER, R.W., « Every Factory Has a Life Cycle », *Harvard Business Review*, mars-avril 1983, p. 121-129.
26. SCHROEDER, R.G., *Operations Management*, New York, McGraw-Hill, 1981.
27. SKINNER, W., *Manufacturing in the Corporate Strategy*, New York, John Wiley & Sons, 1978.
28. SKINNER, W., « The Focused Factory », *Harvard Business Review*, mai-juin 1974, p. 113-121.
29. STALK, G., P. EVANS et L.E. SHULMAN, « Competing on Capabilities : The New Rules of Corporate Strategy », *Harvard Business Review*, mars-avril 1992, p. 57-69.
30. STOBAUGH, R. et P. TELESIO, « Match Manufacturing Policies and Product Strategy », *Harvard Business Review*, mars-avril 1983, p. 113-120.
31. TARONDEAU, J.-C., « Usine à tout faire ou usine spécialisée », *Revue française de gestion*, mars-avril 1982, p. 4-12.
32. TAYLOR III, A., « Now Hear This, Jack Welsh », *Fortune*, 6 avril 1992, p. 94-95.
33. WIGGENHORN, W., « Motorola U : When Training Becomes an Education », *Harvard Business Review*, juillet-août 1990, p. 71-83.
34. WORTHY, F.S., « Japan's Smart Secret Weapon », *Fortune*, 12 août 1991, p. 72-75.
35. « Leaders of the Most Admired », *Fortune*, 29 janvier 1990, p. 40-54.

CHAPITRE 20

# La productivité et les perspectives en gestion des opérations

Mattio O. Diorio *auteur principal*

# LA PRODUCTIVITÉ COMME RÉSULTANTE DES AUTRES DÉCISIONS

## 20.1 Introduction

La plupart des décisions opérationnelles ou stratégiques de la gestion des opérations influent directement ou indirectement sur les performances de l'entreprise, y compris la productivité. Il en est également ainsi de l'effet des variations de l'environnement externe sur ces performances. Par exemple, les normes gouvernementales de plus en plus sévères, qui obligent les entreprises à réduire l'émission d'anhydride sulfureux, l'une des causes principales des pluies acides, forcent les dirigeants à utiliser davantage de ressources pour la lutte contre la pollution. Les gouvernements font là un choix majeur au nom de la société. Il est fort probable que dans l'immédiat, aucune entreprise n'obtient une valeur supérieure pour ses extrants même si, à la suite d'une telle mesure, il y a un accroissement des coûts de production.

Frederick W. Taylor et Henry Ford utilisèrent une approche pseudo-scientifique pour améliorer la productivité. Le concept de la chaîne de montage, institué par Ford en vue d'augmenter la productivité, est encore utilisé efficacement de nos jours. Toutes les améliorations qu'il a su effectuer ont permis de réduire sensiblement le prix des voitures entre 1910 et 1923. Cependant, sa négligence subséquente face à l'évolution de la demande des consommateurs pour une plus grande variété de produits a permis à General Motors de dépasser la société Ford en matière de ventes à partir de cette époque[19]. De plus, en rétrospective, l'aspect humain fut ignoré au profit des éléments techniques, ce qui eut pour conséquence d'entraîner de sérieux problèmes de relations de travail et de motivation chez Ford.

Cet exemple démontre qu'une organisation court des risques en se fiant uniquement à des mesures de productivité étroites et orientées sur le court terme. Pourtant, c'est une erreur que commettent encore bon nombre d'organisations dont l'orientation est surtout basée sur l'utilisation exclusive de données financières, et qui misent sur le rendement rapide des investissements qu'elles effectuent, sans égard pour d'autres besoins internes et externes de l'entreprise. De toute évidence, la productivité est liée à la gestion stratégique des opérations (*voir le chapitre 19*) ; le défi consiste à concilier la productivité à court terme avec la productivité à long terme.

De nombreuses personnes confondent production et productivité. La **production** est la transformation, à partir d'un ensemble de ressources, d'intrants choisis en extrants désirés. Le concept de production a été élargi à celui des opérations pour inclure les activités de prestation de services du secteur tertiaire. Quant à la **productivité**, elle résulte de l'utilisation des ressources de production, c'est-à-dire de la main-d'œuvre et des machines, qui permettent la transformation des intrants en extrants. Aucun doute ne persiste quant au rôle primordial que joue la gestion des opérations (GO) dans l'amélioration de la productivité. Cette amélioration est justifiée par les retombées favorables dont elle fait bénéficier des individus (clients, fournisseurs, travailleurs, actionnaires), une entreprise ou une nation.

Non seulement le concept de production a été élargi à celui d'opérations, mais de plus, le champ de connaissances de la GO continue d'évoluer. Il est prévu que des modifications majeures surviendront au cours des prochaines années, surtout en ce qui a trait aux « opérations de classe mondiale ». La GO influence et reflète le dynamisme grandissant des activités qui prennent place dans tous les secteurs de l'économie par l'explosion de nouveaux concepts, de nouvelles visions, de nouvelles perceptions du rôle de l'humain et de nouvelles technologies démontrant ainsi son importance et sa pertinence.

## 20.2 La problématique et la définition de la productivité

Il y a consensus entre patrons, syndicats, gouvernements et individus pour maintenir les efforts relatifs à l'accroissement de la productivité. Par contre, les moyens suggérés pour y parvenir varient selon le point de vue de l'intervenant. Par exemple, un travailleur serait heureux d'acquérir une voiture à un prix correspondant à un pourcentage de son salaire annuel inférieur au pourcentage d'il y a dix ans. Cependant, le même travailleur s'opposerait à être remplacé sur la chaîne de montage d'un fabricant d'automobiles par un robot plus productif, si l'employeur envisage par la suite sa mise à pied. Cette observation vaut également pour l'ensemble de la société. Les consommateurs et la nation entière bénéficient économiquement de toute hausse de productivité. Néanmoins, les retombées sociales du chômage et les incidences écologiques viennent assombrir cette perspective économique, car ces aspects semblent négligés lors des arbitrages. Par exemple, certains croient qu'une hausse de productivité entraîne à long terme un accroissement du taux de chômage, alors qu'il peut s'agir plutôt d'un déplacement de la main-d'œuvre vers d'autres industries.

Pour plusieurs, le mot « productivité » est un terme passe-partout au même titre que l'expression « qualité de vie au travail » ; en fait, il y a autant de définitions de ce concept qu'il y a de façons de l'améliorer. Il est donc essentiel de bien situer le niveau d'activité pour parler de productivité : poste de travail, entreprise ou société[9, 10]. Dans ce chapitre, c'est surtout la place de la productivité au sein de l'entreprise qui est analysée.

Les entreprises doivent faire face à de multiples contraintes politiques, écologiques et technologiques, de même qu'à des considérations humaines et sociales. La GO ne peut se permettre de passer outre à cette problématique[14]. En effet, tout gestionnaire des opérations doit considérer l'ensemble des différentes facettes de l'environnement dans lequel il œuvre et non seulement quelques-unes d'entre elles. La productivité n'est qu'un des effets des décisions prises par les gestionnaires.

Traditionnellement, la productivité se définit comme étant le rapport de la somme des biens et des services offerts et de l'ensemble des ressources utilisées pour les réaliser. Il s'agit donc de comparer les extrants aux intrants* d'un système de transformation. Sous forme de ratio, la productivité peut se définir comme suit :

$$\text{Productivité} = \frac{\text{Somme des extrants}}{\text{Somme des intrants}}$$

Cette définition a cependant un caractère limitatif et introversif. En effet, elle ne tient compte que de l'aspect efficience de l'utilisation des ressources, sans égard à l'actionnaire ni au client. L'**efficience** résulte de la réduction de la quantité d'intrants nécessaire à la production d'un volume donné d'extrants, ou de l'accroissement de la quantité d'extrants produite à partir d'un même volume d'intrants, ou encore d'une

---

* Notons que dans notre définition de système, les intrants se limitent à ce que l'on transforme, tandis que dans ce contexte-ci, le mot intrant inclut les ressources de main-d'œuvre, d'équipement, etc., qui aident à la transformation. Dans le premier cas, intrant est pris au sens systémique, tandis que dans le second il est pris au sens économique du terme.

combinaison de ces deux phénomènes. C'est d'ailleurs ce qu'illustre la figure 20.1. Selon cette définition, une entreprise qui maximise l'utilisation de ses ressources est efficiente, quelle que soit l'utilisation particulière qu'elle fait des intrants.

**FIGURE 20.1** ▶
**Le ratio de l'amélioration de la productivité**

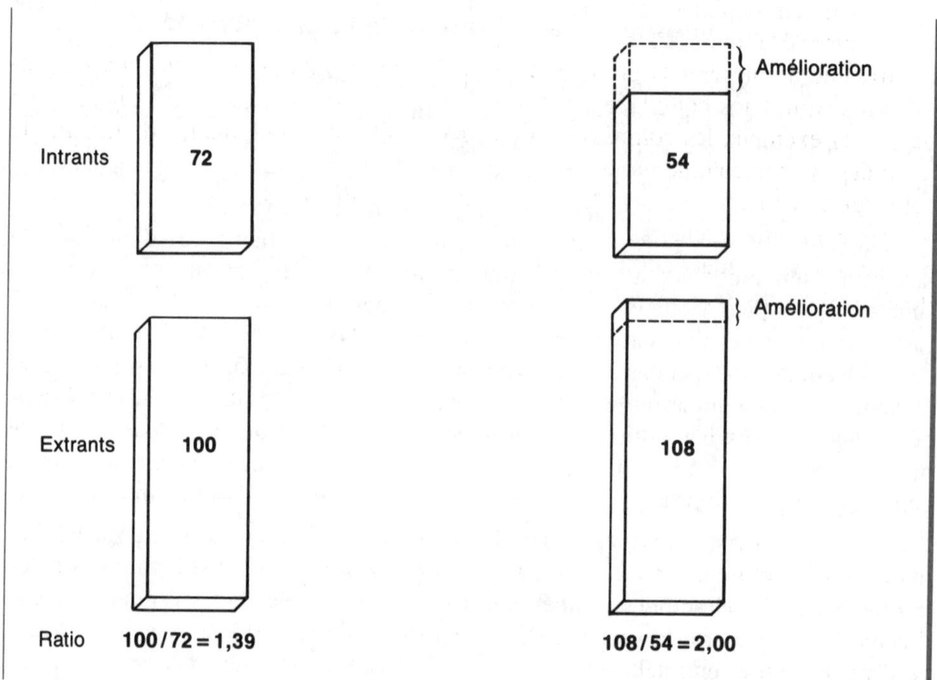


Certains suggèrent d'intégrer la notion d'**efficacité** à la définition précédente pour y faire intervenir les objectifs à atteindre. La définition élargie proposée est la suivante :

*La productivité est l'économie des moyens dans la poursuite d'un objectif ou l'atteinte d'un but ; c'est une combinaison de l'efficacité et de l'efficience, c'est-à-dire atteindre des résultats avec la meilleure utilisation possible des ressources*[7].

La direction générale d'une entreprise veillera donc à définir clairement ses objectifs si elle veut être efficace. Pour certains, cela peut sembler étrange qu'une organisation se dise productive parce qu'elle a atteint ses objectifs, alors qu'elle n'a pas été efficiente dans les moyens utilisés pour les atteindre. Pourtant, l'efficacité (*effectiveness*) consiste à bien faire les bonnes choses, alors que l'efficience (*efficiency*) consiste à effectuer le mieux possible ce que l'on fait. Pour être efficiente et efficace, une entreprise doit donc gérer adéquatement l'ensemble de ses ressources.

Les résultats d'une entreprise peuvent varier significativement selon le type de mesure utilisé pour évaluer sa performance. Une définition précise des mesures de productivité importantes pour une entreprise devient alors essentielle.

# LA MESURE DE LA PRODUCTIVITÉ

## 20.3 La difficulté de la mesure

Certains gestionnaires prétendent que chaque organisation possède des caractéristiques qui lui sont propres et qui rendent difficile la comparaison des divers ratios servant à la mesure de la productivité. Il en est de même pour une organisation qui évolue dans le temps, à une période donnée : elle ne possède ni les caractéristiques de la période précédente ni celles de la période suivante.

Comment expliquer que chaque organisme et la majorité des entreprises aient des mesures différentes de productivité ? La plupart des gestionnaires reconnaissent la difficulté de mesurer la productivité et préfèrent des mesures imparfaites ou globales à des mesures complexes et très coûteuses, qui ne sont pas nécessairement au point. Par exemple, les compagnies de pétrole utilisent comme indice de mesure de la productivité le coût de production d'un baril de pétrole. D'une façon analogue, les compagnies aériennes se fient la plupart du temps au coût par siège-mille et au coût par passager-mille. Cela leur permet d'évaluer leur performance non seulement d'une période à l'autre, mais aussi de la comparer à celle de leurs concurrents. Les gestionnaires connaissent les facteurs clés qui ont un effet sur ces mesures et ils y apportent les correctifs nécessaires en cas de besoin.

Vue dans une perspective historique, la mesure de la productivité doit être considérée comme un art en voie de développement, car c'est un domaine où il reste beaucoup de travail à faire[17]. Les problèmes classiques de conceptualisation, de quantification, de redressement qualitatif, de déflation et d'obtention de données persistent dans ce domaine.

Selon le critère utilisé, la mesure de la productivité permet d'évaluer la performance d'une entité, d'aider à la planification des opérations et à la détermination des politiques, et de déterminer où doivent être concentrés les efforts. Elle est surtout utilisée pour comparer la performance d'une même entité dans le temps, ou encore de diverses entités entre elles.

Les mesures de productivité sont fondamentalement des outils de gestion qui permettent d'analyser la performance globale d'une entité telle qu'une entreprise ou l'une de ses parties, au même titre que celle de la fonction Opérations. Cette observation s'applique autant pour une entreprise du secteur privé que pour un organisme public ou parapublic. Par exemple, les hôpitaux sont évalués, entre autres, sur le taux d'utilisation de la capacité exprimé en nombre de lits et sur le coût quotidien par lit. Mais comment peut-on prétendre comparer le coût quotidien par lit d'un établissement pour malades chroniques avec celui d'un hôpital général ? Trois genres de difficultés[1] sont soulignés quant à la mesure et à l'interprétation de la productivité.

Premièrement, des effets de substitution peuvent être présents : un meilleur pilotage ou un taux d'utilisation accru des machines peut accroître le volume et la valeur des extrants produits. En conséquence, dans la mesure du ratio extrant–main-d'œuvre, un accroissement est obtenu par rapport à la période précédente, alors que la productivité de la main-d'œuvre peut aussi bien avoir décliné. Dans ce cas, une substitution de temps de machine peut compenser ce déclin.

Deuxièmement, l'évaluation des différents intrants et extrants est difficile. Souvent, la valeur monétaire est utilisée comme base de commune mesure, en éliminant l'effet de l'inflation. En fait, il ne s'agit là que de l'une des bases possibles, vu la diversité des intrants et des extrants. Le ratio de mesure de la productivité devient alors :

$$\text{Productivité} = \frac{\text{Valeur des extrants}}{\text{Valeur des intrants}}$$

Cependant, plusieurs éléments qualitatifs ne peuvent être mesurés directement. Seuls les résultats et l'analyse de ratios divers (pouvant différer selon la nature de ces éléments) permettent de vérifier s'il y a une influence non quantifiable de certains facteurs. Par exemple, comment déterminer le coût et la valeur de l'effet d'une gestion participative sur la productivité ?

Finalement, il est souvent difficile, sinon impossible, d'isoler l'effet des changements de prix, des coûts, des modifications de produits ou de processus. La comparaison des mesures de productivité d'une période à l'autre risque alors d'être moins significative.

La discussion et les exemples précédents font ressortir trois façons distinctives, mais non exclusives, de comparer la productivité à l'aide de ratios.

1. **La performance actuelle par rapport à celle des périodes antérieures.** Cette méthode ne permet pas de discerner si la performance actuelle est valable, mais elle indique par contre s'il y a eu une amélioration dans le temps.
2. **La performance d'une entité par rapport à une autre.** Cette méthode donne un résultat relatif. Elle reconnaît que ce qui importe avant tout, c'est d'être plus productif que les concurrents : les résultats de ces derniers ou de la moyenne de l'industrie deviennent des étalons concurrentiels de mesure.
3. **La performance actuelle par rapport à un objectif fixé par un gestionnaire.** Cette méthode vise la productivité à travers l'efficacité d'abord, et l'efficience ensuite. Il est donc possible qu'un objectif soit atteint, mais seulement grâce à une utilisation excessive des ressources : il y a alors de l'efficacité, mais il y a un manque d'efficience.

La figure 20.2 représente ces trois modes de comparaison des mesures de la productivité. Un ratio isolé de productivité n'est pas significatif en tant que tel. En effet, c'est la comparaison intertemporelle et interspatiale qui fournit à la mesure son entière signification. Tant sur le plan international qu'à l'intérieur d'une industrie, la productivité demeure une mesure utile lorsqu'elle sert avant tout à des fins de comparaison. Quelle que soit la mesure employée, la gestion des opérations a un rôle critique à jouer pour l'amélioration des différents indices de productivité obtenus. Cette observation vaut tout aussi bien pour une entreprise que pour l'agrégat des entreprises, sur le plan national.

## 20.4 Le choix des mesures

Plusieurs mesures de productivité sont disponibles, dont les trois mesures de base suivantes[15, 22].

Les **mesures partielles**, qui donnent le rapport de l'extrant à une des ressources « intrantes » telles que la main-d'œuvre, le capital, les matières, etc. (*voir l'exemple*). Ces mesures ont l'avantage de centrer l'attention et l'effort du gestionnaire sur des facteurs particuliers qui ont un effet sur la productivité ; elles sont faciles à comprendre et à calculer et peuvent donner des pistes d'action d'amélioration. Par contre, elles ne donnent qu'une vue incomplète de la situation et, utilisées seules, elles peuvent être la cause d'erreurs d'interprétation.

La **valeur ajoutée par la main-d'œuvre et le capital** (*total factor productivity*) se calcule par le rapport de la valeur ajoutée (extrants moins biens et services achetés) à la somme des facteurs main-d'œuvre et capital (*voir l'exemple*). Faute de comprendre et de calculer, cette mesure ne capte pas l'effet des matières, des composants et de l'énergie, facteurs qui ne cessent de prendre de l'importance.

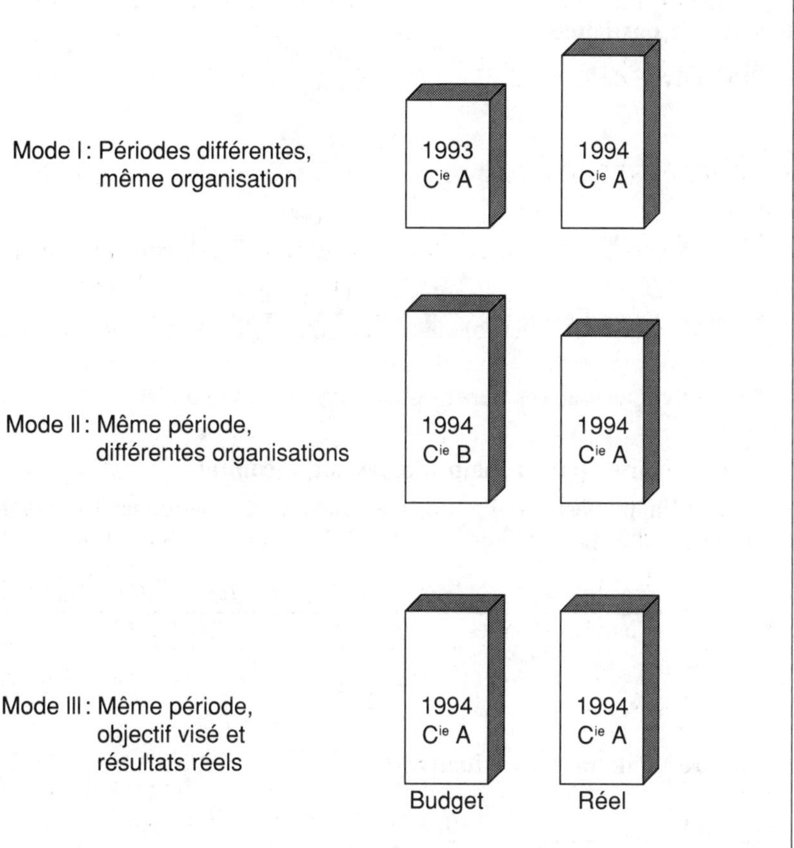


◀ **FIGURE 20.2**
**La productivité : une comparaison de mesures**

La **mesure totale de la productivité** s'obtient par le rapport des extrants globaux à la somme de toutes les ressources utilisées (*voir l'exemple*). Facile à calculer, cette mesure peut donner une vue d'ensemble du progrès de l'entreprise, car elle englobe tous les intrants et tous les extrants. Par contre, elle a comme inconvénient majeur de dissimuler les variations intervariables en produisant des effets compensatoires.

**Exemple**

À partir des données suivantes, en dollars constants pour une période donnée, calculez les trois types de mesures de la productivité.

| | | | |
|---|---|---|---|
| Revenu net | 10 000 $ | = | extrant |
| Coût de la main-d'œuvre | 1 000 | = | intrant main-d'œuvre |
| Coût en capital | 1 200 | = | intrant capital |
| Coût des matières | 5 300 | = | intrant matière |
| Coût de l'énergie | 500 | = | intrant énergie |
| Coût des autres dépenses | 500 | = | autres intrants |

*(suite)*

*Solution*

**1. Mesures partielles**

$$\text{Productivité de la main-d'œuvre} = \frac{10\,000\ \$}{1\,000\ \$} = 10{,}00$$

$$\text{Productivité du capital} = \frac{10\,000\ \$}{1\,200\ \$} = 8{,}33$$

$$\text{Productivité des matières} = \frac{10\,000\ \$}{5\,300\ \$} = 1{,}89$$

$$\text{Productivité de l'énergie} = \frac{10\,000\ \$}{500\ \$} = 20{,}00$$

$$\text{Productivité des autres dépenses} = \frac{10\,000\ \$}{500\ \$} = 20{,}00$$

**2. Valeur ajoutée par la main-d'œuvre et le capital**

En faisant l'hypothèse que l'entreprise a acheté ou loué toutes les matières et tous les services, alors :

$$\frac{\text{Revenus} - (\text{Achats et Services})}{\text{Main-d'œuvre} + \text{Capital}} = \frac{10\,000 - (1\,200 + 5\,300 + 500 + 500)}{1\,000 + 1\,200}$$

$$= \frac{2\,500}{2\,200} = 1{,}14,$$

**3. Mesure totale de la productivité**

$$\frac{\text{Extrants}}{\text{Intrants}} = \frac{10\,000}{1\,000 + 1\,200 + 5\,300 + 500 + 500}$$

$$\frac{\text{Extrants}}{\text{Intrants}} = \frac{10\,000}{8\,500} = 1{,}18.$$

Pour ces trois types de mesures, les valeurs utilisées au numérateur et au dénominateur doivent être compatibles, afin que la mesure soit utile aux gestionnaires. De même, la période de temps couverte n'est significative que lorsqu'elle est la même pour les deux parties du ratio. Par exemple, le nombre de litres de lait produits annuellement sur une ferme donnée est plus significatif lorsqu'il est comparé au nombre moyen de vaches traitées durant l'année plutôt qu'au nombre de vaches traitées à la toute fin de l'année. En effet, le nombre en fin d'année peut être démesurément faible ou élevé et fausser ainsi la comparaison avec les années antérieures. Cependant, la période de temps étudiée, surtout si elle est longue, peut influer sur la valeur des composantes et même sur celle du ratio. Puisqu'il y a presque toujours un décalage de temps entre le moment où le produit est fabriqué et celui où il est vendu, la valeur des intrants et des extrants peut être modifiée par la conjoncture économique. Cette variation doit être prise en considération lors du calcul du ratio. Cette situation est particulièrement mise en évidence quand il y a fabrication pour les stocks et que la valeur des intrants et des extrants est mesurée en unité monétaire.

La majorité des entreprises produisent plus d'un type d'extrants ; dans ce cas, ces derniers doivent être convertis en unités équivalentes. Les calculs qui s'y rattachent peuvent se révéler laborieux et complexes. Il ne faut pas s'étonner de constater que la valeur monétaire totale des extrants est fréquemment utilisée plutôt que celle des unités équivalentes employées en programmation intégrée. La valeur monétaire obtenue doit être ajustée pour tenir compte de l'inflation, sinon les extrants ont une valeur de plus en plus gonflée d'année en année. La même observation s'applique aux intrants.

Quels que soient les choix de mesures, si celles-ci doivent servir autant d'objectifs à atteindre que de contrôles de la performance à réaliser, cinq critères doivent être appliqués[6]. Les mesures doivent :

- **être économiques** : les bénéfices escomptés doivent être supérieurs au coût des informations recherchées ;
- **être valables** : ces mesures doivent être adaptées selon l'usage que le gestionnaire veut en faire, tout en reflétant le niveau de performance atteint ;
- **être utiles** : la réalisation des objectifs ou la correction des situations en est facilitée ;
- **faciliter les comparaisons** : les mesures doivent être homogènes dans le temps et prendre en considération les mêmes éléments des facteurs observés ;
- **fournir une information complète** : une ou des mesures doivent servir à l'évaluation des ressources clés affectées à une activité jugée importante.

Les trois mesures mentionnées précédemment ne répondent pas entièrement à ces critères car, comme les mesures comptables, celles-ci semblent davantage mesurer l'efficience que l'efficacité. De plus, ces mesures ne répondent pas aux facteurs concurrentiels des opérations et ne permettent pas une gestion où l'actionnaire et le client sont pris en considération. Pour ces raisons, certains préfèrent une acception élargie de la productivité[5], d'autres parlent de productivité concurrentielle[8] et, enfin, de performance productive[4].

Les mesures doivent découler de la stratégie des opérations pour s'assurer qu'elles indiquent vraiment la performance industrielle de l'entreprise. À titre d'exemples, les mesures suivantes pourraient être choisies.

Pour l'**efficience des coûts**, les mesures de productivité déjà mentionnées pourraient convenir. De plus, le rendement sur le capital investi, la valeur des frais fixes par unité de ventes et les ventes par employé sont des mesures souvent utilisées.

La **qualité** peut être mesurée par les indicateurs déjà mentionnés au chapitre 17. Les mesures suivantes sont souvent utilisées dans nos entreprises : nombre d'éléments défectueux par rapport au nombre total fabriqué, taux et coûts de réusinage, coûts de prévention et de défaillances, etc.

La **certitude** ou la **fiabilité des livraisons** se mesure par le pourcentage de produits ou de commandes livrés, soit selon la promesse de livraison ou la date requise par le client, soit selon le pourcentage de produits en commande en retard. Certains incluront ici, plutôt que dans la qualité, la fiabilité ou le temps de fonctionnement du produit, comme on le désire et tout en évitant les pannes.

La **flexibilité** peut se mesurer par le temps requis pour apporter des modifications aux produits, ou encore par les divers temps de cycle requis pour livrer une petite ou une grosse commande. Dans ce facteur, certains incluent l'**innovation**, qui peut se mesurer, par exemple, par le pourcentage des ventes de nouveaux produits par rapport aux ventes totales depuis un, deux ou trois ans.

D'autres mesures pour apprécier les facteurs externes de l'entreprise doivent être élaborées. Elles seront du type de celles que le service de l'approvisionnement applique à ses propres fournisseurs, car il s'agit là d'une forme de « marketing renversé ». Par exemple, le coût va au-delà du prix à payer ; l'acheteur est intéressé au coût à la livraison ainsi qu'aux coûts d'installation, d'utilisation et d'entretien. Le même raisonnement s'applique aux autres facteurs.

Ces mesures des facteurs concurrentiels sont traduites en mesures partielles de performance pour chaque facteur de production et pour chaque service. Le tableau 20.1 donne, à titre indicatif, quelques mesures partielles de la performance. Le gestionnaire dispose d'une grande variété de mesures ; à la limite, il peut créer les mesures qui lui conviennent, pour autant qu'elles satisfassent aux cinq critères mentionnés. Les ressources et les efforts consacrés à la mesure de la productivité ne sont justifiés que s'ils contribuent à l'amélioration de celle-ci.

Ces mesures de la performance peuvent servir autant d'objectifs à atteindre que de contrôles de la performance réalisée. En effet, ces indices représentent la quantification des opérations d'une entreprise. Ils peuvent donc être comparés aux indices de périodes antérieures ou parfois à ceux d'autres entreprises. L'importance accordée par la direction générale à certaines mesures indique l'effort et les ressources à consacrer pour atteindre les indices visés. L'approche systémique met en évidence le fait que ce n'est qu'exceptionnellement, à cause du nombre de variables en jeu, que tous les indices importants peuvent être améliorés : obtenir des résultats valables en matière de qualité, de quantité et de délai de livraison, tout en économisant les ressources nécessaires pour y parvenir.

Avec l'approche participative, ces mesures de la performance sont de plus en plus déterminées par les équipes de travail elles-mêmes, qu'elles soient composées de cols bleus ou de cols blancs. Aussi, les cibles à atteindre sont mouvantes : aussitôt qu'une cible est atteinte, une nouvelle est fixée en vue de l'amélioration continue. Souvent, dans les services ou les unités se trouvent des tableaux de bord semblables à ceux utilisés dans les automobiles personnelles. Un tableau de bord contient un choix de données et d'informations sous forme de résumé ou de synthèse, qui peut

**Tableau 20.1**

**Les mesures partielles de la performance**

| **Mesures générales** | **Mesures de la qualité** |
|---|---|
| Vente en $ / Nombre de travailleurs | Coûts de réusinage / Valeur de la production |
| Valeur des extrants / Heures-machine requises | Retours des clients / Valeur des expéditions |
| **Mesures des coûts** | **Mesures de la main-d'œuvre** |
| Coûts de main-d'œuvre / Valeur de la production | Jours d'absence – mois courant / Jours d'absence (moyenne) |
| Coûts d'entretien / Valeur de la production | Nombre d'accidents – mois courant / Nombre d'accidents (moyenne) |
| **Mesures des stocks** | **Mesures des normes de production** |
| Stocks de matières premières / Valeur de la production | Valeur de la production / Nombre de jours ouvrables |
| Valeur globale des stocks / Valeur des expéditions | Heures-machine réelles / Heures-machine disponibles |

comprendre plusieurs graphiques. L'idée de base est de rendre visibles les informations sur l'entreprise ou sur un service, ce qui permet au gestionnaire ou à l'équipe de travailleurs d'orienter les activités et les décisions en vue d'atteindre des cibles, des buts ou des objectifs. Le tableau de bord est particulier à chaque utilisateur qui choisit les données dont il a besoin, organise sa présentation et s'assure de sa mise à jour. En plus d'être un outil de planification et de contrôle, le tableau de bord devient aussi un outil de communication et d'information pour les futures améliorations de la performance. Aujourd'hui, de plus en plus de cadres supérieurs consultent un tableau de bord informatisé en appuyant simplement sur une touche de leur ordinateur personnel (*Executive Information System–EIS*).

# L'AMÉLIORATION DE LA PRODUCTIVITÉ

## 20.5 Les moyens pour améliorer la productivité

Plusieurs moyens visent à la réalisation d'au moins un objectif, et ce compte tenu des caractéristiques des environnements interne et externe. Puisque la stratégie détermine l'orientation des ressources consacrées à la poursuite des objectifs, elle doit être clairement définie avant d'effectuer le choix des moyens pour améliorer la productivité. En pratique, la variété des objectifs rend impossible le choix d'une combinaison optimale de moyens. Cela n'empêche nullement de viser au meilleur choix possible, car la cohérence des décisions se reflète systématiquement sur les différents indices de mesure de la productivité.

Un système d'amélioration continue et d'innovation peut contenir cinq étapes successives : **déterminer** ce qui doit être amélioré ou innové, le **mesurer**, le **comparer** aux résultats d'autres périodes ou d'autres entreprises, **planifier** ce qui devra être accompli et **implanter** le plan choisi et recommencer.

D'une façon globale, six plans d'action principaux sont à la portée du gestionnaire pour améliorer la productivité concurrentielle ; ces derniers sont présentés à la figure 20.3.

Ces plans s'appliquent aussi bien aux entreprises des secteurs primaire et secondaire qu'à celles du secteur tertiaire. En effet, ce dernier secteur fournit entre 60 % et 70 % des emplois dans les pays industrialisés, et c'est à l'impact de la faible amélioration de la productivité de ce secteur qu'est attribuée la faible hausse annuelle de la productivité nationale.

Le **premier plan d'action** consiste à réaliser clairement la stratégie globale et les stratégies relatives aux fonctions qui en découlent ; il peut se révéler difficile à réaliser. Cependant, plus la stratégie globale est claire, plus les ressources peuvent être utilisées d'une façon efficace, c'est-à-dire selon les objectifs visés par la direction générale. D'ailleurs, le rôle stratégique de la fonction Opérations a été analysé au chapitre 19, et un bon point de départ pour ce premier plan d'action serait d'effectuer la vérification des opérations suggérée au tableau 19.1. L'importance de ce premier plan est aussi fortement soulignée par Skinner[18], qui accuse les gestionnaires d'être obnubilés par l'inefficience au lieu d'élaborer des stratégies qui utilisent la production comme arme concurrentielle.

Par contre, le **deuxième plan d'action** pour améliorer la productivité est extrêmement opérationnel. Il consiste notamment à éliminer les pratiques non productives qui s'immiscent au fil des années dans les rouages d'une entreprise. Il peut être

▼ **FIGURE 20.3**
**Les principaux plans d'action pour améliorer la productivité**

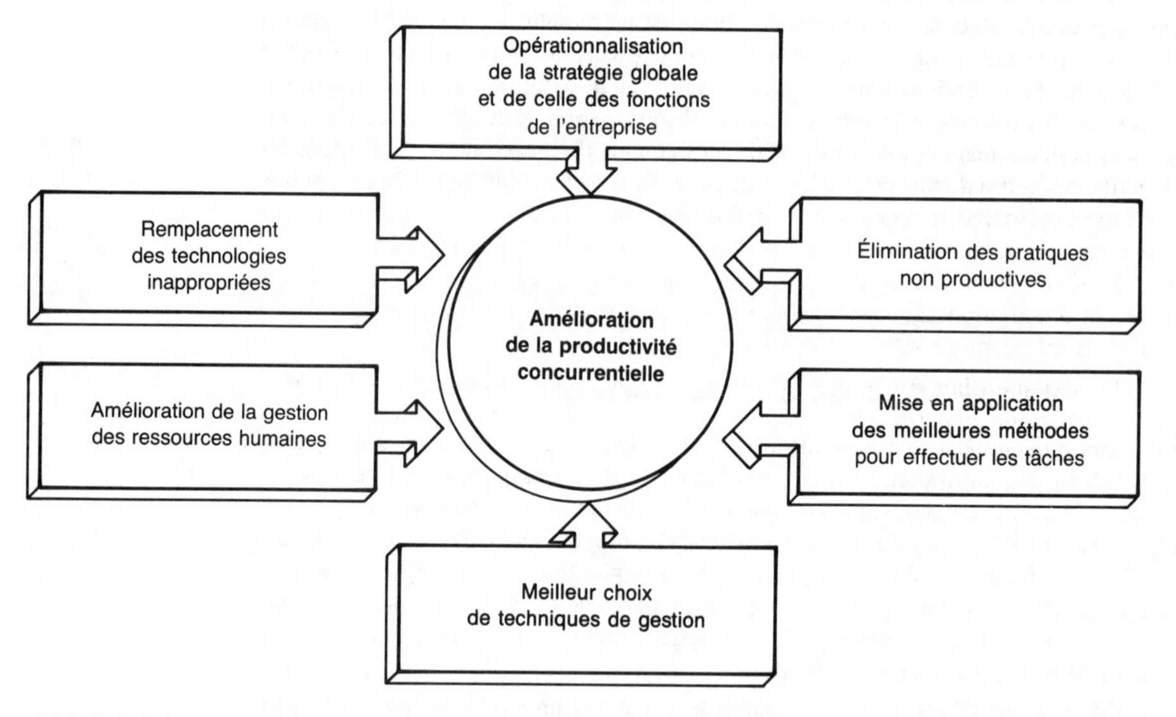


difficile de prêter une attention soutenue à toutes les méthodes et procédés utilisés, et il est parfois nécessaire de les réexaminer. Le réexamen de ces pratiques est indispensable, car elles sont la source d'économies considérables, en plus de devoir être réorientées selon les objectifs concurrentiels. Par exemple, l'industrialisation des activités opérationnelles dans les établissements de restauration rapide illustre jusqu'à quel point il est possible d'accélérer le service à la clientèle tout en améliorant la qualité et en augmentant les profits ; il en est de même dans le secteur professionnel[12]. À noter que ce plan est très semblable à celui de l'élimination du gaspillage (*voir le chapitre 18 sur le JAT*).

Il existe un lien très étroit entre le deuxième et le **troisième plan d'action**, qui consiste à tenter dès le départ d'effectuer les tâches de la meilleure façon possible. Souvent, des pratiques valables seront remplacées par de meilleures. Le chapitre 8, portant sur l'organisation et les méthodes, contient plusieurs éléments intéressants reliés à ce plan d'action habituellement peu coûteux.

Le **quatrième plan d'action** pour l'amélioration de la productivité consiste en un choix plus approprié des techniques de gestion. Bien qu'il soit difficile de déterminer précisément l'effet des modifications des techniques de gestion, l'amélioration de différents indices de mesure de la productivité sert au moins à fournir une indication. Par exemple, au chapitre 18, l'effet du juste-à-temps sur le niveau des stocks, sur les relations avec les fournisseurs et sur la motivation du personnel a été démontré. L'effet sur le niveau des stocks peut se mesurer de façon assez tangible ; par contre, les deux autres facteurs se prêtent moins à des mesures chiffrées.

Le **cinquième plan d'action** concerne la gestion améliorée des ressources humaines, lesquelles représentent pour toute entreprise (et davantage dans le secteur tertiaire) un potentiel immense pour l'amélioration de la productivité. En effet, le travail physique n'est pas le seul critère à considérer. De plus en plus, les travailleurs peuvent contribuer à l'amélioration de la productivité en faisant des suggestions et en participant aux décisions. Bien que l'aspect de la motivation au travail soit connu depuis fort longtemps, cela n'empêche pas de nombreux gestionnaires de gérer les ressources humaines comme s'il s'agissait de ressources matérielles. Cependant, les objectifs des individus et ceux de l'entreprise doivent être conciliés. Somme toute, la philosophie de base d'une saine gestion des ressources humaines ne repose pas seulement sur un changement relatif aux aspects culturels et aux systèmes de valeurs des travailleurs, mais aussi sur l'utilisation du potentiel des individus. C'est ainsi que se fera la conciliation des niveaux élevés de productivité, de la réduction des erreurs et d'un degré accru de satisfaction au travail.

Le **sixième plan d'action**, soit le remplacement des technologies non appropriées, a été traité en partie dans le chapitre 5 portant sur la gestion de la technologie. En pratique, remplacer une technologie consiste souvent à acheter de la machinerie de pointe et à la substituer à une machinerie désuète ou encore à une main-d'œuvre en place. En fait, le remplacement de la main-d'œuvre par le capital-machines est vraisemblablement la cause majeure de l'amélioration de la productivité depuis la révolution industrielle. N'est-ce pas ainsi que le progrès scientifique et technologique se traduit concrètement ? Selon une étude effectuée auprès de 236 cadres supérieurs, la majorité des cadres mentionnent que l'investissement dans les installations, dans la nouvelle machinerie et dans les processus sont les raisons majeures de l'amélioration de la productivité dans leur entreprise[13]. Les stations libre-service et les guichets bancaires automatiques constituent des exemples d'amélioration de la productivité dans le secteur tertiaire. Le client passif a été transformé en main-d'œuvre active qui rend le service, grâce à une technologie simple d'utilisation. La bureautique offre également une excellente occasion d'améliorer la productivité à l'aide de la technologie.

Ces plans d'action pour améliorer la productivité concurrentielle reposent sur des approches, des moyens ou des techniques qui se retrouvent dans chacun des 20 chapitres de ce manuel. Quelques techniques sont énumérées au tableau 20.2 à titre indicatif, car leur nombre est trop élevé pour les nommer toutes. Hélas, aucune formule magique n'existe pour améliorer la productivité concurrentielle, et le choix des moyens doit découler de la stratégie de l'entreprise et de celle des opérations. Certaines de ces techniques sont valables en soi ; cependant, elles deviennent synergétiques lorsqu'elles sont intégrées à l'ensemble des méthodes et à la philosophie qui prévaut au sein d'une entreprise dans son approche systémique. L'amélioration de la productivité résulte d'un effort constant englobant tous les plans d'action. Elle repose à la fois sur la cohérence des décisions et sur la cohésion des actions[9], que seule une approche systémique peut assurer pleinement.

## 20.6 Les conséquences économiques et sociales de l'amélioration de la productivité

Le rôle et l'importance de la gestion des opérations s'inscrit aussi dans la mesure de la productivité sur le plan international. Le tableau 20.3 compare la productivité de 14 nations avec celle des États-Unis, qui sert d'étalon. À noter que même si le Canada se classe toujours deuxième, son taux de croissance a ralenti durant la dernière

**Tableau 20.2**

**Quelques approches, moyens et techniques d'amélioration de la productivité**

**Technologie**
- CAO, FAO, CFAO
- Robotique
- Groupement technologique
- Automatisation

**Produit**
- Conception simultanée du design
- Analyse de la valeur
- Modularisation
- Déploiement de la fonction Qualité
- Standardisation, simplification

**Ressources humaines**
- Enrichissement, élargissement, rotation des tâches
- Participation
- Formation
- Courbes d'apprentissage et d'expérience
- Mobilisation

**Processus**
- Analyse des mouvements
- Analyse de la circulation
- Aménagement cellulaire
- Étude des méthodes
- Analyse du processus d'affaires

**Qualité**
- Contrôle statistique des processus (CSP)
- Taguchi
- Analyse des défaillances

**PCPS**
- Planification des besoins-matières (PBM)
- Planification des ressources de distribution (PRD)
- Analyse de Pareto
- Analyse des capacités brutes

décennie par rapport aux quatre décennies antérieures ; à souligner aussi le bond spectaculaire de la productivité du Japon depuis quatre décennies, qui est passée de 16,1 % à 74,9 % ! La mesure utilisée dans ce tableau est le produit national brut per capita, et les valeurs inscrites peuvent différer selon les pondérations économiques utilisées[16].

Ces chiffres inquiètent, car le taux de croissance moyen annuel du Canada[2] depuis 1950 est de 2,7 %, tandis que celui du Japon est de 6 % ; or, même si l'indice de productivité du Canada est élevé, le Japon, entre autres nations, fait du rattrapage accéléré, et il pourrait rapidement prendre la tête du peloton, à moins que l'entreprise canadienne trouve et utilise des moyens d'accroître cette performance. Le tableau 20.4 montre le PNB per capita pour divers pays, en dollars US ; en 1989, la production nationale a été suffisante pour fournir à chaque citoyen, en moyenne, 19 679 $ de biens et de services, faisant du Canada l'une des nations les plus riches.

Même une faible amélioration de la productivité peut être bénéfique à tous les agents d'une entreprise, soit les travailleurs et les actionnaires, de même qu'aux

Tableau 20.3

La comparaison de la productivité sur le plan international

| Pays | 1950 | 1960 | 1970 | 1980 | 1989 |
|---|---|---|---|---|---|
| États-Unis | 100,0 % | 100,0 % | 100,0 % | 100,0 % | 100,0 % |
| Canada | 69,5 | 72,0 | 78,1 | 92,1 | 94,2 |
| Norvège | 49,9 | 56,7 | 61,6 | 79,0 | 81,4 |
| Suède | 59,1 | 66,6 | 76,3 | 76,7 | 75,1 |
| Japon | 16,1 | 28,8 | 55,8 | 66,1 | 74,9 |
| Allemagne | 36,0 | 61,1 | 67,9 | 74,3 | 72,8 |
| France | 44,4 | 54,4 | 65,8 | 73,1 | 70,1 |
| Danemark | 51,5 | 62,1 | 69,1 | 70,6 | 69,2 |
| Royaume-Uni | 60,4 | 66,5 | 64,9 | 66,2 | 68,6 |
| Belgique | 46,4 | 50,8 | 60,9 | 69,9 | 68,0 |
| Italie | 31,7 | 44,9 | 57,3 | 67,1 | 67,3 |
| Pays-Bas | 53,4 | 61,4 | 69,4 | 72,4 | 66,6 |
| Autriche | 31,4 | 47,0 | 55,0 | 66,2 | 65,0 |
| Corée | * | 9,5 | 12,9 | 20,9 | 34,4 |

* Non disponible.
**Source :** Adaptation d'un tableau de Carnevale[2].

Tableau 20.4

La comparaison des biens et des services per capita

| Pays | 1950 | 1960 | 1970 | 1980 | 1989 |
|---|---|---|---|---|---|
| États-Unis | 9 972 $ | 11 559 $ | 14 777 $ | 17 369 $ | 20 891 $ |
| Canada | 6 926 | 8 322 | 11 545 | 15 999 | 19 679 |
| Japon | 1 605 | 3 325 | 8 238 | 11 483 | 15 655 |
| Allemagne | 3 593 | 7 066 | 10 037 | 12 908 | 15 211 |
| France | 4 428 | 6 290 | 9 729 | 12 689 | 14 646 |
| Corée | * | 1 101 | 1 912 | 3 631 | 7 184 |

* Non disponible.
**Source :** Adaptation d'un tableau de Carnevale[2].

consommateurs. Établir un rapport direct entre l'amélioration de la productivité et les prix à la consommation est difficile. Cependant, en 1955, le consommateur à revenu moyen devait travailler près d'un mois pour acheter un téléviseur noir et blanc. En 1994, environ une semaine de travail suffit pour en acheter un en couleurs et de qualité supérieure à celle de 1955. Les actionnaires se réjouissent également de cet état de fait, puisqu'une productivité accrue entraîne habituellement des profits supérieurs, qui ont souvent un effet à la hausse sur la valeur des actions et des dividendes déclarés.

L'étude de différents indices de mesure de la productivité concernant des entreprises d'un même secteur permettrait de déterminer s'il y a un lien apparent entre la productivité et la profitabilité. Toutefois, les entreprises se gardent bien de dévoiler ces informations. Par contre, St-Amour[20] a étudié la relation globale entre la productivité et la profitabilité en analysant les performances sectorielles de certaines industries. La figure 20.4 comprend les 20 sous-secteurs du secteur secondaire regroupés par blocs de quatre : les quatre sous-secteurs les plus productifs, les quatre autres et ainsi de suite. Comme le souligne l'auteur, la correspondance n'est pas parfaite, car chaque secteur industriel est soumis à un environnement différent et à une conjonc-

**FIGURE 20.4 ▶**
**Le lien global entre la productivité et la profitabilité**

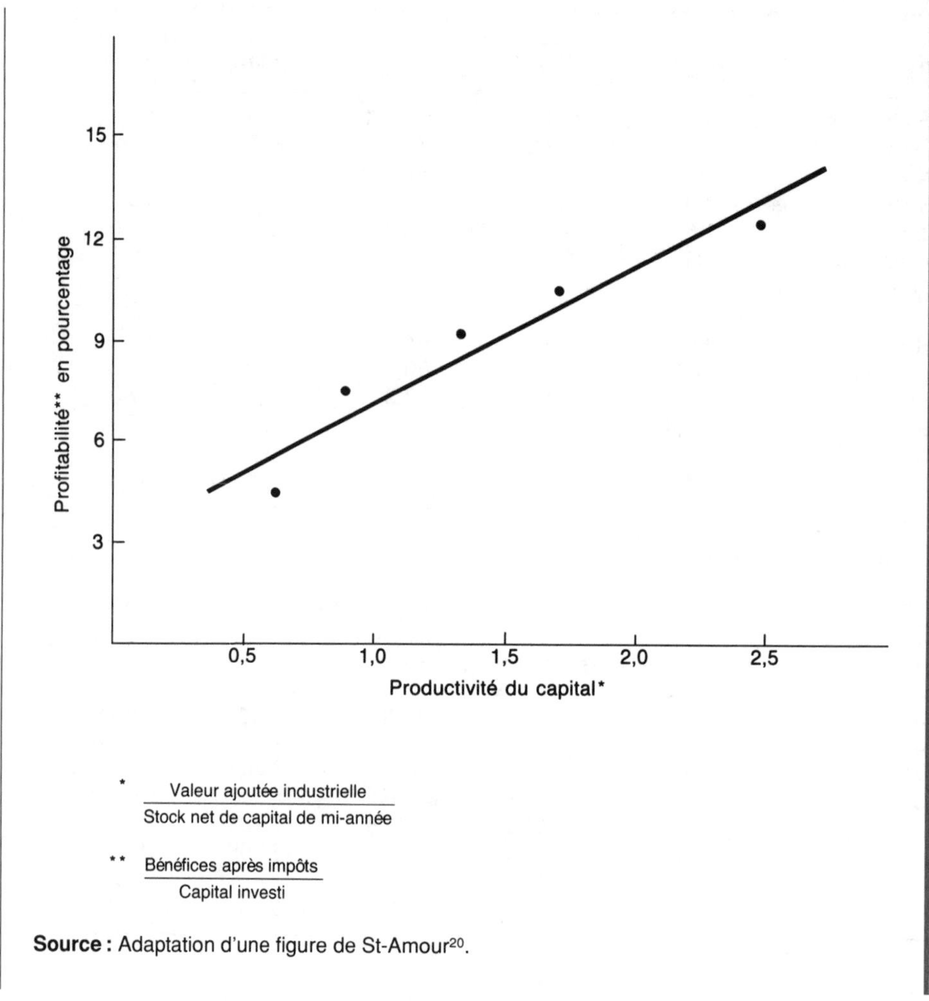


**Source :** Adaptation d'une figure de St-Amour[20].

ture particulière. Quoique non exhaustive, cette étude illustre quand même la relation entre la productivité et la profitabilité.

Bien que l'impact économique favorise une hausse de la productivité, cette dernière est souvent accusée d'accroître le taux de chômage. Une hausse de productivité se reflète par l'un des 10 ratios illustrés à la figure 20.5. Selon l'hypothèse où la main-d'œuvre subirait une modification dans le même sens que celle apportée aux intrants, il faudrait que le taux d'accroissement de la valeur des extrants soit supérieur à celui des intrants pour qu'il y ait hausse de productivité, sans création de chômage. Dans l'immédiat, il n'y aurait pas de chômage dans 3 des 10 zones de hausse de productivité de la figure 20.5. Dans la réalité, la relation entre la hausse de productivité et celle du chômage ne se tranche pas aussi facilement.

La hausse de productivité totale de l'entreprise assure sa compétitivité, laquelle est à la base de la sécurité d'emploi des travailleurs. À court et à moyen terme, l'augmentation de la productivité doit se refléter dans l'accroissement des ventes, sinon l'augmentation de l'efficience entraînera une diminution de la main-d'œuvre. De même, lorsque plusieurs entreprises accroissent leur productivité à un rythme supérieur à celui de l'expansion du marché, il y a vraisemblablement un taux de chômage accru à court terme, si ces ressources ne peuvent être employées de façon

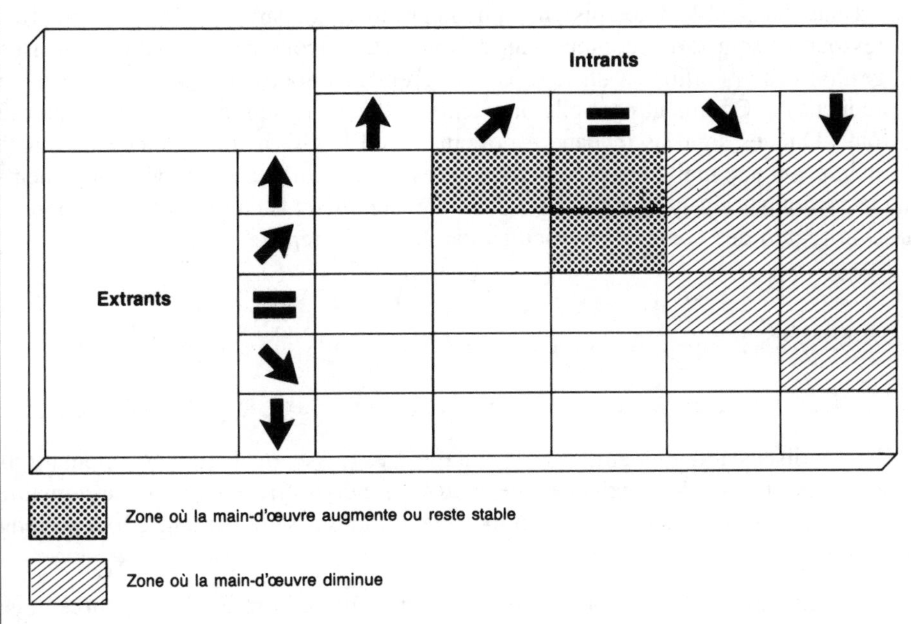


**FIGURE 20.5**
**L'impact social d'une hausse de productivité**

productive ailleurs. À long terme, il y a un déplacement de la main-d'œuvre plutôt que du chômage, puisque la concurrence se fait maintenant de plus en plus à l'échelle internationale. Le même raisonnement s'applique entre les nations : celles qui utilisent leurs ressources de façon plus productive ont tendance à créer du chômage chez les nations les moins productives. D'ailleurs, la figure 20.6 montre que les nations industrialisées ayant un taux de productivité élevé sont généralement celles où le chômage est le plus faible.

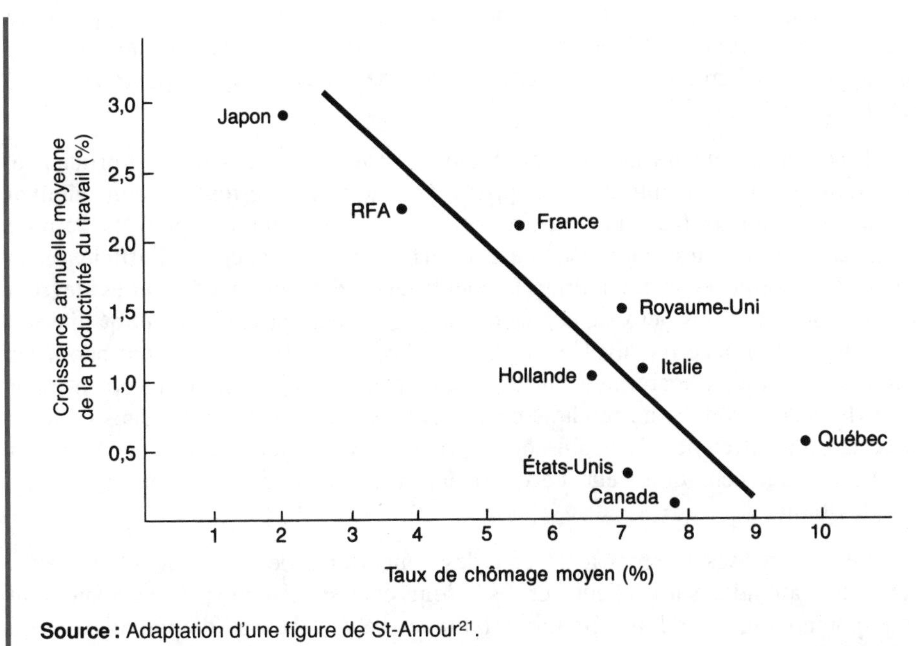


**Source :** Adaptation d'une figure de St-Amour[21].

**FIGURE 20.6**
**La productivité et le chômage dans différents pays de l'OCDE (1973-1983)**

Dans l'ensemble, l'accroissement de la productivité paraît souhaitable. En effet, les ressources sont rares, compte tenu de toutes les façons possibles de les utiliser. La gestion des opérations a un rôle particulièrement important à jouer pour hausser la productivité. Comment peut-elle maintenir ou accroître son influence pour remplir ce rôle ? Quelles sont les tendances principales de la GO pour les années à venir ? C'est en ayant une meilleure perspective de ces orientations et de ces développements que le gestionnaire peut agir sur la productivité en prenant les moyens qui s'imposent, et ce au regard des contextes particuliers à chaque entreprise.

# LES PERSPECTIVES EN GESTION DES OPÉRATIONS

## 20.7 Les tendances futures de la gestion des opérations

La brève discussion qui suit est davantage l'esquisse de certaines orientations importantes qu'un relevé exhaustif de toutes les perspectives en GO. Ce domaine subit de nombreux changements, comme cela a d'ailleurs été démontré tout au long de l'ouvrage.

L'accroissement de la productivité a permis de réduire à 5 % le pourcentage de la main-d'œuvre canadienne travaillant dans le secteur primaire. Par contre, le secteur secondaire a vu ce pourcentage croître jusque vers le milieu du siècle, puis décroître à son niveau actuel, qui se situe entre 25 % et 30 %. Quant au pourcentage du secteur tertiaire, il n'a fait que croître. Cependant, il y a eu beaucoup de variations à l'intérieur même des différentes industries de ce secteur. Il n'y a pas de doute que l'amélioration de la gestion des opérations a sa place dans chacun des secteurs. En dépit du fait que le secteur tertiaire a été négligé, mais non ignoré, il faut s'attendre à ce que plus d'efforts lui soient consacrés, car la productivité dans ce secteur est beaucoup moins élevée que dans l'entreprise manufacturière[11] et elle occupe plus de 70 % de la main-d'œuvre. Jusqu'à dernièrement, la recherche et les écrits sur la gestion du secteur des services traitaient principalement de l'application de concepts de production industrielle à ce secteur ; à présent, une tendance se développe afin d'enrichir le secteur industriel de concepts ayant pour source le secteur des services[3, 23].

L'accroissement de la seule productivité, prise dans le sens de l'efficience, n'assurera plus la pérennité des entreprises. Ces dernières verront le seuil minimal de chacun des quatre facteurs concurrentiels devenir constamment plus élevé ; pour être dans la course, les entreprises devront accroître simultanément l'efficience, la qualité, la fiabilité et la flexibilité et, pour gagner des commandes, elles devront exceller pour au moins deux de ces facteurs. Les facteurs productivité et qualité ont atteint une importance renouvelée sur les marchés internationaux, surtout parmi les entreprises arrivées à maturité et ayant un excédent de capacité, et qui optent pour une différenciation de leurs produits ou de leurs services ; par contre, dans d'autres entreprises, la différence de qualité et de productivité est tellement mince entre les concurrents, que ceux-ci tentent d'acquérir un avantage concurrentiel par la fiabilité et la flexibilité[24].

Les entreprises viseront à devenir des concurrents de classe mondiale ; elles axeront leur attention sur le client, sur ses besoins et sa satisfaction ; elles s'appuieront sur l'apprentissage, sur l'amélioration continue (kaïzen, courbe d'apprentissage ou courbe d'expérience) et sur l'innovation ; les ressources humaines deviendront « la » ressource la plus importante ; le personnel sera formé et participera aux décisions ; le travail d'équipe sera encouragé à tel point, que les niveaux hiérarchiques seront aplatis et l'interaction entre les fonctions sera accrue.

Pour s'améliorer, les entreprises utiliseront l'étalonnage concurrentiel (*benchmarking*), mesure par laquelle l'entreprise visera à améliorer une activité en s'inspirant des méthodes utilisées par une entreprise reconnue pour son excellence dans ce domaine.

La technologie continuera sa pénétration dans les entreprises des trois secteurs économiques. Son type et son taux d'introduction sera intégré à l'activité humaine, et son rôle et sa justification seront moins le déplacement de la main-d'œuvre que la flexibilité des changements de produit, de processus, de volume et de délai. La flexibilité des délais de toutes sortes deviendra un facteur de concurrence important, en particulier la réduction du temps de conception et de fabrication de nouveaux produits par une gestion simultanée du génie de conception et de fabrication.

L'intégration de l'approche systémique et de la stratégie industrielle se fera dans un nombre grandissant d'entreprises. En effet, ces concepts sont de mieux en mieux connus, et les revues de gestion fournissent fréquemment des exemples d'entreprises où cette intégration a été réussie. Cette tendance devrait se poursuivre dans les années à venir. Il est probable que les mesures de productivité seront plus utilisées pour mieux relier la gestion des opérations à l'évolution des indices de mesure de la productivité. Plusieurs indices internes et externes pourront être suivis par les travailleurs autant que par les gestionnaires, grâce au travail d'équipe et surtout à la volonté de rendre « visibles » toutes les activités de l'entreprise. Par contre, les pressions quotidiennes constitueront un obstacle à surmonter dans cette réalisation.

Compte tenu des tendances du marché, des travailleurs et de la technologie, il y aura des modifications quant au profil des gestionnaires des opérations. Dans les prochaines années, un nombre grandissant de femmes choisiront de faire carrière dans le domaine de la gestion des opérations. D'ailleurs, cette tendance est déjà amorcée, comme le montre le nombre d'inscriptions dans les universités qui offrent l'option gestion des opérations et de la production. L'importance accrue de la GO dans le secteur tertiaire devrait d'ailleurs contribuer à ce changement.

Les gestionnaires des opérations, formés à l'université, sont souvent comparés à ceux formés « sur le tas ». La complexité des rouages opérationnels permettra de compter de moins en moins sur la seule expérience pour prendre des décisions éclairées. De même, cette complexité forcera davantage les entreprises à offrir aux diplômés des stages dans différents services, plutôt que de les assigner immédiatement et à long terme à un seul service. Cette méthode reconnue de développer en pratique l'approche systémique ne peut être que bénéfique pour tous les intervenants.

## CONCLUSION

La tendance à améliorer les opérations dans les entreprises canadiennes n'est pas qu'un vœu pieux. En effet, les exemples déjà mentionnés dans ce texte en constituent la preuve. De plus, les entreprises telles que Cascades ont déjà démontré qu'une philosophie plus humaine dans les relations de travail a pour effet de les rendre plus compétitives sur le plan international. Canadian General Electric, dans son usine de Camco à Montréal, a développé le juste-à-temps pour devenir plus concurrentielle non seulement à l'échelle nationale, mais aussi à l'échelle mondiale. Pratt et Whitney Canada, à Halifax, a investi dans des technologies avancées, en plus d'améliorer ses relations ouvrières dans une structure plus organique. Northern Telecom, à Calgary, a conçu des produits de classe mondiale, utilisant comme facteur concurrentiel distinct les délais rapides de livraison. Hydro-Québec et Xerox Canada sont devenues des porte-bannières en ce qui a trait à la qualité totale.

Les gestionnaires de ces entreprises et les autres gestionnaires des opérations sont avant tout des gens d'action qui ont à prendre des décisions continuelles entre le court terme et le long terme. Quant à la hausse de la productivité, elle continuera d'être un objectif important car elle est d'abord une façon de voir les choses. Différents plans d'action peuvent être mis de l'avant pour atteindre les objectifs de productivité. Cependant, les gestionnaires des opérations devront compter davantage sur les aptitudes et l'intelligence des travailleurs pour parvenir à survivre aux chocs des changements prévus.

L'importance grandissante de la gestion des opérations est avant tout dictée par la réalité, et il est de plus en plus reconnu, dans différents milieux, que la GO est essentielle à la concurrence. La gestion des opérations se fait à la fois par une approche systémique et par une approche stratégique, qui doivent se concrétiser au moyen de décisions orientées vers l'action. C'est ce qui a été démontré tout au long de cet ouvrage. Les techniques mentionnées ou développées peuvent être utiles au gestionnaire, et c'est à ce dernier de juger le moment opportun de les utiliser.

Ce volume a présenté les concepts de base de la GO, tout en considérant les principales implications stratégiques et opérationnelles reliées à ces concepts. Nous sommes conscients qu'il est difficile d'analyser, et surtout de décrire, un domaine en effervescence et en constante évolution comme celui de la gestion des opérations. Mais c'est précisément ce dynamisme et celui des gestionnaires des opérations qui rendent la GO intéressante, utile et nécessaire à étudier, et surtout passionnante à vivre...

## QUESTIONS DE RÉVISION

1. Pourquoi la productivité est-elle importante pour l'entreprise ?
2. Donnez une définition élargie de la productivité.
3. Quels sont les liens entre l'efficience, l'efficacité et la productivité ?
4. Qu'entend-on par mesure partielle et par mesure totale de la productivité ?
5. Quels critères doit-on utiliser dans le choix des mesures de la productivité ?
6. Quels sont les liens entre l'approche systémique et l'approche stratégique dans la gestion de la productivité ?
7. Peut-on mesurer la productivité dans le secteur tertiaire ? Si oui, de quelle façon ?
8. Quelles sont les principales tendances en GO ?

## QUESTIONS DE DISCUSSION

1. « Vouloir plus de productivité veut dire forcer les gens à travailler plus vite ; travailler plus vite signifie produire davantage avec une main-d'œuvre moindre ; moins de gens au travail est synonyme de chômage ; alors, productivité égale chômage ! » Commentez cette interprétation de la productivité.
2. « La mise en application de l'approche systémique et celle de l'approche stratégique pour améliorer la productivité sont des concepts théoriques difficilement ou même pas du tout réalisables dans la pratique. » Commentez cette affirmation.
3. « Dans l'avenir, il sera souhaitable d'orienter l'entreprise vers une qualité optimale tout en améliorant la productivité. » « Ce sont là deux mesures contraires, car l'une augmente les coûts, et l'autre tente de les diminuer. » Commentez ces affirmations.
4. « Un bon gestionnaire de la production et des opérations doit être avant tout une personne ayant exclusivement des connaissances techniques. Il n'y a pas de place réelle pour un gestionnaire des opérations. » Commentez cette affirmation.
5. « La productivité, c'est l'affaire des chefs d'entreprise. C'est à eux de s'en occuper et à personne d'autre. » Commentez cette affirmation.
6. La technologie aura pour effet de réduire les emplois en gestion des opérations et de la production. Quelle place occupera la main-d'œuvre dans l'avenir ?

## RÉFÉRENCES


1. BRITNEY, R.R., D. JOHNSTON, J.M. LEGENTIL et J. WALSH, *Planning for Productivity Gains Within the Firm : A Management Perspective*, Research and Publications Division, School of Business Administration, The University of Western Ontario, Working Paper Series 82-38, 1982.
2. CARNEVALE, A.P., « Productivity and Beyond : Measuring America Against the New Market Standards », *Gestion 2000*, nº 3, 1992, p. 147-159.
3. CHASE, R.B. et D.A. GARVIN, « The Service Factory », *Harvard Business Review*, juin-juillet 1988.
4. DERTOUZOS, M.L., R.K. LESTER et R.M. SOLOW, *The MIT Commission on Industrial Productivity – Made in America : Regaining the Productive Edge*, Cambridge, Massachusetts, The MIT Press, 1989.
5. DIORIO, M.O., « De la productivité traditionnelle à la productivité concurrentielle », *L'Ingénieur*, mai-juin 1984.
6. DIORIO, M.O., « Mesurer la productivité : Pourquoi ? Comment ? », *PME Gestion*, septembre 1981, p. 4.
7. DIORIO, M.O., *Vocabulaire de la productivité*, Montréal, Institut national de la productivité, 1980.
8. DUGUAY, C.R., « Compétitivité globale et productivité », compte rendu de l'ASAC, vol. 12, partie 10, 1991.
9. DUGUAY, C.R., « La productivité : plutôt une affaire de chef », *Gestion*, avril 1980, p. 62-72.
10. FRAPPIER, M., « Le concept de la productivité », *La problématique de la productivité*, Institut national de productivité, 1981.
11. HAYWOOD-FARMER, J. et J. NOLLET, *Service Plus – Effective Service Management*, Gaëtan Morin Éditeur, 1991, p. 4.
12. HAYWOOD-FARMER, J. et J. NOLLET, « Productivities in Professional Services », *Service Industries Journal*, juillet 1985, p. 169-180.

13. JUDSON, A.S., « The Awkward Truth About Productivity », *Harvard Business Review*, septembre-octobre 1982, p. 93-97.
14. NOLLET, J., « Towards a More Social Role of Operations Management ? », comptes rendus de l'ASAC, vol. 5, partie 7, Guelph, Ontario, mai 1984, p. 59-67.
15. NOLLET, J., J. KÉLADA et M.O. DIORIO, *La gestion de la production et des opérations*, 1re éd., Gaëtan Morin Éditeur, 1986, p. 761.
16. RAO, P.S., « U.S. – Canada Productivity Gap, Scale Economies and the Gains from Free Trade », Actes du sixième congrès mondial de la productivité, Montréal, 1988.
17. SIEGEL, I.H., *Productivity Measurement : An Envolving Art*, Work in America Institute Studies in Productivity, New York, 1980.
18. SKINNER, W., « The Productivity Paradox », *The McKinsey Quarterly*, hiver 1987, p. 36-45.
19. SLOAN Jr., A.P., *My Years with General Motors*, Garden City, New York, Anchor Books, 1972.
20. ST-AMOUR, P., « Productivité et profit : plus qu'une simple coïncidence », *Productividées*, janvier 1985, p. 1.
21. ST-AMOUR, P., « Productivité et chômage : sont-ils vraiment indissociables ? », *Productividées*, août-septembre 1984, p. 1.
22. SUMANTH, D.J., *Productivity Engineering and Management*, New York, McGraw-Hill, 1984, p. 7.
23. VOSS, C.A., « Applying Service Concepts in Manufacturing », *International Journal of Operations and Production Management*, vol. 12, no 4, 1992.
24. WERTHER Jr., W.B., « Strategic Foundations of Productivity Improvement », *Revue canadienne des sciences de l'administration*, vol. 8, no 1, mars 1991, p. 3-8.

ANNEXE A

# La théorie des files d'attente

JEAN NOLLET *auteur principal*

## A.1 Les applications courantes et la problématique

La théorie des files d'attente a été élaborée au début du XXe siècle par des ingénieurs en quête de solutions à des problèmes pratiques. Les développements subséquents ont été effectués surtout par des théoriciens préoccupés de résoudre des problèmes de plus en plus compliqués. Les fonctions de probabilité consécutives à ces travaux sont par conséquent complexes. Il semble en effet très difficile de concevoir des formules simples pour des situations réelles qui ne le sont pas.

Une foule de systèmes opérationnels sont conçus de façon à engendrer indirectement des files d'attente. En effet, un certain nombre d'intrants, qui ne peuvent être traités ou transformés immédiatement, doivent attendre leur tour, d'où le nom de **file d'attente**. Ces intrants peuvent être des humains (secteur tertiaire) ou des objets (secteur secondaire).

Les commandes à préparer dans un entrepôt, les pilotes qui attendent l'autorisation de décoller, les patients assis dans la salle d'attente d'une clinique médicale, les clients alignés aux caisses des supermarchés ou au guichet automatique d'un établissement bancaire, ou encore les automobilistes en attente à un poste de péage constituent autant d'exemples courants de files d'attente. Ces intrants passent tous par un même processus : ils arrivent dans un système, attendent d'être traités, passent à un point de service, puis quittent le système.

La théorie des files d'attente peut aider à répondre à des questions aussi précises que celle-ci : Combien de caisses enregistreuses le gérant d'un supermarché doit-il faire fonctionner le mercredi après-midi pour qu'il n'y ait pas plus de deux personnes en attente à chaque caisse, et ce durant 95 % des 6 heures d'ouverture (342 minutes) en après-midi ? Cette question et d'autres semblables gravitent autour de l'arbitrage principal qui justifie l'examen des files d'attente : d'un côté, le coût du niveau de service visé par le fournisseur de ce service, et de l'autre, le coût d'attente des clients ou des commandes. Avez-vous déjà remarqué que les salles d'attente des cabinets de médecin sont rarement vides ? Par le système de rendez-vous, le médecin s'assure d'être toujours occupé, même si ses patients doivent attendre. Il considère alors que son temps vaut beaucoup plus cher que celui de ses patients. Par contre, lorsque ce même médecin ira chez son garagiste, sans doute devra-t-il lui aussi attendre son tour.

Il peut s'avérer difficile de déterminer la valeur exacte du coût d'attente, qu'il s'agisse d'une personne ou d'un objet. Pour le producteur, ce coût comprend le coût de l'espace requis pour l'attente, les salaires pouvant y être rattachés, de même que toute dépense directement attribuable à l'attente. Par exemple, il doit considérer le coût de renonciation correspondant à la valeur des produits en cours. La non-utilisation d'un point de service entraîne également un coût de renonciation, puisque dans ce cas des ressources sont temporairement improductives.

## A.2 Les caractéristiques opérationnelles des systèmes avec files d'attente

Très peu de gestionnaires souhaitent que les systèmes qu'ils contrôlent soient utilisés à 100 %, car il est alors probable que des commandes ne puissent être remplies à temps ou encore que des clients ne soient pas servis à temps. À mesure que le coefficient d'utilisation s'accroît, le temps d'attente et la file s'allongent, à moins qu'il ne s'agisse d'un système continu. La figure A.1 illustre une telle situation : lorsque le coefficient d'utilisation d'un système dépasse 70 % et que les arrivées se font au hasard, le temps d'attente augmente démesurément.

Les résultats des calculs basés sur la théorie des files d'attente ont été regroupés sous forme de tables qui indiquent le temps d'attente ou la longueur de la file, compte tenu du coefficient d'utilisation du système. Un ouvrage de Buffa[2] contient de telles tables, à partir desquelles il est possible de concevoir des figures comme A.1.

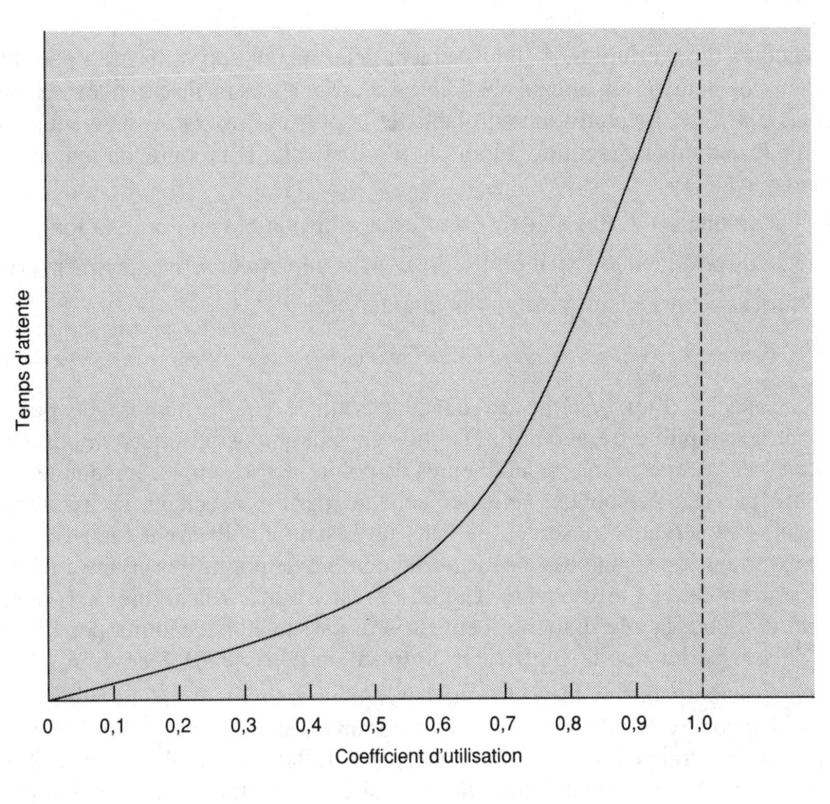


**FIGURE A.1**
**L'impact du taux d'utilisation sur le temps d'attente**

Le temps d'attente, le coefficient d'utilisation et le nombre moyen d'unités sont trois critères fréquemment utilisés dans l'évaluation d'un système. Avec ces données en main, le gestionnaire peut effectuer les arbitrages qui s'imposent. Cependant, ces critères de décision découlent des caractéristiques du système, soit : les particularités du mode d'arrivée, le type de file d'attente (simple ou multiple), les règles de priorité pour le choix de la prochaine unité traitée et les particularités du service. Chase et Aquilano[4] signalent quatre facteurs à considérer pour le mode d'arrivée :

- sa contrôlabilité ou non par les gestionnaires ;
- le nombre d'unités arrivant à la fois ;
- le type de distribution statistique suivi (Poisson, exponentielle négative, etc.) ;
- le degré de patience (s'il s'agit de clients, quel pourcentage abandonne la file d'attente ou ne la joint pas).

Les règles de priorité le plus fréquemment utilisées pour déterminer l'ordonnancement d'un système sont : les urgences selon leur degré, les rendez-vous et l'ordre d'arrivée (premier arrivé, premier servi). D'autres règles sont spécifiées dans le chapitre sur l'ordonnancement. Voici un exemple qui énumère les caractéristiques opérationnelles d'un système.

**Exemple** ■

Un établissement bancaire compte 11 000 clients actifs qui effectuent au moins une transaction par semestre. Les clients qui désirent effectuer des transactions se mettent en ligne, selon l'ordre d'arrivée. Dès qu'une caisse est disponible, le premier client de la file est servi. Les clients reviennent rarement la même journée. Quelles sont les caractéristiques de ce système ?

*Solution*

- Les heures d'ouverture de l'établissement déterminent son utilisation possible. Durant ces heures, les clients sont libres d'arriver lorsqu'il leur plaît : le processus d'arrivée est plutôt incontrôlable, et la plupart des clients arrivent seuls. Bien que certains refusent de joindre la file d'attente, la très grande majorité le fait et y reste.
- Il n'y a qu'une seule file d'attente, et l'espace disponible en limite la longueur.
- La règle de priorité du service est l'ordre d'arrivée (premier arrivé, premier servi).
- Les caisses représentent plusieurs points de service.

La capacité d'un système est donc déterminée par le nombre de points de service et leur rapidité d'opération. D'autres considérations pratiques importent afin de déterminer la capacité réelle aux heures de pointe. Par exemple, lorsque le service est assuré par des personnes, celles-ci peuvent parfois accélérer la fréquence de traitement. Les serveurs et serveuses dans un restaurant illustrent bien ce cas. De plus, il est souvent possible de faire varier le nombre de points de service en fonction de la longueur de la file d'attente. Comme il est illustré à la figure A.1, le temps d'attente et, donc, la file d'attente peuvent être passablement réduits par l'ajout de points de service lorsque le coefficient d'utilisation dépasse 70 % environ.

Un système peut fort bien être surchargé temporairement, même s'il réussit en moyenne à répondre à la demande sans imposer un temps d'attente excessif aux unités qui doivent être traitées. Cette situation dépend de la variabilité des arrivées et de celle des temps de traitement. Naturellement, si cette variabilité pouvait être réduite, la file d'attente pourrait l'être aussi. Stevenson[10] mentionne même que le fait de pouvoir rendre le temps de traitement constant réduit une file d'attente de 50 %. Comme le gestionnaire ne peut pas toujours pratiquer une telle politique, il doit envisager d'autres possibilités. Buffa[2] en fournit un exemple, à partir d'une question. Lorsqu'il n'y a qu'un seul point de service, devrait-on préférer :

1. Un processus permettant de doubler la rapidité de service ?
2. L'ajout d'un second point de service à côté du premier ?
3. L'ajout d'un second point de service sur un autre étage de l'établissement ou dans un édifice voisin ? (La différence avec 2 est que la même file d'attente ne peut ici être traitée par l'autre point de service.)

La première possibilité est la meilleure, car elle permet une réduction du temps de traitement étant donné que le coefficient d'utilisation baisse quelque peu. Le deuxième choix est aussi valable que le premier lorsqu'il y a une file d'attente ; par contre, durant les temps morts, deux points de service sont inutilisés au lieu d'un seul. Quant à la troisième possibilité, elle ne permet pas de partager les ressources (points de service) ; il peut donc arriver qu'il y ait une file d'attente à un endroit et aucune à l'autre.

Après cette explication des différentes facettes des files d'attente, voyons brièvement leur aspect statistique.

## A.3 Les lois statistiques relatives aux arrivées et aux temps de traitement

Certains modèles sont fort complexes, et nous ne comptons pas les analyser. Nous nous contenterons des situations les plus simples, le raisonnement étant le même pour les cas plus difficiles. D'ailleurs, plusieurs textes de recherche opérationnelle qui traitent en détail toutes les situations peuvent servir de référence.

Les termes les plus fréquemment utilisés en théorie des files d'attente sont définis et accompagnés de leur symbole mathématique au tableau A.1.

**Tableau A.1**

**Les termes fréquemment utilisés**

| Terme | Définition | Symbole |
|---|---|---|
| Fréquence moyenne d'arrivée | Pour une période donnée, nombre moyen d'unités (personnes ou objets) requérant un service. | $\lambda$ |
| Temps moyen entre les arrivées | Temps moyen s'écoulant entre une arrivée et la suivante. | $1/\lambda$ |
| Fréquence de traitement | Pour une période donnée, nombre d'unités traitées en moyenne par un point de service. | $\mu$ |
| Temps moyen de traitement | Temps moyen requis pour traiter un intrant; ne comprend pas le temps d'attente. | $1/\mu$ |
| Point de service | Personne ou machine traitant les unités qui requièrent le service. | M |
| Longueur moyenne de la file d'attente | Nombre moyen d'unités en attente. | $L_q$ |
| Nombre moyen d'unités dans le système | Nombre moyen d'unités en attente additionné au nombre moyen d'unités en train d'être traitées. | $L_s$ |
| Temps moyen d'attente | Temps moyen passé dans la file d'attente. | $W_q$ |
| Délai moyen de service | Temps moyen d'attente additionné au temps moyen de traitement. | $W_s$ |
| Coefficient d'utilisation | Taux moyen d'utilisation des points de service. | $\rho$ |

**Source :** Adaptation d'un tableau de Schroeder[9].

Les modèles stochastiques utilisent des distributions de probabilité pour décrire la variabilité de la fréquence des arrivées et des départs. Ils servent aussi à prévoir les conséquences de cette variabilité sur les temps de traitement et sur les temps d'attente des unités à traiter. En théorie des files d'attente, on recourt habituellement aux modèles stochastiques plutôt que déterministes, car il est difficile de prévoir avec exactitude ce qui surviendra, même en connaissant les probabilités rattachées à un phénomène.

Les modèles stochastiques comportent certaines conditions importantes :

1. La règle de priorité est celle de l'ordre d'arrivée (premier arrivé, premier servi).
2. La file d'attente peut s'allonger indéfiniment.

3. Les temps d'arrivée et de traitement sont variables et ne peuvent donc être prévus avec exactitude.
4. Le nombre de points de service, la fréquence de traitement et celle des arrivées sont constants.
5. Le système fonctionne depuis assez longtemps pour ne pas subir l'influence des conditions initiales.

Dans certains cas, ces conditions peuvent être contraignantes. Il faut alors avoir recours à la simulation (annexe B). Par contre, d'autres situations de files d'attente peuvent fort bien s'accommoder de telles conditions. Taha[11], pour sa part, suggère d'utiliser les modèles mathématiques surtout pour des machines, la variabilité humaine compliquant beaucoup les modèles.

Il est facile de prétendre que peu de systèmes répondent exactement aux conditions énoncées, la quatrième en particulier. Par exemple, la fréquence des appels téléphoniques varie substantiellement durant la journée. Dans un cas semblable, il est difficile de justifier l'utilisation de formules de files d'attente. Par contre, en fournissant au modèle des conditions initiales semblables à celles de la réalité, on peut utiliser ces formules pour une période plus homogène (par exemple de 11 heures à midi), et obtenir des résultats valables pour cette période. La décomposition de la journée en plusieurs périodes aux caractéristiques semblables peut permettre des résultats statistiques assez près de la réalité.

La majorité des modèles de file d'attente supposent que la fréquence des arrivées suit la loi de Poisson et que la fréquence de traitement suit la loi exponentielle négative. En fait, ces deux lois sont reliées, comme on peut le voir au tableau A.2.

**Tableau A.2**

**Les lois qui régissent les arrivées et les temps de traitement**

| **Lorsque :** | **Alors :** |
| --- | --- |
| La fréquence d'arrivée suit la loi de Poisson. | Le temps entre les arrivées suit la loi exponentielle négative. |
| Le temps de traitement suit la loi exponentielle négative. | La fréquence de traitement suit la loi de Poisson. |

Avant d'utiliser ces modèles, il faut s'assurer que la situation réelle se prête bien à ces lois. Un test comme le $\chi^2$, expliqué dans les livres de statistiques, permet de vérifier si tel est le cas. En général, lorsque les arrivées sont indépendantes les unes des autres et qu'elles semblent se faire à un rythme constant, elles suivent alors la loi de Poisson. La recherche empirique tend d'ailleurs à démontrer que les arrivées suivent souvent la loi de Poisson (Giffin[5]).

Comme le mentionne le tableau A.1, la fréquence moyenne d'arrivée et le temps moyen entre les arrivées sont représentés respectivement par $\lambda$ et $1/\lambda$. La loi de Poisson a comme moyenne et variance $\lambda$, alors que la loi exponentielle négative a comme moyenne $1/\lambda$ et comme variance $1/\lambda^2$. La figure A.2 présente une distribution de Poisson bâtie à partir des tables de cette loi. Quoiqu'il s'agisse d'une distribution discrète, elle est souvent représentée d'une façon continue. Dans cette figure, la probabilité qu'il y ait trois arrivées durant l'unité de temps est de 0,195.

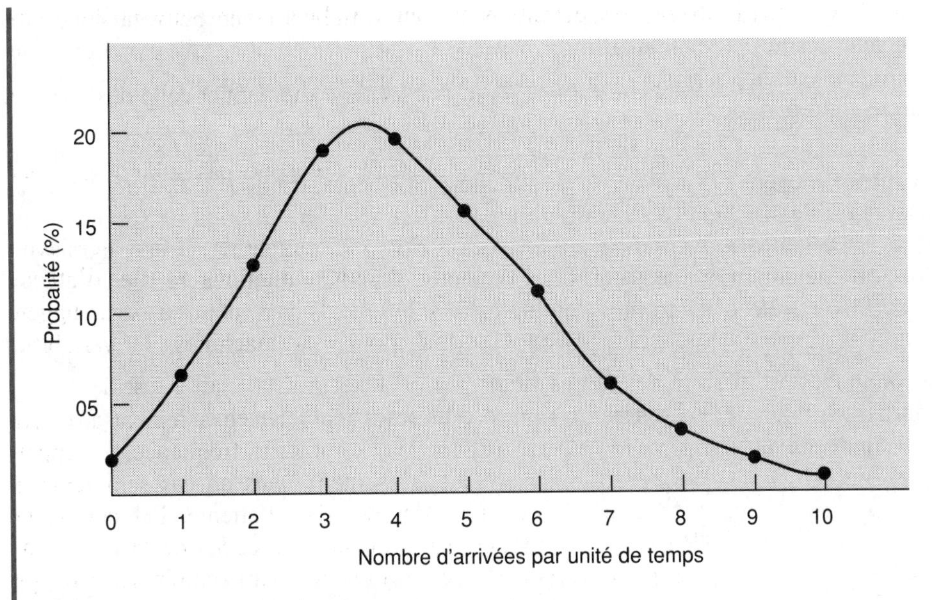


**FIGURE A.2 La distribution de Poisson lorsqu'il y a quatre arrivées par unité de temps ($\lambda = 4$)**

La distribution exponentielle négative est un modèle indiqué lorsque le temps de traitement est habituellement court et de temps en temps plus long. Le temps de mise en route (ou un temps fixe quelconque) doit être négligeable, étant donné que cette distribution accorde une probabilité autre que zéro à des temps de traitement très courts. Selon Giffin[5], si l'on suppose que les temps de traitement suivent la loi exponentielle mais que ce n'est pas le cas, la longueur des files d'attente et le temps moyen d'attente sont habituellement gonflés ; par conséquent, on a tendance à opter pour un nombre de points de service plus élevé que ne l'exige la situation réelle. Bien qu'il s'agisse d'une décision plus coûteuse que nécessaire, elle assure un niveau de service sans doute meilleur que celui désiré.

La caractéristique à la fois la plus intéressante et la plus étonnante de la loi exponentielle est sans nul doute son « absence de mémoire ». En d'autres mots, le fait de connaître le moment où la dernière arrivée s'est produite, ou encore le moment où un point de service s'est libéré le plus récemment, ne permet pas de prévoir le moment où le prochain événement semblable surviendra. De plus, le temps écoulé depuis le début du traitement d'une unité n'aide aucunement à prévoir combien de temps encore cette unité monopolisera un point de service. Par conséquent, lorsqu'un client d'un établissement bancaire « prend son mal en patience » en se disant que depuis déjà cinq minutes tous les points de service sont occupés, donc que l'un ou l'autre devrait se libérer sous peu, il patiente pour la mauvaise raison : le temps écoulé n'a aucune influence directe ou indirecte sur le temps qui reste !

## A.4 Exemple

À l'aide des symboles définis dans le tableau A.1, nous allons résoudre un problème simple de file d'attente. Que le problème soit simple ou complexe, la façon de le résoudre demeure identique : seule la formule utilisée diffère. La solution détaillée du problème servira également à relier les différents symboles utilisés.

La situation est la suivante : le directeur d'un supermarché étudie présentement le bien-fondé des plaintes de nombreux clients quant aux temps d'attente excessifs à la caisse express (8 articles ou moins) le jeudi après 15 heures. Avant tout, le directeur désire obtenir plus d'informations. Il sait pertinemment que 30 clients par heure peuvent être servis à cette caisse, et qu'en moyenne 20 clients joignent la file durant cette période.

L'analyse à l'aide du modèle approprié de file d'attente indique ce qui suit. La fréquence moyenne d'arrivée est de 20 clients à l'heure, d'où $\lambda = 20$. Le rythme de service est de 30 clients à l'heure, d'où $\mu = 30$. Il n'y a qu'un point de service, d'où $M = 1$. Le temps moyen entre les arrivées est de $1/\lambda$, soit 1/20e d'heure; il arrive donc un client en moyenne toutes les 3 minutes. Quant au temps de traitement, il est de $1/\mu$, soit 1/30e d'heure ou 2 minutes.

Puisqu'il y a en moyenne 20 clients à l'heure et que la caisse express peut en accommoder 30, il reste des temps libres. Le coefficient d'utilisation est de 20/30, soit $\rho = 66{,}6\,\% = 2/3$. Le nombre moyen d'unités dans le système, $L_s$, s'obtient par la formule suivante :

$$L_s = \frac{\lambda}{\mu - \lambda} = \frac{20}{30 - 20} = 2.$$

Étant donné que le coefficient d'utilisation est de 2/3, il y a dans la file d'attente, $L_q$, 1,33 client (4/3) en moyenne. Le temps passé dans la file d'attente, $W_q$, dépend de la fréquence moyenne d'arrivée des clients et de la longueur de la file. Comme il arrive 1 client toutes les 3 minutes et que la file d'attente est de 4/3, la durée d'attente est de :

$$W_q = L_q/\lambda = 1{,}33 \times (60/20) = 4 \text{ minutes.}$$

Le temps total qu'un client passe dans le système, $W_s$, correspond au temps d'attente (4 minutes) additionné au temps de traitement (2 minutes). D'où :

$$W_s = L/\lambda = 2 \times (60/20) = 6 \text{ minutes.}$$

Il semble donc que les plaintes des clients ne soient pas justifiées dans l'ensemble. Cependant, ce résultat n'élimine pas la possibilité que de temps à autre il y ait 4 ou 5 clients dans la file d'attente. Par exemple, la probabilité qu'il y ait exactement 5 clients dans le système est fournie par l'équation :

$$P_5 = (\lambda/\mu)^5\,(1 - \lambda/\mu) = 4{,}4\,\%.$$

Puisque la formule qui permet de calculer le nombre moyen d'unités dans la file d'attente diffère d'un modèle à l'autre, elle constitue la formule clé du modèle choisi.

## CONCLUSION

L'utilisation des formules mathématiques requiert beaucoup de temps quand les modèles sont complexes et que l'on veut évaluer différentes possibilités. Il existe heureusement des outils conçus pour accélérer le travail. Des tables[2] permettent de trouver rapidement les statistiques relatives aux files d'attente ; il ne reste alors qu'à connaître le coefficient d'utilisation. Ces tables ont donné naissance à des graphiques par lesquels on peut visualiser encore plus rapidement les statistiques intéressantes. Dans certains cas cependant, ces outils ont perdu de leur attrait au profit de la simulation. En effet, lorsqu'elle est effectuée à l'aide d'un logiciel ou d'un progiciel interactifs, la simulation constitue habituellement un moyen encore plus rapide d'obtenir les réponses aux questions concernant les files d'attente.

La variabilité des arrivées et des temps de traitement rend difficile l'analyse des systèmes. Dans le cas des systèmes stables, la théorie des files d'attente peut s'avérer utile aux gestionnaires et relativement simple à appliquer. Cet outil statistique ne semble pourtant pas très utilisé dans ce genre de situation. Cette impopularité serait attribuable à la réticence de nombreux gestionnaires quant à l'utilisation de modèles complexes ou qui semblent l'être. Mais il y a lieu de se demander si la véritable raison n'est pas leur méconnaissance des situations où la théorie des files d'attente pourrait s'appliquer avec succès.

## RÉFÉRENCES


1. BLEUEL, W.H., « Management Science's Impact on Service Strategy », *Interfaces*, novembre 1975, p. 4-12.
2. BUFFA, E.S., *Modern Production/Operations Management*, 7e éd., New York, John Wiley & Sons, 1983.
3. BYRD, Jr., J., « The Value of Queuing Theory », *Interfaces*, mai 1978, p. 22-26.
4. CHASE, R.B. et N.J. AQUILANO, *Production and Operations Management*, 4e éd., Homewood, Illinois, Richard D. Irwin, 1985.
5. GIFFIN, W.C., *Queuing : Basic Theory and Applications*, Columbus, Ohio, Grid Publishing, 1978.
6. GREEN, L., « A Queuing System in Which Customers Require a Random Number of Services », *Operations Research*, novembre-décembre 1980, p. 1335-1346.
7. JOHNSON, R.A., W.T. NEWELL et R.C. VERGIN, *Production and Operations Management*, Boston, Massachusetts, Houghton Mifflin Company, 1974.
8. MEREDITH, J.R. et T.E. GIBBS, *The Management of Operations*, 2e éd., New York, John Wiley & Sons, 1984.
9. SCHROEDER, R.G., *Operations Management*, New York, McGraw-Hill, 1981.
10. STEVENSON, W.J., *Production/Operations Management*, Homewood, Illinois, Richard D. Irwin, 1982.
11. TAHA, H.A., « Queuing Theory in Practice », *Interfaces*, février 1981, p. 43-49.

ANNEXE B

# La simulation

JEAN NOLLET *auteur principal*

## B.1 Les contextes d'utilisation

La fonction première de la simulation est de fournir au gestionnaire de l'information quantitative de toute nature, afin de faciliter sa prise de décisions. À partir d'une série d'essais, on construit un modèle servant à reproduire aussi exactement que possible un système ou une partie de système à évaluer. Ce modèle regroupe des informations jugées pertinentes à la compréhension du fonctionnement du système existant ou à l'étude. Par exemple, la maquette d'un nouvel aménagement permet de saisir rapidement l'effet des modifications proposées avant même qu'elles soient effectuées. Par conséquent, des économies considérables de temps et d'argent peuvent en résulter.

En fait, toute représentation modélisée d'un système vise à en déterminer certaines caractéristiques dynamiques importantes. Le système variant d'une situation à l'autre, on peut alors en dire autant des modèles correspondants. Mais la simulation n'est pas que modélisation. Elle sert aussi à déterminer le comportement du système dans des conditions différentes. Elle est donc exploratoire.

Tout système peut être simulé. Le coût de la reproduction du système est proportionnel à la nature même de ce système et au degré d'exactitude recherché pour le modèle. Le gestionnaire doit donc faire un arbitrage important entre le coût du modèle et de la simulation d'une part, et la valeur qu'il accorde aux informations fournies par le modèle d'autre part. Pour certaines situations, l'utilisation d'un modèle relativement simple fournit des informations pertinentes et suffisantes. Dans de nombreux cas cependant, un coût accru entraîne une précision supérieure et une plus grande confiance dans les résultats obtenus. Par exemple, dans le domaine de l'aviation, un simulateur de vol est fort coûteux mais nécessaire pour permettre aux pilotes d'apprendre à voler sans avoir à piloter de véritables avions avec des passagers à bord.

Par ailleurs, de nombreuses situations ne se prêtent pas bien à l'utilisation de modèles mathématiques uniquement. En effet, certains systèmes réels sont trop complexes, et certains modèles mathématiques ont des hypothèses si contraignantes qu'on ne peut les appliquer même à des situations suffisamment simples. Par exemple, les ateliers à façon (*job shops*) sont si complexes qu'ils doivent souvent être étudiés au moyen de la simulation, tant pour l'ordonnancement que pour les stocks. Dans ce cas, il est possible de déterminer sur une base continuelle la longueur des files d'attente à chaque poste de travail et les quantités en stock qui résultent de la fabrication et de la demande prévues.

Un autre avantage de la simulation est qu'on peut utiliser des données réelles : il n'est donc pas nécessaire d'émettre des hypothèses relatives au type de distribution des arrivées dans le système ou des temps de traitement. D'ailleurs, les situations complexes ont fréquemment des arrivées suivant la loi de Poisson et des temps de traitement suivant la loi exponentielle négative.

Il importe de noter que la simulation aide à répondre notamment au même type de questions que les modèles mathématiques déjà discutés, par exemple : Quel effet aura l'ajout d'un point de service supplémentaire ? Combien de temps serait épargné en moyenne si l'on formait une file d'attente pour les transactions les plus courtes et une deuxième pour les autres transactions ?... Un gestionnaire qui désire tester des hypothèses visant à modifier un système existant devrait songer à la simulation plutôt que tenter d'effectuer ces modifications directement sur le système.

La simulation n'implique aucunement l'obtention de résultats optimaux : elle n'est pas une technique d'optimisation. Elle permet avant tout de faire un certain nombre de tests sur un système et d'en constater les résultats. Il est possible de faire varier les conditions et d'observer leur effet prévisible sur le système, parfois en quelques minutes seulement. C'est à partir de ces tests qu'un gestionnaire peut envisager les modifications à apporter au système à l'étude, s'il y a lieu. L'exemple suivant illustre les caractéristiques de la simulation.

**Exemple**

M. Moreau, responsable de l'ordonnancement, travaille dans une usine qui fabrique seulement sur commande. Présentement, un goulot d'étranglement important provient de la machine la plus dispendieuse, la B202. Ce n'est guère surprenant : pressé par le directeur de la production, le directeur des ventes tente d'obtenir surtout des commandes qui requièrent l'utilisation de la machinerie la plus coûteuse. Il doit naturellement veiller à ce que le critère de rentabilité soit respecté avant d'accepter ces commandes.

La politique de l'entreprise est habituellement de remplir les commandes dans leur ordre d'arrivée. Cependant, le nombre de commandes en attente à la B202 est passé de 14 à 21 en moins de deux semaines. M. Moreau se demande quel serait l'effet sur la séquence des commandes si l'entreprise utilisait l'une des règles de priorité suivantes :

- Satisfaire le client le plus important d'abord.
- Minimiser le temps de mise en route.
- Remplir les commandes par ordre décroissant de rentabilité.

*Commentaire*

En utilisant le programme interactif de simulation à sa disposition, M. Moreau peut obtenir la réponse à ses questions en moins d'une minute. Cela suppose que, pour toute commande traitée, il dispose d'informations pertinentes relatives à l'importance du client, au temps de mise en route, aux étapes de fabrication requises et à la rentabilité de la commande. Données en main, il peut alors discuter avec le directeur de la production des conséquences de chacune des règles de priorité.

Le tableau B.1 montre diverses applications de la simulation.

**Tableau B.1**

**Quelques applications de la simulation**

| Décision | Exemples |
|---|---|
| Localisation | – Localisation d'entrepôts, de succursales, de casernes de pompiers et de postes de police |
| Capacité | – Nombre de pistes requises pour un aéroport<br>– Nombre de caisses requises dans des établissements bancaires, dans des supermarchés et d'autres types de magasins |
| Équipement | – Établissement de la fréquence de l'entretien préventif |
| Planification globale | – Détermination du coût de différents plans intégrés de production |
| Ordonnancement | – Ordonnancement des commandes selon différentes règles de priorité<br>– Variation des trajets et des horaires des véhicules de transport en commun |
| Approvisionnement | – Évaluation de l'effet sur l'approvisionnement des changements proposés au plan directeur de production |

## B.2 Les avantages et les inconvénients

La section précédente a fait émerger certaines caractéristiques intéressantes de la simulation. Ses **avantages** par rapport à d'autres méthodes sont les suivants :

1. Très flexible, elle peut être utilisée dans des contextes tout à fait différents. Elle permet de modifier les conditions d'utilisation d'un système afin de tester d'autres hypothèses de fonctionnement. En ce sens, elle a des similitudes avec la conception assistée par ordinateur (CAO), qui permet d'évaluer rapidement l'effet d'une modification de design. Par exemple, lors de la conception d'une automobile, le dessinateur tient compte de l'aérodynamisme ; il peut modifier facilement et rapidement le design en conséquence.
2. Elle permet d'obtenir des résultats quantitatifs rapides. Ainsi, la prise de décisions consécutive s'appuie sur des résultats qui peuvent correspondre sensiblement à la réalité, bien qu'ils soient obtenus à partir d'un modèle.
3. Elle aide à évaluer des modèles qui correspondent à des systèmes trop complexes pour être étudiés au moyen de modèles mathématiques.
4. Elle est relativement simple à comprendre et à utiliser.
5. Elle permet de former des gestionnaires à la prise de décisions sans qu'ils aient à subir les inconvénients de leurs mauvaises décisions.
6. Un examen approfondi du modèle et des résultats obtenus permet parfois d'envisager le système à l'étude sous un angle nouveau.
7. Plusieurs logiciels (*GPSS, SLAM, SIMSCRIPT*, etc.) simplifient grandement la tâche. *GPSS* est de loin le plus utilisé, sans doute parce qu'il a été conçu pour des usagers inexpérimentés en programmation. Tous ces logiciels contiennent des sous-programmes standard qui facilitent beaucoup la modélisation des systèmes à des fins de simulation.
8. Les étapes d'une simulation sont toujours les mêmes, quel que soit le type de situation.
9. Certaines situations particulièrement risquées ou coûteuses peuvent être simulées sans danger et à un moindre coût. Les conditions d'envol d'une fusée en constituent un bon exemple.
10. La simulation permet de tester différentes hypothèses avec les mêmes conditions initiales, ce qui est habituellement impossible à faire par une expérimentation sur le système lui-même.

En dépit de ces nombreux avantages, la simulation comporte des contraintes et entraîne des inconvénients parfois majeurs. Le gestionnaire doit avant tout s'assurer que l'utilisation de la simulation pour le système à l'étude est justifiée dans son ensemble. Les contraintes et les **inconvénients** sont les suivants :

1. La simulation est une technique exploratoire qui ne fournit pas de solution. Les résultats obtenus ne sont représentatifs que pour les conditions spécifiées par l'utilisateur.
2. Les correspondances avec le système réel ne sont pas toujours évidentes. Il est essentiel que le modèle représente exactement la réalité.
3. Dans le cas de systèmes passablement complexes, le temps requis pour faire fonctionner efficacement le modèle peut s'avérer plutôt long ; le modèle sera par conséquent coûteux à rendre opérationnel et correct.

4. Les avantages possibles découlant d'une meilleure décision sont difficiles à quantifier.
5. Il est difficile de déterminer le nombre de fois qu'il faudra effectuer la simulation avant d'obtenir des résultats représentant fidèlement le modèle bâti.
6. Dans de nombreux cas, même un système réel simple en apparence peut nécessiter un modèle complexe. En effet, différentes variables influencent le système, et plusieurs d'entre elles doivent être incluses comme paramètres dans le modèle. Si certaines variables n'étaient pas transformées en paramètres, le modèle serait trop complexe.
7. Des simulations effectuées sur une période trop longue par rapport au système étudié risquent de mener à des conclusions erronées. Des facteurs tels qu'un bris majeur d'équipement peuvent facilement venir bouleverser les conclusions consécutives aux résultats de la simulation. Bien qu'il soit possible de tenir compte de tels facteurs, il faut en déterminer la distribution et la fréquence. L'ordinateur facilite cette intégration.
8. La simulation comporte des hypothèses, puisqu'elle est une abstraction de la réalité. Lors de la prise de décisions, le gestionnaire doit donc avoir déterminé l'impact des hypothèses sur les résultats obtenus à partir de la simulation.

Ces contraintes et ces inconvénients sont de taille, mais ils peuvent souvent être compensés par les avantages de la simulation. De plus, il vaut sans doute mieux disposer d'un modèle imparfait qui aide à la prise de décisions que de n'avoir aucun modèle. Les sections suivantes décrivent plus en détail le fonctionnement de la simulation.

## B.3 La simulation Monte-Carlo

La renommée de Monte-Carlo en tant qu'endroit de prédilection pour les jeux de hasard n'est plus à faire. La simulation qui porte ce nom a naturellement un lien avec le hasard. Toute simulation comportant les deux **caractéristiques** suivantes peut être désignée sous l'appellation de Monte-Carlo :

1. Une méthode qui permet d'obtenir des nombres au hasard pour les arrivées et les temps de traitement.
2. Une distribution de probabilité des arrivées et des temps de traitement qui permet de décrire adéquatement le système à simuler.

Nous verrons un peu plus loin un exemple détaillé et résolu portant sur cette méthode. Auparavant, il est préférable de développer les aspects conceptuels qui permettront de mieux comprendre cet exemple.

Un simulateur de vol permet aux pilotes de mettre en pratique les diverses manœuvres relatives au fonctionnement des avions. Cependant, un simulateur n'est pas basé sur la génération de nombres au hasard et ne représente donc pas une simulation de type Monte-Carlo. Par contre, la simulation de l'effet des arrivées de commandes sur l'utilisation des machines dans une industrie en est une si le processus d'arrivée est stochastique et non pas déterministe. Un processus d'arrivée stochastique peut provenir autant d'une distribution comportant des probabilités discrètes que d'une fonction continue. Par exemple, le nombre de patients vus par le dentiste dans un avant-midi suit une distribution discrète. L'arrivée des clients dans un supermarché correspond à une fonction continue, laquelle devra d'ailleurs être divisée en intervalles pour permettre la réalisation des histogrammes nécessaires à l'utilisation de la méthode Monte-Carlo.

Une simulation Monte-Carlo requiert que le modèle comporte au moins deux types de données : les arrivées et les temps de traitement. Ces données constituent les deux principaux types de variables d'un système. Il peut y avoir beaucoup plus de variables, mais le modèle en sera d'autant plus complexe. Trois sources distinctes permettent d'obtenir les données nécessaires à la simulation.

1. **L'utilisation de données réelles dans l'ordre où elles ont été observées.** Cette méthode permet de comparer directement entre eux le modèle et le système sans variation des données de base ; le modèle est fondé sur les conditions testées, et le système sur les observations réelles. Par exemple, si 20 patients se présentent à l'urgence d'un hôpital entre sept et huit heures le matin et que l'on veut déterminer l'effet de l'ajout d'un médecin durant ce laps de temps, la simulation sera effectuée à partir de ce nombre de patients et des heures réelles d'arrivée de chaque patient.
2. **L'utilisation de données réelles pour déterminer la fréquence des observations.** Par la suite, un générateur de nombres au hasard servira à déterminer l'événement – arrivée ou traitement. C'est cette méthode qui est employée dans l'exemple détaillé présenté un peu plus loin.
3. **L'utilisation d'une distribution théorique telle que celle de Poisson.** La distribution choisie doit évidemment représenter le plus fidèlement possible l'allure perçue ou observée de la distribution réelle. Une fois cette distribution ramenée sous forme d'histogramme, des nombres générés au hasard permettent de déterminer l'événement suivant. Par exemple, la répartition des durées de traitement aux guichets d'une succursale bancaire suit habituellement la loi de Poisson. D'ailleurs, un des auteurs du présent ouvrage s'est assuré de cette réalité empirique lors d'une recherche portant sur ce type d'établissement. Il n'est pas nécessaire d'observer le temps de traitement sur une longue période, puisque la distribution est connue. Seule la moyenne ($\lambda$) nous intéresse en tant que paramètre pour l'utilisation des tables de la loi de Poisson.

Le coût de la collecte des données est souvent substantiel et requiert beaucoup de temps.

Les conditions initiales du système sont importantes. En effet, plusieurs événements doivent être simulés avant que la portée des conditions initiales soit nulle. Sinon, à quoi servirait une simulation ? D'ailleurs, Johnson *et al.*[9] recommandent d'établir au moins 200 observations afin de s'assurer que l'allure de la distribution, le temps moyen d'attente et le coefficient d'utilisation des points de service sont passablement stables. Cette tâche ne pose pas de problème puisque la plupart des simulations sont faites sur ordinateur. Chase et Aquilano[5] suggèrent pour leur part de se servir des résultats obtenus lors d'essais antérieurs du modèle : selon eux, cette méthode permet de se prémunir contre les biais causés par des données initiales trop éloignées des résultats présents. Dans ce cas, seul un plus petit nombre d'événements générés devrait être nécessaire pour atteindre les conditions d'équilibre du modèle.

Le nombre de simulations qu'on peut effectuer avec un modèle est illimité. L'utilisation de l'ordinateur rend d'ailleurs ce processus tellement rapide, qu'il devient possible, dans nombre de cas, de laisser se dérouler la simulation durant une longue période. Il en ressort deux résultats avantageux :

- le biais des données initiales devrait être nul ;
- l'intervalle de confiance autour des moyennes obtenues est restreint, ce qui fournit une indication précise au gestionnaire (voir l'exemple ci-après).

**Exemple**

M. Latour, un pharmacien bien établi, désire savoir combien de clients par jour la caissière peut théoriquement servir. Il fait appel à une étudiante en administration presque au terme de ses études, et lui demande de relever durant 20 jours les temps de traitement des clients à la caisse.

La finissante, Nicole Lemieux, établit une simulation selon le processus Monte-Carlo. Un total de 30 journées a été simulé. La moyenne des clients pouvant être servis est de 410, avec un écart type de 40. Le pharmacien veut connaître l'intervalle de confiance à 95 % entourant la moyenne de 410. De plus, il se demande combien de journées il serait nécessaire de simuler pour obtenir un intervalle de confiance de ± 10 clients servis.

*Solution*

En moyenne, 410 clients peuvent être servis par jour. L'intervalle de confiance autour d'une moyenne est déterminé à partir de l'écart type. La table de la loi normale indique que le facteur 1,96 est associé à un intervalle de confiance à 95 %. Le théorème central limite stipule que plus la taille de l'échantillon ayant servi à établir la moyenne est grande, plus l'intervalle de confiance se situe près de la moyenne. Donc :

$\bar{x} = 410,$

$n = 30,$

$s = 40.$

En conséquence, l'intervalle de confiance à 95 % fourni par la formule suivante donnera comme résultat :

$$\bar{x} \pm \frac{1{,}96s}{\sqrt{n}} = 410 \pm \frac{1{,}96\,(40)}{\sqrt{30}} = (396 \text{ ou } 424)\,.$$

Afin d'obtenir un intervalle de ± 10 clients, c'est-à-dire (400 ou 420), le nombre de journées à simuler, obtenu à partir d'une formule équivalant à la précédente, serait de :

$$n = \left(\frac{1{,}96s}{\text{précision requise}}\right)^2.$$

D'où :

$$n = \left(\frac{(1{,}96)\ (40)}{10}\right)^2 = 61.$$

Il faudrait donc simuler une nouvelle période de 31 jours, en plus de celle de 30 jours déjà simulée.

Bien que le nombre de jours pendant lesquels les temps de traitement ont été relevés soit de 20, la simulation pour 61 jours est tout aussi acceptable. Ce dernier nombre a d'ailleurs été obtenu à partir d'une formule statistique fréquemment utilisée pour ce type de calculs. Cette formule a pour avantage principal de définir clairement une zone à l'intérieur de laquelle le processus de hasard jouera avec 95 % d'exactitude : il existe donc une probabilité de 5 % que l'intervalle de confiance mentionné ci-dessus ne contienne pas la vraie moyenne du nombre de clients pouvant être servis.

Normalement, à mesure que le nombre d'événements s'accroît, les données devraient refléter de plus en plus les résultats qui seraient obtenus par le système dans des conditions semblables. Cette observation ne vaut cependant que si le modèle est acceptable, c'est-à-dire s'il représente fidèlement le système. McLain et Thomas[11] suggèrent une méthode originale pour tester la validité d'un modèle : elle consiste à fournir à un gestionnaire des informations générées par le système, et d'autres obtenues à partir du modèle. Si le gestionnaire ne voit aucune différence entre les deux types d'informations, le modèle est alors représentatif du système.

## B.4 La description des étapes d'une simulation Monte-Carlo

Une simulation Monte-Carlo se bâtit habituellement étape par étape. Dans certains cas, il est toutefois possible de juxtaposer deux étapes : il s'agit en général de la collecte des données et de la programmation. En effet, une fois le problème clairement défini, on connaît les données dont on a besoin et les aspects du système qui doivent être simulés.

Les **principales étapes** d'une simulation Monte-Carlo sont au nombre de huit.

1. **La formulation claire et précise du problème.** Les principales décisions reliées au problème doivent être établies, et toutes les options doivent être envisagées dès le début. Il s'agit en fait de définir clairement ce que l'on attend du modèle. Cette première phase ne doit pas être escamotée, sinon il y a des risques élevés que les résultats obtenus à partir du modèle perdent de leur utilité et de leur validité. Il faut donc observer d'abord le système afin de bien le comprendre.
2. **L'analyse de faisabilité.** Il faut s'assurer que le modèle peut être réalisé économiquement ; son coût doit être inférieur à la valeur que le gestionnaire accorde à l'information obtenue à partir du modèle envisagé.
3. **L'analyse du système et la préparation d'un modèle satisfaisant.** Une bonne compréhension du système facilite sa modélisation. Celle-ci sera conçue au moyen d'un ordinogramme détaillé. Un gestionnaire familier avec le système devra réviser l'ordinogramme pour s'assurer qu'il correspond bien au système étudié.
4. **La collecte des données.** Les données recueillies doivent correspondre à celles qui ont été définies lors de la formulation du problème. Elles comprennent au moins le temps d'arrivée des unités requérant le service, le temps d'attente et le temps de traitement. La limitation du nombre de variables facilite la collecte des données autant que l'analyse des résultats. Si les observations sont recueillies dans des circonstances correspondant à la valeur attribuée à celle des paramètres, la comparaison entre les résultats fournis par le modèle et la réalité en est facilitée.
5. **Le regroupement des données sous forme d'histogramme ou de loi de probabilité.** La valeur des données observées peut être étendue. Il est alors préférable de regrouper ces données par classes. En général, de 8 à 12 classes suffisent. Des probabilités rattachées à chacune des classes permettent d'obtenir une distribution correspondant aux événements tels que l'arrivée et le temps de traitement.
6. **La validation du modèle.** Les résultats obtenus dans des circonstances identiques à celles du système doivent se rapprocher des résultats réels. De plus,

les gestionnaires doivent donner leur accord sur cette similitude, puisque ce sont eux qui utiliseront le modèle et qui baseront leurs décisions sur celui-ci.

7. **L'expérimentation de la simulation.** Un logiciel et une table de nombres au hasard constituent deux méthodes qui servent à générer les arrivées et les temps de traitement. Chacune des classes de la distribution se voit attribuer une proportion de nombres correspondant aux probabilités qui lui sont associées. Il est possible de faire avancer l'horloge contrôlant le temps qui s'écoule entre les arrivées et les temps de traitement, par périodes fixes ou variables.

   La première méthode est surtout indiquée lorsque le nombre d'événements importants est élevé. La seconde méthode laisse de côté les périodes durant lesquelles aucun événement d'intérêt ne survient dans le modèle ; elle requiert moins de temps d'ordinateur que la première méthode, ce qui peut être avantageux dans le cas de simulations nombreuses, longues et complexes.

8. **L'analyse des résultats et la prise de décisions.** Cette étape dépend entièrement des précédentes. Si ces dernières ont été faites avec soin, les résultats sont pertinents. Le gestionnaire peut alors décider des modifications éventuelles à apporter au système. Il peut également effectuer d'autres simulations afin de tester des hypothèses différentes.

Ces étapes correspondent au cheminement suivi en général pour réaliser une simulation Monte-Carlo. Bien qu'il ne soit pas nécessaire d'utiliser l'ordinateur pour effectuer une simulation, c'est de loin le processus le plus utilisé. Un exemple simple permettra de comprendre ce qui se passe à partir du début de la simulation jusqu'à l'obtention des résultats ; le processus est le même pour les situations complexes.

## B.5 Exemple détaillé

M. Latour, le pharmacien dont il a été question dans l'exemple précédent, est fort satisfait du travail effectué par la finissante en administration, Nicole Lemieux. Afin de mieux saisir en quoi consiste une simulation, il demande à Nicole des explications supplémentaires.

Par ailleurs, M. Latour a remarqué certains problèmes quant au temps requis pour remplir les ordonnances dans son autre succursale, et il se demande s'il ne devrait pas engager une personne en plus de la pharmacienne employée présentement. Il fait donc appel à Nicole pour déterminer clairement toutes les étapes qui pourront l'aider à prendre une décision éclairée.

1. **La formulation du problème.** M. Latour désire connaître les conséquences de l'ajout d'une personne au comptoir pharmaceutique sur le temps d'attente des clients et sur le temps de traitement accordé par le personnel de ce comptoir pour répondre aux clients.
2. **L'analyse de faisabilité.** Elle est rapidement effectuée ; le coût est faible comparativement à la valeur que M. Latour accorde aux résultats de la simulation. Selon Nicole Lemieux, la réalisation d'un modèle ne pose aucun problème. À la demande de M. Latour, elle utilise une table de nombres au hasard, plutôt qu'un logiciel, pour générer les arrivées et les temps de traitement.
3. **L'analyse du système et la préparation du modèle.** La pharmacienne sert les clients dans l'ordre d'arrivée. M. Latour se dit d'accord avec l'ordinogramme du modèle préparé par Nicole présenté à la figure B.1. Le modèle est simple car Nicole a voulu faciliter la compréhension de M. Latour tout en l'intéressant au programme.

**FIGURE B.1** ▶ **L'ordinogramme du modèle pour le comptoir pharmaceutique**

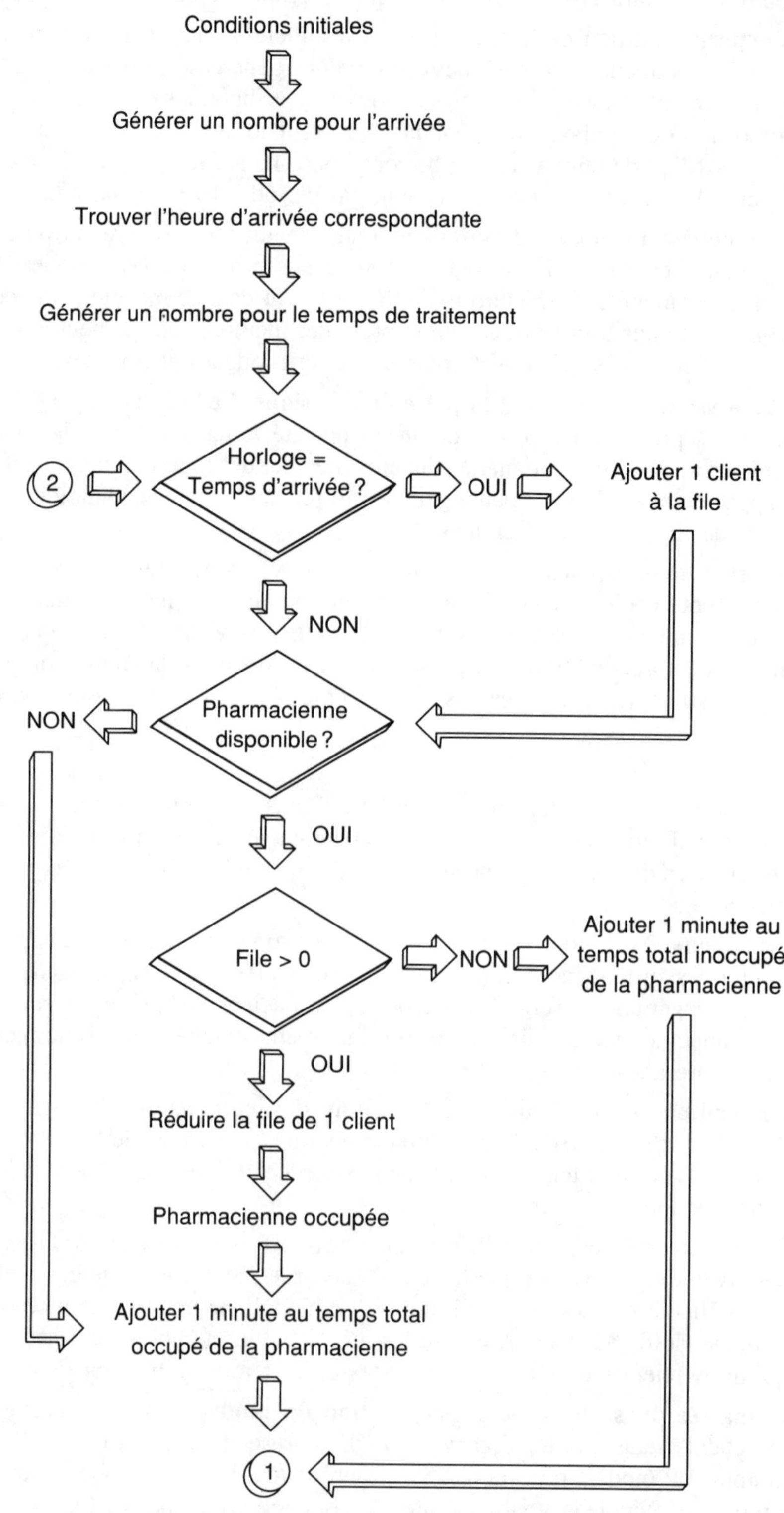

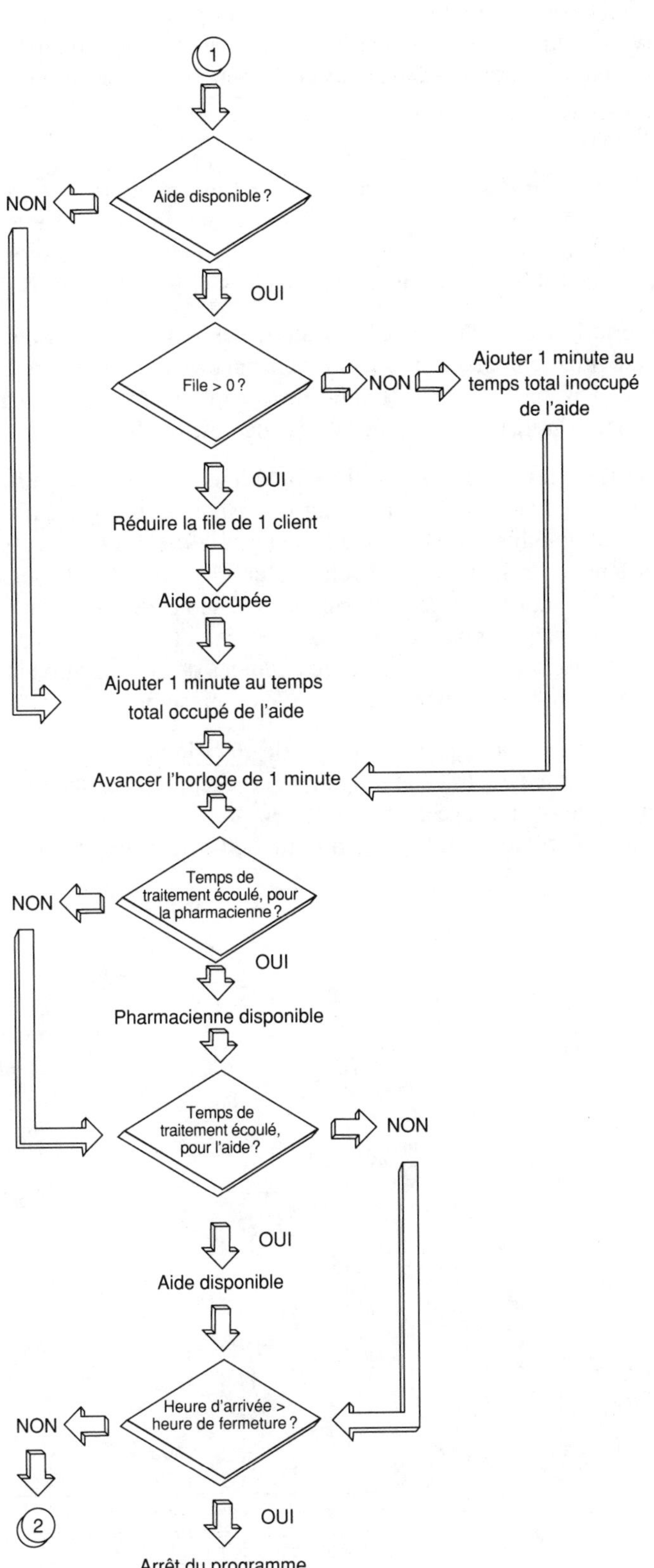


**FIGURE B.1**
*(suite)*

4. **La collecte des données.** Durant cinq jours passablement achalandés, Nicole observe les processus d'arrivée et de traitement au comptoir pharmaceutique. Elle préfère effectuer ces observations elle-même, vu la très grande importance accordée par M. Latour à l'exactitude des données. Elle obtient un total de 500 observations.

5. **La préparation des histogrammes.** À partir des données recueillies, Nicole prépare des histogrammes qui sont présentés aux figures B.2 et B.3. Elle calcule par la suite les fréquences cumulées et établit un tableau des probabilités cumulatives pour les intervalles entre les arrivées et pour les temps de traitement.

6. **La validation du modèle.** L'utilisation des données observées dans l'ordre chronologique enregistré permet de constater que le modèle représente bien le système. Par hypothèse, le temps moyen d'attente est de 6 minutes, et le coefficient d'utilisation du point de service est de 78 %.

7. **L'expérimentation de la simulation.** À chacune des fréquences du tableau des fréquences cumulées, Nicole fait correspondre des nombres au hasard. La quantité de nombres correspondant à chacune des fréquences est directement proportionnelle à la fréquence relative de chacune des classes. Les tableaux B.2 et B.3 contiennent ces informations. Nicole utilise ensuite une table de nombres au hasard pour générer les arrivées et les temps de traitement. Le tableau B.4 reproduit les 30 premières minutes de la simulation et teste l'emploi du temps de la pharmacienne et d'une aide présumée.

8. **L'analyse des résultats et la prise de décisions.** À partir des résultats du tableau B.4, Nicole a tracé le graphique de Gantt représentant le temps d'occupation des deux employées, durant les 30 premières minutes ; ce graphique est reproduit à la figure B.4. Cette figure met en évidence le pourcentage élevé du

**FIGURE B.2** ▶ **La distribution des fréquences des temps d'arrivée des clients**

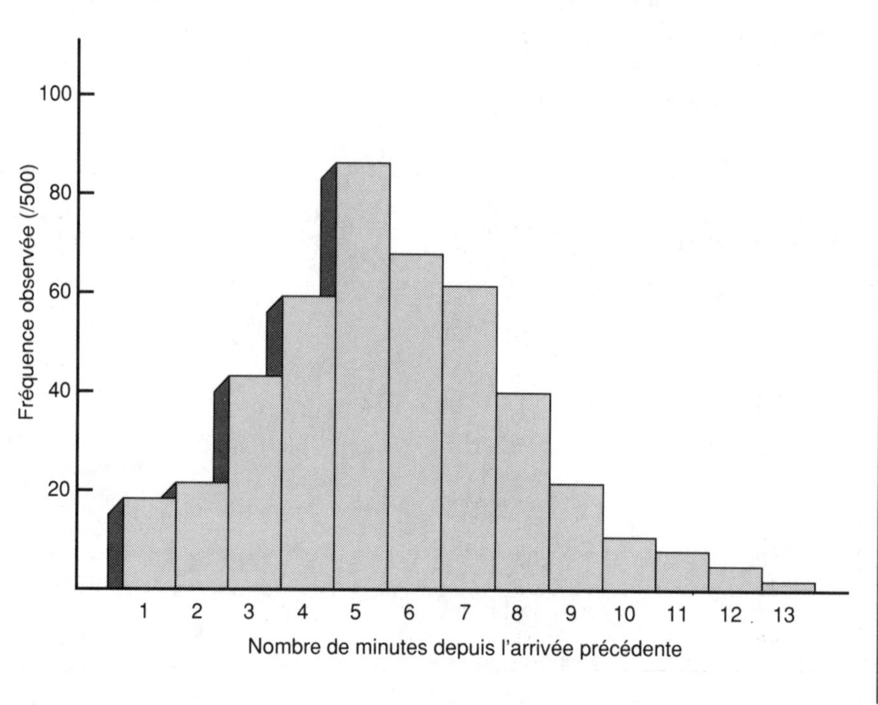

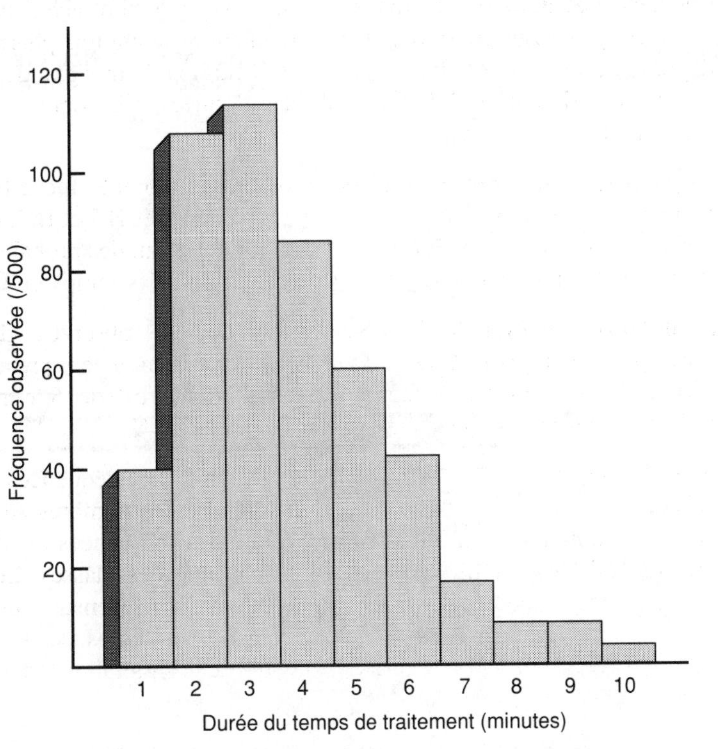


**FIGURE B.3**
**La distribution des fréquences des temps de traitement**

temps pendant lequel la pharmacienne est occupée. L'annexe A sur les files d'attente mentionne que dans un système dont les points de service sont occupés à plus de 70 %, les files d'attente risquent d'être passablement longues. L'étape de validation du modèle et les 30 premières minutes indiquent qu'il est plausible de penser ajouter une deuxième personne au comptoir pharmaceutique. Toutefois, on ne doit pas négliger la portée des conditions initiales, selon lesquelles le modèle débute sans aucun client dans le système.

**Tableau B.2**

**Les nombres au hasard correspondant aux probabilités cumulées des temps entre les arrivées**

| Temps entre les arrivées | Probabilité établie à partir de la figure B.2 | Probabilité cumulée | Nombres au hasard correspondants |
|---|---|---|---|
| 1 | 0,04 | 0,04 | 01-04 |
| 2 | 0,05 | 0,09 | 05-09 |
| 3 | 0,10 | 0,19 | 10-19 |
| 4 | 0,13 | 0,32 | 20-32 |
| 5 | 0,18 | 0,50 | 33-50 |
| 6 | 0,15 | 0,65 | 51-65 |
| 7 | 0,14 | 0,79 | 66-79 |
| 8 | 0,09 | 0,88 | 80-88 |
| 9 | 0,05 | 0,93 | 89-93 |
| 10 | 0,03 | 0,96 | 94-96 |
| 11 | 0,02 | 0,98 | 97-98 |
| 12 | 0,01 | 0,99 | 99 |
| 13 | 0,01 | 1,00 | 00 |

**Tableau B.3**

**Les nombres au hasard correspondant aux probabilités cumulées des temps de traitement**

| Temps de traitement | Probabilité établie à partir de la figure B.3 | Probabilité cumulée | Nombres au hasard correspondants |
|---|---|---|---|
| 1 | 0,08 | 0,08 | 01-08 |
| 2 | 0,22 | 0,30 | 09-30 |
| 3 | 0,23 | 0,53 | 31-53 |
| 4 | 0,17 | 0,70 | 54-70 |
| 5 | 0,13 | 0,83 | 71-83 |
| 6 | 0,09 | 0,92 | 84-92 |
| 7 | 0,03 | 0,95 | 93-95 |
| 8 | 0,02 | 0,97 | 96-97 |
| 9 | 0,02 | 0,99 | 98-99 |
| 10 | 0,01 | 1,00 | 00 |

**Tableau B.4**

**Les événements survenus durant les 30 premières minutes de la simulation**

| Heure | Client | Nombre au hasard | Heure d'arrivée | Nombre au hasard | Temps de traitement | Pharma-cienne | Aide | File d'attente |
|---|---|---|---|---|---|---|---|---|
| 9 :00 | $C_1$ | 09 | 9 :02 | 79 | 5 | – | – | – |
| 9 :01 | – | – | – | – | – | – | – | – |
| 9 :02 | $C_2$ | 72 | 9 :09 | 08 | 1 | $C_1$ | – | – |
| 9 :03 | – | – | – | – | – | $C_1$ | – | – |
| 9 :04 | – | – | – | – | – | $C_1$ | – | – |
| 9 :05 | – | – | – | – | – | $C_1$ | – | – |
| 9 :06 | – | – | – | – | – | $C_1$ | – | – |
| 9 :07 | – | – | – | – | – | – | – | – |
| 9 :08 | – | – | – | – | – | – | – | – |
| 9 :09 | $C_3$ | 09 | 9 :11 | 80 | 5 | $C_2$ | – | – |
| 9 :10 | – | – | – | – | – | – | – | – |
| 9 :11 | $C_4$ | 29 | 9 :15 | 81 | 5 | $C_3$ | – | – |
| 9 :12 | – | – | – | – | – | $C_3$ | – | – |
| 9 :13 | – | – | – | – | – | $C_3$ | – | – |
| 9 :14 | – | – | – | – | – | $C_3$ | – | – |
| 9 :15 | $C_5$ | 08 | 9 :17 | 59 | 4 | $C_3$ | $C_4$ | – |
| 9 :16 | – | – | – | – | – | – | $C_4$ | – |
| 9 :17 | $C_6$ | 73 | 9 :24 | 71 | 5 | $C_5$ | $C_4$ | – |
| 9 :18 | – | – | – | – | – | $C_5$ | $C_4$ | – |
| 9 :19 | – | – | – | – | – | $C_5$ | $C_4$ | – |
| 9 :20 | – | – | – | – | – | $C_5$ | – | – |
| 9 :21 | – | – | – | – | – | – | – | – |
| 9 :22 | – | – | – | – | – | – | – | – |
| 9 :23 | – | – | – | – | – | – | – | – |
| 9 :24 | $C_7$ | 37 | 9 :29 | 04 | 1 | $C_6$ | – | – |
| 9 :25 | – | – | – | – | – | $C_6$ | – | – |
| 9 :26 | – | – | – | – | – | $C_6$ | – | – |
| 9 :27 | – | – | – | – | – | $C_6$ | – | – |
| 9 :28 | – | – | – | – | – | $C_6$ | – | – |
| 9 :29 | $C_8$ | 45 | 9 :34 | 32 | 2 | $C_7$ | – | – |
| 9 :30 | – | – | – | – | – | – | – | – |

**Description :** Selon les données du tableau B.2, le nombre au hasard 09 indique un intervalle de 2 minutes entre le moment présent, 9 :00, et l'arrivée du premier client. Un autre nombre au hasard, 79, correspond à un temps de traitement de 5 minutes selon le tableau B.3. La pharmacienne est donc occupée de 9 :02 à 9 :06 inclusivement. L'arrivée du deuxième client n'a lieu qu'à 9 :09 à cause du nombre au hasard obtenu à partir d'une table de nombres au hasard semblable à la table 7 de l'annexe C.

▼ **FIGURE B.4**
**Le temps d'occupation des deux employées durant les 30 premières minutes de la simulation**

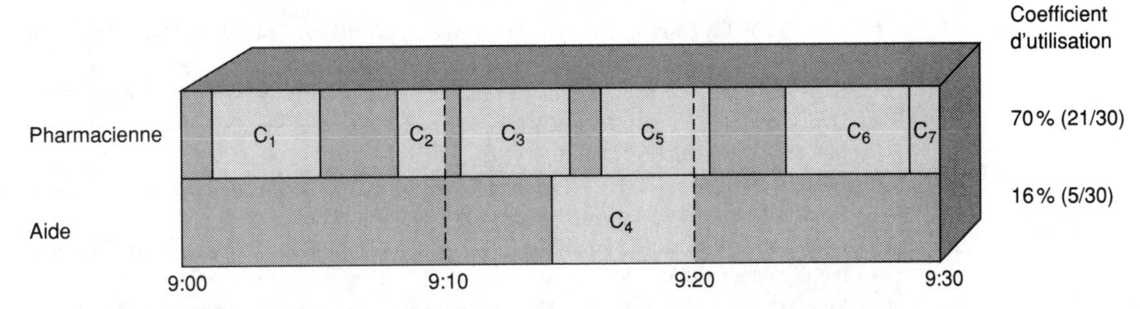


En reprenant cette simulation sur une période plus longue et à de nombreuses reprises, les résultats obtenus confirment les conclusions préliminaires. M. Latour tient à ce que les clients n'aient à patienter que quelques minutes tout au plus au comptoir. Comme le coût de renonciation d'un client perdu est élevé quand les marges bénéficiaires le sont aussi, il décide d'ajouter une aide pour le service au comptoir pharmaceutique.

## CONCLUSION

La simulation se révèle une technique très efficace, et tout laisse à penser qu'elle sera de plus en plus populaire dans les années à venir. L'utilisation optimale de cet outil requiert du gestionnaire une compréhension approfondie du fonctionnement du système à l'étude, de même qu'un bon jugement. Ces deux facteurs essentiels lui suffiront souvent à effectuer une simulation sans devoir recourir à des techniques qui peuvent s'avérer coûteuses. (C'est ce que nous avons voulu démontrer dans l'exemple précédent.)

De même, le gestionnaire doit savoir qu'un problème complexe ne requiert pas nécessairement une simulation compliquée et difficile à réaliser. Mais si tel est le cas, il peut recourir à une ressource précieuse, l'ordinateur. Il faut d'ailleurs ajouter que la très grande majorité des simulations est exécutée au moyen des logiciels déjà énumérés.

Enfin, notons que la meilleure façon d'évaluer une simulation consiste à en comparer les résultats avec les résultats réels. Toutes les étapes intermédiaires de la construction du modèle n'ont d'autre but que d'assurer cette représentativité.

## RÉFÉRENCES

1. ADAM Jr., E.E. et R.J. EBERT, *Production and Operations Management*, Englewood Cliffs, New Jersey, Prentice-Hall, 1978.
2. ANNINO, J.S. et E.C. RUSSELL, « The Seven Most Frequent Causes of Simulation Analysis Failure – And How to Avoid Them », *Interfaces*, juin 1981, p. 59-63.
3. BUFFA, E.S., *Modern Production/Operations Management*, 7e éd., New York, John Wiley & Sons, 1983.

4. BUFFA, E.S. et J.S. DYER, *Management Science/Operations Research*, 2e éd., New York, John Wiley & Sons, 1981.
5. CHASE, R.B. et N.J. AQUILANO, *Production and Operations Management*, 4e éd., Homewood, Illinois, Richard D. Irwin, 1985.
6. GIFFIN, W.C., *Queuing : Basic Theory and Applications*, Columbus, Ohio, Grid Publishing, 1978.
7. GORDON, G., *System Simulation*, 2e éd., Englewood Cliffs, New Jersey, Prentice-Hall, 1978.
8. HURRION, R.D. et R.J.R. SECKER, « Visual Interaction Simulation – An Aid to Decision Making », *Omega*, 1978, vol. 6, nº 5, p. 419-426.
9. JOHNSON, R.A., W.T. NEWELL et R.C. VERGIN, *Production and Operations Management*, Boston, Massachusetts, Houghton Mifflin Company, 1974.
10. LAW, A.M., « Statistical Analysis of Simulation Output Data », *Operations Research*, novembre-décembre 1983, p. 983-1029.
11. McLAIN, J.O. et L.J. THOMAS, *Operations Management*, Englewood Cliffs, New Jersey, Prentice-Hall, 1980.
12. MENIPAZ, E., *Essentials of Production and Operations Management*, Englewood Cliffs, New Jersey, Prentice-Hall, 1984.
13. PRITSKER, A.A. et C.D. PEGDEN, *Introduction to Simulation and SLAM*, New York, John Wiley & Sons, 1976.
14. RICHMAN, E. et D.R. COLEMAN, « Monte-Carlo Simulation for Management », *California Management Review*, printemps 1981, p. 82-91.
15. SCHROEDER, R.G., *Operations Management*, New York, McGraw-Hill, 1981.
16. WOOLSEY, G., « Whatever Happened to Simple Simulation ? A Question and an Answer », *Interfaces*, août 1979, p. 9-11.

ANNEXE C

# Les tables

**Table 1**

**La courbe d'apprentissage – les facteurs individuels**

| Unités fabriquées | Valeurs du coefficient ρ en % | | | | | | | |
|---|---|---|---|---|---|---|---|---|
| | 60 % | 65 % | 70 % | 75 % | 80 % | 85 % | 90 % | 95 % |
| 1 | 1,0000 | 1,0000 | 1,0000 | 1,0000 | 1,0000 | 1,0000 | 1,0000 | 1,0000 |
| 2 | 0,6000 | 0,6500 | 0,7000 | 0,7500 | 0,8000 | 0,8500 | 0,9000 | 0,9500 |
| 3 | 0,4450 | 0,5052 | 0,5682 | 0,6338 | 0,7021 | 0,7729 | 0,8462 | 0,9219 |
| 4 | 0,3600 | 0,4225 | 0,4900 | 0,5625 | 0,6400 | 0,7225 | 0,8100 | 0,9025 |
| 5 | 0,3054 | 0,3678 | 0,4368 | 0,5127 | 0,5956 | 0,6857 | 0,7830 | 0,8877 |
| 6 | 0,2670 | 0,3284 | 0,3977 | 0,4754 | 0,5617 | 0,6570 | 0,7616 | 0,8758 |
| 7 | 0,2383 | 0,2984 | 0,3674 | 0,4459 | 0,5345 | 0,6337 | 0,7439 | 0,8659 |
| 8 | 0,2160 | 0,2746 | 0,3430 | 0,4219 | 0,5120 | 0,6141 | 0,7290 | 0,8574 |
| 9 | 0,1980 | 0,2552 | 0,3228 | 0,4017 | 0,4930 | 0,5974 | 0,7161 | 0,8499 |
| 10 | 0,1832 | 0,2391 | 0,3058 | 0,3846 | 0,4765 | 0,5828 | 0,7047 | 0,8433 |
| 12 | 0,1602 | 0,2135 | 0,2784 | 0,3565 | 0,4493 | 0,5584 | 0,6854 | 0,8320 |
| 14 | 0,1430 | 0,1940 | 0,2572 | 0,3344 | 0,4276 | 0,5386 | 0,6696 | 0,8226 |
| 16 | 0,1296 | 0,1785 | 0,2401 | 0,3164 | 0,4096 | 0,5220 | 0,6561 | 0,8145 |
| 18 | 0,1188 | 0,1659 | 0,2260 | 0,3013 | 0,3944 | 0,5078 | 0,6445 | 0,8074 |
| 20 | 0,1099 | 0,1554 | 0,2141 | 0,2884 | 0,3812 | 0,4954 | 0,6342 | 0,8012 |
| 25 | 0,0933 | 0,1353 | 0,1908 | 0,2629 | 0,3548 | 0,4701 | 0,6131 | 0,7880 |
| 30 | 0,0815 | 0,1208 | 0,1737 | 0,2437 | 0,3346 | 0,4505 | 0,5963 | 0,7775 |
| 35 | 0,0728 | 0,1097 | 0,1605 | 0,2286 | 0,3184 | 0,4345 | 0,5825 | 0,7687 |
| 40 | 0,0660 | 0,1010 | 0,1498 | 0,2163 | 0,3050 | 0,4211 | 0,5708 | 0,7611 |
| 45 | 0,0605 | 0,0939 | 0,1410 | 0,2060 | 0,2936 | 0,4096 | 0,5607 | 0,7545 |
| 50 | 0,0560 | 0,0879 | 0,1336 | 0,1972 | 0,2838 | 0,3996 | 0,5518 | 0,7486 |
| 60 | 0,0489 | 0,0785 | 0,1216 | 0,1828 | 0,2676 | 0,3829 | 0,5367 | 0,7386 |
| 70 | 0,0437 | 0,0713 | 0,1123 | 0,1715 | 0,2547 | 0,3693 | 0,5243 | 0,7302 |
| 80 | 0,0396 | 0,0657 | 0,1049 | 0,1622 | 0,2440 | 0,3579 | 0,5137 | 0,7231 |
| 90 | 0,0363 | 0,0610 | 0,0987 | 0,1545 | 0,2349 | 0,3482 | 0,5046 | 0,7168 |
| 100 | 0,0336 | 0,0572 | 0,0935 | 0,1479 | 0,2271 | 0,3397 | 0,4966 | 0,7112 |
| 120 | 0,0294 | 0,0510 | 0,0851 | 0,1371 | 0,2141 | 0,3255 | 0,4830 | 0,7017 |
| 140 | 0,0262 | 0,0464 | 0,0786 | 0,1287 | 0,2038 | 0,3139 | 0,4718 | 0,6937 |
| 160 | 0,0237 | 0,0427 | 0,0734 | 0,1217 | 0,1952 | 0,3042 | 0,4623 | 0,6869 |
| 180 | 0,0218 | 0,0397 | 0,0691 | 0,1159 | 0,1879 | 0,2959 | 0,4541 | 0,6809 |
| 200 | 0,0201 | 0,0371 | 0,0655 | 0,1109 | 0,1816 | 0,2887 | 0,4469 | 0,6757 |
| 250 | 0,0171 | 0,0323 | 0,0584 | 0,1011 | 0,1691 | 0,2740 | 0,4320 | 0,6646 |
| 300 | 0,0149 | 0,0289 | 0,0531 | 0,0937 | 0,1594 | 0,2625 | 0,4202 | 0,6557 |
| 350 | 0,0133 | 0,0262 | 0,0491 | 0,0879 | 0,1517 | 0,2532 | 0,4105 | 0,6482 |
| 400 | 0,0121 | 0,0241 | 0,0458 | 0,0832 | 0,1453 | 0,2454 | 0,4022 | 0,6419 |
| 450 | 0,0111 | 0,0224 | 0,0431 | 0,0792 | 0,1399 | 0,2387 | 0,3951 | 0,6363 |
| 500 | 0,0103 | 0,0210 | 0,0408 | 0,0758 | 0,1352 | 0,2329 | 0,3888 | 0,6314 |
| 600 | 0,0090 | 0,0188 | 0,0372 | 0,0703 | 0,1275 | 0,2232 | 0,3782 | 0,6229 |
| 700 | 0,0080 | 0,0171 | 0,0344 | 0,0659 | 0,1214 | 0,2152 | 0,3694 | 0,6158 |
| 800 | 0,0073 | 0,0157 | 0,0321 | 0,0624 | 0,1163 | 0,2086 | 0,3620 | 0,6098 |
| 900 | 0,0067 | 0,0146 | 0,0302 | 0,0594 | 0,1119 | 0,2029 | 0,3556 | 0,6045 |
| 1 000 | 0,0062 | 0,0137 | 0,0286 | 0,0569 | 0,1082 | 0,1980 | 0,3499 | 0,5998 |
| 1 200 | 0,0054 | 0,0122 | 0,0260 | 0,0527 | 0,1020 | 0,1897 | 0,3404 | 0,5918 |
| 1 400 | 0,0048 | 0,0111 | 0,0240 | 0,0495 | 0,0971 | 0,1830 | 0,3325 | 0,5850 |
| 1 600 | 0,0044 | 0,0102 | 0,0225 | 0,0468 | 0,0930 | 0,1773 | 0,3258 | 0,5793 |
| 1 800 | 0,0040 | 0,0095 | 0,0211 | 0,0446 | 0,0895 | 0,1725 | 0,3200 | 0,5743 |
| 2 000 | 0,0037 | 0,0089 | 0,0200 | 0,0427 | 0,0866 | 0,1683 | 0,3149 | 0,5698 |

**Note :** Cette table fournit le temps **marginal** requis pour chaque unité selon la valeur ρ de la courbe d'apprentissage, lorsque la première unité requiert une heure-personne.

**Table 2**

**La courbe d'apprentissage – les facteurs cumulatifs**

| Unités fabriquées | Valeurs du coefficient ρ en % | | | | | | | |
|---|---|---|---|---|---|---|---|---|
| | 60 % | 65 % | 70 % | 75 % | 80 % | 85 % | 90 % | 95 % |
| 1 | 1,000 | 1,000 | 1,000 | 1,000 | 1,000 | 1,000 | 1,000 | 1,000 |
| 2 | 1,600 | 1,650 | 1,700 | 1,750 | 1,800 | 1,850 | 1,900 | 1,950 |
| 3 | 2,045 | 2,155 | 2,268 | 2,384 | 2,502 | 2,623 | 2,746 | 2,872 |
| 4 | 2,405 | 2,578 | 2,758 | 2,946 | 3,142 | 3,345 | 3,556 | 3,774 |
| 5 | 2,710 | 2,946 | 3,195 | 3,459 | 3,738 | 4,031 | 4,339 | 4,662 |
| 6 | 2,977 | 3,274 | 3,593 | 3,934 | 4,299 | 4,688 | 5,101 | 5,538 |
| 7 | 3,216 | 3,572 | 3,960 | 4,380 | 4,834 | 5,322 | 5,845 | 6,404 |
| 8 | 3,432 | 3,847 | 4,303 | 4,802 | 5,346 | 5,936 | 6,574 | 7,261 |
| 9 | 3,630 | 4,102 | 4,626 | 5,204 | 5,839 | 6,533 | 7,290 | 8,111 |
| 10 | 3,813 | 4,341 | 4,931 | 5,589 | 6,315 | 7,116 | 7,994 | 8,955 |
| 12 | 4,144 | 4,780 | 5,501 | 6,315 | 7,227 | 8,244 | 9,374 | 10,62 |
| 14 | 4,438 | 5,177 | 6,026 | 6,994 | 8,092 | 9,331 | 10,72 | 12,27 |
| 16 | 4,704 | 5,541 | 6,514 | 7,635 | 8,920 | 10,38 | 12,04 | 13,91 |
| 18 | 4,946 | 5,879 | 6,972 | 8,245 | 9,716 | 11,41 | 13,33 | 15,52 |
| 20 | 5,171 | 6,195 | 7,407 | 8,828 | 10,48 | 12,40 | 14,61 | 17,13 |
| 25 | 5,668 | 6,909 | 8,404 | 10,19 | 12,31 | 14,80 | 17,71 | 21,10 |
| 30 | 6,097 | 7,540 | 9,305 | 11,45 | 14,02 | 17,09 | 20,73 | 25,00 |
| 35 | 6,478 | 8,109 | 10,13 | 12,72 | 15,64 | 19,29 | 23,67 | 28,86 |
| 40 | 6,821 | 8,631 | 10,90 | 13,72 | 17,19 | 21,43 | 26,54 | 32,68 |
| 45 | 7,134 | 9,114 | 11,62 | 14,77 | 18,68 | 23,50 | 29,37 | 36,47 |
| 50 | 7,422 | 9,565 | 12,31 | 15,78 | 20,12 | 25,51 | 32,14 | 40,22 |
| 60 | 7,941 | 10,39 | 13,57 | 17,67 | 22,87 | 29,41 | 37,57 | 47,65 |
| 70 | 8,401 | 11,13 | 14,74 | 19,43 | 25,47 | 33,17 | 42,87 | 54,99 |
| 80 | 8,814 | 11,82 | 15,82 | 21,09 | 27,96 | 36,80 | 48,05 | 62,25 |
| 90 | 9,191 | 12,45 | 16,83 | 22,67 | 30,35 | 40,32 | 53,14 | 69,45 |
| 100 | 9,539 | 13,03 | 17,79 | 24,18 | 32,65 | 43,75 | 58,14 | 76,59 |
| 120 | 10,16 | 14,11 | 19,57 | 27,02 | 37,05 | 50,39 | 67,93 | 90,71 |
| 140 | 10,72 | 15,08 | 21,20 | 29,67 | 41,22 | 56,78 | 77,46 | 104,7 |
| 160 | 11,21 | 15,97 | 22,72 | 32,17 | 45,20 | 62,95 | 86,80 | 118,5 |
| 180 | 11,67 | 16,79 | 24,14 | 34,54 | 49,03 | 68,95 | 95,96 | 132,1 |
| 200 | 12,09 | 17,55 | 25,48 | 36,80 | 52,72 | 74,79 | 105,0 | 145,7 |
| 250 | 13,01 | 19,28 | 28,56 | 42,08 | 61,47 | 88,83 | 126,9 | 179,2 |
| 300 | 13,81 | 20,81 | 31,34 | 46,94 | 69,66 | 102,2 | 148,2 | 212,2 |
| 350 | 14,51 | 22,18 | 33,89 | 51,48 | 77,43 | 115,1 | 169,0 | 244,8 |
| 400 | 15,14 | 23,44 | 36,26 | 55,75 | 84,85 | 127,6 | 189,3 | 277,0 |
| 450 | 15,72 | 24,60 | 38,48 | 59,80 | 91,97 | 139,7 | 209,2 | 309,0 |
| 500 | 16,26 | 25,68 | 40,58 | 63,68 | 98,85 | 151,5 | 228,8 | 340,6 |
| 600 | 17,21 | 27,67 | 44,47 | 70,97 | 112,0 | 174,2 | 267,1 | 403,3 |
| 700 | 18,06 | 29,45 | 48,04 | 77,77 | 124,4 | 196,1 | 304,5 | 465,3 |
| 800 | 18,82 | 31,09 | 51,36 | 84,18 | 136,3 | 217,3 | 341,0 | 526,5 |
| 900 | 19,51 | 32,60 | 54,46 | 90,26 | 147,7 | 237,9 | 376,9 | 587,2 |
| 1 000 | 20,15 | 34,01 | 57,40 | 96,07 | 158,7 | 257,9 | 412,2 | 647,4 |
| 1 200 | 21,30 | 36,59 | 62,85 | 107,0 | 179,7 | 296,6 | 481,2 | 766,6 |
| 1 400 | 22,32 | 38,92 | 67,85 | 117,2 | 199,6 | 333,9 | 548,4 | 884,2 |
| 1 600 | 23,23 | 41,04 | 72,49 | 126,8 | 218,6 | 369,9 | 614,2 | 1001,0 |
| 1 800 | 24,06 | 43,00 | 76,8[illegible] | 135,9 | 236,8 | 404,9 | 678,8 | 1116,0 |
| 2 000 | 24,83 | 44,84 | 80,96 | 144,7 | 254,4 | 438,9 | 742,3 | 1230,0 |

**Note :** Cette table fournit le temps **cumulé** requis pour *n* unités selon la valeur ρ de la courbe d'apprentissage, lorsque la première unité requiert une heure-personne.

**Table 3**

**La distribution de la loi normale – les probabilités cumulatives**

| *z* | 0,00 | 0,01 | 0,02 | 0,03 | 0,04 | 0,05 | 0,06 | 0,07 | 0,08 | 0,09 |
|---|---|---|---|---|---|---|---|---|---|---|
| 0,0 | 0,5000 | 0,5040 | 0,5080 | 0,5120 | 0,5160 | 0,5199 | 0,5239 | 0,5279 | 0,5319 | 0,5359 |
| 0,1 | 0,5398 | 0,5438 | 0,5478 | 0,5517 | 0,5557 | 0,5596 | 0,5636 | 0,5675 | 0,5714 | 0,5753 |
| 0,2 | 0,5793 | 0,5832 | 0,5871 | 0,5910 | 0,5948 | 0,5987 | 0,6026 | 0,6064 | 0,6103 | 0,6141 |
| 0,3 | 0,6179 | 0,6217 | 0,6255 | 0,6293 | 0,6331 | 0,6368 | 0,6406 | 0,6443 | 0,6480 | 0,6517 |
| 0,4 | 0,6554 | 0,6591 | 0,6628 | 0,6664 | 0,6700 | 0,6736 | 0,6772 | 0,6808 | 0,6844 | 0,6879 |
| 0,5 | 0,6915 | 0,6950 | 0,6985 | 0,7019 | 0,7054 | 0,7088 | 0,7123 | 0,7157 | 0,7190 | 0,7224 |
| 0,6 | 0,7257 | 0,7291 | 0,7324 | 0,7357 | 0,7389 | 0,7422 | 0,7454 | 0,7486 | 0,7517 | 0,7549 |
| 0,7 | 0,7580 | 0,7611 | 0,7642 | 0,7673 | 0,7704 | 0,7734 | 0,7764 | 0,7794 | 0,7823 | 0,7852 |
| 0,8 | 0,7881 | 0,7910 | 0,7939 | 0,7967 | 0,7995 | 0,8023 | 0,8051 | 0,8078 | 0,8106 | 0,8133 |
| 0,9 | 0,8195 | 0,8186 | 0,8212 | 0,8238 | 0,8264 | 0,8289 | 0,8315 | 0,8340 | 0,8365 | 0,8389 |
| 1,0 | 0,8413 | 0,8438 | 0,8461 | 0,8485 | 0,8508 | 0,8531 | 0,8554 | 0,8577 | 0,8599 | 0,8621 |
| 1,1 | 0,8643 | 0,8665 | 0,8686 | 0,8708 | 0,8729 | 0,8749 | 0,8770 | 0,8790 | 0,8810 | 0,8830 |
| 1,2 | 0,8894 | 0,8869 | 0,8888 | 0,8907 | 0,8925 | 0,8944 | 0,8962 | 0,8980 | 0,8997 | 0,9015 |
| 1,3 | 0,9032 | 0,9049 | 0,9066 | 0,9082 | 0,9099 | 0,9115 | 0,9131 | 0,9147 | 0,9162 | 0,9177 |
| 1,4 | 0,9192 | 0,9207 | 0,9222 | 0,9236 | 0,9251 | 0,9265 | 0,9279 | 0,9292 | 0,9306 | 0,9319 |
| 1,5 | 0,9332 | 0,9345 | 0,9357 | 0,9370 | 0,9382 | 0,9394 | 0,9406 | 0,9418 | 0,9429 | 0,9441 |
| 1,6 | 0,9452 | 0,9463 | 0,9474 | 0,9484 | 0,9495 | 0,9505 | 0,9515 | 0,9525 | 0,9535 | 0,9545 |
| 1,7 | 0,9554 | 0,9564 | 0,9573 | 0,9582 | 0,9591 | 0,9599 | 0,9608 | 0,9616 | 0,9625 | 0,9633 |
| 1,8 | 0,9641 | 0,9649 | 0,9656 | 0,9664 | 0,9671 | 0,9678 | 0,9686 | 0,9693 | 0,9699 | 0,9706 |
| 1,9 | 0,9713 | 0,9719 | 0,9726 | 0,9732 | 0,9738 | 0,9744 | 0,9750 | 0,9756 | 0,9761 | 0,9767 |
| 2,0 | 0,9772 | 0,9778 | 0,9783 | 0,9788 | 0,9793 | 0,9798 | 0,9803 | 0,9808 | 0,9812 | 0,9817 |
| 2,1 | 0,9821 | 0,9826 | 0,9830 | 0,9834 | 0,9838 | 0,9842 | 0,9846 | 0,9850 | 0,9854 | 0,9857 |
| 2,2 | 0,9861 | 0,9864 | 0,9868 | 0,9871 | 0,9875 | 0,9878 | 0,9881 | 0,9884 | 0,9887 | 0,9890 |
| 2,3 | 0,9893 | 0,9896 | 0,9898 | 0,9901 | 0,9904 | 0,9906 | 0,9909 | 0,9911 | 0,9913 | 0,9916 |
| 2,4 | 0,9918 | 0,9920 | 0,9922 | 0,9925 | 0,9927 | 0,9929 | 0,9931 | 0,9932 | 0,9934 | 0,9936 |
| 2,5 | 0,9938 | 0,9940 | 0,9941 | 0,9943 | 0,9945 | 0,9946 | 0,9948 | 0,9949 | 0,9951 | 0,9952 |
| 2,6 | 0,9953 | 0,9955 | 0,9956 | 0,9957 | 0,9959 | 0,9960 | 0,9961 | 0,9962 | 0,9963 | 0,9964 |
| 2,7 | 0,9965 | 0,9966 | 0,9967 | 0,9968 | 0,9969 | 0,9970 | 0,9971 | 0,9972 | 0,9973 | 0,9974 |
| 2,8 | 0,9974 | 0,9975 | 0,9976 | 0,9977 | 0,9977 | 0,9978 | 0,9979 | 0,9979 | 0,9980 | 0,9981 |
| 2,9 | 0,9981 | 0,9982 | 0,9982 | 0,9983 | 0,9984 | 0,9984 | 0,9985 | 0,9985 | 0,9986 | 0,9986 |
| 3,0 | 0,9987 | 0,9987 | 0,9987 | 0,9988 | 0,9988 | 0,9989 | 0,9989 | 0,9989 | 0,9990 | 0,9990 |

**Note :** Ces probabilités s'étendent de $-\infty$ à $z$. On peut obtenir une probabilité pour une zone $-z$ à $z$ par symétrie.

**Table 4**

**La distribution de Poisson – les probabilités cumulatives**

| λ ou *np* \ *c* | 0 | 1 | 2 | 3 | 4 | 5 | 6 | 7 | 8 | 9 | 10 | 11 | 12 | 13 | 14 | 15 |
|---|---|---|---|---|---|---|---|---|---|---|---|---|---|---|---|---|
| 0,02 | 0,980 | 1,000 | | | | | | | | | | | | | | |
| 0,04 | 0,961 | 0,999 | 1,000 | | | | | | | | | | | | | |
| 0,06 | 0,942 | 0,998 | 1,000 | | | | | | | | | | | | | |
| 0,08 | 0,923 | 0,997 | 1,000 | | | | | | | | | | | | | |
| 0,10 | 0,905 | 0,995 | 1,000 | | | | | | | | | | | | | |
| 0,15 | 0,861 | 0,990 | 0,999 | 1,000 | | | | | | | | | | | | |
| 0,20 | 0,819 | 0,982 | 0,999 | 1,000 | | | | | | | | | | | | |
| 0,25 | 0,779 | 0,974 | 0,998 | 1,000 | | | | | | | | | | | | |
| 0,30 | 0,741 | 0,963 | 0,996 | 1,000 | | | | | | | | | | | | |
| 0,35 | 0,705 | 0,951 | 0,994 | 1,000 | | | | | | | | | | | | |
| 0,40 | 0,670 | 0,938 | 0,992 | 0,999 | 1,000 | | | | | | | | | | | |
| 0,45 | 0,638 | 0,925 | 0,989 | 0,999 | 1,000 | | | | | | | | | | | |
| 0,50 | 0,607 | 0,910 | 0,986 | 0,998 | 1,000 | | | | | | | | | | | |
| 0,55 | 0,577 | 0,894 | 0,982 | 0,998 | 1,000 | | | | | | | | | | | |
| 0,60 | 0,549 | 0,878 | 0,977 | 0,997 | 1,000 | | | | | | | | | | | |
| 0,65 | 0,522 | 0,861 | 0,972 | 0,996 | 0,999 | 1,000 | | | | | | | | | | |
| 0,70 | 0,497 | 0,844 | 0,966 | 0,994 | 0,999 | 1,000 | | | | | | | | | | |
| 0,75 | 0,472 | 0,827 | 0,959 | 0,993 | 0,999 | 1,000 | | | | | | | | | | |
| 0,80 | 0,449 | 0,809 | 0,953 | 0,991 | 0,999 | 1,000 | | | | | | | | | | |
| 0,85 | 0,427 | 0,791 | 0,945 | 0,989 | 0,998 | 1,000 | | | | | | | | | | |
| 0,90 | 0,407 | 0,772 | 0,937 | 0,987 | 0,998 | 1,000 | | | | | | | | | | |
| 0,95 | 0,387 | 0,754 | 0,929 | 0,984 | 0,997 | 1,000 | | | | | | | | | | |
| 1,00 | 0,368 | 0,736 | 0,920 | 0,981 | 0,996 | 0,999 | 1,000 | | | | | | | | | |
| 1,1 | 0,333 | 0,699 | 0,900 | 0,974 | 0,995 | 0,999 | 1,000 | | | | | | | | | |
| 1,2 | 0,301 | 0,663 | 0,879 | 0,966 | 0,992 | 0,998 | 1,000 | | | | | | | | | |
| 1,3 | 0,273 | 0,627 | 0,857 | 0,957 | 0,989 | 0,998 | 1,000 | | | | | | | | | |
| 1,4 | 0,247 | 0,592 | 0,833 | 0,946 | 0,986 | 0,997 | 0,999 | 1,000 | | | | | | | | |
| 1,5 | 0,223 | 0,558 | 0,809 | 0,934 | 0,981 | 0,996 | 0,999 | 1,000 | | | | | | | | |
| 1,6 | 0,202 | 0,525 | 0,783 | 0,921 | 0,976 | 0,994 | 0,999 | 1,000 | | | | | | | | |
| 1,7 | 0,183 | 0,493 | 0,757 | 0,907 | 0,970 | 0,992 | 0,998 | 1,000 | | | | | | | | |
| 1,8 | 0,165 | 0,463 | 0,731 | 0,891 | 0,964 | 0,990 | 0,997 | 0,999 | 1,000 | | | | | | | |
| 1,9 | 0,150 | 0,434 | 0,704 | 0,875 | 0,956 | 0,987 | 0,997 | 0,999 | 1,000 | | | | | | | |
| 2,0 | 0,135 | 0,406 | 0,677 | 0,857 | 0,947 | 0,983 | 0,995 | 0,999 | 1,000 | | | | | | | |
| 2,2 | 0,111 | 0,355 | 0,623 | 0,819 | 0,928 | 0,975 | 0,993 | 0,998 | 1,000 | | | | | | | |
| 2,4 | 0,091 | 0,308 | 0,570 | 0,779 | 0,904 | 0,964 | 0,988 | 0,997 | 0,999 | 1,000 | | | | | | |
| 2,6 | 0,074 | 0,267 | 0,518 | 0,736 | 0,877 | 0,951 | 0,983 | 0,995 | 0,999 | 1,000 | | | | | | |
| 2,8 | 0,061 | 0,231 | 0,469 | 0,692 | 0,848 | 0,935 | 0,976 | 0,992 | 0,998 | 0,999 | 1,000 | | | | | |
| 3,0 | 0,050 | 0,199 | 0,423 | 0,647 | 0,815 | 0,916 | 0,966 | 0,988 | 0,996 | 0,999 | 1,000 | | | | | |

**Table 4**

**La distribution de Poisson – les probabilités cumulatives (*suite*)**

| λ ou np \ c | 0 | 1 | 2 | 3 | 4 | 5 | 6 | 7 | 8 | 9 | 10 | 11 | 12 | 13 | 14 | 15 |
|---|---|---|---|---|---|---|---|---|---|---|---|---|---|---|---|---|
| 3,2 | 0,041 | 0,171 | 0,380 | 0,603 | 0,781 | 0,895 | 0,955 | 0,983 | 0,994 | 0,998 | 1,000 | | | | | |
| 3,4 | 0,033 | 0,147 | 0,340 | 0,558 | 0,744 | 0,871 | 0,942 | 0,977 | 0,992 | 0,997 | 0,999 | 1,000 | | | | |
| 3,6 | 0,027 | 0,126 | 0,303 | 0,515 | 0,706 | 0,844 | 0,927 | 0,969 | 0,988 | 0,996 | 0,999 | 1,000 | | | | |
| 3,8 | 0,022 | 0,107 | 0,269 | 0,473 | 0,668 | 0,816 | 0,909 | 0,960 | 0,984 | 0,994 | 0,998 | 0,999 | 1,000 | | | |
| 4,0 | 0,018 | 0,092 | 0,238 | 0,433 | 0,629 | 0,785 | 0,889 | 0,949 | 0,979 | 0,992 | 0,997 | 0,999 | 1,000 | | | |
| 4,2 | 0,015 | 0,078 | 0,210 | 0,395 | 0,590 | 0,753 | 0,867 | 0,936 | 0,972 | 0,989 | 0,996 | 0,999 | 1,000 | | | |
| 4,4 | 0,012 | 0,066 | 0,185 | 0,359 | 0,551 | 0,720 | 0,844 | 0,921 | 0,964 | 0,985 | 0,994 | 0,998 | 0,999 | 1,000 | | |
| 4,6 | 0,010 | 0,056 | 0,163 | 0,326 | 0,513 | 0,686 | 0,818 | 0,905 | 0,955 | 0,980 | 0,992 | 0,997 | 0,999 | 1,000 | | |
| 4,8 | 0,008 | 0,048 | 0,143 | 0,294 | 0,476 | 0,651 | 0,791 | 0,887 | 0,944 | 0,975 | 0,990 | 0,996 | 0,999 | 1,000 | | |
| 5,0 | 0,007 | 0,040 | 0,125 | 0,265 | 0,440 | 0,616 | 0,762 | 0,867 | 0,932 | 0,968 | 0,986 | 0,995 | 0,998 | 0,999 | 1,000 | |
| 5,2 | 0,006 | 0,034 | 0,109 | 0,238 | 0,406 | 0,581 | 0,732 | 0,845 | 0,918 | 0,960 | 0,982 | 0,993 | 0,997 | 0,999 | 1,000 | |
| 5,4 | 0,005 | 0,029 | 0,095 | 0,213 | 0,373 | 0,546 | 0,702 | 0,822 | 0,903 | 0,951 | 0,977 | 0,990 | 0,996 | 0,999 | 1,000 | |
| 5,6 | 0,004 | 0,024 | 0,082 | 0,191 | 0,342 | 0,512 | 0,670 | 0,797 | 0,886 | 0,941 | 0,972 | 0,988 | 0,995 | 0,998 | 0,999 | 1,000 |
| 5,8 | 0,003 | 0,021 | 0,072 | 0,170 | 0,313 | 0,478 | 0,638 | 0,771 | 0,867 | 0,929 | 0,965 | 0,984 | 0,993 | 0,997 | 0,999 | 1,000 |
| 6,0 | 0,002 | 0,017 | 0,062 | 0,151 | 0,285 | 0,446 | 0,606 | 0,744 | 0,847 | 0,916 | 0,957 | 0,980 | 0,991 | 0,996 | 0,999 | 1,000 |
| 6,2 | 0,002 | 0,015 | 0,054 | 0,134 | 0,259 | 0,414 | 0,574 | 0,716 | 0,826 | 0,902 | 0,949 | 0,975 | 0,989 | 0,995 | 0,998 | 0,999 |
| 6,4 | 0,002 | 0,012 | 0,046 | 0,119 | 0,235 | 0,384 | 0,542 | 0,687 | 0,803 | 0,886 | 0,939 | 0,969 | 0,986 | 0,994 | 0,997 | 0,999 |
| 6,6 | 0,001 | 0,010 | 0,040 | 0,105 | 0,213 | 0,355 | 0,511 | 0,658 | 0,780 | 0,869 | 0,927 | 0,963 | 0,982 | 0,992 | 0,997 | 0,999 |
| 6,8 | 0,001 | 0,009 | 0,034 | 0,093 | 0,192 | 0,327 | 0,480 | 0,628 | 0,755 | 0,850 | 0,915 | 0,955 | 0,978 | 0,990 | 0,996 | 0,998 |
| 7,0 | 0,001 | 0,007 | 0,030 | 0,082 | 0,173 | 0,301 | 0,450 | 0,599 | 0,729 | 0,830 | 0,901 | 0,947 | 0,973 | 0,987 | 0,994 | 0,998 |
| 7,2 | 0,001 | 0,006 | 0,025 | 0,072 | 0,156 | 0,276 | 0,420 | 0,569 | 0,703 | 0,810 | 0,887 | 0,937 | 0,967 | 0,984 | 0,993 | 0,997 |
| 7,4 | 0,001 | 0,005 | 0,022 | 0,063 | 0,140 | 0,253 | 0,392 | 0,539 | 0,676 | 0,788 | 0,871 | 0,926 | 0,961 | 0,980 | 0,991 | 0,996 |
| 7,6 | 0,001 | 0,004 | 0,019 | 0,055 | 0,125 | 0,231 | 0,365 | 0,510 | 0,648 | 0,765 | 0,854 | 0,915 | 0,954 | 0,976 | 0,989 | 0,995 |
| 7,8 | 0,000 | 0,004 | 0,016 | 0,048 | 0,112 | 0,210 | 0,338 | 0,481 | 0,620 | 0,741 | 0,835 | 0,902 | 0,945 | 0,971 | 0,986 | 0,993 |
| 8,0 | 0,000 | 0,003 | 0,014 | 0,042 | 0,100 | 0,191 | 0,313 | 0,453 | 0,593 | 0,717 | 0,816 | 0,888 | 0,936 | 0,966 | 0,983 | 0,992 |
| 8,5 | 0,000 | 0,002 | 0,009 | 0,030 | 0,074 | 0,150 | 0,256 | 0,386 | 0,523 | 0,653 | 0,763 | 0,849 | 0,909 | 0,949 | 0,973 | 0,986 |
| 9,0 | 0,000 | 0,001 | 0,006 | 0,021 | 0,055 | 0,116 | 0,207 | 0,324 | 0,456 | 0,587 | 0,706 | 0,803 | 0,876 | 0,926 | 0,959 | 0,978 |
| 9,5 | 0,000 | 0,001 | 0,004 | 0,015 | 0,040 | 0,089 | 0,165 | 0,269 | 0,392 | 0,522 | 0,645 | 0,752 | 0,836 | 0,898 | 0,940 | 0,967 |
| 10,0 | 0,000 | 0,000 | 0,003 | 0,010 | 0,029 | 0,067 | 0,130 | 0,220 | 0,333 | 0,458 | 0,583 | 0,697 | 0,792 | 0,864 | 0,917 | 0,951 |
| 10,5 | 0,000 | 0,000 | 0,002 | 0,007 | 0,021 | 0,050 | 0,102 | 0,179 | 0,279 | 0,397 | 0,521 | 0,639 | 0,742 | 0,825 | 0,888 | 0,932 |
| 11,0 | 0,000 | 0,000 | 0,001 | 0,005 | 0,015 | 0,038 | 0,079 | 0,143 | 0,232 | 0,341 | 0,460 | 0,579 | 0,689 | 0,781 | 0,854 | 0,907 |
| 11,5 | 0,000 | 0,000 | 0,001 | 0,003 | 0,011 | 0,028 | 0,060 | 0,114 | 0,191 | 0,289 | 0,402 | 0,520 | 0,633 | 0,733 | 0,815 | 0,878 |
| 12,0 | 0,000 | 0,000 | 0,001 | 0,002 | 0,008 | 0,020 | 0,046 | 0,090 | 0,155 | 0,242 | 0,347 | 0,462 | 0,576 | 0,682 | 0,772 | 0,844 |
| 12,5 | 0,000 | 0,000 | 0,000 | 0,002 | 0,005 | 0,015 | 0,035 | 0,070 | 0,125 | 0,201 | 0,297 | 0,406 | 0,519 | 0,628 | 0,725 | 0,806 |
| 13,0 | 0,000 | 0,000 | 0,000 | 0,001 | 0,004 | 0,011 | 0,026 | 0,054 | 0,100 | 0,166 | 0,252 | 0,353 | 0,463 | 0,573 | 0,675 | 0,764 |
| 13,5 | 0,000 | 0,000 | 0,000 | 0,001 | 0,003 | 0,008 | 0,019 | 0,041 | 0,079 | 0,135 | 0,211 | 0,304 | 0,409 | 0,518 | 0,623 | 0,718 |
| 14,0 | 0,000 | 0,000 | 0,000 | 0,000 | 0,002 | 0,006 | 0,014 | 0,032 | 0,062 | 0,109 | 0,176 | 0,260 | 0,358 | 0,464 | 0,570 | 0,669 |
| 14,5 | 0,000 | 0,000 | 0,000 | 0,000 | 0,001 | 0,004 | 0,010 | 0,024 | 0,048 | 0,088 | 0,145 | 0,220 | 0,311 | 0,413 | 0,518 | 0,619 |
| 15,0 | 0,000 | 0,000 | 0,000 | 0,000 | 0,001 | 0,003 | 0,008 | 0,018 | 0,037 | 0,070 | 0,118 | 0,185 | 0,268 | 0,363 | 0,466 | 0,568 |

**Table 5**

**MIL-STD. 105D (BNQ 9911-105), la table des lettres codes**

| Effectif du lot | | | Niveaux de contrôle spéciaux | | | | Niveaux de contrôle pour usages généraux | | |
|---|---|---|---|---|---|---|---|---|---|
| | | | S-1 | S-2 | S-3 | S-4 | I | II | III |
| 2 | à | 8 | A | A | A | A | A | A | B |
| 9 | à | 15 | A | A | A | A | A | B | C |
| 16 | à | 25 | A | A | B | B | B | C | D |
| 26 | à | 50 | A | B | B | C | C | D | E |
| 51 | à | 90 | B | B | C | C | C | E | F |
| 91 | à | 150 | B | B | C | D | D | F | G |
| 151 | à | 280 | B | C | D | E | E | G | H |
| 281 | à | 500 | B | C | D | E | F | H | J |
| 501 | à | 1 200 | C | C | E | F | G | J | K |
| 1 201 | à | 3 200 | C | D | E | G | H | K | L |
| 3 201 | à | 10 000 | C | D | F | G | J | L | M |
| 10 001 | à | 35 000 | C | D | F | H | K | M | N |
| 35 001 | à | 150 000 | D | E | G | J | L | N | P |
| 150 001 | à | 500 000 | D | E | G | J | M | P | Q |
| 500 001 | et au-dessus | | D | E | H | K | N | Q | R |

**Source :** Bureau de normalisation du Québec, « Norme (S1) – Échantillonnage – Plans et règles pour les contrôles par attributs », BNQ 9911-105, p. 11, Gouvernement du Québec, 1980.

Table 5 (*suite*)

## La table pour échantillonnage simple et normal

| Lettres codes | Effectif de l'échantillon | Niveau de qualité acceptable (contrôle normal) | | | | | | | | | | | | | | | | | | | | | | | | | |
|---|---|---|---|---|---|---|---|---|---|---|---|---|---|---|---|---|---|---|---|---|---|---|---|---|---|---|---|
| | | 0,010 | 0,015 | 0,025 | 0,040 | 0,065 | 0,10 | 0,15 | 0,25 | 0,40 | 0,65 | 1,0 | 1,5 | 2,5 | 4,0 | 6,5 | 10 | 15 | 25 | 40 | 65 | 100 | 150 | 250 | 400 | 650 | 1 000 |
| | | Ac Re | Ac Re | Ac Re | Ac Re | Ac Re | Ac Re | Ac Re | Ac Re | Ac Re | Ac Re | Ac Re | Ac Re | Ac Re | Ac Re | Ac Re | Ac Re | Ac Re | Ac Re | Ac Re | Ac Re | Ac Re | Ac Re | Ac Re | Ac Re | Ac Re | Ac Re |
| A | 2 | | | | | | | | | | | | | | ↓ | 0 1 | | ↓ | 1 2 | 2 3 | 3 4 | 5 6 | 7 8 | 10 11 | 14 15 | 21 22 | 30 31 |
| B | 3 | | | | | | | | | | | | | ↓ | 0 1 | ↑ | ↓ | 1 2 | 2 3 | 3 4 | 5 6 | 7 8 | 10 11 | 14 15 | 21 22 | 30 31 | 44 45 |
| C | 5 | | | | | | | | | | | | ↓ | 0 1 | ↑ | ↓ | 1 2 | 2 3 | 3 4 | 5 6 | 7 8 | 10 11 | 14 15 | 21 22 | 30 31 | 44 45 | ↑ |
| D | 8 | | | | | | | | | | | ↓ | 0 1 | ↑ | ↓ | 1 2 | 2 3 | 3 4 | 5 6 | 7 8 | 10 11 | 14 15 | 21 22 | 30 31 | 44 45 | ↑ | |
| E | 13 | | | | | | | | | | ↓ | 0 1 | ↑ | ↓ | 1 2 | 2 3 | 3 4 | 5 6 | 7 8 | 10 11 | 14 15 | 21 22 | 30 31 | 44 45 | ↑ | | |
| F | 20 | | | | | | | | | ↓ | 0 1 | ↑ | ↓ | 1 2 | 2 3 | 3 4 | 5 6 | 7 8 | 10 11 | 14 15 | 21 22 | ↑ | ↑ | ↑ | | | |
| G | 32 | | | | | | | | ↓ | 0 1 | ↑ | ↓ | 1 2 | 2 3 | 3 4 | 5 6 | 7 8 | 10 11 | 14 15 | 21 22 | ↑ | | | | | | |
| H | 50 | | | | | | | ↓ | 0 1 | ↑ | ↓ | 1 2 | 2 3 | 3 4 | 5 6 | 7 8 | 10 11 | 14 15 | 21 22 | ↑ | | | | | | | |
| J | 80 | | | | | | ↓ | 0 1 | ↑ | ↓ | 1 2 | 2 3 | 3 4 | 5 6 | 7 8 | 10 11 | 14 15 | 21 22 | ↑ | | | | | | | | |
| K | 125 | | | | | ↓ | 0 1 | ↑ | ↓ | 1 2 | 2 3 | 3 4 | 5 6 | 7 8 | 10 11 | 14 15 | 21 22 | ↑ | | | | | | | | | |
| L | 200 | | | | ↓ | 0 1 | ↑ | ↓ | 1 2 | 2 3 | 3 4 | 5 6 | 7 8 | 10 11 | 14 15 | 21 22 | ↑ | | | | | | | | | | |
| M | 315 | | | ↓ | 0 1 | ↑ | ↓ | 1 2 | 2 3 | 3 4 | 5 6 | 7 8 | 10 11 | 14 15 | 21 22 | ↑ | | | | | | | | | | | |
| N | 500 | | ↓ | 0 1 | ↑ | ↓ | 1 2 | 2 3 | 3 4 | 5 6 | 7 8 | 10 11 | 14 15 | 21 22 | ↑ | | | | | | | | | | | | |
| P | 800 | ↓ | 0 1 | ↑ | ↓ | 1 2 | 2 3 | 3 4 | 5 6 | 7 8 | 10 11 | 14 15 | 21 22 | ↑ | | | | | | | | | | | | | |
| Q | 1 250 | 0 1 | ↑ | ↓ | 1 2 | 2 3 | 3 4 | 5 6 | 7 8 | 10 11 | 14 15 | 21 22 | ↑ | | | | | | | | | | | | | | |
| R | 2 000 | ↑ | | 1 2 | 2 3 | 3 4 | 5 6 | 7 8 | 10 11 | 14 15 | 21 22 | ↑ | | | | | | | | | | | | | | | |

↓ = Utiliser le premier plan d'échantillonnage situé au-dessous de la flèche. Si l'effectif de l'échantillon est égal ou supérieur à l'effectif du lot, effectuer un contrôle à 100 %.

↑ = Utiliser le premier plan d'échantillonnage situé au-dessus de la flèche.

Ac = Critère d'acceptation.

Re = Critère de rejet.

Qualité des lots présentés («p» en pourcentage de défectueux pour les NQA ≤ 10; en défauts par 100 unités pour les NQA de 0 à 1 000).

**Source** : Bureau de normalisation du Québec, « Norme (S1) – Échantillonnage – Plans et règles pour les contrôles par attributs », BNQ 9911-105, p. 12, Gouvernement du Québec, 1980.

**Table 6**

**Les coefficients utiles pour le calcul de cartes de contrôle**

| Taille d'échantillon | Coefficients pour la carte $\bar{X}$ | Coefficients pour la carte *E* | | |
|---|---|---|---|---|
| | | Limite inférieure de contrôle | Limite supérieure de contrôle | Axe central |
| $n$ | $A_2$ | $D_3$ | $D_4$ | $d_2 = \frac{\bar{E}}{\sigma}$ |
| 2 | 1,880 | 0,000 | 3,267 | 1,128 |
| 3 | 1,023 | 0,000 | 2,575 | 1,693 |
| 4 | 0,729 | 0,000 | 2,282 | 2,059 |
| 5 | 0,577 | 0,000 | 2,115 | 2,326 |
| 6 | 0,483 | 0,000 | 2,004 | 2,534 |
| 7 | 0,419 | 0,076 | 1,924 | 2,704 |
| 8 | 0,373 | 0,136 | 1,864 | 2,847 |
| 9 | 0,337 | 0,184 | 1,816 | 2,970 |
| 10 | 0,308 | 0,223 | 1,777 | 3,078 |
| 11 | 0,285 | 0,256 | 1,744 | 3,173 |
| 12 | 0,266 | 0,284 | 1,716 | 3,258 |
| 13 | 0,249 | 0,308 | 1,692 | 3,336 |
| 14 | 0,235 | 0,329 | 1,671 | 3,407 |
| 15 | 0,223 | 0,348 | 1,652 | 3,472 |
| 16 | 0,212 | 0,364 | 1,636 | 3,532 |
| 17 | 0,203 | 0,379 | 1,621 | 3,588 |
| 18 | 0,194 | 0,392 | 1,608 | 3,640 |
| 19 | 0,187 | 0,404 | 1,596 | 3,689 |
| 20 | 0,180 | 0,414 | 1,586 | 3,735 |
| 21 | 0,173 | 0,425 | 1,575 | 3,778 |
| 22 | 0,167 | 0,434 | 1,566 | 3,819 |
| 23 | 0,162 | 0,443 | 1,557 | 3,858 |
| 24 | 0,157 | 0,452 | 1,548 | 3,895 |
| 25 | 0,153 | 0,459 | 1,541 | 3,931 |

**Table 7**

**Les nombres au hasard**

| | | | | | | | | | |
|---|---|---|---|---|---|---|---|---|---|
| 83967 | 14924 | 89541 | 51612 | 74638 | 22887 | 01440 | 77044 | 88765 | 67919 |
| 84810 | 71607 | 28345 | 81501 | 01939 | 79269 | 48553 | 18277 | 72464 | 73678 |
| 49990 | 60102 | 81465 | 64575 | 29842 | 09931 | 07863 | 00794 | 03278 | 01746 |
| 02051 | 56587 | 00449 | 70323 | 12031 | 12667 | 59220 | 90638 | 63963 | 94213 |
| 65332 | 33393 | 55620 | 04433 | 42005 | 73246 | 93517 | 26453 | 01200 | 72848 |
| 16488 | 30109 | 68269 | 37990 | 47977 | 12554 | 18395 | 15333 | 63234 | 97025 |
| 42309 | 92592 | 36735 | 55291 | 19328 | 35287 | 96921 | 69836 | 47322 | 34173 |
| 04063 | 78232 | 58341 | 72165 | 29645 | 51112 | 53350 | 91169 | 81354 | 39908 |
| 84715 | 27421 | 44561 | 12085 | 53397 | 68175 | 91171 | 52015 | 47967 | 07223 |
| 41808 | 73356 | 81204 | 72525 | 26916 | 93035 | 09779 | 26854 | 74085 | 75577 |
| 63919 | 26528 | 31143 | 72416 | 36692 | 86316 | 74642 | 61419 | 82980 | 17560 |
| 83977 | 22550 | 87432 | 55450 | 25262 | 58739 | 01013 | 53986 | 62819 | 54189 |
| 97595 | 07664 | 26011 | 93502 | 95021 | 39467 | 19520 | 76784 | 15976 | 69282 |
| 17116 | 37954 | 71877 | 89252 | 29524 | 01604 | 78332 | 13444 | 87007 | 47707 |
| 78300 | 10752 | 90692 | 25847 | 17030 | 46309 | 16896 | 86861 | 66763 | 16917 |
| 42649 | 72929 | 11786 | 61052 | 09119 | 57481 | 15102 | 22645 | 64731 | 28369 |
| 34037 | 66495 | 15876 | 49914 | 81101 | 10242 | 18584 | 84838 | 84286 | 94905 |
| 84573 | 11233 | 57725 | 59688 | 69328 | 50492 | 53498 | 76395 | 52705 | 14914 |
| 08813 | 72506 | 89937 | 70437 | 39595 | 33439 | 69880 | 92733 | 85504 | 40482 |
| 14453 | 28524 | 00505 | 49093 | 49356 | 07906 | 99944 | 42915 | 90122 | 04254 |
| 67115 | 09713 | 53488 | 65453 | 28077 | 44302 | 35518 | 36525 | 28243 | 15801 |
| 41050 | 70270 | 37253 | 04510 | 15634 | 53906 | 88843 | 91204 | 80853 | 86163 |
| 14596 | 51852 | 42652 | 33009 | 93498 | 90782 | 34549 | 79647 | 84575 | 64270 |
| 62802 | 70782 | 19438 | 74095 | 44669 | 86482 | 76634 | 06821 | 35509 | 67491 |
| 70258 | 31460 | 97588 | 60863 | 18804 | 74258 | 58512 | 57562 | 81847 | 97537 |
| 26948 | 22222 | 32681 | 47666 | 00675 | 35037 | 91404 | 97932 | 56686 | 85710 |
| 83369 | 14328 | 23790 | 32429 | 04333 | 93470 | 00006 | 53143 | 41624 | 40254 |
| 81179 | 05024 | 30432 | 34781 | 04135 | 99768 | 65951 | 79207 | 30353 | 71102 |
| 83811 | 84002 | 07192 | 75171 | 32998 | 58893 | 70700 | 45538 | 07163 | 14252 |
| 49358 | 98073 | 99111 | 34768 | 05749 | 31856 | 76550 | 26164 | 79663 | 97378 |
| 68220 | 48443 | 96946 | 83149 | 49913 | 71387 | 50502 | 35754 | 95672 | 50840 |
| 09310 | 05061 | 71578 | 47096 | 48649 | 32532 | 39890 | 69737 | 63440 | 24573 |
| 24862 | 04020 | 10485 | 82977 | 83941 | 31261 | 30862 | 53123 | 79347 | 09247 |
| 72454 | 00111 | 70568 | 42384 | 55154 | 18424 | 61996 | 37536 | 67688 | 49846 |
| 45390 | 45974 | 38089 | 38894 | 03414 | 37582 | 71899 | 20677 | 56113 | 63450 |
| 89862 | 75158 | 88260 | 46611 | 56591 | 75549 | 05347 | 96258 | 11383 | 99200 |
| 95188 | 85863 | 23772 | 11654 | 60416 | 66254 | 53653 | 50801 | 51707 | 36900 |
| 15046 | 04962 | 80893 | 87145 | 43296 | 47451 | 42108 | 06018 | 67390 | 90423 |
| 42833 | 68672 | 70686 | 20934 | 79500 | 64409 | 47671 | 71747 | 92520 | 05383 |
| 64257 | 97486 | 50941 | 92047 | 97123 | 69116 | 18456 | 56066 | 91099 | 81875 |
| 73898 | 41586 | 87746 | 73523 | 63258 | 92394 | 84376 | 33867 | 60633 | 44127 |
| 80237 | 52241 | 92530 | 33681 | 85064 | 60636 | 49509 | 17121 | 08053 | 51371 |
| 12780 | 48192 | 84074 | 04194 | 19380 | 24737 | 00204 | 77861 | 46743 | 60925 |
| 44379 | 25266 | 52350 | 25797 | 80895 | 05521 | 58688 | 15989 | 35951 | 18886 |
| 78345 | 41277 | 29656 | 60400 | 70531 | 94918 | 43699 | 35663 | 06520 | 53678 |
| 79876 | 20477 | 15020 | 15908 | 36958 | 40144 | 25438 | 23046 | 90232 | 91098 |
| 35997 | 51080 | 06428 | 23261 | 45679 | 89549 | 13450 | 74163 | 30390 | 87346 |
| 07259 | 72771 | 17554 | 58133 | 94500 | 63308 | 50811 | 75108 | 54691 | 58679 |
| 47774 | 05905 | 05867 | 62842 | 49425 | 32541 | 76771 | 07999 | 35986 | 58221 |
| 75462 | 86471 | 27043 | 68089 | 39440 | 99419 | 02580 | 70821 | 22480 | 24456 |

# INDEX DES AUTEURS

K



L



M



N



O

V



W



Y



Z

# INDEX DES SUJETS

## D

## H



## I

## T